Gerechtigheid

Van dezelfde auteur

Mannen die vrouwen haten
De vrouw die met vuur speelde

STIEG LARSSON

GERECHTIGHEID

Vertaald door
Tineke Jorissen-Wedzinga

2008
uitgeverij Signatuur / Utrecht

First published by Norstedts, Sweden 2006.
Published by agreement with Pan Agency.
Oorspronkelijke titel: Luftslottet som sprängdes
Vertaald uit het Zweeds door: Tineke Jorissen-Wedzinga

Omslagontwerp: Wil Immink Design
Omslagfoto: © Johan Bergmark
Typografie: Pre Press Media Groep, Zeist
Druk- en bindwerk: Koninklijke Wöhrman, Zutphen

ISBN 978 90 5672 407 8
NUR 305

Eerste druk, oktober 2008
Negentiende druk, juni 2012

Deel 1

INTERMEZZO OP DE GANG VAN EEN ZIEKENHUIS

8 tot 12 april

In de Amerikaanse Burgeroorlog vochten naar schatting zeshonderd vrouwen mee. Ze hadden dienst genomen verkleed als man. Daar heeft Hollywood een stuk cultuurgeschiedenis laten liggen – of is dat verhaal wellicht ideologisch te lastig? De geschiedenisboeken hebben altijd al moeite met vrouwen die de grenzen van de sekse niet respecteren, en nergens is die grens zo scherp als bij oorlogen en het hanteren van wapens.

De geschiedenis, van de klassieke oudheid tot de moderne tijd, bevat echter een groot aantal verhalen over vrouwelijke krijgers – amazonen. De bekendste voorbeelden krijgen een plekje in de geschiedenisboeken omdat ze koninginnen zijn, dat wil zeggen: vertegenwoordigsters van de heersende klasse. De politieke troonopvolging, hoe onaangenaam dat ook kan klinken, zet namelijk met zekere regelmaat een vrouw op de troon. Omdat oorlogen zich niet laten leiden door het geslacht, maar gewoon plaatsvinden – ook wanneer het land op dat moment wordt geleid door een vrouw – is de consequentie dat de geschiedenisboeken wel een aantal oorlogskoninginnen moeten opnemen. Die om die reden dan ook dienen op te treden als een Churchill, een Stalin of een Roosevelt. Semiramis van Nineve, die het Assyrische Rijk stichtte en Boadicea, die een van de bloedigste Engelse opstanden tegen het Romeinse Rijk leidde, om er maar enkele te noemen. Van laatstgenoemde staat overigens een standbeeld bij het bruggenhoofd van de Theems, tegenover de Big Ben. Doe haar de groeten als u erlangs loopt.

Over het algemeen zijn de geschiedenisboeken echter uiterst zwijgzaam over vrouwelijke strijders in de hoedanigheid van gewone soldaten die op dezelfde voorwaarden als de mannen trainden in het gebruik van wapens, deel uitmaakten van regimenten en deelnamen aan veldslagen tegen vijandelijke legers. Toch zijn zij er altijd geweest. Er zijn maar weinig oorlogen gevoerd zonder de deelname van vrouwen.

1
VRIJDAG 8 APRIL

Dokter Anders Jonasson werd door verpleegkundige Hanna Nicander gewekt. Het was even voor halftwee 's nachts.

'Wat is er?' vroeg hij verward.

'Helikopter in aantocht. Twee patiënten. Een oudere man en een jonge vrouw. De vrouw heeft schotwonden.'

'Aha,' zei Anders Jonasson vermoeid.

Hij voelde zich slaapdronken, hoewel hij maar een halfuurtje had zitten dutten. Hij had nachtdienst op de spoedeisende hulp van het Sahlgrenska-ziekenhuis in Göteborg. Het was een ontzettend vermoeiende avond geweest. Nadat zijn dienst om zes uur 's avonds was begonnen, had het ziekenhuis vier slachtoffers binnengekregen van een frontale botsing even buiten Lindome. Een ervan verkeerde in kritieke toestand en was kort na aankomst doodverklaard. Hij had ook een serveerster behandeld die haar been had verbrand bij een ongeluk in de keuken van een restaurant aan de Avenue, en het leven gered van een vierjarig jongetje dat het ziekenhuis was binnengebracht met ademhalingsproblemen nadat hij het wiel van een speelgoedautootje had ingeslikt. Hij had ook nog een tienermeisje verbonden dat met haar fiets in een kuil was gereden. De gemeente had die kuil heel snugger bij de afrit van een fietspad gegraven en daar kwam nog bij dat iemand het waarschuwingsbord in de kuil had gegooid. Ze had veertien hechtingen in haar gezicht en zou twee nieuwe voortanden nodig hebben. Jonasson had ook een stukje duim van een enthousiaste klusser vastgenaaid, dat tijdens het schaven was losgeraakt.

Tegen elven was het aantal patiënten op de eerstehulppost afgenomen. Hij had een ronde gemaakt en de toestand van de patiënten die binnen waren gebracht gecontroleerd, en had zich vervolgens teruggetrokken in een rustkamer om even te ontspannen. Hij had dienst tot zes uur 's ochtends en sliep tijdens zijn dienst maar zelden, ook al kwamen er geen acute gevallen binnen. Maar juist deze nacht was hij bijna onmiddellijk ingedommeld.

Zuster Hanna Nicander gaf hem een beker thee. Ze had nog geen verdere details over de patiënten die eraan kwamen.

Anders Jonasson keek door het raam naar buiten en zag dat het in de richting van de zee behoorlijk bliksemde. De helikopter zou net op tijd binnen zijn. Het was hevig gaan regenen. Het noodweer was losgebarsten boven Göteborg.

Terwijl hij voor het raam stond, hoorde hij het geluid van de motor en zag hij de helikopter in de storm naar het heliplatform slingeren. Hij hield zijn adem in toen de piloot moeite leek te hebben de machine onder controle te houden. Toen verdween hij uit het zicht en hoorde hij hoe het toerental afnam. Hij nam een slok thee en zette de beker neer.

Anders Jonasson ving de brancards bij de ingang van de eerste hulp op. Zijn collega Katarina Holm nam de eerste patiënt die naar binnen werd gereden voor haar rekening – een oudere man met een behoorlijke wond in zijn gezicht. Dokter Jonasson was dus de aangewezen persoon om de andere patiënt te behandelen, de vrouw met de schotwonden. Hij deed een snel onderzoek en constateerde dat het zo te zien een tienermeisje betrof. Zwaar vervuild en bloederig, en met ernstig letsel. Hij tilde de deken op die het medische team om haar heen had geslagen en merkte op dat iemand de schotwonden op haar heup en schouder met brede zilvertape had dichtgeplakt, wat hij een zeer slim initiatief vond. De tape hield bacteriën buiten en het bloed binnen. Eén kogel had haar aan de buitenkant van haar heup geraakt en was dwars door het spierweefsel gegaan. Daarna tilde hij haar schouder op en lokaliseerde de inschotopening op haar rug. Er was geen tweede schotspoor, wat betekende dat de kogel nog ergens in haar schouder zat. Hij hoopte dat de kogel de long niet had gepenetreerd, maar omdat hij geen bloed in de mond van het meisje kon ontdekken, trok hij de conclusie dat dat vermoedelijk niet het geval was.

'Röntgen,' zei hij tegen de assisterende verpleegkundige. Meer hoefde hij niet te zeggen.

Ten slotte knipte hij het verband weg dat het ambulancepersoneel rond haar schedel had gewikkeld. Hij werd ijskoud toen hij met zijn vingers de inschotopening voelde en inzag dat het meisje in haar hoofd was geschoten. Ook hier was de kogel nog aanwezig.

Anders Jonasson bleef even naar het meisje staan kijken. Hij voelde zich plotseling moedeloos. Hij omschreef zijn taak vaak als 'grenswachter'. Er kwamen dagelijks mensen in uiteenlopende toestanden naar zijn werkplek met maar één doel: hulp krijgen. Of het nu ging om vierenzeventigjarige dames die met een hartstilstand in het winkelcentrum Nordstan in elkaar waren gezakt, of om veertienjarige jongens met een gepenetreerde linkerlong doordat er een schroevendraaier in was beland, of om zestienjarige meisjes die ecstasypillen hadden geslikt, achttien uur hadden gedanst en daarna met een blauw gezicht in elkaar waren gestort. Er waren slachtoffers van bedrijfsongevallen en mishandelingen. Er waren kleine kinderen die op de Vasaplats waren aangevallen door vechthonden en handige mannen die met hun Black & Decker alleen maar wat planken zouden doorzagen en vervolgens in het mergbeen van hun pols waren doorgedrongen.

Anders Jonasson was de grenswachter tussen de patiënt en het uitvaartcentrum. Hij moest beslissen over de te nemen maatregelen. Als hij de verkeerde beslissing nam, zou de patiënt komen te overlijden of wellicht als kasplantje wakker worden. Hij nam meestal de juiste beslissing, wat kwam doordat het merendeel van de gewonden een specifiek probleem had. Een messteek in een long of een kneuzing na een auto-ongeval was te overzien en te behandelen. De patiënt overleefde het afhankelijk van de ernst van het letsel, afhankelijk van de deskundigheid van de behandelend arts.

Er waren twee soorten letsel waar Anders Jonasson een hekel aan had. De ene soort waren ernstige brandwonden die, ongeacht de maatregelen die hij nam, zouden leiden tot een levenslange lijdensweg. De tweede waren verwondingen aan het hoofd.

Het meisje voor hem kon leven met een kogel in haar heup en met een kogel in haar schouder. Maar een kogel ergens in haar hersenen was een probleem van een heel andere orde. Hij hoorde opeens zuster Hanna iets zeggen.

'Pardon?'

'Dat is die vrouw.'

'Hoe bedoel je?'

'Lisbeth Salander. Dat meisje naar wie ze al wekenlang op zoek zijn voor die drievoudige moord in Stockholm.'

Anders Jonasson keek naar het gezicht van de patiënte. Zuster Hanna had helemaal gelijk. De pasfoto van Lisbeth Salander had sinds Pasen op alle voorpagina's gestaan. En nu was de moordenaar zelf neergeschoten, wat in zekere zin gerechtigheid was.

Maar dat was zijn zaak niet. Zijn taak was het leven te redden van zijn patiënte, of ze nu een drievoudige moordenaar of een Nobelprijswinnaar was. Of voor zijn part allebei.

Vervolgens brak de gebruikelijke chaos uit die een afdeling Spoedeisende Hulp kenmerkt. Het dienstdoende personeel ging geroutineerd te werk. Lisbeth Salanders resterende kleren werden opengeknipt. Een verpleegkundige rapporteerde haar bloeddruk, 100/70, terwijl hij zelf de stethoscoop op de borst van de patiënte zette en naar haar hartslag luisterde, die betrekkelijk regelmatig was. Haar ademhaling was minder regelmatig.

Dokter Jonasson aarzelde niet om Lisbeth Salanders toestand onmiddellijk als kritiek te classificeren. De wonden in haar schouder en heup konden wachten, met een paar kompressen of zelfs met de stukjes tape die een heldere geest had vastgezet. Het belangrijkste was haar hoofd. Dokter Jonasson gaf opdracht voor een CT-scan met de computertomograaf van het ziekenhuis, een recente investering van het belastinggeld.

Anders Jonasson had blond haar en blauwe ogen. Oorspronkelijk kwam hij uit Umeå. Hij werkte al twintig jaar bij het Sahlgrenska en bij het Oosterziekenhuis; afwisselend als onderzoeker, patholoog en als arts spoedeisende hulp. Hij had een merkwaardige eigenschap die zijn collega's verbluft deed staan en waar het personeel dat met hem werkte trots op was: er mochten tijdens zijn dienst geen patiënten overlijden. En op de een of andere miraculeuze wijze was hij er tot nu toe in geslaagd de teller op nul te houden. Sommigen van zijn patiënten waren weliswaar overleden, maar dat was gebeurd tijdens de nabehandeling of door geheel andere oorzaken dan zijn maatregelen.

Jonasson had zo nu en dan ook een onorthodoxe visie op de geneeskunde. Hij meende dat artsen soms de neiging hadden om conclusies te trekken die ze niet hard konden maken, waardoor ze het veel te snel opgaven, dan wel te veel tijd besteedden aan het exact proberen uit te zoeken wat er mis was met de patiënt om een correcte behandeling te kunnen inzetten. Dat was weliswaar de werkwijze volgens het protocol, het probleem was alleen dat de patiënt het risico liep te overlijden terwijl de artsen nog steeds aan het nadenken waren. In het ergste geval zou de arts tot de conclusie komen dat het een hopeloos geval was en de behandeling staken.

Anders Jonasson had echter nog nooit een patiënte binnengekregen met een kogel in haar hoofd. Hier was vermoedelijk een neurochirurg nodig. Hij voelde zich niet capabel genoeg, maar zag plotseling in dat hij wellicht een gunstiger lot had getroffen dan hij verdiende. Voordat hij zijn handen ging schrobben en operatiekleren aantrok, riep hij tegen Hanna Nicander: 'Er is een Amerikaanse professor, Frank Ellis, die bij Karolinska in Stockholm werkt maar die momenteel in Göteborg is. Hij is een bekende hersenonderzoeker en bovendien een goede vriend van me. Hij logeert in Hotel Radisson op de Avenue. Zou je zijn telefoonnummer kunnen achterhalen?'

Terwijl Anders Jonasson nog steeds op de röntgenfoto's wachtte, kwam Hanna Nicander terug met het telefoonnummer van Hotel Radisson. Anders Jonasson wierp een blik op de klok – 1.42 uur – en nam de telefoon van de haak. De nachtportier bij het Radisson was niet bereid om op dit tijdstip van de dag welk gesprek dan ook door te verbinden en *dokter* Jonasson moest in uiterst scherpe bewoordingen de noodsituatie formuleren voordat het gesprek werd doorverbonden.

'Goedemorgen, Frank,' zei Anders Jonasson toen de telefoon eindelijk werd opgenomen. 'Met Anders. Ik hoorde dat je in Göteborg was. Heb je zin om naar het Sahlgrenska te komen en mij te assisteren bij een hersenoperatie?'

'Are you bullshitting me?' hoorde hij een aarzelende stem aan de andere kant van de lijn. Hoewel Frank Ellis al jaren in Zweden woonde en vloeiend Zweeds sprak – zij het met een Amerikaans accent – bleef zijn basistaal Engels. Anders Jonasson sprak Zweeds en Ellis antwoordde in het Engels.

'Frank, het spijt me dat ik je lezing heb gemist, maar misschien kun je wat privélessen geven. Ik heb een jonge vrouw hier die in haar hoofd is geschoten. De kogel is er vlak boven haar linkeroor in gegaan. Ik zou je niet bellen als ik geen second opinion nodig had. En ik kan me geen geschikter iemand voorstellen dan jij.'

'Meen je dat serieus?' vroeg Frank Ellis.

'Het is een vrouw van rond de vijfentwintig.'

'En ze is in haar hoofd geschoten?'

'Inschot, geen uitschot.'

'Maar ze leeft nog?'

'Zwakke maar regelmatige hartslag, minder regelmatige ademhaling. Haar bloeddruk is 100/70. Ze heeft bovendien een kogel in haar schouder en een schotwond in haar heup. Maar dat zijn twee problemen die ik aankan.'

'Dat klinkt veelbelovend,' zei professor Ellis.

‘Veelbelovend?’

‘Als een mens een kogelgat in zijn hoofd heeft en nog steeds in leven is, moet de situatie worden gezien als hoopvol.’

‘Wil je me assisteren?’

‘Ik moet bekennen dat ik de avond heb doorgebracht in het gezelschap van goede vrienden. Ik lag om één uur in bed en heb waarschijnlijk een indrukwekkend promillage in mijn bloed ...’

‘Ik zal de beslissingen nemen en de ingreep doen. Maar ik heb iemand nodig die me assisteert en die het zegt als ik iets geks doe. En, eerlijk gezegd, een ladderzatte professor Ellis is vermoedelijk vele malen beter dan ík als het gaat om het beoordelen van hersenletsel.’

‘Oké, ik kom eraan. Maar dan sta je bij mij in het krijt.’

‘Er wacht een taxi voor het hotel.’

Professor Frank Ellis schoof zijn bril op zijn voorhoofd en krabde in zijn nek. Hij focuste zijn blik op het computerscherm, dat elk hoekje en gaatje van Lisbeth Salanders hersenen weergaf. Ellis was drieënvijftig jaar oud en had ravenzwart haar met grijze sprietjes en een zware baardgroei. Hij zag eruit als iemand met een bijrol in *ER*. Zijn lichaam getuigde ervan dat hij elke week een paar uur in de sportschool doorbracht.

Frank Ellis had het naar zijn zin in Zweden. Hij was eind jaren zeventig als jonge uitwisselingsstudent gekomen en was twee jaar gebleven. Daarna was hij herhaalde malen overgekomen, tot hij een aanbieding had gekregen voor een professoraat bij het Karolinska-ziekenhuis. Hij was toen inmiddels een internationaal gerespecteerde naam.

Anders Jonasson kende Frank Ellis al veertien jaar. Ze hadden elkaar ontmoet tijdens een seminar in Stockholm en hadden ontdekt dat ze allebei enthousiaste vliegvissers waren. Anders had hem daarop uitgenodigd voor een vistocht naar Noorwegen. Ze hadden door de jaren heen contact gehouden en er waren meer vistochten gevolgd. Daarentegen hadden ze nooit samengewerkt.

‘Hersenen zijn een mysterie,’ zei professor Ellis. ‘Ik ben nu al twintig jaar bezig met hersenonderzoek. Nog wel langer zelfs ...’

‘Ik weet het. Sorry dat ik je heb opgetrommeld, maar ...’

‘Schei uit.’ Frank Ellis wuifde afwerend. ‘Het kost je gewoon een fles Cragganmore als we weer gaan vissen.’

‘Oké. Dan kom ik er goedkoop van af.’

‘Ik had een paar jaar geleden een patiënte, toen ik in Boston werkte – ik heb erover geschreven in *The New England Journal of Medicine*.

Het was een meisje van dezelfde leeftijd als jouw patiënte. Ze was op weg naar de universiteit toen iemand haar met een kruisboog beschoot. De pijl ging er naast haar linkerwenkbrauw in, recht door haar hoofd, en kwam er bijna midden in haar nek weer uit.'

'En ze heeft het overleefd?' vroeg Jonasson verbluft.

'Het zag er vreselijk uit toen ze op de eerstehulppost kwam. We hebben de pijl afgeknipt en haar hoofd in een computertomograaf gestopt. De pijl ging recht door haar hersenen. Volgens alle redelijke beoordelingen had ze dood moeten zijn, of in elk geval een zodanig ernstig trauma moeten hebben dat ze in coma lag.'

'Hoe was haar toestand?'

'Ze was de hele tijd bij bewustzijn. En dat niet alleen; ze was natuurlijk doodsbang, maar ze was heel rationeel. Haar enige probleem was dat ze een gedeelte van een pijl door haar hoofd had.'

'Wat heb je gedaan?'

'Tja, ik heb een tang gepakt, de pijl eruit getrokken en er een pleister op geplakt. Zo ongeveer.'

'Heeft ze het gered?'

'Haar toestand was natuurlijk heel lang kritiek voordat we haar konden uitschrijven, maar eerlijk gezegd: we hadden haar dezelfde dag dat ze kwam naar huis kunnen sturen. Ik heb nooit een gezondere patiënte gehad.'

Anders Jonasson vroeg zich af of professor Ellis hem voor de gek hield.

'Aan de andere kant,' vervolgde Ellis, 'had ik een paar jaar geleden in Stockholm een tweeënveertigjarige mannelijke patiënt die met zijn hoofd tegen een raamkozijn aan was gevallen en een lichte klap op zijn hoofd had gehad. Hij werd misselijk en ging zo snel achteruit dat hij met een ambulance naar de eerste hulp werd gebracht. Hij was buiten bewustzijn toen ik hem zag. Hij had een kleine bult op zijn hoofd en een zeer kleine bloeding. Maar hij is nooit meer wakker geworden en stierf na negen dagen op de intensive care. Tot op de dag van vandaag weet ik niet waarom hij is overleden. In het sectierapport schreven we hersenbloeding ten gevolge van een ongeval, maar niemand van ons was content met die analyse. De bloeding was zo extreem klein en zat op een plaats dat hij niet van invloed had moeten zijn. Toch stopten zijn lever, nieren, hart en longen er langzaamaan mee. Hoe ouder ik word, hoe meer ik het ervaar als roulette. Persoonlijk geloof ik niet dat we ooit precies zullen weten hoe het brein werkt. Wat ben je van plan te gaan doen?'

Hij tikte met een pen op het scherm.

'Ik had gehoopt dat jij me dat zou vertellen.'

'Laat je beoordeling horen.'

'Tja, ten eerste lijkt het een kogel van een licht kaliber. Hij is er bij de slaap in gegaan en is op ongeveer 4 centimeter in de hersenen blijven steken. Hij rust tegen het laterale ventrikel en daar zit een bloeding.'

'Maatregelen?'

'Om jouw terminologie te gebruiken – een tang halen en de kogel er langs dezelfde weg als hij erin is gegaan uit trekken.'

'Prima voorstel. Maar ik zou de dunste pincet gebruiken die ik had.'

'Is het zo simpel?'

'In dit geval wel. Wat kunnen we anders doen? We kunnen de kogel laten zitten en dan wordt ze misschien wel honderd, maar dat is ook een gok. Ze kan epilepsie ontwikkelen, migraine, alle mogelijke ellende. En wat je liever niet wilt, is dat je over een jaar haar schedel moet openboren om haar te opereren als de eigenlijke wond al is genezen. De kogel ligt een stukje van de grote aderen. In dit geval zou ik je adviseren om hem te verwijderen, maar ...'

'Wat dan?'

'Die kogel, daar ben ik niet zo bang voor. Hersenletsel is fascinerend – als ze een kogel in haar hersenen heeft overleefd, dan is dat een teken dat ze het verwijderen ook wel zal overleven. Het probleem is eerder dit.' Hij wees op het scherm. 'Rond de inschotopening zit een grote hoeveelheid botsplinters. Ik zie minstens een dozijn fragmenten van een paar millimeter lang. Sommige ervan zijn in het hersenweefsel gezonken. Het zal haar dood worden als je niet voorzichtig bent.'

'Dat gedeelte van de hersenen wordt geassocieerd met spraak en numeriek vermogen.'

Ellis haalde zijn schouders op.

'*Mumbo jumbo*. Ik heb geen idee waar die grijze cellen precies voor dienen. Je kunt alleen maar je best doen, meer kun je niet doen. Jij bent degene die opereert. Ik hang over je schouder. Kan ik wat kleren lenen en me ergens gaan boenen?'

Mikael Blomkvist keek op zijn horloge en constateerde dat het even na drieën in de nacht was. Hij had handboeien om. Hij deed zijn ogen even dicht. Hij was dodelijk vermoeid, maar de adrenaline gierde door zijn lijf. Hij deed zijn ogen weer open en keek woedend naar commissaris Thomas Paulsson, die met een geschokte blik terugkeek. Ze zaten aan een keukentafel in een witte boerderij in een plaats in de buurt van Nossebro die Gosseberga werd genoemd, en waar Mikael minder dan twaalf uur geleden pas voor het eerst van had gehoord.

De catastrofe was een feit.

'Idioot,' zei Mikael.

'Luister eens ...'

'Idioot,' herhaalde Mikael. 'Ik heb toch gezegd dat hij levensgevaarlijk was. Ik heb gezegd dat jullie hem moesten behandelen als een handgranaat die op scherp staat. Hij heeft minstens drie personen vermoord, is gebouwd als een pantservoertuig en doodt met zijn blote handen. En u stuurt twee dorpsveldwachtertjes om hem op te pakken alsof het de plaatselijke dronkenlap is.'

Mikael deed zijn ogen weer dicht. Hij vroeg zich af wat er die nacht nog meer mis zou gaan.

Hij had Lisbeth Salander even na middernacht zwaargewond aangetroffen. Hij had de politie gealarmeerd en de hulpdiensten ervan weten te overtuigen een helikopter te sturen om Lisbeth naar het Sahlgrenska-ziekenhuis te brengen. Hij had haar letsel en het kogelgat in haar hoofd gedetailleerd omschreven en uiteindelijk medewerking gekregen van een slim en verstandig iemand die had ingezien dat Lisbeth onmiddellijk medische zorg nodig had.

Toch had het nog meer dan een halfuur geduurd voordat de helikopter was gearriveerd. Mikael was naar buiten gegaan en had twee auto's de schuur uit gereden die ook dienstdeed als garage, had de koplampen aangedaan en een landingsbaan gemarkeerd door de akker voor het huis te verlichten.

Het helikopterpersoneel en twee verplegers waren geroutineerd en professioneel te werk gegaan. Een van de broeders had Lisbeth Salander eerste hulp verleend terwijl de ander zich had bekommerd om Alexander Zalachenko, ook wel bekend als Karl Axel Bodin. Zalachenko was Lisbeth Salanders vader en haar ergste vijand. Hij had geprobeerd haar te vermoorden, maar was daar niet in geslaagd. Mikael had hem zwaargewond in de houtschuur van de afgelegen boerderij aangetroffen. Hij had een onrustbarende wond in zijn gezicht van een slag met een bijl en een kneuzing aan zijn been.

Terwijl Mikael op de helikopter had gewacht, had hij voor Lisbeth gedaan wat hij kon. Hij had een schoon laken uit een linnenkast gehaald, dat in repen gescheurd en een snelverband aangelegd. Hij had geconstateerd dat het bloed in het kogelgat in haar hoofd tot een prop was gestold en had niet goed geweten of hij er een verband omheen moest leggen of niet. Uiteindelijk had hij het laken losjes om haar hoofd gewikkeld, voornamelijk om te zorgen dat de wond minder werd blootgesteld aan bacteriën en vuil. Hij had echter de bloeding van de kogelgaten in haar heup en schouder op de eenvoudigst denkbare manier weten te stoppen. Hij had in een kast een rol brede zilvertape gevonden en de wonden daarmee gewoon dichtgetapet. Hij had haar gezicht gedept met een vochtige handdoek en geprobeerd het ergste vuil weg te vegen.

Hij was niet naar de houtschuur gegaan om Zalachenko hulp te bieden. Hij moest heimelijk toegeven dat Zalachenko hem eerlijk gezegd niets kon schelen.

Terwijl hij op het mobiele medische team wachtte, had hij Erika Berger gebeld en haar de situatie uitgelegd.

'Ben jij ongedeerd?' vroeg Erika.

'Met mij is niets aan de hand,' antwoordde Mikael. 'Lisbeth is gewond.'

'Arme meid,' zei Erika Berger. 'Ik heb het onderzoek van Björck van de veiligheidsdienst gelezen. Hoe ga je dat aanpakken?'

'Daar staat mijn hoofd nu even niet naar,' had Mikael gezegd.

Terwijl hij met Erika sprak, zat hij op de vloer naast de bank en hield hij Lisbeth Salander in de gaten. Hij had haar schoenen en haar broek uitgetrokken om een verband over de schotwond op haar heup te kunnen aanleggen en kwam plotseling met zijn hand tegen het kledingstuk dat hij op de grond naast de bank had gesmeten. Hij voelde een voorwerp in een zak op de pijp en haalde er een Palm Tungsten T3 uit.

Hij fronste zijn wenkbrauwen en bekeek de handcomputer nadenkend. Toen hij het geluid van de helikopter hoorde, stopte hij de computer in de binnenzak van zijn jas. Daarna, terwijl hij nog steeds alleen was, doorzocht hij al Lisbeth Salanders zakken. Hij vond een tweede stel sleutels van de flat aan Mosebacke en een paspoort op naam van Irene Nesser. Hij stopte de voorwerpen snel in een vak van zijn laptoptas.

De eerste politieauto met Fredrik Torstensson en Gunnar Andersson van de politie in Trollhättan arriveerde een paar minuten nadat de traumahelikopter was geland. Ze werden gevolgd door de commissaris buitendienst, Thomas Paulsson, die onmiddellijk het bevel had overgenomen. Mikael was naar hem toe gelopen en had uitgelegd wat er was voorgevallen. Hij vond Paulsson een zelfgenoegzame, bonkige sergeant-majoor. Met Paulssons komst was de zaak uit de hand gelopen.

Paulsson wekte de indruk niet te begrijpen waar Mikael het over had. Hij leek enorm opgewonden en het enige wat tot hem doordrong, was het feit dat het zwaargewonde meisje op de keukenbank de gezochte drievoudige moordenaar Lisbeth Salander was, wat een buitengewoon belangrijke vangst was. Paulsson had de drukdoende verpleegkundige van de traumaheli wel drie keer gevraagd of het meisje ter plaatse kon worden aangehouden. Uiteindelijk was de broeder opgestaan en had hij Paulsson toegebeten op een armlengte afstand te blijven.

Daarna had Paulsson zich gericht op de gewonde Alexander Zalachenko in de houtschuur en Mikael had Paulsson over de radio horen rapporteren dat Salander blijkbaar nóg iemand had geprobeerd te vermoorden.

Tegen die tijd had Mikael het helemaal gehad met Paulsson, die blijkbaar absoluut niet luisterde naar wat hij probeerde te zeggen. Mikael had Paulsson luidkeels aangespoord onmiddellijk contact op te nemen met inspecteur Jan Bublanski van de Stockholmse recherche. Hij had zelfs zijn mobiele telefoon gepakt en aangeboden het nummer in te toetsen. Maar daar was Paulsson niet in geïnteresseerd geweest.

Daarna had Mikael twee fouten gemaakt.

Hij had resoluut verklaard dat de daadwerkelijke drievoudige moordenaar een man genaamd Ronald Niedermann was, die als een antipantserraket was gebouwd, aan congenitale analgesie leed en op dat moment vastgebonden in een greppel langs de weg naar Nossebro zat. Mikael beschreef waar Niedermann kon worden aangetroffen en adviseerde de politie een peloton infanteristen te mobiliseren om hem op te halen. Paulsson had gevraagd hoe Niedermann in die greppel was beland en Mikael had vrijmoedig bekend dat hij hem daar zelf onder bedreiging van een vuurwapen had vastgebonden.

'Een wapen?' had commissaris Paulsson gevraagd.

Op dat moment had Mikael moeten inzien dat Paulsson een eikel eersteklas was. Hij had zijn mobiel moeten pakken en zelf Jan Bublanski moeten bellen om hem te vragen in te grijpen en de mist op te klaren waar Paulsson zich in leek te bevinden. Maar Mikael had misstap nummer twee begaan door te proberen het wapen dat hij in zijn jaszak had te overhandigen, de Colt 1911 Government die hij eerder die dag in Lisbeth Salanders appartement in Stockholm had aangetroffen, en waarmee hij Ronald Niedermann had overmeesterd.

Dat had er echter toe geleid dat Paulsson Mikael Blomkvist stante pede had aangehouden wegens verboden wapenbezit. Paulsson had de agenten Torstensson en Andersson vervolgens opdracht gegeven zich te begeven naar de plaats op de weg naar Nossebro die Mikael had aangegeven. Ze moesten uitzoeken of er een kern van waarheid in het verhaal van Mikael zat, dat er een persoon in een greppel aan een waarschuwingsbord voor overstekende elanden zat vastgebonden. Als dat het geval was, moesten de politiemensen de persoon in kwestie in de boeien slaan en hem naar de boerderij in Gosseberga brengen.

Mikael had onmiddellijk geprotesteerd en verklaard dat Ronald Niedermann niet iemand was die je zo even in de boeien kon slaan en die zich gewillig liet meevoeren – hij was een levensgevaarlijke moordenaar. Toen Paulsson ervoor koos om Mikaels protesten te negeren, had de vermoeidheid zijn tol geëist. Mikael had Paulsson een incompetente klootzak genoemd en geschreeuwd dat Torstensson en Andersson Ronald Niedermann niet los moesten maken zonder versterking te vragen.

Het resultaat van die uitbarsting was dat Mikael was voorzien van handboeien en op de achterbank van Paulssons auto was gezet, van waaruit hij vloekend had gezien hoe Torstensson en Andersson met hun politieauto waren vertrokken. Het enige lichtpuntje in de duisternis was dat Lisbeth Salander naar de helikopter was gebracht en boven de boomtoppen was verdwenen richting het Sahlgrenska. Mikael voelde zich volkomen hulpeloos, en buitengesloten van verdere informatie kon hij alleen maar hopen dat Lisbeth in goede handen was.

Dokter Anders Jonasson maakte twee diepe incisies, helemaal tot aan het schedelbot, en klapte de huid rond het kogelgat omhoog. Hij gebruikte klemmen om de opening te fixeren. Een OK-verpleegkundige bracht voorzichtig een zuiger aan om het bloed af te zuigen. Daarna kwam het onaangename gedeelte waarbij dokter Jonasson een boor gebruikte om het gat in het schedelbot te verwijden. De procedure ging tergend langzaam.

Uiteindelijk had hij een gat dat groot genoeg was om de hersenen van Lisbeth Salander te kunnen bereiken. Hij bracht voorzichtig een sonde in de hersenen aan en vergrootte het wondkanaal een paar millimeter. Daarna bracht hij een dunnere sonde in en lokaliseerde de kogel. Op de röntgenfoto van de schedel kon hij constateren dat de kogel was gedraaid en in een hoek van vijfenveertig graden ten opzichte van het schotkanaal lag. Hij gebruikte de sonde om voorzichtig tegen de rand van de kogel te stoten en kon hem na een serie mislukte pogingen een stukje optillen, zodat hij hem een fractie kon draaien.

Uiteindelijk bracht hij een dunne pincet met een geribbeld grijpertje in. Hij kneep hard rond de basis van de kogel en kreeg grip. Hij trok de pincet recht naar boven. De kogel kwam bijna helemaal zonder weerstand mee. Hij hield hem een seconde tegen het licht, constateerde dat hij intact leek en liet hem daarna in een schaal vallen.

'Zwabberen,' zei hij, en zijn bevel werd onmiddellijk opgevolgd.

Hij wierp een blik op het ecg, dat aangaf dat zijn patiënte nog steeds een regelmatige hartslag had.

'Pincet.'

Hij trok een enorm vergrootglas naar zich toe en focuste op het blootgelegde gebied.

'Voorzichtig,' zei professor Frank Ellis.

In de volgende vijfenveertig minuten verwijderde Anders Jonasson maar liefst tweeëndertig botsplinters rond het kogelgat. De kleinste splinters waren met het blote oog nauwelijks waarneembaar.

Terwijl Mikael Blomkvist gefrustreerd probeerde zijn mobiele telefoon uit de borstzak van zijn colbert te vissen – wat met handboeien om een onmogelijke opdracht bleek – arriveerden er meer auto's met politiemensen en technisch personeel in Gosseberga. Ze werden door commissaris Paulsson gedirigeerd om bewijs in de houtschuur veilig te stellen en een grondig onderzoek te doen van het woonhuis, waar meerdere wapens in beslag waren genomen. Mikael bekeek hun bezigheden gelaten vanaf zijn uitkijkpost op de achterbank van Paulssons auto.

Pas na een uur leek Paulsson zich ervan bewust te worden dat de agenten Torstensson en Andersson nog niet waren teruggekeerd van hun missie om Ronald Niedermann op te halen. Hij keek plotseling bezorgd en nam Mikael Blomkvist mee naar binnen, naar de keuken, waar hem opnieuw werd gevraagd een routebeschrijving te geven.

Mikael deed zijn ogen dicht.

Hij zat nog steeds met Paulsson in de keuken toen het arrestatieteam dat erop uit was gestuurd om Torstensson en Andersson te ontzetten, rapport uitbracht. Agent Gunnar Andersson was dood aangetroffen met een gebroken nek. Zijn collega Fredrik Torstensson was nog in leven maar was zwaar mishandeld. Beiden waren aangetroffen bij het elandenbord in de greppel. Hun dienstwapens en de politieauto ontbraken.

Nu had commissaris Thomas Paulsson van een enigszins overzichtelijke situatie opeens te maken met een politiemoord en een gewapende desperado op de vlucht.

'Idioot,' herhaalde Mikael Blomkvist.

'De politie beledigen helpt niet.'

'Op dat punt zijn we het eens. Maar ik zal u aanklagen voor een ambtsovertreding, daar kunt u vergif op innemen. Voordat ik met u klaar ben, zult u op elke voorpagina in het land zijn afgeschilderd als de achterlijkste agent van Zweden.'

De dreiging om in het openbaar voor schut te worden gezet, was blijkbaar het enige wat effect op Thomas Paulsson had. Hij keek ongerust.

'Wat stel je voor?'

'Ik eis dat u inspecteur Jan Bublanski in Stockholm belt. Nu.'

Inspecteur Sonja Modig werd met een schok wakker toen haar mobiele telefoon, die aan de lader lag, aan de andere kant van de slaapkamer afging. Ze keek op de wekker en constateerde tot haar vertwijfeling dat het even na vieren 's morgens was. Ze keek daarna naar haar man, die vredig verder snurkte. Je kon een kanon naast hem afschieten zonder dat hij er wakker van werd. Ze wankelde naar de telefoon en vond in het donker de juiste toets.

Jan Bublanski, dacht ze, *wie anders?*

'De hel is uitgebroken in de buurt van Trollhättan,' begroette haar chef haar zonder verdere formaliteiten. 'De X2000 naar Göteborg gaat om tien over vijf.'

'Wat is er gebeurd?'

'Blomkvist heeft Salander, Niedermann en Zalachenko gevonden. Blomkvist is aangehouden wegens het beledigen van een ambtenaar in functie, het plegen van verzet en verboden wapenbezit. Salander is met een kogel in haar kop naar het Sahlgrenska afgevoerd. Zalachenko ligt in het Sahlgrenska met een bijl in zijn hoofd. Niedermann is voortvluchtig. Hij heeft vannacht een politieman vermoord.'

Sonja Modig knipperde twee keer met haar ogen en voelde de vermoeidheid. Het liefst van alles wilde ze weer terugkruipen in bed en een maand vakantie nemen.

'De X2000 van tien over vijf. Oké. Wat moet ik doen?'

'Een taxi nemen naar het Centraal Station. Je krijgt gezelschap van Jerker Holmberg. Jullie moeten contact opnemen met ene commissaris Thomas Paulsson van de politie in Trollhättan. Hij is blijkbaar de veroorzaker van een deel van het tumult van vannacht en volgens Blomkvist een, citaat, "eikel eersteklas", einde citaat.'

'Heb je Blomkvist gesproken?'

'Hij is blijkbaar opgepakt en geboeid. Ik ben erin geslaagd Paulsson over te halen de hoorn even tegen Blomkvists oor te houden. Ik ben momenteel op weg naar Kungsholmen om te proberen duidelijkheid te krijgen in de zaak. We houden telefonisch contact.'

Sonja Modig keek nogmaals op de wekker. Daarna belde ze een taxi en ging een minuut onder de douche staan. Ze poetste haar tanden, trok een kam door haar haar, deed een zwarte lange broek aan, een zwart T-shirt en een grijs colbert. Ze stopte haar dienstwapen in haar schoudertas en koos een donkerrood leren jack als jas. Daarna wist ze met veel moeite haar man tot leven te wekken en legde ze uit waar ze naar op weg was en dat hij de kinderen die ochtend voor zijn rekening moest nemen. Ze liep naar buiten en op datzelfde moment stopte de taxi voor de deur.

Ze hoefde haar collega, inspecteur Jerker Holmberg, niet op te zoeken. Ze ging ervan uit dat hij in de restauratiewagen zat en kon constateren dat dat ook het geval was. Hij had al een broodje en koffie voor haar gekocht. Ze zaten vijf minuten zwijgend te ontbijten. Daarna schoof Holmberg zijn koffiekopje opzij.

'We zouden ons moeten laten omscholen,' zei hij.

Om vier uur 's morgens was eindelijk ene inspecteur Marcus Erlander in Gosseberga gearriveerd. Hij was van de recherche in Göteborg, afdeling Geweld. Hij nam de leiding over van de zwaarbelaste Thomas Paulsson. Erlander was een mollige, grijzende man van in de vijftig. Een van zijn eerste maatregelen was Mikael Blomkvist uit de handboeien te bevrijden en hem een broodje aan te bieden en koffie uit een thermoskan. Ze gingen in de woonkamer zitten voor een gesprek onder vier ogen.

'Ik heb met Bublanski in Stockholm gesproken,' zei Erlander. 'We kennen elkaar al jaren. We betreuren de behandeling van Paulsson die je ten deel is gevallen.'

'Door zijn toedoen is er vannacht een politieman vermoord,' zei Mikael.

Erlander knikte. 'Ik kende agent Gunnar Andersson persoonlijk. Hij heeft in Göteborg gewerkt voor hij naar Trollhättan verhuisde. Hij laat een dochtertje van drie jaar na.'

'Het spijt me. Ik heb nog geprobeerd te waar...'

Erlander knikte.

'Dat heb ik begrepen. Je hebt minder vleiende woorden gebruikt en om die reden ben je geboeid. Jij bent toch degene van de onthullingen in de Wennerström-affaire? Bublanski zegt dat je een brutale journalist bent en een gestoorde privédetective, maar dat je mogelijk wél weet waar je het over hebt. Kun je mij op begrijpelijke wijze inwijden in de gebeurtenissen?'

'Dit is de ontknoping van de moord op mijn vrienden Dag Svensson en Mia Bergman in Enskede, en de moord op een persoon die niet mijn vriend was ... advocaat Nils Bjurman, de curator van Lisbeth Salander.'

Erlander knikte.

'Zoals u weet, maakt de politie al sinds Pasen jacht op Lisbeth Salander. Ze wordt verdacht van een drievoudige moord. Ten eerste moet u duidelijk voor ogen houden dat Lisbeth Salander onschuldig is aan deze moorden. Zij is in dit verband slachtoffer.'

'Ik heb helemaal niets met de zaak-Salander van doen gehad, maar na alles wat er in de media is geschreven, kan ik maar moeilijk geloven dat ze volstrekt onschuldig zou zijn.'

'Toch is dat zo. Ze is onschuldig. Punt uit. De daadwerkelijke moordenaar is Ronald Niedermann, de man die uw collega Gunnar Andersson vannacht heeft vermoord. Hij werkte voor Karl Axel Bodin.'

'De Bodin die in het Sahlgrenska ligt met een bijl in zijn hoofd?'

'Puur technisch gezien zit de bijl niet meer in zijn hoofd. Ik ga ervan uit dat Lisbeth hem heeft toegetakeld. Zijn echte naam is Alexander Zalachenko. Hij is de vader van Lisbeth en een voormalige beroepsmoordenaar van de Russische militaire inlichtingendienst. Hij is in de jaren zeventig overgelopen en werkte tot het uiteenvallen van de Sovjet-Unie voor de Zweedse veiligheidsdienst. Daarna heeft hij gefreelancet als gangster.'

Erlander keek de persoon op de bank voor hem nadenkend aan. Mikael Blomkvist glom van het zweet, maar zag er desondanks verkleumd en dodelijk vermoeid uit. Tot nu toe had hij rationeel en samenhangend geredeneerd, maar commissaris Thomas Paulsson, aan wiens woorden Erlander verder weinig waarde hechtte, had hem gewaarschuwd dat Blomkvist raaskalde over Russische agenten en

Duitse huurmoordenaars, wat amper tot de routineklussen van de Zweedse recherche behoorde. Blomkvist was blijkbaar op het punt in de geschiedenis beland dat Paulsson had weggewuifd. Maar er lagen wél een dode en een zwaargewonde politieman in een greppel op de weg naar Nossebro, en Erlander was bereid te luisteren. Hij kon echter niet helemaal voorkomen dat er een sprankje wantrouwen hoorbaar was in zijn stem.

'Oké. Een Russische agent.'

Blomkvist glimlachte bleekjes, zich er duidelijk van bewust hoe bizar zijn verhaal klonk.

'Een voormalige Russische agent. Ik kan al mijn beweringen documenteren.'

'Ga door.'

'Zalachenko was in de jaren zeventig topspion. Hij liep over en kreeg van de Zweedse veiligheidsdienst een toevluchtsoord. Dat is voor zover ik weet niet uniek na het uiteenvallen van de Sovjet-Unie.'

'Oké.'

'Ik weet zoals gezegd niet precies wat er hier vannacht is gebeurd, maar Lisbeth heeft haar vader opgespoord, die ze al vijftien jaar niet had gezien. Hij heeft haar moeder dusdanig mishandeld dat zij uiteindelijk is overleden. Hij heeft geprobeerd Lisbeth te vermoorden en hij zat via Ronald Niedermann achter de moord op Dag Svensson en Mia Bergman. Bovendien was hij verantwoordelijk voor de kidnapping van Lisbeths vriendin Miriam Wu – Paolo Roberto's veelbesproken titelgevecht in Nykvarn.'

'Als Lisbeth Salander haar vader met een bijl in zijn hoofd heeft gehakt, is ze niet bepaald onschuldig.'

'Lisbeth Salander heeft zelf drie kogelgaten in haar lichaam. Ik denk dat hier wel sprake is van enige mate van zelfverdediging. Ik vraag me af ...'

'Ja?'

'Lisbeth zat zó onder de aarde en de klei dat haar haar één grote modderkoek was. Haar kleren zaten vol zand. Het leek wel alsof ze begraven was geweest. En Niedermann heeft blijkbaar een zekere gewoonte om mensen te begraven. De politie in Södertälje heeft twee graven gevonden bij dat magazijn buiten Nykvarn dat eigendom is van de Svavelsjö MC.'

'Drie zelfs. Ze hebben gisteravond nóg een graf ontdekt. Maar als Lisbeth Salander beschoten en begraven was – wat deed ze dan boven de grond met een bijl in haar hand?'

'Ik heb geen idee wat er is gebeurd, maar Lisbeth is opmerkelijk sterk. Ik heb Paulsson ervan proberen te overtuigen een hondenpatrouille hiernaartoe te halen ...'

'Die is onderweg.'

'Mooi.'

'Paulsson heeft je opgepakt wegens belediging.'

'Dat bestrijd ik. Ik heb hem een idioot, een incompetente klootzak en een eikel genoemd. Geen van deze epitheta zijn in dit verband beledigend.'

'Hm. Maar je bent ook opgepakt wegens verboden wapenbezit.'

'Ik maakte de fout om hem een wapen te overhandigen. Verder wil ik me daar niet over uitspreken voordat ik met mijn advocaat heb gesproken.'

'Oké. Dat laten we even zitten. We hebben serieuzer zaken te bespreken. Wat weet je over die Niedermann?'

'Hij is een moordenaar. Er is iets mis met hem; hij is meer dan 2 meter lang en gebouwd als een antipantserraket. Vraag maar aan Paolo Roberto, die heeft met hem gebokst. Hij lijdt aan congenitale analgesie. Dat is een aandoening die inhoudt dat de transmittersubstantie bij de overdracht van zenuwimpulsen niet naar behoren werkt. Hij kan geen pijn voelen. Hij is een Duitser, geboren in Hamburg en was in zijn tienerjaren skinhead. Hij is levensgevaarlijk. En is op vrije voeten.'

'Heb je enig idee waar hij kan zijn?'

'Nee. Ik weet alleen dat hij zó opgehaald had kunnen worden, totdat die eikel uit Trollhättan het bevel overnam.'

Even voor vijven 's morgens trok dokter Anders Jonasson zijn bebloede latexhandschoenen uit en gooide ze in de vuilnisbak. Een ok-verpleegkundige legde kompressen op de schotwond op Lisbeths heup. De operatie had drie uur geduurd. Hij keek naar Lisbeth Salanders kaalgeschoren en ernstig toegetakelde hoofd, dat al in het verband zat.

Hij ervoer een plotselinge tederheid die hij vaak voelde voor patiënten die hij had geopereerd. Volgens de kranten was Lisbeth Salander een psychopathische seriemoordenaar, maar in zijn ogen leek ze nog het meest op een zielig vogeltje. Hij schudde zijn hoofd en keek daarna naar professor Frank Ellis, die hem geamuseerd stond aan te kijken.

'Je bent een uitstekende chirurg,' zei Ellis.

'Mag ik je een ontbijt aanbieden?'

'Kun je hier ergens pannenkoeken met jam krijgen?'

'Wafels,' zei Anders Jonasson. 'Bij mij thuis. Ik bel mijn vrouw even om haar te waarschuwen en dan nemen we een taxi.' Hij bleef even staan en keek hoe laat het was. 'Bij nader inzien geloof ik dat we beter niet kunnen bellen.'

Advocate Annika Giannini werd met een schok wakker. Ze draaide haar hoofd naar rechts en constateerde dat het twee minuten voor zes was. Ze had al om acht uur een afspraak met een cliënt. Ze draaide haar hoofd naar links en gluurde naar haar echtgenoot Enrico Giannini, die vredig lag te slapen en in het gunstigste geval om acht uur wakker zou worden. Ze knipperde een paar keer uitvoerig, stond op en zette het koffiezetapparaat aan voordat ze onder de douche stapte. Ze nam ruim de tijd in de badkamer en trok een zwarte broek, een witte coltrui en een rood jasje aan. Ze roosterde twee sneetjes brood, deed er kaas, sinaasappelmarmelade en een geschilde avocado op, en nam haar ontbijt mee naar de woonkamer voor de nieuwsuitzending van halfzeven op tv. Ze nam een slok koffie en had net haar mond opengedaan om een hap te nemen toen ze de aankondiging hoorde.

'Eén politieman gedood en één politieman zwaargewond. Veel dramatiek toen de gezochte, drievoudige moordenaar Lisbeth Salander vannacht werd opgepakt.'

Ze had moeite om de samenhang te begrijpen, omdat ze de indruk kreeg dat Lisbeth Salander een politieman om het leven had gebracht. De verslaggeving was summier, maar uiteindelijk begreep ze dat ze voor de moord op de agent op zoek waren naar een mán. Er was een nationaal opsporingsbevel uitgegaan voor een nog niet bij name genoemde vijfendertigjarige man. Lisbeth Salander lag blijkbaar zwaargewond in het Sahlgrenska-ziekenhuis in Göteborg.

Annika zapte naar het andere kanaal, maar werd niet veel wijzer van wat er was gebeurd. Ze pakte haar mobiele telefoon en toetste het nummer van haar broer Mikael Blomkvist in. Ze kreeg te horen dat de abonnee niet bereikbaar was. Ze voelde een steek van angst. Mikael had haar gisteravond gebeld toen hij op weg was naar Göteborg. Hij was op jacht geweest naar Lisbeth Salander. En naar een moordenaar genaamd Ronald Niedermann.

Toen het licht werd, vond een oplettende politieman bloedsporen op het terrein achter de houtschuur. Een politiehond volgde het spoor tot aan een kuil in de grond op een open plek in het bos, ongeveer 400 meter ten noordoosten van de boerderij in Gosseberga.

Mikael liep met inspecteur Erlander mee. Ze bestudeerden de plaats diepgaand. Het was niet moeilijk om een grote hoeveelheid bloed in en om de kuil te ontdekken.

Ze vonden ook een behoorlijk gehavende sigarettenkoker, die blijkbaar was gebruikt als schopje. Erlander stopte de koker in een bewijszak en merkte de vondst. Hij verzamelde ook monsters van bloedrode kluiten aarde. Een geüniformeerde politieman maakte hem attent op een sigarettenpeuk van het merk Pall Mall zonder filter, een paar meter van de kuil. Ook deze werd in een bewijszak gedaan en voorzien van een etiket. Mikael herinnerde zich dat hij een pakje Pall Mall op het aanrecht in het huis van Zalachenko had zien liggen.

Erlander keek naar de lucht en zag zware regenwolken hangen. De storm die eerder die nacht over Göteborg had geraasd, passeerde blijkbaar ten zuiden van Nossebro, maar het was slechts een kwestie van tijd voordat het zou gaan regenen. Hij richtte zich tot een agent in uniform en vroeg hem een zeil te regelen om de kuil mee af te dekken.

'Ik denk dat je gelijk hebt,' zei Erlander uiteindelijk tegen Mikael. 'Een analyse van het bloed zal uitwijzen dat Lisbeth Salander hier heeft gelegen en ik denk dat we haar vingerafdrukken op de sigarettenkoker zullen aantreffen. Ze is beschoten en begraven, maar moet het op de een of andere manier hebben overleefd en erin zijn geslaagd zichzelf uit te graven en ...'

'... is toen teruggegaan naar de boerderij en heeft die bijl in de schedel van Zalachenko geknald,' vulde Mikael aan. 'Ze is een koppige tante.'

'Maar hoe heeft ze Niedermann in godsnaam aangepakt?'

Mikael haalde zijn schouders op. In dat opzicht was hij net zo verbluft als Erlander.

2
VRIJDAG 8 APRIL

Sonja Modig en Jerker Holmberg kwamen even na achten 's morgens aan op het Centraal Station van Göteborg. Bublanski had gebeld en nieuwe instructies gegeven; ze hoefden niet naar Gosseberga, maar moesten een taxi nemen naar het hoofdbureau van politie aan de Ernst Fontells plats, bij het nieuwe Ullevi-stadion, waar het hoofdkwartier van de provinciale recherche van Västra Götaland was gezeteld. Ze moesten bijna een uur wachten tot inspecteur Erlander samen met Mikael Blomkvist terugkwam uit Gosseberga. Mikael groette Sonja Modig, die hij eerder had ontmoet, en stelde zich voor aan Jerker Holmberg. Daarna sloot een collega van Erlander zich aan. Hij had een update over de jacht op Ronald Niedermann. Het was een kort rapport.

'Er is een opsporingsteam gevormd onder leiding van de provinciale recherche. We hebben uiteraard een landelijk opsporingsbevel doen uitgaan. De politieauto is vanochtend om zes uur aangetroffen in Alingsås. Daar houdt het spoor momenteel op. We denken dat hij van voertuig is gewisseld, maar hebben nog geen melding binnen gekregen van een autodiefstal.'

'Media?' vroeg Modig en ze keek Mikael Blomkvist verontschuldigend aan.

'Het is een moord op een politieman. Volle sterkte dus. Er is om tien uur een persconferentie.'

'Is er iemand die iets weet over de toestand van Lisbeth Salander?' vroeg Mikael. Hij was niet erg geïnteresseerd in alles wat met de jacht op Niedermann te maken had.

'Ze is vannacht geopereerd. Ze hebben een kogel uit haar hoofd gehaald. Ze is nog niet weer bij kennis.'

'Is er een prognose?'

'Wat ik ervan heb begrepen, is dat we niets weten voordat ze weer wakker is. Maar de arts die haar heeft geopereerd, zegt dat hij goede hoop heeft dat ze het overleeft als er geen complicaties optreden.'

'En Zalachenko?' vroeg Mikael.

'Wie?' vroeg de collega van Erlander, die nog niet alle details van het verhaal kende.

'Karl Axel Bodin.'

'Ah, ja, die is vannacht ook geopereerd. Hij heeft een lelijke klap in zijn gezicht gehad en een dreun onder zijn knieschijf. Hij is behoorlijk toegetakeld, maar het is geen levensbedreigend letsel.'

Mikael knikte.

'Je ziet er moe uit,' zei Sonja Modig.

'Ja. Dit is mijn derde etmaal zonder veel slaap.'

'Hij heeft wat geslapen in de auto hiernaartoe,' zei Erlander.

'Heb je puf om het hele verhaal vanaf het begin te vertellen?' vroeg Holmberg. 'Het lijkt ongeveer 3-0 te staan tussen de privédetectives en de politie.'

Mikael glimlachte bleekjes.

'Dat is een opmerking die ik van Bublanski zou willen horen,' zei hij.

Ze gingen in de cafetaria van het hoofdbureau zitten om te ontbijten. Mikael vertelde in een halfuur stap voor stap hoe hij het verhaal over Zalachenko bijeen had gepuzzeld. Toen hij klaar was, zaten de politiemensen zwijgend na te denken.

'Er zijn een paar hiaten in dat verhaal,' zei Jerker Holmberg uiteindelijk.

'Dat zal best,' zei Mikael.

'Je vertelt niet hoe je in het bezit bent gekomen van dat geheime rapport van de veiligheidsdienst over Zalachenko.'

Mikael knikte.

'Dat heb ik gisteren bij Lisbeth Salander thuis gevonden, toen ik er eindelijk achter was waar ze zich verstopt hield. Zij had het op haar beurt vermoedelijk gevonden in het zomerhuisje van Nils Bjurman.'

'Je hebt de schuilplaats van Salander dus gevonden,' zei Sonja Modig.

Mikael knikte.

'En?'

'Dat adres moeten jullie zelf maar zien te vinden. Lisbeth heeft er alles aan gedaan om een geheim adres te bemachtigen en ik ben niet van plan dat te onthullen.'

Modig en Holmberg betrokken een beetje.

'We zijn wél bezig met een moordonderzoek,' zei Sonja Modig.

'En jullie hebben nog steeds niet begrepen dat Lisbeth Salander onschuldig is en dat de politie haar integriteit heeft gekrenkt op een manier die zijn weerga niet kent. "Lesbische satanistenliga", waar halen jullie het vandaan? Als ze jullie wil vertellen waar ze woont, zal ze dat heus wel doen.'

'Maar er is nog iets wat ik niet helemaal begrijp,' hield Holmberg aan. 'Waar komt Bjurman überhaupt in beeld? Je zegt dat hij degene was die de hele zaak aan het rollen heeft gebracht door contact op te nemen met Zalachenko en hem te vragen Salander te vermoorden ... maar waarom zou hij dat doen?'

Mikael aarzelde geruime tijd.

'Ik denk dat hij Zalachenko in de arm had genomen om Lisbeth Salander uit de weg te ruimen. Het was de bedoeling dat ze in dat magazijn in Nykvarn zou komen.'

'Hij was haar toezichthouder. Wat zou hij voor motief hebben om haar uit de weg te ruimen?'

'Dat is een gecompliceerd verhaal.'

'Vertel.'

'Ze had een ontzettend goed motief. Hij had iets gedaan wat Lisbeth wist. Ze was een bedreiging voor zijn hele toekomst en voor zijn positie.'

'Wat had hij dan gedaan?'

'Volgens mij kan Lisbeth dat het beste zélf vertellen.'

Hij keek Holmberg aan.

'Laat me raden,' zei Sonja Modig. 'Bjurman had zijn beschermelinge iets geflikt.'

Mikael knikte.

'Heeft hij haar blootgesteld aan enige vorm van seksueel geweld?'

Mikael haalde zijn schouders op en onthield zich van commentaar.

'Je weet niets van de tatoeage op Bjurmans buik?'

'Tatoeage?'

'Een amateuristische tatoeage met een boodschap over zijn hele buik: IK BEN EEN SADISTISCH VARKEN, EEN KLOOTZAK EN EEN VERKRACHTER. We hebben ons suf gepiekerd waar dat op sloeg.'

Mikael barstte plotseling in lachen uit.

'Wat is er?'

'Ik heb me afgevraagd wat Lisbeth had gedaan om wraak te nemen. Maar luister eens ... dit is iets wat ik niet met jullie wil bespreken, om dezelfde redenen als daarnet. Het gaat over haar integriteit. Lisbeth is blootgesteld aan een misdrijf. Zij is het slachtoffer. Zij is degene die moet beslissen wat ze jullie wel en niet wil vertellen. Sorry.'

Hij keek bijna verontschuldigend.

'Vrouwen zouden aangifte moeten doen van verkrachting,' zei Sonja Modig.

'Mee eens. Maar deze verkrachting heeft twee jaar geleden plaatsgevonden en Lisbeth heeft het nog niet met de politie opgenomen. Wat aangeeft dat ze dat ook niet van plan is. Ik kan het volstrekt oneens met haar zijn op dat gebied, maar zij is degene die de beslissing neemt. Bovendien ...'

'Ja?'

'Ze heeft weinig reden om de politie in vertrouwen te nemen. De laatste keer dat ze probeerde uit te leggen wat voor hufter Zalachenko was, belandde ze in een psychiatrische inrichting.'

De leider van het vooronderzoek, Richard Ekström, had maagpijn toen hij vrijdagochtend even voor negenen opsporingsleider Jan Bublanski aan de andere kant van het bureau vroeg plaats te nemen. Ekström zette zijn bril goed en streek over zijn keurig getrimde sikje. Hij ervoer de situatie als chaotisch en bedreigend. Hij was al een maand als leider van het vooronderzoek bezig met de jacht op Lisbeth Salander. Hij had haar in de media uitvoerig omschreven als een psychisch gestoorde en levensgevaarlijke psychopaat. Hij had informatie naar buiten gelekt die hem in een toekomstige rechtszaak geen windeieren zou leggen. Alles had zo mooi geleken.

Hij had er geen seconde aan getwijfeld dat Lisbeth Salander daadwerkelijk schuldig was aan de drievoudige moord en dat de rechtszaak een glorieuze overwinning zou worden; een propagandavoorstelling met hemzelf in de hoofdrol. Maar toen was alles in het honderd gelopen en nu zat hij plotseling met een heel andere moordenaar en een chaos waar geen einde aan leek te komen. *Die verdomde Salander.*

'Ja, we zitten in een lastig parket,' zei hij. 'Wat ben je te weten gekomen?'

'Er is een nationaal opsporingsbevel uitgegaan voor Ronald Niedermann, maar hij is nog voortvluchtig. Hij wordt momenteel alleen gezocht voor de moord op politieman Gunnar Andersson, maar ik neem aan dat we hem ook moeten opsporen voor die drie moorden hier in Stockholm. Misschien kun je een persconferentie organiseren.'

Bublanski deed het voorstel voor een persconferentie uit pure baloorigheid.

'We moeten maar even wachten met een persconferentie,' zei Ekström snel.

Bublanski zorgde ervoor dat hij zijn gezicht in de plooi hield.

'Het is nu in eerste instantie een zaak voor de politie van Göteborg,' verduidelijkte Ekström.

'Nou ja, we hebben Sonja Modig en Jerker Holmberg daar ter plaatse en zijn een samenwerking aangegaan ...'

'We wachten met een persconferentie tot we meer weten,' besloot Ekström scherp. 'Wat ik wil weten, is hoe zeker je ervan bent dat Niedermann daadwerkelijk betrokken is bij de moorden hier in Stockholm.'

'Als politieman ben ik overtuigd. Maar het bewijs is wat magertjes. We hebben geen getuigen van de moorden en er is geen goed technisch bewijs. Magge Lundin en Sonny Nieminen van de Svavelsjö MC weigeren iets te zeggen en doen alsof ze nog nooit van Niedermann hebben gehoord. Maar hij zal zeker worden veroordeeld voor de moord op politieman Gunnar Andersson.'

'Mooi,' zei Ekström. 'De moord op die politieman is op dit moment natuurlijk het belangrijkst. Maar zeg eens, is er iets wat erop duidt dat Salander op de een of andere manier betrokken is bij die moorden? Zouden zij en Niedermann ze samen gepleegd kunnen hebben?'

'Dat betwijfel ik. En ik zou die theorie zeker niet in het openbaar ventileren.'

'Maar hoe is ze er dan wél bij betrokken?'

'Dat is een extreem gecompliceerd verhaal. Net zoals Mikael Blomkvist van het begin af aan al heeft beweerd, gaat het om die figuur, Zala ... Alexander Zalachenko.'

De naam Mikael Blomkvist deed officier van justitie Ekström zichtbaar huiveren.

'Zala is een overgelopen en blijkbaar gewetenloze Russische huurmoordenaar uit de Koude Oorlog,' vervolgde Bublanski. 'Hij is in de jaren zeventig naar Zweden gekomen en werd de vader van Lisbeth Salander. Hij is ingelijfd bij een fractie van de Zweedse veiligheidsdienst die heeft verzwegen dat Zalachenko een crimineel verleden had. Een politieman van de veiligheidsdienst heeft er ook voor gezorgd dat Lisbeth Salander op haar dertiende in een kinderpsychiatrische kliniek belandde, toen ze dreigde het geheim over Zalachenko te onthullen.'

'Je begrijpt dat dit wat lastig te volgen is. Het is niet echt een verhaal waarmee we naar buiten kunnen treden. Als ik het goed begrijp, zijn al deze gegevens over Zalachenko geheim.'

'Het is echter de waarheid. Ik heb de documentatie hier.'

'Mag ik die eens zien?'

Bublanski schoof de map met het politieonderzoek uit 1991 naar hem toe. Ekström bekeek aandachtig de stempel die aangaf dat het document staatsgeheim was en het dossiernummer dat hij meteen identificeerde als afkomstig van de veiligheidsdienst. Hij bladerde de bijna honderd pagina's snel door en las hier en daar een paar alinea's. Daarna legde hij het rapport terzijde.

'We moeten dit een beetje zien te temperen, zodat de situatie ons niet boven het hoofd groeit. Lisbeth Salander werd dus opgesloten in een gesticht omdat ze had geprobeerd haar vader te vermoorden ... die Zalachenko. En nu heeft ze haar vader een bijl in zijn hoofd geslagen. Dat moet toch wel worden gerubriceerd als poging tot doodslag. En ze moet worden opgepakt voor die schietpartij op Magge Lundin in Stallarholmen.'

'Je mag oppakken wie je wilt, maar ik zou voorzichtig te werk gaan als ik jou was.'

'Het wordt een gigantisch schandaal als dat verhaal over de veiligheidsdienst naar buiten komt.'

Bublanski haalde zijn schouders op. Zijn taakomschrijving bestond uit het onderzoeken van misdrijven, niet uit het voorkomen van schandalen.

'Die vent van de veiligheidsdienst, Gunnar Björck. Wat weten we over zijn rol?'

'Hij is een van de hoofdrolspelers. Hij zit momenteel in de ziektewet wegens een hernia en verblijft tijdelijk in Smådalarö.'

'Oké, we zwijgen nog even over dat gedoe met de veiligheidsdienst. Het gaat nu om een politiemoord en om niets anders. We moeten geen verwarring zaaien.'

'Het zal lastig worden om dat stil te houden.'

'Hoezo?'

'Ik heb Curt Svensson weggestuurd om Björck op te halen voor verhoor.' Bublanski keek op zijn horloge. 'Ze zouden nu elk moment hier kunnen zijn.'

'Hè?'

'Ik was eigenlijk van plan om zelf naar Smådalarö af te reizen, maar die politiemoord is ertussen gekomen.'

'Ik heb geen toestemming gegeven om Björck op te pakken.'

'Dat klopt. Maar het is geen aanhouding. Ik haal hem alleen op voor verhoor.'

'Dit bevalt me niets.'

Bublanski leunde voorover en zag er bijna vertrouwelijk uit.

'Richard ... het zit zo. Lisbeth Salander is slachtoffer van een reeks gerechtelijke overtredingen die al begonnen toen ze nog een kind was. Ik ben niet van plan om dat te laten doorgaan. Je kunt me best ontslaan als opsporingsleider, maar in dat geval ben ik genoodzaakt om een pittige memo over deze kwestie te schrijven.'

Richard Ekström keek alsof hij iets zuurs had doorgeslikt.

Gunnar Björck, die in de ziektewet zat van zijn functie als plaatsvervangend chef afdeling Buitenland van de Zweedse veiligheidsdienst, deed de deur van het zomerhuis in Smådalarö open en keek op tegen een stevige, blonde en gemillimeterde man in een zwart leren jack.

'Ik ben op zoek naar Gunnar Björck.'

'Dat ben ik.'

'Curt Svensson, provinciale recherche.'

De man hield zijn legitimatie omhoog.

'Ja?'

'U wordt verzocht mee te gaan naar Kungsholmen om de politie bij te staan bij een onderzoek met betrekking tot Lisbeth Salander.'

'Eh ... ik ben bang dat er sprake is van een misverstand.'

'Er is geen sprake van een misverstand,' zei Curt Svensson.

'Ik begrijp het niet. Ik zit ook bij de politie. Ik denk dat u dit even moet afstemmen met uw chef.'

'Mijn chef is degene die met u wil praten.'

'Ik moet even bellen en ...'

'U kunt vanaf Kungsholmen bellen.'

Gunnar Björck voelde plotseling de grond onder zijn voeten wegzakken.

Nu is het gebeurd. Nu ben ik erbij. Die Verdomde Blomkvist. En die Verrekte Salander.

'Is dit een aanhouding?' vroeg hij.

'Op dit moment niet. Maar dat kunnen we wel regelen als u dat wilt.'

'Nee ... nee, ik ga uiteraard mee. Natuurlijk wil ik de collega's van de politie graag bijstaan.'

'Mooi,' zei Curt Svensson, die mee naar binnen liep. Hij hield Gunnar Björck in de gaten toen deze een jas ging halen en het koffiezetapparaat uitzette.

Om elf uur 's morgens bedacht Mikael Blomkvist dat zijn huurauto nog steeds achter een schuur bij de inrit naar Gosseberga stond, maar hij was zo uitgeput dat hij het niet kon opbrengen om hem op te halen, en al helemaal niet om er op veilige wijze een stuk mee te rijden. Hij vroeg inspecteur Marcus Erlander om raad en Erlander regelde meteen dat een technisch rechercheur uit Göteborg, die in Gosseberga was, de auto op weg naar huis mee zou nemen.

'Zie het als compensatie voor hoe je vannacht bent behandeld.'

Mikael knikte en nam een taxi naar het City Hotel aan de Lorensbergsgatan vlak bij de Avenue. Hij boekte voor 800 kronen een eenpersoonskamer voor een nacht en ging onmiddellijk naar zijn kamer en kleedde zich uit. Hij ging naakt op de sprei zitten en pakte Lisbeth Salanders Palm Tungsten T3 uit de binnenzak van zijn jas en woog hem in zijn hand. Hij was nog steeds verbaasd dat de handcomputer niet in beslag was genomen toen commissaris Thomas Paulsson hem had gefouilleerd, maar Paulsson was ervan uitgegaan dat het Mikaels eigen computer was, en praktisch gezien was hij nooit echt opgepakt en gevisiteerd. Hij dacht even na en stopte hem daarna in het vak van zijn laptoptas waar hij de cd van Lisbeth, gemerkt *Bjurman,* bewaarde, en die Paulsson ook had gemist. Hij was zich ervan bewust dat hij in wetstechnische zin bewijsmateriaal achterhield, maar het waren voorwerpen waarvan Lisbeth hoogstwaarschijnlijk niet wilde dat ze in verkeerde handen zouden vallen.

Hij zette zijn mobiele telefoon aan, constateerde dat de batterij bijna leeg was en legde hem aan de lader. Hij belde zijn zus, advocate Annika Giannini.

'Hoi, zusje.'

'Wat heb jij met die politiemoord van vannacht te maken?' vroeg ze onmiddellijk.

Hij verklaarde in het kort wat er was gebeurd.

'Oké. Salander ligt dus op de intensive care.'

'Klopt. We weten pas hoe ernstig het is als ze weer wakker is, maar ze heeft een advocaat nodig.'

Annika Giannini dacht even na.

'Denk je dat ze mij wil hebben?'

'Vermoedelijk wil ze helemaal geen advocaat hebben. Ze is niet iemand die gauw om hulp vraagt.'

‘Dat klinkt alsof ze een strafpleiter nodig heeft. Ik wil graag de documentatie bekijken die je hebt.’
‘Bel Erika Berger even en vraag haar om een kopie.’
Zo gauw Mikael het gesprek met Annika Giannini had afgerond, belde hij Erika Berger. Ze nam haar mobiel niet op en hij toetste haar nummer op de redactie van *Millennium* in. Henry Cortez nam op.
‘Erika is ergens extern,’ zei Henry.
Mikael legde in het kort uit wat er was gebeurd en vroeg Henry Cortez die informatie aan de hoofdredacteur van *Millennium* door te geven.
‘Oké. Wat moeten we doen?’ vroeg Henry.
‘Vandaag niets,’ zei Mikael. ‘Ik moet slapen. Ik kom morgen naar Stockholm als er niets onverwachts gebeurt. *Millennium* geeft zijn versie in het volgende nummer en dat duurt nog bijna een maand.’
Hij rondde het gesprek af, kroop in bed en sliep binnen dertig seconden.

Plaatsvervangend hoofdcommissaris van de provinciale recherche Monica Spångberg tikte met haar pen tegen de rand van haar glas Ramlösa en vroeg om stilte. Er zaten tien personen om de ronde vergadertafel in haar kamer op het hoofdbureau. Drie vrouwen en zeven mannen. Het gezelschap bestond uit de chef Geweld, de plaatsvervangend chef Geweld, drie inspecteurs van de recherche inclusief Marcus Erlander, en de persvoorlichter van de Göteborgse politie. Andere genodigden voor de bijeenkomst waren de leidster van het vooronderzoek, Agneta Jervas van het Openbaar Ministerie en de inspecteurs Sonja Modig en Jerker Holmberg van de Stockholmse politie. De laatste twee waren uitgenodigd om de goede wil tot samenwerken te tonen en mogelijk om hun te laten zien hoe een écht politieonderzoek in zijn werk ging.
Spångberg, die meestal de enige vrouw in het gezelschap was, stond erom bekend dat ze geen tijd verspilde aan formaliteiten en clichés. Ze legde uit dat de hoofdcommissaris van de provinciale recherche onderweg was naar een Europol-conferentie in Madrid, dat hij zijn reis had afgebroken toen hij het bericht had ontvangen dat er een politieman was vermoord, maar dat hij die avond laat pas terug werd verwacht. Daarna richtte ze zich rechtstreeks tot het hoofd van de afdeling Geweld, Anders Pehrzon, en vroeg hem de situatie samen te vatten.
‘Het is nu ruim tien uur geleden dat onze collega Gunnar Anders-

son op de Nossebrovägen is vermoord. We weten de naam van de moordenaar, Ronald Niedermann, maar hebben nog geen foto van de persoon in kwestie.'

'Wij hebben een ruim twintig jaar oude foto van hem in Stockholm, die hebben we van Paolo Roberto gekregen, maar hij is zo goed als onbruikbaar,' zei Jerker Holmberg.

'Oké. De politieauto die hij heeft ontvreemd, is zoals bekend vanmorgen in Alingsås teruggevonden. Hij stond in een zijstraat geparkeerd, zo'n 350 meter van het station. We hebben vandaag geen meldingen van autodiefstal uit die omgeving binnengekregen.'

'Opsporingssituatie?'

'We houden de treinen tussen Stockholm en Malmö in de gaten, er is een landelijk opsporingsbericht uitgegaan en de politie in Noorwegen en Denemarken is geïnformeerd. Er zit momenteel dertig man op de zaak en uiteraard houdt het hele korps de ogen open.'

'Geen sporen?'

'Nee. Nog niet. Maar een persoon met Niedermanns karakteristieke uiterlijk zou niet zo moeilijk te vinden moeten zijn.'

'Is er iemand die weet hoe het met Fredrik Torstensson is?' vroeg een van de inspecteurs van Geweld.

'Hij ligt in het Sahlgrenska. Hij is ernstig gewond, ongeveer zoals na een auto-ongeluk. Het is nauwelijks voorstelbaar dat iemand met zijn blote handen dusdanig letsel kan aanbrengen. Behalve botbreuken en gekneusde ribben, heeft hij een beschadigde nekwervel en de kans bestaat dat hij gedeeltelijk verlamd zal blijven.'

Iedereen liet de toestand van de collega een paar seconden op zich inwerken tot Spångberg het woord weer nam. Ze richtte zich tot Erlander.

'Wat is er eigenlijk in Gosseberga gebeurd?'

'Thomas Paulsson, dát is er gebeurd.'

Er was een algeheel gekreun hoorbaar.

'Kan hij niet met pensioen worden gestuurd? Hij is een wandelende catastrofe.'

'Ik ken Paulsson heel goed,' zei Monica Spångberg scherp. 'Maar ik heb de laatste ... tja, twee jaar geen klachten over hem gehoord.'

'De hoofdcommissaris daar is een oude bekende van Paulsson en houdt hem de hand boven het hoofd. Goedbedoeld, en dat is geen kritiek, maar Paulsson heeft zich vannacht zo wonderlijk gedragen dat meerdere collega's dat hebben gerapporteerd.'

'Hoe dan?'

Marcus Erlander keek naar Sonja Modig en Jerker Holmberg. Hij vond het duidelijk gênant dat hij tegenover de Stockholmse collega's de vuile was buiten moest hangen.

'Het gekste was dat hij een collega van de technische recherche een inventarisatie liet maken van alles in de houtschuur waar we die Zalachenko hadden gevonden.'

'Inventarisatie van de houtschuur?' vroeg Spångberg.

'Ja ... hij wilde precies weten hoeveel houtblokken er lagen. Zodat het rapport correct zou zijn.'

Er viel een doordringende stilte rond de vergadertafel en Erlander ging snel verder.

'Vanochtend is gebleken dat Paulsson twee soorten antidepressiva slikt, Xanor en Efexor. Hij zou eigenlijk in de ziektewet moeten zitten, maar hij heeft zijn toestand verzwegen voor zijn collega's.'

'Welke toestand?' vroeg Spångberg scherp.

'Ik weet natuurlijk niet exact wat hij mankeert, de arts heeft zwijgplicht, maar de medicijnen die hij slikt, zijn deels sterk angstremmend en deels oppeppend. Hij was vannacht dus gewoon stoned.'

'Jezus,' zei Spångberg met nadruk. Ze trok een gezicht als het onweer dat die ochtend over Göteborg was getrokken. 'Ik wil Paulsson hier hebben voor een gesprek. Nu.'

'Dat wordt moeilijk. Hij is vanochtend ingestort en is opgenomen in het ziekenhuis wegens overspannenheid. We hadden gewoon maximale pech dat hij dienst had.'

'Mag ik iets vragen?' vroeg de chef Geweld. 'Paulsson heeft Mikael Blomkvist vannacht toch ook opgepakt?'

'Paulsson heeft een rapport opgemaakt en aangifte gedaan van belediging van een ambtenaar in functie, verzet en verboden wapenbezit.'

'Wat zegt Blomkvist?'

'Hij geeft de beledigingen toe, maar beweert dat het noodweer was. Hij meent dat zijn verzet bestond uit een scherpe verbale poging om Torstensson en Andersson ervan te weerhouden Niedermann zelf en zonder versterking te gaan ophalen.'

'Getuigen?'

'De agenten Torstensson en Andersson. Laat ik zeggen dat ik geen steek geloof van Paulssons aanklacht wegens gewelddadig verzet. Dat is typisch een poging om een eventuele toekomstige klacht van Blomkvist te pareren.'

'Maar Blomkvist had Niedermann dus eigenhandig overmeesterd?' vroeg officier van justitie Agneta Jervas.

'Onder bedreiging met een wapen.'

'Dus Blomkvist had een wapen. Dan had de aanhouding van Blomkvist in elk geval enige grond. Hoe kwam hij aan dat wapen?'

'Daar wil Blomkvist niets over zeggen voordat hij met zijn advocaat heeft gesproken. Maar Paulsson sloeg Blomkvist in de boeien toen hij probeerde het wapen aan de politie te overhandigen.'

'Mag ik met een informeel voorstel komen?' vroeg Sonja Modig voorzichtig.

Iedereen keek in haar richting.

'Ik heb Mikael Blomkvist tijdens het onderzoek meerdere malen ontmoet en ik ben van mening dat hij iemand met een goed oordeelsvermogen is, ook al is hij journalist. Ik neem aan dat jij de beslissing neemt over een aanklacht ...' Ze keek naar Agneta Jervas, die knikte. 'In dat geval ... Dat van die belediging en het verzet is geklets, dus ik denk dat dat automatisch zal worden geseponeerd.'

'Vermoedelijk. Maar verboden wapenbezit is wat ernstiger.'

'Ik stel voor dat je even afwacht. Blomkvist heeft dit hele verhaal zelf bij elkaar gesprokkeld en ligt ver voor op de politie. We hebben er veel meer aan om op goede voet met hem te blijven dan wanneer we hem loslaten en hij het hele politiekorps in de media afmaakt.'

Ze zweeg. Na een paar seconden schraapte Marcus Erlander zijn keel. Als Sonja Modig haar nek durfde uitsteken, wilde hij niet voor haar onderdoen.

'Ik ben het hiermee eens. Ik ervaar Blomkvist ook als een scherpzinnig iemand. Ik heb hem zelfs excuses aangeboden voor de behandeling van vannacht. Hij lijkt bereid de zaak door de vingers te zien. Bovendien is hij integer. Hij heeft Lisbeth Salanders woning opgespoord, maar weigert te vertellen waar die is. Hij is niet bang voor een openbare discussie met de politie ... en hij bevindt zich natuurlijk in een positie waarin zijn stem in de media even zwaar weegt als welke aangifte van Paulsson dan ook.'

'Maar hij weigert informatie over Salander aan de politie te geven?'

'Hij zegt dat we dat Lisbeth zelf maar moeten vragen.'

'Wat is het voor wapen?' vroeg Jervas.

'Een Colt 1911 Government. Het serienummer is onbekend. Ik heb het wapen naar de TR gestuurd en we weten nog niet of het in enig crimineel verband in Zweden is gebruikt. Als dat het geval is, komt de zaak natuurlijk in een ander daglicht te staan.'

Monica Spångberg stak haar pen omhoog.

'Agneta, jij bepaalt natuurlijk zelf of je een vooronderzoek naar

Blomkvist wilt opstarten of niet. Maar ik stel voor dat je het rapport van de TR afwacht. Laten we verdergaan. Die figuur Zalachenko ... Wat kunnen jullie over hem vertellen?' Ze richtte zich tot haar Stockholmse collega's.

'Feit is dat wij tot gistermiddag nog nooit van Zalachenko of Niedermann hadden gehoord,' antwoordde Sonja Modig.

'Ik dacht dat jullie op jacht waren naar een lesbische satanistenliga,' zei een van de Göteborgse politiemensen.

Enkele aanwezigen grinnikten. Jerker Holmberg inspecteerde zijn nagels. Sonja Modig mocht het opknappen.

'Zo onder ons kan ik zeggen dat wij onze eigen "Thomas Paulsson" binnen het korps hebben en dat dat met die lesbische satanistenliga meer een zijspoor is dat uit zijn koker afkomstig is.'

Sonja Modig en Jerker Holmberg vertelden daarna in ruim een halfuur wat er uit het onderzoek naar voren was gekomen.

Toen ze klaar waren, viel er een lange stilte rond de tafel.

'Als dat met Gunnar Björck klopt, zal de veiligheidsdienst in een lastig parket komen,' stelde de plaatsvervangend chef Geweld uiteindelijk vast.

Iedereen knikte. Agneta Jervas stak haar hand op.

'Als ik het goed begrijp, zijn jullie verdenkingen grotendeels gebaseerd op vermoedens en aanwijzingen. Als officier van justitie ben ik wat ongerust over het feitelijke bewijsmateriaal.'

'Daar zijn we ons van bewust,' zei Jerker Holmberg. 'We denken dat we in grote lijnen weten wat er is gebeurd, maar er zijn nog veel vragen die moeten worden opgelost.'

'Ik heb begrepen dat jullie bezig zijn met opgravingen in Nykvarn buiten Södertälje,' zei Spångberg. 'Om hoeveel moorden gaat het in dit verhaal eigenlijk?'

Jerker Holmberg knipperde vermoeid met zijn ogen.

'We begonnen met drie moorden in Stockholm, dat zijn de moorden waarvoor Lisbeth Salander werd gezocht, dus die op de advocaat Bjurman, de journalist Dag Svensson en de promovenda Mia Bergman. In verband met die toestand bij dat magazijn in Nykvarn hebben we tot nu toe drie graven gevonden. We hebben een bekende heler en kruimeldief geïdentificeerd die in stukken gesneden in een graf lag. We hebben een tot nu toe ongeïdentificeerde vrouw aangetroffen in graf nummer twee. En het derde graf hebben we nog niet kunnen uitgraven. Dat lijkt van oudere datum te zijn. Bovendien heeft Mikael Blomkvist een link gelegd met de moord op een prostituee uit Södertälje een paar maanden geleden.'

'Dus met politieman Gunnar Andersson in Gosseberga erbij gaat het om ten minste acht moorden ... Dat is een beangstigende hoeveelheid. Verdenken we die Niedermann van al die moorden? Dan zou hij dus een volledig gestoorde dolleman en seriemoordenaar zijn.'

Sonja Modig en Jerker Holmberg keken elkaar aan. Het ging er nu om in welke mate zij zich aan die beweringen zouden binden. Uiteindelijk nam Sonja Modig het woord.

'Ook al ontbreekt het feitelijke bewijs, mijn chef, inspecteur Jan Bublanski, en ik zijn toch geneigd te geloven dat Blomkvist volstrekt gelijk heeft in zijn bewering dat de eerste drie moorden door Niedermann zijn gepleegd. Dat zou betekenen dat Salander onschuldig is. Wat betreft de graven in Nykvarn is Niedermann verbonden aan die plaats door de ontvoering van Salanders vriendin Miriam Wu. Er is geen twijfel over mogelijk dat zij op de nominatie stond voor een vierde grafplaats. Maar het betreffende magazijn is eigendom van een familielid van de leider van de Svavelsjö MC en we moeten wachten met het trekken van conclusies totdat we de stoffelijke overschotten hebben kunnen identificeren.'

'Die kruimeldief die jullie hebben geïdentificeerd ...'

'Kenneth Gustafsson, vierenveertig jaar oud, een bekende heler en al sinds zijn jeugd een probleemkind. M'n intuïtie zegt dat het een of andere afrekening is. De Svavelsjö MC is betrokken bij alle mogelijke vormen van criminaliteit, waaronder de distributie van metamfetamine. Het kan dus een kerkhof in het bos zijn voor mensen die in aanvaring zijn gekomen met de Svavelsjö MC. Maar ...'

'Ja?'

'De prostituee die is vermoord in Södertälje ... zij heette Irina Petrova, tweeëntwintig jaar oud.'

'Oké.'

'Sectie heeft aangetoond dat ze was blootgesteld aan zeer grove mishandeling. Ze had verwondingen van het soort dat je aantreft bij iemand die is doodgeslagen met een honkbalknuppel of iets dergelijks. Maar het letsel was complex en de patholoog kon geen specifiek gereedschap noemen dat was gebruikt. Die waarneming van Blomkvist was zeer scherp. Irina Petrova had letsel dat zeer goed met de blote hand kan zijn aangebracht ...'

'Niedermann?'

'Dat is een redelijke veronderstelling. Bewijs ontbreekt nog.'

'Hoe gaan we verder?' vroeg Spångberg.

'Ik moet overleggen met Bublanski, maar een natuurlijke volgende stap zou het verhoren van Zalachenko zijn. Wij zijn natuurlijk geïnteresseerd om van hem te horen wat hij over de moorden in Stockholm te zeggen heeft en van jullie kant is het natuurlijk zaak om Niedermann zo snel mogelijk te vinden.'

Een van de inspecteurs van Geweld stak een vinger op.

'Mag ik eens vragen ... Wat is er gevonden op die boerderij in Gosseberga?'

'Heel weinig. We hebben vier handvuurwapens aangetroffen. Een Sig Sauer, die gedemonteerd op de keukentafel lag om in te vetten. Een Poolse P-83 Wanad op de grond naast de keukenbank. Een Colt 1911 Government – dat is het pistool dat Blomkvist aan Paulsson probeerde te overhandigen. En ten slotte een Browning kaliber 22, die in die verzameling bijna een speelgoedpistool is. We denken dat dat het wapen is waarmee Salander is beschoten, omdat ze een kogel in haar hoofd heeft overleefd.'

'Nog meer?'

'We hebben een tas in beslag genomen met meer dan 200.000 kronen. Die tas stond in een kamer op de bovenverdieping, die door Niedermann werd gebruikt.'

'En jullie zijn er zeker van dat het zijn kamer is?'

'Tja, hij heeft kledingmaat xxl. Zalachenko heeft hoogstens medium.'

'Is er iets wat Zalachenko aan criminele activiteiten linkt?' vroeg Jerker Holmberg.

Erlander schudde zijn hoofd.

'Dat ligt er natuurlijk aan hoe we die inbeslagname van wapens interpreteren. Maar afgezien van de wapens en van het feit dat Zalachenko daar een zeer geavanceerde camerabewaking had, hebben we niets gevonden wat de boerderij in Gosseberga onderscheidt van welke boerderij dan ook. Het is een zeer spartaans gemeubileerd huis.'

Even voor twaalven werd er geklopt en een geüniformeerde politieman overhandigde een briefje aan plaatsvervangend hoofdcommissaris Monica Spångberg. Ze stak een vinger op.

'We hebben een melding van een verdwijning in Alingsås. Een zevenentwintigjarige tandartsassistente genaamd Anita Kaspersson heeft vanochtend om 7.30 uur haar woning verlaten. Ze heeft een kind naar de crèche gebracht en is gewoonlijk even voor achten op haar werk. Maar daar is ze nooit aangekomen. Ze werkt bij een privétandarts die praktijk houdt op ongeveer 150 meter van de plaats waar de gestolen politieauto is teruggevonden.'

Erlander en Sonja Modig keken tegelijkertijd op hun horloges.

'Dan heeft hij vier uur voorsprong. Wat is het voor auto?'

'Een donkerblauwe Renault uit 1991. Hier is het kenteken.'

'Stuur meteen een opsporingsbevel uit voor die auto. Op dit moment kan hij overal tussen Oslo, Malmö en Stockholm zijn.'

Na nog een korte discussie werd de bespreking afgerond met de beslissing dat Sonja Modig en Marcus Erlander Zalachenko samen zouden gaan verhoren.

Henry Cortez fronste zijn wenkbrauwen en keek Erika Berger na, die vanuit haar kamer naar de pantry liep. Ze kwam een paar seconden later terug met een beker koffie en spoedde zich weer naar haar kamer. Ze deed de deur achter zich dicht.

Henry Cortez kon niet precies zijn vinger op de zere plek leggen. *Millennium* was een kleine werkplek van het soort waar de medewerkers nauw bij elkaar betrokken waren. Hij werkte al vier jaar parttime bij het blad en in die tijd had hij een paar fenomenale stormen doorstaan, zoals de periode toen Mikael Blomkvist drie maanden in de gevangenis had gezeten wegens laster en het blad bijna ten onder was gegaan. En hij had de moord op medewerker Dag Svensson en diens vriendin Mia Bergman meegemaakt.

In al die stormen was Erika Berger een rots in de branding geweest die zich door niets en niemand uit het veld liet slaan. Hij was niet verbaasd dat Erika Berger hem die ochtend vroeg had gebeld en hem en Lottie Karim aan het werk had gezet. De Salander-affaire was geëscaleerd en Mikael Blomkvist was betrokken geraakt bij een politiemoord in Göteborg. Tot zo ver was alles helder. Lottie Karim had haar intrek genomen in het hoofdbureau van politie en probeerde daar zinnige informatie te bemachtigen. Henry had de ochtend besteed aan het plegen van telefoontjes om te achterhalen wat er die nacht precies was gebeurd. Blomkvist had zijn telefoon niet opgenomen, maar dankzij een reeks bronnen had Henry een vrij goed beeld gekregen van wat er zich die nacht had afgespeeld.

Daarentegen was Erika Berger de hele ochtend geestelijk afwezig geweest. Het gebeurde maar heel zelden dat ze de deur van haar kamer dichtdeed. Dat deed ze eigenlijk alleen als ze bezoek had of ergens heel intensief mee bezig was. Ze had die ochtend geen bezoek gehad en ze was ook niet aan het werk. Toen Henry een paar keer had aangeklopt om verslag uit te brengen, had hij haar aangetroffen in de stoel bij het raam waar ze in gedachten verzonken zat en ogenschijnlijk doelloos naar beneden staarde, naar de mensenmassa op de Götgatan. Ze had wat verstrooid naar zijn rapporten geluisterd.

Er was iets niet pluis.

De bel onderbrak zijn gedachten. Hij deed open en daar stond Annika Giannini. Henry Cortez had de zus van Mikael Blomkvist al een paar keer eerder ontmoet, maar kende haar verder niet.

'Hallo Annika,' zei hij. 'Mikael is er vandaag niet.'

'Ik weet het. Ik kom voor Erika.'

Erika Berger keek op van haar stoel bij het raam en stond snel op toen Henry Annika binnenliet.

'Hoi,' zei ze. 'Mikael is er vandaag niet.'

Annika glimlachte.

'Ik weet het. Ik ben hier voor het rapport van Björck. Micke heeft mij gevraagd ernaar te kijken om Salander eventueel te kunnen vertegenwoordigen.'

Erika knikte. Ze stond op en pakte een map van het bureau.

Annika aarzelde even, half-en-half op weg om de kamer te verlaten. Toen bedacht ze zich en ging tegenover Erika zitten.

'Oké, wat is er aan de hand?'

'Ik ga weg bij *Millennium*. En ik heb het niet aan Mikael kunnen vertellen. Hij zit zo verstrikt in dat Salander-gebeuren dat er nooit gelegenheid is geweest en ik kan het de anderen niet vertellen voordat ik het aan hem heb verteld. En nu voel ik me ontzettend kút.'

Annika Giannini beet op haar onderlip.

'En in plaats daarvan vertel je het aan mij. Wat ga je doen?'

'Ik word hoofdredacteur van de *Svenska Morgon-Posten*.'

'Jeetje, dat is niet niks! Dan lijken me felicitaties meer op hun plaats dan geween en tandengeknars.'

'Maar dit was niet de manier waarop ik bij *Millennium* had willen stoppen. Midden in een grote chaos. Het kwam als een donderslag bij heldere hemel en ik kan geen nee zeggen. Ik bedoel, dit is een kans die ik nooit wéér krijg. Maar ik kreeg het aanbod net voordat Dag en Mia werden vermoord en het is sindsdien zo'n puinhoop geweest dat ik het heb verzwegen. En nu heb ik een ontzettend slecht geweten.'

'Dat kan ik me voorstellen. En nu ben je bang om het aan Micke te vertellen.'

'Ik heb het nog aan niemand verteld. Ik dacht dat ik pas na de zomer bij de SMP zou beginnen en dat er nog tijd zou zijn om het te vertellen. Maar nu willen ze dat ik zo snel mogelijk begin.'

Ze zweeg en keek Annika aan. Het huilen stond haar nader dan het lachen.

'Dit is eigenlijk mijn laatste week bij *Millennium*. Volgende week ben ik op reis en daarna ... ja, ik moet ook nog een weekje vakantie hebben om de batterij op te laden. Maar ik begin per 1 mei bij de SMP.'

'En wat zou er zijn gebeurd als je op straat was overreden door een auto? Dan zouden ze binnen een minuut zonder hoofdredacteur hebben gezeten.'

Erika keek op.

'Maar ik bén niet door een auto overreden. Ik heb het wekenlang bewust verzwegen.'

'Ik begrijp dat dat een lastige situatie is, maar ik heb het gevoel dat Micke, Christer en de anderen dat wel aankunnen. Maar ik vind wel dat je het hen meteen moet vertellen.'

'Ja, maar die verdomde broer van jou zit vandaag in Göteborg. Hij slaapt en neemt zijn telefoon niet op.'

'Ik weet het. Er zijn maar weinig mensen die dat zo goed kunnen als hij, hun telefoon niet beantwoorden. Maar het gaat hier niet om jou en Micke. Ik weet dat jullie al zo'n twintig jaar samenwerken en het nodige hebben meegemaakt, maar nu moet je aan Christer denken en aan de anderen op de redactie.'

'Maar Mikael zal ...'

'Micke gaat door het lint. Absoluut. Maar als hij niet kan omgaan met het feit dat jij na twintig jaar je horizon wat gaat verbreden, is hij de tijd die je aan hem hebt besteed niet waard.'

Erika zuchtte.

'Verman je. Roep Christer en de anderen van de redactie bijeen. Nu.'

Christer Malm was even van zijn stuk gebracht toen Erika Berger de medewerkers in de kleine vergaderkamer van *Millennium* op de hoogte had gebracht van haar vertrek. De redactievergadering was binnen een paar minuten belegd, net toen hij op het punt stond om die vrijdagmiddag eerder weg te gaan. Hij keek naar Henry Cortez en Lottie Karim, die net zo verrast waren als hij. Redactiesecretaris Malin Eriksson had ook van niets geweten, evenals verslaggeefster Monika Nilsson en marketingmanager Sonny Magnusson. De enige die ontbrak was Mikael Blomkvist; hij zat in Göteborg.

Mijn god. Mikael weet nergens van, dacht Christer Malm. *Ik vraag me af hoe hij zal reageren.*

Toen besefte hij dat Erika Berger was uitgesproken en dat het doodstil was in de vergaderkamer. Hij schudde zijn hoofd, stond op en gaf Erika een zoen op haar wang.

'Gefeliciteerd, Ricky,' zei hij. 'Hoofdredacteur van de SMP. Dat is beslist een grote stap voorwaarts.'

Henry Cortez ontwaakte eveneens en begon spontaan te applaudisseren. Erika stak haar handen omhoog.

'Stop,' zei ze. 'Ik verdien vandaag geen applaus.'

Ze laste een korte pauze in en nam de medewerkers van de kleine redactie in zich op.

'Luister ... het spijt me enorm dat het op deze manier is gelopen. Ik wilde het weken geleden al vertellen, maar het is verloren gegaan in de chaos na de moorden. Mikael en Malin hebben als bezetenen gewerkt en het was gewoon niet het goede moment om het te zeggen. En daarom zitten we nu hier.'

Malin Eriksson zag met verbazingwekkende scherpzinnigheid in hoe onderbezet de redactie eigenlijk was en hoe ontzettend leeg het zonder Erika zou worden. Wat er ook gebeurde of welke chaos er ook uitbrak, zij was altijd de rots geweest waar Malin tegenaan had kunnen leunen; Erika bleef in elke storm overeind. Tja, niet zo gek dat De Grote Draak haar had gevraagd. Maar wat zou er nu gebeuren? Erika was altijd een sleutelfiguur bij *Millennium* geweest.

'Er zijn een paar dingen die we moeten afstemmen. Ik begrijp ook dat dit onrust op de redactie teweeg zal brengen. Dat is echt mijn bedoeling niet geweest, maar het is niet anders. Ten eerste: ik zal *Millennium* niet helemaal in de steek laten. Ik zal aanblijven als medeeigenaar en deelnemen aan de bestuursvergaderingen. Maar ik zal natuurlijk geen invloed meer hebben op het redactionele werk – dat zou belangenverstrengeling kunnen zijn.'

Christer Malm knikte nadenkend.

'Ten tweede: ik stop formeel op 30 april. Maar dit is eigenlijk mijn laatste werkdag. Volgende week ben ik zoals jullie weten op reis. En ik heb besloten om daarna niet nog voor een paar dagen terug te keren.'

Ze zweeg even.

'Het volgende nummer staat klaar in de computer. Er moeten nog een paar dingetjes aan worden gedaan. Dat wordt mijn laatste nummer. Daarna moet een andere hoofdredacteur de zaak overnemen. Ik maak mijn bureau vanavond leeg.'

De stilte was intens.

'Wie de nieuwe hoofdredacteur wordt, is een beslissing die door het bestuur moet worden genomen. Maar jullie moeten er binnen de redactie natuurlijk ook over praten.'

'Mikael,' zei Christer Malm.

'Nee. Dat nooit. Hij is de slechtste hoofdredacteur die jullie kunnen kiezen. Hij is perfect als verantwoordelijk uitgever en is een kei in het redigeren van onmogelijke teksten die moeten worden gepubliceerd. Hij is het remblok. Maar de hoofdredacteur moet degene zijn die in de aanval gaat. Mikael heeft bovendien de neiging om zich te begraven in zijn eigen verhalen en is dan soms wekenlang afwezig. Hij komt in crisissituaties het best uit de verf, maar is heel slecht in gewone routineklussen. Dat weten jullie zelf ook wel.'

Christer Malm knikte.

'*Millennium* loopt goed omdat jij en Mikael elkaar in evenwicht houden.'

'Maar niet alleen daardoor. Jullie herinneren je allemaal de tijd dat Mikael bijna een jaar in het hoge noorden zat te mokken, daar in Hedestad. Toen draaide *Millennium* zonder hem, net zoals het blad nu zonder mij moet draaien.'

'Oké, wat is je plan?'

'Mijn keuze zou zijn dat jij hoofdredacteur wordt, Christer ...'

'Nooit van mijn leven.' Christer Malm spreidde beide handen uiteen. '... Maar omdat ik weet dat je nee zult zeggen, heb ik een andere oplossing: Malin. Jij bent vanaf vandaag waarnemend hoofdredacteur.'

'Ik?!' riep Malin.

'Ja, jij. Je bent een ontzettend goede redactiesecretaris.'

'Maar ik ...'

'Probeer het. Ik ruim mijn bureau vanavond op. Je kunt maandagmorgen verhuizen. Het meinummer is bijna klaar, daar hebben we al keihard aan gewerkt. In juni komt er een dubbelnummer en daarna zijn jullie een maand vrij. Als het niet werkt, moet het bestuur in augustus iemand anders zien te vinden. Henry, jij krijgt een fulltimebaan en vervangt Malin als redactiesecretaris. En daarna moeten jullie een nieuw iemand aannemen. Maar dat is jullie keus en die van het bestuur.'

Ze zweeg even en keek het gezelschap nadenkend aan.

'Nog één ding. Ik begin bij een andere krant. De SMP en *Millennium* zijn geen concurrenten in praktische zin, maar het betekent wel dat ik niets méér over de inhoud van het volgende nummer wil weten dan ik nu al weet. Al die dingen stemmen jullie vanaf nu af met Malin.'

'Wat doen we met het Salander-verhaal?' vroeg Henry Cortez.

'Neem dat op met Mikael. Ik heb bepaalde kennis over Salander, maar dat verhaal leg ik in de mottenballen. Dat gaat niet mee naar de SMP.'

Erika voelde zich plotseling bijzonder opgelucht.

'Dat was alles,' zei ze en ze beëindigde de vergadering, stond op en ging zonder verder commentaar terug naar haar kantoor.

De redactie van *Millennium* zat als versteend. Pas na een uur klopte Malin Eriksson op Erika's deur.

'Hallo daar.'

'Ja?' vroeg Erika.

'Het personeel wil wat zeggen.'

'Wat dan?'

'Hier buiten.'

Erika stond op en liep naar de deur. Ze hadden de tafel feestelijk gedekt met koffie en gebak.

'We gaan het nog wel een keertje uitvoerig met je vieren,' zei Christer Malm. 'Maar voorlopig doen we het maar even met koffie en taart.'

Voor het eerst die dag glimlachte Erika Berger.

3
VRIJDAG 8 APRIL – ZATERDAG 9 APRIL

Alexander Zalachenko was al acht uur wakker toen Sonja Modig en Marcus Erlander tegen zeven uur 's avonds op bezoek kwamen. Hij had een tamelijk omvangrijke operatie ondergaan, waarbij een aanzienlijk deel van zijn jukbeen was gerepareerd en met titaniumschroeven was vastgezet. Zijn hoofd zat zo in het verband dat alleen zijn linkeroog zichtbaar was. Een arts had verklaard dat de klap met de bijl zijn jukbeen had verbrijzeld en zijn voorhoofdsbeen had beschadigd, een groot deel van de huid op zijn rechtergezichtshelft had losgehaald en zijn oogkas had aangetast. De verwondingen waren zeer pijnlijk. Zalachenko had een grote dosis pijnstillers gekregen, maar was enigszins helder en kon praten. De politie mocht hem echter niet te veel vermoeien.

'Goedenavond meneer Zalachenko,' groette Sonja Modig. Ze stelde zichzelf en haar collega Erlander voor.

'Mijn naam is Karl Axel Bodin,' zei Zalachenko moeizaam tussen zijn samengeperste tanden. Zijn stem klonk kalm.

'Ik weet precies wie u bent. Ik heb uw staat van dienst bij de veiligheidsdienst gelezen.'

Wat niet helemaal waar was, omdat de veiligheidsdienst nog geen enkel dossier over Zalachenko had vrijgegeven.

'Dat is lang geleden,' zei Zalachenko. 'Tegenwoordig heet ik Karl Axel Bodin.'

'Hoe gaat het met u?' vervolgde Modig. 'Bent u in staat een gesprek te voeren?'

'Ik wil aangifte doen van een misdrijf. Mijn dochter heeft geprobeerd mij te vermoorden.'

'Dat is ons bekend. Die zaak zal te zijner tijd worden uitgezocht,' zei Erlander. 'Maar op dit moment zijn er dringender zaken te bespreken.'

'Wat kan er dringender zijn dan een poging tot moord?'
'Wij zouden een informatief gesprek met u willen hebben over drie moorden in Stockholm, zeker drie moorden in Nykvarn en een kidnapping.'
'Daar weet ik niets van. Wie is er vermoord?'
'Meneer Bodin, wij menen op goede gronden te kunnen aannemen dat uw compagnon, de vijfendertigjarige Ronald Niedermann, schuldig is aan al deze misdrijven,' zei Erlander. 'Niedermann heeft vannacht bovendien een politieman uit Trollhättan om het leven gebracht.'
Sonja Modig was enigszins verbaasd dat Erlander Zalachenko ter wille was door de naam Bodin te gebruiken. Zalachenko draaide zijn hoofd een fractie zodat hij Erlander kon zien. Zijn toon werd wat vriendelijker.
'Dat is eh ... vervelend om te horen. Ik weet niet waar Niedermann mee bezig is. Ik heb geen politieman vermoord. Ik ben vannacht zelf bijna vermoord.'
'Ronald Niedermann wordt op dit moment gezocht. Hebt u enig idee waar hij zich schuil zou kunnen houden?'
'Ik weet niet in welke kringen hij verkeert. Ik ...' Zalachenko aarzelde een paar seconden. Zijn stem werd vertrouwelijk. 'Ik moet bekennen ... onder ons gezegd ... dat ik soms wat ongerust ben over Niedermann.'
Erlander boog een stukje naar voren.
'Hoe bedoelt u?'
'Ik heb ontdekt dat hij nogal gewelddadig kan zijn. Ik ben bang voor hem.'
'U bedoelt dat u zich bedreigd voelt door Niedermann?' vroeg Erlander.
'Inderdaad. Ik ben een oude man. Ik kan me niet verdedigen.'
'Kunt u uw relatie met Niedermann verklaren?'
'Ik ben gehandicapt.' Zalachenko wees op zijn voet. 'Dit is de tweede keer dat mijn dochter mij probeert te vermoorden. Ik heb Niedermann jaren geleden in de arm genomen als hulp. Ik dacht dat hij mij zou kunnen beschermen, maar hij heeft mijn leven overgenomen. Hij komt en gaat zoals het hem uitkomt, daar heb ik niets over te zeggen.'
'En waar helpt hij u mee?' onderbrak Sonja Modig hem. 'Dingen te doen die u zelf niet kunt?'
Zalachenko keek Sonja Modig met zijn ene zichtbare oog langdurig aan.

'Ik heb begrepen dat uw dochter meer dan tien jaar geleden een brandbom in uw auto heeft gegooid,' zei Sonja Modig. 'Kunt u uitleggen wat haar ertoe aanzette om dat te doen?'
'Dat moet u mijn dochter vragen. Ze is gestoord.'
Zijn stem was opnieuw vijandig.
'U bedoelt dat u geen reden kunt bedenken waarom Lisbeth Salander u in 1991 heeft aangevallen?'
'Mijn dochter is gestoord. Dat staat zwart op wit.'
Sonja Modig hield haar hoofd schuin. Ze merkte op dat Zalachenko aanzienlijk agressiever en vijandiger antwoordde als zij de vragen stelde. Ze was zich ervan bewust dat Erlander hetzelfde had opgemerkt. Oké ... *good cop, bad cop.* Sonja Modig verhief haar stem.
'U denkt niet dat haar daad er iets mee te maken kan hebben gehad dat u haar moeder zo ernstig had mishandeld dat zij blijvend hersenletsel had opgelopen?'
Zalachenko keek Sonja Modig rustig aan.
'Dat is gewoon gelul. Haar moeder was een hoer. Waarschijnlijk heeft een van haar klanten haar ervanlangs gegeven. Ik was toevallig in de buurt.'
Sonja Modig fronste haar wenkbrauwen.
'Dus u bent volkomen onschuldig?'
'Uiteraard.'
'Zalachenko ... even kijken of ik u goed heb begrepen. U ontkent dus dat u uw toenmalige vriendin Agneta Sofia Salander, geboren Sjölander, de moeder van Lisbeth Salander, hebt mishandeld, ook al is dat het onderwerp van een uitgebreid, geheim onderzoek door uw toenmalige contactpersoon bij de veiligheidsdienst, Gunnar Björck.'
'Ik ben nooit ergens voor veroordeeld. Er is zelfs geen aanklacht ingediend. Ik kan het niet helpen dat een of andere gek bij de veiligheidsdienst in zijn rapporten van alles bij elkaar fantaseert. Als ik ergens van was verdacht, zou ik toch op zijn minst zijn verhoord.'
Sonja Modig was sprakeloos. Zalachenko zag eruit alsof hij glimlachte achter het verband.
'Ik wil dus aangifte doen tegen mijn dochter. Ze heeft geprobeerd mij te doden.'
Sonja Modig zuchtte.
'Ik begin opeens te begrijpen waarom Lisbeth Salander behoefte voelde om een bijl in uw hoofd te rammen.'
Erlander schraapte zijn keel.

'Eh, meneer Bodin ... misschien moeten we even terugkeren naar wat u weet over de bezigheden van Ronald Niedermann.'

Sonja Modig belde inspecteur Jan Bublanski op de gang voor de kamer van Zalachenko.

'Niets,' zei ze.

'Niets?' herhaalde Bublanski.

'Hij heeft aangifte gedaan tegen Lisbeth Salander wegens zware mishandeling en poging tot moord. Hij beweert dat hij niets met de moorden in Stockholm van doen heeft.'

'En hoe verklaart hij dat Lisbeth Salander op zijn perceel in Gosseberga was begraven?'

'Hij zegt dat hij verkouden was en de hele dag voornamelijk heeft geslapen. Als Salander in Gosseberga is beschoten, moet dat een idee van Ronald Niedermann zijn geweest.'

'Oké. Wat hebben we?'

'Ze is neergeschoten met een Browning kaliber 22. Dat is de reden dat ze nog leeft. We hebben het wapen gevonden. Zalachenko heeft bekend dat het zijn wapen is.'

'Aha. Hij weet met andere woorden dat we zijn vingerafdrukken op het wapen zullen aantreffen.'

'Precies. Maar hij zegt dat hij het wapen voor het laatst heeft gezien toen het in de la van zijn bureau lag.'

'Dus dan heeft de voortreffelijke Ronald Niedermann het wapen vermoedelijk gepakt terwijl Zalachenko lag te slapen en heeft hij Salander neergeschoten. Kunnen we het tegendeel bewijzen?'

Sonja Modig dacht even na voor ze antwoord gaf.

'Hij is vertrouwd met de Zweedse wetgeving en de methoden van de politie. Hij bekent helemaal niets en heeft Niedermann als pion-offer. Ik weet niet wat we kunnen bewijzen. Ik heb Erlander gevraagd zijn kleren naar de technische recherche te sturen en te onderzoeken of er kruitsporen op zitten, maar hij zal vermoedelijk beweren dat hij twee dagen terug met het wapen heeft geoefend.'

Lisbeth Salander rook een geur van amandelen en ethanol. Het was alsof ze drank in haar mond had en ze probeerde te slikken, maar merkte dat haar tong verdoofd en verlamd was. Ze probeerde haar ogen open te doen, maar was daartoe niet in staat. Ze hoorde een stem ver weg die tegen haar leek te praten, maar ze kon de woorden niet horen. Even daarna hoorde ze de stem luid en duidelijk.

'Ik geloof dat ze bezig is wakker te worden.'

Ze voelde dat iemand aan haar voorhoofd zat en probeerde de opdringerige hand weg te duwen. Op dat moment voelde ze een intense pijn in haar linkerschouder. Ze ontspande zich.

'Kun je mij horen?'

Rot op.

'Kun je je ogen opendoen?'

Wat is dat voor gezeik?

Uiteindelijk deed ze haar ogen open. Eerst zag ze alleen maar eigenaardige lichtpunten, voordat een gedaante midden in haar blikveld verscheen. Ze probeerde haar blik te focussen, maar de gedaante boog de hele tijd naar opzij. Het voelde aan alsof ze een gigantische kater had en of het bed voortdurend naar achteren helde.

'Ststl,' zei ze.

'Wat zei je?'

'Dioot,' zei ze.

'Dat klinkt goed. Kun je je ogen nogmaals opendoen?'

Ze deed haar ogen open tot twee smalle spleetjes. Ze zag een vreemd gezicht en nam elk detail in zich op. Een blonde man met extreem blauwe ogen en een scheef, vierkant gezicht op een paar decimeter van haar gezicht.

'Dag. Ik ben Anders Jonasson. Ik ben arts. Je ligt in het ziekenhuis. Je bent gewond geraakt en bent aan het bijkomen na een operatie. Weet je hoe je heet?'

'Pschalandr,' zei Lisbeth Salander.

'Mooi. Zou je wat voor mij willen doen? Kun je tot tien tellen?'

'Een, twee, vier ... nee ... drie, vier, vijf, zes ...'

Toen viel ze weer in slaap.

Maar dokter Anders Jonasson was content met de respons die hij had gekregen. Ze had haar naam gezegd en was gaan tellen. Dat betekende dat haar verstand nog enigszins intact was en dat ze niet als een kasplantje door het leven zou hoeven. Hij noteerde de tijd van ontwaken, 21.06 uur, ruim zestien uur nadat hij de operatie had beëindigd. Hij had het grootste deel van de dag geslapen en was tegen zevenen 's avonds naar het Sahlgrenska teruggegaan. Hij was eigenlijk vrij, maar had nog veel papierwerk liggen.

Hij had het niet kunnen laten om bij de intensive care binnen te lopen om naar de patiënte te kijken in wier hersenen hij die ochtend vroeg had zitten wroeten.

'Laat haar nog maar een tijdje slapen, maar hou haar erg goed in de gaten. Er kunnen zwellingen of bloedingen in de hersenen ontstaan. Ze leek ook behoorlijk pijn in haar schouder te hebben toen ze haar arm probeerde te bewegen. Als ze wakker wordt, mogen jullie haar twee milligram morfine per uur geven.'

Hij voelde zich bijzonder opgeruimd toen hij door de hoofdingang van het Sahlgrenska naar buiten liep.

Het was even voor tweeën 's nachts toen Lisbeth Salander weer wakker werd. Ze deed langzaam haar ogen open en zag een lichtkegel aan het plafond. Na een paar minuten draaide ze haar hoofd en werd ze zich ervan bewust dat ze een steunkraag om haar nek had. Ze voelde een doffe hoofdpijn en een scherpe pijn in haar schouder toen ze haar lichaamsgewicht probeerde te verplaatsen. Ze sloot haar ogen.

Ziekenhuis, dacht ze onmiddellijk. *Wat doe ik hier?*

Ze voelde zich extreem uitgeput.

Eerst had ze moeite haar gedachten te bundelen. Daarna kwamen er verspreide herinneringen terug.

Even raakte ze in paniek toen er fragmenten bovenkwamen van hoe ze zichzelf had uitgegraven uit een graf. Toen klemde ze haar tanden stevig op elkaar en concentreerde ze zich op haar ademhaling.

Ze constateerde dat ze leefde. Ze wist niet zeker of dat goed of slecht was.

Lisbeth Salander wist niet meer precies wat er was gebeurd, maar ze zag een wazig mozaïek van beelden voor zich van de houtschuur en hoe ze uitzinnig een bijl had rondgeslingerd en haar vader in zijn gezicht had geraakt. Zalachenko. Ze wist niet of hij nog leefde of dat hij dood was.

Ze kon zich niet goed meer herinneren wat er met Niedermann was gebeurd. Ze had een vaag gevoel dat ze verbaasd was geweest dat hij had gerend voor zijn leven, maar ze begreep niet waarom.

Plotseling herinnerde ze zich dat ze die *Verrekte Kalle Blomkvist* had gezien. Ze wist niet zeker of ze dat had gedroomd, maar ze herinnerde zich een keuken – dat moest de keuken in Gosseberga zijn geweest – en ze meende dat ze had gezien dat hij naar haar toe was gekomen. *Ik heb vast gehallucineerd.*

De gebeurtenissen in Gosseberga leken al ver weg, of mogelijk een absurde droom. Ze concentreerde zich op het heden.

Ze was gewond. Dat hoefde niemand haar te vertellen. Ze tilde haar rechterhand op en betastte haar hoofd. Ze zat behoorlijk in het verband. Toen herinnerde ze het zich plotseling. Niedermann. Zalachenko. Die ouwe had ook een pistool gehad. Een Browning, kaliber 22. Wat in vergelijking met bijna alle andere handvuurwapens als tamelijk ongevaarlijk kon worden bestempeld. Dat was de reden dat ze nog leefde.

Ik ben in mijn hoofd geschoten. Ik kon mijn vinger in het kogelgat steken en mijn hersenen aanraken.

Ze was verbaasd dat ze nog leefde. Ze constateerde dat het haar eigenlijk allemaal tamelijk koud liet. Als de dood de zwarte leegte was waaruit ze zojuist was ontwaakt, was de dood niet iets om je ongerust over te maken. Ze zou het verschil nooit merken.

Met deze esoterische overpeinzing sloot ze haar ogen en sliep weer in.

Ze had pas een paar minuten gesluimerd toen ze een beweging hoorde. Ze deed haar ogen open tot smalle spleetjes. Ze zag een verpleegkundige in een wit uniform zich over haar heen buigen. Ze sloot haar ogen en deed of ze sliep.

'Ik denk dat je wakker bent,' zei de verpleegkundige.

'Mm,' zei Lisbeth Salander.

'Dag, ik heet Marianne. Begrijp je wat ik zeg?'

Lisbeth probeerde te knikken, maar bedacht dat haar hoofd was gefixeerd in de steunkraag.

'Nee, probeer je niet te bewegen. Je hoeft niet bang te zijn. Je bent gewond en bent geopereerd.'

'Mag ik wat water?'

Marianne gaf haar water te drinken door een rietje.

Terwijl ze dronk, registreerde ze dat er nog een persoon aan haar linkerkant opdook.

'Dag Lisbeth. Hoor je mij?'

'Mm,' antwoordde Lisbeth.

'Ik ben dokter Helena Endrin. Weet je waar je bent?'

'Ziekenhuis.'

'Je ligt in het Sahlgrenska-ziekenhuis in Göteborg. Je bent geopereerd en bevindt je op de intensive care.'

'Mm.'

'Je hoeft niet bang te zijn.'

'Ik ben in mijn hoofd geschoten.'

Dokter Endrin aarzelde even.

'Dat klopt. Weet je wat er is gebeurd?'

'Die ouwe had een pistool.'

'Eh, o, oké.'

'Kaliber 22.'

'Aha. Dat wist ik niet.'

'Hoe erg ben ik gewond?'

'De vooruitzichten zijn goed. Je was er slecht aan toe, maar we denken dat je goede kans maakt om weer helemaal de oude te worden.'

Lisbeth dacht over deze informatie na. Toen fixeerde ze dokter Endrin met haar blik. Ze merkte dat ze wazig zag.

'Wat is er met Zalachenko gebeurd?'

'Wie?'

'Die ouwe. Leeft hij nog?'

'Je bedoelt Karl Axel Bodin.'

'Nee. Ik bedoel Alexander Zalachenko. Dat is zijn echte naam.'

'Daar weet ik niets van. Maar de oudere man die tegelijkertijd met jou is binnengebracht, was ernstig toegetakeld, maar is buiten levensgevaar.'

Lisbeth dacht na over de woorden van de arts.

'Waar is hij?'

'In een kamer hier vlak naast. Maar maak je om hem niet druk. Concentreer je alleen op jezelf zodat je weer beter wordt.'

Lisbeth sloot haar ogen. Ze dacht even na of ze in staat zou zijn uit bed te komen, een bruikbaar wapen te vinden en haar klus af te maken. Toen schoof ze die gedachte aan de kant. Ze kon amper haar ogen openhouden. Ze was met andere woorden niet geslaagd in haar voornemen om Zalachenko te doden. *Hij zal weer ontkomen.*

'Ik wil je even onderzoeken. Daarna mag je slapen,' zei dokter Endrin.

Mikael Blomkvist werd plotseling en zonder verklaring wakker. Even wist hij niet waar hij was, maar toen bedacht hij dat hij in het City Hotel was. Het was pikdonker in de kamer. Hij deed het bedlampje aan en keek op zijn horloge. Halfdrie 's nachts. Hij had vijftien uur aan één stuk door geslapen.

Hij stond op en ging naar het toilet om te urineren. Daarna dacht hij even na. Hij wist dat hij niet weer in slaap zou vallen en nam een douche. Toen trok hij een spijkerbroek aan en een bordeauxrode sweater die wel een wasbeurt kon gebruiken. Hij had ontzettende trek, belde naar de receptie en vroeg of hij op dit vroege tijdstip al koffie en een broodje kon krijgen. Dat was geen probleem.

Hij trok zijn loafers en colbert aan en ging naar beneden naar de receptie, waar hij een koffie en een verpakt broodje met kaas en leverpastei kocht, dat hij weer meenam naar zijn kamer. Terwijl hij at, startte hij zijn iBook op en plugde hij het snoer in de breedbandaansluiting in de muur. Hij ging naar de interneteditie van *Aftonbladet*. De vangst van Lisbeth Salander was niet geheel onverwacht hun belangrijkste nieuws. De verslaggeving werd nog steeds gekenmerkt door verwarring, maar zat tenminste op het juiste spoor. De vijfendertigjarige Ronald Niedermann werd gezocht voor de moord op de politieman en de politie wilde hem tevens verhoren in verband met de moorden in Stockholm. De politie had echter niets gezegd over de toestand van Lisbeth Salander, en Zalachenko werd niet bij name genoemd. Hij werd alleen omschreven als een vijfenzestigjarige grondbezitter woonachtig in Gosseberga en het was duidelijk dat de media nog steeds het idee hadden dat hij mogelijk een slachtoffer was.

Toen Mikael uitgelezen was, klapte hij zijn mobiele telefoon open en constateerde dat hij twintig ongelezen berichten had. Drie ervan waren oproepen om Erika Berger te bellen. Twee waren van Annika Giannini. Veertien waren berichten van verslaggevers van verschillende kranten. Eentje was van Christer Malm, die hem kernachtig had ge-sms't: *Het is het beste als je de eerste trein terug neemt naar Stockholm.*

Mikael fronste zijn wenkbrauwen. Dat was een ongewone mededeling van Christer Malm. Het sms'je was de vorige avond om zeven uur verstuurd. Hij onderdrukte de impuls om te bellen en iemand om drie uur 's nachts wakker te maken. Maar hij raadpleegde het spoorboekje op internet en constateerde dat de eerste trein naar Stockholm om 5.20 uur vertrok.

Hij opende een nieuw Worddocument. Daarna stak hij een sigaret op en zat drie minuten stil naar het lege scherm te staren. Toen tilde hij zijn vingers op en begon te typen.

Haar naam is Lisbeth Salander en Zweden heeft haar leren kennen door de persconferenties van de politie en de koppen van de avondkranten. Ze is zesentwintig jaar oud en 1 meter 50 lang. Ze wordt omschreven als psychopaat, moordenaar en lesbische sataniste. De fantasie waarmee ze tegenover het grote publiek is omschreven, was grenzeloos. In dit nummer vertelt Millennium *hoe rijksambtenaren een complot smeedden tegen Lisbeth Salander om een pathologisch zieke moordenaar te beschermen.*

Hij typte langzaam en bracht een paar kleine wijzigingen in het eerste concept aan. Hij werkte vijftig minuten geconcentreerd achter elkaar door en produceerde in die tijd ruim twee A4'tjes die hoofdzakelijk een recapitulatie waren van de nacht dat hij Dag Svensson en Mia Bergman had gevonden en van de vraag waarom de politie had gefocust op Lisbeth Salander als vermeende moordenaar. Hij citeerde de koppen van de avondkranten over lesbische satanisten en de verwachting dat de moorden prikkelende bdsm-seks zouden bevatten.

Uiteindelijk wierp hij een blik op zijn horloge en deed hij gauw zijn iBook op slot. Hij pakte zijn tas, ging naar beneden naar de receptie en checkte uit. Hij betaalde met zijn creditcard en nam een taxi naar het Centraal Station van Göteborg.

Mikael Blomkvist ging onmiddellijk naar de restauratiewagen en bestelde koffie en een broodje. Daarna deed hij zijn iBook weer open en las de tekst door die hij die ochtend had geschreven. Hij was zo verdiept in het formuleren van het Zalachenko-verhaal dat hij inspecteur Sonja Modig pas opmerkte toen ze kuchte en vroeg of ze bij hem mocht komen zitten. Hij keek op en deed zijn computer dicht.

'Op weg naar huis?' vroeg Modig.

Hij knikte.

'Jij ook, begrijp ik.'

Ze knikte.

'Mijn collega blijft nog een dag.'

'Heb je iets gehoord over de toestand van Lisbeth Salander? Ik heb alleen maar geslapen sinds ik het hoofdbureau heb verlaten.'

'Ze is pas gisteravond weer bijgekomen. Maar de artsen denken dat ze weer helemaal de oude zal worden. Ze heeft enorm veel geluk gehad.'

Mikael knikte. Hij zag plotseling in dat hij helemaal niet ongerust over haar was geweest. Hij was ervan uitgegaan dat ze het zou overleven. Iets anders was ondenkbaar.

'Zijn er nog andere belangrijke dingen gebeurd?' vroeg hij.

Sonja Modig keek hem aarzelend aan. Ze vroeg zich af hoeveel ze de verslaggever kon toevertrouwen die in feite meer van de geschiedenis af wist dan zijzelf. Aan de andere kant was ze zelf bij hem aan tafel gaan zitten en zouden tientallen andere verslaggevers inmiddels ook wel hebben uitgevist wat er in het hoofdbureau van politie aan de hand was.

'Ik wil niet worden geciteerd,' zei ze.

'Ik vraag het alleen uit persoonlijke belangstelling.'

Ze knikte en vertelde dat de politie op grote schaal jacht maakte op Ronald Niedermann; in het hele land en voornamelijk in de buurt van Malmö.

'En Zalachenko. Hebben jullie hem al verhoord?'

'Ja, we hebben hem verhoord.'

'En?'

'Daar kan ik geen mededelingen over doen.'

'Schei nou toch uit. Als ik op de redactie in Stockholm kom, weet ik binnen ongeveer een uur exact wat jullie hebben besproken. En ik zal geen woord schrijven van wat je mij vertelt.'

Ze aarzelde geruime tijd voordat ze hem aankeek.

'Hij heeft aangifte gedaan tegen Lisbeth Salander wegens poging tot moord. Ze zal wellicht worden aangeklaagd voor zware mishandeling dan wel poging tot moord.'

'En zij zal zich hoogstwaarschijnlijk beroepen op noodweer.'

'Dat mag ik hopen,' zei Sonja Modig.

Mikael keek haar scherp aan.

'Dat klinkt niet erg politieel,' zei hij afwachtend.

'Bodin ... Zalachenko is zo glad als een aal en heeft op elke vraag een antwoord. Ik ben er volkomen van overtuigd dat de zaak ongeveer zo ligt als jij ons gisteravond hebt verteld. Dat betekent dat Salander al sinds haar twaalfde onafgebroken is blootgesteld aan schending van de privacy.'

Mikael knikte.

'Dat verhaal ga ik publiceren,' zei hij.

'Dat verhaal zal niet overal even positief worden ontvangen.'

Ze aarzelde nog even. Mikael wachtte af.

'Ik heb een halfuur geleden met Bublanski gesproken. Hij zegt het niet met zoveel woorden, maar het vooronderzoek tegen Salander voor de moord op je vrienden lijkt te zijn stilgelegd. De focus ligt nu op Niedermann.'

'Wat inhoudt dat ...'

Hij liet de vraag tussen hen in zweven. Sonja Modig haalde haar schouders op.

'Wie gaat dat Salander-onderzoek leiden?'

'Dat weet ik niet. Die toestand in Gosseberga is in eerste instantie iets voor de recherche van Göteborg. Maar ik zou me kunnen voorstellen dat iemand in Stockholm de opdracht krijgt al het materiaal te verwerken tot een aanklacht.'

'Ik begrijp het. Wedden dat het onderzoek wordt overgeheveld naar de veiligheidsdienst?'
Ze schudde haar hoofd.
Even voor Alingsås boog Mikael voorover naar Sonja Modig.
'Luister eens, ik denk dat je wel begrijpt welke kant het op gaat. Als het Zalachenko-verhaal naar buiten komt, wordt dat een gigantisch schandaal. Agenten van de veiligheidsdienst die hebben samengewerkt met een psychiater om Salander op te sluiten in een gesticht. Het enige wat ze kunnen doen, is bikkelhard beweren dat Lisbeth Salander inderdaad gestoord is en dat de ondertoezichtstelling in 1991 rechtmatig was.'
Sonja Modig knikte.
'Ik zal er alles aan doen om dergelijke plannen te dwarsbomen. Lisbeth Salander is net zo slim als jij en ik. Ze is wat apart, ja, maar haar verstandelijke vermogens kunnen niet in twijfel worden getrokken.'
Sonja Modig knikte. Mikael pauzeerde en liet zijn woorden even op haar inwerken.
'Ik zou een insider nodig hebben bij de politie, iemand die ik kan vertrouwen,' zei hij.
Ze keek hem aan.
'Ik ben niet in staat om te beoordelen of Lisbeth Salander psychisch ziek is of niet,' antwoordde ze.
'Nee, maar jij bent in staat te beoordelen of ze al dan niet is blootgesteld aan inbreuk op de persoonlijke levenssfeer.'
'Wat is je voorstel?'
'Ik zeg niet dat je moet klikken over je collega's, maar ik wil dat je mij informeert als je ontdekt dat Lisbeth opnieuw wordt blootgesteld aan een gerechtelijke dwaling.'
Sonja Modig zweeg.
'Ik wil niet dat je gaat roddelen over onderzoekstechnische details of iets dergelijks. Gebruik je eigen vakkundige oordeel. Maar ik móét weten wat er gebeurt met de aanklacht tegen Lisbeth Salander.'
'Dat klinkt als een goede manier om ontslag te krijgen.'
'Je bent een bron. Ik zal je nooit bij name noemen of je in de problemen brengen.'
Hij pakte een notitieblok en schreef een e-mailadres op.
'Dit is een anoniem hotmailadres. Als je iets wilt vertellen, kun je dit adres gebruiken. Gebruik niet je eigen, officiële adres. Maak een tijdelijk hotmailaccount aan.'

Ze pakte het adres aan en stopte het in de binnenzak van haar colbert. Ze beloofde niets.

Inspecteur Marcus Erlander werd zaterdagochtend om zeven uur wakker doordat de telefoon ging. Hij hoorde stemmen van de tv en rook de geur van koffie uit de keuken, waar zijn vrouw al in de weer was met de ochtendbeslommeringen. Hij was om één uur 's nachts thuisgekomen in zijn flat in Mölndal en had ruim vijf uur geslapen. Daarvóór was hij zowat tweeëntwintig uur in touw geweest. Hij was dus verre van uitgerust toen hij zich uitrekte naar de telefoon.

'Mårtensson, Opsporingen, nachtdienst. Ben je al wakker?'

'Nee,' antwoordde Erlander. 'Ik lig net in bed. Wat is er gebeurd?'

'Nieuws. Anita Kaspersson is gevonden.'

'Waar?'

'Helemaal buiten Seglora, ten zuiden van Borås.'

In gedachten visualiseerde Erlander een kaart.

'In zuidelijke richting,' zei hij. 'Hij neemt binnenweggetjes. Hij moet provinciale weg 180 over Borås hebben genomen en toen naar het zuiden zijn afgebogen. Is Malmö gealarmeerd?'

'En Helsingborg, Landskrona en Trelleborg. En Karlskrona. Ik denk aan de veerboot naar het oosten.'

Erlander kwam overeind en wreef in zijn nek.

'Hij heeft nu bijna een etmaal voorsprong. Hij kan het land al uit zijn. Hoe is Kaspersson gevonden?'

'Ze schopte tegen de deur van een villa bij de invalsweg naar Seglora.'

'Hè?'

'Ze schopte ...'

'Ik heb het gehoord. Je bedoelt dat ze nog leeft?'

'Sorry. Ik ben moe en druk me niet helemaal helder uit. Anita Kaspersson is vanochtend om 3.10 uur Seglora binnen gestrompeld, heeft tegen de deur van een villa geschopt en een gezin met kinderen dat lag te slapen de stuipen op het lijf gejaagd. Ze was blootsvoets, zwaar onderkoeld en haar handen waren vastgebonden op haar rug. Ze bevindt zich momenteel in het ziekenhuis van Borås, waar ze is herenigd met haar echtgenoot.'

'Jezus! Volgens mij gingen we er allemaal van uit dat ze niet meer in leven was.'

'Soms word je verrast.'

'Positief verrast.'

'Dan is het nu tijd voor het slechte nieuws. Plaatsvervangend hoofdcommissaris van de provinciale recherche Spångberg is hier al sinds vanochtend vijf uur. Ze beveelt je met spoed wakker te worden en naar Borås te rijden om Kaspersson te ondervragen.'

Omdat het zaterdag was, nam Mikael aan dat de redactie van *Millennium* verlaten zou zijn. Hij belde Christer Malm toen de X2000 de Årstabrug passeerde en vroeg wat de reden was van zijn sms'je.

'Heb je ontbeten?' vroeg Christer Malm.

'In de trein.'

'Oké. Kom naar mijn huis, dan zal ik je iets stevigers voorzetten.'

'Waar gaat het om?'

'Dat vertel ik je wel als je er bent.'

Mikael nam de metro naar de Medborgarplatsen en wandelde naar de Allhelgonagatan. Christers vriend, Arnold Magnusson, deed open. Wat Mikael ook probeerde, hij kon zich nooit losmaken van het gevoel dat hij naar een reclameposter keek voor het een of ander. Arnold Magnusson was zijn carrière begonnen bij de koninklijke schouwburg en was nu een van de meest gevraagde acteurs van Zweden. Het was altijd weer gek om hem in het echt te zien. Mikael was nooit zo onder de indruk van beroemdheden, maar Arnold Magnusson had zo'n karakteristiek uiterlijk en werd zó geassocieerd met bepaalde rollen in films en op tv, in het bijzonder de rol van de cholerische maar rechtvaardige commissaris Gunnar Frisk in een mateloos populaire tv-serie, dat Mikael altijd verwachtte dat hij zich als Gunnar Frisk zou gedragen.

'Hé, Micke,' zei Arnold.

'Hoi,' zei Mikael.

'Christer is in de keuken,' zei Arnold terwijl hij hem binnenliet.

Christer Malm serveerde versgebakken wafels met gele bergbramenjam en verse koffie. Het water liep Mikael al in de mond voordat hij was gaan zitten en hij stortte zich op de schaal. Christer Malm vroeg wat er in Gosseberga was gebeurd. Mikael recapituleerde de details. Hij was bezig aan zijn derde wafel toen hij opeens bedacht waarom hij hier eigenlijk was en vroeg wat er aan de hand was.

'Er is een probleempje ontstaan bij *Millennium* toen jij in Göteborg was,' zei hij.

Mikael fronste zijn wenkbrauwen.

'Wat dan?'

'Niets ernstigs. Maar Erika Berger is hoofdredacteur van de *Svenska*

Morgon-Posten geworden. Haar laatste werkdag bij *Millennium* was gisteren.'

Mikael had net een wafel half in zijn mond en bleef zo zitten. Het duurde een paar seconden voordat de strekking van de boodschap tot hem was doorgedrongen.

'Maar waarom heeft ze dat niet eerder gezegd?' vroeg hij uiteindelijk.

'Omdat ze het jou als eerste wilde vertellen en jij al weken rondrent en onbereikbaar bent. Ze vond vermoedelijk dat jij al genoeg aan je hoofd had met die Salander-affaire. En omdat ze het jou als eerste wilde vertellen, heeft ze het aan niemand verteld en vlogen de dagen om ... tja. En opeens stond ze met haar rug tegen de muur en had ze een gigantisch slecht geweten. Ze voelde zich ontzettend beroerd. En wij hebben niets gemerkt.'

Mikael sloot zijn ogen.

'Shit,' zei hij.

'Ja. En nu ben jij de laatste van de redactie die het te horen krijgt. Ik wilde het je zelf vertellen, zodat je begrijpt wat er is gebeurd en niet denkt dat iemand iets achter je rug om heeft gedaan.'

'Dat denk ik ook niet. Maar, jezus. Leuk dat ze die baan heeft gekregen, als ze nu per se voor de SMP wil werken ... Maar hoe moet het nu bij ons op de redactie?'

'Malin wordt vanaf het volgende nummer waarnemend hoofdredacteur.'

'Malin?'

'Als jij tenminste geen hoofdredacteur wil worden ...'

'Nee, bespaar me ...'

'Dat vermoedde ik al. Dus wordt Malin hoofdredacteur.'

'En wie wordt dan redactiesecretaris?'

'Henry Cortez. Hij is nu al vier jaar bij ons en bepaald geen groentje meer.'

Mikael overwoog de voorstellen.

'Heb ik daar ook nog iets over te zeggen?' vroeg hij.

'Nop,' zei Christer Malm.

Mikael lachte droog.

'Oké. Dan doen we het zoals jullie hebben besloten. Malin is kordaat, maar onzeker. En Henry schiet wat te vaak vanuit zijn heup. We moeten ze een beetje in de gaten houden.'

'Doen we.'

Mikael zweeg. Hij bedacht dat het ontzettend leeg zou worden zonder Erika en hij wist niet precies hoe het in de toekomst op de redactie zou zijn.

'Ik moet Erika bellen om ...'

'Nee, dat hoeft niet.'

'Hoezo?'

'Ze slaapt op de redactie. Ga haar daar maar wakker maken of zo.'

Mikael trof Erika Berger diep in slaap aan op de slaapbank in haar redactiekamer. Ze had de nacht besteed aan het leegmaken van de boekenkasten en haar bureau. De persoonlijke spullen en papieren die ze wilde bewaren, had ze in vijf verhuisdozen gestopt. Mikael stond geruime tijd vanuit de deuropening naar haar te kijken voordat hij op de rand van het bed ging zitten en haar wakker maakte.

'Waarom ga je in hemelsnaam niet naar mijn flat en slaap je daar als je zo laat nog aan het werk bent?' vroeg hij.

'Hé, Mikael,' zei ze.

'Christer heeft het verteld.'

Ze wilde net wat gaan zeggen toen hij vooroverboog en haar op haar wang kuste.

'Ben je boos?'

'Waanzinnig,' zei hij droog.

'Het spijt me. Ik kon gewoon geen nee tegen dat aanbod zeggen. Maar het voelt niet goed aan, het voelt alsof ik jullie op een ontzettend moeilijk moment in de stront laat zakken.'

'Ik ben niet de juiste persoon om je te bekritiseren dat je de boel in de steek laat. Ik ben hem twee jaar geleden ook gesmeerd en heb jou met de shit laten zitten terwijl de situatie toen veel moeilijker was dan nu.'

'Dat heeft niets met elkaar te maken. Jij had een time-out genomen. Ik stop voorgoed en heb dat verzwegen. Het spijt me enorm.'

Mikael zweeg een tijdje. Toen glimlachte hij bleekjes.

'Als het tijd is, is het tijd. *A woman's gotta do what a woman's gotta do and all that crap.*'

Erika glimlachte. Dat waren de woorden die ze tegen hem had gebruikt toen hij naar Hedeby was verhuisd. Hij strekte zijn hand uit en kroelde haar vriendschappelijk door haar haar.

'Dat je bij dit gekkenhuis wilt stoppen, kan ik begrijpen. Maar dat je de baas wilt worden van de meest gortdroge oudemannenkrant van Zweden, dat moet ik nog even verwerken.'

'Er werken daar best veel vrouwen.'

'Pff. Kijk naar de pagina met het hoofdartikel. Die is toch van het jaar kruik. Je moet gewoon een gestoorde masochiste zijn. Zullen we koffie gaan drinken?'

Erika ging overeind zitten.

'Ik moet weten wat er vannacht in Göteborg is gebeurd.'

'Ik ben het hele verhaal aan het opschrijven,' zei Mikael. 'Maar het zal oorlog worden als we het gaan publiceren.'

'Niet "we". Jullie!'

'Dat weet ik. We zullen het publiceren in verband met de rechtszaak. Maar ik neem niet aan dat je dat verhaal mee wilt nemen naar de SMP. Feit is dat ik wil dat jij iets over het Zalachenko-verhaal schrijft voordat je bij *Millennium* weggaat.'

'Micke, ik ...'

'Je laatste hoofdartikel. Je kunt het schrijven wanneer je daar zin in hebt. Het zal vermoedelijk niet vóór de rechtszaak worden gepubliceerd, wanneer die ook moge zijn.'

'Dat is misschien niet zo'n goed idee. Waar moet het over gaan?'

'Moraal,' zei Mikael Blomkvist. 'En het verhaal dat een van onze medewerkers is vermoord, omdat de staat vijftien jaar geleden zijn werk niet heeft gedaan.'

Meer hoefde hij niet uit te leggen. Erika Berger wist precies welk hoofdartikel hij wilde hebben. Ze overwoog de zaak kort. Zij was inderdaad de kapitein op het schip geweest toen Dag Svensson was vermoord. Ze voelde zich opeens een stuk beter.

'Oké,' zei ze. 'Het laatste hoofdartikel.'

4
ZATERDAG 9 APRIL – ZONDAG 10 APRIL

Zaterdagmiddag om één uur was officier van justitie Martina Fransson in Södertälje uitgedacht. Het kerkhof in het bos in Nykvarn was een ellendige toestand en de rechercheafdeling had ontzettend veel overuren gedraaid sinds de woensdag dat Paolo Roberto zijn bokswedstrijd met Ronald Niedermann daar in dat magazijn had uitgevochten. Het ging om ten minste drie moorden op personen die op dat terrein waren begraven, ontvoering met geweld, zware mishandeling van Lisbeth Salanders vriendin Miriam Wu en ten slotte brandstichting. Ook het incident in Stallarholmen werd aan Nykvarn gekoppeld, hoewel Stallarholmen eigenlijk onder politiedistrict Strängnäs in de provincie Södermanland viel. Dat kwam omdat Carl-Magnus Lundin van de Svavelsjö MC in die zaak een sleutelfiguur was. Lundin lag momenteel nog in het ziekenhuis in Södertälje met zijn voet in het gips en een staalkabel in zijn kaak. En hoe dan ook, alle delicten vielen onder de provinciale politie, wat inhield dat Stockholm het laatste woord zou krijgen.

Vrijdag was er overleg geweest over de arrestatie. Lundin was definitief gelinkt aan Nykvarn. Ten langen leste was duidelijk geworden dat het magazijn eigendom was van het bedrijf Medimport, dat op zijn beurt weer eigendom was van ene Anneli Karlsson, tweeënvijftig jaar oud en woonachtig in Puerto Banus, Spanje. Ze was een nicht van Magge Lundin, had geen strafblad en leek in dit verband meer de functie te vervullen van 'strovrouw'.

Martina Fransson sloeg de map met het vooronderzoek dicht. Dat was nog steeds in het beginstadium en er zouden nog vele honderden pagina's bij komen voordat het tijd was voor de rechtszaak. Maar Martina Fransson wist dat ze nu al een aantal beslissingen moest nemen. Ze keek naar haar collega's van de politie.

'We hebben voldoende bewijs om een aanklacht tegen Lundin in te dienen wegens betrokkenheid bij de kidnapping van Miriam Wu. Paolo Roberto heeft hem geïdentificeerd als de man die de bestelwagen bestuurde. Ik zal hem ook laten oppakken wegens vermeende betrokkenheid bij de brandstichting. We wachten nog even met de aanklacht voor medeplichtigheid aan de moord op de drie personen die we op het terrein hebben opgegraven; in elk geval tot ze allemaal zijn geïdentificeerd.'

De politiemensen knikten. Dat was het bericht dat ze hadden verwacht.

'Wat doen we met Sonny Nieminen?'

Martina Fransson zocht Nieminen op in de documentatie op haar bureau.

'Die man heeft een indrukwekkende staat van dienst. Beroving, verboden wapenbezit, mishandeling, zware mishandeling, doodslag en drugsdelicten. Hij is samen met Lundin in Stallarholmen opgepakt. Ik ben er volledig van overtuigd dat hij erbij betrokken is – het zou onwaarschijnlijk zijn als dat níét het geval was. Maar het probleem is dat we niets hebben waarop we hem kunnen pakken.'

'Hij zegt dat hij nooit in het magazijn in Nykvarn is geweest en dat hij alleen met Lundin mee was op een toertochtje met de motor,' zei de inspecteur die zich namens Södertälje bezighield met de zaak in Stallarholmen.

'Hij beweert dat hij geen idee had wat Lundin in Stallarholmen van plan was.'

Martina Fransson vroeg zich af of ze de zaak op de een of andere manier kon afschuiven op officier van justitie Richard Ekström in Stockholm.

'Nieminen weigert te vertellen wat er is gebeurd, maar ontkent in alle toonaarden dat hij betrokken is bij een misdrijf,' vervolgde de inspecteur.

'Nee, het lijkt er eerder op dat hij en Lundin in Stallarholmen het slachtoffer waren van een misdrijf,' zei Martina Fransson terwijl ze geïrriteerd met haar vingers op tafel trommelde.

'Lisbeth Salander,' voegde ze er met duidelijke twijfel in haar stem aan toe. 'We hebben het dus over een meisje dat eruitziet alsof ze net in de puberteit is, dat 1 meter 50 lang is en niet bepaald de lichaamskracht bezit die nodig is om Nieminen en Lundin te bedwingen.'

'Als ze tenminste niet gewapend was. Ze kan haar lichamelijke beperkingen voor een groot deel hebben gecompenseerd met een pistool.'

'Maar dat klopt niet helemaal met de reconstructie.'

'Nee. Ze heeft traangas gebruikt en Lundin met zo'n agressie in zijn kruis en zijn gezicht getrapt, dat ze een testikel en vervolgens zijn kaakbeen heeft verbrijzeld. Het schot in de voet moet na de mishandeling zijn afgevuurd. Maar ik kan maar moeilijk geloven dat zíj gewapend was.'

'Het gerechtelijk lab heeft het wapen waar Lundin mee is beschoten geïdentificeerd. Het is een Poolse P-83 Wanad met Makarov-munitie. Het is gevonden in Gosseberga bij Göteborg en Salanders vingerafdrukken zitten erop. We kunnen er bijna van uitgaan dat zij het pistool naar Gosseberga heeft meegenomen.'

'Ja. Maar het serienummer toont aan dat het pistool vier jaar geleden is ontvreemd bij een inbraak in een wapenzaak in Örebro. De dieven zijn uiteindelijk opgepakt ... maar dat wapen hadden ze niet meer. Het was een plaatselijke bende met drugsproblemen, *hangarounds* van de Svavelsjö MC. Ik zou het pistool veel liever bij Lundin of Nieminen willen plaatsen.'

'Het kan natuurlijk gewoon zo zijn dat Lundin het pistool had en dat Salander hem heeft ontwapend, en dat er daarbij een schot afging dat hem in zijn voet trof. Ik bedoel, de opzet kan hoe dan ook niet zijn geweest om hem te doden, want hij is immers nog in leven.'

'Of ze heeft hem om sadistische redenen in zijn voet geschoten. Ik weet het niet. Maar hoe kon ze Nieminen aan? Hij heeft geen zichtbaar letsel.'

'Hij heeft één verwonding. Twee brandwondjes op zijn borstkas.'

'En?'

'Vermoedelijk een elektrisch pistool.'

'Dus Salander zou gewapend zijn geweest met een elektrisch pistool, traangas en een gewoon pistool. Hoeveel weegt dat bij elkaar ... nee, ik ben er vrij zeker van dat Lundin of Nieminen het wapen bij zich had en dat zij het hun afhandig heeft gemaakt. Over de manier waarop Lundin precies is beschoten, kunnen we pas helderheid krijgen als een van de betrokkenen zijn mond opendoet.'

'Oké.'

'Maar de stand van zaken op dit moment is, dat Lundin is gearresteerd op basis van de redenen die ik eerder heb genoemd. Daarentegen hebben we niets om Nieminen vast te kunnen houden. Ik ben dus van plan om hem vanmiddag op vrije voeten te stellen.'

Sonny Nieminen was in een miserabel humeur toen hij het arrestantenverblijf in het hoofdbureau van politie in Södertälje verliet. Hij had bovendien zo'n droge mond dat zijn eerste stop een tabakszaak was, waar hij een Pepsi kocht die hij ter plaatse opdronk. Hij kocht ook een pakje Lucky Strike en een doosje Göteborgs Rapé pruimtabak. Hij klapte zijn mobiele telefoon open, controleerde de batterij en toetste daarna het nummer van Hans-Åke Waltari, drieëndertig jaar oud en *Sergeant at Arms* van de Svavelsjö MC. En daarmee de nummer drie in de interne hiërarchie. Hij hoorde de telefoon vier keer overgaan voordat Waltari opnam.

'Nieminen. Ik sta weer buiten.'

'Gefeliciteerd.'

'Waar ben je?'

'Nyköping.'

'Wat doe je daar in godsnaam?'

'We hebben afgesproken ons koest te houden nadat Magge en jij waren opgepakt. Tot we beter wisten wat de stand van zaken was.'

'Dat weet je nu. Waar is iedereen?'

Hans-Åke Waltari legde uit waar de resterende vijf leden van de Svavelsjö MC zich bevonden. Die uitleg stelde Sonny Nieminen niet gerust en stemde hem evenmin vrolijk.

'En wie runt verdomme de tent als jullie je schuilhouden als wijven?'

'Dat is niet eerlijk. Magge en jij doen een of ander klusje waar wij niets vanaf weten en plotseling zijn jullie betrokken bij een vuurgevecht met die gezochte teef, en is Magge beschoten en ben jij opgepakt. Vervolgens graaft de tuut lijken op bij ons magazijn in Nykvarn.'

'En?'

'Wij zijn ons af gaan vragen of Magge en jij iets voor ons verborgen hebben gehouden.'

'En wat zou dat zijn? Wij halen mooi wél de klussen voor de firma binnen.'

'Maar ik had nooit gehoord dat dat magazijn ook een kerkhof was. Wie zijn die dooien?'

Het lag op het puntje van Sonny Nieminens tong, maar hij hield zich in. Hans-Åke Waltari was een slome donder, maar het was nu niet het juiste moment om ruzie te gaan maken. Het was nu zaak de krachten snel te bundelen. En na vijf politieverhoren te hebben doorstaan door te zwijgen, was het nu niet slim om 200 meter van het hoofdbureau via een mobiele telefoon rond te bazuinen dat hij iets over dat onderwerp wist.

'Wat kunnen jou die dooien schelen,' zei hij. 'Daar weet ik niets van. Maar Magge zit in de shit. Hij zit nog wel een tijdje vast en in zijn afwezigheid ben ik de *boss*.'

'Oké. Wat gebeurt er nu?' vroeg Waltari.

'Wie houdt onze bezittingen in de gaten nu iedereen ondergronds is gegaan?'

'Benny Karlsson is gebleven en bewaakt het fort. De politie heeft dezelfde dag dat jullie werden opgepakt huiszoeking gedaan in het clubhuis. Ze hebben niets gevonden.'

'Benny K.,' riep Nieminen. 'Benny K. is verdomme een *rookie* die net droog is achter zijn oren.'

'Rustig maar. Hij heeft gezelschap van die blonde duivel met wie jij en Magge weleens omgaan.'

Sonny Nieminen werd plotseling ijskoud vanbinnen. Hij keek snel om zich heen en liep een paar meter van de deur van de tabakszaak vandaan.

'Wat zei je?' vroeg hij zachtjes.

'Die blonde duivel met wie Magge en jij omgaan, kwam langs en vroeg ons hem aan een schuilplaats te helpen.'

'Maar jezus, Waltari, hij wordt in heel Zweden gezocht voor moord op een politieman!'

'Ja ... daarom zocht hij een schuilplaats. Wat moesten we dan? Hij is toch jullie vriend?'

Sonny Nieminen sloot tien seconden zijn ogen. Ronald Niedermann voorzag de Svavelsjö MC al jaren van allerhande goedbetaalde klussen. Maar hij was absoluut geen vriénd. Hij was een gevaarlijke klootzak en een psychopaat, en bovendien een psychopaat naar wie de politie met man en macht op zoek was. Sonny Nieminen vertrouwde Ronald Niedermann voor geen cent. Het beste zou zijn als hij opdook met een kogel in zijn kop. Dan zou de aandacht van de politie in elk geval een beetje verslappen.

'Wat hebben jullie met hem gedaan?'

'Benny K. heeft zich over hem ontfermd. Hij heeft hem meegenomen naar Viktor.'

Viktor Göransson was de penningmeester en financieel expert van de club, en woonde even buiten Järna. Göransson was zijn carrière begonnen als financieel adviseur van een Joegoslavische kroegbaas, nadat hij zijn middelbareschoolexamen economie had gehaald en voordat hij vast was komen te zitten voor een ernstig vermogensdelict. Hij had Magge Lundin begin jaren negentig leren kennen in de gevangenis van Kumla. Hij was de enige van de Svavelsjö MC die keurig gekleed was.

'Waltari, stap in je auto en haal me in Södertälje op. Zorg dat je over drie kwartier voor het forensentreinstation staat.'

'Aha. Waarom zo'n haast?'

'Omdat we zo snel mogelijk grip op de situatie moeten krijgen.'

Hans-Åke Waltari zat heimelijk naar Sonny Nieminen te gluren. Hij had tijdens de rit naar Svavelsjö nog geen woord gezegd. In tegenstelling tot Magge Lundin was Nieminen niet zo makkelijk in de omgang. Hij was een aantrekkelijke man om te zien en leek heel zachtmoedig, maar was in werkelijkheid een licht ontvlambare en gevaarlijke klootzak, vooral als hij had gedronken. Op dit moment was hij nuchter, maar Waltari was niet gerust op de toekomst met Nieminen als leider. Magge was er altijd in geslaagd Nieminen enigszins onder de duim te houden. Hij vroeg zich af hoe de toekomst eruit zou zien met Nieminen als waarnemend clubpresident.

Benny K. was nergens in het clubhuis te bekennen. Nieminen deed twee pogingen om hem mobiel te bellen, maar er werd niet opgenomen.

Ze reden naar Nieminens boerderij, ruim een kilometer van het clubhuis vandaan. De politie had daar huiszoeking gedaan, maar had niets van waarde gevonden voor het onderzoek in verband met Nykvarn. De politie had überhaupt niets gevonden wat enige criminele betrokkenheid aannemelijk maakte en dat was de reden dat Nieminen weer op vrije voeten was.

Hij douchte en trok andere kleren aan terwijl Waltari geduldig in de keuken zat te wachten. Daarna wandelden ze ruim 150 meter het bos in achter de boerderij van Nieminen en schraapten de laag aarde weg die een oppervlakkig begraven kist bedekte waarin zes handvuurwapens zaten, waaronder een AK5, een grote hoeveelheid munitie en ruim twee kilo springstof. Dat was Nieminens kleine wapenvoorraad. Twee wapens in de kist waren Poolse P-83 Wanads. Ze waren afkomstig van dezelfde partij als het wapen dat Lisbeth Salander Nieminen in Stallarholmen afhandig had gemaakt.

Nieminen schoof de gedachte aan Lisbeth Salander van zich af. Dat was een onaangenaam onderwerp. In de cel van het hoofdbureau in Södertälje had zich in zijn hoofd telkens weer de scène afgespeeld van het moment dat Magge Lundin en hij bij het zomerhuisje van Nils Bjurman waren aangekomen en daar Salander hadden aangetroffen.

Daar was iets volkomen onverwachts gebeurd. Hij was samen met Magge Lundin op stap gegaan om dat verdomde zomerhuisje van advocaat Bjurman in de as te leggen. Ze waren erheen gereden op instructie van die verdomde blonde duivel. En ze waren over die verdomde Salander gestruikeld – in haar eentje, 1 meter 50 lang en zo mager als een lat. Nieminen vroeg zich af hoeveel ze eigenlijk woog. Daarna was alles uit de hand gelopen en geëxplodeerd in een geweldsorgie waar ze geen van beiden op voorbereid waren geweest.

Puur technisch kon hij de loop der gebeurtenissen wel verklaren. Salander had een traangaspatroon gehad dat ze in Magge Lundins gezicht had leeggespoten. Magge had voorbereid moeten zijn maar was dat niet geweest. Ze had hem twee keer geschopt en er is niet veel spierkracht voor nodig om een kaakbeen te verbrijzelen. Ze had hem overrompeld. Dat was verklaarbaar.

Maar toen had ze het op hém gemunt, op Sonny Nieminen, de man voor wie volwassen en goedgetrainde kerels wel twee keer slikten alvorens ze met hem in gevecht gingen. Ze had zich razendsnel bewogen. Hij had geworsteld om zijn wapen tevoorschijn te halen. Ze had hem vernederend gemakkelijk uit het veld geslagen, alsof ze een mug had doodgemept. Ze had een elektrisch pistool gehad. Ze had ...

Toen hij weer bij zijn positieven was gekomen, had hij zich vrijwel niets meer van het voorval kunnen herinneren. Magge Lundin was in zijn voet geschoten en de politie was gearriveerd. Na enig getouwtrek tussen Strängnäs en Södertälje was hij in Södertälje in de bak beland. Ze had Magge Lundins Harley-Davidson gestolen. En ze had het logo van de Svavelsjö MC uit zijn eigen leren jack gesneden – het symbool waardoor mensen in de rij voor het café voor hem opzijgingen en dat hem een status gaf die een gewone boerenlul niet eens kon begrijpen. Ze had hem vernederd.

Sonny Nieminen kookte plotseling vanbinnen. Hij had gedurende alle politieverhoren gezwegen. Hij zou nooit kunnen vertellen wat er in Stallarholmen was gebeurd. Tot dat moment was Lisbeth Salander totaal onbelangrijk voor hem geweest. Ze was een project in de marge geweest waar Magge Lundin zich mee bezig had gehouden – wederom in opdracht van die verdomde Niedermann. Nu haatte hij haar met een passie die hem verbaasde. Hij was gewoonlijk kil en analyserend, maar hij wist dat hij ergens in de toekomst de mogelijkheid zou krijgen om zich te laten gelden en die schandvlek uit te wissen. Maar eerst moest hij orde scheppen in de chaos die Salander en Niedermann samen voor de Svavelsjö MC hadden aangericht.

Nieminen pakte beide resterende Poolse wapens, laadde ze en gaf het ene aan Waltari.

'Hebben we een plan?'

'We gaan een babbeltje maken met Niedermann. Hij is niet een van ons en hij is nooit eerder door de politie opgepakt. Ik weet niet hoe hij zal reageren als hij wordt opgepakt, maar als hij praat, kan hij ons allemaal verlinken. Dan zijn we er allemaal gloeiend bij.'

'Je bedoelt dat we ...'

Nieminen had al besloten dat Niedermann uit de weg moest worden geruimd, maar zag in dat het geen goed plan was om Waltari al bang te maken voordat ze ter plaatse waren.

'Ik weet het niet. Maar we moeten hem zien te peilen. Als hij een plan heeft en als de donder naar het buitenland kan vertrekken, kunnen we hem op weg helpen. Maar zolang hij riskeert om door de politie te worden opgepakt, is hij een bedreiging voor ons.'

Het was donker op de boerderij van Viktor Göransson even buiten Järna toen Nieminen en Waltari in de schemering het erf op reden. Dat op zich was al onrustbarend. Ze bleven een tijdje afwachtend in de auto zitten.

'Misschien zijn ze buiten,' opperde Waltari.

'Tuurlijk. Ze zijn met Niedermann naar de kroeg,' zei Nieminen terwijl hij het portier opendeed.

De buitendeur zat niet op slot. Nieminen deed het licht aan. Ze gingen van kamer naar kamer. Het was er schoon en netjes, wat vermoedelijk háár verdienste was, hoe heette ze ook weer, de vrouw met wie Göransson samenwoonde?

Ze vonden Viktor Göransson en zijn vriendin in de kelder, in een washok gestouwd.

Nieminen boog zich voorover en keek naar de lijken. Hij stak een vinger uit en voelde aan de vrouw van wie hij zich de naam niet meer kon herinneren. Het lijk was ijskoud en stijf. Dat betekende dat ze misschien al wel vierentwintig uur dood waren.

Nieminen had geen uitspraak van een patholoog nodig om te weten hoe ze om het leven waren gebracht. Haar nek was gebroken doordat haar hoofd 180 graden was gedraaid. Ze was geheel gekleed, in een T-shirt en een spijkerbroek, en had voor zover Nieminen kon zien geen verdere verwondingen.

Viktor Göransson daarentegen was slechts gekleed in zijn onderbroek. Hij was ernstig mishandeld en had blauwe plekken en bloeduitstortingen over zijn hele lichaam. Zijn beide armen waren gebroken en staken als verdraaide sparrentakken in alle richtingen. Hij was blootgesteld aan een langdurige mishandeling die kon worden gedefinieerd als marteling. Hij was uiteindelijk om het leven gebracht met een, voor zover Nieminen kon beoordelen, harde klap tegen zijn strot. Het strottenhoofd zat diep ingedrukt in zijn hals.

Sonny Nieminen kwam overeind, liep de keldertrap op en ging door de buitendeur naar buiten. Waltari liep erachteraan. Nieminen liep schuin het erf over naar de schuur 50 meter verderop. Hij deed de haak omhoog en maakte de deur open.

Hij trof een donkerblauwe Renault uit 1991 aan.

'Wat heeft Göransson voor auto?' vroeg Nieminen.

'Hij rijdt in een Saab.'

Nieminen knikte. Hij viste een sleutelbos uit de zak van zijn jack en maakte een deur helemaal achter in de schuur open. Hij hoefde alleen maar om zich heen te kijken om te weten dat hij te laat was. De zware wapenkast stond wijd open.

Nieminen trok een grimas.

'Ruim 800.000 kronen,' zei hij.

'Hè?' zei Waltari.

'De Svavelsjö MC had ruim 800.000 kronen in die kast. Ons geld.'

Er waren maar drie personen die wisten waar de Svavelsjö MC zijn handgeld bewaarde in afwachting van investeringen en witwassen. Viktor Göransson, Magge Lundin en Sonny Nieminen. Niedermann was op de vlucht. Hij had contanten nodig. Hij wist dat Göransson degene was die het geld onder zijn beheer had.

Nieminen trok de deur achter zich dicht en liep langzaam de schuur uit. Hij dacht intensief na terwijl hij probeerde de catastrofe te overzien. Een deel van de tegoeden van de Svavelsjö MC bestond uit waardepapieren waar hijzelf bij kon komen en een ander deel kon met behulp van Magge Lundin worden gereconstrueerd. Maar een groot deel van de beleggingen zat uitsluitend in het hoofd van Göransson, als hij geen duidelijke instructies aan Magge Lundin had gegeven. Waar Nieminen aan twijfelde – Magge was nooit zo'n kommaneuker geweest. Nieminen schatte ruwweg dat de Svavelsjö MC met Göranssons verscheiden zo'n zestig procent van zijn activa had verloren. Dat was een doodklap. De contanten waren vooral nodig voor de dagelijkse uitgaven.

‘Wat doen we nu?’ vroeg Waltari.

‘We gaan de politie tippen wat er hier is gebeurd.’

‘De politie tippen?’

‘Ja, jezus. Mijn vingerafdrukken zitten in het huis. Ik wil dat Göransson en dat kutje van hem zo snel mogelijk worden gevonden, zodat het gerechtelijk lab kan vaststellen dat ze zijn omgebracht terwijl ik vastzat.’

‘Ik snap het.’

‘Mooi. Ga Benny K. zoeken. Ik wil met hem praten. Als hij tenminste nog leeft. En daarna gaan we op zoek naar Ronald Niedermann. Iedereen die we binnen de clubs hier in Scandinavië kennen, moet zijn ogen openhouden. Ik wil het hoofd van die klootzak op een presenteerblaadje. Hij rijdt vermoedelijk rond in Göranssons Saab. Zorg dat je het kenteken achterhaalt.’

Toen Lisbeth Salander wakker werd, was het zaterdagmiddag twee uur en was er een arts met haar bezig.

‘Goedemorgen,’ zei hij. ‘Ik ben Benny Svantesson en ik ben arts. Heb je pijn?’

‘Ja,’ zei Lisbeth Salander.

‘Je krijgt zo meteen een pijnstiller. Maar ik wil je eerst even onderzoeken.’

Hij kneep, frunnikte en prikte in haar getergde lichaam. Lisbeth raakte erg geïrriteerd, maar besloot, omdat ze zich zo uitgeput voelde, dat het beter was om zich koest te houden dan om haar verblijf in het Sahlgrenska te beginnen met een ruzie.

‘Hoe ben ik eraan toe?’ vroeg ze.

‘Het komt wel goed,’ zei de arts en hij maakte een paar aantekeningen voor hij weer vertrok.

Wat weinig informatief was.

Toen hij weg was, kwam een verpleegkundige Lisbeth helpen met een ondersteek. Daarna mocht ze weer slapen.

Alexander Zalachenko, alias Karl Axel Bodin, nuttigde een lunch bestaande uit vloeibaar voedsel. Ook kleine bewegingen in zijn gezichtsspieren veroorzaakten gigantische pijnen in zijn kaak en jukbeen, en van kauwen was al helemaal geen sprake. Tijdens de nachtelijke operatie waren twee titaniumschroeven in zijn jukbeen geplaatst.

De pijn was echter niet zo erg dat hij er niet mee om kon gaan. Zalachenko was gewend aan pijn. Niets was erger dan de pijn die hij vijftien jaar daarvoor weken- en maandenlang had gehad, nadat hij in zijn auto aan de Lundagatan als een fakkel had gebrand. De nazorg was één lange pijnmarathon geweest.

De artsen waren tot de conclusie gekomen dat hij buiten levensgevaar was, maar dat hij ernstig gewond was en dat hij in verband met zijn leeftijd nog een paar dagen op de intensive care moest blijven.

Zaterdag ontving hij viermaal bezoek van in totaal vijf mensen.

Tegen tienen kwam inspecteur Erlander terug. Deze keer had Erlander die kattenkop van een Sonja Modig thuisgelaten en had hij in plaats daarvan gezelschap van de aanzienlijk sympathiekere inspecteur Jerker Holmberg. Ze stelden ongeveer dezelfde vragen over Ronald Niedermann als de avond ervoor. Hij had zijn verhaal klaar en maakte geen fouten. Toen ze hem begonnen te bestoken met vragen over zijn eventuele betrokkenheid bij vrouwenhandel en andere criminaliteit, had hij opnieuw ontkend dat hij daar ook maar iets van wist. Hij zat in de WAO en had geen idee waar ze het over hadden. Hij gaf Ronald Niedermann overal de schuld van en bood aan om de politie zo goed mogelijk bij te staan om de vluchtende politiemoordenaar te lokaliseren.

Helaas was er in de praktijk niet zoveel waarmee hij kon assisteren. Hij had geen idee in welke kringen Niedermann verkeerde en bij wie hij eventueel bescherming kon zoeken.

Tegen elven kreeg hij een kort bezoek van een vertegenwoordiger van het Openbaar Ministerie, die formeel liet weten dat hij verdacht werd van deelname aan zware mishandeling respectievelijk poging tot moord op Lisbeth Salander. Zalachenko gaf daarop antwoord door geduldig uit te leggen dat hij het sláchtoffer was van een misdrijf en dat Lisbeth Salander juist degene was die hém had proberen te vermoorden. De vertegenwoordiger van het Openbaar Ministerie bood hem rechtshulp aan in de vorm van een pro-Deoadvocaat. Zalachenko zei dat hij erover na zou denken.

Wat hij absoluut niet van plan was. Hij had al een advocaat en het eerste wat hij die ochtend had gedaan, was hem opbellen met de vraag of hij zo snel mogelijk kon komen. Martin Thomasson was die dag dus de vierde gast aan zijn ziekbed. Hij slenterde met een onverschillig gezicht binnen, streek met zijn hand door zijn blonde haardos, zette zijn bril goed en schudde zijn cliënt de hand. Hij was dik en enorm charmant. Hij werd er weliswaar van verdacht klusjes te hebben uitgevoerd voor de Joegoslavische maffia, wat nog steeds in onderzoek was, maar hij had ook de naam dat hij zijn zaken won.

Zalachenko was vijf jaar daarvoor door een zakenrelatie over Thomasson getipt, toen hij iemand nodig had om de fondsen te herstructureren van een financieel bedrijfje in Liechtenstein dat hij bezat. Het ging niet om astronomische bedragen, maar Thomasson was zeer gewiekst geweest en had Zalachenko een belastingheffing bespaard. Zalachenko had Thomasson daarna nog een paar keer in de arm genomen. Thomasson had begrepen dat het geld afkomstig was van criminele activiteiten, maar dat leek hem niet te deren. Uiteindelijk had Zalachenko besloten dat alle activiteiten moesten worden geherstructureerd in een nieuw bedrijf dat eigendom was van hemzelf en van Niedermann. Hij was naar Thomasson gestapt met het voorstel dat de advocaat deel zou nemen als derde stille vennoot en het financiële gedeelte voor zijn rekening zou nemen. Thomasson had het voorstel zonder meer geaccepteerd.

'Zo, zo, meneer Bodin, dat ziet er niet best uit.'

'Ik ben het slachtoffer van zware mishandeling en van poging tot moord,' zei Zalachenko.

'Ik zie het. Een zekere Lisbeth Salander, als ik de zaak goed begrijp.'

Zalachenko begon zachter te praten.

'U zult wel hebben begrepen dat onze partner Niedermann zichzelf behoorlijk in de nesten heeft gewerkt.'

'Dat heb ik begrepen.'

'De politie heeft het idee dat ik bij de zaak betrokken ben ...'

'Wat uiteraard niet het geval is. U bent het slachtoffer en het is belangrijk dat we er gelijk voor zorgen dat dat beeld in de media wordt verankerd. Juffrouw Salander heeft al veel negatieve publiciteit op haar naam staan ... Daar zal ik voor zorgen.'

'Fijn.'

'Maar laat ik meteen zeggen dat ik geen strafpleiter ben. U hebt specialistische hulp nodig. Ik zal een advocaat regelen op wie u kunt vertrouwen.'

De vijfde bezoeker van die dag arriveerde zaterdagavond om elf uur en slaagde erin, door met zijn legitimatie te zwaaien en aan te geven dat hij een brandende kwestie had, langs de verpleegkundigen te komen. Hij werd naar Zalachenko's kamer verwezen. De patiënt was nog steeds wakker en lag te piekeren.

'Mijn naam is Jonas Sandberg,' groette hij en hij stak zijn hand uit, die Zalachenko negeerde.

Sandberg was een man van rond de vijfendertig. Hij had zandkleurig haar en was gekleed in een spijkerbroek, een geruit shirt en een leren jack. Zalachenko keek hem vijftien seconden zwijgend aan.

'Ik vroeg me net af wanneer een van jullie zou opduiken.'

'Ik werk bij de veiligheidsdienst,' zei Jonas Sandberg en hij toonde zijn legitimatie.

'Zo zou ik het niet willen noemen,' zei Zalachenko.

'Pardon?'

'U bent wellicht in dienst bij de veiligheidsdienst, maar u werkt nauwelijks voor hen.'

Jonas Sandberg zweeg even en keek om zich heen. Hij trok de bezoekersstoel naar zich toe.

'Ik kom zo laat op de avond om geen aandacht te trekken. We hebben besproken hoe we u kunnen helpen. We moeten een duidelijk beeld krijgen van wat er moet gebeuren. Ik ben hier gewoon om uw versie te horen en uw intenties te begrijpen, zodat we een gemeenschappelijke strategie kunnen uitwerken.'

'En hoe zou die strategie er volgens u uit moeten zien?'

Jonas Sandberg keek nadenkend naar de man in het bed. Uiteindelijk spreidde hij zijn handen uiteen.

'Meneer Zalachenko ... ik ben bang dat er een proces in gang is gezet waarvan de schadelijke gevolgen moeilijk te overzien zijn. We hebben de situatie besproken. Het graf in Gosseberga en het feit dat Salander driemaal is beschoten, zijn lastig onder het tapijt te vegen. Maar er is hoop. Het conflict tussen u en uw dochter kan een verklaring zijn voor uw angst voor haar en de reden waarom u zulke drastische stappen en maatregelen hebt genomen. Maar ik ben bang dat u een tijdje in de gevangenis zult moeten doorbrengen.'

Zalachenko voelde zich plotseling monter en zou in lachen zijn uitgebarsten als dat door de situatie waarin hij zich bevond niet volstrekt onmogelijk was geweest. Zijn lippen krulden licht. Al het andere veroorzaakte te veel pijn.

'Dus dat is onze gemeenschappelijke strategie?'

'Meneer Zalachenko, u kent het begrip *damage control*. Het is noodzakelijk dat we tot iets gemeenschappelijks komen. We zullen alles doen wat in onze macht ligt om u bij te staan met een advocaat en dergelijke, maar we hebben uw medewerking en bepaalde garanties nodig.'

'Jullie krijgen één garantie van mij. Zorg ervoor dat dit uit de wereld wordt geholpen.' Hij spreidde zijn handen uiteen. 'Niedermann is jullie zondebok en ik garandeer dat hij niet zal worden gevonden.'

‘Er is technisch bewijs dat …’

‘Wat kan u dat technische bewijs schelen. Het gaat erom hoe het onderzoek wordt uitgevoerd en hoe feiten worden gepresenteerd. Mijn garantie is als volgt ... als jullie dit niet wegtoveren, zal ik de media uitnodigen voor een persconferentie. Ik weet namen, data, voorvallen. Ik hoef u er toch niet aan te herinneren wie ik ben?’

‘U begrijpt niet ...’

‘Ik begrijp het uitstekend. U bent een loopjongen. Vertel uw chef maar wat ik heb gezegd. Hij zal het begrijpen. Zeg hem maar dat ik overal kopieën van heb. Ik kan jullie tot zinken brengen.’

‘We moeten het proberen eens te worden.’

‘Dit gesprek is ten einde. Hoepel op. En zeg dat ze de volgende keer een volwassen vent sturen, met wie te praten valt.’

Zalachenko draaide zijn hoofd zo dat hij het oogcontact met zijn bezoeker verloor. Jonas Sandberg keek Zalachenko even aan. Toen haalde hij zijn schouders op en stond op. Hij was bijna bij de deur toen hij Zalachenko’s stem opnieuw hoorde.

‘Nog één ding.’

Sandberg draaide zich om.

‘Salander.’

‘Wat is er met haar?’

‘Ze moet weg.’

‘Hoe bedoelt u?’

Sandberg keek even zo ongerust dat Zalachenko moest lachen, ondanks de pijn die door zijn kaak sneed.

‘Ik begrijp dat jullie slappelingen te fijngevoelig zijn om haar te doden en dat jullie daar ook de middelen niet voor hebben. Wie zou dat moeten doen ... u? Maar ze moet weg. Haar getuigenverklaring moet ongeldig worden verklaard. Ze moet levenslang het gesticht in.’

Lisbeth Salander hoorde voetstappen op de gang voor haar kamer. Ze kon de naam Jonas Sandberg niet verstaan en had zijn voetstappen nooit eerder gehoord.

Maar haar deur had de hele avond opengestaan, aangezien de verpleegsters ongeveer om de tien minuten bij haar kwamen. Ze had hem horen aankomen en, vlak voor haar deur, aan een verpleegkundige horen verklaren dat hij de heer Karl Axel Bodin dringend moest spreken. Ze had hem zich horen legitimeren, maar er was niets gezegd wat haar enig houvast kon geven over zijn naam of waaruit zijn legitimatie bestond.

De verpleegkundige had hem gevraagd even te wachten terwijl ze ging kijken of de heer Karl Axel Bodin nog wakker was. Lisbeth Salander trok de conclusie dat de legitimatie overtuigend moest zijn geweest.

Ze constateerde dat de zuster linksaf de gang in liep en 17 passen nodig had om haar bestemming te bereiken. En dat de bezoeker kort daarna 14 stappen nodig had om hetzelfde stuk af te leggen. Dat was een gemiddelde van 15,5. Ze schatte de paslengte op 60 centimeter, wat vermenigvuldigd met 15,5 betekende dat Zalachenko zich in een kamer bevond die 930 centimeter links de gang in lag. Oké, zeg 10 meter. Ze schatte de breedte van haar kamer op ongeveer 5 meter, wat zou betekenen dat Zalachenko zich twee deuren verderop bevond.

Volgens de groene cijfers op de digitale klok op het nachtkastje duurde het bezoek exact negen minuten.

Zalachenko lag nog lang wakker nadat Jonas Sandberg was vertrokken. Hij nam niet aan dat dat zijn echte naam was aangezien Zweedse amateurspionnen er, zo was zijn ervaring, erg op waren gebrand een schuilnaam aan te nemen, ook al was dat absoluut niet noodzakelijk. Hoe dan ook, Jonas (of hoe hij ook heette) was de eerste indicatie dat De Sectie notitie had genomen van zijn situatie. Gezien de aandacht van de media kon hun dat ook moeilijk zijn ontgaan. Het bezoek was echter ook een bevestiging dat de situatie een bron van zorg vormde. Wat ook zo was.

Hij woog de voor- en nadelen af, zette mogelijkheden op een rijtje en verwierp alternatieven. Hij was zich er al te zeer van bewust dat de dingen volledig uit de hand waren gelopen. Onder ideale omstandigheden zou hij op dit moment thuis zijn geweest in Gosseberga, Ronald Niedermann veilig in het buitenland en Lisbeth Salander begraven in een gat in de grond. Ook al begreep hij rationeel wat er was gebeurd, hij kon absoluut niet vatten hoe ze erin was geslaagd zich uit het graf omhoog te werken, naar zijn huis te lopen en zijn bestaan met twee bijlslagen te verwoesten. Het was gewoon onbegrijpelijk.

Hij begreep daarentegen uitstekend wat er met Ronald Niedermann was gebeurd en waarom hij gerend had voor zijn leven in plaats van korte metten te maken met Salander. Hij wist dat er iets niet helemaal in orde was in Niedermanns hoofd en dat hij dingen zag – spoken. Hij had meer dan eens moeten ingrijpen wanneer Niedermann irrationeel had gehandeld en in elkaar gekropen had gelegen van angst.

Dat verontrustte Zalachenko. Hij was ervan overtuigd dat Ronald Niedermann, omdat hij nog niet was opgepakt, het etmaal na zijn vlucht uit Gosseberga rationeel had gehandeld. Vermoedelijk zou hij zijn toevlucht zoeken in Tallinn, waar hij beschutting kon vinden bij contacten uit Zalachenko's criminele imperium. Het verontrustte hem dat hij nooit kon voorspellen wanneer Niedermann verlamd zou raken van angst. Als dat tijdens zijn vlucht gebeurde, zou hij fouten maken, en als hij fouten maakte, zou hem dat fataal worden. Hij zou zich niet vrijwillig overgeven en dat betekende dat er politiemensen zouden sterven en dat Niedermann het waarschijnlijk zelf ook niet zou overleven.

Die gedachte baarde Zalachenko zorgen. Hij wilde niet dat Niedermann zou sterven. Niedermann was zijn zoon. Aan de andere kant was het jammer genoeg een feit dat Niedermann niet levend mocht worden gepakt. Niedermann had nooit eerder vastgezeten en Zalachenko kon niet voorspellen hoe hij in een verhoorsituatie zou reageren. Hij betwijfelde of Niedermann zijn mond kon houden. Daarom zou het een voordeel zijn als hij door de politie zou worden gedood. Hij zou verdriet hebben om zijn zoon, maar het alternatief was erger. Dat hield in dat Zalachenko de rest van zijn leven in de gevangenis zou moeten doorbrengen.

Maar het was nu achtenveertig uur geleden dat Niedermann aan zijn vlucht was begonnen en hij was nog niet opgepakt. Dat was goed. Dat was een indicatie dat Niedermann functioneerde en een Niedermann die functioneerde, was onverslaanbaar.

Op termijn was er een andere bron van zorg. Hij vroeg zich af hoe Niedermann het zou redden als zijn vader hem niet constant aan het handje zou meenemen. Zalachenko had de afgelopen jaren opgemerkt dat Niedermann, wanneer hijzelf geen instructies meer gaf of de teugels te veel liet vieren en Niedermann zelf beslissingen liet nemen, volkomen passief en besluiteloos kon worden.

Zalachenko constateerde – hij wist niet voor de hoeveelste keer – dat het doodzonde was dat zijn zoon deze eigenaardigheden bezat. Ronald Niedermann was zonder twijfel een zeer begaafd iemand die lichamelijke eigenschappen bezat die hem tot een formidabele en gevreesde persoon maakten. Hij was bovendien een uitstekende en ongevoelige organisator. Zijn probleem was alleen dat hij geen enkel leidersinstinct bezat. Hij had voortdurend iemand nodig die hem vertelde wat hij moest doen.

Maar dat alles lag op dit moment buiten zijn controle. Het ging nu om Zalachenko zelf. Zijn situatie was precair, wellicht precairder dan ooit.

Hij had het bezoek van advocaat Thomasson eerder die dag als niet erg geruststellend ervaren. Thomasson was en bleef een bedrijfsjurist en hoe effectief hij op dat gebied ook was, hij was onder de gegeven omstandigheden niet iemand om op terug te vallen.

Het tweede punt was het bezoek van Jonas Sandberg. Sandberg vormde een aanzienlijk sterkere reddingslijn. Maar die reddingslijn kon ook een strop zijn. Hij moest zijn kaarten goed uitspelen en hij moest de situatie onder controle zien te krijgen. Controle was het allerbelangrijkste.

Maar hij kon in elk geval zichzelf vertrouwen. Op dit moment had hij medische hulp nodig, maar over een paar dagen, misschien een week, zou hij hersteld zijn. Als de dingen op de spits werden gedreven, kon hij wellicht alleen zichzelf maar vertrouwen. Dat betekende dat hij moest verdwijnen, voor de neus van de politiemensen die om hem heen cirkelden. Hij zou een schuilplaats, een paspoort en contanten nodig hebben. Daar zou Thomasson hem aan helpen. Maar eerst moest hij weer voldoende hersteld zijn om te kunnen vluchten.

Om één uur kwam de nachtzuster even kijken. Hij deed of hij sliep. Toen ze de deur had dichtgetrokken, ging hij moeizaam overeind zitten en zwaaide hij zijn benen over de rand van het bed. Hij zat geruime tijd stil en testte zijn evenwicht. Toen zette hij zijn linkervoet voorzichtig op de grond. De slag met de bijl had godzijdank zijn toch al slechte rechterbeen geraakt. Hij rekte zich uit naar zijn prothese, die in een kast naast het bed stond, en bevestigde deze aan zijn stomp. Daarna stond hij op. Hij leunde op zijn gezonde linkerbeen en probeerde zijn rechterbeen neer te zetten. Toen hij zijn gewicht verplaatste, sneed een intense pijn door zijn been.

Hij klemde zijn tanden op elkaar en zette een stap. Hij zou zijn krukken nodig hebben, maar hij was ervan overtuigd dat het ziekenhuis hem die binnenkort wel zou aanbieden. Hij leunde tegen de muur en hinkte naar de deur. Dat duurde een paar minuten, want hij moest na elke stap stilstaan en de pijn proberen te bedwingen.

Hij rustte op één been en zette de deur op een kiertje. Hij keek de gang op. Hij zag niemand en stak zijn hoofd nog een stukje naar buiten. Hij hoorde zwakke stemmen links van hem en draaide zijn hoofd om. De zusterspost lag ongeveer 20 meter verderop aan de andere kant van de gang.

Hij draaide zijn hoofd naar rechts en zag de uitgang aan het eind van de gang.

Eerder die dag had hij naar de toestand van Lisbeth Salander gevraagd. Hij was hoe dan ook haar vader. De verpleegkundigen hadden blijkbaar instructies om niets over de patiënten te zeggen. Een verpleegster had neutraal geantwoord dat haar toestand stabiel was. Maar ze had onwillekeurig een korte blik rechts de gang in geworpen.

In een van de kamers tussen die van hem en de zusterspost bevond Lisbeth Salander zich.

Hij trok voorzichtig de deur dicht, hinkte terug naar bed en trok zijn prothese uit. Hij was helemaal bezweet toen hij uiteindelijk weer onder het dekbed kroop.

Inspecteur Jerker Holmberg keerde zondag tegen lunchtijd naar Stockholm terug. Hij was moe, had trek en voelde zich gebroken. Hij nam de metro naar Rådhuset en liep naar het hoofdbureau van politie aan de Bergsgatan, en door naar de kamer van inspecteur Jan Bublanski. Sonja Modig en Curt Svensson waren er al. Bublanski had de bijeenkomst juist op zondagmiddag gepland omdat hij wist dat de leider van het vooronderzoek, Richard Ekström, een andere afspraak had.

'Fijn dat jullie konden komen,' zei Bublanski. 'Ik denk dat het tijd is om eens even rustig te praten en te proberen wijs te worden uit deze ellendige toestand. Jerker, heb jij nieuws?'

'Niets wat ik niet al telefonisch heb meegedeeld. Zalachenko geeft geen millimeter toe. Hij is volstrekt onschuldig en heeft niets bij te dragen. Het is alleen zo dat ...'

'Ja?'

'Jij had gelijk, Sonja. Hij is een van de meest onaangename mensen die ik ooit heb ontmoet. Het klinkt gek om dat te zeggen. Politiemensen moeten niet in dergelijke termen spreken, maar er zit iets beangstigends onder zijn berekenende oppervlak.'

'Oké,' zei Bublanski. 'Wat weten we? Sonja?'

Ze glimlachte koel.

'De privédetectives hebben deze ronde gewonnen. Ik kan Zalachenko in geen enkel openbaar bestand vinden, maar in 1941 is ene Karl Axel Bodin geboren in Uddevalla. Zijn ouders waren Marianne en Georg Bodin. Zij hebben bestaan, maar zijn in 1946 verongelukt. Karl Axel Bodin is opgegroeid bij een oom in Noorwegen. Er zijn dus geen gegevens van hem van vóór de jaren zeventig, toen hij naar Zweden terugkeerde. Het verhaal van Mikael Blomkvist dat hij een overgelopen GRU-agent uit Rusland is, is onmogelijk te verifiëren, maar ik ben geneigd te geloven dat Blomkvist gelijk heeft.'

'En wat betekent dat?'

'Het is duidelijk dat Zalachenko een valse identiteit heeft aangenomen. Dat moet met goedkeuring van de overheid zijn gebeurd.'

'De veiligheidsdienst, dus?'

'Dat beweert Blomkvist. Maar hoe dat precies in zijn werk is gegaan, weet ik niet. Dat veronderstelt dat het geboortebewijs en een reeks andere papieren zijn vervalst en in openbare Zweedse registers zijn geplaatst. Ik durf niet te zeggen of dat legaal is of niet. Dat ligt er vermoedelijk aan wie de beslissing neemt. Maar om het legaal te doen, moet die beslissing welhaast op regeringsniveau zijn genomen.'

Er ontstond een zekere stilte in Bublanski's kamer terwijl de vier inspecteurs de implicaties overwogen.

'Oké,' zei Bublanski. 'Wij zijn vier domme smerissen. Als de regering erbij betrokken is, ben ik niet van plan die op te roepen voor verhoor.'

'Hm,' zei Curt Svensson. 'Dat zou eventueel kunnen leiden tot een constitutionele crisis. In de VS kunnen leden van de regering bij een gewone rechtbank worden opgeroepen voor verhoor. In Zweden moet dat via de parlementaire commissie voor grondwettelijke aangelegenheden.'

'Wat we daarentegen zouden kunnen doen, is het de chef vragen,' zei Jerker Holmberg.

'De chef?' vroeg Bublanski.

'Thorbjörn Fälldin. Hij was toen premier.'

'Oké. We rijden naar waar hij nu woont en vragen de vroegere premier of hij de identiteitspapieren van een overgelopen Russische spion heeft vervalst. Ik dacht het niet.'

'Fälldin woont in Ås, in de gemeente Härnosand. Ik kom ook uit die streek. Mijn vader is lid van de Centrumpartij en kent Fälldin goed. Ik heb hem zelf ook diverse keren ontmoet, als kind en als volwassene. Hij is heel benaderbaar.'

Drie inspecteurs keken Jerker Holmberg verbluft aan.

'Jij kent Fälldin,' zei Bublanski aarzelend.

Holmberg knikte. Bublanski tuitte zijn lippen.

'Eerlijk gezegd ...' zei Holmberg. 'Het zou een aantal problemen kunnen oplossen als we de vorige minister-president zo ver zouden kunnen krijgen om met een toelichting te komen. Zodat we weten waar we staan. Ik kan naar hem toe gaan en met hem gaan praten. Zegt hij niets, dan zegt hij niets. En als hij praat, bespaart ons dat wellicht een hoop tijd.'

Bublanski overwoog het voorstel. Toen schudde hij zijn hoofd. Vanuit zijn ooghoek zag hij Sonja Modig en Curt Svensson nadenkend knikken.

'Holmberg ... het is heel goed dat je je aanbiedt, maar ik geloof dat we dat idee even terzijde leggen. Terug naar de zaak. Sonja.'

'Volgens Blomkvist is Zalachenko in 1976 naar Zweden gekomen. Voor zover ik weet, kan hij die informatie maar van één iemand hebben.'

'Gunnar Björck,' zei Curt Svensson.

'Wat heeft Björck tegen ons gezegd?' vroeg Jerker Holmberg.

'Niet veel. Hij doet een beroep op zijn geheimhoudingsplicht en zegt dat hij niets kan bespreken zonder toestemming van zijn superieuren.'

'En wie zijn zijn superieuren?'

'Dat weigert hij te zeggen.'

'Dus wat gebeurt er met hem?'

'Ik heb hem opgepakt voor overtreding van de "sekskoopwet"; zoals jullie weten is betalen voor seks hier in Zweden strafbaar. We beschikten door Dag Svensson over uitstekende documentatie. Ekström was buitengewoon ontstemd, maar doordat ik een aangifte had opgesteld, riskeert hij problemen als hij het vooronderzoek negeert,' zei Curt Svensson.

'Aha. Overtreding van de sekskoopwet. Daar krijg je neem ik aan een boete voor.'

'Vermoedelijk. Maar we hebben hem nu in het systeem en kunnen hem opnieuw oproepen voor verhoor.'

'Maar we zitten nu wel te wroeten in het territorium van de veiligheidsdienst. Dat zou enige turbulentie teweeg kunnen brengen.'

'Het probleem is dat niets van wat er nu is gebeurd, had kunnen gebeuren als de veiligheidsdienst er niet op de een of andere manier bij betrokken was geweest. Het is mogelijk dat Zalachenko daadwerkelijk een Russische spion was die eruit is gestapt en politiek asiel heeft gekregen. Het is ook mogelijk dat hij voor de veiligheidsdienst heeft gewerkt, als verkenner of bron, of welke titel je hem ook moet geven, en dat er een reden was om hem een valse identiteit en anonimiteit te verschaffen. Maar er zijn drie problemen. Ten eerste is er het onderzoek dat in 1991 werd uitgevoerd en dat ertoe leidde dat Lisbeth Salander onwettig werd opgesloten. Ten tweede hebben de activiteiten van Zalachenko van daarna geen ruk met de staatsveiligheid van doen. Zalachenko is een heel gewone gangster en is hoogstwaarschijnlijk betrokken bij meerdere moorden en andere criminele activiteiten. En ten derde is er geen twijfel over mogelijk dat Lisbeth Salander op zijn erf in Gosseberga is neergeschoten en begraven.'

'À propos, ik zou dat fameuze onderzoek maar wát graag eens willen lezen,' zei Jerker Holmberg.

Bublanski betrok.

'Ekström heeft er vrijdag beslag op laten leggen en toen ik vroeg wanneer ik het weer terugkreeg, zei hij dat hij een kopie zou maken, maar dat heeft hij niet gedaan. Hij belde daarentegen terug en zei dat hij met de procureur-generaal had gesproken en dat er een probleem was. Volgens de procureur-generaal betekende het geheimhoudingsstempel dat het onderzoek niet mocht worden verspreid en niet mocht worden gekopieerd. De procureur-generaal heeft alle kopieën teruggevorderd totdat de zaak is onderzocht. Sonja heeft de kopie die ze had dus terug moeten sturen.'

'Dus we hebben dat onderzoek niet meer?'

'Nee.'

'Shit,' zei Holmberg. 'Dit voelt niet goed.'

'Nee,' zei Bublanski. 'Maar het betekent vooral dat iemand ons tegenwerkt en dat diegene bovendien zeer snel en effectief werkt. Het onderzoek was immers datgene wat ons eindelijk op het juiste spoor heeft gezet.'

'We moeten nu dus uitzoeken wie ons tegenwerkt,' zei Holmberg.

'Wacht even,' zei Sonja Modig. 'We hebben Peter Teleborian ook nog. Hij heeft aan ons eigen onderzoek bijgedragen door een profiel te maken van Lisbeth Salander.'

'Inderdaad,' zei Bublanski met een donkerder stem. 'En wat zei hij?'

'Hij was enorm ongerust over haar veiligheid en had het beste met haar voor. Maar later zei hij dat ze levensgevaarlijk was en mogelijk weerstand zou bieden. We hebben een groot deel van onze denkwijze gebaseerd op wat hij zei.'

'En hij heeft Hans Faste ook behoorlijk opgehitst,' zei Holmberg. 'Hebben we trouwens nog iets van hem gehoord?'

'Hij heeft vrij genomen,' antwoordde Bublanski kort. 'De vraag is nu hoe we verdergaan.'

Ze besteedden de volgende twee uur aan het bespreken van de mogelijkheden. Het enige praktische besluit dat werd genomen, was dat Sonja Modig de volgende dag terug zou gaan naar Göteborg om te horen of Lisbeth Salander wat te zeggen had. Toen ze ten slotte opbraken, liepen Sonja Modig en Curt Svensson samen op naar de garage in de kelder.

'Ik moest denken aan ...' Maar Curt Svensson hield verder zijn mond.

'Ja?' vroeg Modig.

'Tja, toen we met Teleborian spraken, was jij de enige in de groep die vragen stelde en met tegenwerpingen kwam.'

'Ja.'

'Ja, eh ... nou. Goede intuïtie,' zei hij.

Curt Svensson stond niet bekend om zijn complimentjes en dit was dan ook de eerste keer dat hij iets positiefs of opbeurends tegen Sonja Modig zei. Hij liet haar verbaasd bij haar auto achter.

5
ZONDAG 10 APRIL

Mikael Blomkvist had de nacht van zaterdag op zondag met Erika Berger doorgebracht in bed. Ze hadden niet met elkaar gevreeën, maar hadden alleen liggen praten. Een belangrijk deel van het gesprek was gegaan over de details rond de Zalachenko-zaak. Het onderlinge vertrouwen tussen Mikael en Erika was dusdanig dat het feit dat Erika bij een concurrerende krant ging werken hem geen minuut afremde. En Erika zelf was absoluut niet van plan om hem het verhaal af te snoepen. Het was de scoop van *Millennium* en ze voelde hoogstens een zekere frustratie dat ze geen redacteur van dat nummer meer zou zijn. Het zou een plezierige manier zijn geweest om haar jaren bij *Millennium* af te sluiten.

Ze spraken ook over de toekomst en wat de nieuwe situatie zou inhouden. Erika was vastbesloten om haar aandeel in *Millennium* te behouden en in het bestuur te blijven. Maar ze zagen allebei in dat zij vanzelfsprekend geen inzicht meer mocht hebben in de lopende redactionele werkzaamheden.

'Geef me een paar jaar bij De Draak ... wie weet. Misschien kom ik tegen mijn pensioen weer bij *Millennium* terug,' zei ze.

En ze bespraken hun eigen gecompliceerde verhouding. Ze waren het erover eens dat er in de praktijk niets zou veranderen, maar dat ze elkaar in het vervolg natuurlijk niet meer zo vaak zouden zien. Het zou worden als in de jaren tachtig, voordat ze met *Millennium* waren begonnen en ze allebei een andere baan hadden.

'We moeten gewoon een afspraak maken,' constateerde Erika met een zwak glimlachje.

Op zondagmorgen namen ze snel afscheid, waarna Erika naar huis vertrok, naar haar man Greger Backman.

'Ik weet niet hoe ik het moet zeggen,' zei Erika. 'Maar ik herken alle signalen, ik voel aan dat je midden in een verhaal zit en dat de rest op de tweede plaats komt. Weet je dat jij je gedraagt als een psychopaat als je aan het werk bent?'

Mikael grijnsde en omhelsde haar.

Toen ze weg was, besteedde hij de ochtend aan het bellen naar het Sahlgrenska-ziekenhuis om informatie te bemachtigen over de toestand van Lisbeth Salander. Niemand wilde hem iets vertellen en uiteindelijk belde hij inspecteur Marcus Erlander, die zich over hem ontfermde en verklaarde dat Lisbeths toestand naar omstandigheden goed was en dat de artsen voorzichtig optimistisch waren. Mikael vroeg of ze bezoek mocht ontvangen. Erlander antwoordde dat Lisbeth Salander door de officier van justitie was gedetineerd en geen bezoek mocht ontvangen, maar dat die vraag voorlopig nog academisch was. Haar toestand was dusdanig dat ze nog niet eens verhoord had kunnen worden. Mikael liet Erlander beloven dat hij hem zou bellen als haar toestand verslechterde.

Toen Mikael de berichtenlijst op zijn mobiele telefoon controleerde, kon hij constateren dat hij tweeënveertig onbeantwoorde gesprekken en sms'jes van verschillende journalisten had die wanhopig naar hem op zoek waren. Het nieuws dat hij degene was die Lisbeth Salander had gevonden en de hulpdiensten had gealarmeerd, en dat hij daardoor nauw betrokken was bij het gebeuren, was het afgelopen etmaal onderwerp geweest van dramatische speculaties in de media.

Mikael wiste alle mededelingen van de verslaggevers, belde zijn zus, Annika Giannini, en nodigde zichzelf uit voor de zondagse lunch.

Daarna belde hij Dragan Armanskij, de algemeen directeur en chef operations van beveiligingsbedrijf Milton Security. Hij kreeg hem op zijn mobiel te pakken, in zijn huis op Lidingö.

'Jij weet wel hoe je krantenkoppen moet creëren,' zei Armanskij droog.

'Sorry dat ik je niet eerder heb teruggebeld. Ik had gehoord dat je naar me op zoek was, maar ik had geen gelegenheid ...'

'Wij zijn bezig met een eigen onderzoek. En ik begreep van Holger Palmgren dat jij informatie had. Maar het lijkt alsof jullie kilometers vóór lopen.'

Mikael aarzelde even hoe hij het moest uitdrukken.

'Kan ik je vertrouwen?' vroeg hij.

Armanskij leek verbaasd over die vraag.

'In welk opzicht bedoel je?'

'Sta jij aan Salanders kant of niet? Kan ik erop vertrouwen dat je het beste met haar voorhebt?'

'Ik ben haar vriend. Zoals je weet, hoeft dat niet per se wederzijds te zijn.'

'Dat weet ik. Maar wat ik vraag, is of je bereid bent om aan haar kant in de ring te gaan staan en een robbertje met haar vijanden te vechten. En dat gevecht zal diverse ronden kennen.'

Armanskij dacht erover na.

'Ik sta aan haar kant,' antwoordde hij.

'Kan ik je informatie geven en dingen met je bespreken zonder bang te hoeven zijn dat het weglekt naar de politie of anderen?'

'Ik wil niet worden betrokken bij iets crimineels,' zei Armanskij.

'Dat vroeg ik niet.'

'Je kunt me absoluut vertrouwen zolang je niet onthult dat je met iets crimineels bezig bent of iets dergelijks.'

'Mooi. We moeten elkaar zien.'

'Ik kom vanavond naar de stad. Zullen we samen eten?'

'Nee, dat komt me niet zo goed uit. Maar zou morgenavond misschien kunnen? Jij en ik, en wellicht nog een paar mensen.'

'Je kunt naar Milton toe komen. Zullen we zeggen om zes uur?'

'Nog één ding ... ik zie mijn zus, Annika Giannini, over twee uur. Zij overweegt Lisbeths advocaat te worden, maar dat is uiteraard niet gratis. Ik kan een deel van haar honorarium uit eigen zak betalen. Kan Milton Security bijdragen?'

'Lisbeth heeft een extreem goede strafpleiter nodig. Jouw zus is een ongeschikte keuze, sorry dat ik het zeg. Ik heb al met de bedrijfsjurist van Milton gesproken en hij zal een geschikte advocaat zoeken. Ik stel me Peter Althin voor of een dergelijk iemand.'

'Fout. Lisbeth heeft een heel ander soort advocaat nodig. Je zult begrijpen wat ik bedoel als we elkaar hebben gesproken. Maar kun jij geld in haar verdediging steken als dat nodig mocht zijn?'

'Ik had al bedacht dat Milton een advocaat in de arm zou nemen ...'

'Betekent dat ja of nee? Ik weet wat er met Lisbeth is gebeurd. Ik weet ongeveer wie daarachter zitten. Ik weet waarom. En ik heb een aanvalsplan.'

Armanskij lachte.

'Oké, ik zal je voorstel aanhoren. Als het me niet bevalt, trek ik me terug.'

‘Heb je nagedacht over mijn voorstel om Lisbeth Salander te gaan vertegenwoordigen?’ vroeg Mikael zo gauw hij zijn zus op haar wang had gekust en ze hun broodjes en koffie hadden.

‘Ja. En ik moet nee zeggen. Je weet dat ik geen strafpleiter ben. Ook al gaat ze nu vrijuit voor die moorden waarvoor ze werd gezocht, er blijft een hele rij aanklachten over. Ze heeft iemand nodig met een heel ander soort gewicht en ervaring dan ik.’

‘Je hebt het mis. Jij bent advocaat en bent zeer kundig op het gebied van emancipatievraagstukken. Ik blijf erbij dat jij precies de advocate bent die ze nodig heeft.’

‘Mikael ... ik geloof niet dat je helemaal begrijpt wat dat inhoudt. Dit is een gecompliceerde strafzaak en niet een simpel geval van vrouwenmishandeling of seksuele intimidatie. Als ik haar verdediging op me neem, kan dat leiden tot een catastrofe.’

Mikael glimlachte.

‘Volgens mij heb je de clou gemist. Als Lisbeth bijvoorbeeld was aangeklaagd voor de moorden op Dag en Mia, zou ik een advocaat in de arm hebben genomen van het kaliber Silbersky of een ander zwaargewicht. Maar in deze rechtszaak zal het om heel andere dingen gaan. En jij bent de meest perfecte advocate die ik me kan indenken.’

Annika Giannini zuchtte.

‘Vertel dan maar eens.’

Ze spraken bijna twee uur met elkaar. Toen Mikael alles had verteld, was Annika Giannini overgehaald. Mikael pakte zijn mobiele telefoon en belde opnieuw naar Marcus Erlander in Göteborg.

‘Dag, nogmaals met Blomkvist.’

‘Ik heb geen nieuws over Salander,’ zei Erlander geïrriteerd.

‘Wat op dit moment vermoedelijk goed nieuws is. Maar ik heb wél nieuws over haar.’

‘O, ja?’

‘Ja. Ze heeft een advocaat, genaamd Annika Giannini. Zij zit tegenover mij en ik geef de telefoon nu aan haar.’

Mikael overhandigde zijn mobieltje over tafel aan zijn zus.

‘Goedemiddag. Mijn naam is Annika Giannini en ik ben gevraagd Lisbeth Salander te vertegenwoordigen. Ik moet om die reden in contact komen met mijn cliënte, zodat ze mij kan goedkeuren als haar verdediger. En ik moet het telefoonnummer hebben van de officier van justitie.’

'Ik begrijp het,' zei Erlander. 'Voor zover ik weet, is er al contact geweest met een pro-Deoadvocaat.'

'Mooi. Heeft iemand Lisbeth Salander naar haar mening gevraagd?'

Erlander aarzelde.

'Eerlijk gezegd hebben we nog geen woord met haar kunnen wisselen. We hopen morgen met haar te kunnen praten als haar conditie dat toelaat.'

'Goed. Dan zeg ik bij dezen dat u mij, tot het moment waarop juffrouw Salander iets anders aangeeft, als haar advocaat kunt beschouwen. U kunt haar niet verhoren zonder dat ik aanwezig ben. U kunt haar bezoeken en haar de vraag stellen of ze mij accepteert als advocaat of niet. Is dat duidelijk?'

'Ja,' zei Erlander met een zucht. Hij wist niet precies hoe het zuiver juridisch in elkaar zat. Hij dacht even na. 'We willen Salander in eerste instantie vragen of zij wellicht enig idee heeft waar de politiemoordenaar Ronald Niedermann zich zou kunnen bevinden. Is het in orde als we haar dat vragen, ook al bent u er niet bij?'

Annika Giannini aarzelde.

'Oké ... u kunt haar puur informatief vragen of zij de politie kan helpen Niedermann te lokaliseren. Maar u mag geen andere vragen stellen die betrekking hebben op eventuele beschuldigingen of aanklachten tegen haar. Is dat afgesproken?'

'Ik denk het wel.'

Marcus Erlander liep linea recta van zijn kamer naar de verdieping erboven en klopte aan bij de leider van het vooronderzoek, Agneta Jervas. Hij gaf de inhoud van het gesprek dat hij met Annika Giannini had gehad weer.

'Ik wist niet dat Salander een advocaat had.'

'Ik ook niet. Maar Giannini is door Mikael Blomkvist in de arm genomen. Het zou kunnen dat Salander er niets van weet.'

'Maar Giannini is geen strafpleiter. Zij houdt zich bezig met vrouwenrecht. Ik heb een keer een lezing van haar bijgewoond. Ze is pienter, maar absoluut ongeschikt in deze zaak.'

'Dat is dan aan Salander om te beslissen.'

'Het is mogelijk dat ik dat voor de rechtbank moet bestrijden. Salander moet voor haar eigen bestwil een echte verdediger hebben en niet een of andere bekende Zweedse die veelvuldig in de bladen voorkomt. Hm. Salander is bovendien onmondig verklaard. Ik weet het niet.'

'Wat zullen we doen?'

Agneta Jervas dacht even na.

'Wat een toestand. Ik weet niet precies wie deze zaak uiteindelijk op zijn bordje krijgt, misschien wordt het wel overgeheveld naar Ekström in Stockholm. Maar ze moet een advocaat hebben. Oké ... vraag haar maar of ze Giannini wil hebben.'

Toen Mikael 's middags om vijf uur thuiskwam, deed hij zijn iBook open en pakte hij de draad weer op van de tekst waaraan hij in het hotel in Göteborg was begonnen. Hij werkte zeven uur achter elkaar totdat hij de grootste hiaten in het verhaal had blootgelegd. Er was nog wel het een en ander aan research nodig. Een vraag die hij niet vanuit de bestaande documentatie kon beantwoorden, was wie er – buiten Gunnar Björck – bij de veiligheidsdienst precies hadden samengezworen om Lisbeth Salander in het gekkenhuis opgesloten te krijgen. Hij had ook niet ontrafeld wat de precieze relatie was tussen Björck en psychiater Peter Teleborian.

Tegen middernacht zette hij de computer uit en ging hij naar bed. Voor het eerst in weken voelde hij dat hij kon ontspannen en rustig kon slapen. Het verhaal was rond. Hoeveel vraagtekens er ook nog stonden, hij had nu al voldoende materiaal om een lawine aan krantenkoppen los te maken.

Hij voelde een impuls om Erika Berger te bellen en haar te updaten over de stand van zaken. Toen bedacht hij dat ze weg was bij *Millennium*. Hij vond het opeens moeilijk om de slaap te vatten.

De man met de bruine aktetas stapte om 19.30 uur op het Centraal Station van Stockholm voorzichtig uit de trein uit Göteborg en bleef even in de mensenmenigte stilstaan om zich te oriënteren. Hij was zijn reis even na achten 's morgens in Laholm begonnen, was vervolgens naar Göteborg gereisd waar hij een stop had gemaakt om met een oude vriend te lunchen voordat hij de reis naar Stockholm had hervat. Hij was al twee jaar niet in Stockholm geweest en was eigenlijk niet van plan geweest om de hoofdstad ooit nog te bezoeken. Hoewel hij er het grootste deel van zijn werkzame leven had gewoond, had hij zich er altijd een vreemde vogel gevoeld, een gevoel dat met elk bezoek na zijn pensionering sterker was geworden.

Hij liep langzaam door het Centraal Station, kocht bij de Pressbyrå-kiosk de avondkranten en twee bananen, en keek peinzend naar twee gesluierde moslimvrouwen die hem gehaast voorbijliepen. Hij had niets tegen gesluierde vrouwen. Het was niet zijn probleem als mensen er zo bij wilden lopen. Maar het stoorde hem dat ze er per se midden in Stockholm zo bij moesten lopen.

Hij liep de ruim 300 meter naar het Freys Hotel naast het oude postkantoor van architect Boberg aan de Vasagatan. In dat hotel logeerde hij altijd tijdens zijn – tegenwoordig zeldzame – bezoekjes aan Stockholm. Het hotel lag centraal en was netjes. Bovendien was het niet duur; een voorwaarde aangezien hij de reis zelf bekostigde. Hij had de kamer de dag ervoor gereserveerd en stelde zich voor als Evert Gullberg.

Zo gauw hij op de kamer kwam, ging hij naar het toilet. Hij was op de leeftijd gekomen dat hij om de haverklap naar de wc moest. Het was jaren geleden dat hij een hele nacht had doorgeslapen zonder dat hij eruit moest om te urineren.

Na het toiletbezoek zette hij zijn hoed af, een donkergroene, Engelse vilthoed met een smalle rand, en maakte zijn stropdas los. Hij was 1 meter 84 lang en woog achtenzestig kilo, wat inhield dat hij mager en tenger gebouwd was. Hij was gekleed in een colbert met pepitaruitje en een donkergrijze pantalon. Hij maakte zijn bruine aktetas open en haalde er twee overhemden, een reservestropdas en ondergoed uit, die hij in de ladekast legde. Daarna hing hij zijn jas en zijn colbert aan een hangertje in de kast achter de kamerdeur.

Het was te vroeg om naar bed te gaan. Het was te laat voor een avondwandeling, een bezigheid waar hij überhaupt niet van hield. Hij ging in de obligate stoel op zijn hotelkamer zitten en keek om zich heen. Hij deed de tv aan, maar zette het volume uit, zodat hij het geluid niet hoefde te horen. Hij vroeg zich af of hij de receptie zou bellen om koffie te bestellen maar besloot dat het te laat was. In plaats daarvan nam hij een miniatuurflesje Johnny Walker en schonk het uit, waarna hij er een paar druppels water bij deed. Hij sloeg de avondkranten open en las zorgvuldig alles wat er die dag over de jacht op Ronald Niedermann en de zaak Lisbeth Salander was geschreven. Na een tijdje pakte hij een schrijfblok met een leren omslag en maakte een paar aantekeningen.

De voormalige bureaudirecteur van de Zweedse veiligheidsdienst, Evert Gullberg, was achtenzeventig jaar oud en was officieel sinds veertien jaar met pensioen. Maar zoals dat gaat met oude spionnen: die gaan nooit dood, ze lossen gewoon op in de schaduw.

Vlak na het einde van de Tweede Wereldoorlog, Gullberg was toen negentien jaar oud, had hij een carrière binnen de marine geambieerd. Hij had zijn dienstplicht vervuld als adelborst en was daarna aangenomen voor de officiersopleiding. Maar in plaats van een traditionele plaatsing op zee, wat hij had verwacht, werd hij als spion bij Signals Intelligence van de marine in Karlskrona gestationeerd. Hij kon de behoefte aan spionage best begrijpen; het ging er daarbij om uit te vinden wat er aan de andere kant van de Oostzee gebeurde. Maar hij ervoer het werk als saai en oninteressant. Via de tolkenschool van Defensie leerde hij echter Russisch en Pools. Die talenkennis was een van de redenen waarom hij in 1950 bij de veiligheidsdienst werd gerekruteerd. Dat was in de tijd dat de onberispelijk correcte Georg Thulin de baas van de 'derde eenheid van de Zweedse staatspolitie' was. Toen Gullberg begon, was het totale budget van de geheime politie 2,7 miljoen kronen en bestond het totale personeelsbestand uit exact zesennegentig personen.

Toen Evert Gullberg in 1992 formeel met pensioen ging, bedroeg het budget van de veiligheidsdienst maar liefst ruim 350 miljoen kronen, en hij wist niet hoeveel medewerkers de Firma had.

Gullberg had zijn leven doorgebracht in (de geheime) dienst van zijne majesteit, of mogelijk in (de geheime) dienst van de sociaaldemocratische welvaartsstaat. Wat ironisch was, omdat hij bij de ene verkiezing na de andere trouw op de conservatieven had gestemd, behalve in 1991 toen hij bewust tégen had gestemd omdat hij van mening was dat Carl Bildt een realpolitieke catastrofe was. Dat jaar had hij moedeloos op Ingvar Carlsson gestemd. In de jaren met de beste Zweedse regering werden ook zijn bangste vermoedens bewaarheid. De conservatieve regering was aangetreden in een tijd dat de Sovjet-Unie in elkaar was gestort. En naar zijn mening had geen ander kabinet slechter toegerust kunnen zijn om de nieuwe politieke mogelijkheden die zich op het gebied van de spionagekunst in het Oosten hadden voorgedaan, op te vangen en te benutten dan het Zweedse. De regering-Bildt had om financiële redenen het Sovjetbureau juist ingekrompen en in plaats daarvan geïnvesteerd in dat internationale gezeur in Bosnië en Servië – alsof Servië ooit een bedreiging zou vormen voor Zweden. Het resultaat was dat de mogelijkheid om langdurig informanten in Moskou te plaatsen teniet was gedaan. En wanneer het klimaat weer zou verharden – wat volgens Gullberg onvermijdelijk was – zouden er weer onredelijke politieke eisen aan de veiligheidsdienst en de militaire inlichtingendienst worden gesteld, net alsof zij naar behoefte een blik agenten konden opentrekken.

Gullberg was zijn carrière begonnen bij het Sovjetbureau, een onderdeel van de derde eenheid van de staatspolitie, en na twee jaar achter een bureau had hij in 1952-1953 zijn eerste aarzelende veldonderzoek gedaan. Hij werd luchtmachtattaché met de rang van kapitein bij de Zweedse ambassade in Moskou. Opmerkelijk genoeg volgde hij in de voetsporen van een andere bekende spion. Een paar jaar eerder was zijn post bezet geweest door de niet geheel onbekende luchtmachtofficier, overste Stig Wennerström.

Terug in Zweden had Gullberg voor de contraspionagedienst gewerkt en tien jaar later was hij een van de jongste medewerkers van de dienst geweest die onder leiding van chef Operations Otto Danielsson de spion Wennerström had opgepakt en naar Långholmen had gebracht om een levenslange gevangenisstraf uit te zitten.

Toen de geheime politie in 1964 onder Per Gunnar Vinge werd omgevormd tot veiligheidsafdeling van de rijkspolitie, werd er meer personeel aangenomen. Gullberg werkte inmiddels al veertien jaar bij de veiligheidsdienst en was een van de betrouwbare veteranen.

Gullberg had nooit de naam 'Säpo' voor de *Säkerhetspolisen*, de Zweedse veiligheidsdienst, gebruikt. Hij had het gewoon altijd over de veiligheidsdienst. Onder collega's kon hij ook aan de dienst refereren als het Bedrijf of de Firma, of gewoon: de Afdeling – maar hij zei nooit Säpo. De oorzaak daarvan was simpel. De belangrijkste taak van de Firma was jarenlang de zogenaamde persoonscontrole geweest, dat wil zeggen onderzoek naar en registratie van Zweedse staatsburgers die wellicht communistische sympathieën hadden; landverraders. Bij de Firma werden de begrippen communist en landverrader door elkaar gebruikt. Het nadien gangbare begrip Säpo was in feite iets wat het potentieel subversieve communistische blad *Clarté* had bedacht voor de communistenjagers van de politie. En daarom gebruikten Gullberg en de andere veteranen de uitdrukking Säpo nooit. Hij kon absoluut niet begrijpen waarom zijn voormalige chef, P.G. Vinge, zijn memoires juist *Säpochef 1962-70* had genoemd.

De reorganisatie van 1964 was beslissend geweest voor Gullbergs verdere carrière. De hervorming hield in dat de geheime staatspolitie werd getransformeerd tot, zoals het in de notities van het ministerie van Defensie werd omschreven, een moderne politieorganisatie. Dat betekende nieuwe mensen. De voortdurende behoefte aan nieuw personeel leidde tot enorme instroomproblemen: in de groeiende organisatie had De Vijand veel betere mogelijkheden om te infiltreren. Dat betekende op zijn beurt weer dat de interne veiligheidscontrole moest worden verscherpt – de geheime politie kon niet langer een intern clubje zijn bestaande uit voormalige officieren waar iedereen iedereen kende, en waar de meest gebruikelijke verdienste van nieuwe medewerkers was dat hun vader officier was.

In 1963 was Gullberg overgeplaatst van contraspionage naar persoonscontrole, waarvan het belang sinds de ontmaskering van Stig Wennerström was toegenomen. In die tijd was de basis gelegd voor het register dat aan het eind van de jaren zestig ruim 300.000 Zweedse staatsburgers met onwenselijke politieke sympathieën omvatte. Maar de persoonscontrole van Zweedse burgers in het algemeen was één ding – de vraag was hoe de veiligheidscontrole er bij de veiligheidsdienst zelf eigenlijk uit moest zien.

Wennerström had een stortvloed aan interne problemen bij de geheime staatspolitie veroorzaakt. Als een leidinggevende van de Generale Staf al voor de Russen kon werken – Wennerström was bovendien adviseur van de regering geweest in zaken die betrekking hadden op kernwapens en veiligheidspolitiek – hoe kon je er dan zeker van zijn dat de Russen ook niet zo'n centrale agent binnen de veiligheidsdienst hadden? Wie kon garanderen dat chefs en souschefs bij de Firma eigenlijk niet voor de Russen werkten? Kortom: wie moest de spionnen bespioneren?

In augustus 1964 werd Gullberg 's middags uitgenodigd voor een vergadering bij de plaatsvervangend chef van de veiligheidsdienst, bureaudirecteur Hans Wilhelm Francke. Bij die vergadering waren behalve hijzelf ook twee leidinggevenden van de Firma aanwezig, de plaatsvervangend chef de bureau en de budgetverantwoordelijke. Voordat de dag voorbij was, had het leven van Gullberg een nieuwe wending gekregen. Hij was uitverkoren. Hij had een nieuwe functie gekregen: chef van een nieuwe eenheid met als werknaam Speciale Sectie, afgekort SS. Zijn eerste maatregel was om deze om te dopen tot Speciale Analysegroep. Dat hield maar een paar minuten stand, tot de budgetverantwoordelijke benadrukte dat SA niet veel beter was dan SS. De uiteindelijke naam van de organisatie werd Sectie voor Speciale Analyse, SSA en in het dagelijks taalgebruik de Sectie, in tegenstelling tot de Afdeling of de Firma, wat betrekking had op de hele veiligheidsdienst.

De Sectie was Franckes idee. Hij noemde het 'de laatste verdedigingslinie'. Een ultrageheime groep die op strategische plaatsen binnen de Firma zat, maar die onzichtbaar was en niet voorkwam in nota's of begrotingen en die daardoor niet kon worden geïnfiltreerd. Hun taak was waken over de veiligheid van de natie. Hij had de macht om dat mogelijk te maken. Hij had de budgetverantwoordelijke en de chef de bureau nodig om de verborgen structuur te creëren, maar ze waren allemaal soldaten van de oude garde, vrienden geworden in tientallen schermutselingen met De Vijand.

Het eerste jaar bestond de hele organisatie uit Gullberg en drie met zorg gekozen medewerkers. In de tien jaar daarop nam de Sectie toe tot op zijn hoogst elf personen, onder wie twee administratieve krachten van de oude garde en verder professionele spionnenjagers. Het was een platte organisatie. Gullberg was de chef. Alle anderen waren medewerkers die de chef over het algemeen elke dag zagen. Effectiviteit werd meer beloond dan prestige en bureaucratische formaliteiten.

Formeel viel Gullberg onder een lange reeks personen in de hiërarchie, die op hun beurt weer onder de chef de bureau van de veiligheidsdienst vielen aan wie hij maandelijks rapport moest uitbrengen. Maar in de praktijk had Gullberg een unieke positie met buitengewone bevoegdheden en macht. Hij, en hij alleen, kon besluiten de allerhoogste leiding van de veiligheidsdienst onder de loep te nemen. Hij kon, als hij dat zou willen, het leven van Per Gunnar Vinge binnenstebuiten keren (wat hij ook deed). Hij kon eigen onderzoeken beginnen of telefoons afluisteren zonder te verklaren waarom en zonder het überhaupt aan een hogere instantie te rapporteren. Zijn voorbeeld was de Amerikaanse spionnenlegende James Jesus Angleton, die een soortgelijke positie bekleedde binnen de CIA, en die hij bovendien persoonlijk zou leren kennen.

Organisatorisch werd de Sectie een micro-organisatie binnen de Afdeling; buiten, boven en naast de verdere veiligheidsdienst. Dat had ook geografische consequenties. De Sectie hield kantoor op Kungsholmen, maar om veiligheidsredenen werd praktisch de hele Sectie naar elders verhuisd, naar een particuliere elfkamerwoning op Östermalm. De woning werd discreet verbouwd tot een gefortificeerd kantoor dat nooit onbemand was omdat oudgediende en secretaresse Eleanor Badenbrink permanent twee kamers naast de ingang bewoonde. Badenbrink was van onschatbare waarde en Gullberg had een rotsvast vertrouwen in haar.

Organisatorisch verdwenen Gullberg en zijn medewerkers uit alle openbaarheid – ze werden gefinancierd door een 'speciaal fonds', maar bestonden nergens in de formele, veiligheidspolitieke bureaucratie die aan de veiligheidsdienst of het ministerie van Defensie verantwoording aflegde. Zelfs het hoofd van de veiligheidsdienst kende de geheimsten der geheimen, die als taak hadden om te gaan met het gevoeligste van het gevoelige, niet eens.

Op veertigjarige leeftijd bevond Gullberg zich zodoende in een positie waarin hij aan niets en niemand uitleg hoefde te geven en onderzoeken kon starten naar wie dan ook.

Het was voor Gullberg al vanaf het begin duidelijk dat de Sectie voor Speciale Analyse een politiek gevoelige groep zou kunnen worden. De taakomschrijving was op zijn zachtst gezegd vaag en de schriftelijke documentatie was uiterst summier. In september 1964 ondertekende premier Tage Erlander een richtlijn die inhield dat er middelen opzij moesten worden gezet voor de Sectie voor Speciale Analyse, die als taak had specifiek gevoelige onderzoeken te behandelen die van belang waren voor de nationale veiligheid. Dit was een van de twaalf soortgelijke zaken die het waarnemend hoofd van de veiligheidsdienst, Hans Wilhelm Francke, tijdens een vergadering uiteenzette. Het document waarin een en ander werd vastgelegd werd onmiddellijk tot staatsgeheim verklaard en in het eveneens geheime, speciale archief van de veiligheidsdienst opgenomen.

De handtekening van de premier hield echter in dat de Sectie een juridisch goedgekeurd instituut was. Het eerste jaarbudget van de Sectie bedroeg 52.000 kronen. Dat het budget zo laag werd gehouden, vond Gullberg zelf een geniaal idee. Dat betekende dat het oprichten van de Sectie iets was waarvan er dertien in een dozijn gingen.

In ruimere zin betekende de handtekening van de premier dat hij had goedgekeurd dat er behoefte bestond aan een groep die de 'interne persoonscontrole' voor zijn rekening kon nemen. Dezelfde handtekening kon echter ook worden geïnterpreteerd als had de premier zijn goedkeuring gegeven aan het oprichten van een groep die ook de controle van 'specifiek gevoelige personen' buiten de veiligheidsdienst kon verzorgen, bijvoorbeeld van de premier zelf. En dat laatste was een potentiële bron van serieuze politieke problemen.

Evert Gullberg constateerde dat zijn Johnny Walker op was. Hij gaf niet zoveel om alcohol, maar het was een lange dag en een lange reis geweest, en hij vond dat hij zich in een fase van zijn leven bevond waarin het irrelevant was of hij besloot één of twee glazen whisky te nemen, en dat hij best zijn glas kon bijvullen als hij daar zin in had. Hij schonk een miniatuurflesje Glenfiddich leeg.

De gevoeligste zaak was natuurlijk Olof Palme geweest.

Gullberg herinnerde zich elk detail van de verkiezingsdag in 1976. Voor het eerst in de geschiedenis had Zweden een niet-socialistische regering gekregen. Helaas was Thorbjörn Fälldin premier geworden en niet Gösta Bohman – een man van de oude stempel en oneindig veel geschikter. Maar het belangrijkste was dat Palme was verslagen en daardoor had Evert Gullberg weer opgelucht adem kunnen halen.

Palmes geschiktheid als premier was in de geheimste wandelgangen van de veiligheidsdienst tijdens de lunch meer dan eens het onderwerp van gesprek geweest. In 1969 had Per Gunnar Vinge de zak gekregen omdat hij de mening van velen binnen de Afdeling onder woorden had gebracht – namelijk de overtuiging dat Palme wellicht een infiltrant van de Russische spionnenorganisatie KGB was. Vinges mening was niet controversieel binnen het klimaat dat binnen de Firma heerste. Helaas had hij de zaak tijdens een bezoek aan de provincie Norrbotten openlijk besproken met gouverneur Ragnar Lassinantti. Lassinantti had zijn wenkbrauwen twee keer gefronst en daarna het regeringskantoor geïnformeerd, met als gevolg dat Vinge werd gesommeerd te verschijnen voor een gesprek onder vier ogen.

Tot Evert Gullbergs ongenoegen was de vraag over Palmes eventuele Russische contacten nooit beantwoord. Ondanks hardnekkige pogingen om de waarheid boven tafel te krijgen en doorslaggevend bewijs te vinden – *the smoking gun* – had de Sectie nooit de minste of geringste bevestiging gevonden dat dat het geval was. In Gullbergs ogen duidde dat er niet op dat Palme eventueel onschuldig was, maar mogelijk dat hij een uiterst doortrapte en intelligente spion was die zich niet liet verleiden de misstappen te begaan die andere Russische spionnen hadden begaan. Palme wist hen jaar in jaar uit voor de gek te houden. In 1982 was de Palme-kwestie opnieuw opgelaaid toen hij was teruggekeerd als premier. Maar in 1986 waren de schoten op de Sveavägen gevallen en was de vraag voor eens en voor altijd academisch geworden.

1976 was een problematisch jaar geweest voor de Sectie. Binnen de veiligheidsdienst – onder de weinige personen die van het bestaan van de Sectie afwisten – waren kritische geluiden te horen. In de afgelopen tien jaar waren in totaal vijfenzestig ambtenaren van de veiligheidsdienst de laan uit gestuurd vanwege vermeende politieke onbetrouwbaarheid.

In de meeste gevallen was de documentatie echter dusdanig dat er niets bewezen kon worden, wat erin resulteerde dat sommige hogere chefs begonnen te mompelen dat de medewerkers van de Sectie paranoïde aanhangers van een samenzweringstheorie waren.

Gullberg kookte nog steeds vanbinnen toen hij zich een van de zaken voor de geest haalde die de Sectie had behandeld. Het betrof een man die in 1968 bij de veiligheidsdienst was aangenomen en die Gullberg persoonlijk als bijzonder ongeschikt had beoordeeld. Zijn naam was Stig Bergling, inspecteur van de recherche, luitenant in het Zweedse leger en, naar later bleek, leidinggevende bij de Russische militaire inlichtingendienst GRU. Gullberg had de jaren daarna vier pogingen gedaan om te zorgen dat Bergling werd ontslagen, maar die waren telkens genegeerd. Pas in 1977 keerde het tij en werd Bergling ook buiten de Sectie onderwerp van verdenking. En toen was het een feit. Bergling werd het grootste schandaal in de geschiedenis van de Zweedse veiligheidsdienst.

De kritiek tegen de Sectie was de eerste helft van de jaren zeventig toegenomen en halverwege het decennium had Gullberg lucht gekregen van plannen dat het budget omlaag moest en zelfs dat de werkzaamheden helemaal onnodig waren.

Samenvattend kwam de kritiek erop neer dat de toekomst van de Sectie ter discussie werd gesteld. Dat jaar kreeg de terroristische dreiging voor de veiligheidsdienst prioriteit, uit het oogpunt van spionage in alle opzichten een trieste geschiedenis, die met name betrekking had op verwarde jongelui die samenwerkten met Arabische of pro-Palestijnse elementen. De grote vraag binnen de veiligheidsdienst was of persoonscontrole extra middelen zou krijgen voor de screening van buitenlandse burgers die in Zweden woonden, of dat dat in de toekomst exclusief een zaak voor de afdeling Buitenland zou blijven.

Vanuit deze enigszins esoterische bureaucratiediscussie was bij de Sectie de behoefte aan een nieuwe functie ontstaan: een betrouwbare medewerker voor het versterken van de controle op – lees het bespioneren van – de medewerkers op de afdeling Buitenland.

De keuze viel op een jonge collega die sinds 1970 bij de veiligheidsdienst werkte en wiens achtergrond en politieke geloofwaardigheid dusdanig waren dat hij wel binnen de Sectie paste. In zijn vrije tijd was hij lid van een organisatie die de 'Democratische Alliantie' werd genoemd en die door de sociaaldemocratische media werd omschreven als extreem rechts. Dat was geen probleem bij de Sectie. Er waren nog drie leden lid van de Democratische Alliantie en de Sectie was van grote betekenis geweest voor de oprichting van de Democratische

Alliantie, en droeg ook voor een klein gedeelte bij aan de financiering ervan. De nieuwe medewerker was door deze organisatie opgemerkt en gerekruteerd voor de Sectie. Zijn naam was Gunnar Björck.

Voor Evert Gullberg was het een onwaarschijnlijk gelukkig toeval dat juist op die dag – de dag van de verkiezingen van 1976 en de dag dat Alexander Zalachenko naar Zweden overliep, het politiebureau van Norrmalm binnenliep en asiel vroeg – juniormedewerker Gunnar Björck, in de hoedanigheid van contactpersoon van de afdeling Buitenland, Zalachenko opving. Een agent die al was verbonden aan de geheimsten der geheimen.

Björck was alert. Hij zag onmiddellijk het belang in van Zalachenko, onderbrak het verhoor en stopte de overloper in een kamer van Hotel Continental. Om die reden belde Gunnar Björck Evert Gullberg, en niet zijn formele chef, bij de afdeling Buitenland om alarm te slaan. Het telefoongesprek kwam op het tijdstip dat de verkiezingslokalen waren gesloten en alle prognoses erop wezen dat Palme zou verliezen. Gullberg was net thuis en had de tv aangezet om de verkiezingsuitslag te volgen. Hij had eerst getwijfeld aan het bericht waar de opgewonden juniormedewerker mee kwam. Daarna was hij naar het Continental afgereisd, minder dan 250 meter van de hotelkamer waar hij zich op dat moment bevond, om het commando over de Zalachenko-affaire te voeren.

Op dat moment was het leven van Evert Gullberg radicaal veranderd. Het woord 'geheimhouding' had een geheel nieuwe betekenis en dimensie gekregen. Hij had ingezien dat het nodig was om een nieuwe structuur rond de overloper te creëren.

Hij had er automatisch voor gekozen om Gunnar Björck bij de Zalachenko-groep te betrekken. Dat was een slimme en logische beslissing, omdat Björck het bestaan van Zalachenko toch al kende. Het was beter om hem erbinnen te hebben dan als veiligheidsrisico aan de buitenkant. Het hield in dat Björck werd overgeheveld van zijn officiele post bij de afdeling Buitenland naar een bureau in de woning op Östermalm.

In de dramatiek die ontstond had Gullberg ervoor gekozen om slechts één persoon binnen de veiligheidsdienst te informeren, namelijk de chef de bureau, die toch al kennis had van de activiteiten van de Sectie. De chef de bureau had het nieuws een paar dagen voor zich gehouden en toen tegen Gullberg gezegd dat deze overloopzaak zó groot was dat het hoofd van de veiligheidsdienst moest worden geïnformeerd, en zelfs dat de regering op de hoogte moest worden gesteld.

De pas aangetreden chef van de veiligheidsdienst wist op dat moment af van het bestaan van de Sectie voor Speciale Analyse, maar had slechts een vaag idee waar deze zich eigenlijk mee bezighield. Hij was aangenomen om de rotzooi van de IB-affaire op te ruimen en was al op weg naar een hogere positie binnen de politiële hiërarchie. Het hoofd van de veiligheidsdienst was in vertrouwelijke gesprekken met de chef de bureau te weten gekomen dat de Sectie een geheime groep was die door de regering was aangesteld, die buiten de eigenlijke activiteiten stond en waarover geen vragen gesteld mochten worden. Omdat de chef op dat moment een man was die absoluut geen vragen stelde die onwelkome antwoorden konden opleveren, knikte hij begrijpend en accepteerde hij dat er iets was wat de SSA werd genoemd en dat hij daar niets mee te maken had.

Gullberg was niet blij met de gedachte dat hij de chef over Zalachenko moest informeren, maar accepteerde de realiteit. Hij onderstreepte de absolute behoefte aan totale geheimhouding en kreeg bijval. Hij vaardigde dusdanige instructies uit dat zelfs het hoofd van de veiligheidsdienst het onderwerp niet op zijn kamer kon bespreken zonder bepaalde veiligheidsmaatregelen te nemen. Er werd besloten dat Zalachenko zou worden behandeld door de Sectie voor Speciale Analyse.

Het informeren van de aftredende premier was uitgesloten. In verband met de stoelendans die na de machtswisseling op gang was gekomen, was de nieuwe premier druk doende met het aanstellen van ministers en het onderhandelen met de overige niet-socialistische partijen. Pas een maand na de formatie gingen het hoofd van de veiligheidsdienst en Gullberg naar Rosenbad, het regeringsgebouw, om de nieuwe premier te informeren. Gullberg had hier tot op het laatst tegen geprotesteerd, maar het hoofd van de veiligheidsdienst had voet bij stuk gehouden – het was constitutioneel onverdedigbaar om de premier niet in te lichten. Tijdens de bijeenkomst had Gullberg alles uit de kast gehaald om de premier er zo goed mogelijk van te overtuigen dat het essentieel was dat de informatie over Zalachenko niet buiten de werkkamer van de premier werd verspreid en dat noch de minister van Buitenlandse Zaken, noch de minister van Defensie of een ander lid van de regering mocht worden geïnformeerd.

Fälldin was geschokt geweest door het nieuws dat een Russische topagent in Zweden asiel had aangevraagd. De premier had gezegd dat hij omwille van de eerlijkheid genoodzaakt was om de zaak toch ten minste op te nemen met de leiders van de andere twee regeringspartijen. Gullberg was hierop voorbereid geweest en had de zwaarste troef op tafel gelegd die hij tot zijn beschikking had gehad. Hij had zachtjes gezegd dat als dat gebeurde, hij onmiddellijk zijn ontslag zou indienen. Dat was een dreiging die indruk had gemaakt op Fälldin. Impliciet betekende dat dat de premier de persoonlijke verantwoordelijkheid zou dragen als het verhaal zou uitlekken en de Russen een doodseskader zouden sturen om Zalachenko te liquideren. En als de persoon die verantwoordelijk was voor de veiligheid van Zalachenko zich genoodzaakt had gezien ontslag te nemen, zou een dergelijke onthulling voor de premier een politieke en publieke catastrofe worden.

Fälldin, nog vers en onzeker in zijn rol als premier, was gezwicht. Hij had een richtlijn goedgekeurd die onmiddellijk in het geheime archief was ingevoerd, en die inhield dat de Sectie zorg zou dragen voor de veiligheid en de debriefing van Zalachenko, en dat de informatie over Zalachenko de kamer van de premier niet mocht verlaten. Fälldin had daarmee een richtlijn ondertekend die in de praktijk aantoonde dat hij was geïnformeerd, maar die ook inhield dat hij er nooit over mocht praten. Hij moest Zalachenko kortom vergeten. Fälldin had er echter op gestaan dat nog één persoon in zijn regeringskantoor, een met zorg gekozen staatssecretaris, geïnformeerd zou worden en zou optreden als contactpersoon in zaken die betrekking hadden op de overloper. Daar nam Gullberg genoegen mee. Hij zou geen enkel probleem hebben om een staatssecretaris in het gareel te houden.

Het hoofd van de veiligheidsdienst was content. De Zalachenkozaak was nu constitutioneel gewaarborgd, wat in dit geval betekende dat het hoofd rugdekking had. Gullberg was ook tevreden. Hij was erin geslaagd een quarantaine te bewerkstelligen die inhield dat hij de informatiestroom kon controleren. Hij, en hij alleen, controleerde Zalachenko.

Toen Gullberg weer op zijn werkkamer op Östermalm kwam, ging hij aan zijn bureau zitten en stelde hij met de hand een lijst samen van de personen die op de hoogte waren van Zalachenko. De lijst bestond uit hemzelf, Gunnar Björck, de chef operations van de Sectie, Hans von Rottinger, de plaatsvervangend chef, Fredrik Clinton, de secretaresse van de Sectie, Eleanor Badenbrink, en twee medewerkers die als taak hadden de geheime informatie die Zalachenko kon leveren te verzamelen en voortdurend te analyseren. In totaal zeven personen, die de komende jaren een aparte Sectie binnen de Sectie zouden vormen. Hij noemde hen in gedachten De Interne Groep.

Buiten de Sectie was een en ander bekend bij het hoofd van de veiligheidsdienst, het plaatsvervangend hoofd en de chef de bureau. Ook waren de premier en een staatssecretaris geïnformeerd. In totaal twaalf personen. Nooit eerder was een geheim van een dergelijk gewicht bekend geweest bij een dusdanig kleine groep.

Daarna betrok Gullbergs gezicht. Het geheim was ook bekend bij een dertiende persoon. Björck had gezelschap gehad van de jurist Nils Bjurman. Bjurman benoemen tot medewerker van de Sectie was uitgesloten. Bjurman was geen echte veiligheidspolitieman – hij was eigenlijk niet meer dan een stagiair bij de veiligheidsdienst – en hij beschikte niet over de vereiste kennis en vaardigheden. Gullberg overwoog verschillende opties en koos er daarna voor om Bjurman voorzichtig uit het verhaal te loodsen. Hij dreigde met levenslange gevangenisstraf wegens landverraad als Bjurman ook maar één lettergreep over Zalachenko zou zeggen. Hij gebruikte steekpenningen in de vorm van beloften over toekomstige opdrachten. En uiteindelijk begon hij hem te vleien, wat Bjurmans gevoel van eigenwaarde vergrootte. Hij zorgde ervoor dat Bjurman een baan bij een zeer gerenommeerd advocatenbureau kreeg en dat hij vervolgens een stroom opdrachten kreeg die hem bezighield. Het enige probleem was dat Bjurman zo middelmatig was dat hij er niet in slaagde zijn mogelijkheden te benutten. Hij ging na tien jaar weg bij het advocatenbureau om voor zichzelf te beginnen, wat op den duur een advocatenkantoor met één medewerker bij het Odenplan werd.

In de jaren daarna hield Gullberg Bjurman discreet maar voortdurend in de gaten. Pas eind jaren tachtig liet hij de bewaking van Bjurman los, toen de Sovjet-Unie uiteenviel en Zalachenko geen prioriteit meer had.

Voor de Sectie had Zalachenko eerst een belofte geleken die voor een doorbraak moest zorgen in het raadsel Palme, een zaak die Gullberg permanent bezighield. Palme was om die reden een van de eerste onderwerpen die Gullberg tijdens de lange debriefing had geventileerd.

Die hoop was echter snel de grond in geboord, omdat Zalachenko nooit in Zweden had geopereerd en ook weinig wist over het land. Daarentegen had Zalachenko geruchten gehoord over een 'rood paard', een hooggeplaatste Zweedse of mogelijk Scandinavische politicus die voor de KGB werkte.

Gullberg voegde een lijst van namen toe aan de naam Palme. Dat waren Carl Lidbom, Pierre Schori, Sten Andersson, Marita Ulvskog en nog een paar andere sociaaldemocratische politici. Gullberg zou de rest van zijn leven telkens op die lijst terugkomen en het antwoord altijd schuldig blijven.

Gullberg deed plotseling met de grote jongens mee. Hij werd respectvol gegroet in de exclusieve groep uitverkoren strijders die elkaar allemaal kenden en van wie de contacten via persoonlijke vriendschappen en vertrouwen liepen – niet via de officiële kanalen en bureaucratische regels. Hij ontmoette James Jesus Angleton *himself* en mocht met de baas van MI-6 whisky drinken in een discrete club in Londen. Hij was een van de groten.

De keerzijde van zijn beroep was dat hij nooit over zijn successen zou kunnen vertellen, zelfs niet in postume memoires. En er was voortdurend de angst dat de Vijand zijn reizen zou opmerken en dat de ogen op hem gericht zouden worden – dat hijzelf de Russen onvrijwillig naar Zalachenko zou leiden.

In dat opzicht was Zalachenko zijn ergste vijand.

Het eerste jaar woonde Zalachenko in een anonieme flat die eigendom was van de Sectie. Hij kwam in geen enkel register of officieel document voor en binnen de Zalachenko-groep hadden ze gemeend dat ze voldoende tijd hadden om zijn toekomst te plannen. Pas in het voorjaar van 1978 kreeg hij een paspoort op naam van Karl Axel Bodin en een moeizaam gecreëerde legende – een fictieve maar verifieerbare achtergrond in de Zweedse registers.

Maar toen was het al te laat. Zalachenko was daarvoor al regelmatig uitgegaan en had dat verrekte hoertje Agneta Sofia Sjölander, die haar naam in 1979 had gewijzigd in Salander, geneukt. Hij had zich onbekommerd onder zijn echte naam voorgesteld: Zalachenko. Gullberg begreep dat Zalachenko niet helemaal goed bij zijn hoofd moest zijn. Hij verdacht de Russische overloper ervan dat hij zo snel mogelijk ontmaskerd wilde worden. Het was alsof hij een podium nodig had. Anders was het lastig te verklaren waarom hij zo ongelofelijk naïef was.

Er waren hoeren, er waren periodes van buitensporig alcoholmisbruik en er waren geweldsincidenten en ruzies met uitsmijters van cafés en dergelijke. Zalachenko werd driemaal door de Zweedse politie opgepakt wegens openbare dronkenschap en twee keer wegens een ruzie in de kroeg. En telkens mocht de Sectie discreet ingrijpen en tekenen voor ontvangst, en ervoor zorgen dat papieren verdwenen en documentatie werd gewijzigd. Gullberg zette Gunnar Björck erop. Björck kreeg de taak van oppasser: hij moest de overloper bijna vierentwintig uur per dag in de gaten houden. Dat was moeilijk, maar er was geen alternatief.

Alles had goed kunnen gaan. Eind jaren zeventig, begin jaren tachtig was Zalachenko gekalmeerd en was hij zich gaan aanpassen. Maar hij gaf die hoer Salander nooit op – en wat erger was, hij was de vader van Camilla en Lisbeth Salander geworden.

Lisbeth Salander.

Gullberg sprak haar naam met een gevoel van onbehagen uit.

Al toen de meisjes een jaar of negen, tien waren, had Gullberg een slecht gevoel over Lisbeth Salander gehad. Je had er geen psychiater voor nodig om te weten dat ze niet normaal was. Gunnar Björck had gerapporteerd dat ze opstandig, gewelddadig en agressief tegen Zalachenko was en dat ze bovendien allerminst bang voor hem leek te zijn. Ze zei zelden iets, maar markeerde op duizend-en-een andere manieren haar ongenoegen over de stand van zaken. Ze was een probleem in wording, maar hóé gigantisch dat probleem zou worden, had Gullberg zich zelfs in zijn wildste fantasieën niet kunnen voorstellen. Waar hij het bangst voor was, was dat de situatie in de familie Salander zou leiden tot een sociaal onderzoek dat zich op Zalachenko zou richten. Hij smeekte Zalachenko steeds weer om te breken met zijn gezin en uit hun nabijheid te verdwijnen. Zalachenko beloofde het, maar brak telkens zijn belofte. Hij had andere hoeren. Hij had vrouwtjes genoeg. Maar na een paar maanden was hij altijd weer terug bij Agneta Sofia Salander.

Die verdomde Zalachenko. Een spion die zijn pik achternaliep was natuurlijk geen goede spion. Maar het was alsof Zalachenko boven alle normale regels stond, of althans, hij meende dat hij daarboven verheven was. Als hij die hoer nou gewoon alleen maar een veeg had gegeven zonder haar telkens bont en blauw te slaan, had het er nog mee door gekund, maar zoals de zaak zich nu ontwikkelde, werd Agneta Sofia Salander stelselmatig door Zalachenko afgetuigd. Hij leek het zelfs een vermakelijke uitdaging van zijn bewakers in de Zalachenko-groep te vinden om haar ervanlangs te geven, alleen maar om hen te pesten en te kwellen.

Dat Zalachenko een zieke klootzak was, daarvan was Gullberg wel overtuigd, maar hij bevond zich niet in de luxepositie dat hij kon kiezen uit een dozijn overgelopen GRU-agenten. Hij had er maar één en de persoon in kwestie was zich bovendien bewust van zijn belang voor Gullberg.

Gullberg zuchtte. De Zalachenko-groep had de rol gekregen van opruimpatrouille. Dat kon niet worden ontkend. Zalachenko wist dat hij zich vrijheden kon permitteren en dat zij de problemen wel zouden oplossen. En als het om Agneta Sofia Salander ging, maakte hij tot het uiterste misbruik van deze positie.

Er waren waarschuwingen genoeg. Toen Lisbeth Salander net twaalf was, had ze Zalachenko gestoken met een mes. De verwondingen waren niet ernstig, maar hij was naar het St. Görans-ziekenhuis gebracht en de Zalachenko-groep had de puinhopen mogen opruimen. Die keer had Gullberg een Zeer Ernstig Gesprek met Zalachenko gehad. Hij had volstrekt duidelijk gemaakt dat Zalachenko nooit meer contact met de familie Salander mocht opnemen, en dat had Zalachenko beloofd. Hij had zijn belofte meer dan een halfjaar gehouden, maar toen was hij weer naar Agneta Sofia Salander teruggekeerd en had hij haar zo bruut mishandeld dat ze voor de rest van haar leven in een verpleeghuis was beland.

Dat Lisbeth Salander een moordbeluste psychopate was die een brandbom in elkaar zou knutselen, was echter iets wat Gullberg niet had kunnen verzinnen. Die dag was één grote chaos geweest. Er had een labyrint van onderzoeken boven hun hoofd gehangen en de hele Operatie Zalachenko – zelfs de hele Sectie – had aan een zijden draadje gehangen. Als Lisbeth Salander zou gaan praten, riskeerde Zalachenko te worden ontmaskerd. Als Zalachenko werd ontmaskerd, zou niet alleen een reeks operaties in Europa van de laatste vijftien jaar het risico lopen te crashen, maar ook zou de Sectie de kans lopen te worden onderworpen aan een openbare screening. Wat tot elke prijs moest worden vermeden.

Gullberg was ongerust. In een openbare screening zou de IB-affaire – de onthulling in 1973 van de bij het publiek en de meeste politici onbekende, geheime Zweedse inlichtingendienst – degraderen tot een docusoap. Als het archief van de Sectie openging, zou een reeks zaken worden onthuld die niet geheel verenigbaar waren met de grondwet, om nog maar te zwijgen over hun jarenlange bewaking van Palme en andere bekende sociaaldemocraten. Dat was een gevoelig onderwerp, slechts een paar jaar na de Palme-moord. Dat zou hebben geleid tot misdaadonderzoeken tegen Gullberg en diverse anderen binnen de

Sectie. En nog erger, gestoorde journalisten zouden zonder aarzelen de theorie lanceren dat de Sectie achter de Palme-moord zat, wat op zijn beurt weer zou kunnen leiden tot een volgend labyrint van onthullingen en aanklachten. Het ergste was dat de leiding van de veiligheidsdienst zo sterk was veranderd dat zelfs de hoogste baas niet van het bestaan van de Sectie op de hoogte was. Alle contacten met de veiligheidsdienst eindigden dat jaar op het bureau van de nieuwe plaatsvervangend chef de bureau, die sinds tien jaar een vast lid van de Sectie was.

Er had onder de medewerkers van de Zalachenko-groep een stemming van paniek en angst geheerst. Gunnar Björck was met de oplossing gekomen in de vorm van een psychiater genaamd Peter Teleborian.

Teleborian was reeds verbonden aan de afdeling Contraspionage van de veiligheidsdienst, maar om een heel andere reden. Hij was namelijk opgetreden als adviseur toen contraspionage bezig was met de screening van een verdachte industriespion. Er waren redenen geweest om in een gevoelig stadium van het onderzoek te proberen uit te vinden hoe de persoon in kwestie zou reageren wanneer hij onder druk zou komen te staan. Teleborian was een jonge, veelbelovende psychiater die geen *mumbo jumbo* sprak, maar met concrete en duidelijke adviezen kwam. Deze adviezen leidden ertoe dat de veiligheidsdienst een zelfmoord kon voorkomen en dat de spion in kwestie kon worden bekeerd tot dubbelagent die non-informatie naar zijn opdrachtgevers stuurde.

Na de aanval van Salander op Zalachenko had Björck Teleborian voorzichtig aan de Sectie toegevoegd als buitengewoon adviseur. En nu was hij meer dan ooit nodig.

De oplossing voor het probleem was zeer simpel geweest. Karl Axel Bodin kon in de revalidatie verdwijnen. Agneta Sofia Salander verdween met een ongeneeslijke hersenbeschadiging in een verpleeghuis. Alle politiële onderzoeken werden bij de veiligheidsdienst verzameld en via de plaatsvervangend chef de bureau naar de Sectie doorgesluisd.

Peter Teleborian was zojuist aangesteld als geneesheer-directeur van de kinderpsychiatrische kliniek St. Stefans in Uppsala. Alles wat nodig was, was een onderzoek door een gerechtspsychiater, dat Björck en Teleborian samen opstelden, gevolgd door een kort en niet bijzonder controversieel besluit door een rechtbank. Het ging er alleen maar om hoe de zaak werd gepresenteerd. Dit had niets met de grondwet van doen. Het ging hoe dan ook om de staatsveiligheid. Dat moesten mensen begrijpen.

En dat Lisbeth Salander gestoord was, was duidelijk. Een paar jaar in een gesloten psychiatrische inrichting zou haar vast alleen maar goeddoen. Gullberg had geknikt en groen licht gegeven voor de operatie.

Alle puzzelstukjes waren op hun plaats gevallen en een en ander had plaatsgevonden in een tijd dat de Zalachenko-groep hoe dan ook in staat van ontbinding was. De Sovjet-Unie bestond niet meer en Zalachenko's bloeiperiode behoorde definitief tot het verleden. Zijn houdbaarheidsdatum was ruimschoots overschreden.

De Zalachenko-groep had uit een van de fondsen van de veiligheidsdienst een ruime ontslagpremie weten te genereren. Ze hadden Karl Axel Bodin de best mogelijke revalidatiezorg gegeven en hem een halfjaar later met een zucht van verlichting naar Arlanda gereden en een enkeltje Spanje voor hem gekocht. Ze hadden hem duidelijk gemaakt dat de Sectie en hij vanaf dat moment ieder huns weegs gingen. Het was een van Gullbergs laatste klussen geweest. Een week later had hij de pensioengerechtigde leeftijd bereikt en had hij zijn functie overgedragen aan zijn troonopvolger, Fredrik Clinton. Gullberg werd alleen nog geraadpleegd als consultant en adviseur als het ging om gevoelige kwesties. Hij was nog drie jaar in Stockholm gebleven en had bijna dagelijks bij de Sectie gewerkt, maar hij kreeg steeds minder opdrachten en hij had het werk langzaam afgebouwd. Hij was teruggekeerd naar zijn geboorteplaats Laholm en had wat werk op afstand verricht. De eerste jaren was hij regelmatig naar Stockholm afgereisd, maar ook die reizen waren steeds zeldzamer geworden.

Hij dacht niet meer aan Zalachenko. Tot de ochtend dat hij wakker werd en Zalachenko's dochter op elke voorpagina van de kranten aantrof, verdacht van een drievoudige moord.

Gullberg had het nieuws met een gevoel van verwarring gevolgd. Hij begreep heel goed dat het bijna geen toeval kon zijn dat Salander Bjurman als toezichthouder had gekregen, maar hij zag geen onmiddellijk gevaar dat het oude Zalachenko-verhaal weer boven water zou komen. Salander was gestoord. Dat ze een moordorgie in scène had gezet, verbaasde hem niets. Het was daarentegen absoluut niet bij hem opgekomen dat Zalachenko daarin ook een rol zou kunnen spelen. Tot hij het ochtendnieuws had gezien en de gebeurtenissen in

Gosseberga voorgeschoteld had gekregen. Vanaf dat moment was hij telefoontjes gaan plegen en had hij uiteindelijk een treinkaartje naar Stockholm gekocht.

De Sectie stond voor haar allerergste crisis sinds de dag dat hij de organisatie had opgericht. Alles leek voor niets te zijn geweest.

Zalachenko sleepte zich naar het toilet om te plassen. Sinds het Sahlgrenska-ziekenhuis hem had voorzien van krukken, kon hij zich voortbewegen. Hij had de zondag en de maandag besteed aan korte trainingen. Hij had nog steeds enorm veel pijn in zijn kaak en kon alleen vloeibaar voedsel tot zich nemen, maar hij kon nu opstaan en korte stukjes lopen.

Hij was gewend aan krukken aangezien hij al bijna vijftien jaar een prothese droeg. Hij trainde zichzelf in de kunst om zich geluidloos op krukken voort te bewegen en liep in de kamer heen en weer. Elke keer dat zijn rechtervoet de grond raakte, schoot er een helse pijn door zijn been.

Hij klemde zijn tanden op elkaar. Hij bedacht dat Lisbeth Salander zich in een kamer in zijn onmiddellijke nabijheid bevond. Het had hem de hele dag gekost om uit te vissen dat ze zich twee deuren rechts van zijn kamer bevond.

Tegen tweeën 's nachts, tien minuten nadat de nachtzuster hem voor het laatst had bezocht, was alles rustig en stil. Zalachenko kwam moeizaam overeind en tastte naar zijn krukken. Hij liep naar de deur en luisterde, maar hij hoorde niets. Hij deed de deur open en liep de gang op. Hij hoorde zachte muziek uit de richting van de zusterspost. Hij strompelde naar de uitgang aan het eind van de gang, deed de deur open en keek het trappenhuis in. Daar waren liften. Hij liep terug. Toen hij Lisbeth Salanders kamer passeerde, bleef hij even staan en rustte een poosje op zijn krukken.

De verpleegkundigen hadden haar deur die nacht dichtgedaan. Lisbeth Salander deed haar ogen open toen ze een zwak schrapend geluid op de gang hoorde. Ze kon het geluid niet thuisbrengen. Het klonk alsof iemand voorzichtig iets door de gang sleepte. Even was het helemaal stil en vroeg ze zich af of ze het zich had verbeeld. Na anderhalve minuut hoorde ze het geluid weer. Het verwijderde zich. Haar gevoel van onbehagen nam toe.

Zalachenko bevond zich daar ergens buiten.

Ze voelde zich aan haar ziekenhuisbed gekluisterd. Ze had jeuk onder de steunkraag. Ze had enorm veel zin om overeind te komen. Ze slaagde er langzaam in rechtop te gaan zitten. Dat was ongeveer het enige wat ze kon. Ze zonk weer achterover en legde haar hoofd op het kussen.

Na een tijdje tastte ze over de steunkraag en vond ze de sluiting waarmee hij aan elkaar zat. Ze maakte de kraag los en liet hem op de grond vallen. Het ademhalen ging meteen een stuk gemakkelijker.

Ze wenste dat ze een wapen binnen handbereik had of dat ze kracht genoeg had om op te staan en Zalachenko voor eens en voor altijd uit de weg te ruimen.

Ze steunde op haar ellebogen. Ze deed het nachtlampje aan en keek om zich heen. Ze zag niets wat als wapen kon dienen. Toen viel haar blik op de tafel tegen de muur, 3 meter van haar bed. Ze constateerde dat iemand een potlood had laten liggen.

Ze wachtte tot de nachtzuster haar ronde had gemaakt, wat deze nacht ongeveer eenmaal per halfuur leek te gebeuren. Ze nam aan dat de lagere frequentie aangaf dat de artsen hadden gemeend dat ze in betere conditie was dan in het weekend, toen ze elk kwartier of nog vaker bezoek had gehad. Zelf voelde ze geen merkbaar verschil.

Toen ze weer alleen was, verzamelde ze kracht, ging overeind zitten en zwaaide haar benen over de rand van het bed. Ze had elektrodes op haar lichaam zitten die haar hartslag en ademhaling registreerden, maar de snoertjes gingen dezelfde kant op als het potlood. Ze ging voorzichtig staan en stond plotseling te zwaaien op haar benen, geheel uit balans. Even voelde het alsof ze flauwviel, maar ze hield zich goed aan het bed vast en richtte haar blik op de tafel voor zich. Ze deed drie wankele stappen, stak haar hand uit en pakte het potlood.

Ze liep achteruit terug naar het bed. Ze was volledig uitgeput.

Na een tijdje had ze pas weer puf om het dekbed over zich heen te trekken. Ze hield het potlood omhoog en voelde aan de punt. Het was een doodgewoon houten potlood. Het was pas geslepen en vlijmscherp. Dat kon redelijk dienstdoen als steekwapen voor gezicht of ogen.

Ze legde het potlood binnen handbereik naast haar heup en viel in slaap.

6
MAANDAG 11 APRIL

Mikael Blomkvist stond maandagmorgen even na negenen op en belde Malin Eriksson, die net op de redactie van *Millennium* was gearriveerd.

'Hoi, hoofdredacteur,' zei hij.

'Ik sta er gewoon perplex van dat Erika weg is en dat jullie mij als hoofdredacteur willen.'

'O ja?'

'Ze is weg. Haar bureau is leeg.'

'Dan zou ik de dag maar besteden aan het verhuizen van je spullen.'

'Ik weet niet wat ik moet doen. Het voelt bijzonder ongemakkelijk.'

'Onzin. Iedereen is het erover eens dat jij in deze situatie de beste keuze bent. En je kunt altijd naar Christer of mij komen.'

'Bedankt voor het vertrouwen.'

'Ach,' zei Mikael. 'Gewoon doorgaan zoals altijd. We moeten de komende tijd de problemen maar onder ogen zien op het moment dat ze zich voordoen.'

'Oké. Waarom bel je?'

Hij verklaarde dat hij van plan was vandaag thuis te blijven om te schrijven. Malin werd zich er opeens van bewust dat hij op dezelfde manier aan haar rapporteerde als hij – nam ze aan – Erika Berger had geïnformeerd over waar hij mee bezig was. Er werd van haar verwacht dat ze commentaar gaf. Of niet?

'Heb je nog instructies aan ons?'

'Nee. Integendeel, als je instructies voor mij hebt, moet je me bellen. Ik ben bezig met dat Salander-verhaal, net als voorheen, en beslis wat er op dat gebied gebeurt, maar voor al het andere bij *Millennium* ben jij degene die de touwtjes in handen heeft. Neem beslissingen. Ik zal je back-uppen.'

'En als ik verkeerde beslissingen neem?'

'Als ik iets zie of hoor, zal ik het tegen je zeggen. Maar dan moet je het wel heel bont maken. Normaliter zijn er geen beslissingen die honderd procent goed of fout zijn. Jij neemt jouw beslissingen, die misschien niet identiek zijn aan wat Erika Berger zou hebben besloten. En als ik beslissingen zou nemen, zou dat een derde variant zijn. Maar jij maakt nu de dienst uit.'

'Oké.'

'En als je een goede chef bent, ventileer je je vragen bij anderen. In eerste instantie bij Henry en Christer, daarna bij mij en lastige vragen bespreken we op de redactievergadering.'

'Ik zal mijn best doen.'

'Mooi.'

Hij ging op de bank in de woonkamer zitten, zijn iBook op schoot, en werkte de hele maandag zonder pauze door. Toen hij klaar was, had hij een grof concept van twee teksten van in totaal eenentwintig pagina's. Dat deel van het verhaal richtte zich op de moord op medewerker Dag Svensson en zijn vriendin Mia Bergman – waar ze mee bezig waren, waarom ze werden vermoord en wie de moordenaar was. Hij schatte dat hij nog ongeveer veertig pagina's voor het themanummer van de zomer zou moeten produceren. En hij moest beslissen hoe hij Lisbeth Salander in de tekst zou omschrijven zonder haar integriteit te krenken. Hij wist dingen over haar die ze absoluut niet in de openbaarheid wilde brengen.

Evert Gullbergs ontbijt bestond die maandag slechts uit een broodje en een kop zwarte koffie die hij in de cafetaria van het hotel nuttigde. Daarna nam hij een taxi naar de Artillerigatan op Östermalm. Om 9.15 uur belde hij aan, noemde zijn naam en werd onmiddellijk binnengelaten. Hij nam de lift naar de zesde verdieping, waar hij werd opgewacht door Birger Wadensjöö, vierenvijftig jaar oud. De nieuwe chef van de Sectie.

Wadensjöö was een van de jongste rekruten bij de Sectie geweest toen Gullberg met pensioen was gegaan. Hij wist niet precies wat hij van hem moest denken.

Hij had gewild dat de daadkrachtige Fredrik Clinton nog aan het roer had gestaan. Clinton had Gullberg opgevolgd en was tot 2002 hoofd van de Sectie geweest, tot diabetes en vaatproblemen hem min of meer tot pensioen hadden gedwongen. Gullberg wist niet precies uit welk hout Wadensjöö gesneden was.

'Hallo Evert,' zei Wadensjöö en hij schudde zijn voormalige chef de hand. 'Fijn dat je tijd had om te komen.'

'Veel meer dan tijd heb ik niet,' zei Gullberg.

'Je weet hoe dat gaat. Wij zijn erg slecht in het onderhouden van contacten met oudgedienden.'

Gullberg negeerde deze opmerking. Hij hield links aan, liep naar zijn oude werkkamer en ging aan een ronde vergadertafel bij het raam zitten. Wadensjöö – nam hij aan – had reproducties van Chagall en Mondriaan aan de muur gehangen. In zijn tijd had Gullberg bouwtekeningen van schepen als de *Kronan* en de *Vasa* aan de muur gehad. Hij had altijd gedroomd van de zee en hij was eigenlijk marineofficier, ook al had hij tijdens zijn diensttijd maar een paar maanden op zee doorgebracht. Er waren computers bij gekomen. Verder zag de kamer er nog bijna net zo uit als toen hij was gestopt. Wadensjöö schonk koffie in.

'De anderen komen zo,' zei hij. 'Ik had gedacht dat wij samen eerst even een paar woorden konden wisselen.'

'Hoeveel mensen uit mijn tijd zijn er nog?'

'Buiten mij alleen Otto Hallberg en Georg Nyström hier op kantoor. Hallberg gaat dit jaar met pensioen en Nyström wordt zestig. Maar verder zijn het nieuwe mensen. Een paar heb je er al eens ontmoet.'

'Hoeveel werken er vandaag nog voor de Sectie?'

'De zaak is wat gereorganiseerd.'

'O?'

'Er zijn momenteel zeven fulltimers hier bij de Sectie. We zijn dus ingekrompen. Maar verder heeft de Sectie eenendertig medewerkers binnen de veiligheidsdienst. De meesten van hen komen hier nooit. Ze doen hun gewone werk en werken discreet in de avonduren voor ons.'

'Eenendertig medewerkers.'

'Plus zeven. Dat is het systeem dat jij hebt opgezet. We hebben het alleen wat geperfectioneerd en spreken momenteel van een interne en een externe organisatie. Als we iemand aannemen, krijgt diegene eerst een bepaalde tijd vrijstelling om bij ons te worden opgeleid. Hallberg neemt die scholing voor zijn rekening. De basisopleiding duurt circa zes weken. We zitten in de Hogere Zeevaartschool. Daarna gaan ze terug naar hun normale werk bij de veiligheidsdienst, maar werken dan ook voor ons.'

'Aha.'

'Het is een geweldig systeem. De meeste medewerkers hebben geen weet van elkaars bestaan. En hier bij de Sectie houden we ons met name bezig met het in ontvangst nemen van rapporten. Daarvoor gelden dezelfde regels als in jouw tijd. We moeten een platte organisatie zijn.'

'Operationele eenheid?'

Wadensjöö fronste zijn wenkbrauwen. In Gullbergs tijd had de Sectie een kleine operationele eenheid gehad, bestaande uit vier personen onder commando van de geslepen Hans von Rottinger.

'Nee, niet direct meer. Rottinger is vijf jaar geleden overleden. We hebben een jonge, talentvolle medewerker die veel veldwerk doet, maar gewoonlijk gebruiken we iemand uit de externe organisatie als het nodig is. Bovendien is het technisch veel gecompliceerder geworden om bijvoorbeeld een telefoon te tappen of een flat binnen te gaan. Er zit tegenwoordig overal alarm en er hangen overal camera's en dergelijke.'

Gullberg knikte.

'Budget?'

'In totaal ruim elf miljoen kronen per jaar. Een derde gaat op aan salarissen, een derde aan onderhoud en een derde aan de werkzaamheden.'

'Het budget is dus lager.'

'Iets. Maar we hebben minder mensen, waardoor het activiteitenbudget is toegenomen.'

'Ik begrijp het. Vertel eens, hoe ziet onze relatie met de veiligheidsdienst eruit?'

Wadensjöö schudde zijn hoofd.

'De chef van het regeringskantoor en de budgetverantwoordelijke horen bij ons. Formeel is de chef van het regeringskantoor de enige die inzicht heeft in onze activiteiten. We zijn zo geheim dat we niet bestaan. Maar in werkelijkheid weten een paar plaatsvervangende chefs van ons bestaan af. Zij doen hun uiterste best om niets over ons te horen.'

'Ik begrijp het. Dat betekent dat als er problemen ontstaan de huidige leiding van de veiligheidsdienst een onaangename verrassing krijgt. Hoe is het met de bazen bij Defensie en de regering?'

'Defensie hebben we ongeveer tien jaar geleden losgekoppeld. En regeringen komen en gaan.'

'Dus we zijn helemaal alleen als het gaat stormen?'

Wadensjöö knikte.

'Dat is het nadeel van deze regeling. Het voordeel is natuurlijk duidelijk. Maar onze taken zijn ook gewijzigd. Er heerst een nieuwe politieke situatie in Europa na de val van de Sovjet-Unie. Ons werk gaat steeds minder om het ontmaskeren van spionnen. Het gaat nu om terrorismebestrijding, maar vooral om het beoordelen van de politieke geschiktheid van mensen voor gevoelige functies.'

'Daar ging het altijd al om.'

Er werd geklopt. Gullberg registreerde een keurig geklede man van in de zestig en een jongere man gekleed in een spijkerbroek en een jasje.

'Dag jongens. Dit is Jonas Sandberg. Hij werkt hier al vier jaar en is verantwoordelijk voor de uitvoerende werkzaamheden. Dat was degene over wie ik je vertelde. En dit is Georg Nyström. Maar jullie kennen elkaar al.'

'Hallo Georg,' zei Gullberg.

Ze schudden elkaar de hand. Daarna wendde Gullberg zich tot Jonas Sandberg.

'En waar kom jij vandaan?' vroeg Gullberg terwijl hij Jonas Sandberg aankeek.

'Nou, recentelijk uit Göteborg,' zei Sandberg gevat. 'Ik ben net bij hem langs geweest.'

'Bij Zalachenko ...' zei Gullberg.

Sandberg knikte.

'Heren, neem plaats,' zei Wadensjöö.

'Björck,' zei Gullberg en hij fronste zijn wenkbrauwen toen Wadensjöö een cigarillo opstak. Hij had zijn jasje uitgetrokken en leunde achterover. Wadensjöö keek naar Gullberg en het viel hem op hoe ongelofelijk mager de man was geworden.

'Hij is vrijdag dus opgepakt wegens overtreding van de sekskoopwet,' zei Georg Nyström. 'Hij is nog niet in staat van beschuldiging gesteld, maar heeft in principe bekend en is met de staart tussen de benen naar huis afgedropen. Hij woont op Smådalarö, zolang hij in de ziektewet zit. De media hebben er nog geen lucht van gekregen.'

'Björck was ooit een van de besten die we hier bij de Sectie hadden,' zei Gullberg. 'Hij had een sleutelpositie in de Zalachenko-affaire. Wat is er met hem gebeurd nadat hij met pensioen is gegaan?'

'Hij is een van de weinige interne medewerkers die van de Sectie is teruggegaan naar de externe activiteiten. Hij fladderde in jouw tijd ook al.'

'Ja, hij had rust nodig en wilde zijn horizon verbreden. Hij was in de jaren tachtig twee jaar met verlof van de Sectie, toen hij als diplomaat inlichtingen werkte. Hij was vanaf 1976 bijna vierentwintig uur per dag als een gek met Zalachenko in touw geweest en ik vond dat hij echt een pauze nodig had. Hij was tussen 1985 en 1987 weg en toen kwam hij hier weer terug.'

'Je kunt zeggen dat hij in 1994 is gestopt bij de Sectie. Hij ging toen naar de externe organisatie. In 1996 werd hij plaatsvervangend chef afdeling Buitenland van de veiligheidsdienst. Dat was een zware klus omdat hij ook ontzettend veel gewoon werk had. Hij heeft natuurlijk voortdurend contact gehouden met de Sectie en ik kan zeggen dat we toch wel zo eens per maand een gesprek hadden. Eigenlijk tot de laatste tijd.'

'Hij is dus ziek.'

'Niets ernstigs, maar zeer pijnlijk. Hij heeft een hernia. Dat is de laatste jaren telkens teruggekomen. Twee jaar geleden zat hij vier maanden in de ziektewet. En toen is hij in augustus vorig jaar weer ziek geworden. Hij zou per 1 januari weer aan het werk gaan, maar zijn ziekteverlof is verlengd en nu is het hoofdzakelijk een kwestie van wachten op de operatie.'

'En hij brengt zijn ziekteverlof door met naar de hoeren gaan,' zei Gullberg.

'Ja, hij is ongehuwd en als ik het goed begrijp, gaat hij al jaren naar de hoeren,' zei Jonas Sandberg, die al bijna een halfuur niets had gezegd. 'Ik heb Dag Svenssons manuscript gelezen.'

'Aha. Maar kan iemand mij vertellen wat er nu eigenlijk is gebeurd?'

'Voor zover wij het kunnen begrijpen, is Björck degene die het hele circus in gang heeft gezet. Dat is de enige manier om te verklaren hoe het onderzoek uit 1991 in handen van advocaat Bjurman heeft kunnen belanden.'

'Die zijn tijd ook doorbracht met prostitueebezoek?' vroeg Gullberg.

'Voor zover wij weten niet. Hij komt in elk geval niet in het materiaal van Dag Svensson voor. Maar hij was Lisbeth Salanders toezichthouder.'

Wadensjöö zuchtte.

'Dat is in feite mijn fout. Björck en jij hadden Salander in 1991 mooi weggewerkt, toen ze werd opgenomen in die psychiatrische kliniek. We gingen ervan uit dat ze veel langer zou wegblijven, maar ze had een voogd gekregen, advocaat Holger Palmgren, die erin slaagde haar eruit te krijgen. Ze werd in een pleeggezin geplaatst. Toen was jij al met pensioen.'

'Wat is er daarna gebeurd?'

'We hielden haar in de gaten. Haar zus, Camilla Salander, was ondertussen in een pleeggezin in Uppsala geplaatst. Toen ze zeventien was, begon Lisbeth Salander opeens in haar verleden te spitten. Ze was op zoek naar Zalachenko en graasde alle openbare registers af die ze kon vinden. Op de een of andere manier, we weten niet hoe, kreeg ze informatie dat haar zus wist waar Zalachenko zich bevond.'

'Was dat ook zo?'

Wadensjöö haalde zijn schouders op.

'Ik heb eerlijk gezegd geen idee. De zussen hadden elkaar jaren niet gezien toen Lisbeth Salander haar zus opspoorde en haar probeerde te laten vertellen wat ze wist. Het eindigde in een fikse ruzie en een prachtige matpartij tussen de gezusters Salander.'

'O ja, en toen?'

'We hielden Lisbeth die maanden goed in de gaten. We hadden Camilla Salander ook ingelicht dat haar zus gewelddadig en geschift was. Zij was degene die contact met ons opnam na Lisbeths plotselinge bezoek, waarna we onze staat van paraatheid verhoogden.'

'Die zus was dus jouw informatiebron?'

'Camilla Salander was doodsbenauwd voor haar zus. Maar Lisbeth Salander trok elders ook de aandacht. Ze had diverse aanvaringen met mensen van maatschappelijk werk en wij waren van mening dat ze nog steeds een bedreiging vormde voor Zalachenko's anonimiteit. Toen vond dat incident in de metro plaats.'

'Toen ze die pedofiel aanviel ...'

'Precies. Ze was duidelijk gewelddadig en geestelijk gestoord. Wij meenden dat het voor alle partijen het rustigst zou zijn als ze weer in een of ander tehuis zou verdwijnen en namen de gelegenheid zogezegd te baat. Dat was een actie van Fredrik Clinton en Von Rottinger. Ze namen Peter Teleborian weer in de arm en gingen via vertegenwoordigers een gevecht aan voor de rechtbank om haar weer opgenomen te krijgen. Holger Palmgren was Salanders vertegenwoordiger en tegen alle verwachtingen in koos de rechtbank ervoor om zijn lijn te volgen – op voorwaarde dat ze onder toezicht werd gesteld.'

'Maar hoe is Bjurman erbij betrokken geraakt?'

'Palmgren werd in het najaar van 2002 getroffen door een beroerte. We hielden Salander nog altijd in de gaten, soms dook ze op in een of ander computerbestand. Zo ook nu, en ik heb er toen voor gezorgd dat Bjurman haar nieuwe toezichthouder werd. Let op: hij had er geen idee van dat ze Zalachenko's dochter was. Het idee was dat hij wel zou reageren en alarm zou slaan als ze over Zalachenko zou beginnen.'

'Bjurman was een idioot. Hij zou nooit iets met Zalachenko van doen gehad moeten hebben en al helemaal niet met zijn dochter.' Gullberg keek Wadensjöö aan. 'Dat was een ernstige inschattingsfout.'

'Daar ben ik me van bewust,' zei Wadensjöö. 'Maar op dat moment voelde het goed en ik kon natuurlijk niet bevroeden dat ...'

'Waar is die zus tegenwoordig? Camilla Salander?'

'Dat weten we niet. Toen ze negentien was, heeft ze een tas gepakt en is ze bij dat pleeggezin weggegaan. Sindsdien hebben we niets van haar vernomen. Ze is verdwenen.'

'Oké, ga door ...'

'Ik heb een bron binnen de politie die met officier van justitie Richard Ekström heeft gesproken,' zei Sandberg. 'Degene die het onderzoek leidt, inspecteur Bublanski, denkt dat Bjurman Salander heeft verkracht.'

Gullberg keek Sandberg met oprechte verbazing aan. Toen streek hij nadenkend over zijn kin.

'Verkracht?' vroeg hij.

'Bjurman had een tatoeage schuin over zijn buik met de tekst: IK BEN EEN SADISTISCH VARKEN, EEN KLOOTZAK EN EEN VERKRACHTER.'

Sandberg legde een kleurenfoto van de autopsie op tafel. Gullberg keek met grote ogen naar Bjurmans buik.

'En die zou Zalachenko's dochter hebben aangebracht?'

'De situatie is anders vrij lastig uit te leggen. Ze is blijkbaar niet geheel ongevaarlijk. Ze heeft die twee hooligans van de Svavelsjö MC er ook van langs gegeven.'

'Zalachenko's dochter,' herhaalde Gullberg. Hij wendde zich tot Wadensjöö. 'Weet je, ik vind dat je haar moet rekruteren.'

Wadensjöö keek zó verbaasd dat Gullberg er wel aan toe moest voegen dat hij een grapje maakte.

'Oké. Laten we als werkhypothese aannemen dat Bjurman haar heeft verkracht en dat ze wraak heeft genomen. Wat hebben we nog meer?'

'De enige die exact kan vertellen wat er is gebeurd, is natuurlijk Bjurman zelf en dat wordt lastig omdat hij dood is. Maar feit is dat hij niet wist dat zij de dochter van Zalachenko was, dat blijkt uit geen enkel openbaar register. Ergens moet Bjurman die link dus zelf hebben gelegd.'

'Maar, jezus, Wadensjöö, zij wist toch zelf wie haar vader was, dat kan ze toch op elk moment aan Bjurman hebben verteld?'

'Dat weet ik. We ... ik heb op dat gebied gewoon niet goed nagedacht.'

'Dat is onvergeeflijk stom,' zei Gullberg.

'Weet ik. En ik heb mezelf al heel vaak een schop onder mijn kont gegeven. Maar Bjurman was een van de weinigen die van het bestaan van Zalachenko af wist en mijn idee was dat het beter was dat híj ontdekte dat ze Zalachenko's dochter was dan dat een volslagen onbekende toezichthouder die ontdekking zou doen. Ze kan het in de praktijk aan iedereen hebben verteld.'

Gullberg trok aan zijn oorlel.

'Nou ja, ga door.'

'Het zijn allemaal hypothesen,' zei Georg Nyström mild. 'Maar wij denken dat Bjurman zich aan Salander vergreep en dat ze terugsloeg en dát organiseerde ...' Hij wees op de tatoeage op de foto van de lijkschouwing.

'Een aardje naar haar vaartje,' zei Gullberg. Er klonk iets van bewondering in zijn stem.

'Met als resultaat dat Bjurman contact met Zalachenko opnam met de vraag zijn dochter aan te pakken. Zalachenko heeft zoals bekend meer redenen dan de meeste andere mensen om Lisbeth Salander te haten. En Zalachenko heeft die klus op zijn beurt uitbesteed aan de Svavelsjö MC en die Niedermann met wie hij omging.'

'Maar hoe kwam Bjurman in contact ...' Gullberg zweeg. Het antwoord was duidelijk.

'Björck,' zei Wadensjöö. 'De enige verklaring voor hoe Bjurman Zalachenko heeft kunnen opsporen, is dat Björck hem die informatie heeft gegeven.'

'Verdomme!' zei Gullberg.

Lisbeth Salander voelde een toenemend gevoel van onbehagen en een sterke irritatie. 's Morgens waren er twee verpleegsters gekomen die haar bed hadden verschoond. Ze hadden onmiddellijk het potlood gevonden.

'Oei, hoe is dat hier terechtgekomen?' vroeg een van de zusters en ze stak het potlood in haar zak terwijl Lisbeth haar met een moordzuchtige blik aankeek.

Lisbeth was weer ontwapend en bovendien zo krachteloos dat ze niet in staat was te protesteren.

Ze had zich het hele weekend beroerd gevoeld. Ze had vreselijke hoofdpijn en kreeg sterke pijnstillers. Ze had een doffe pijn in haar schouder, die plotseling vlijmscherp kon opvlammen als ze zich onvoorzichtig bewoog of haar lichaamsgewicht verplaatste. Ze lag op haar rug met de steunkraag om haar nek. De steunkraag moest nog een paar dagen blijven zitten tot de wond op haar hoofd begon te genezen. Zondag had ze koorts. De hoogste temperatuur was 38,7. Dokter Helena Endrin constateerde dat ze een infectie in haar lichaam had. Ze was met andere woorden niet gezond. Maar daar had Lisbeth geen thermometer voor nodig.

Ze constateerde dat ze wéér aan een bed van de staat gekluisterd lag, hoewel deze keer niet vastgebonden met een tuigje. Wat ook overbodig was geweest. Ze kon niet eens gaan zitten en al helemaal geen uitstapje maken.

Maandag tegen lunchtijd kreeg ze bezoek van dokter Anders Jonasson. Hij kwam haar bekend voor.

'Hallo, kun je je mij nog herinneren?'

Ze schudde haar hoofd.

'Je was nog behoorlijk ver heen, maar ik was degene die je na de operatie wakker maakte. Ik heb je geopereerd. Ik wilde alleen maar even horen hoe je je voelt en of alles goed is.'

Lisbeth keek hem met grote ogen aan. Dat niet alles goed was, zou toch wel duidelijk moeten zijn.

'Ik heb gehoord dat je de nekstcun vannacht had afgedaan?'

Ze knikte.

'We hebben die kraag niet voor de lol omgedaan, maar om te zorgen dat je je hoofd stilhoudt terwijl het genezingsproces op gang komt.'

Hij keek het zwijgzame meisje aan.

'Oké,' zei hij uiteindelijk. 'Ik wilde alleen maar even kijken.'

Hij was al bij de deur toen hij haar stem hoorde.

'Jonasson was het, hè?'

Hij keerde zich om en glimlachte verbaasd.

'Dat klopt. Als je je mijn naam kunt herinneren, moet je alerter zijn geweest dan ik dacht.'

'Hebt u die kogel verwijderd?'

'Dat klopt.'

'Kunt u mij vertellen hoe het met me gaat? Ik krijg van niemand een zinnig antwoord.'

Hij liep terug naar het bed en keek haar aan.

'Je hebt geluk gehad. Je bent in je hoofd geschoten maar er lijkt geen vitaal gebied te zijn geraakt. Het risico dat je op dit moment loopt, is dat je bloedingen in de hersenen krijgt. Daarom willen we dat je stil blijft liggen. Je hebt een infectie in je lichaam. Vermoedelijk komt dat door de wond in je schouder. Het kan zijn dat we je opnieuw moeten opereren als we de infectie niet met antibiotica onder controle krijgen. Het genezingsproces zal een pijnlijke periode zijn. Maar zoals het er nu uitziet, heb ik goede hoop dat je weer helemaal de oude zult worden.'

'Kan dit hersenbeschadigingen tot gevolg hebben?'

Hij aarzelde voor hij knikte.

'Ja, die kans bestaat. Maar alles wijst erop dat je het goed hebt doorstaan. De mogelijkheid bestaat dat je littekenvorming in de hersenen krijgt en dat kan problemen opleveren, bijvoorbeeld dat je epilepsie ontwikkelt of iets anders vervelends. Maar eerlijk gezegd, dat zijn allemaal speculaties. Je geneest. En als er onderweg problemen ontstaan, moeten we die zien op te lossen. Is dat antwoord duidelijk genoeg?'

Ze knikte.

'Hoe lang moet ik zo liggen?'

'Je bedoelt in het ziekenhuis? Het duurt nog wel een paar weken voor we je laten gaan.'

'Nee, ik bedoel hoe lang het duurt voor ik overeind kan komen en weer kan gaan lopen en me bewegen.'

'Dat weet ik niet. Dat ligt aan de genezing. Maar reken op nog minstens twee weken voordat we met enige vorm van fysiotherapie kunnen beginnen.'

Ze keek hem voortdurend ernstig aan.

'U hebt niet toevallig een sigaret?'

Anders Jonasson begon spontaan te lachen en schudde zijn hoofd.

'Sorry. Er geldt hier een rookverbod. Maar ik kan zorgen dat je nicotinepleisters of nicotinekauwgom krijgt.'

Ze dacht even na voordat ze knikte. Toen keek ze hem weer aan.

'Hoe is het met die ouwe?'

'Wie? Je bedoelt ...'

'Die vent die tegelijk met mij binnenkwam.'

'Geen vriend van je, neem ik aan. Tja. Hij overleeft het wel. Hij heeft zelfs al wat op krukken rondgescharreld. Puur lichamelijk gezien is hij erger toegetakeld dan jij. Hij heeft een zeer pijnlijke wond in zijn gezicht. Als ik het goed heb begrepen, heb jij hem bewerkt met een bijl.'

'Hij probeerde me te vermoorden,' zei Lisbeth met een zachte stem.

'Dat klinkt niet best. Ik moet nu gaan. Wil je dat ik je nog eens kom opzoeken?'

Lisbeth Salander dacht even na. Daarna knikte ze kort. Toen hij de deur had dichtgedaan, keek ze nadenkend naar het plafond. *Zalachenko heeft krukken. Dat was het geluid dat ik vannacht hoorde.*

Jonas Sandberg, de jongste in het gezelschap, werd erop uitgestuurd om de lunch te regelen. Hij kwam terug met sushi en alcoholarm bier en serveerde iedereen aan de vergadertafel. Evert Gullberg voelde een nostalgische rilling. Zo was het in zijn tijd ook gegaan als een operatie in een kritiek stadium verkeerde en er dag en nacht moest worden gewerkt.

Het verschil was wellicht, zo constateerde hij, dat er in zijn tijd niemand op het absurde idee was gekomen om rauwe vis te halen voor de lunch. Hij wenste dat Sandberg gehaktballetjes met aardappelpuree en vossenbessen had meegenomen. Maar aan de andere kant had hij geen trek, dus hij kon zonder gewetenswroeging de sushi aan de kant schuiven. Hij at een stukje brood en dronk mineraalwater.

Ze vervolgden hun discussie tijdens het eten. Ze waren op het punt gekomen dat ze de stand van zaken moesten samenvatten en beslissingen moesten nemen. Er waren beslissingen waarbij haast was geboden.

'Ik heb Zalachenko nooit gekend,' zei Wadensjöö. 'Hoe was hij?'

'Net zoals nu, neem ik aan,' antwoordde Gullberg. 'Razend intelligent met een haast fotografisch geheugen voor details. Maar naar mijn mening een ongelofelijke rat. En een beetje gestoord ook, volgens mij.'

'Jonas, jij hebt hem gisteren ontmoet. Wat is jouw conclusie?' vroeg Wadensjöö.

Jonas Sandberg legde zijn bestek neer.

'Hij heeft alles volledig onder controle. Ik heb al verteld over zijn ultimatum. Of we toveren de hele zaak weg óf hij klapt uit de school.'

'Hoe kan hij denken dat wij iets weg kunnen toveren wat groots in de media is opgeblazen?' vroeg Georg Nyström.

'Het gaat er niet om wat wij kunnen of niet kunnen. Het gaat om zijn behoefte om ons te kunnen controleren,' zei Gullberg.

'Wat is jouw inschatting? Gaat hij dat doen? Met de media praten?' vroeg Wadensjöö.

Gullberg antwoordde langzaam.

'Die vraag is haast onmogelijk te beantwoorden. Zalachenko komt niet met loze dreigingen en hij zal datgene doen wat voor hemzelf het beste is. In dat opzicht is hij voorspelbaar. Als het voor hem gunstig is om met de media te praten ... als hij amnestie kan krijgen of strafvermindering, zal hij dat doen. Of als hij zich in de steek gelaten voelt en ruzie zoekt.'

'Ongeacht de consequenties?'

'Juist ongeacht de consequenties. Voor hem is het zaak stoerder over te komen dan wij.'

'Maar ook als Zalachenko praat, is het niet zeker dat ze hem geloven. Om iets te bewijzen, moeten ze ons archief hebben. Hij kent dit adres niet.'

'Wil jij het risico nemen? Stel dat Zalachenko gaat praten. Wie is dan de volgende die praat? Wat doen we als Björck zijn verhaal bevestigt? En Clinton, die aan zijn dialyseapparaat ligt ... Wat gebeurt er als hij religieus wordt en verbitterd raakt over alles en iedereen? Stel dat hij gaat biechten? Geloof me, als er iemand gaat praten, is het afgelopen met de Sectie.'

'Dus ... wat moeten we doen?'

Het werd stil rond de vergadertafel. Gullberg pakte de draad op.

'Het probleem bestaat uit meerdere delen. Ten eerste kunnen we het er wel over eens zijn wat de consequenties zijn als Zalachenko gaat praten. Het hele constitutionele Zweden zou boven onze hoofden instorten. We zouden met de grond gelijk worden gemaakt. Ik schat dat meerdere medewerkers van de Sectie in de gevangenis zouden belanden.'

'De activiteiten zijn juridisch legaal, we werken in opdracht van de regering.'

'Klets niet,' zei Gullberg. 'Jij weet net zo goed als ik dat een warrig geformuleerd document dat halverwege de jaren zestig is opgesteld nu helemaal niets meer waard is.'

'Ik geloof dat niemand van ons precies wil weten wat er gebeurt als Zalachenko gaat praten,' voegde hij eraan toe.

Het werd opnieuw stil.

'Ons uitgangspunt moet dus zijn Zalachenko te bewegen zijn mond te houden,' zei Georg Nyström uiteindelijk.

Gullberg knikte.
'En om hem te bewegen zijn mond te houden, moeten we hem iets substantieels kunnen bieden. Het probleem is dat hij onberekenbaar is. Hij zou ons net zo goed uit hufterigheid kunnen afbranden. We moeten erover nadenken hoe we hem in toom kunnen houden.'
'En dan zijn eisen ...' zei Jonas Sandberg. 'Dat we de hele zaak wegtoveren en dat Salander in het gesticht belandt.'
'Salander kunnen we wel aan. Het probleem is Zalachenko. Maar dat brengt ons op het tweede deel – het beperken van de schadelijke gevolgen. Het onderzoek van Teleborian uit 1991 is uitgelekt en is potentieel een even grote bedreiging als Zalachenko.'
Georg Nyström schraapte zijn keel.
'Zo gauw we inzagen dat het onderzoek naar buiten was gekomen en bij de politie was beland, heb ik maatregelen genomen. Ik heb jurist Forelius van de veiligheidsdienst contact laten opnemen met de procureur-generaal. De pg heeft opdracht gegeven dat het onderzoek bij de politie moest worden weggehaald en dat het niet mocht worden verspreid of gekopieerd.'
'Hoeveel weet de pg?' vroeg Gullberg.
'Geen reet. Hij reageert op een officieel verzoek van de veiligheidsdienst, het gaat om gekwalificeerd geheim materiaal en de pg heeft geen keus. Hij kan niet anders.'
'Goed. Wie hebben het rapport binnen de politie gelezen?'
'Er waren twee kopieën, die zijn gelezen door Bublanski, zijn collega Sonja Modig en door de leider van het vooronderzoek, Richard Ekström. We kunnen ervan uitgaan dat er nog twee politiemensen zijn ...' Nyström bladerde in zijn aantekeningen. 'Ene Curt Svensson en ene Jerker Holmberg, die kennis hebben van de inhoud.'
'Dus vier politiemensen en een officier van justitie. Wat weten we van hen?'
'Officier van justitie Ekström, tweeënveertig, wordt beschouwd als een rijzende ster. Hij is onderzoeker geweest bij justitie en heeft een aantal opmerkelijke zaken op zijn naam staan. IJverig. Mediageil. Carrièrebelust.'
'Sociaaldemocraat?' vroeg Gullberg.
'Vermoedelijk. Maar hij is niet actief.'
'Bublanski is dus de opsporingsleider. Ik heb hem op een persconferentie op tv gezien. Hij leek het niet naar zijn zin te hebben voor de camera's.'
'Hij is tweeënvijftig en heeft een uitstekende staat van dienst, maar

staat er ook om bekend dat hij een dwarsligger is. Hij is Joods en vrij orthodox.'

'En die vrouw ... wie is zij?'

'Sonja Modig. Getrouwd, negenendertig jaar, twee kinderen. Heeft vrij snel carrière gemaakt. Ik sprak met Peter Teleborian, die haar als emotioneel omschreef. Ze zet constant vraagtekens.'

'Oké.'

'Curt Svensson is een harde. Achtendertig jaar. Komt van de politie in Huddinge, waar hij zich jarenlang heeft beziggehouden met onderzoek naar groepscriminaliteit. Heeft een paar jaar terug een jonge knul doodgeschoten. Hij is op alle punten in het onderzoek vrijgesproken. Bublanski had hém trouwens gestuurd om Gunnar Björck op te pakken.'

'Ik begrijp het. Hou die dodelijke schietpartij in gedachten. Als er redenen zijn om Bublanski's groep in twijfel te trekken, kunnen we hem altijd naar voren halen als ongeschikte politieman. Ik neem aan dat we nog relevante mediacontacten hebben ... En die laatste man?'

'Jerker Holmberg, vijfenvijftig. Komt uit Norrland en is eigenlijk specialist in onderzoek op de plaats delict. Een paar jaar geleden kreeg hij het aanbod om de commissarisopleiding te gaan doen, maar hij heeft bedankt. Hij lijkt content met zijn werk.'

'Is een van hen politiek actief?'

'Nee. Holmbergs vader was in de jaren zeventig wethouder voor de Centrumpartij.'

'Hm. Het lijkt een bescheiden groepje. Zullen we aannemen dat ze vrij hecht zijn? Kunnen we ze op de een of andere manier isoleren?'

'Er is nog een vijfde politieman bij betrokken,' zei Nyström. 'Hans Faste, zevenenveertig jaar. Ik heb opgevangen dat er een stevig schisma tussen Faste en Bublanski is ontstaan. Zo ernstig dat Faste zich heeft ziek gemeld.'

'Wat weten we over hem?'

'Ik krijg gemengde reacties als ik het vraag. Hij heeft een lange staat van dienst en er staan geen echte kanttekeningen in het protocol. Een prof. Maar hij is lastig in de omgang. En het lijkt erop dat die ruzie met Bublanski over Lisbeth Salander gaat.'

'In welke zin?'

'Faste lijkt zich te hebben vastgebeten in het verhaal over een lesbische satanistenliga waar de kranten over hadden geschreven. Hij mag Salander beslist niet en hij lijkt het als een persoonlijke belediging op te vatten dat zij überhaupt bestaat. Hij heeft vermoedelijk de helft van de geruchten zelf verspreid. Ik heb van een vroegere collega gehoord dat hij sowieso moeite heeft om met vrouwen samen te werken.'

'Interessant,' zei Gullberg. Hij dacht even na. 'Omdat de kranten toch al over een lesbische liga hebben geschreven, kan er reden zijn om daarop verder te borduren. Dat draagt immers niet bepaald bij aan de geloofwaardigheid van Salander.'

'De politiemensen die het onderzoek van Björck hebben gelezen, vormen dus een probleem. Kunnen we ze op de een of andere manier isoleren?' vroeg Sandberg.

Wadensjöö stak een nieuwe cigarillo op.

'Ekström leidt het vooronderzoek ...'

'Maar Bublanski stuurt aan,' zei Nyström.

'Ja, maar hij kan niet tegen administratieve beslissingen ingaan.' Wadensjöö keek nadenkend. Hij keek Gullberg aan. 'Jij hebt meer ervaring dan ik, maar dit verhaal heeft zoveel draden en uitlopers ... Het lijkt mij een goed idee om Bublanski en Modig van Salander af te halen.'

'Prima, Wadensjöö,' zei Gullberg. 'Dat is precies wat we gaan doen. Bublanski is opsporingsleider van het onderzoek naar de moord op Bjurman en dat stel in Enskede. Salander is in dat verband niet meer actueel. Nu gaat het om die Duitser Niedermann. Bublanski en zijn team moeten zich dus richten op het vinden van Niedermann.'

'Oké.'

'Salander is hun zaak niet meer. Dan hebben we nog dat onderzoek naar die graven in Nykvarn ... Dat betreft drie oudere moorden. Daar ligt een link naar Niedermann. Dat onderzoek ligt momenteel in Södertälje, maar zou moeten worden samengevoegd tot één onderzoek. Dan is Bublanski wel even zoet. Wie weet ... misschien pakt ie die Niedermann wel.'

'Hm.'

'Die Faste ... kunnen we hem bewegen weer aan het werk te gaan? Het klinkt alsof hij de geschiktste persoon is om de verdenkingen tegen Salander te onderzoeken.'

'Ik begrijp hoe je denkt,' zei Wadensjöö. 'Het is dus zaak Ekström ertoe te bewegen die twee zaken te scheiden. Maar dat veronderstelt dat we Ekström kunnen controleren.'

'Dat zou niet zo'n groot probleem moeten zijn,' zei Gullberg. Hij keek vanuit zijn ooghoek naar Nyström, die knikte.

'Ik kan Ekström voor mijn rekening nemen,' zei Nyström. 'Ik denk dat hij zelf eigenlijk zou willen dat hij nooit van Zalachenko had gehoord. Hij heeft het rapport van Björck meteen afgegeven toen de veiligheidsdienst erom vroeg en heeft al gezegd dat hij uiteraard in alle opzichten rekening zal houden met de veiligheid van de natie.'

'Wat ben je van plan?' vroeg Wadensjöö argwanend.

'Laat mij een scenario uitwerken,' zei Nyström. 'Ik denk dat we gewoon op een nette manier tegen hem moeten zeggen wat hij moet doen om te vermijden dat zijn carrière een abrupt einde krijgt.'

'Maar het derde deel is het ernstigste probleem,' zei Gullberg. 'De politie heeft het onderzoek van Björck niet op eigen houtje gevonden ... zij kregen het van een journalist. En de media zijn in dit verband, zoals jullie begrijpen, een probleem. *Millennium*.'

Nyström bladerde in zijn notitieblok.

'Mikael Blomkvist,' zei hij.

Iedereen aan tafel had over de Wennerström-affaire gehoord en kende de naam Mikael Blomkvist.

'Dag Svensson, de journalist die is vermoord, werkte voor *Millennium*. Hij was bezig met een verhaal over *trafficking*. Op die manier heeft hij op Zalachenko ingezoomd. Mikael Blomkvist was degene die Dag Svensson vermoord aantrof. Bovendien kent hij Lisbeth Salander en gelooft hij al die tijd al dat ze onschuldig is.'

'Hoe kent hij in godsnaam de dochter van Zalachenko? Dat lijkt een al te groot toeval.'

'Wij denken niet dat het toeval is,' zei Wadensjöö. 'Wij denken dat Salander op de een of andere manier de schakel tussen al deze figuren is. We kunnen niet precies uitleggen hoe, maar dat is het enig logische.'

Gullberg zat zwijgend een paar concentrische cirkels op zijn blok te tekenen. Toen keek hij op.

'Ik moet hier even over nadenken. Ik ga even een stukje lopen. We zien elkaar over een uur weer.'

Gullbergs uitstapje duurde bijna vier uur en niet één uur, zoals hij had gezegd. Hij hoefde maar tien minuten te lopen toen hij een tentje vond dat allerlei eigenaardige soorten koffie serveerde. Hij bestelde een gewone kop zwarte koffie en ging aan een hoektafeltje bij de ingang zitten. Hij dacht intensief na en probeerde de verschillende aspecten van het probleem uit te spitten. Hij maakte regelmatig een paar aantekeningen in een agenda.

Na anderhalf uur begon een plan vorm te krijgen.

Het was geen goed plan, maar na alle mogelijkheden te hebben gewikt en gewogen, zag hij in dat het probleem drastische maatregelen vergde.

Gelukkig waren de menselijke middelen beschikbaar. Het was uitvoerbaar.

Hij stond op, zocht een telefooncel en belde Wadensjöö.

'We moeten onze bijeenkomst nog even uitstellen,' zei hij. 'Ik moet nog iets doen. Kunnen we elkaar om veertien uur nul nul ontmoeten?'

Daarna liep Gullberg naar het Stureplan en wenkte een taxi. Hij had met zijn magere ambtenarenpensioentje eigenlijk geen geld voor zo'n uitspatting, maar aan de andere kant was hij op een leeftijd gekomen dat hij geen enkele reden had om de boel op te potten. Hij gaf een adres op in Bromma.

Toen hij eindelijk werd afgezet op het adres dat hij had opgegeven, liep hij een kwartier in zuidelijke richting en belde aan bij een klein koophuis. Een vrouw van in de veertig deed open.

'Goeiedag. Ik ben op zoek naar Fredrik Clinton.'

'Wie kan ik zeggen dat er is?'

'Een oud-collega.'

De vrouw knikte en liet hem in de woonkamer, waar Fredrik Clinton langzaam overeind kwam van de bank. Hij was pas achtenzestig, maar zag er aanzienlijk ouder uit. Diabetes en problemen met zijn kransslagader hadden duidelijke sporen achtergelaten.

'Gullberg,' zei Clinton verbaasd.

Ze keken elkaar een hele tijd aan. Daarna omhelsden de twee oude spionnen elkaar.

'Ik had niet gedacht dat ik jou ooit nog zou zien,' zei Clinton. 'Ik neem aan dat je dáárvoor komt?'

Hij wees op de voorpagina van de avondkrant, waar een foto van Ronald Niedermann op stond met als kop POLITIEMOORDENAAR GEZOCHT IN DENEMARKEN.

'Hoe gaat het met je?' vroeg Gullberg.

'Ik ben ziek,' zei Clinton.

'Dat zie ik.'

'Als ik geen nieuwe nier krijg, ben ik binnenkort dood. En het is vrij onwaarschijnlijk dat ik een nieuwe nier krijg.'

Gullberg knikte.

De vrouw kwam naar de deur van de woonkamer en vroeg of Gullberg iets wilde hebben.

'Koffie graag,' zei hij. Toen ze verdwenen was, richtte hij zich tot Clinton. 'Wie is die vrouw?'

'Mijn dochter.'

Gullberg knikte. Het was fascinerend dat bijna niemand van de medewerkers destijds privé met elkaar omging, hoewel ze jarenlang heel intensief met elkaar hadden samengewerkt. Gullberg kende elk karaktertrekje en alle sterke en zwakke punten van zijn medewerkers, maar hij had slechts een vaag idee van hun familieomstandigheden. Clinton was twintig jaar Gullbergs misschien wel meest naaste medewerker geweest. Hij wist dat Clinton getrouwd was geweest en kinderen had. Maar hij wist niet hoe zijn dochter of zijn ex-vrouw heette, of waar Clinton meestal heen ging op vakantie. Het was alsof alles buiten de Sectie heilig was en niet besproken mocht worden.

'Zeg het eens,' zei Clinton.

'Mag ik jou vragen wat jij van Wadensjöö vindt?'

Clinton schudde zijn hoofd.

'Ik bemoei me er niet mee.'

'Dat vroeg ik ook niet. Jij kent hem. Jullie hebben tien jaar samengewerkt.'

Clinton schudde nogmaals zijn hoofd.

'Hij is degene die de Sectie vandaag de dag leidt. Wat ik vind, doet er niet toe.'

'Kan hij het aan?'

'Hij is niet dom.'

'Maar ...?'

'Een analyticus. Een kei in puzzels. Instinct. Perfecte administrateur die uitkomt met het budget, en nog wel op een manier die wij niet voor mogelijk hadden gehouden.'

Gullberg knikte. Het was veelbetekenend dat Clinton een bepaalde eigenschap níét noemde.

'Ben je bereid weer in dienst te treden?'

Clinton keek Gullberg aan. Hij aarzelde geruime tijd.

'Evert ... ik breng om de dag negen uur aan een dialyseapparaat in het ziekenhuis door. Ik kan geen trap oplopen zonder in ademnood te komen. Ik heb geen fut. Nergens voor.'

'Ik heb je nodig. Een laatste operatie.'

'Ik kan het niet.'

'Jawel. En je kunt om de dag negen uur aan de dialyse liggen. Je kunt met de lift gaan in plaats van met de trap. Ik kan regelen dat iemand je op een brancard vervoert als dat nodig is. Ik heb je hersenen nodig.'

Clinton zuchtte.

'Vertel,' zei hij.

'We staan momenteel voor een extreem gecompliceerde situatie waarbij tactiek en inzet vereist zijn. Wadensjöö heeft een snotjongen, Jonas Sandberg, die in zijn eentje de hele operationele afdeling vormt, en ik denk niet dat Wadensjöö voldoende ruggengraat heeft om te doen wat er gedaan moet worden. Hij kan dan wel een ontzettend goede kommaneuker zijn, hij is bang voor het nemen van operationele beslissingen en is bang om de Sectie te betrekken in het veldwerk dat noodzakelijk is.'

Clinton knikte. Hij glimlachte bleekjes.

'De operatie moet op twee gescheiden fronten plaatsvinden. Het ene deel heeft betrekking op Zalachenko. Ik moet hem tot rede zien te brengen en ik denk dat ik weet hoe ik dat voor elkaar kan krijgen. Het andere gedeelte moet hier vanuit Stockholm worden gedaan. Het probleem is dat er niemand binnen de Sectie is die dat voor zijn rekening kan nemen. Ik heb jou nodig om het commando te voeren. Een laatste inzet. Ik heb een plan. Jonas Sandberg en Georg Nyström doen het voetenwerk. Jij stuurt de operatie.'

'Je begrijpt niet wat je vraagt.'

'Ja, ik begrijp best wat ik vraag. En je moet zelf beslissen of je meedoet of niet. Maar óf wij oudjes doen onze plicht, óf de Sectie zal over een paar weken niet meer bestaan.'

Clinton legde zijn elleboog op de armleuning van de bank en leunde met zijn hoofd in zijn hand. Hij dacht twee minuten na.

'Laat je plan eens horen,' zei hij ten slotte.

Evert Gullberg en Fredrik Clinton spraken twee uur met elkaar.

Wadensjöö zette grote ogen op toen Gullberg om drie minuten voor twee terugkwam met Fredrik Clinton in zijn kielzog. Clinton zag eruit als een lijk. Hij leek moeite te hebben met lopen en ademen, en steunde met een hand op Gullbergs schouder.

'Wat in hemelsnaam ...' zei Wadensjöö.

'Laten we de vergadering hervatten,' zei Gullberg kort.

Ze zaten weer allemaal om de tafel in Wadensjöö's werkkamer. Clinton zakte op de stoel die hem werd aangeboden.

'Jullie kennen Fredrik Clinton allemaal,' zei Gullberg.

'Ja,' antwoordde Wadensjöö. 'De vraag is wat hij hier doet.'

'Clinton heeft besloten terug te keren in actieve dienst. Hij zal de operationele afdeling van de Sectie leiden tot de huidige crisis bezworen is.'

Gullberg stak een hand op en onderbrak Wadensjöö's protest voordat hij dat überhaupt had kunnen formuleren.

'Clinton is moe. Hij heeft assistentie nodig. Hij moet regelmatig naar het ziekenhuis voor dialyse. Wadensjöö, jij neemt twee persoonlijke assistenten in de arm, die hem met alle praktische zaken kunnen bijstaan. Maar laat dit duidelijk zijn: wat deze affaire betreft, is Clinton degene die alle operationele beslissingen neemt.'

Hij zweeg en wachtte. Er waren geen protesten te horen.

'Ik heb een plan. Ik denk dat we deze zaak kunnen oplossen, maar dan moeten we snel handelen zodat we alle gelegenheden die zich voordoen kunnen benutten,' zei hij. 'En verder is het een kwestie van hoe besluitvaardig de Sectie momenteel is.'

Wadensjöö ervoer dit als een uitdaging.

'Vertel.'

'Ten eerste: over de politie hebben we het al gehad. We doen het precies zoals we hebben afgesproken. We proberen ze te isoleren van het verdere onderzoek door ze op een zijspoor te zetten in de jacht op Niedermann. Dat wordt Georg Nyströms klus. Wat er ook gebeurt, Niedermann is onbelangrijk. Wij zorgen ervoor dat Faste de opdracht krijgt onderzoek te doen naar Salander.'

'Dat is vermoedelijk niet zo lastig,' zei Nyström. 'Ik ga gewoon een discreet praatje maken met officier van justitie Ekström.'

'En als hij dwars gaat liggen?'

'Ik denk niet dat hij dat doet. Hij is carrièrebelust en zorgt uitstekend voor zichzelf. Maar ik geef er wel een draai aan als het problemen oplevert. Hij zit er niet op te wachten bij een schandaal betrokken te raken.'

'Goed. Stap twee is *Millennium* en Mikael Blomkvist. Daarom komt Clinton weer in dienst. Dit vereist buitengewone maatregelen.'

'Ik denk dat ik hier niet blij mee ben,' zei Wadensjöö.

'Vermoedelijk niet, maar *Millennium* kan niet op dezelfde eenvoudige wijze worden gemanipuleerd. Daarentegen is de dreiging van hun kant gebaseerd op slechts één ding, namelijk het politierapport van Björck uit 1991. Zoals de situatie nu is, neem ik aan dat het onderzoek zich op twee plaatsen bevindt, mogelijk drie. Lisbeth Salander heeft het rapport gevonden, maar Mikael Blomkvist heeft het op de een of andere manier te pakken gekregen. Dat betekent dat er een soort contact tussen Blomkvist en Salander moet zijn geweest in de tijd dat zij op de vlucht was.'

Clinton stak een vinger op en sprak zijn eerste woorden.

'Dat zegt ook iets over het karakter van onze tegenstander. Blomkvist is niet bang om risico's te nemen. Denk aan de Wennerström-affaire.'

Gullberg knikte.

'Blomkvist heeft het onderzoek aan zijn hoofdredacteur Erika Berger gegeven, die het op haar beurt aan Bublanski heeft doen toekomen. Dat betekent dat zij het ook heeft gelezen. We kunnen ervan uitgaan dat ze voor de zekerheid een kopie hebben gemaakt. Ik gok erop dat Blomkvist een kopie heeft en dat er een kopie op de redactie is.'

'Dat klinkt logisch,' zei Wadensjöö.

'*Millennium* is een maandblad, dat betekent dat ze niet morgen gaan publiceren. We hebben dus wat tijd. Maar we moeten beide rapporten te pakken zien te krijgen. En dat kan niet via de procureur-generaal.'

'Ik begrijp het.'

'Het is dus zaak een operatie op touw te zetten en bij Blomkvist thuis én op de redactie van *Millennium* in te breken. Kun jij dat organiseren, Jonas?'

Jonas Sandberg gluurde vanuit zijn ooghoek naar Wadensjöö.

'Evert, je moet begrijpen dat we eh ... zulke dingen niet meer doen,' zei Wadensjöö. 'Dit is een nieuwe tijd, het gaat nu meer om computervredebreuk en camerabewaking en dergelijke. We hebben hier geen middelen voor.'

Gullberg leunde voorover over tafel.

'Wadensjöö, dan moet je die als een haas zien te regelen. Huur mensen in van buitenaf. Huur voor mijn part een stelletje van de Joegomaffia in dat Blomkvist zo nodig over zijn bolletje aait. Maar die twee kopieën móéten worden ingenomen. Als ze die kopieën niet hebben, hebben ze geen documentatie en kunnen ze niets bewijzen. Als jullie dit niet voor elkaar krijgen, moet je hier maar met je armen over elkaar gaan zitten tot de parlementaire commissie op de stoep staat.'

Gullberg en Wadensjöö keken elkaar langdurig aan.

'Ik kan dat voor mijn rekening nemen,' zei Jonas Sandberg plotseling.

Gullberg keek de juniormedewerker aan.

'Weet je zeker dat je zoiets kunt organiseren?'

Sandberg knikte.

'Mooi. Vanaf nu is Clinton jouw chef. Je krijgt je orders van hém.'

Sandberg knikte.

'De operationele afdeling moet worden versterkt, want er zal veel bewaking nodig zijn,' zei Nyström. 'Ik heb een paar voorstellen voor namen. We hebben een knul in de externe organisatie – hij werkt bij persoonsbeveiliging bij de veiligheidsdienst en heet Mårtensson. Hij is niet bang en veelbelovend. Ik denk er al een tijdje over om hem naar de interne organisatie te halen. Ik zit er zelfs over te denken of hij niet mijn opvolger zou kunnen worden.'

'Dat klinkt goed,' zei Gullberg. 'Clinton beslist.'

'Ik heb nog een nieuwtje,' zei Georg Nyström. 'Ik ben bang dat er een derde kopie is.'

'Waar?'

'Ik heb vanmiddag gehoord dat Lisbeth Salander een advocaat heeft. Haar naam is Annika Giannini. Ze is de zus van Mikael Blomkvist.'

Gullberg knikte.

'Je hebt gelijk. Blomkvist heeft zijn zus een kopie gegeven. Dat moet wel. We moeten hen dus alle drie – Berger, Blomkvist en Giannini – de komende tijd in de gaten houden.'

'Ik geloof niet dat we ons druk hoeven te maken over Berger. Er is vandaag een persbericht uitgegaan dat zij de nieuwe hoofdredacteur van de *Svenska Morgon-Posten* wordt. Zij heeft dus niets meer met *Millennium* te maken.'

'Oké. Maar hou haar in elk geval in de gaten. Wat betreft *Millennium* moeten de telefoons worden afgetapt, zowel bij de mensen thuis als op de redactie. We moeten hun e-mail controleren. We moeten weten wie ze ontmoeten en wie ze spreken. En we willen natuurlijk graag weten op welke manier ze met hun onthulling denken te gaan komen. En, het belangrijkste, we moeten uiteraard beslag leggen op die kopieën. Een hoop details, dus.'

Wadensjöö klonk aarzelend.

'Evert, je vraagt ons activiteiten uit te voeren ten aanzien van een krantenredactie. Dat is een van de gevaarlijkste dingen die we kunnen doen.'

'Je hebt geen keus. Of je stroopt je mouwen op óf het wordt tijd dat iemand anders hier het roer overneemt.'

De uitdaging hing als een donkere wolk boven tafel.

'Ik denk dat ik *Millennium* wel aankan,' zei Jonas Sandberg uiteindelijk. 'Maar geen van deze zaken lost het fundamentele probleem op. Wat doen we met die Zalachenko van jou? Als hij gaat praten, zijn alle inspanningen tevergeefs.'

Gullberg knikte langzaam.

'Ik weet het. Dat is mijn gedeelte van de operatie. Ik denk dat ik een argument heb dat Zalachenko ervan zal overtuigen zijn mond te houden. Maar dat vereist behoorlijk wat voorbereiding. Ik vertrek vanmiddag al naar Göteborg.'

Hij zweeg en keek om zich heen. Toen keek hij met een priemende blik naar Wadensjöö.

'Clinton neemt in mijn afwezigheid de operationele beslissingen,' zei hij.

Wadensjöö knikte ten langen leste.

Pas op maandagavond bepaalde dokter Helena Endrin in overleg met haar collega Anders Jonasson dat de toestand van Lisbeth Salander zo stabiel was dat ze bezoek mocht ontvangen. Haar eerste bezoekers waren twee inspecteurs van de recherche, die een kwartier kregen om vragen te stellen. Lisbeth Salander keek de twee politiemensen zwijgend aan toen ze haar kamer binnenkwamen en een stoel pakten.

'Dag. Mijn naam is inspecteur Marcus Erlander. Ik werk bij de afdeling Geweld hier in Göteborg. Dit is mijn collega Sonja Modig van de politie in Stockholm.'

Lisbeth Salander groette niet terug. Ze vertrok geen spier. Ze herkende Modig als een van de smerissen uit de groep van Bublanski. Erlander glimlachte koeltjes.

'Ik heb begrepen dat je nooit veel woorden wisselt met overheidsinstanties. Ik wil je daarom laten weten dat je helemaal niets hoeft te zeggen. Ik zou het daarentegen op prijs stellen als je zou willen luisteren. We hebben een aantal zaken en niet veel tijd om die allemaal vandaag af te handelen. We zullen de komende tijd dus regelmatig terugkomen.'

Lisbeth Salander zei niets.

'Ik wil je allereerst informeren dat je vriend Mikael Blomkvist ons heeft laten weten dat een advocate genaamd Annika Giannini bereid is jou te vertegenwoordigen en dat ze op de hoogte is van de zaak. Hij zegt dat hij haar naam al een keer heeft laten vallen. Ik moet een bevestiging van je hebben dat dat inderdaad het geval is en ik wil weten of je wilt dat advocaat Giannini naar Göteborg komt om je bij te staan.'

Lisbeth Salander zei niets.

Annika Giannini. De zus van Mikael Blomkvist. Hij had haar in een brief genoemd. Lisbeth had er niet over nagedacht dat ze een advocaat nodig zou hebben.

'Het spijt me, maar ik moet je toch vragen die vraag te beantwoorden. Een "ja" of "nee" is voldoende. Als je "ja" zegt, neemt de officier van justitie hier in Göteborg contact op met advocaat Giannini. Als je "nee" zegt, zal de rechtbank je een pro-Deoadvocaat toewijzen. Wat wil je?'

Lisbeth Salander overwoog het voorstel. Ze nam aan dat ze inderdaad een advocaat nodig zou hebben, maar de zus van die *Verrekte Kalle Blomkvist*, dat was wel heel sterk. Dat zou hij wel willen. Aan de andere kant was een onbekende pro-Deoadvocaat nauwelijks beter. Uiteindelijk deed ze haar mond open en bracht krassend één woord uit.

'Giannini.'

'Mooi. Bedankt. Dan heb ik nog een vraag. Je hoeft niets te zeggen tot je advocaat erbij is, maar deze vraag heeft voor zover ik weet geen betrekking op jou of je welbevinden. De politie is nu op zoek naar de vijfendertigjarige Duitse staatsburger Ronald Niedermann, die wordt gezocht voor de moord op een politieman.'

Lisbeth fronste een wenkbrauw. Dat was nieuw voor haar. Ze had geen idee wat er was gebeurd nadat ze Zalachenko met die bijl had bewerkt.

'Wij, de politie van Göteborg, willen hem zo snel mogelijk zien te vinden. Mijn collega uit Stockholm wil hem bovendien ondervragen in verband met de drie moorden waarvan jij eerder werd verdacht. We vragen jou dus om hulp. Onze vraag aan jou is of jij enig idee hebt ... of jij ons kunt helpen hem te lokaliseren?'

Lisbeth keek wantrouwend van Erlander naar Modig en weer terug. *Ze weten niet dat hij mijn broer is.*

Daarna vroeg ze zich af of ze wilde dat Niedermann al dan niet zou worden gepakt. Het liefst zou ze hem óók in Gosseberga in een gat in de grond stoppen. Uiteindelijk haalde ze haar schouders op. Wat ze niet had moeten doen, omdat er onmiddellijk een scherpe pijnscheut door haar linkerschouder sneed.

'Wat is het vandaag voor dag?'

'Maandag.'

Ze dacht na.

'De eerste keer dat ik de naam Ronald Niedermann hoorde, was vorige week donderdag. Ik heb hem weten op te sporen tot Gosseberga. Ik heb geen idee waar hij zich kan bevinden of waar hij heen kan zijn gevlucht. Ik denk dat hij zich zo snel mogelijk in het buitenland in veiligheid zal proberen te brengen.'

'Waarom denk je dat hij naar het buitenland zal gaan?'
Lisbeth dacht na.
'Omdat Zalachenko, toen Niedermann buiten een graf voor mij aan het graven was, tegen mij zei dat de aandacht wat te groot was geworden en dat ze al hadden gepland dat Niedermann een tijdje naar het buitenland zou gaan.'
Zoveel woorden had Lisbeth Salander sinds haar twaalfde niet meer met een politieman gewisseld.
'Zalachenko ... dat is dus je vader.'
Dat hadden ze in elk geval uitgevist. Die *Verrekte Kalle Blomkvist* zeker.
'Ik moet je laten weten dat je vader aangifte tegen jou heeft gedaan wegens poging tot moord. De zaak ligt momenteel bij de officier van justitie, die een beslissing zal nemen over een eventuele beschuldiging. Het is echter wel zo dat je reeds bent aangehouden wegens zware mishandeling. Je hebt Zalachenko met een bijl bewerkt.'
Lisbeth zei niets. Het was lange tijd stil. Toen boog Sonja Modig zich voorover en sprak met zachte stem.
'Ik wil wél zeggen dat wij weinig geloof hechten aan Zalachenko's verhaal. Ga een serieus gesprek aan met je advocaat, dan kunnen we er later op terugkomen.'
Erlander knikte. De politiemensen stonden op.
'Bedankt voor je hulp met Niedermann,' zei Erlander.
Lisbeth was verbaasd dat de politiemensen correct en bijna vriendelijk hadden opgetreden. Ze dacht na over Sonja Modigs opmerking. Die moest een bijbedoeling hebben, meende ze.

7
MAANDAG 11 APRIL – DINSDAG 12 APRIL

Mikael Blomkvist deed maandagavond om kwart voor zes zijn iBook dicht en stond op van achter de keukentafel, thuis in zijn flat aan de Bellmansgatan. Hij trok een jack aan en wandelde naar het kantoor van Milton Security bij Slussen. Hij nam de lift naar de receptie op de derde verdieping en werd onmiddellijk naar een vergaderruimte verwezen. Hij kwam exact om zes uur binnen en was de laatste.

'Hallo Dragan,' zei hij en hij gaf Dragan Armanskij een hand. 'Bedankt dat je gastheer wilde zijn voor deze informele bijeenkomst.'

Hij keek om zich heen. Het gezelschap bestond buiten hemzelf en Dragan Armanskij uit Annika Giannini, Holger Palmgren en Malin Eriksson. Van de kant van Milton was ook oud-rechercheur Sonny Bohman aanwezig, die in opdracht van Armanskij het Salander-onderzoek vanaf dag één had gevolgd.

Het was Holger Palmgrens eerste uitstapje in meer dan twee jaar. Zijn arts, dr. A. Sivarnandan, was allesbehalve blij geweest met de gedachte dat hij hem uit de revalidatiekliniek van Ersta moest laten gaan, maar Palmgren had erop gestaan. Hij had een rolstoeltaxi genomen en gezelschap gekregen van zijn persoonlijke assistente, Johanna Karolina Oskarsson, negenendertig jaar oud, wier salaris werd betaald uit een fonds dat op mysterieuze wijze was opgericht om Palmgren de best mogelijke zorg te geven. Johanna Karolina Oskarsson zat aan een tafeltje buiten de vergaderruimte te wachten. Ze had een boek bij zich. Mikael deed de deur dicht.

'Voor wie haar niet kent – dit is Malin Eriksson, de nieuwe hoofdredacteur van *Millennium*. Ik heb haar gevraagd te komen, omdat datgene wat wij gaan bespreken ook invloed heeft op haar werk.'

'Oké,' zei Armanskij. 'Wij zijn er. Ik ben een en al oor.'

Mikael nam plaats naast Armanskij's whiteboard en pakte een stift.

Hij keek om zich heen.

'Dit is het gekste wat ik ooit heb meegemaakt,' zei hij. 'Als het voorbij is, zal ik een ideële vereniging oprichten. Die zal ik "Ridders van de dwaze tafel" noemen en het doel zal zijn om jaarlijks een diner te organiseren waar we over Lisbeth Salander gaan roddelen. Jullie zijn allemaal lid.'

Hij laste een pauze in.

'De werkelijkheid ziet er als volgt uit,' zei hij en hij begon trefwoorden op Armanskij's whiteboard te kalken. Hij sprak ruim dertig minuten. De discussie daarna duurde bijna drie uur.

Evert Gullberg ging even met Fredrik Clinton apart zitten toen de vergadering formeel was beëindigd. Ze spraken een paar minuten op gedempte toon voordat Gullberg opstond. De oude wapenbroeders schudden elkaar de hand.

Gullberg nam een taxi terug naar het Freys Hotel, haalde zijn kleren op, checkte uit en nam een middagtrein naar Göteborg. Hij reisde eersteklas en had een coupé voor zich alleen. Toen hij de Årstabrug was gepasseerd, pakte hij een ballpoint en een blok met briefpapier. Hij dacht even na en begon te schrijven. Hij vulde ongeveer een halve pagina met tekst voordat hij zich bedacht en het vel uit het blok scheurde.

Vervalste documenten waren niet zijn afdeling of expertise, maar in dit geval werd de zaak vereenvoudigd door het feit dat de brieven die hij aan het formuleren was door hemzelf zouden zijn ondertekend. Het probleem was alleen dat er geen woord van het geschrevene waar zou zijn.

Toen hij Nyköping passeerde, had hij nog een aantal concepten verworpen, maar begon hij al wel een idee te krijgen hoe de brieven moesten worden geformuleerd. Toen hij in Göteborg aankwam, had hij twaalf brieven waar hij content mee was. Hij zorgde ervoor dat zijn vingerafdrukken duidelijk op het briefpapier stonden.

Op het Centraal Station van Göteborg slaagde hij erin een kopieerapparaat te vinden en maakte hij kopieën van de brieven. Daarna kocht hij enveloppen en postzegels, en deed hij de brieven in de brievenbus, die om 21.00 uur zou worden geleegd.

Gullberg nam een taxi naar het City Hotel aan de Lorensbergsgatan, waar Clinton al een kamer voor hem had gereserveerd. Hij logeerde zodoende in hetzelfde hotel waar Mikael Blomkvist een paar dagen daarvoor had overnacht. Hij ging onmiddellijk naar zijn kamer en ging op bed liggen. Hij was doodmoe en realiseerde zich dat hij die dag maar twee sneetjes brood had gegeten. Hij had nog steeds geen trek. Hij kleedde zich uit, kroop in bed en viel bijna onmiddellijk in slaap.

Lisbeth Salander werd met een schok wakker toen ze de deur hoorde opengaan. Ze wist meteen dat het niet een van de nachtzusters was. Ze deed haar ogen open tot twee smalle spleetjes en zag het silhouet met de krukken in de deuropening staan. Zalachenko stond stil naar haar te kijken, met het beetje licht dat van de gang naar binnen sijpelde.

Zonder zich te bewegen draaide ze haar ogen zó dat ze de digitale wekker kon zien. Het was 3:10 uur.

Ze verplaatste haar blik een paar millimeter en zag het waterglas op de rand van het nachtkastje staan. Ze fixeerde het glas en berekende de afstand. Ze zou het precies kunnen pakken zonder haar lichaam te hoeven verplaatsen.

Het zou een fractie van een seconde duren om haar arm uit te steken en met een standvastige beweging de bovenkant van het glas tegen de harde rand van het nachtkastje te slaan. Het zou vervolgens een halve seconde duren om de scherpe rand tegen Zalachenko's strot te duwen als hij over haar heen boog. Ze bedacht of er een alternatief was, maar kwam tot de conclusie dat dit haar enig mogelijke wapen was.

Ze ontspande zich en wachtte.

Zalachenko bleef twee minuten roerloos in de deuropening staan.

Toen trok hij voorzichtig de deur dicht. Ze hoorde het licht schrapende geluid van de krukken toen hij zachtjes wegstrompelde.

Na vijf minuten kwam ze een stukje overeind, leunde op haar ellebogen, strekte zich uit naar het glas water en nam een grote slok. Ze zwaaide haar benen over de rand van het bed en maakte de elektrodes van haar arm en borstkas los. Ze ging wankelend staan. Het kostte haar een minuut om haar lichaam onder controle te krijgen. Ze hinkte naar de deur, leunde tegen de muur en haalde adem. Het koude zweet brak haar uit. Toen werd ze ontzettend kwaad.

Fuck you, Zalachenko. Laten we dit afronden.

Ze had een wapen nodig.

Het volgende moment hoorde ze snelle hakken in de gang.

Shit. De elektrodes.

'Wat doe jij in godsnaam op?' riep de nachtzuster.

'Ik moest ... naar ... het toilet,' zei Lisbeth buiten adem.
'Ga onmiddellijk liggen.'
Ze greep Lisbeths hand en ondersteunde haar terug naar het bed. Daarna haalde ze een steek.
'Als je naar het toilet moet, moet je ons bellen. Daar is die knop voor,' zei de verpleegster.
Lisbeth zei niets. Ze concentreerde zich en probeerde er een paar druppeltjes uit te persen.

Mikael Blomkvist werd dinsdag om halfelf wakker, douchte, zette koffie en ging daarna met zijn iBook op de bank zitten. Na de bespreking bij Milton Security de avond ervoor was hij naar huis gegaan en had hij tot vijf uur 's morgens zitten werken. Hij voelde dat het verhaal eindelijk vorm begon te krijgen. Over Zalachenko's biografie tastte hij nog in het duister – alles wat hij had, was de informatie die hij uit Björck had weten te persen en de details die Holger Palmgren had kunnen aanvullen. Het verhaal over Lisbeth Salander was bijna klaar. Hij legde stap voor stap uit hoe ze het slachtoffer was geworden van een stel Koude Oorlogveteranen van de veiligheidsdienst en in een kinderpsychiatrische kliniek was opgesloten zodat ze het geheim over Zalachenko niet prijs zou geven.
Hij was tevreden met de tekst. Hij had een geweldig verhaal dat een eersteklas bestseller zou worden en dat bovendien in de hoogste regionen van de overheidsbureaucratie problemen zou veroorzaken.
Hij stak een sigaret op terwijl hij nadacht.
Hij zag twee grote hiaten die hij moest opvullen. Het ene was te doen. Hij moest Peter Teleborian onder handen nemen en daar keek hij naar uit. Als hij met Teleborian klaar was, zou de bekende kinderpsychiater een van de meest verafschuwde mannen van Zweden zijn. Dat was punt één.
Het andere probleem was aanzienlijk gecompliceerder.
De samenzwering tegen Lisbeth Salander – hij dacht aan hen als de Zalachenko-club – zat binnen de veiligheidsdienst. Hij kende één naam, Gunnar Björck, maar Gunnar Björck kon onmogelijk de enige verantwoordelijke zijn. Er moest een groep zijn, een of andere afdeling. Er moesten leidinggevenden zijn, verantwoordelijken en een budget. Het probleem was dat hij geen idee had hoe hij deze mensen zou kunnen achterhalen. Hij wist niet waar hij moest beginnen. Hij had slechts een rudimentair idee van hoe de veiligheidsdienst was georganiseerd.

Maandag was hij met de research begonnen door Henry Cortez naar een paar antiquariaten op Södermalm te sturen met als taak elk boek te kopen dat betrekking had op de veiligheidsdienst. Cortez was maandagmiddag tegen vieren met zes boeken naar Mikael Blomkvists huis gekomen. Mikael keek naar de stapel op tafel.

Spionage in Zweden van Mikael Rosquist (Tempus, 1988); *Säpochef 1962-70* van Per Gunnar Vinge (W&W, 1988); *Geheime machten* van Jan Ottosson en Lars Magnusson (Tidens förlag, 1991); *Machtsstrijd om de veiligheidsdienst* van Erik Magnusson (Corona, 1989); *Een taak* van Carl Lidbom (W&W, 1990) en – enigszins verrassend – *An Agent in Place* van Thomas Whiteside (Ballantine, 1966), dat over de Wennerström-affaire ging. De Wennerström-affaire uit de jaren zestig dus, niet zijn eigen Wennerström-affaire uit de eenentwintigste eeuw.

Hij had het merendeel van de nacht van maandag op dinsdag doorgebracht met het lezen of ten minste doorbladeren van de boeken die Henry Cortez had gevonden. Toen hij klaar was met lezen, trok hij een paar conclusies. Ten eerste leken de meeste boeken die ooit over de veiligheidsdienst waren geschreven, eind jaren tachtig te zijn uitgekomen. Na een zoekpoging op internet bleek dat er geen noemenswaardige actuele literatuur op dat gebied was.

Ten tweede leek er geen helder overzicht te bestaan van de werkzaamheden van de Zweedse geheime politie door de jaren heen. Dat was nog begrijpelijk als je bedacht dat veel zaken geheim waren en er daardoor moeilijk over kon worden geschreven, maar er leek geen enkel instituut, geen enkele onderzoeker en geen enkel medium te bestaan dat de veiligheidsdienst kritisch had gescreend.

Hij vond het ook eigenaardig dat in geen van de boeken die Henry Cortez had gevonden een literatuurverwijzing was opgenomen. Voetnoten bestonden daarentegen vaak uit verwijzingen naar artikelen in de avondkranten of particuliere interviews met gepensioneerde veiligheidsmannen.

Het boek *Geheime machten* was fascinerend, maar behandelde grotendeels de tijd voor en tijdens de Tweede Wereldoorlog. De memoires van P.G. Vinge beschouwde Mikael als een propagandaboek, geschreven als zelfverdediging van een sterk bekritiseerde en ontslagen chef van de veiligheidsdienst. *An Agent in Place* bevatte al in het eerste hoofdstuk zoveel onzin over Zweden dat hij het boek meteen in de prullenbak dumpte. De enige boeken met een uitgesproken ambitie om het werk van de veiligheidsdienst te beschrijven, waren *Machtsstrijd om de veiligheidsdienst* en *Spionage in Zweden*. Daarin stonden data, namen en voorbeelden van bureaucratie. Vooral het boek van Erik Magnusson vond Mikael bijzonder de moeite waard. Ook al gaf het geen antwoord op zijn onmiddellijke vragen, het gaf een goed beeld van hoe de veiligheidsdienst eruit had gezien en waar de organisatie zich tijdens de voorgaande decennia mee bezig had gehouden.

De grootste verrassing was echter *Een taak* van Carl Lidbom, dat de problemen beschreef waarmee de voormalige ambassadeur in Parijs had geworsteld toen hij in opdracht van de Zweedse regering in het kader van de Palme-moord en de Ebbe Carlsson-affaire de veiligheidsdienst onder de loep had genomen. Mikael had nooit eerder iets van Carl Lidbom gelezen en was verrast door het ironische taalgebruik, gelardeerd met messcherpe waarnemingen. Maar ook het boek van Carl Lidbom bracht Mikael niet dichter bij het antwoord op zijn vragen, ook al begon hij een idee te krijgen van de problemen waar hij zelf mee te kampen had.

Na een tijdje te hebben nagedacht, pakte hij zijn mobiele telefoon en belde Henry Cortez.

'Hoi Henry. Bedankt voor het voetenwerk van gisteren.'

'Hm. Wat wil je?'

'Nog meer voetenwerk.'

'Micke, ik heb werk te doen. Ik ben redactiesecretaris geworden.'

'Een fantastische stap op je carrièreladder.'

'Wat wil je?'

'Er zijn in de loop der jaren een aantal officiële onderzoeken naar de veiligheidsdienst geweest. Carl Lidbom heeft er één van gedaan. Er moeten nog meer van zulke onderzoeken zijn.'

'Ja, en?'

'Probeer alles los te peuteren wat je maar kunt vinden – budgetten, officiële publicaties, interpellaties en dergelijke. En bestel de jaarverslagen van de veiligheidsdienst zo ver mogelijk terug.'

'Ja, baas.'

'Mooi. En, Henry ...'

'Ja?'

'... ik heb het pas morgen nodig.'

Lisbeth Salander besteedde de dag aan het piekeren over Zalachenko. Ze wist dat hij zich twee kamers van de hare bevond, dat hij 's nachts door de gangen struinde en dat hij die ochtend om 3.10 uur naar haar kamer was gekomen.

Ze had hem in Gosseberga opgespoord met als doel hem te doden. Dat was mislukt, met als gevolg dat Zalachenko nog leefde en zich minder dan 10 meter bij haar vandaan bevond. Ze zat in de shit. Hoe erg kon ze niet goed overzien, maar ze nam aan dat ze zou moeten vluchten en discreet naar het buitenland zou moeten verdwijnen als ze niet wilde riskeren om weer in een of ander gekkenhuis te worden opgesloten met Peter Teleborian als portier.

Het probleem was natuurlijk dat ze amper energie genoeg had om zelfs maar overeind te gaan zitten in bed. Ze merkte verbetering. Ze had nog wel hoofdpijn, maar die kwam in golven in plaats van constant aanwezig te zijn. De pijn in haar schouder lag onder de oppervlakte en brak uit als ze zich probeerde te bewegen.

Ze hoorde voetstappen voor de deur en zag een verpleegkundige de deur opendoen en een vrouw binnenlaten, gekleed in een zwarte broek, een witte bloes en een donker jasje. Het was een knappe, slanke vrouw met donker haar en een kort jongenskapsel. Ze straalde zelfvertrouwen uit. Ze had een zwarte aktetas in haar hand. Lisbeth zag onmiddellijk dat ze dezelfde ogen had als Mikael Blomkvist.

'Dag Lisbeth, ik ben Annika Giannini,' zei ze. 'Mag ik binnenkomen?'

Lisbeth keek haar uitdrukkingsloos aan. Ze had plotseling geen enkele zin om de zus van Mikael Blomkvist te ontmoeten en had spijt dat ze ja had gezegd op het voorstel dat Annika haar advocaat zou worden.

Annika Giannini stapte binnen, deed de deur achter zich dicht en trok een stoel bij. Ze zat een paar seconden haar cliënte zwijgend in zich op te nemen.

Lisbeth Salander zag er ellendig uit. Haar hoofd zat helemaal in het verband, ze had enorme, paarsachtige blauwe plekken rond beide bloeddoorlopen ogen.

'Voordat we ergens over gaan praten, moet ik weten of je echt wilt dat ik je advocaat word. Ik ben normaliter alleen betrokken bij civiele zaken waarin ik slachtoffers van verkrachtingen of mishandelingen vertegenwoordig. Ik ben geen strafpleiter. Ik heb me daarentegen verdiept in de details van jouw zaak en wil je graag vertegenwoordigen als dat mag. Ik moet je ook zeggen dat Mikael Blomkvist mijn broer is – ik geloof dat je dat al weet – en dat hij en Dragan Armanskij mijn honorarium betalen.'

Ze wachtte even, maar omdat ze geen reactie van haar cliënte kreeg, ging ze door.

'Als je mij als advocaat wilt, werk ik voor jou. Ik werk dus niet voor mijn broer of voor Armanskij. Ik krijg bijstand in het strafrechtelijke gedeelte van je oude voogd Holger Palmgren. Hij is een doorzetter die zich van zijn ziekbed heeft gesleept om jou te helpen.'

'Palmgren?' vroeg Lisbeth Salander.

'Ja.'

'Heb je hem ontmoet?'

'Ja. Hij zal mijn adviseur zijn.'

'Hoe gaat het met hem?'

'Hij is razend, maar is opmerkelijk genoeg niet ongerust over je.'

Lisbeth Salander lachte een scheef lachje. Het eerste sinds ze in het Sahlgrenska-ziekenhuis was beland.

'Hoe voel je je?' vroeg Annika Giannini.

'Als een zoutzak,' zei Lisbeth Salander.

'Oké. Wil je mij als verdediger? Armanskij en Mikael betalen mijn honorarium en ...'

'Nee.'

'Hoe bedoel je?'

'Ik betaal het zelf. Ik wil geen öre van Armanskij en Kalle Blomkvist hebben. Maar ik kan je niet betalen voordat ik toegang heb tot internet.'

'Ik begrijp het. We lossen die vraag op als die aan de orde is. Het grootste gedeelte van mijn salaris wordt hoe dan ook uit de algemene middelen betaald. Je wilt dus dat ik je zal vertegenwoordigen?'

Lisbeth Salander knikte kort.

'Mooi. Dan wil ik allereerst een bericht doorgeven van Mikael. Hij drukt zich cryptisch uit, maar zegt dat jij zult begrijpen wat hij bedoelt.'

'O ja?'

'Hij zegt dat hij mij het meeste heeft verteld, op een paar dingen na. Het eerste heeft betrekking op vaardigheden van jou die hij in Hedestad heeft ontdekt.'

Mikael weet dat ik een fotografisch geheugen heb ... en dat ik hacker ben. Daarover heeft hij gezwegen.

'Oké.'

'Het tweede is de cd. Ik weet niet waar hij op doelt, maar hij zegt dat dat iets is waarvan jij zelf moet beslissen of je dat aan mij wilt vertellen of niet. Begrijp je waar hij het over heeft?'

De cd met de film waarop staat hoe Bjurman mij verkracht.

'Ja.'

'Oké ...'
Annika Giannini aarzelde plotseling.
'Ik ben een beetje boos op Mikael. Hoewel hij mij in de arm heeft genomen, vertelt hij alleen wat hem uitkomt. Ben jij ook van plan dingen voor mij te verzwijgen?'
Lisbeth dacht na.
'Geen idee.'
'Wij zullen veel met elkaar moeten praten. Ik kan nu niet blijven, omdat ik over drie kwartier een afspraak heb met officier van justitie Agneta Jervas. Ik moest alleen maar van jou bevestigd hebben dat je mij als advocaat wilt. Ik geef je ook een instructie ...'
'Ja?'
'Die is als volgt. Als ik er niet bij ben, zeg je geen woord tegen de politie, wat ze ook vragen. Ook als ze je provoceren en voor verschillende dingen aanklagen. Kun je me dat beloven?'
'Geen enkel probleem,' zei Lisbeth Salander.

Evert Gullberg was volledig uitgeput geweest na de inspanningen van maandag en werd pas om negen uur 's morgens wakker, wat bijna vier uur later was dan normaal. Hij ging naar de badkamer, waste zich en poetste zijn tanden. Hij stond lang in de spiegel naar zijn gezicht te kijken voordat hij het licht in de badkamer uitdeed en zich aankleedde. Hij koos het enige schone overhemd dat hij nog had uit de bruine aktetas en deed een bruine das met een motiefje om.
Hij ging naar beneden naar de ontbijtzaal, dronk een kop koffie en at een sneetje geroosterd witbrood met een plakje kaas en een beetje sinaasappelmarmelade. Hij dronk een groot glas mineraalwater.
Daarna ging hij naar de hotellobby en belde Fredrik Clintons mobiele telefoon vanaf een kaarttelefoon.
'Met mij. Hoe is de stand van zaken?'
'Vrij onrustig.'
'Fredrik, kun je dit aan?'
'Ja, het is als vroeger. Jammer dat Hans von Rottinger er niet meer is. Hij was beter in het plannen van operaties dan ik.'
'Jullie waren even goed. Jullie konden elkaar te allen tijde vervangen. Wat jullie ook vrij vaak deden.'
'Het gaat om het fingerspitzengefühl. Daarin was hij altijd nét iets beter.'
'Hoe gaat het?'
'Sandberg is pienterder dan we dachten. We hebben hulp van bui-

tenaf binnengehaald in de vorm van Mårtensson. Hij is een loopjongen, maar hij is bruikbaar. Blomkvists telefoon thuis en zijn mobiel worden afgeluisterd. We gaan vandaag ook de telefoons van Giannini en *Millennium* onder handen nemen. We zijn bezig met de plattegronden van kantoren en appartementen. We gaan zo spoedig mogelijk naar binnen.'

'Je moet eerst lokaliseren waar alle kopieën zijn ...'

'Dat heb ik al gedaan. We hadden ontzettende mazzel. Annika Giannini belde Blomkvist om tien uur vanmorgen. Ze vroeg specifiek hoeveel kopieën er in omloop waren en uit het gesprek bleek dat Mikael Blomkvist de enige kopie heeft. Berger heeft een kopie van het rapport gemaakt, maar heeft die aan Bublanski gestuurd.'

'Mooi. We hebben geen tijd te verliezen.'

'Ik weet het. Maar het moet in één keer gebeuren. Als we niet alle kopieën van het rapport van Björck tegelijkertijd pakken, gaat het niet goed.'

'Weet ik.'

'Het is wat gecompliceerd, omdat Giannini vanochtend naar Göteborg is afgereisd. Ik heb een team externe medewerkers achter haar aan gestuurd. Ze zitten momenteel in het vliegtuig.'

'Mooi.'

Gullberg wist verder niets meer te zeggen. Hij zweeg geruime tijd.

'Bedankt, Fredrik,' zei hij uiteindelijk.

'Jij ook bedankt. Dit is leuker dan tevergeefs op een nier zitten wachten.'

Ze zeiden elkaar gedag. Gullberg betaalde de hotelrekening en ging de straat op. Het balletje was aan het rollen. Nu moest alleen de choreografie nog exact gelijk lopen.

Hij wandelde eerst naar het Park Avenue Hotel, waar hij vroeg of hij gebruik mocht maken van de fax. Hij deed dat liever niet in het hotel waar hij had gelogeerd. Hij faxte de brieven die hij de dag ervoor in de trein had geschreven. Daarna liep hij naar de Avenue en zocht een taxi. Hij stopte bij een prullenbak en verscheurde de fotokopieën die hij van zijn brieven had gemaakt.

Annika Giannini sprak een kwartier met officier van justitie Agneta Jervas. Ze wilde weten welke aanklachten de officier tegen Lisbeth Salander had, maar begreep al spoedig dat Jervas niet precies wist wat er zou gebeuren.

'Op dit moment houd ik haar alleen aan wegens zware mishandeling dan wel poging tot moord. Ik doel daarbij dus op het feit dat Lisbeth Salander haar vader heeft geslagen met een bijl. Ik ga ervan uit dat u zich zult beroepen op noodweer.'

'Misschien.'

'Maar eerlijk gezegd is politiemoordenaar Niedermann momenteel mijn hoogste prioriteit.'

'Dat begrijp ik.'

'Ik heb contact gehad met de procureur-generaal. Nu is de discussie gaande of alle aanklachten tegen uw cliënte zullen worden verzameld onder één officier van justitie in Stockholm en zullen worden gekoppeld aan datgene wat daar heeft plaatsgevonden.'

'Ik veronderstel dat het zal worden overgeheveld naar Stockholm.'

'Goed. Hoe dan ook, ik moet de mogelijkheid hebben om Lisbeth Salander te verhoren. Wanneer zou dat kunnen?'

'Ik heb een uitspraak van haar arts, Anders Jonasson. Hij geeft aan dat Lisbeth Salander de komende dagen nog niet in staat is tot een verhoor. Afgezien van haar lichamelijke conditie is ze sterk onder invloed van pijnstillers.'

'Ik heb ook een dergelijk bericht ontvangen. U begrijpt wellicht dat het frustrerend voor mij is. Ik herhaal dat mijn prioriteit momenteel bij Ronald Niedermann ligt. Uw cliënte zegt dat zij niet weet waar hij zich schuilhoudt.'

'Wat overeenkomt met de waarheid. Ze kent Niedermann niet. Ze is erin geslaagd hem te identificeren en op te sporen.'

'Oké,' zei Agneta Jervas.

Evert Gullberg had een bloemetje in zijn hand toen hij samen met een kortharige vrouw in een donker jasje in de lift van het Sahlgrenska stapte. Hij hield beleefd de liftdeur voor haar open en liet haar als eerste naar de receptie van de afdeling gaan.

'Mijn naam is Annika Giannini. Ik ben advocaat en heb een nieuwe ontmoeting met mijn cliënte Lisbeth Salander.'

Evert Gullberg draaide zijn hoofd om en keek verbaasd naar de vrouw voor wie hij de lift had opengehouden. Hij verplaatste zijn blik en keek naar haar aktetas terwijl de verpleegkundige Giannini's legitimatie controleerde en een lijst raadpleegde.

'Kamer twaalf,' zei de verpleegkundige.

'Dank u. Ik ben er al geweest, ik weet het te vinden.'

Ze pakte haar tas en verdween uit Gullbergs blikveld.

'Kan ik u helpen?' vroeg de zuster.

'Ja graag, ik wil deze bloemen aan Karl Axel Bodin geven.'
'Hij mag geen bezoek ontvangen.'
'Dat weet ik, ik wil die bloemen alleen afgeven.'
'Wij kunnen ze namens u aan hem geven.'
Gullberg had de bloemen voornamelijk meegebracht om een smoes te hebben. Hij wilde een idee krijgen hoe de afdeling eruitzag. Hij bedankte en liep naar de uitgang. Op weg daarheen passeerde hij Zalachenko's deur; kamer veertien volgens Jonas Sandberg.
Hij wachtte in het trappenhuis. Door het glas in de deur zag hij de verpleegster aankomen met de bloemen die hij net had afgegeven en in Zalachenko's kamer verdwijnen. Toen ze naar de receptie terugkeerde, schoof Gullberg de deur open, liep snel naar kamer veertien en glipte naar binnen.
'Hallo Alexander,' zei hij.
Zalachenko keek verbaasd naar zijn onaangekondigde gast.
'Ik dacht dat jij zo langzamerhand wel dood was,' zei hij.
'Nog niet,' zei Gullberg.
'Wat wil je?' vroeg Zalachenko.
'Wat denk je?'
Gullberg trok de bezoekersstoel naar voren en ging zitten.
'Mij vermoedelijk dood zien.'
'Ja, dat zou welkom zijn. Hoe kon je zo ongelofelijk naïef zijn? We hebben je een heel nieuw leven gegeven en dan beland je híér.'
Als Zalachenko had kunnen lachen, had hij dat gedaan. De Zweedse veiligheidsdienst bestond naar zijn mening uit amateurs. Daartoe rekende hij Evert Gullberg en Sven Jansson, alias Gunnar Björck. Om nog maar te zwijgen over zo'n volstrekte idioot als advocaat Nils Bjurman.
'En nu mogen wij de kooltjes uit het vuur halen.'
Die uitdrukking was wat wrang voor de met zware brandwonden bedekte Zalachenko.
'Kom hier niet als moraalridder. Zorg dat ik hieruit kom.'
'Daar wilde ik het met je over hebben.'
Hij pakte zijn aktetas, zette hem op zijn schoot, haalde er een leeg schrijfblok uit en sloeg een blanco pagina open. Toen keek hij Zalachenko onderzoekend aan.
'Er is één ding waar ik nieuwsgierig naar ben ... Zou je ons daadwerkelijk verlinken na alles wat we voor je hebben gedaan?'
'Wat denk je zelf?'
'Dat hangt ervan af hoe gestoord je bent.'

'Noem me niet gestoord. Ik ben een overlever. Ik doe wat ik moet doen om te overleven.'

Gullberg schudde zijn hoofd.

'Nee, Alexander, jij doet wat je doet, omdat je slecht en verrot bent. Je wilde antwoord hebben van de Sectie. Ik ben hier om je dat te geven. We zullen deze keer geen poot uitsteken om je te helpen.'

Zalachenko keek voor het eerst onzeker.

'Je hebt geen keus,' zei hij.

'Er is altijd een keus,' zei Gullberg.

'Ik zal ...'

'Jij zult helemaal niets.'

Gullberg haalde diep adem, stak zijn hand in het buitenvak van zijn bruine aktetas en haalde een Smith & Wesson 9 millimeter met een vergulde kolf tevoorschijn. Het wapen was een cadeau dat hij vijfentwintig jaar geleden van de Engelse geheime dienst had gekregen – het resultaat van een onschatbaar stuk informatie dat hij Zalachenko had ontfutseld en dat hij had weten om te zetten in harde valuta in de vorm van de naam van een stenograaf bij de Engelse MI-5, die in de geest van Philby voor de Russen werkte.

Zalachenko keek ontsteld. Toen begon hij te lachen.

'En wat denk je daarmee te gaan doen? Mij neerknallen? Dan breng je de rest van je miserabele leven in de gevangenis door.'

'Dat denk ik niet,' zei Gullberg.

Zalachenko wist opeens niet zeker of Gullberg blufte of niet.

'Dat zal een schandaal met enorme proporties worden.'

'Dat denk ik evenmin. Er komen een paar krantenkoppen. Maar over een week is er niemand meer die zich de naam Zalachenko nog herinnert.'

Zalachenko's ogen versmalden zich.

'Gore klootzak,' zei Gullberg met zo'n kilte in zijn stem dat Zalachenko vanbinnen bevroor.

Hij omklemde de trekker en plaatste het schot midden op Zalachenko's voorhoofd, precies op het moment dat Zalachenko zijn prothese over de rand van het bed zwaaide. Zalachenko werd teruggeworpen tegen het kussen. Hij spartelde een paar keer spastisch voor hij stillag. Gullberg zag dat er een bloem van rode spetters op de muur achter het hoofdeinde van het bed was gevormd. De knal weergalmde in zijn oren en hij wreef automatisch met zijn vrije wijsvinger in zijn gehoorgang.

Daarna stond hij op, liep naar Zalachenko toe en drukte nog tweemaal af. Hij wilde er zeker van zijn dat de klootzak echt dood was.

Lisbeth Salander kwam met een ruk overeind toen het eerste schot viel. Ze voelde een helse pijn in haar schouder. Toen de twee volgende schoten vielen, probeerde ze haar benen over de rand van het bed te gooien.

Annika Giannini had pas een paar minuten met Lisbeth zitten praten toen ze de schoten hoorde. Ze zat eerst als verlamd en probeerde te begrijpen waar de scherpe knallen vandaan kwamen. Door de reactie van Lisbeth Salander begreep ze dat er iets niet pluis was.

'Lig stil,' schreeuwde Annika Giannini. Ze legde automatisch haar hand op Lisbeth Salanders borstkas en drukte haar cliënte ruw en met zó'n kracht op het bed, dat Lisbeth de adem werd benomen.

Daarna liep Annika snel door de kamer en trok de deur open. Ze zag twee verpleegsters die naar een kamer twee deuren verderop op de gang renden. De eerste van de verpleegkundigen bleef op de drempel staan. Annika hoorde haar schreeuwen: 'Nee, niet doen' en zag haar daarna een stap terugdeinzen en tegen de andere verpleegkundige opbotsen.

'Hij is gewapend. Rennen.'

Annika zag de twee verpleegkundigen de deur van de kamer naast die van Lisbeth Salander openmaken en daar beschutting zoeken.

Op het volgende moment zag ze de grijsharige, magere man in het colbert met het pepitaruitje de gang op komen. Hij had een pistool in zijn hand. Annika herkende hem als de man met wie ze een paar minuten eerder in de lift had gestaan.

Daarna ontmoetten hun blikken elkaar. Hij keek verward. Toen zag ze hem het wapen in haar richting draaien en een stap naar voren doen. Ze trok haar hoofd naar binnen, gooide de deur dicht en keek wanhopig om zich heen. Er stond een hoge tafel direct naast haar, ze trok hem in één beweging naar de deur en barricadeerde de deurkruk ermee.

Ze hoorde een beweging en draaide haar hoofd om. Ze zag dat Lisbeth Salander bezig was weer uit bed te krabbelen. Ze deed een paar snelle passen, sloeg haar armen om haar cliënte heen en tilde haar op. Ze trok de elektrodes en het infuus los toen ze haar naar het toilet droeg en haar op de wc-deksel zette. Ze keerde zich om en deed de wc-deur op slot. Daarna groef ze haar mobiele telefoon op uit de zak van haar colbert en toetste 112.

Evert Gullberg liep naar de kamer van Lisbeth Salander en probeerde de deurkruk omlaag te drukken. Die was ergens door geblokkeerd. Er zat geen millimeter beweging in.

Even bleef hij besluiteloos voor de deur staan. Hij wist dat Annika Giannini in de kamer was en hij vroeg zich af of er een kopie van het rapport van Björck in haar tas zat. Hij kon de kamer niet in komen en hij had geen kracht genoeg om de deur te forceren.

Maar dat was ook geen onderdeel van het plan. Clinton zou de dreiging van Giannini voor zijn rekening nemen. Zijn eigen taak was alleen Zalachenko.

Gullberg keek om zich heen en zag dat hij door twee dozijn verpleegsters, patiënten en bezoekers werd aangestaard die door deuropeningen naar buiten keken. Hij hief zijn pistool op en loste een schot op een schilderij dat aan het eind van de gang aan de muur hing. Zijn publiek was in een oogwenk verdwenen.

Hij wierp een laatste blik op de gesloten deur, liep daarna resoluut terug naar de kamer van Zalachenko en deed de deur dicht. Hij ging in de bezoekersstoel zitten en keek naar de Russische overloper, die zoveel jaar een intiem deel van zijn eigen leven had uitgemaakt.

Hij zat bijna tien minuten stil tot hij beweging op de gang hoorde en zich realiseerde dat de politie was gearriveerd. Hij dacht aan niets in het bijzonder.

Toen hief hij zijn pistool nog één keer op, richtte het op zijn slaap en drukte af.

Zoals de situatie zich ontwikkelde, was het niet zo handig van Evert Gullberg geweest om zelfmoord te plegen in het Sahlgrenska-ziekenhuis. Hij werd met spoed naar de trauma-eenheid van het ziekenhuis gebracht, waar dokter Anders Jonasson hem opving en onmiddellijk een reeks levensreddende maatregelen nam.

Voor de tweede keer in minder dan een week voerde Jonasson een acute operatie uit waarbij hij een omhulde kogel uit menselijk hersenweefsel haalde. Na een vijf uur durende operatie was Gullbergs toestand kritiek. Maar hij was nog steeds in leven.

Het letsel van Evert Gullberg was aanzienlijk ernstiger dan de verwondingen die Lisbeth Salander had opgelopen. Hij zweefde dagenlang tussen leven en dood.

Mikael Blomkvist bevond zich in de Koffiebar aan de Hornsgatan toen hij op het nieuws hoorde dat de nog niet bij name genoemde vijfenzestigjarige man die werd verdacht van poging tot moord op Lisbeth Salander in het Sahlgrenska-ziekenhuis in Göteborg was doodgeschoten. Hij zette zijn koffiekopje neer, pakte zijn laptoptas en spoedde zich naar de redactie op de Götgatan. Hij stak het Mariatorget over en liep net de hoek bij de St. Paulsgatan om toen zijn mobiele telefoon begon te piepen. Hij nam al lopend op.

'Blomkvist.'

'Hoi, met Malin.'

'Ik heb het nieuws gehoord. Weten we wie er heeft geschoten?'

'Nog niet. Henry Cortez zit erop.'

'Ik ben onderweg. Ik ben er over vijf minuten.'

Mikael liep bij de voordeur van de redactie Henry Cortez tegen het lijf, die op weg was naar buiten.

'Ekström houdt om drie uur een persconferentie,' zei Henry. 'Ik ga nu naar Kungsholmen.'

'Wat weten we?' riep Mikael hem achterna.

'Malin,' zei Henry en hij verdween.

Mikael liep naar Erika Bergers ... correctie, naar Malin Erikssons kamer. Ze zat aan de telefoon en maakte koortsachtig aantekeningen op een geel post it-velletje. Ze zwaaide afwerend. Mikael ging naar de pantry en schonk koffie met melk in twee bekers met verschillende logo's. Toen hij naar Malins kamer terugkeerde, had ze net het gesprek beëindigd. Hij gaf haar de beker met het logo van de SSU, de jonge sociaaldemocraten. Zelf nam hij die met de KDU, de jonge christendemocraten.

'Oké,' zei Malin. 'Zalachenko is vandaag om 13.15 uur doodgeschoten.'

Ze keek Mikael aan.

'Ik heb net met een verpleegkundige van het Sahlgrenska gesproken. Zij zei dat de moordenaar een oudere man was, zo rond de zeventig, die een paar minuten voor de moord een bloemetje was wezen brengen voor Zalachenko. De moordenaar heeft Zalachenko met meerdere schoten door het hoofd geschoten en heeft daarna de hand aan zichzelf geslagen. Zalachenko is dood. De moordenaar leeft nog en wordt op dit moment geopereerd.'

Mikael ademde uit. Al sinds hij het nieuws in de Koffiebar had gehoord, bonsde zijn hart in zijn keel en had hij het paniekerige gevoel dat Lisbeth Salander het wapen in handen zou hebben gehad. Dat zou zijn plan behoorlijk in de war hebben gestuurd.

'Hebben we de naam van degene die heeft geschoten?' vroeg hij.

Malin schudde haar hoofd. Op dat moment ging de telefoon weer. Ze nam op en uit de conversatie begreep hij dat het een freelancer in Göteborg was die door Malin naar het Sahlgrenska was gestuurd. Hij zwaaide, liep naar zijn eigen kamer en ging zitten.

Hij had het idee dat hij al weken niet op zijn werkplek was geweest. Er lag een stapel ongeopende post die hij resoluut terzijde schoof. Hij belde zijn zus.

'Giannini.'

'Hoi. Met Mikael. Heb je gehoord wat er in het Sahlgrenska is gebeurd?'

'Dat kun je wel zeggen.'

'Waar ben je?'

'In het Sahlgrenska. Die klootzak heeft ook op mij gericht.'

Mikael zat een paar seconden als versteend voordat hij begreep wat zijn zus had gezegd.

'Jezus, was je dáár?'

'Ja. Het was het engste wat ik ooit heb meegemaakt.'

'Ben je gewond?'

'Nee. Maar hij probeerde Lisbeths kamer binnen te komen. Ik had de deur geblokkeerd en ons opgesloten op de wc.'

Mikael voelde plotseling hoe de wereld uit balans werd getrokken. Zijn zus was bijna ...

'Hoe is het met Lisbeth?' vroeg hij.

'Zij mankeert niets. Nou ja, ik bedoel, ze is bij dít drama niet gewond geraakt.'

Hij ademde enigszins uit.

'Annika, weet je iets over de moordenaar?'

'Geen reet. Het was een wat oudere man, keurig gekleed. Ik vond hem er enigszins verward uitzien. Ik heb hem nooit eerder gezien, maar ik stond een paar minuten voor de moord met hem in de lift naar boven.'

'En Zalachenko is met zekerheid dood?'

'Ja. Ik heb drie schoten gehoord en naar wat ik heb opgevangen, is hij alle drie de keren in zijn hoofd geschoten. Maar het was hier een enorme chaos met tientallen politiemensen en de ontruiming van een afdeling waar zwaargewonde en zieke mensen liggen die niet kunnen worden geëvacueerd. Toen de politie kwam, was er iemand die Salander wilde verhoren voordat ze begrepen hoe slecht ze er eigenlijk aan toe is. Ik heb mijn mond open moeten doen.'

Inspecteur Marcus Erlander zag Annika Giannini door de openstaande deur van Lisbeth Salanders kamer. De advocate had haar mobiele telefoon tegen haar oor gedrukt en hij wachtte tot ze het gesprek had afgerond.

Twee uur na de moord heerste er een georganiseerde chaos op de gang. De kamer van Zalachenko was afgezet. Artsen hadden onmiddellijk na de schoten geprobeerd eerste hulp te verlenen, maar hadden hun pogingen al snel moeten opgeven. Zalachenko kon niet meer worden gered. Zijn stoffelijk overschot was naar pathologie overgebracht en het onderzoek van de plaats delict was in volle gang.

Erlanders mobiel ging. Het was Fredrik Malmberg van Opsporing.

'De moordenaar is geïdentificeerd,' groette Malmberg. 'Hij heet Evert Gullberg en is achtenzeventig jaar oud.'

Achtenzeventig. Een moordenaar op leeftijd.

'En wie is Evert Gullberg in godsnaam?'

'Gepensioneerd. Woont in Laholm. Hij zou bedrijfsjurist zijn. Ik ben gebeld door de veiligheidsdienst, die vertelde dat men onlangs een vooronderzoek naar hem is begonnen.'

'Wanneer en waarom?'

'Wanneer weet ik niet. Waarom is vanwege zijn slechte gewoonte om warrige dreigbrieven naar publieke personen te sturen.'

'Zoals?'

'De minister van Justitie.'

Marcus Erlander zuchtte. Een gek dus. Een betweter.

'De veiligheidsdienst is vanochtend door allerlei kranten gebeld die een brief van Gullberg hadden ontvangen. Justitie liet ook van zich horen nadat die Gullberg Karl Axel Bodin uitdrukkelijk met de dood had bedreigd.'

'Ik wil kopieën van die brieven hebben.'

'Van de veiligheidsdienst?'

'Ja, verdomme. Ga desnoods naar Stockholm om ze persoonlijk te halen. Ik wil dat ze op mijn bureau liggen als ik terugkom. En dat is over een uur of zo.'

Hij dacht een seconde na en stelde daarna nóg een vraag.

'Was jij gebeld door de veiligheidsdienst?'

'Dat zei ik toch.'

'Ik bedoel, zij belden jóú en niet andersom?'

'Klopt.'

'Oké,' zei Marcus Erlander en hij zette zijn gsm uit.

Hij vroeg zich af wat de veiligheidsdienst bezielde dat ze plotseling, uit eigen beweging, contact hadden opgenomen met de politie. Gewoonlijk was het haast onmogelijk om ook maar iets uit hen te krijgen.

Wadensjöö rukte bruusk de deur van de kamer open die Fredrik Clinton bij de Sectie als rustkamer gebruikte. Clinton ging voorzichtig overeind zitten.

'Wat is er in godsnaam aan de hand?' schreeuwde Wadensjöö. 'Gullberg heeft Zalachenko vermoord en vervolgens zichzelf door het hoofd geschoten.'

'Ik weet het,' zei Clinton.

'Jij weet het al?' riep Wadensjöö uit.

Wadensjöö was hoogrood aangelopen en zag eruit alsof hij elk moment een hersenbloeding kon krijgen.

'Hij heeft zichzelf neergeknald. Hij heeft geprobeerd zelfmoord te plegen. Is hij gestoord?'

'Hij leeft dus nog?'

'Op dit moment wel, maar hij heeft zwaar hersenletsel.'

Clinton zuchtte.

'Wat jammer,' zei hij verdrietig.

'Jammer?!' riep Wadensjöö. 'Gullberg is gestoord. Begrijp je niet wat ...'

Clinton kapte hem af.

'Gullberg heeft kanker in zijn maag, dikke darm en blaas. Hij is al een paar maanden stervende en had in het gunstigste geval nog een paar maanden te leven.'

'Kanker?'

'Hij droeg dat wapen het laatste halfjaar met zich mee, vastbesloten om het te gebruiken als de pijn onhoudbaar werd en voordat hij een kasplantje werd. Nu heeft hij een laatste missie voor de Sectie mogen uitvoeren. En met verve!'

Wadensjöö was bijna sprakeloos.

'Jij wist dus dat hij van plan was Zalachenko te vermoorden?'

'Uiteraard. Zijn taak was ervoor te zorgen dat Zalachenko nooit meer zou kunnen praten. En zoals je weet, kun je Zalachenko niet bedreigen en is hij niet voor rede vatbaar.'

'Maar begrijp je dan niet wat een schandaal dit kan veroorzaken. Ben jij net zo gestoord als Gullberg?'

Clinton kwam moeizaam overeind. Hij keek Wadensjöö recht in zijn ogen en gaf hem een stapel faxkopieën.

'Het was een operationele beslissing. Ik rouw om mijn vriend, maar ik zal hem vermoedelijk op korte termijn volgen. Maar je opmerking over een schandaal ... Een voormalige fiscalist heeft aantoonbaar gestoorde brieven naar kranten, de politie en justitie geschreven. Hier heb je een voorbeeld van de brieven. Gullberg klaagt Zalachenko aan voor alles van de Palme-moord tot een poging om de hele Zweedse bevolking te vergiftigen met chloor. De brieven zijn duidelijk gestoord en hij heeft ze gedeeltelijk in een onleesbaar handschrift geschreven en met hoofdletters, onderstrepingen en uitroeptekens. Ik mag zijn manier van in de marge schrijven wel.'

Wadensjöö las de brieven met stijgende verbazing door. Hij sloeg zijn hand tegen zijn voorhoofd. Clinton keek hem aan.

'Wat er ook gebeurt, de dood van Zalachenko zal niets met de Sectie van doen hebben. De schoten zijn afgevuurd door een verwarde en demente gepensioneerde.'

Hij laste een pauze in.

'Het belangrijkste is dat jij je vanaf nu zult moeten schikken en in het gelid zult moeten lopen. *Don't rock the boat.*'

Hij keek Wadensjöö indringend aan. De ogen van de zieke waren plotseling van staal.

'Je moet begrijpen dat de Sectie de speerpunt van de totale Zweedse defensie is. Wij zijn de laatste verdedigingslinie. Ons werk is te waken over de veiligheid van de natie. De rest is onbelangrijk.'

Wadensjöö staarde naar Clinton; er lag twijfel in zijn ogen.

'Wij zijn degenen die niet bestaan. Wij zijn degenen die door niemand worden bedankt. Wij zijn degenen die beslissingen moeten nemen die niemand anders kan nemen ... zeker de politici niet.'

Hij sprak die laatste woorden uit met verachting in zijn stem.

'Als je doet wat ik zeg, zal de Sectie het misschien overleven. Maar dan moeten we resoluut en hardhandig zijn.'

Wadensjöö voelde de paniek toenemen.

Henry Cortez noteerde koortsachtig alles wat er tijdens de persconferentie op het hoofdbureau van politie op Kungsholmen werd gezegd. De conferentie werd ingeleid door officier van justitie Richard Ekström. Hij vertelde dat die ochtend was besloten dat het onderzoek met betrekking tot de politiemoord in Gosseberga, waarvoor ene Ronald Niedermann werd gezocht, onder een officier van justitie in het kanton Göteborg zou vallen, maar dat het verdere onderzoek betreffende Niedermann onder hemzelf viel. Niedermann werd dus verdacht van de moorden op Dag Svensson en Mia Bergman. Er werd niets gezegd over advocaat Bjurman. Daarentegen was het tevens Ekströms taak om onderzoek te doen naar Lisbeth Salander en een aanklacht tegen haar in te dienen wegens verdenking van een lange reeks misdrijven.

Hij verklaarde dat hij besloten had met informatie naar buiten te treden naar aanleiding van datgene wat er die dag in Göteborg had plaatsgevonden en waarbij de vader van Lisbeth Salander, Karl Axel Bodin, was doodgeschoten. De directe aanleiding voor de persconferentie was dat hij feiten wilde tegenspreken die in de media waren verschenen en waarover hij al diverse telefoontjes had gekregen.

'Vanuit de gegevens die op dit moment beschikbaar zijn, kan ik zeggen dat de dochter van Karl Axel Bodin, die dus is aangehouden wegens poging tot moord op haar vader, niets met de gebeurtenissen van vanochtend te maken heeft.'

'Wie was de moordenaar?' riep een verslaggever van *Dagens Eko*.

'De man die om 13.15 uur de dodelijke schoten op Karl Axel Bodin heeft afgevuurd en daarna zelfmoord probeerde te plegen, is geïdentificeerd. Hij is een achtenzeventigjarige gepensioneerde die al langere tijd onder behandeling is wegens een dodelijke ziekte en de psychische problemen die daarmee verband houden.'

'Is er verband met Lisbeth Salander?'

'Nee. Dat kunnen we met zekerheid ontkennen. Die twee hebben elkaar nooit ontmoet en kennen elkaar niet. De achtenzeventigjarige man is een tragische figuur die eigenhandig en volgens eigen – duidelijk paranoïde – waanvoorstellingen heeft gehandeld. De veiligheidsdienst was onlangs een onderzoek naar hem begonnen omdat hij een reeks verwarde brieven aan bekende politici en de media had geschreven. Vanochtend nog zijn er brieven van de achtenzeventigjarige man bij kranten en overheidsinstanties binnengekomen waarin hij doodsbedreigingen doet aan het adres van Karl Axel Bodin.'

'Waarom heeft de politie Bodin niet beveiligd?'

'De brieven die betrekking hadden op hem, zijn gisteravond verstuurd en zijn dus in principe op hetzelfde moment ontvangen als waarop de moord werd gepleegd. Er was geen redelijke marge waarbinnen de politie heeft kunnen handelen.'

'Hoe heet de achtenzeventigjarige man?'

'We kunnen die informatie pas vrijgeven wanneer zijn familie op de hoogte is gesteld.'

'Wat heeft hij voor achtergrond?'

'Wat ik vanochtend heb begrepen, is dat hij werkzaam was als accountant en fiscalist. Hij is sinds vijftien jaar met pensioen. Het onderzoek is nog gaande, maar zoals u zult begrijpen uit de brieven die hij heeft gestuurd, is dit een tragedie die misschien voorkomen had kunnen worden als de maatschappij alerter was geweest.'

‘Heeft hij andere mensen bedreigd?’

‘Ik heb zulke informatie gekregen, ja, maar daar kan ik verder niet op ingaan.’

‘Wat betekent dit voor de zaak tegen Lisbeth Salander?’

‘Op dit moment niets, we hebben Karl Axel Bodins eigen getuigenverklaring die hij heeft afgelegd aan de politiemensen die hem hebben verhoord en we hebben omvangrijk technisch bewijs tegen Salander.’

‘Wat is er waar van de geruchten dat Bodin zou hebben geprobeerd zijn dochter te vermoorden?’

‘Dat wordt momenteel onderzocht, maar er zijn sterke aanwijzingen dat dat het geval was. Voor zover we het nu kunnen zien, gaat het om diepe tegenstellingen in een tragisch gespleten gezin.’

Henry Cortez keek nadenkend. Hij krabde in zijn oor. Hij merkte op dat zijn collega-verslaggevers al net zo koortsachtig aantekeningen maakten als hij.

Gunnar Björck voelde een haast manische paniek toen hij het nieuws over de schoten in het Sahlgrenska hoorde. Hij had vreselijke pijn in zijn rug.

Hij zat eerst meer dan een uur besluiteloos. Daarna nam hij de hoorn van de haak en probeerde hij zijn oude beschermheer Evert Gullberg in Laholm te bellen. Hij kreeg geen gehoor.

Hij luisterde naar het nieuws, met een samenvatting van wat er op de persconferentie van de politie was gezegd. Zalachenko was doodgeschoten door een achtenzeventigjarige betweter.

Laat het niet waar zijn: een achtenzeventigjarige man.

Hij probeerde nogmaals Evert Gullberg te bellen. Tevergeefs.

Uiteindelijk kregen de paniek en de ongerustheid de overhand. Hij kon niet in zijn geleende zomerhuis in Smådalarö blijven. Hij voelde zich beperkt en kwetsbaar. Hij had tijd nodig om na te denken. Hij pakte een tas met kleren, pijnstillers en toiletspullen. Hij wilde zijn eigen telefoon niet gebruiken en hinkte daarom naar de telefooncel bij de plaatselijke winkel, belde naar Landsort en boekte een kamer in de oude uitkijkpost van de loods. Landsort was het einde van de wereld en weinig mensen zouden hem daar zoeken. Hij boekte meteen voor twee weken.

Hij keek op zijn horloge. Hij moest zich haasten om de laatste veerboot te halen en keerde zo snel naar huis terug als zijn pijnlijke rug hem toestond. Hij liep direct naar de keuken en controleerde of het koffiezetapparaat uit was. Daarna ging hij naar de hal om zijn tas te pakken. Toevallig wierp hij een blik in de woonkamer en bleef verbaasd staan.

Eerst begreep hij niet wat hij zag.

De plafondlamp was op de een of andere geheimzinnige manier naar beneden gehaald en op de salontafel gezet. In plaats daarvan hing er een touw aan de plafondhaak, precies boven een kruk die in de keuken hoorde te staan.

Björck keek niet-begrijpend naar de strop.

Toen hoorde hij een beweging achter zich en voelde hoe zijn knieën slap werden.

Hij keerde zich langzaam om.

Het waren twee mannen van rond de vijfendertig. Hij zag dat ze een Zuid-Europees uiterlijk hadden. Hij kon niet reageren toen ze hem ieder voorzichtig onder een arm pakten, optilden en achteruit met hem naar de kruk liepen. Toen hij weerstand probeerde te bieden, sneed de pijn als een mes door zijn rug. Hij was bijna verlamd toen hij voelde hoe hij op de kruk werd getild.

Jonas Sandberg had gezelschap van een negenenveertigjarige man die de bijnaam 'Falun' droeg en die in zijn jeugd beroepsinbreker was geweest, maar die zich later had omgeschoold tot slotenmaker. Hans von Rottinger van de Sectie had Falun in 1986 ingeschakeld bij een operatie waarbij de deuren van de leider van een anarchistisch verbond moesten worden geforceerd. Falun was daarna regelmatig in de arm genomen, eigenlijk tot halverwege de jaren negentig, toen dat soort operaties afnam. Fredrik Clinton had de verbintenis die ochtend vroeg nieuw leven ingeblazen en Falun gecontracteerd voor een opdracht. Falun verdiende 10.000 kronen belastingvrij voor een klus van tien minuten. In ruil daarvoor had hij beloofd niets te stelen uit het appartement dat het doelwit van de operatie was; de Sectie was ondanks alles geen criminele organisatie.

Falun wist niet precies wie Clinton vertegenwoordigde, maar hij nam aan dat het iets met het leger te maken had. Hij had de boeken van Guillou gelezen. Hij stelde geen vragen. Maar het voelde wel goed om weer terug te zijn na zoveel jaar stilte van zijn opdrachtgever.

Zijn werk was deuren openmaken. Hij was expert op het gebied van inbreken en had een loperpistool. Toch kostte het hem vijf minuten om de sloten van Mikael Blomkvists appartement te forceren. Daarna wachtte Falun in het trappenhuis terwijl Jonas Sandberg over de drempel stapte.

'Ik ben binnen,' zei Sandberg in een handsfree.

'Mooi,' antwoordde Fredrik Clinton in zijn oortelefoontje. 'Nu rustig en voorzichtig te werk gaan. Beschrijf wat je ziet.'

'Ik bevind me in de hal met een kast en een kapstok rechts en de badkamer links. De flat bestaat verder uit één grote ruimte van circa 50 vierkante meter. Er is een keukentje met een eetbar rechts.'

'Is er een bureau of ...?'

'Hij lijkt aan de keukentafel te werken of op de bank in de kamer ... Wacht.'

Clinton wachtte.

'Ja. Er ligt een map op de keukentafel met het rapport van Björck. Het lijkt het origineel.'

'Mooi. Liggen er nog andere interessante dingen op tafel?'

'Boeken. De memoires van P.G. Vinge. *Machtsstrijd om de veiligheidsdienst* van Erik Magnusson. Een stuk of zes van dat soort boeken.'

'Een computer?'

'Nee.'

'Een kluis?'

'Nee, niet dat ik zo een-twee-drie zie.'

'Oké. Neem de tijd. Kam het appartement meter voor meter uit. Mårtensson rapporteert dat Blomkvist nog steeds op de redactie is. Je hebt wel handschoenen aan, hè?'

'Uiteraard.'

Marcus Erlander kreeg de gelegenheid om even een praatje met Annika Giannini te maken toen ze geen van beiden iemand aan de telefoon hadden. Hij liep de kamer van Lisbeth Salander binnen, stak zijn hand uit en stelde zich voor. Daarna groette hij Lisbeth Salander en vroeg hoe het met haar was. Lisbeth Salander zei niets. Hij richtte zich tot Annika Giannini.

'Ik zou u wat vragen willen stellen.'

'Ja.'

'Kunt u vertellen wat er is gebeurd?'

Annika Giannini beschreef wat ze had meegemaakt en hoe ze had gereageerd tot het moment dat ze zich samen met Lisbeth Salander op het toilet had verschanst. Erlander keek nadenkend. Hij keek naar Lisbeth Salander en vervolgens weer naar haar advocate.

'U denkt dus dat hij naar deze kamer is gekomen?'

'Ik heb gehoord dat hij de deurkruk omlaag probeerde te doen.'

'En daar bent u zeker van? Je kunt je gemakkelijk dingen inbeelden als je bang of opgewonden bent.'

'Ik heb hem gehoord. Hij zag mij. Hij richtte het wapen op mij.'

'Denkt u dat hij ook op u probeerde te schieten?'

'Dat weet ik niet. Ik heb mijn hoofd naar binnen getrokken en de deur geblokkeerd.'

'Dat was heel slim. En het was nóg slimmer dat u uw cliënte naar het toilet hebt gedragen. Deze deuren zijn zo dun dat de kogels er vermoedelijk gewoon doorheen zouden zijn gegaan als hij had geschoten. Wat ik probeer te begrijpen is of hij het op u persoonlijk had gemunt of dat hij alleen maar reageerde op het feit dat u naar hem keek. U was het dichtstbij in de gang.'

'Dat klopt.'

'Had u het idee dat hij u kende of wellicht herkende?'

'Nee, niet direct.'

'Kan hij u hebben gekend uit de krant? U bent immers regelmatig geciteerd in diverse opmerkelijke zaken.'

'Dat zou kunnen. Daar kan ik geen antwoord op geven.'

'Maar u had hem nooit eerder gezien?'

'Ik zag hem in de lift toen ik naar boven ging.'

'Dat wist ik niet. Hebt u met elkaar gesproken?'

'Nee. Ik heb misschien een halve seconde naar hem gekeken. Hij had een bos bloemen in zijn ene hand en een aktetas in de andere.'

'Had u oogcontact?'

'Nee. Hij keek recht naar voren.'

Annika dacht na.

'Stapte hij éérst in de lift of stapte hij ná u in?'

Annika dacht na.

'We stapten min of meer tegelijk in.'

'Keek hij verward?'

'Nee. Hij stond stil met zijn bloemen.'

'Wat gebeurde er toen?'

'Ik stapte de lift uit. Hij stapte gelijktijdig uit en ik ben mijn cliënte gaan bezoeken.'

'Bent u direct hierheen gelopen?'

'Ja ... nee. Dat wil zeggen, ik ben naar de receptie gegaan om me te legitimeren. De officier van justitie heeft immers een verbod uitgevaardigd om mijn cliënte te bezoeken.'

'Waar bevond de man zich toen?'

Annika Giannini aarzelde.

'Ik weet het niet zeker. Ik denk dat hij achter me liep. Ja, wacht ... Hij stapte eerst de lift uit, maar bleef staan om de deur voor mij open te houden. Ik kan er geen eed op doen, maar volgens mij ging hij ook naar de receptie. Ik was alleen wat sneller dan hij.'

Een beleefde, gepensioneerde moordenaar, dacht Erlander.

'Ja, hij is naar de receptie gegaan,' gaf hij toe. 'Hij heeft met de zuster gesproken en die bloemen afgegeven. Maar dat hebt u dus niet gezien?'

'Nee, dat kan ik me niet herinneren.'

Marcus Erlander dacht even na, maar kon geen vragen meer verzinnen. Er knaagde een gevoel van frustratie. Hij had dat gevoel eerder gehad en had dat leren interpreteren als een signaal van zijn instinct.

De moordenaar was geïdentificeerd als de achtenzeventigjarige Evert Gullberg, voormalig accountant en eventueel bedrijfsconsulent en fiscalist. Een man op leeftijd. Een man naar wie de veiligheidsdienst net een vooronderzoek was begonnen, omdat hij geschift was en dreigbrieven naar bekende Zweden stuurde.

Hij wist uit ervaring dat er genoeg gekken waren, ziekelijk gestoorde mensen die sterren achtervolgden en erkenning zochten door in een bosje voor hun villa te gaan bivakkeren. En als de liefde dan niet werd beantwoord, kon deze snel omslaan in onverzoenlijke haat. Er waren stalkers die uit Duitsland en Italië kwamen om een eenentwintigjarige zangeres van een bekende popband het hof te maken en die vervolgens geïrriteerd raakten dat de dame in kwestie niet onmiddellijk een relatie met hen wilde beginnen. Er waren betweters die tot vervelens toe doorzeurden over daadwerkelijk of vermeend onrecht en die bedreigend konden optreden. Er waren echte psychopaten en paranoïde figuren met het vermogen om geheime boodschappen te ontcijferen die het normale verstand te boven gingen.

Er waren zelfs voorbeelden genoeg dat sommigen van deze gekken hun fantasieën omzetten in daden. Was de moord op Anna Lindh ook niet de impuls van zo'n gestoord iemand geweest? Wellicht. Misschien ook niet.

Maar inspecteur Marcus Erlander vond de gedachte maar niets dat een geestelijk gestoorde voormalige fiscalist – of wat hij ook maar was – met een bloemetje in zijn ene hand en een pistool in de andere het Sahlgrenska-ziekenhuis binnen was gewandeld en iemand had geëxecuteerd die op dat moment onderwerp was van een omvangrijk politieonderzoek – zíjn onderzoek. Een man die officieel te boek stond als Karl Axel Bodin, maar die volgens Mikael Blomkvist Zalachenko heette en een overgelopen Russische geheim agent en moordenaar was.

Zalachenko was in het gunstigste geval getuige en in het ongunstigste geval medeverdachte in een hele serie moordzaken. Erlander had de kans gehad om Zalachenko twee keer kort te verhoren en hij had geen van beide keren ook maar één seconde geloofd in Zalachenko's bewering dat hij onschuldig was.

En Zalachenko's moordenaar had belangstelling getoond voor Lisbeth Salander, of in elk geval voor haar advocaat. Hij had geprobeerd haar kamer binnen te komen.

En had daarna geprobeerd zelfmoord te plegen door zich in zijn hoofd te schieten. Volgens de artsen was hij er blijkbaar zo ernstig aan toe dat hij daar vermoedelijk ook in was geslaagd, al had zijn lichaam nog niet ingezien dat het tijd was om ermee op te houden. Er waren redenen om aan te nemen dat Evert Gullberg nooit voor de rechter zou komen.

Marcus Erlander vond dat maar niets. Totaal niet. Maar hij kon niet bewijzen dat Gullbergs schoten iets anders waren geweest dan ... schoten. Hij besloot hoe dan ook om het zekere voor het onzekere te nemen. Hij keek naar Annika Giannini.

'Ik heb besloten dat Lisbeth Salander zal worden overgeplaatst naar een andere kamer. Er is een kamer in het zijgangetje rechts van de receptie, die vanuit veiligheidsoogpunt aanzienlijk beter is dan deze. Daar is vierentwintig uur per dag zicht op vanaf de receptie en de ruimte van de verpleegkundigen. Het bezoekverbod geldt voor iedereen behalve voor u. Niemand mag zonder toestemming bij haar binnengaan, uitgezonderd artsen of verpleegkundigen van het Sahlgrenska. En ik zal erop toezien dat er vierentwintig uur per dag bewaking buiten haar kamer aanwezig is.'

'Denkt u dat ze wordt bedreigd?'

'Er is niets wat daarop wijst. Maar ik wil in dit geval geen risico's nemen.'

Lisbeth Salander luisterde aandachtig naar het gesprek tussen haar advocaat en haar politiële tegenstander. Ze was ervan onder de indruk dat Annika Giannini zo exact en zo begrijpelijk antwoord gaf. En zo gedetailleerd. Ze was nóg meer onder de indruk van de koelbloedige manier waarop haar advocate onder stress had gehandeld.

Maar verder had ze een waanzinnige hoofdpijn sinds Annika haar uit bed had gesleurd en naar het toilet had gedragen. Instinctief wilde ze zo min mogelijk met het personeel van doen hebben. Ze vond het niet prettig om om hulp te moeten vragen of een teken van zwakte te tonen. Maar de hoofdpijn was zo overweldigend dat ze moeite had helder te denken. Ze stak haar hand uit en belde de verpleging.

Annika Giannini had het bezoek in Göteborg gepland als opmaat voor een langdurige klus. Ze was van plan geweest kennis te maken met Lisbeth Salander, te informeren naar haar daadwerkelijke gezondheidstoestand en een eerste schets te geven van de strategie die Mikael Blomkvist en zij voor het toekomstige juridische proces hadden opgesteld. Ze was oorspronkelijk van plan geweest die avond al naar Stockholm terug te keren, maar door de dramatische gebeurtenis in het Sahlgrenska had ze nog geen tijd gehad om een gesprek met Lisbeth Salander te voeren. Haar cliënte was in een aanzienlijk slechtere conditie dan ze had gedacht toen de artsen hadden verklaard dat haar toestand stabiel was. Ze had hevige hoofdpijn en hoge koorts, waarvoor een arts genaamd Helena Endrin sterke pijnstillers, antibiotica en rust had voorgeschreven. Zo gauw haar cliënte naar haar nieuwe kamer was verhuisd en een politieagent zijn post had ingenomen, werd Annika weggebonjourd.

Ze keek mopperend hoe laat het was. Het was inmiddels halfvijf. Ze aarzelde. Ze zou naar Stockholm terug kunnen gaan met het gevolg dat ze wellicht de volgende dag al terug zou moeten komen. Of ze kon hier overnachten en dan het risico lopen dat haar cliënte ook de volgende dag te ziek was voor bezoek. Ze had geen hotelkamer geboekt en was sowieso een lowbudgetadvocaat die vrouwen met weinig financiële middelen vertegenwoordigde, dus ze probeerde de rekening nooit te belasten met dure hotelrekeningen. Ze belde eerst naar huis en vervolgens naar Lillian Josefsson, een collega-advocate, lid van het Vrouwennetwerk en een oud-studiegenote. Ze hadden elkaar al twee jaar niet gezien en zaten eerst even te kletsen voordat Annika met haar verzoek kwam.

'Ik ben in Göteborg,' zei Annika. 'Ik was van plan vanavond naar huis te gaan, maar er zijn vandaag dingen gebeurd waardoor ik moet blijven. Zou ik misschien bij jou kunnen overnachten?'

'Ja, wat leuk! Kom naar me toe, we hebben elkaar al eeuwen niet gezien.'

'Ik stoor niet?'

'Nee, natuurlijk niet. Ik ben verhuisd. Ik woon nu in een zijstraat van de Linnégatan. Ik heb een logeerkamer. En we kunnen vanavond naar de kroeg gaan om te giechelen.'

'Als ik daar nog puf voor heb,' zei Annika. 'Welke tijd schikt jou?'

Ze spraken af dat Annika tegen zessen zou komen.

Annika nam de bus naar de Linnégatan en bracht het uur erna door in een Grieks restaurant. Ze was uitgehongerd en bestelde een vleesspies met een salade. Ze zat lang over de gebeurtenissen van de dag na te denken. Ze was nog een beetje shaky na haar adrenalineshot van die middag. Maar ze was content met zichzelf. Toen er gevaar dreigde, was ze zonder aarzelen effectief en beheerst opgetreden. Ze had de juiste keuzes gemaakt zonder er ook maar bij na te denken. Het was een prettig gevoel om dat van jezelf te weten.

Na een tijdje haalde ze haar filofax uit haar aktetas en ging naar het gedeelte met aantekeningen. Ze las geconcentreerd. Ze had nog veel vraagtekens bij de dingen die haar broer haar had verteld. Het had toen zo logisch geklonken, maar de plannen waren feitelijk één grote gatenkaas. Toch was ze niet van plan zich terug te trekken.

Om zes uur betaalde ze, wandelde naar de woning van Lillian Josefsson aan de Olivedalsgatan en toetste de portiekcode in die haar vriendin haar had gegeven. Ze kwam in een trappenhuis en zocht naar de lift. De aanval kwam als een donderslag bij heldere hemel. Ze had geen enkele aanwijzing dat er iets ophanden was voordat ze op brute wijze en met geweld tegen de tegelmuur in de portiek werd gesmeten. Ze kwam met haar voorhoofd tegen de muur terecht en voelde een heftige pijn.

Op hetzelfde moment hoorde ze voetstappen die zich snel verwijderden en hoorde ze de portiekdeur open- en dichtgaan. Ze kwam op de been en bracht haar hand naar haar voorhoofd. Er zat bloed op haar handpalm. Wat was dit in godsnaam? Ze keek verward om zich heen en liep de straat op. Ze zag een flits van een rug, die bij het Sveaplan de hoek om verdween. Ze bleef even onthutst staan.

Toen realiseerde ze zich dat haar aktetas weg was en dat ze zojuist was beroofd. Het duurde een paar seconden voordat dat tot haar bewustzijn doordrong. Nee, de Zalachenko-map! Ze voelde dat de schok zich in haar middenrif verspreidde en ze zette een paar aarzelende stappen in de richting van de vluchtende man. Ze bleef bijna meteen staan. Het was zinloos. Hij was allang weg.

Ze ging langzaam op de stoeprand zitten.

Toen vloog ze overeind en groef in de zak van haar jasje. Haar filofax! Godzijdank! Ze had hem in de zak van haar colbert gestopt in plaats van in haar tas toen ze het restaurant verliet. De filofax bevatte punt voor punt het concept van de strategie in de zaak Lisbeth Salander.

Ze rende terug naar de portiek en toetste opnieuw de code in, rende de trappen op naar de vierde verdieping en bonkte op de deur van Lillian Josefsson.

Om halfzeven was Annika weer zover gekalmeerd dat ze in staat was Mikael Blomkvist te bellen. Ze had een blauw oog en een bloedende jaap in haar wenkbrauw. Lillian Josefsson had de wond met ontsmettingsmiddel schoongemaakt en er een pleister op geplakt. Nee, Annika wilde niet naar het ziekenhuis. Ja, ze wilde graag een kop thee. Pas toen begon ze weer rationeel te denken. Het eerste wat ze deed, was haar broer bellen.

Mikael Blomkvist was nog steeds op de redactie van *Millennium*, waar hij samen met Henry Cortez en Malin Eriksson op jacht was naar informatie over de moordenaar van Zalachenko. Hij luisterde met stijgende ontzetting naar Annika's verhaal van wat er was gebeurd.

'Is alles goed met jou?'

'Een blauw oog. Ik ben verder in orde, zeker als ik straks weer wat ben gekalmeerd.'

'Een laffe beroving?'

'Ze hebben mijn aktetas met de Zalachenko-map die ik van jou had gekregen. Die is weg.'

'Geen probleem, ik kan een nieuwe kopie maken.'

Hij onderbrak zichzelf en voelde plotseling hoe zijn nekharen overeind gingen staan. Eerst Zalachenko. Toen Annika.

'Annika ... ik bel je terug.'

Hij klapte zijn iBook dicht, stopte hem in zijn schoudertas en verliet met spoed en zonder wat te zeggen de redactie. Hij rende naar huis, naar de Bellmansgatan en spurtte de trap op.

De deur was op slot.

Zo gauw hij in zijn appartement kwam, zag hij dat de blauwe map die hij op de keukentafel had laten liggen, was verdwenen. Hij ging niet eens zoeken. Hij wist precies waar de map had gelegen toen hij weg was gegaan. Hij ging langzaam op de stoel aan de keukentafel zitten terwijl zijn gedachten door zijn hoofd raasden.

Er was iemand bij hem binnen geweest. Er was iemand bezig de sporen van Zalachenko uit te wissen.

Zowel zijn eigen kopie als die van Annika was verdwenen.

Bublanski had het rapport nog.

Of niet?

Mikael stond op en liep naar de telefoon, toen hij met zijn hand op de telefoon bleef staan. Er was iemand in zijn flat geweest. Hij bekeek de telefoon opeens zeer argwanend en tastte in de zak van zijn colbert naar zijn mobiele telefoon. Hij bleef met zijn mobiel in zijn hand staan.

Hoe gemakkelijk is het om een mobiel gesprek af te luisteren?

Hij legde langzaam zijn gsm naast zijn vaste telefoon en keek om zich heen.

Ik heb te maken met profs. Hoe moeilijk is het om een appartement af te luisteren?

Hij ging weer aan de keukentafel zitten.

Hij keek naar zijn computertas.

Hoe moeilijk is het om e-mail te lezen? Lisbeth Salander heeft dat in vijf minuten voor elkaar.

Hij dacht een hele tijd na voordat hij terugkeerde naar de telefoon en zijn zus belde in Göteborg. Hij formuleerde zijn vragen zorgvuldig.

'Hoi, hoe gaat het?'

'Het gaat wel, Micke.'

'Vertel wat er is gebeurd vanaf het moment dat je bij het Sahlgrenska kwam tot het moment van de overval.'

Het kostte haar tien minuten om verslag te doen van de dag. Mikael ging niet in op de implicaties van wat ze vertelde, maar stelde af en toe een vraag tot hij tevreden was. Hij was gewoon de ongeruste broer, terwijl zijn hersenen tegelijkertijd op een heel ander niveau tikten en hij aanknopingspunten probeerde te vinden.

Ze had om halfvijf besloten om in Göteborg te blijven, had een mobiel telefoontje naar haar vriendin gepleegd en het adres en de portiekcode gekregen. De overvaller stond om stipt zes uur in het trappenhuis te wachten.

Haar mobiel werd afgeluisterd. Dat was het enig logische.

Dat kon alleen maar betekenen dat hijzelf ook werd afgeluisterd.

Het zou naïef zijn te denken dat dat niet zo was.

'Maar ze hebben de Zalachenko-map meegenomen,' herhaalde Annika.

Mikael aarzelde even. Degene die zijn map had gestolen, wist al dat deze gestolen was. Het was vrij natuurlijk om dat over de telefoon aan Annika Giannini te vertellen.

'De mijne ook,' zei hij.

'Hè?'

Hij legde uit dat hij naar huis was gerend en dat de blauwe map op de keukentafel weg was.

'Tja,' zei Mikael somber. 'Dat is een ramp. De Zalachenko-map is verdwenen. Dat was het belangrijkste stuk van de bewijsvoering.'

'Mikael ... het spijt me.'

'Mij ook,' zei Mikael. 'Verdomme! Maar het is niet jouw schuld. Ik had het rapport de dag dat ik het vond openbaar moeten maken.'

'Wat doen we nu?'

'Ik weet het niet. Dit is het ergste wat ons kon overkomen. Dit dwarsboomt ons hele plan. We hebben geen greintje bewijs tegen Björck en Teleborian.'

Ze spraken nog twee minuten met elkaar voordat Mikael het gesprek afrondde.

'Ik wil dat je morgen naar Stockholm komt,' zei hij.

'Sorry, ik moet Salander spreken.'

'Doe dat 's morgens. Kom 's middags terug. We moeten bij elkaar komen om na te denken over wat we gaan doen.'

Toen hij het gesprek had beëindigd, zat Mikael stil op de bank voor zich uit te staren. Toen verspreidde zich een glimlach over zijn gezicht. Degene die naar het gesprek luisterde, wist nu dat *Millennium* het onderzoek van Björck uit 1991 kwijt was, evenals de correspondentie tussen Björck en zielenknijper Peter Teleborian. Ze wisten dat Mikael en Annika vertwijfeld waren.

Dat had Mikael die nacht wel geleerd van zijn studie naar de geschiedenis van de veiligheidsdienst: dat desinformatie de basis voor alle spionage was. En hij had zojuist desinformatie gezaaid die op termijn van onschatbare waarde kon blijken.

Hij deed zijn laptoptas open en pakte de kopie die hij voor Dragan Armanskij had gemaakt, maar die hij nog niet had kunnen afgeven. Dat was het enig resterende exemplaar. Dat was hij niet van plan kwijt te maken. Integendeel, hij ging er onmiddellijk zeker vijf kopieën van maken en deze op verschillende plaatsen opbergen.

Vervolgens wierp hij een blik op zijn horloge en belde hij naar de redactie van *Millennium*. Malin Eriksson was nog aanwezig, maar was net bezig de boel af te sluiten.

'Waarom rende je zo opeens de deur uit?'

'Kun je nog heel even blijven? Ik kom nog even terug, er is iets wat ik met je moet bespreken voor je weggaat.'

Hij had al wekenlang geen tijd gehad om te wassen. Al zijn overhemden lagen in de wasmand. Hij pakte zijn scheerspullen, *Machtsstrijd om de veiligheidsdienst* en het enig resterende exemplaar van het onderzoek van Björck. Hij liep naar Dressmann en kocht vier overhemden, twee broeken en tien onderbroeken, en nam de kleren mee naar de redactie. Malin Eriksson wachtte terwijl hij een snelle douche nam. Ze vroeg zich af wat er aan de hand was.

'Iemand heeft bij mij ingebroken en het Zalachenko-rapport meegenomen. Iemand heeft Annika in Göteborg overvallen en haar exemplaar gestolen. Ik kan bewijzen dat haar telefoon wordt afgeluisterd, wat vermoedelijk betekent dat mijn telefoon, misschien die van jou en wellicht alle telefoons bij *Millennium* worden getapt. En ik kan me voorstellen dat als iemand de moeite neemt om bij mij in te breken, hij of zij bij mij thuis meteen ook afluisterapparatuur aanbrengt.'

'O,' zei Malin Eriksson mat. Ze gluurde naar haar mobiele telefoon, die op het bureau voor haar lag.

'Ga gewoon door met je werk. Gebruik je mobiel, maar geef geen informatie per telefoon. We moeten Henry Cortez morgen ook inlichten.'

'Oké. Hij is een uur geleden vertrokken. Hij heeft een stapel officiele publicaties op je bureau gelegd. Maar wat doe jij hier?'

'Ik slaap vannacht hier. Als ze Zalachenko vandaag hebben doodgeschoten, de rapporten hebben gestolen en afluisterapparatuur in mijn flat hebben aangebracht, is de kans groot dat ze net zijn begonnen en dat ze nog niet aan de redactie zijn toegekomen. Er zijn hier de hele dag mensen geweest, maar ik wil niet dat de redactie vannacht onbemand is.'

'Jij denkt dat de moord op Zalachenko ... Maar de moordenaar was een achtenzeventigjarig psychiatrisch geval.'

'Ik geloof niet in dergelijk toeval. Iemand is bezig de sporen van Zalachenko uit te wissen. Het kan me geen reet schelen wie die achtenzeventigjarige man was en hoeveel geschifte brieven hij aan ministers heeft geschreven. Hij was een of andere huurmoordenaar. Hij is ernaartoe gegaan met het doel Zalachenko dood te schieten ... en misschien Lisbeth Salander ook.'

'Maar hij heeft zelfmoord gepleegd, of in elk geval een poging gedaan. Welke huurmoordenaar doet dat nou?'

Mikael dacht even na. Hij ontmoette de blik van zijn hoofdredacteur.

'Iemand die achtenzeventig is en wellicht niets te verliezen heeft. Hij is hierbij betrokken en als wij klaar zijn met graven, zullen we dat kunnen bewijzen.'

Malin Eriksson keek aandachtig naar Mikaels gezicht. Ze had hem nog nooit zo kil en verbeten gezien. Ze huiverde plotseling. Mikael zag haar reactie.

'Nog één ding. We zijn nu niet langer verwikkeld in een strijd met een stel criminelen, maar met een overheidsinstantie. Dit zal heftig worden.'

Malin knikte.

'Ik was er niet van uitgegaan dat het zo ver zou gaan, Malin. Als je eruit wilt stappen, moet je het zeggen.'

Ze aarzelde even. Ze vroeg zich af wat Erika Berger zou hebben gedaan. Toen schudde ze trots haar hoofd.

Deel 2

HACKER REPUBLIC

1 tot 22 mei

Een Ierse wet uit 697 verbiedt vrouwen om militair te zijn – wat erop duidt dat er daarvoor wél vrouwelijke militairen waren. Volken die bij verschillende gelegenheden in de geschiedenis vrouwelijke soldaten hadden, zijn onder andere Arabieren, Berbers, Koerden, Rajpoeten, Chinezen, Filippijnen, Maori's, Papoea's, Aboriginals, Micronesiërs en Amerikaanse indianen.

Er is een rijke schat aan legenden over gevreesde vrouwelijke strijders uit de Griekse oudheid. Die verhalen vertellen over vrouwen die vanaf hun kindertijd werden getraind in de oorlogskunst, het gebruik van wapens en fysieke ontberingen. Ze leefden gescheiden van de mannen en trokken met eigen regimenten ten strijde. De vertellingen bevatten niet zelden elementen die erop duiden dat ze de mannen op het slagveld versloegen. In de Griekse literatuur komen ruim zevenhonderd jaar voor Christus al amazonen voor, bijvoorbeeld in de *Ilias* van Homerus.

De Grieken creëerden de uitdrukking 'amazonen'. Het woord betekent letterlijk 'zonder borst'. Om de pijl van een pijl en boog eenvoudiger te kunnen spannen, werd hun rechterborst afgezet. Ook al lijken enkelen van de belangrijkste Griekse artsen uit de geschiedenis, Hippocrates en Galenus, het erover eens te zijn geweest dat deze operatie het vermogen bevorderde om wapens te hanteren, toch is het maar de vraag of ze daadwerkelijk zijn uitgevoerd. Die vraag is ingegeven door taalkundige overweging: het is onduidelijk of het prefix 'a' in 'amazone' daadwerkelijk 'zonder' betekent en er is voorgesteld dat het juist het tegenovergestelde zou betekenen – dat een amazone juist een vrouw met zeer grote borsten was. Er is ook in geen enkel museum een afbeelding, amulet of beeld te vinden van een vrouw die haar rechterborst mist, wat toch een veelvoorkomend motief zou zijn geweest als de legende over borstamputaties correct was geweest.

8
ZONDAG 1 MEI – MAANDAG 2 MEI

Erika Berger haalde diep adem voordat ze de liftdeur opendeed en de redactie van de *Svenska Morgon-Posten* op liep. Het was kwart over tien 's morgens. Ze was netjes gekleed in een zwarte pantalon, een rode jumper en een donker jasje. Het was stralend 1 meiweer en op weg door de stad had ze geconstateerd dat de arbeidersbeweging bezig was zich te verzamelen en dat ze zelf al meer dan twintig jaar niet in een betoging had meegelopen.

Ze stond even helemaal alleen en onzichtbaar bij de liftdeuren. De eerste dag op haar nieuwe werkplek. Vanaf haar plek bij de ingang kon ze een groot deel van de centrale redactie overzien, met de nieuwsbalie in het midden. Ze deed haar hoofd een stukje omhoog en zag de glazen deuren van de kamer van de hoofdredacteur, die de komende jaren haar werkplek zou zijn.

Ze was er niet helemaal van overtuigd dat zij de juiste persoon was om een logge organisatie als de *Svenska Morgon-Posten* te leiden. Het was een gigantische stap van *Millennium* met zijn vijf medewerkers naar een dagblad met tachtig journalisten en nog ruim negentig personen in de vorm van administratief personeel, technische mensen, vormgevers, fotografen, advertentieverkopers, distributeurs en al het andere dat bij het maken van een krant kwam kijken. En daar kwamen ook nog een uitgeverij, een productiebedrijf en een holding bij. In totaal ruim tweehonderddertig personen.

Ze vroeg zich even af of de hele zaak niet gewoon een enorme misstap was.

Toen ontdekte de oudste van de twee receptionisten wie er was binnengekomen. Ze kwam achter de balie vandaan en stak haar hand uit.

'Mevrouw Berger. Welkom bij de SMP.'

'Zeg maar Erika, hoor. Hallo.'

'Beatrice. Welkom. Zal ik je even voorgaan naar hoofdredacteur Morander ... nou ja, de vertrekkende hoofdredacteur, moet ik zeggen.'

'Bedankt, maar hij zit toch gewoon in die glazen kooi daar?' zei Erika lachend. 'Ik denk dat ik het wel vind. Maar bedankt voor het aanbod.'

Ze liep energiek over de redactie en merkte dat het geroezemoes wat afnam. Ze voelde plotseling alle blikken op haar gericht. Ze bleef voor de halflege nieuwsbalie staan en knikte vriendelijk.

'We zullen straks even fatsoenlijk kennismaken,' zei ze terwijl ze langsliep en op de deurpost van de glazen deur tikte.

Aftredend hoofdredacteur Håkan Morander was negenenvijftig jaar oud en had twaalf jaar in de glazen kooi op de redactie van de SMP doorgebracht. Net als Erika Berger was hij ooit van buitenaf gekomen. Hij was persoonlijk geselecteerd – en had dus dezelfde eerste wandeling gemaakt als zij zojuist had gedaan. Hij keek haar warrig aan, wierp een blik op zijn horloge en stond op.

'Hé, dag Erika,' groette hij. 'Ik dacht dat je maandag zou beginnen.'

'Ik hield het thuis geen dag langer uit. Dus hier ben ik.'

Morander stak zijn hand uit.

'Welkom. Wat een heerlijk idee dat jij het overneemt.'

'Hoe gaat het met je?' vroeg Erika.

Hij haalde zijn schouders op op hetzelfde moment dat Beatrice van de telefooncentrale binnenkwam met koffie.

'Het voelt alsof ik al parttime werk. Ik wil er eigenlijk niet over praten. Eerst voel je je als een tiener, onsterfelijk en met je hele leven nog voor je. En dan heb je opeens nog maar heel weinig tijd over. Maar één ding is zeker – ik ben niet van plan die tijd hier in dit glazen hok te verdoen.'

Hij wreef onbewust over zijn borstkas. Hij had hart- en vaatproblemen, wat de reden was voor zijn plotselinge vertrek en voor het feit dat Erika een paar maanden eerder begon dan oorspronkelijk was afgesproken.

Erika keerde zich om en keek uit over de kantoortuin van de redactie. Die was halfleeg. Ze zag een verslaggever en een fotograaf op weg naar de lift en naar het verslaan van de Dag van de Arbeid.

'Als ik stoor of als je vandaag bezet bent, kan ik weer gaan, hoor.'

'Mijn taak voor vandaag is het schrijven van een hoofdartikel van 4.500 tekens over de 1 meidemonstraties. Ik heb er zoveel geschreven dat ik dat wel kan dromen. Als de sociaaldemocraten een oorlog met Denemarken willen beginnen, moet ik uitleggen waarom ze het fout hebben. En als de sociaaldemocraten een oorlog met Denemarken willen vermijden, moet ik ook uitleggen waarom ze het fout hebben.'

'Denemarken?' vroeg Erika.

'Tja, op 1 mei moet de boodschap voor een deel over het integratiebeleid gaan. En de sociaaldemocraten hebben het uiteraard bij het verkeerde eind, waar het ook over gaat.'

Hij moest plotseling lachen.

'Dat klinkt cynisch.'

'Welkom bij de SMP.'

Erika had nooit een mening gehad over hoofdredacteur Håkan Morander. Hij was een anonieme machthebber onder de elite van hoofdredacteuren. Als ze zijn hoofdartikelen las, kwam hij over als saai en conservatief, en een expert op het gebied van klagen over de belastingen. Als een typisch liberale ijveraar voor de vrijheid van meningsuiting. Maar ze had hem nooit eerder ontmoet of met hem gesproken.

'Vertel eens over het werk,' zei ze.

'Ik stop op 30 juni. We werken twee maanden parallel. Je zult positieve en negatieve dingen ontdekken. Ik ben een cynicus, dus ik zie voornamelijk de negatieve dingen.'

Hij stond op en kwam naast haar voor het raam staan.

'Je zult ontdekken dat je daarbinnen een aantal tegenstanders hebt – sommige dagchefs en veteranen onder de redacteuren die hun eigen kleine imperia hebben gecreëerd en een eigen club hebben waar jij geen lid van kunt worden. Ze zullen proberen de grenzen te verleggen en hun eigen koppen en invalshoeken door te drammen. Je moet echt haar op je tanden hebben om dat te kunnen weerstaan.'

Erika knikte.

'En dan heb je de nachtchefs Billinger en Karlsson; die vormen een hoofdstuk apart. Ze kunnen elkaars bloed wel drinken en hebben godzijdank nooit dezelfde dienst, maar ze gedragen zich alsof ze allebei verantwoordelijk uitgever en hoofdredacteur zijn. Je hebt Anders Holm als nieuwschef en met hem zul je veel te maken hebben. Jullie zullen vast af en toe de degens moeten kruisen. Hij is in feite degene die elke dag de SMP maakt. Je hebt een paar verslaggevers met sterallures, die eigenlijk met pensioen zouden moeten.'

'Zijn er dan helemaal geen goede medewerkers?'

Morander moest opeens lachen.

'Jawel. Maar je moet zelf bepalen met wie jij het goed kunt vinden. We hebben een paar verslaggevers die verduveld goed zijn.'

'En het management?'

'Magnus Borgsjö is voorzitter van de raad van bestuur. Hij is degene die jou heeft gerekruteerd. Hij is charmant, een beetje van de oude stempel en een beetje vernieuwend. Maar hij is vooral degene die beslist. Er zijn een paar bestuursleden, wat mensen van de eigenaarsfamilie die voornamelijk hun tijd uit lijken te zitten en een paar die denken dat ze professionele bestuurders zijn.'

'Dat klinkt alsof je niet tevreden bent met de directie.'

'Er is een tweedeling. Jij geeft de krant uit. Zij regelen de financiën. Zij horen zich niet met de inhoud van de krant te bemoeien, maar er is altijd wel wat. Eerlijk gezegd, Erika, het zal zwaar worden.'

'Waarom?'

'De oplage is sinds de hoogtijdagen in de jaren zestig afgenomen met bijna 150.000 exemplaren en we naderen het punt dat de krant onrendabel wordt. We hebben bezuinigd en sinds 1980 zijn er meer dan honderdtachtig mensen ontslagen. We zijn overgegaan op tabloidformaat – dat hadden we twintig jaar eerder moeten doen. De SMP behoort nog steeds tot de grote kranten, maar er is niet veel meer voor nodig om te worden gezien als B-krant. Als dat al niet het geval is.'

'Waarom hebben ze mij dan gekozen?' vroeg Erika.

'Omdat de gemiddelde leeftijd van de lezers van de SMP vijftigplus is en de toename van twintigers vrijwel nihil is. De SMP moet worden vernieuwd. En de redenering van de directie was om de meest onwaarschijnlijke hoofdredacteur binnen te halen die ze zich konden voorstellen.'

'Een vrouw?'

'Niet alleen een vrouw. De vrouw die het Wennerström-imperium om zeep heeft geholpen en die wordt geroemd als de koningin van de onderzoeksjournalistiek. En die de reputatie heeft dat ze een keiharde is. Zeg nu zelf. Het is onweerstaanbaar. Als jij de krant niet kunt vernieuwen, lukt dat niemand. De SMP neemt niet alleen Erika Berger in dienst, maar vooral ook de reputatie die Erika Berger heeft.'

Toen Mikael Blomkvist Café Copacabana naast de buurtbioscoop bij Hornstull verliet, was het even na tweeën 's middags. Hij zette zijn zonnebril op, liep richting Bergsunds strand op weg naar de metro, en zag bijna onmiddellijk de grijze Volvo vlak om de hoek geparkeerd staan. Hij liep erlangs zonder vaart te minderen en constateerde dat het hetzelfde nummerbord was en dat de auto leeg was.

Het was de zevende keer dat hij de auto de laatste vier dagen had gezien. Hij wist niet of de auto al veel eerder in zijn buurt was geweest. Dat hij hem überhaupt had opgemerkt, was puur toeval. De eerste keer dat hij de auto had gezien, was woensdagochtend geweest, toen hij op weg was geweest naar de redactie van *Millennium*. De auto had in de buurt van zijn portiek aan de Bellmansgatan geparkeerd gestaan. Hij had toevallig het kenteken gezien, dat begon met de letters KAB. Het was hem opgevallen omdat dat de naam van Alexander Zalachenko's bedrijf in ruste was, Karl Axel Bodin AB. Hij zou er vermoedelijk niet verder over hebben nagedacht als hij dezelfde auto met hetzelfde kenteken niet een paar uur later weer had gezien, toen hij met Henry Cortez en Malin Eriksson aan het lunchen was bij de Medborgarplatsen. Die keer stond de Volvo in een zijstraat bij de redactie van *Millennium*.

Hij vroeg zich even af of hij bezig was paranoïde te worden, maar toen hij later die middag Holger Palmgren in de revalidatiekliniek in Ersta had opgezocht, had de grijze Volvo op de bezoekersparkeerplaats gestaan. Dat was geen toeval. Mikael Blomkvist begon zijn omgeving in de gaten te houden. Hij was niet verbaasd toen hij de auto de volgende ochtend weer zag.

Hij had geen enkele keer een bestuurder gezien. Een telefoontje naar de Rijksdienst voor het Wegverkeer leverde echter de informatie op dat de auto op naam stond van ene Göran Mårtensson. Deze Mårtensson was veertig jaar oud en woonde aan de Vittangigatan in Vällingby. Een kort onderzoek resulteerde in de informatie dat Göran Mårtensson de bedrijfsconsultant en eigenaar was van een eigen bedrijf met een postbusadres aan de Fleminggatan op Kungsholmen. Mårtensson had een in dit verband interessante staat van dienst. Op achttienjarige leeftijd, in 1983, had hij zijn dienstplicht gedaan bij de marine en daarna was hij in dienst getreden van de krijgsmacht. Hij was opgeklommen tot luitenant toen hij in 1989 afscheid nam, zijn koers verlegde en aan de Politieacademie in Solna ging studeren. Tussen 1991 en 1996 werkte hij bij de Stockholmse politie. In 1997 was hij uit de buitendienst verdwenen en in 1999 had hij zijn bedrijf geregistreerd.

De veiligheidsdienst dus.

Mikael beet op zijn onderlip. Een hardwerkende onderzoeksjournalist kon om minder paranoïde worden. Mikael trok de conclusie dat hij onder discrete bewaking stond, maar dat die zo klunzig werd uitgevoerd dat hij het had opgemerkt.

Nou ja, klunzig. De enige reden dat hij de auto had opgemerkt, was het specifieke kenteken, dat toevallig een betekenis voor hem had. Als die KAB hem niet was opgevallen, zou hij de auto geen blik waardig hebben gekeurd.

Vrijdag had KAB geschitterd door afwezigheid. Mikael wist het niet zeker, maar hij meende dat hij die dag gezelschap had gehad van een rode Audi. Hij was er echter niet in geslaagd het kenteken te zien. Op zaterdag was de Volvo weer terug geweest.

Precies twintig seconden nadat Mikael Blomkvist Café Copacabana had verlaten, deed Christer Malm zijn digitale Nikon omhoog en maakte hij vanaf zijn plaats in de schaduw op het terras van Café Rosso aan de overkant van de straat een serie van twaalf foto's. Hij fotografeerde de twee mannen die vlak na Mikael het café verlieten en in zijn kielzog langs de buurtbioscoop liepen.

De ene man was van onbepaalde leeftijd, vermoedelijk eind veertig, en had blond haar. De andere leek iets ouder en had dun, roodblond haar en een donkere zonnebril. Beiden waren gekleed in een spijkerbroek en een donker leren jack.

Ze gingen bij de grijze Volvo uiteen. De oudere man deed het portier open terwijl de jongere te voet achter Mikael Blomkvist aan liep richting metro.

Christer Malm liet zijn camera zakken en zuchtte. Hij had geen idee waarom Mikael hem apart had genomen en hem dringend had verzocht die zondagmiddag in het blok rond de Copacabana een ommetje te maken om te kijken of hij een grijze Volvo met het betreffende kenteken zag staan. Hij had instructie gekregen om dusdanig post te vatten dat hij de persoon kon fotograferen die volgens Mikael met grote waarschijnlijkheid het portier even na drieën zou opendoen. Tevens moest hij zijn ogen openhouden voor iemand die Mikael Blomkvist eventueel zou schaduwen.

Dat klonk als de opmaat voor een typische 'Blomkvister'. Christer Malm wist nooit zeker of Mikael Blomkvist van nature paranoïde was of dat hij paranormale gaven had. Sinds de gebeurtenissen in Gosseberga was Mikael extreem gesloten geweest en over het algemeen lastig om mee te communiceren. Dat was op zich niets ongewoons als Mikael met een of ander ingewikkeld verhaal bezig was – Christer had exact dezelfde gesloten bezetenheid en geheimzinnigdoenerij meegemaakt in verband met de Wennerström-affaire – maar deze keer was het duidelijker dan ooit.

Het had Christer daarentegen geen enkele moeite gekost om te constateren dat Mikael Blomkvist inderdaad werd geschaduwd. Hij vroeg zich af welke nieuwe hel in aantocht was die met grote waarschijnlijkheid alle tijd, kracht en middelen van *Millennium* in beslag zou nemen. Christer Malm vond het niet het juiste moment om te 'Blomkvisten' nu de hoofdredacteur van het blad naar De Grote Draak was gedeserteerd en de moeizaam gereconstrueerde stabiliteit van *Millennium* plotseling werd bedreigd.

Maar aan de andere kant had hij al zeker tien jaar niet meegelopen in een demonstratie, afgezien van de Gay Pride, en hij had deze 1 meizondag niets beters te doen gehad dan Mikael ter wille te zijn. Hij stond op en slenterde achter de man aan die Mikael Blomkvist schaduwde. Wat niet tot de instructies behoorde. Maar hij verloor de man al bij de Långholmsgatan uit het oog.

Een van de eerste dingen die Mikael Blomkvist had gedaan toen hij tot het inzicht was gekomen dat zijn telefoon vermoedelijk werd afgeluisterd, was Henry Cortez erop uitsturen om tweedehands mobiele telefoons te kopen. Cortez had een spotgoedkope restpartij Ericssons T10 op de kop getikt. Mikael kocht anonieme prepaidkaarten van Comviq. De reservetelefoons werden verdeeld onder hemzelf, Malin Eriksson, Henry Cortez, Annika Giannini, Christer Malm en Dragan Armanskij. Ze werden alleen gebruikt voor gesprekken die absoluut niet mochten worden afgeluisterd. Normaal telefoonverkeer zou via de gewone, officiële nummers lopen. Wat betekende dat ze allemaal met twee telefoons sleepten.

Mikael ging van de Copacabana naar *Millennium*, waar Henry Cortez weekenddienst had. Sinds de moord op Zalachenko had Mikael een rooster opgesteld dat inhield dat de redactie van *Millennium* altijd bemand was en dat er 's nachts altijd iemand sliep. Het rooster omvatte hemzelf, Henry Cortez, Malin Eriksson en Christer Malm. Lottie Karim, Monika Nilsson en marketingmanager Sonny Magnusson waren niet meegerekend. Zij waren niet eens gevraagd. Lottie Karim was notoir bang in het donker en zou er absoluut niet mee hebben ingestemd om alleen op de redactie te moeten overnachten. Monika Nilsson was allerminst bang in het donker, maar werkte als een gek aan haar eigen zaken en was van het soort dat naar huis ging als haar werkdag erop zat. En Sonny Magnusson was eenenzestig, had niets met het redactionele van doen en zou bovendien bijna op vakantie gaan.

'Nog nieuws?' vroeg Mikael.

'Niets bijzonders,' zei Henry Cortez. 'Het nieuws van vandaag gaat uiteraard over 1 mei.'

Mikael knikte.

'Ik zit hier nog wel een paar uur. Neem jij maar vrij en kom om negen uur vanavond terug.'

Toen Henry Cortez was verdwenen, ging Mikael naar zijn bureau en pakte zijn anonieme telefoon. Hij belde freelancejournalist Daniel Olofsson in Göteborg. *Millennium* had in de loop der jaren diverse teksten van Olofsson gepubliceerd en Mikael had veel vertrouwen in diens journalistieke vermogen om basismateriaal te vergaren.

'Hoi Daniel, met Mikael Blomkvist. Heb je tijd?'

'Ja.'

'Ik heb een researchklus voor je. Je kunt vijf dagen declareren, maar het hoeft niet te resulteren in een tekst. Of liever gezegd, je mag best een tekst over het onderwerp schrijven en die zullen we dan ook publiceren, maar we zijn uitsluitend geïnteresseerd in de research.'

'*Shoot.*'

'Het ligt wat gevoelig. Je mag er met niemand over praten behalve met mij, en je mag met mij alleen maar communiceren via hotmail. En je mag absoluut niet zeggen dat je research doet in opdracht van *Millennium*.'

'Dat klinkt spannend. Waar ben je naar op zoek?'

'Ik wil dat je een werkplekreportage van het Sahlgrenska-ziekenhuis maakt. We noemen de reportage "ER" en hij moet het verschil weerspiegelen tussen de werkelijkheid en de tv-serie. Ik wil dat je een paar dagen rondloopt op de spoedeisende hulp en de intensive care en het werk daar volgt. Praat met artsen, verpleegkundigen, schoonmaakpersoneel en iedereen die daar werkt. Hoe zijn de arbeidsvoorwaarden? Wat doet men? Al dat soort dingen. Met foto's, uiteraard.'

'De intensive care?' vroeg Olofsson.

'Ja inderdaad, ik wil dat je inzoomt op de nabehandeling van zwaargewonde patiënten in gang 11C. Ik wil weten hoe de gang er op de plattegrond uitziet, wie er werken, hoe die mensen eruitzien en wat voor achtergrond ze hebben.'

'Hm,' zei Daniel Olofsson. 'Als ik me niet vergis, wordt er een zekere Lisbeth Salander verpleegd op 11C.'

Hij was ook niet gek.

'Je meent het,' zei Mikael Blomkvist. 'Interessant. Probeer erachter te komen in welke kamer ze ligt, wat er in de kamers om haar heen gebeurt en wat de routines voor haar verzorging zijn.'

'Ik vermoed dat die reportage over iets heel anders zal gaan,' zei Daniel Olofsson.

'Zoals gezegd ... ik ben alleen geïnteresseerd in de research die je doet.'

Ze wisselden hotmailadressen uit.

Lisbeth Salander lag op haar rug op de grond van haar kamer in het Sahlgrenska toen zuster Marianne de deur opendeed.

'Hm,' zei zuster Marianne en ze gaf daarmee uiting aan haar twijfels over de vraag of het nu wel zo verstandig was om op de intensive care op de grond te gaan liggen. Maar ze accepteerde dat dat de enig redelijke plaats voor de patiënte was om oefeningen te doen.

Lisbeth Salander was helemaal bezweet en was al dertig minuten bezig met het doen van opdrukoefeningen, rek- en strekoefeningen en sit-ups volgens de aanbevelingen van haar therapeut. Ze had een schema met een lange reeks bewegingen die ze elke dag moest uitvoeren om de spieren in haar schouder en heup te trainen na de operatie van drie weken daarvoor. Ze ademde zwaar en voelde zich totaal niet in vorm. Ze werd snel moe en haar schouder was stijf en deed bij de minste inspanning pijn. Maar ze was beslist aan de beterende hand. De hoofdpijn die haar de eerste tijd na de operatie had gepijnigd, was afgenomen en stak nog slechts af en toe de kop op.

Ze meende dat ze zo gezond was dat ze zonder meer het ziekenhuis had kunnen verlaten, of ten minste het ziekenhuis uit had kunnen strompelen als dat mogelijk was geweest, maar dat was niet het geval. Aan de ene kant omdat de artsen haar nog niet beter hadden verklaard en aan de andere kant omdat de deur van haar kamer voortdurend op slot zat en werd bewaakt door zo'n verdomde ingehuurde kleerkast van Securitas, die op een stoel in de gang zat.

Daarentegen was ze gezond genoeg om te worden overgeplaatst naar een gewone revalidatieafdeling. Maar na wat heen-en-weergepraat hadden de politie en het ziekenhuismanagement besloten dat Lisbeth voorlopig toch op kamer 18 zou blijven. De reden was dat de kamer eenvoudig te beveiligen was, dat er voortdurend personeel in de buurt was vanwege de ligging ervan; aan het eind van de L-vormige gang. Het was om die reden dus gemakkelijker geweest om haar voorlopig op gang 11C te houden – waar het personeel zeer alert was na de moord op Zalachenko en op de hoogte was van de problematiek rond haar persoontje – dan haar naar een nieuwe afdeling te verhuizen met alles wat daarbij kwam kijken aan gewijzigde routines.

Haar verblijf in het Sahlgrenska was hoe dan ook nog een kwestie van een paar weken. Zo gauw de artsen haar uitschreven, zou ze naar de Kronobergsgevangenis in Stockholm worden overgebracht in afwachting van haar proces. En de persoon die besloot wanneer het zover was, was dokter Anders Jonasson.

Het had na de schoten in Gosseberga tien lange dagen geduurd voordat dokter Jonasson de politie toestemming had gegeven om een eerste fatsoenlijk verhoor te houden, wat in de ogen van Annika Giannini uitstekend was. Anders Jonasson had helaas ook een spaak in het wiel gestoken voor Annika's eigen bezoekjes aan haar cliënte. Wat irritant was.

Na het tumult rondom de moord op Zalachenko had hij een uitgebreide inschatting gemaakt van de toestand van Lisbeth Salander en daarbij het feit meegewogen dat Lisbeth Salander uiteraard een grote portie stress te verduren gekregen moest hebben, aangezien ze verdacht was geweest van een drievoudige moord. Anders Jonasson had geen idee van haar eventuele schuld of onschuld, en als arts was hij ook allerminst geïnteresseerd in het antwoord op die vraag. Hij maakte alleen de inschatting dat Lisbeth Salander was blootgesteld aan stress. Ze was drie keer beschoten, en één van de kogels had haar in haar hersenen geraakt en was haar bijna fataal geworden. Ze had koorts die niet wilde wijken en hevige hoofdpijn.

Hij had het zekere voor het onzekere genomen. Verdacht van moord of niet, ze was zijn patiënte en het was zijn taak te zorgen voor haar spoedige herstel. Hij vaardigde daarom een bezoekverbod uit dat geen enkel verband hield met het juridisch gemotiveerde bezoekverbod van de officier van justitie. Hij schreef medicatie en volledige rust voor.

Omdat Anders Jonasson vond dat een totaal isolement zo'n inhumane manier was om mensen te bestraffen dat het haast aan mishandeling grensde, en dat geen mens er beter van werd om helemaal gescheiden te worden van zijn vrienden, besloot hij dat Lisbeth Salanders advocate Annika Giannini mocht optreden als een plaatsvervangende vriend of vriendin. Jonasson had een ernstig gesprek met Annika Giannini, waarin hij verklaarde dat ze Lisbeth Salander elke dag een uur mocht zien. In die tijd mocht ze haar bezoeken, met haar praten of gewoon bij haar zitten om haar gezelschap te houden. De gesprekken mochten echter zo min mogelijk over Lisbeth Salanders wereldlijke problemen en komende juridische veldslagen gaan.

'Lisbeth Salander is in haar hoofd geschoten en is ernstig gewond,' had hij gezegd. 'Ik denk dat ze buiten levensgevaar is, maar de kans blijft altijd aanwezig dat er bloedingen of complicaties ontstaan. Ze heeft rust nodig en moet kunnen genezen. Pas daarna kan ze aan de slag met haar juridische problemen.'

Annika Giannini had de logica in dokter Jonassons redenering begrepen. Ze voerde een paar algemene gesprekken met Lisbeth Salander en gaf aan hoe de strategie van Mikael en haarzelf eruitzag, maar het was de eerste tijd niet mogelijk om op de details in te gaan. Lisbeth Salander was domweg zo gedrogeerd en afgepeigerd dat ze vaak tijdens hun gesprekken in slaap viel.

Dragan Armanskij bekeek de serie foto's van Christer Malm van de twee mannen die Mikael Blomkvist vanaf Café Copacabana waren gevolgd. De foto's waren retescherp.

'Nee,' zei hij. 'Ik heb hen nooit eerder gezien.'

Mikael Blomkvist knikte. Ze ontmoetten elkaar die maandagochtend in de werkkamer van Armanskij. Mikael was het gebouw via de garage binnengegaan.

'De oudste is dus Göran Mårtensson, de eigenaar van de Volvo. Hij achtervolgt me al minstens een week als een slecht geweten, maar het kan natuurlijk langer zijn.'

'En jij beweert dat hij van de veiligheidsdienst is.'

Mikael wees op de informatie over Mårtenssons carrière die hij had weten te achterhalen. Die sprak voor zich. Armanskij aarzelde. Hij had tegenstrijdige gevoelens ten aanzien van Blomkvists onthulling.

Het was een feit dat de geheime politie zichzelf altijd voor schut zette. Dat gold niet alleen voor de Zweedse veiligheidsdienst, maar vermoedelijk voor alle geheime diensten ter wereld. Kijk maar naar de Franse geheime dienst, die een team militaire duikers naar Nieuw-Zeeland had gestuurd om het Greenpeace-schip *Rainbow Warrior* op te blazen. Wat moest worden beschouwd als de meest naïeve spionageoperatie uit de wereldgeschiedenis, mogelijk met uitzondering van president Nixons inbraak in het Watergate Hotel. Met zo'n naïeve aansturing was het niet zo gek dat er schandalen ontstonden. De successen werden nooit gerapporteerd. Daarentegen wierpen de media zich massaal op de veiligheidsdienst wanneer er iets onoorbaars of stoms gebeurde, of een actie mislukte. En dat met alle kennis die wijsheid achteraf met zich meebrengt.

Armanskij had de houding van de Zweedse media ten aanzien van de veiligheidsdienst nooit begrepen.

Aan de ene kant beschouwden de media de veiligheidsdienst als een voortreffelijke bron en bijna elke ondoordachte politieke stommiteit resulteerde in schreeuwende krantenkoppen: VEILIGHEIDSDIENST VERMOEDT DAT ... Een uitspraak van de veiligheidsdienst deed het altijd goed in de koppen.

Aan de andere kant hielden de media en politici van diverse pluimage zich maar al te graag bezig met het de grond in boren van mensen van de veiligheidsdienst wanneer deze, als ze werden betrapt, bezig waren met het bespioneren van Zweedse burgers. Daarin lag iets zó tegenstrijdigs dat Armanskij herhaaldelijk had geconstateerd dat zowel de politici als de media gestoord waren.

Armanskij had er niets op tegen dat de veiligheidsdienst bestond. Er moest toch íémand zorgen dat nationaalbolsjewistische gekken die te veel Bakoenin hadden gelezen – of wat die neonazi's ook lazen – geen bom van kunstmest en olie in elkaar gingen flansen en die in een bestelwagen voor het regeringsgebouw neerzetten. De veiligheidsdienst was dus nodig en Armanskij was van mening dat een beetje spioneren niet altijd kwade bedoelingen hoefde te hebben zolang het doel maar was de algemene veiligheid van de burgers te waarborgen.

Het probleem was natuurlijk dat een organisatie die tot taak had burgers te bespioneren, onder de meest rigide officiële controle zou moeten staan en dat er een buitengewoon hoge mate van constitutionele inzage moest zijn. Het probleem met de veiligheidsdienst was echter dat het voor politici en parlementariërs schier onmogelijk was om die inzage te krijgen. Zelfs toen de premier een speciale onderzoeker aanstelde die op papier overal toegang toe moest hebben. Armanskij had Carl Lidboms boek *Een taak* geleend en had hierover met stijgende verbazing gelezen. In de VS zou onmiddellijk een tiental vooraanstaande medewerkers van de veiligheidsdienst zijn gearresteerd wegens obstructie en zijn gedwongen om voor een of andere officiële commissie van het Congres te verschijnen. In Zweden waren ze ogenschijnlijk onaantastbaar.

De zaak-Lisbeth Salander toonde aan dat de organisatie ziek was, maar toen Mikael Blomkvist was langsgekomen en hem een veilige mobiele telefoon had gegeven, was Dragan Armanskij's eerste reactie geweest dat Blomkvist paranoïde was. Pas toen hij de details had bestudeerd en de foto's van Christer Malm had bekeken, had hij schoorvoetend moeten toegeven dat Blomkvist redenen voor zijn verdenkingen had. Wat weinig goeds betekende en aangaf dat de samenzwering waarvan Lisbeth Salander vijftien jaar geleden het slachtoffer was geworden, geen toeval was.

Er waren gewoon te veel toevalligheden voor toeval. Zalachenko kon best worden vermoord door een gestoorde betweter. Maar niet op hetzelfde moment dat zowel Mikael Blomkvist als Annika Giannini werd bestolen van het document dat de basis vormde van hun bewijslast. Het was één grote ellende. En bovendien had stergetuige Gunnar Björck zich verhangen.

'Oké,' zei Armanskij terwijl hij Mikaels documentatie verzamelde. 'Zijn we het erover eens dat ik dit verder doorspeel naar mijn contactpersoon?'

'Dat is dus iemand die jij vertrouwt?'

'Ik weet dat het iemand is met een sterke moraal en een zeer democratische gezindheid.'

'Binnen de veiligheidsdienst,' zei Mikael Blomkvist met duidelijke twijfel in zijn stem.

'We moeten het eens zijn. Holger Palmgren en ik hebben jouw plan geaccepteerd om met je samen te werken. Maar ik durf te beweren dat we dit niet helemaal alleen kunnen. We moeten bondgenoten binnen de bureaucratie vinden, als we tenminste niet willen dat dit in een drama zal eindigen.'

'Oké,' knikte Mikael schoorvoetend. 'Ik ben gewend om mijn betrokkenheid altijd af te ronden op het moment dat *Millennium* naar de drukker gaat. Ik heb nooit eerder informatie over een verhaal verstrekt voordat dat was gepubliceerd.'

'Maar dat héb je in dit geval al gedaan. Je hebt het al aan mij, aan je zus en aan Palmgren verteld.'

Mikael knikte.

'En dat heb je gedaan, omdat zelfs jij inziet dat deze zaak verder gaat dan een vette kop in jouw blad. In dit geval ben jij geen objectieve verslaggever, maar een speler in het geheel.'

Mikael knikte.

'En als speler heb je hulp nodig om je doelstellingen te bereiken.'

Mikael knikte. Hij had hoe dan ook niet de hele waarheid aan Armanskij of Annika Giannini verteld. Hij had nog steeds geheimen die hij met Lisbeth Salander deelde. Hij schudde Armanskij de hand.

9
WOENSDAG 4 MEI

Drie dagen nadat Erika Berger was aangetreden als praktiserend hoofdredacteur van de SMP overleed hoofdredacteur Håkan Morander, rond lunchtijd. Hij had de hele ochtend in de glazen kooi gezeten terwijl Erika samen met redactiesecretaris Peter Fredriksson een bespreking met de sportredactie had, zodat ze de medewerkers kon leren kennen en zich kon verdiepen in hun werk. Fredriksson was vijfenveertig jaar oud en was net als Erika Berger relatief nieuw bij de SMP. Hij werkte pas vier jaar bij de krant. Hij was zwijgzaam, vakkundig en plezierig in de omgang. Erika had al besloten veelal op Fredrikssons inzichten te vertrouwen als ze de leiding definitief overnam. Ze besteedde een groot deel van haar tijd aan het beoordelen van wie ze kon vertrouwen en onmiddellijk aan haar nieuwe regime wilde verbinden. Fredriksson was beslist een van de kandidaten. Toen ze bij de centrale balie kwamen, zagen ze Håkan Morander opstaan en naar de deur van de glazen kooi lopen.

Hij zag er ontsteld uit.

Toen boog hij opeens voorover en greep de rugleuning van een bureaustoel vast; een paar seconden later viel hij op de grond neer.

Hij was dood voordat de ambulance überhaupt was gearriveerd.

Er heerste die middag een verwarde stemming op de redactie. Bestuursvoorzitter Borgsjö kwam tegen tweeën en riep de medewerkers bij elkaar voor een korte herdenking. Hij vertelde hoe Morander de laatste vijftien jaar van zijn leven aan de krant had gewijd en over de tol die de journalistiek soms eist. Hij hield een minuut stilte. Toen die voorbij was, keek hij onzeker om zich heen, alsof hij niet goed wist hoe hij verder moest gaan.

Dat mensen op hun werkplek overlijden, is ongebruikelijk, zeldzaam zelfs. Het zou mensen moeten worden gegund om zich terug te trekken om te sterven. Ze moeten met pensioen gaan of in de gezondheidszorg verdwijnen en dan opeens op een dag in de kantine onderwerp worden van gesprek. 'Heb je trouwens gehoord dat die oude Karlsson vrijdag is overleden? Ja, hij had het aan zijn hart. De vakbond stuurt bloemen.' Sterven op je werkplek en voor de ogen van je medewerkers had iets opdringerigs. Erika merkte de verslagenheid die plotseling op de redactie heerste. De SMP stond zonder roerganger. Ze zag opeens dat diverse medewerkers naar haar stonden te kijken. De onbekende troef.

Zonder dat het haar was gevraagd en zonder precies te weten wat ze moest zeggen, schraapte ze haar keel, deed een halve stap naar voren en sprak met duidelijke en vaste stem.

'Ik heb Håkan Morander in totaal drie dagen gekend. Dat is een korte tijd, maar vanuit dat beetje dat ik van hem heb gezien, kan ik eerlijk zeggen dat ik hem graag beter had leren kennen.'

Ze laste een pauze in toen ze vanuit haar ooghoek zag dat Borgsjö naar haar keek. Hij leek verbaasd dat ze überhaupt wat zei. Ze deed nog een stap naar voren. *Niet glimlachen. Je mag niet glimlachen. Dan zie je er onzeker uit.* Ze sprak nog iets luider.

'Moranders plotselinge overlijden zal problemen veroorzaken op de redactie. Ik zou hem pas over twee maanden opvolgen en had erop gerekend dat ik wat van zijn ervaring zou kunnen leren.'

Ze merkte dat Borgsjö zijn mond opendeed om iets te zeggen.

'Nu zal dat niet gebeuren en zullen we een tijd van omschakeling krijgen. Maar Morander was hoofdredacteur van een dagblad en deze krant moet morgen ook verschijnen. We hebben nog negen uur voordat de pers gaat draaien en vier uur voordat de opiniepagina af moet zijn. Mag ik jullie vragen ... Wie van de medewerkers was Moranders beste vriend en stond hem het meest na?'

Er viel even een stilte waarin de medewerkers elkaar aankeken. Ten slotte hoorde Erika een stem van links.

'Dat was ik.'

Gunnar Magnusson, eenenzestig jaar oud, redactiesecretaris van de opiniepagina en al vijfendertig jaar werkzaam bij de SMP.

'Iemand zal een necrologie over Morander moeten maken. Ik kan dat niet doen ... dat zou niet correct zijn. Zou jij die tekst kunnen schrijven?'

Gunnar Magnusson aarzelde even, maar knikte vervolgens.

'Ik zal het proberen,' zei hij.

'We gebruiken de hele opiniepagina en annuleren al het andere materiaal.'

Gunnar knikte.

'We hebben foto's nodig ...' Ze keek naar rechts en ontdekte de chef beeldredactie, Lennart Torkelsson. Hij knikte.

'We moeten aan de slag. Het zal de komende tijd ongetwijfeld wat onrustig zijn. Als ik bepaalde dingen niet weet, zal ik jullie om advies vragen. Ik vertrouw op jullie vakkundigheid en ervaring. Jullie weten hoe deze krant wordt gemaakt, terwijl ik nog een heel leertraject voor me heb.'

Ze wendde zich tot redactiesecretaris Peter Fredriksson.

'Peter, ik heb van Morander begrepen dat jij iemand bent in wie hij veel vertrouwen had. Jij wordt mijn mentor de komende tijd en zult het zwaarder krijgen dan anders. Ik wil je vragen mijn adviseur te zijn. Zou dat kunnen?'

Hij knikte. Wat kon hij anders?

Ze keerde weer terug naar de opiniepagina.

'Nog één ding ... Morander zat vanochtend zijn hoofdartikel te schrijven. Gunnar, kun jij in zijn computer kijken of het klaar was? Ook al is het niet helemaal af, we publiceren het in elk geval. Het was Håkan Moranders laatste hoofdartikel en het zou zonde zijn als we dat niet zouden publiceren. De krant die we vandaag maken, is nog steeds Håkan Moranders krant.'

Stilte.

'Als sommigen van jullie een pauze willen nemen om even alleen te zijn en wat na te denken, doe dat gerust en zonder slecht geweten. Jullie weten allemaal welke deadlines er zijn.'

Stilte. Ze merkte dat sommigen halfgoedkeurend knikten.

'Go to work boys and girls,' zei ze zachtjes.

Jerker Holmberg spreidde zijn handen in een hulpeloos gebaar uiteen. Jan Bublanski en Sonja Modig keken aarzelend. Curt Svensson zag er neutraal uit. Ze bekeken gedrieën het resultaat van het vooronderzoek dat Holmberg vanochtend had afgerond.

'Niets?' vroeg Sonja Modig. Ze klonk aarzelend.

'Niets,' zei Holmberg en hij schudde zijn hoofd. 'Het eindrapport van de patholoog kwam vanochtend. Er is niets wat wijst op iets anders dan zelfmoord door verhanging.'

Ze verplaatsten allemaal hun blik naar de foto's die in de woonkamer van het zomerhuis in Smådalarö waren gemaakt. Alles wees erop dat Gunnar Björck, plaatsvervangend chef afdeling Buitenland van de Zweedse veiligheidsdienst, vrijwillig op een kruk was geklommen, een strop aan de haak van de lamp had bevestigd, deze om zijn eigen nek had gedaan en zeer besluitvaardig de kruk een paar meter van zich vandaan had geschopt. De patholoog was niet helemaal zeker van het exacte tijdstip van overlijden, maar had uiteindelijk de middag van 12 april vastgesteld. Björck was op 17 april gevonden door niemand minder dan Curt Svensson. Dat was gebeurd nadat Bublanski herhaaldelijk had getracht contact te krijgen met Björck en uiteindelijk, geïrriteerd, Svensson eropaf had gestuurd om hem opnieuw op te halen.

Op enig tijdstip gedurende die dagen was de lamphaak aan het plafond onder zijn last bezweken en was het lichaam van Björck op de grond gegleden. Svensson had het lichaam door een raam zien liggen en had alarm geslagen. Bublanski en anderen die ter plaatse kwamen, hadden de plek vanaf het begin beoordeeld als plaats delict en waren ervan uitgegaan dat Björck door iemand was gewurgd. Tijdens het technisch onderzoek later op de dag was pas de haak van de lamp gevonden. Jerker Holmberg had de opdracht gekregen uit te zoeken hoe Björck om het leven was gekomen.

'Er is niets wat duidt op een misdrijf en ook niets wat erop wijst dat Björck op dat moment niet alleen was,' zei Holmberg.

'De lamp ...'

'De plafondlamp draagt vingerafdrukken van de eigenaar van het huis, die hem twee jaar geleden heeft opgehangen, en van Björck zelf. Dat wijst erop dat hij de lamp er zelf af heeft gehaald.'

'Waar komt die strop vandaan?'

'Van de vlaggenmast in de achtertuin. Iemand had ruim twee meter touw afgesneden. Er lag een mes op de vensterbank voor de terrasdeur. Volgens de eigenaar van het huis is het zijn mes. Het ligt gewoonlijk in de gereedschapskist onder het aanrecht. De vingerafdrukken van Björck zitten op het heft en lemmet, en op de gereedschapskist.'

'Hm,' zei Sonja Modig.

'Wat zaten er voor knopen in?' vroeg Curt Svensson.

'Gewone oudewijvenknopen. De eigenlijke strop is alleen maar een lus. Dat is mogelijk het enige wat opmerkelijk is. Björck wist veel van zeilen en wist hoe je goede knopen moest leggen. Maar ik zou niet weten in hoeverre iemand die zelfmoord wil plegen, zich druk maakt om de vorm van de knopen.'

'Drugs?'

'Volgens het toxicologisch rapport had Björck sporen van sterke pijnstillers in zijn bloed. Het zijn medicijnen die alleen op recept verkrijgbaar zijn, en Björck slikte die ook inderdaad. Hij had ook alcohol gedronken, maar geen promillage om over naar huis te schrijven. Hij was met andere woorden min of meer nuchter.'

'De patholoog schrijft dat er een schaafwond was.'

'Een 3 centimeter lange schaafwond aan de buitenkant van zijn linkerknie. Een schram. Ik heb daarover zitten denken, maar die kan op zoveel manieren zijn ontstaan ... hij kan zich bijvoorbeeld hebben gestoten aan de rand van een stoel of iets dergelijks.'

Sonja Modig hield een foto omhoog van Björcks misvormde gezicht. De strop had zo diep in zijn vel gesneden dat het touw in de huidplooi niet eens meer zichtbaar was. Het gezicht zag er grotesk gezwollen uit.

'We kunnen vaststellen dat hij er uren heeft gehangen, vermoedelijk bijna een etmaal, voor de haak het begaf. Al het bloed zit deels in zijn hoofd, en de strop zorgde ervoor dat het bloed niet in het lichaam omlaag kon stromen, deels in lagere ledematen. Toen de haak knapte, is hij met zijn borstkas tegen de rand van de tafel aan gekomen. Daar is een diepe kneuzing ontstaan. Maar die wond is ontstaan lang nadat hij was overleden.'

'Wat een vreselijke manier om dood te gaan,' zei Curt Svensson.

'Ik weet het niet. De strop was zo dun dat hij diep in Björcks huid sneed en de bloedtoevoer stopte. Hij moet binnen een paar seconden bewusteloos zijn geweest en binnen een of twee minuten dood.'

Bublanski sloeg met afkeer de map met het vooronderzoek dicht. Hij vond dit maar niets. Het stond hem totaal niet aan dat Zalachenko en Björck op dezelfde dag leken te zijn gestorven. De een doodgeschoten door een gestoorde betweter en de ander op eigen kracht. Maar geen speculaties ter wereld konden iets veranderen aan het feit dat het onderzoek van de plaats delict geen enkele onderbouwing gaf voor de theorie dat iemand Björck een handje had geholpen.

'Hij stond onder grote druk,' zei Bublanski. 'Hij wist dat de Zalachenko-affaire opgerakeld zou worden en dat hij zelf de kans liep in de gevangenis te belanden wegens overtreding van de sekskoopwet en in de media te worden bespot. Ik vraag me af waar hij het meest bang voor was. Hij was ziek en had al heel lang chronische pijn ... Ik weet het niet. Ik zou het op prijs hebben gesteld als hij een briefje of iets dergelijks had nagelaten.'

'Veel mensen die zelfmoord plegen, schrijven nooit een afscheidsbrief.'

'Ik weet het. Oké. We hebben geen keus. Einde van het dossier-Björck.'

Erika Berger kon zich er niet toe zetten om onmiddellijk op Moranders stoel in de glazen kooi te gaan zitten en zijn persoonlijke eigendommen terzijde te schuiven. Ze sprak met Gunnar Magnusson af dat hij de weduwe zou vragen om, als de tijd daar rijp voor was, een keer langs te komen om te kijken wat van haar was.

In plaats daarvan liet ze een gedeelte aan de centrale balie midden in de kantoortuin vrijmaken, waar ze haar laptop neerzette en van waaruit ze de leiding nam. Het was chaotisch. Maar drie uur nadat ze met een vliegende start het roer van de *SMP* had overgenomen, ging de opiniepagina naar de drukker. Gunnar Magnusson had een vierkolommer geschreven over Håkan Moranders levenswerk. De pagina was opgebouwd rond een portret van Morander in het midden, zijn niet-afgeronde hoofdartikel links en een serie foto's onderaan. De pagina was lay-outtechnisch niet helemaal correct, maar had een grote emotionele waarde die de tekortkomingen acceptabel maakte.

Erika nam even voor zessen de koppen op de voorpagina door en besprak teksten met de redactiechef, toen Borgsjö naar haar toe kwam en haar schouder aanraakte. Ze keek op.

'Heb je heel even?'

Ze liepen naar de koffieautomaat in de kantine.

'Ik wilde alleen maar even zeggen dat ik erg content ben met de manier waarop je de leiding vandaag hebt overgenomen. Ik geloof dat je ons allemaal hebt verrast.'

'Ik had weinig keus. Maar het zal nog wel even duren voor ik ingewerkt ben.'

'Daar zijn we ons van bewust.'

'We?'

'Ik bedoel het personeel en de directie. Met name de directie. Maar na wat er vandaag is gebeurd, ben ik er meer dan ooit van overtuigd dat jij de juiste keuze bent. Je bent net op tijd gekomen en werd gedwongen om de leiding in een zeer lastige situatie over te nemen.'

Erika ging er bijna van blozen. Dat was sinds haar veertiende niet meer gebeurd.

'Mag ik je een goed advies geven?'

'Natuurlijk.'

'Ik hoorde dat je met nieuwschef Anders Holm een verschil van mening had over de koppen.'

'Ja, we waren het niet helemaal eens over de *tone of voice* in de tekst over het belastingvoorstel van de regering. Hij had een standpunt in de kop op de nieuwspagina opgenomen. Maar ik vind dat een kop daar neutraal moet zijn. De standpunten moeten op de opiniepagina naar voren worden gebracht. En nu we het daar toch over hebben – ik zal af en toe een hoofdartikel schrijven, maar ben zoals gezegd niet politiek actief en we moeten kijken wie de hoofdredactie gaat voeren over de hoofdartikelen.'

'Magnusson moet het zolang maar overnemen,' zei Borgsjö.

Erika Berger haalde haar schouders op.

'Het maakt mij niet uit wie jullie aanwijzen. Maar het moet iemand zijn die duidelijk de mening van de krant weergeeft.'

'Ik begrijp het. Wat ik wilde zeggen, is dat je Holm wat speelruimte moet geven. Hij werkt al heel lang bij de SMP en is al vijftien jaar nieuwschef. Hij weet wat hij doet. Hij kan een dwarsligger zijn, maar is praktisch onmisbaar.'

'Dat weet ik. Dat vertelde Morander ook. Maar als het om de nieuwspolicy gaat, moet hij in de pas lopen. Als puntje bij paaltje komt, hebben jullie mij tenslotte aangenomen om de krant te vernieuwen.'

Borgsjö knikte nadenkend.

'Oké, we moeten de problemen maar oplossen wanneer ze zich voordoen.'

Annika Giannini was moe en geïrriteerd toen ze die woensdagavond op het Centraal Station van Göteborg in de X2000 stapte op weg naar huis. Ze voelde zich alsof ze de afgelopen maand in de X2000 had gewoond. Ze had haar gezin amper gezien. Ze haalde koffie in de restauratiewagen, ging naar haar plaats en sloeg de map met aantekeningen van het laatste gesprek met Lisbeth Salander open. Wat ook de reden was dat ze moe en geïrriteerd was.

Ze houdt dingen voor me achter, dacht Annika Giannini. *Die kleine idioot vertelt niet de hele waarheid. En Micke verzwijgt ook iets voor me. God mag weten waar ze mee bezig zijn.*

Ze constateerde ook dat de samenzwering – als daar nu sprake van was – een stilzwijgende, natuurlijke overeenkomst moest zijn, omdat haar broer en haar cliënte niet met elkaar hadden gecommuniceerd. Ze begreep niet waar het over ging, maar ze nam aan dat het iets was wat Mikael Blomkvist meende te moeten verzwijgen.

Ze vreesde dat het een morele kwestie was; zijn zwakke punt. Hij was Lisbeth Salanders vriend. Ze kende haar broer en wist dat hij ontzettend loyaal was ten aanzien van mensen die hij ooit als vrienden had gedefinieerd, ook als een vriend zich onmogelijk gedroeg en het faliekant mis had. Ze wist ook dat Mikael veel stommiteiten kon accepteren, maar dat er een onuitgesproken grens was die niet mocht worden overschreden. Wáár die grens lag, leek van persoon tot persoon te variëren, maar ze wist dat Mikael een paar keer volledig had gebroken met personen die vroeger goede vrienden waren geweest, omdat ze iets hadden gedaan wat hij als immoreel of onacceptabel beschouwde. Op zulke momenten was hij compromisloos. De breuk was totaal en voor altijd, en er viel niet over te praten. Mikael nam niet eens de telefoon op als diegene belde om op zijn blote knieën om vergiffenis te smeken.

Wat zich in Mikael Blomkvists hoofd afspeelde, begreep Annika Giannini wel. Maar van wat er in Lisbeth Salanders bovenkamer gebeurde, had ze geen idee. Soms dacht ze dat het daarboven helemaal stilstond.

Van Mikael had ze begrepen dat Lisbeth Salander humeurig kon zijn en extreem gereserveerd ten aanzien van haar omgeving. Tot ze Lisbeth Salander had ontmoet, had Annika gedacht dat dat een fase zou zijn die over zou gaan en dat het gewoon een kwestie was van vertrouwen winnen. Maar Annika moest constateren dat na een maand van gesprekken – oké, de eerste twee weken waren verspilde moeite geweest, omdat Lisbeth Salander nog geen gesprekken aankon – de conversatie nog steeds grotendeels eenzijdig was.

Annika had ook opgemerkt dat Lisbeth Salander zich soms in een diepe depressie leek te bevinden en totaal niet geïnteresseerd was in het ontwarren van haar situatie of haar toekomst. Het leek alsof Lisbeth Salander doodeenvoudig niet begreep of dat het haar niet kon schelen dat Annika haar alleen maar optimaal kon verdedigen als ze toegang had tot alle feiten. Annika kon niet in het duister blijven tasten.

Lisbeth Salander was chagrijnig en zwijgzaam. Ze moest telkens heel lang nadenken en áls ze al iets zei, formuleerde ze het heel exact. Vaak gaf ze helemaal geen antwoord, en soms gaf ze opeens antwoord op een vraag die Annika haar dagen daarvoor had gesteld. Tijdens de politieverhoren had Lisbeth Salander zwijgend in bed voor zich uit liggen staren. Ze had slechts eenmaal met de politiemensen gesproken. Die uitzondering had zich voorgedaan toen inspecteur Marcus Erlander vragen had gesteld over Ronald Niedermann; toen had ze hem aangekeken en elke vraag zakelijk beantwoord. Zo gauw hij een ander onderwerp aansneed, had ze alle belangstelling verloren en alleen maar voor zich uit gestaard.

Annika was erop voorbereid geweest dat Lisbeth helemaal niets tegen de politie zou zeggen. Ze sprak uit principe niet met overheidsinstanties. Dat kwam haar in dit geval wel goed uit. Want hoewel Annika haar cliënte formeel regelmatig aanspoorde om vragen van de politie te beantwoorden, was ze diep vanbinnen heel blij met Salanders compacte zwijgen. De reden was simpel. Het was een consequent zwijgen. Het bevatte geen leugens waarop ze betrapt kon worden en geen tegenstrijdige redeneringen die in de rechtszaak slecht zouden overkomen.

Maar ook al was Annika voorbereid geweest op Lisbeths zwijgen, ze verbaasde zich erover dat dat zo onverstoorbaar was. Toen ze alleen waren, had ze Lisbeth gevraagd waarom ze zo demonstratief weigerde om met de politie te praten.

'Ze verdraaien alles wat ik zeg en gebruiken het dan tegen me.'

'Maar als je geen uitleg geeft, zul je worden veroordeeld.'

'Dat moet dan maar. Ik heb dit gedoe niet veroorzaakt. En als ze mij daarvoor willen veroordelen, is dat niet mijn probleem.'

Lisbeth Salander had Annika zo zoetjes aan bijna alles verteld wat er in Stallarholmen was gebeurd, hoewel Annika de woorden er meestal uit had moeten trekken. Alles, behalve één ding. Lisbeth had niet verteld hoe Magge Lundin aan de kogel in zijn voet was gekomen. Hoeveel Annika ook vroeg en zeurde, Lisbeth Salander had haar alleen maar onbeschaamd aangekeken en haar scheve lachje gelachen.

Ze had ook verteld wat er in Gosseberga was gebeurd. Maar ze had niet gezegd waaróm ze haar vader had opgespoord. Was ze naar Gosseberga gekomen om haar vader te vermoorden – wat de officier van justitie beweerde – of had ze hem opgezocht om hem tot rede te brengen? Juridisch gezien was dat een hemelsbreed verschil.

Toen Annika Lisbeths voormalige toezichthouder, advocaat Nils Bjurman, ter sprake bracht, werd Lisbeth meer dan zwijgzaam. Haar gebruikelijke antwoord was dat zij niet degene was die hem had doodgeschoten en dat dat ook geen onderdeel was van de aanklacht die tegen haar liep.

En toen Annika het feitelijk meest essentiële detail van het hele gebeuren ter sprake bracht, de rol die dokter Peter Teleborian in 1991 had gespeeld, hulde Lisbeth zich in stilzwijgen.

Dit gaat zo niet, constateerde Annika. *Als Lisbeth mij niet vertrouwt, zullen we de rechtszaak verliezen. Ik moet met Micke praten.*

Lisbeth Salander zat op de rand van haar bed door het raam naar buiten te kijken. Ze kon de gevel aan de overkant van de parkeerplaats zien. Ze zat zo al meer dan een uur, ongestoord en onbeweeglijk, nadat Annika Giannini was opgestaan en de deur kwaad achter zich had dichtgesmeten. Ze had weer hoofdpijn, maar die was licht en ver weg. Maar ze voelde zich ongemakkelijk.

Ze ergerde zich aan Annika Giannini. Uit praktisch oogpunt kon ze wel begrijpen waarom haar advocaat voortdurend zat te zeuren over details uit haar verleden. Puur rationeel begreep ze best waarom Annika alle feiten moest hebben. Maar ze had geen enkele zin om over haar gevoelens of haar handelen te praten. Ze meende dat haar leven haar eigen zaak was. Het was niet háár fout dat haar vader een pathologisch zieke sadist en moordenaar was. Het was niet háár fout dat haar broer een seriemoordenaar was. En godzijdank was er niemand die wist dat hij haar broer was, wat haar anders hoogstwaarschijnlijk ook nog ten laste zou worden gelegd in het psychiatrische onderzoek dat vroeg of laat zou plaatsvinden. Zij was niet degene die Dag Svensson en Mia Bergman had vermoord. En zij was niet degene die een toezichthouder had aangewezen die een varken en een verkrachter bleek te zijn.

Toch moest háár leven binnenstebuiten worden gekeerd en was zij degene die tekst en uitleg moest geven en om vergeving moest smeken, omdat ze zichzelf had verdedigd.

Ze wilde met rust worden gelaten. En als puntje bij paaltje kwam, was zij uiteindelijk degene die met zichzelf moest leven. Ze verwachtte niet dat iemand haar vriend zou zijn. Die *Verrekte Annika Giannini* stond vermoedelijk aan haar kant, maar dat was een professionele vriendschap, omdat zij haar advocate was. Die *Verrekte Kalle Blomkvist* bevond zich ook ergens – Annika was zwijgzaam over haar broer en Lisbeth vroeg nooit naar hem. Ze nam niet aan dat hij nog veel moeite voor haar zou doen, nu de moord op Dag Svensson eenmaal was opgelost en hij zijn verhaal had.

Ze vroeg zich af wat Dragan Armanskij van haar vond na alles wat er was gebeurd.

En ze vroeg zich af hoe Holger Palmgren de situatie ervoer.

Volgens Annika Giannini stonden ze beiden aan haar kant van de ring, maar dat waren alleen maar mooie woorden. Ze konden niets doen om haar privéproblemen op te lossen.

Ze vroeg zich af wat Miriam Wu voor haar voelde.

Ze vroeg zich af wat ze voor zichzelf voelde en kwam tot het inzicht dat haar hele leven haar eigenlijk onverschillig liet.

Ze werd plotseling gestoord in haar gedachten doordat de Securitas-bewaker de sleutel in het slot stak en dokter Anders Jonasson binnenliet.

'Goedenavond juffrouw Salander. Hoe gaat het vandaag met je?'

'Oké,' antwoordde ze.

Hij controleerde haar status en constateerde dat ze koortsvrij was. Ze was gewend geraakt aan zijn bezoeken, die een paar keer per week plaatsvonden. Van alle mensen die haar verzorgden en in haar prikten, was hij de enige die ze in zekere zin vertrouwde. Ze had geen enkele keer het idee gehad dat hij vreemd naar haar had staan gluren. Hij bezocht haar kamer, praatte wat met haar en onderzocht hoe het met haar lichaam ging. Hij stelde geen vragen over Ronald Niedermann of Alexander Zalachenko, vroeg nooit of ze gestoord was of waarom de politie haar opgesloten hield. Hij leek alleen maar geïnteresseerd in hoe haar spieren het deden, hoe het genezingsproces in haar hersenen vlotte en hoe ze zich in het algemeen voelde.

Bovendien had hij letterlijk in haar hersenen zitten roeren. Iemand die in haar hersenen had gewroet, moest met respect worden behandeld, meende ze. Ze zag tot haar eigen verbazing in dat ze de bezoeken van Anders Jonasson als aangenaam ervoer, hoewel hij in haar zat te prikken en haar koortscurven analyseerde.

'Is het goed als ik het zelf ook even check?'

Hij deed zijn gebruikelijke onderzoek door in haar pupillen te kijken, naar haar ademhaling te luisteren, haar bloeddruk te meten en haar bloedbezinking te controleren.

'Hoe gaat het met me?' vroeg ze.

'Je bent heel duidelijk aan de beterende hand. Maar je moet meer gymnastiek doen. En je krabt aan die korst op je hoofd. Stop daarmee.'

Hij pauzeerde even.

'Mag ik een persoonlijke vraag stellen?'

Ze keek hem aan. Hij wachtte tot ze had geknikt.

'Die draak die je hebt laten tatoeëren ... Ik heb niet de hele tatoeage gezien, maar ik constateer dat hij erg groot is en een groot deel van je rug bedekt. Waarom heb je die gezet?'

'Hebt u hem niet gezien?'

Hij glimlachte plotseling.

'Ik bedoel, ik heb hem vaag gezien, maar toen je in mijn gezelschap geheel ontkleed was, was ik uitvoerig bezig om bloedingen te stoppen en kogels uit je lichaam te verwijderen en zo.'

‘Waarom vraagt u dat?’
‘Uit pure nieuwsgierigheid.’
Lisbeth Salander dacht een hele tijd na. Uiteindelijk keek ze hem aan.
‘Ik heb hem om privéredenen laten zetten en daar wil ik niet over praten.’
Anders Jonasson liet haar antwoord even bezinken en knikte nadenkend.
‘Oké. Het spijt me dat ik het heb gevraagd.’
‘Wilt u hem zien?’
Hij keek verbaasd.
‘Ja. Waarom niet.’
Ze keerde hem de rug toe en trok haar hemd over haar hoofd. Ze ging zo staan dat het licht van het raam op haar rug viel. Hij constateerde dat de draak een gebied aan de rechterkant van haar rug bedekte. Hij begon op haar schouderblad, helemaal bovenaan bij haar schouder en eindigde met een staart een stukje onder haar heup. Hij was prachtig en professioneel gemaakt. Hij zag eruit als een echt kunstwerk.
Na een tijdje draaide ze haar hoofd om.
‘Tevreden?’
‘Hij is prachtig. Maar het moet gigantisch veel pijn hebben gedaan.’
‘Ja,’ gaf ze toe. ‘Het deed pijn.’

Anders Jonasson verliet enigszins in verwarring gebracht de kamer van Lisbeth Salander. Hij was content met haar lichamelijke herstel. Maar hij werd niet goed wijs uit dat merkwaardige meisje in de kamer. Je had geen studie psychologie nodig om de conclusie te trekken dat ze zich geestelijk niet zo goed voelde. Haar toon tegen hem was beleefd, maar vol korzelige argwaan. Hij had ook begrepen dat ze beleefd was tegen het overige personeel, maar dat ze geen woord zei als de politie op bezoek kwam. Ze was extreem gesloten en hield haar omgeving voortdurend op afstand.
De politie had haar opgesloten en een officier van justitie was van plan haar aan te klagen wegens poging tot moord en zware mishandeling. Het verbaasde hem dat zo’n klein, fragiel meisje de fysieke kracht had gehad die nodig was voor dat soort grove gewelddadigheid, met name omdat het geweld tegen volwassen mannen gericht was geweest.
Hij had hoofdzakelijk naar haar draak gevraagd om een persoonlijk

onderwerp te hebben om met haar over te praten. Hij was eigenlijk niet geïnteresseerd in de vraag waarom ze zich op die overdreven manier had laten decoreren, maar nam aan dat als ze ervoor had gekozen haar lichaam met zo'n grote tatoeage te laten bedekken, hij een speciale betekenis voor haar moest hebben. Dus was het een goed onderwerp geweest om een gesprek mee te beginnen.

Hij bezocht haar gewoonlijk een paar keer per week. Die bezoeken lagen eigenlijk buiten zijn rooster en dokter Helena Endrin was haar arts. Maar Anders Jonasson was hoofd van de trauma-eenheid en hij was enorm trots op zijn werk in de nacht dat Lisbeth Salander de eerste hulp was binnengebracht. Hij had de juiste beslissing genomen toen hij ervoor had gekozen de kogel te verwijderen en voor zover hij kon zien, had ze geen gevolgen in de vorm van geheugenverlies, verminderde lichaamsfuncties of andere handicaps na de schotwond. Als het genezingsproces zich op deze wijze voortzette, zou ze het ziekenhuis verlaten met een litteken op haar hoofd, maar zonder andere complicaties. Welke littekens er op haar ziel waren gevormd, daar kon hij geen uitspraak over doen.

Hij wandelde naar zijn kantoor en ontdekte dat een man met een donker colbert tegen de muur geleund stond. Hij had wat warrig haar, maar een goedverzorgde baard.

'Dokter Jonasson?'

'Ja.'

'Dag. Mijn naam is Peter Teleborian. Ik ben arts en afdelingshoofd van de psychiatrische kliniek St. Stefans in Uppsala.'

'Ja, ik herken u.'

'Mooi. Ik zou graag een gesprek onder vier ogen met u willen hebben als dat u schikt.'

Anders Jonasson maakte de deur van zijn kamer open.

'Waar kan ik u mee helpen?'

'Het betreft een van uw patiënten. Lisbeth Salander. Ik zou haar willen bezoeken.'

'Hm. In dat geval moet u toestemming vragen aan de officier van justitie. Ze is in hechtenis genomen en heeft een bezoekverbod. Dergelijke bezoeken moeten ook van tevoren worden aangemeld bij Salanders advocaat ...'

'Ja, ik weet het. Ik dacht dat we in dit geval al die bureaucratie konden omzeilen. Ik ben arts en dan zou u mij toch op zuiver medische gronden zonder meer toegang tot haar kunnen verlenen?'

'Ja, dat zou kunnen. Maar ik begrijp het verband niet helemaal.'

'Ik ben jarenlang Lisbeth Salanders psychiater geweest toen ze in het St. Stefans in Uppsala lag. Ik heb haar tot haar achttiende gevolgd, toen de rechtbank haar de samenleving in stuurde, zij het onder toezicht. Ik moet er wellicht bij zeggen, dat ik mij daar uiteraard sterk tegen heb verzet. Sindsdien heeft ze stuurloos rondgedobberd en daarvan zien we nu het resultaat.'

'Ik begrijp het,' zei Anders Jonasson.

'Ik voel nog steeds een grote verantwoordelijkheid voor haar en zou graag een indruk willen krijgen van de mate van verslechtering van haar geestelijke gezondheidstoestand van de laatste tien jaar.'

'Verslechtering?'

'Vergeleken met de tijd waarin ze als tiener gekwalificeerde zorg kreeg. Ik dacht dat we daar wel een geschikte modus voor konden vinden, als artsen onder elkaar.'

'Nu ik haar toestand vers in mijn geheugen heb, bedoelt u. Maar wellicht kunt u mij ergens mee helpen wat ik niet helemaal begrijp, als artsen onder elkaar dus. Toen ze hier in het Sahlgrenska werd opgenomen, heb ik een groot medisch onderzoek naar haar gedaan. Een collega heeft het gerechtelijk-geneeskundige onderzoek van Lisbeth Salander opgevraagd. Dat was opgesteld door een dokter Jesper H. Löderman.'

'Dat klopt. Ik was Jespers promotor toen hij promoveerde.'

'Aha. Maar ik vind dat onderzoek nogal vaag.'

'O.'

'Het bevat geen diagnose, het lijkt meer een academische studie van een zwijgende patiënt.'

Peter Teleborian moest lachen.

'Ja, ze is niet zo makkelijk in de omgang. Zoals uit het onderzoek blijkt, weigerde ze consequent aan de gesprekken met Löderman deel te nemen. Daardoor heeft hij zich vaag moeten uitdrukken. Wat in dit geval helemaal correct was.'

'Goed, maar de aanbeveling was in elk geval om haar te laten opnemen.'

'Dat was gebaseerd op haar verleden. Wij hebben immers een jarenlange, overkoepelende ervaring met haar ziektebeeld.'

'En dat is wat ik niet precies begrijp. Toen ze hier werd opgenomen, hebben we geprobeerd haar dossier op te vragen bij St. Stefans. Maar we hebben nog steeds niets gezien.'

'Het spijt me, maar dat is door de rechtbank als geheim bestempeld.'

'Ik begrijp het. Maar hoe moeten wij haar hier in het Sahlgrenska optimale zorg bieden als we geen toegang krijgen tot haar dossier? Wij zijn momenteel immers medisch verantwoordelijk voor haar.'

'Ik heb haar al sinds haar twaalfde onder behandeling en ik geloof niet dat er een andere arts in Zweden is met hetzelfde inzicht in haar ziektebeeld.'

'En dat is ...?'

'Lisbeth Salander lijdt aan een ernstige psychische stoornis. Zoals u weet, is psychiatrie geen exacte wetenschap. Ik wil me liever niet aan een exacte diagnose verbinden. Maar ze heeft duidelijke waanbeelden met kennelijk paranoïde, schizofrene trekken. In dat beeld passen ook periodes van manische depressiviteit, en ze kent geen empathie.'

Anders Jonasson bestudeerde dokter Peter Teleborian tien seconden voordat hij zijn handen uiteenspreidde.

'Ik ga niet met u over diagnosen redetwisten, maar hebt u nooit een aanzienlijk eenvoudiger diagnose overwogen?'

'Zoals?'

'Bijvoorbeeld het Syndroom van Asperger. Ik wil absoluut geen psychische diagnose stellen, maar als ik spontaan iets zou moeten zeggen, ligt een vorm van autisme voor de hand. Dat zou een verklaring zijn voor haar onvermogen om te voldoen aan sociale conventies.'

'Het spijt me, maar Asperger-patiënten steken hun ouders niet in brand. Geloof me, ik heb nooit eerder zo'n duidelijk geval van een sociopate ontmoet.'

'Ik ervaar haar als gesloten, maar zeker niet als een paranoïde sociopate.'

'Ze is extreem manipulatief,' zei Peter Teleborian. 'Ze laat dát zien wat ze denkt dat u wilt zien.'

Anders Jonasson fronste ongemerkt zijn wenkbrauwen. Peter Teleborian ging dwars tegen zijn eigen inschatting van Lisbeth Salander in. Als er iets was, wat hij niet van haar vond, was het dat ze manipulatief was. Integendeel – ze was iemand die haar omgeving resoluut op afstand hield en geen enkele emotie toonde. Hij probeerde het beeld dat Teleborian had geschilderd in overeenstemming te brengen met het beeld dat hijzelf van Lisbeth Salander had gekregen.

'En u hebt haar maar een korte tijd gezien waarin ze bovendien genoodzaakt is passief te zijn vanwege haar letsel. Ik heb haar gewelddadige uitvallen en onredelijke haat gezien. Ik heb jarenlang geprobeerd Lisbeth Salander te helpen. Dat is ook de reden dat ik hier ben. Ik stel een samenwerking tussen het Sahlgrenska en het St. Stefans voor.'

'Aan wat voor soort samenwerking denkt u dan?'

'U behandelt haar lichamelijke problemen. Ik ben ervan overtuigd dat ze op dat gebied de beste zorg krijgt die er is. Maar ik ben bijzonder ongerust over haar psychische gesteldheid en wil graag in een vroeg stadium in beeld komen. Ik ben bereid alle hulp te bieden die ik kan.'

'Ik begrijp het.'

'Ik zou haar moeten bezoeken om een eerste indruk te krijgen van haar toestand.'

'Ik begrijp het. Maar ik kan u helaas niet helpen.'

'Pardon?'

'Zoals ik eerder al heb gezegd, zit ze in hechtenis. Als u een psychiatrische behandeling van haar wilt starten, moet u zich richten tot officier van justitie Jervas die beslissingen neemt op dat gebied, en het moet in overleg gaan met Salanders advocate, Annika Giannini. Als er sprake is van een gerechtelijk-psychiatrisch onderzoek moet de rechtbank u daartoe opdracht geven.'

'Ik wilde die hele bureaucratische jungle juist omzeilen.'

'Ja, maar ik ben verantwoordelijk voor haar en als ze in de nabije toekomst voor de rechtbank moet verschijnen, moeten we duidelijke papieren hebben van alle maatregelen die we hebben genomen. Dus moeten we door de bureaucratische jungle heen.'

'Ik begrijp het. Dan kan ik u vertellen dat ik al een aanvraag voor een gerechtelijk-psychiatrisch onderzoek heb liggen van officier van justitie Richard Ekström in Stockholm. Dat zal actueel worden in verband met de rechtszaak.'

'Mooi. Dan zult u toestemming krijgen voor bezoek en hoeven we niet aan het reglement te tornen.'

'Maar terwijl wij ons bezighouden met de bureaucratie bestaat de kans dat haar toestand verergert. Ik ben uitsluitend geïnteresseerd in haar gezondheid.'

'Ik ook,' zei Anders Jonasson. 'En onder ons gezegd, zie ik niets wat erop wijst dat ze geestelijk niet in orde zou zijn. Ze is ernstig toegetakeld en staat erg onder druk. Maar ik ervaar absoluut niet dat ze schizofreen zou zijn of zou lijden aan paranoïde waanvoorstellingen.'

Dokter Peter Teleborian probeerde Anders Jonasson nog geruime tijd op andere gedachten te brengen. Toen hij uiteindelijk inzag dat het tevergeefs was, stond hij abrupt op en vertrok.

Anders Jonasson zat daarna een hele tijd nadenkend naar de stoel te kijken waarin Teleborian had gezeten. Het was op zich niet ongebruikelijk dat andere artsen contact met hem opnamen voor advies of ideeën over een behandeling. Maar dat ging bijna uitsluitend om patiënten met een arts die al met een bepaalde vorm van behandeling bezig was. Hij had nooit eerder meegemaakt dat een psychiater plompverloren was verschenen en er bijna op had gestaan om buiten alle reguliere bureaucratie om toegang te krijgen tot een patiënt die hij blijkbaar al jaren niet had behandeld. Anders Jonasson keek na een tijdje op zijn horloge en constateerde dat het even voor zevenen 's avonds was. Hij pakte de hoorn van de haak en belde Martina Karlgren, de psychologe en het luisterend oor dat het Sahlgrenska haar traumapatiënten aanbood.

'Hoi. Ik neem aan dat je niet meer aan het werk bent. Stoor ik?'

'Helemaal niet. Ik ben thuis wat aan het rommelen.'

'Ik heb een vraag. Jij hebt met onze patiënte Lisbeth Salander gesproken. Kun je vertellen wat jij voor indruk van haar hebt?'

'Tja, ik heb haar drie keer bezocht en haar een gesprek aangeboden. Dat heeft ze vriendelijk maar beslist afgewezen.'

'Wat is jouw indruk van haar?'

'Hoe bedoel je?'

'Martina, ik weet dat je geen psychiater bent, maar dat je een slim en verstandig iemand bent. Wat heb jij voor indruk van haar gekregen?'

Martina Karlgren aarzelde even.

'Ik weet niet precies hoe ik die vraag moet beantwoorden. Ik heb haar tweemaal ontmoet, nadat ze pas was binnengekomen en er zo slecht aan toe was dat ik niet echt contact met haar kreeg. En daarna ben ik ongeveer een week geleden op verzoek van Helena Endrin nog een keer bij haar langs geweest.'

'Waarom had Helena je gevraagd langs te gaan?'

'Lisbeth Salander is aan de beterende hand. Maar ze ligt voornamelijk naar het plafond te staren. Helena wilde dat ik eens naar haar zou kijken.'

'En, hoe ging dat?'

'Ik heb me voorgesteld. We hebben een paar minuten met elkaar gesproken. Ik vroeg hoe het met haar ging en of ze behoefte had aan iemand om mee te praten. Ze zei dat dat niet het geval was. Ik vroeg of ik haar ergens mee kon helpen. Ze vroeg me een pakje sigaretten naar binnen te smokkelen.'

'Was ze geïrriteerd of vijandig?'

Martina Karlgren dacht even na.

'Nee, dat zou ik niet willen beweren. Ze was rustig maar hield veel afstand. Haar vraag naar sigaretten leek me meer een grapje dan een serieus verzoek. Ik vroeg of ze iets wilde lezen, of ik haar misschien een bepaald soort boeken kon geven. Dat wilde ze eerst niet, maar later vroeg ze of ik wat wetenschappelijke tijdschriften had die over genetica en hersenonderzoek gingen.'

'Waarover?'

'Genetica.'

'Genetica?'

'Ja. Ik zei dat er een paar populairwetenschappelijke boeken op dat gebied in onze bibliotheek waren. Daar was ze niet in geïnteresseerd. Ze zei dat ze al eerder boeken over dat onderwerp had gelezen en noemde een paar standaardwerken waar ik nog nooit van had gehoord. Ze was dus meer geïnteresseerd in zuiver onderzoek op dat gebied.'

'O,' zei Anders Jonasson verbluft.

'Ik zei dat we niet van dat soort geavanceerde boeken in de patiëntenbibliotheek hadden – we hebben meer Philip Marlowe dan wetenschappelijke literatuur – maar dat ik kon kijken of ik ergens iets kon vinden.'

'En heb je dat gedaan?'

'Ik ben naar boven gegaan en heb een paar exemplaren van *Nature* en het *New England Journal of Medicine* geleend. Daar was ze erg blij mee en ze bedankte me voor de moeite.'

'Maar dat zijn vrij geavanceerde tijdschriften die met name essays over puur wetenschappelijk onderzoek bevatten.'

'Ze leest ze met grote belangstelling.'

Anders Jonasson was even met stomheid geslagen.

'Hoe beoordeel je haar geestelijke gesteldheid?'

'Gesloten. Ze heeft helemaal niets persoonlijks met mij besproken.'

'Ervaar je haar als geestesziek, manisch depressief of paranoïde?'

'Nee, absoluut niet. In dat geval zou ik wel alarm hebben geslagen. Ze is wat apart, heeft grote problemen en bevindt zich in een stresssituatie. Maar ze is kalm en zakelijk, en ze lijkt haar situatie aan te kunnen.'

'Oké.'

'Waarom vraag je dat? Is er iets gebeurd?'

'Nee, niets. Maar ik kan gewoon geen hoogte van haar krijgen.'

10
ZATERDAG 7 MEI – DONDERDAG 12 MEI

Mikael Blomkvist legde de map met het onderzoek dat hij van freelancer Daniel Olofsson in Göteborg had gekregen weg. Hij keek in gedachten door het raam naar buiten naar de stroom mensen op de Götgatan. Dat was een van de dingen die hij het prettigst vond van zijn kamer. De Götgatan was dag en nacht een levendige bedoening en als hij voor het raam zat, voelde hij zich nooit echt geïsoleerd of alleen.

Hij voelde zich gestrest, hoewel hij geen dringende zaken had. Hij had stug doorgewerkt aan de teksten waarmee hij het zomernummer van *Millennium* wilde vullen, maar had uiteindelijk ingezien dat het materiaal zó omvangrijk was dat zelfs een themanummer ontoereikend was. Hij was in dezelfde situatie beland als bij de Wennerström-affaire en had besloten de teksten als boek te publiceren. Hij had al materiaal voor ruim honderdvijftig pagina's en ging ervan uit dat het boek driehonderd à driehonderdvijftig pagina's zou beslaan.

Het eenvoudigste gedeelte was klaar. Hij had de moord op Dag Svensson en Mia Bergman al beschreven en verteld hoe het was gekomen dat hijzelf degene was die hun lichamen had gevonden. Hij had uitgelegd waarom Lisbeth Salander verdacht werd. Hij benutte een heel hoofdstuk van zevenendertig pagina's om alles wat de media over Lisbeth hadden geschreven evenals officier van justitie Richard Ekström en indirect het hele politieonderzoek onderuit te halen. Na rijp beraad had hij zijn kritiek op Bublanski en diens collega's wat genuanceerd. Dat deed hij na bestudering van een video van de persconferentie van Ekström, waarbij het duidelijk was dat Bublanski zich extreem ongemakkelijk voelde bij, en duidelijk misnoegd was over Ekströms snelle conclusies.

Na de inleidende dramatiek was hij teruggegaan in de tijd en had hij

Zalachenko's aankomst in Zweden beschreven evenals Lisbeth Salanders jeugd en de gebeurtenissen die ertoe hadden geleid dat ze in het St. Stefans in Uppsala werd opgesloten. Hij besteedde veel aandacht aan het totaal de grond in boren van dokter Peter Teleborian en de overleden Gunnar Björck. Hij presenteerde het gerechtelijk-psychiatrische onderzoek uit 1991 en verklaarde waarom Lisbeth Salander een bedreiging was geworden voor anonieme ambtenaren die zich tot taak hadden gesteld de Russische overloper te beschermen. Hij gaf grote delen van de correspondentie tussen Teleborian en Björck weer.

Hij beschreef verder de nieuwe identiteit van Zalachenko en diens werkterrein als fulltimegangster. Hij beschreef diens handlanger Ronald Niedermann, de ontvoering van Miriam Wu en het ingrijpen van Paolo Roberto. Ten slotte had hij de ontknoping in Gosseberga samengevat die ertoe had geleid dat Lisbeth Salander was beschoten en begraven, en legde hij uit hoe het kwam dat er volstrekt onnodig een politieman was vermoord terwijl Niedermann feitelijk al was opgepakt.

Daarna was de tekst wat stroperig geworden. Mikaels probleem was dat het verhaal nog steeds grote hiaten vertoonde. Gunnar Björck had niet alléén geopereerd. Achter het hele gebeuren moest een grotere groep zitten met geld en invloed. Dat kon bijna niet anders. Maar ten slotte had hij de conclusie getrokken dat de onrechtmatige behandeling van Lisbeth Salander niet door de regering of de leiding van de veiligheidsdienst kon zijn goedgekeurd. Achter die conclusie lag geen overdreven vertrouwen in de overheid, maar geloof in de menselijke natuur. Een dergelijke operatie had nooit geheimgehouden kunnen worden als er vanuit de politiek toezicht op was geweest. Er was altijd wel iemand die nog een appeltje met iemand te schillen had en zijn mond voorbijpraatte, waarna de media al jaren geleden lucht van de Salander-affaire zouden hebben gekregen.

Hij stelde zich de Zalachenko-club voor als een anoniem groepje activisten. Het probleem was alleen dat hij niemand van hen kon identificeren, buiten mogelijk Göran Mårtensson, veertig jaar, politieman met een geheime functie, die zich momenteel bezighield met het schaduwen van Mikael Blomkvist.

Het idee was dat het boek zou zijn gedrukt en zou kunnen worden gedistribueerd op de dag dat de rechtszaak tegen Lisbeth Salander zou beginnen. Samen met Christer Malm had hij een pocketuitgave gepland die zou worden meegeseald met een wat duurder zomernummer van *Millennium*. Hij had de taken verdeeld over Henry Cortez en Malin Eriksson, die teksten moesten produceren over de geschiedenis van de veiligheidsdienst, de IB-affaire en dergelijke.

Dat er een rechtszaak tegen Lisbeth Salander zou komen, stond nu vast.

Officier van justitie Richard Ekström had een aanklacht ingediend wegens zware mishandeling in de zaak Magge Lundin en zware mishandeling dan wel poging tot moord in de zaak Karl Axel Bodin, alias Alexander Zalachenko.

Er was nog geen datum voor de rechtszaak vastgesteld, maar van collega-journalisten had Mikael informatie opgevangen dat Ekström de zaak voor juli had gepland, een beetje afhankelijk van de gezondheidstoestand van Lisbeth Salander. Mikael begreep de bedoeling. Een rechtszaak midden in de zomer trok altijd minder de aandacht dan een rechtszaak gedurende andere perioden in het jaar.

Hij fronste zijn wenkbrauwen en keek door het raam van zijn werkkamer op de redactie van *Millennium* naar buiten.

Het is niet voorbij. De samenzwering tegen Lisbeth gaat door. Dat is de enige verklaring voor de afgeluisterde telefoons, de overval op Annika en de diefstal van het Salander-rapport uit 1991. En wellicht de moord op Zalachenko.

Maar hij had geen bewijs.

Samen met Malin Eriksson en Christer Malm had Mikael het besluit genomen dat uitgeverij Millennium ook het boek van Dag Svensson over mensensmokkel vóór aanvang van de rechtszaak zou uitgeven. Het was beter om het hele pakket in één keer te presenteren en er was geen reden om met de uitgave te wachten. Integendeel, het boek zou op een ander moment nooit zoveel aandacht trekken als dan. Malin was verantwoordelijk voor de eindredactie van het boek van Dag Svensson terwijl Henry Cortez Mikael bijstond bij het schrijven van het boek over de Salander-affaire.

Lottie Karim en Christer Malm waren daarmee – tegen hun wil – allebei tijdelijk redactiesecretaris van *Millennium* geworden, met Monika Nilsson als enig beschikbare verslaggever. Het resultaat van deze extra werkdruk was dat de hele redactie van *Millennium* op zijn tandvlees liep en dat Malin Eriksson diverse freelancers in de arm moest nemen om teksten te produceren. Dat zou een dure geschiedenis worden, maar ze hadden geen keus.

Mikael maakte een aantekening op een geel post it-velletje dat hij de rechten van het boek moest bespreken met de familie van Dag Svensson. Hij had uitgezocht dat de ouders van Dag Svensson in Örebro woonden en dat ze Dags enige erfgenamen waren. Op zich had hij geen toestemming nodig om het boek namens Dag Svensson uit te geven, maar hij was toch van plan om een keer naar Örebro af te reizen en hen persoonlijk te bezoeken om hun goedkeuring te krijgen. Hij had dat voor zich uit geschoven, omdat hij te veel aan zijn hoofd had, maar het werd hoog tijd om dat detail af te handelen.

Daarna resteerden er nog slechts honderd andere details. Eén daarvan was hoe hij met Lisbeth Salander zou omgaan in de teksten. Om dat uiteindelijk te kunnen bepalen, zou hij een persoonlijk gesprek met haar moeten hebben en haar goedkeuring moeten krijgen om de waarheid te vertellen, of in elk geval delen van de waarheid. En dat persoonlijke gesprek kon er niet komen, aangezien Lisbeth Salander in hechtenis zat en een bezoekverbod had.

In dat opzicht had hij niets aan zijn zus. Ze volgde slaafs de geldende regels en was niet van plan Mikael Blomkvists boodschappenmeisje te zijn met geheime berichten. Annika vertelde al evenmin wat zij en haar cliënte bespraken, behalve als het over de samenzwering tegen Lisbeth ging en Annika zijn hulp nodig had. Dat was frustrerend, maar correct. Mikael had er dus geen enkel idee van of Lisbeth Annika had verteld dat haar voormalige toezichthouder haar had verkracht en dat ze dat had gewroken door een opzienbarende boodschap op zijn buik te tatoeëren. Zolang Annika de zaak niet opnam, kon Mikael dat ook niet doen.

Maar met name Lisbeth Salanders isolement was een groot probleem. Ze was computerexpert en hacker, wat Mikael wel wist, maar Annika niet. Mikael had Lisbeth beloofd haar geheim nooit te verraden en hij had woord gehouden. Het probleem was dat hij zelf nu grote behoefte had aan haar kennis op dat gebied.

Hij moest dus op de een of andere manier contact met Lisbeth Salander zien te krijgen.

Hij zuchtte, deed de map van Daniel Olofsson weer open en haalde er twee papieren uit. Het ene was een uittreksel uit het paspoortregister van ene Idris Ghidi, geboren in 1950. Het was een man met een snor, een olijfkleurige huid en zwart haar, grijzend aan de slapen.

Het andere papier was Daniel Olofssons samenvatting van Idris Ghidi's achtergrond.

Ghidi was een Koerdische vluchteling uit Irak. Daniel Olofsson had aanzienlijk meer informatie over Idris Ghidi verzameld dan over andere personeelsleden. De verklaring voor deze informatiediscrepantie was dat Idris Ghidi een tijdlang de aandacht in de media had gewekt en in diverse stukken in het Media-archief voorkwam.

Idris Ghidi was in 1950 geboren in de stad Mosoel, in het noorden van Irak. Hij had een opleiding gevolgd tot ingenieur en had meegewerkt aan de grote economische hervorming van de jaren zeventig. In 1984 was hij als leraar aan de slag gegaan aan de hts van Mosoel. Hij stond niet bekend als politiek activist. Maar helaas was hij Koerd en per definitie potentieel crimineel in het Irak van Saddam Hoessein. In oktober 1987 werd de vader van Idris Ghidi opgepakt op verdenking van Koerdisch activisme. Er werd niet aangegeven waaruit de misdaad precies bestond. Hij werd als landverrader geëxecuteerd, vermoedelijk in januari 1988. Twee maanden later werd Idris Ghidi door de Irakese geheime politie opgehaald toen hij net begonnen was met een college sterkteleer voor brugconstructies. Hij werd naar een gevangenis buiten Mosoel gebracht, waar hij in de loop van elf maanden werd blootgesteld aan verregaande martelingen met als doel hem te laten bekennen. Wát hij exact had moeten bekennen, had Idris Ghidi nooit begrepen en daardoor gingen de martelingen door.

In maart 1989 had een oom van Idris Ghidi een bedrag met een waarde van 50.000 Zweedse kronen aan de plaatselijke leider van de Baathpartij betaald, wat voldoende werd geacht voor de schade die de Iraakse staat door Idris Ghidi had geleden. Twee dagen later werd hij vrijgelaten en aan de zorg van zijn oom overgelaten. Bij zijn vrijlating woog hij negenendertig kilo en was hij niet meer in staat om te lopen. Voor zijn vrijlating had men zijn linkerheup verbrijzeld met een voorhamer zodat hij in de toekomst niet nog méér kattenkwaad zou kunnen uithalen.

Idris Ghidi zweefde wekenlang tussen leven en dood. Toen hij langzaam weer was hersteld, nam zijn oom hem mee naar een boerderij in een dorp 60 kilometer van Mosoel. Hij kwam die zomer weer op krachten en werd sterk genoeg om redelijk te leren lopen met krukken. Hij was ervan overtuigd dat hij nooit meer de oude zou worden. De vraag was alleen wat hij in de toekomst zou gaan doen. In augustus kreeg hij plotseling te horen dat zijn twee broers waren opgepakt door de geheime politie. Hij zou hen nooit weer zien. Hij nam aan dat ze onder een zandhoop buiten Mosoel begraven lagen. In september kwam zijn oom erachter dat Idris Ghidi opnieuw door de politie van Saddam Hoessein werd gezocht. Hij nam toen het besluit om zich tot een anonieme parasiet te wenden, die tegen een vergoeding van

30.000 kronen Idris Ghidi de grens met Turkije over hielp en met behulp van een valse pas verder naar Europa.

Idris Ghidi landde op 19 oktober 1989 op Arlanda in Zweden. Hij sprak geen woord Zweeds, maar had instructies gekregen de marechaussee op te zoeken en onmiddellijk politiek asiel aan te vragen, wat hij in gebrekkig Engels ook deed. Hij werd naar een asielzoekerscentrum in Upplands-Väsby getransporteerd, waar hij de twee jaar daarna doorbracht, tot de Zweedse immigratiedienst besloot dat Idris Ghidi onvoldoende gegronde redenen had om een verblijfsvergunning in Zweden te krijgen.

Tegen die tijd had Ghidi Zweeds geleerd en geneeskundige hulp gekregen voor zijn verbrijzelde heup. Hij was twee keer geopereerd en kon zich zonder krukken voortbewegen. Ondertussen had in Zweden het Sjöbo-debat plaatsgevonden over de vestiging van een asielzoekerscentrum in dat kleine dorpje, waren asielzoekerscentra het doelwit geworden van aanslagen en had Bert Karlsson de partij Nieuwe Democratie opgericht, die zich verzette tegen meer immigranten.

De directe reden dat Idris Ghidi in het Media-archief voorkwam, was dat hij op het laatste moment een nieuwe advocaat had gekregen die met Ghidi's situatie naar de pers was gegaan. Andere Koerden in Zweden hadden zich voor de zaak Idris Ghidi ingespannen, onder wie leden van de strijdbare familie Baksi. Er werden protestbijeenkomsten georganiseerd en petities aangeboden aan de minister van Vreemdelingenzaken, Birgit Friggebo. Dat kreeg in de media zoveel aandacht dat de immigratiedienst zijn besluit herzag en Ghidi een verblijfs- en werkvergunning voor het koninkrijk Zweden gaf. In januari 1992 verliet hij het asielzoekerscentrum in Upplands-Väsby als vrij man.

Na zijn vrijlating uit het asielzoekerscentrum begon een nieuwe procedure voor Idris Ghidi. Hij moest werk zien te vinden terwijl hij tegelijkertijd nog fysiotherapie had voor zijn heup. Idris Ghidi ontdekte algauw dat het feit dat hij een goed opgeleid bouwkundig ingenieur was met vele jaren werkervaring en goede academische papieren, geen enkele betekenis had. De daaropvolgende jaren werkte hij als krantenbezorger, afwasser, schoonmaker en taxichauffeur. Zijn baan als krantenbezorger moest hij opzeggen. Hij was gewoon niet in staat om trappen te lopen in het tempo dat van hem werd verlangd. Het werk van taxichauffeur vond hij wel aardig, afgezien van twee dingen. Hij had absoluut geen kennis van het wegennet in de provincie Stockholm en hij kon telkens niet langer dan een uur stilzitten voor de pijn in zijn heup ondraaglijk werd.

In mei 1998 verhuisde Idris Ghidi naar Göteborg. De reden daarvoor was dat een ver familielid zich over hem had ontfermd en hem een vaste baan bij een schoonmaakbedrijf had aangeboden. Idris Ghidi was niet in staat fulltime te werken en kreeg een parttimebaan als hoofd van een schoonmaakploeg in het Sahlgrenska-ziekenhuis, waar het bedrijf een contract mee had. Hij had bepaalde routines en licht werk, wat inhield dat hij zes dagen per week vloeren zwabberde in een aantal gangen, waaronder gang 11C.

Mikael Blomkvist las Daniel Olofssons samenvatting en bestudeerde het portret van Idris Ghidi in het paspoortregister. Daarna logde hij in op het Media-archief en downloadde een aantal artikelen die de basis hadden gevormd voor Olofssons samenvatting. Hij las aandachtig en dacht vervolgens heel lang na. Hij stak een sigaret op. Het rookverbod op de redactie was snel losgelaten toen Erika Berger was vertrokken. Henry Cortez had zelfs open en bloot een asbak op zijn bureau gezet.

Uiteindelijk pakte Mikael het A4'tje dat Daniel Olofsson over dokter Anders Jonasson had geproduceerd. Hij las de tekst met een zeer diepe frons in zijn voorhoofd door.

Mikael Blomkvist kon de auto met het nummerbord KAB nergens ontdekken en had ook niet het gevoel dat hij werd geschaduwd, maar hij nam het zekere voor het onzekere toen hij die maandag van de Academische Boekhandel naar het warenhuis NK wandelde en via de zijingang naar binnen, en direct weer door de hoofduitgang naar buiten liep. Als je in dat warenhuis iemand in de gaten wilde houden, moest je haast bovenmenselijk zijn. Hij zette zijn beide mobiele telefoons uit en wandelde via Gallerian naar het Gustav Adolfs torg en langs het parlementsgebouw de oude binnenstad in. Voor zover hij kon zien, werd hij niet gevolgd. Hij nam omwegen door smalle straatjes tot hij bij het juiste adres kwam en bij uitgeverij Svartvitt op de deur klopte.

Het was halfdrie 's middags. Mikael kwam onaangekondigd, maar redacteur Kurdo Baksi was aanwezig en begon te stralen toen hij Mikael Blomkvist zag.

'Hallo,' zei Kurdo Baksi hartelijk. 'Waarom kom je nooit meer langs?'

'Ik kom nu langs,' zei Mikael.

'Ja, maar het is al minstens drie jaar geleden.'

Ze schudden elkaar de hand.

Mikael Blomkvist kende Kurdo Baksi sinds de jaren tachtig. Mikael was een van de mensen die Kurdo Baksi met praktische hulp had bijgestaan toen Baksi het blad *Svartvitt* was begonnen in een oplage die 's nachts illegaal bij LO, de vakcentrale in Stockholm, werd gekopieerd. Kurdo was betrapt door de latere pedofielenjager Per-Erik Åström van de Zweedse tak van *Save the Children*, die in de jaren tachtig onderzoekssecretaris bij de vakcentrale was. Åström was op een keer 's nachts de kopieerruimte binnengekomen en had daar stapels pagina's van het eerste nummer van *Svartvitt* aangetroffen, samen met een tamelijk bedeesde Kurdo Baksi. Åström had naar de slecht opgemaakte voorkant gekeken en gezegd dat een blad er zo niet uit kon zien. Hij had daarna het logo ontworpen dat vijftien jaar het logo van *Svartvitt* zou blijven, totdat het tijdschrift ter ziele ging en uitgeverij Svartvitt werd opgericht. In die tijd had Mikael al een vreselijke periode als informatiemedewerker bij de vakcentrale achter de rug – zijn enige werk in de informatiebranche. Per-Erik Åström had hem overgehaald correctiewerk voor *Svartvitt* te doen en te helpen met wat redactiewerk. Sindsdien waren Kurdo Baksi en Mikael Blomkvist vrienden.

Mikael Blomkvist nam plaats op een bank terwijl Kurdo Baksi koffie haalde uit een automaat op de gang. Ze zaten een tijdje te kletsen zoals altijd als je elkaar een tijd niet hebt gezien, maar werden steeds onderbroken doordat Kurdo's mobiele telefoon ging en hij korte gesprekken in het Koerdisch of mogelijk Turks of Arabisch voerde, of een andere taal die Mikael niet begreep. Zo was het altijd geweest bij eerdere bezoeken aan uitgeverij Svartvitt. Vanuit de hele wereld belden mensen om met Kurdo te spreken.

'Beste Mikael, je kijkt bezorgd. Wat heb je op je hart?' vroeg Kurdo Baksi uiteindelijk.

'Kun je je mobiel vijf minuten uitzetten, zodat we ongestoord kunnen praten?'

Kurdo zette zijn mobiel uit.

'Oké ... ik wil je om een gunst vragen. Het is belangrijk, het moet onmiddellijk gebeuren en het mag niet buiten deze kamer worden besproken.'

'Vertel.'

'In 1989 is een Koerdische vluchteling genaamd Idris Ghidi uit Irak naar Zweden gekomen. Toen hij met uitzetting werd bedreigd, kreeg hij hulp van jouw familie, wat ertoe heeft geleid dat hij uiteindelijk een verblijfsvergunning kreeg. Ik weet niet of hij is geholpen door jouw vader of door iemand anders van de familie.'

'Idris Ghidi is geholpen door mijn oom Mahmut Baksi. Ik ken Idris. Wat is er met hem aan de hand?'

'Hij werkt momenteel in Göteborg. Ik heb zijn hulp nodig om een eenvoudig klusje voor mij te doen. Ik ben bereid hem ervoor te betalen.'

'Wat voor klusje?'

'Vertrouw je mij, Kurdo?'

'Natuurlijk. We zijn toch vrienden.'

'Het klusje dat ik gedaan wil hebben, is vreemd. Heel vreemd. Ik wil niet vertellen waar het uit bestaat, maar ik verzeker je dat het op geen enkele manier onwettig is of voor jou of voor Idris Ghidi problemen zal opleveren.'

Kurdo Baksi keek Mikael Blomkvist aandachtig aan.

'Ik begrijp het. En je wilt niet vertellen waar het om gaat.'

'Hoe minder mensen het weten, hoe beter. Ik heb je hulp nodig met een introductie, zodat Idris bereid is naar mij te luisteren.'

Kurdo dacht even na. Toen liep hij naar zijn bureau en deed een adresboekje open. Hij zocht een minuutje voordat hij Idris Ghidi's telefoonnummer had gevonden. Daarna nam hij de hoorn van de haak. Het gesprek werd gevoerd in het Koerdisch. Mikael zag aan Kurdo's gezicht dat er eerst een aantal gebruikelijke begroetingsfrasen werd geuit en dat er over koetjes en kalfjes werd gesproken. Daarna werd hij serieus en verklaarde hij waarvoor hij belde. Na een tijdje wendde hij zich tot Mikael.

'Wanneer wil je hem ontmoeten?'

'Vrijdagmiddag als dat kan. Vraag of ik hem thuis mag bezoeken.'

Kurdo sprak weer een tijdje voordat hij het gesprek afrondde.

'Idris Ghidi woont in Angered,' zei Kurdo Baksi. 'Heb je zijn adres?'

Mikael knikte.

'Hij is vrijdagmiddag tegen vijven thuis. Je bent van harte welkom.'

'Bedankt, Kurdo,' zei Mikael.

'Hij werkt in het Sahlgrenska-ziekenhuis als schoonmaker,' zei Kurdo Baksi.

'Ja, dat weet ik,' zei Mikael.

'Het kan me in de kranten natuurlijk niet zijn ontgaan dat jij betrokken bent bij die Salander-geschiedenis.'

'Dat klopt.'

'Ze is beschoten.'

'Inderdaad.'

'Ligt ze niet in het Sahlgrenska?'
'Dat klopt eveneens.'
Kurdo Baksi was ook niet gek.
Hij begreep dat Blomkvist ergens mee bezig was, daar stond hij ook om bekend. Hij kende Mikael al sinds de jaren tachtig. Ze waren nooit hartsvrienden geweest, maar hadden ook nooit ruzie gehad en Mikael had hem altijd geholpen als hij om een gunst had gevraagd. In de loop der jaren hadden ze weleens een biertje gedronken als ze elkaar in de kroeg of op een feest waren tegengekomen.
'Word ik betrokken bij iets wat ik zou moeten weten?' vroeg Kurdo.
'Je wordt nergens bij betrokken. Jouw rol is alleen geweest mij aan een van je kennissen voor te stellen. En ik herhaal ... ik zal Idris Ghidi niet iets vragen te doen wat illegaal is.'
Kurdo knikte. Die verzekering was voor hem voldoende. Mikael stond op.
'Ik sta bij je in het krijt.'
'Wij staan altijd bij elkaar in het krijt,' zei Kurdo Baksi.

Henry Cortez beëindigde het telefoongesprek en trommelde zo luid met zijn vingers op de rand van het bureau dat Monika Nilsson geïrriteerd een wenkbrauw optrok en hem boos aankeek. Ze constateerde dat hij diep in gedachten verzonken was. Ze ergerde zich sowieso aan alles en iedereen en besloot het niet op hem af te reageren.
Monika Nilsson wist dat Blomkvist met Cortez, Malin Eriksson en Christer Malm bezig was met de Salander-geschiedenis terwijl zijzelf en Lottie Karim het grove werk moesten doen voor het volgende nummer van een blad dat geen goede leider had sinds Erika Berger was gestopt. Malin was best goed, maar ze had geen routine en miste het overwicht dat Erika Berger had gehad. En Cortez was nog een knulletje.
Monika Nilssons irritatie bestond er niet uit dat ze zich gepasseerd voelde of dat ze hun werk wilde – dat was wel het laatste wat ze wilde. Haar werk bestond uit het voor rekening van *Millennium* in de gaten houden van de regering, het parlement en de staatsorganen. Dat was werk dat ze leuk vond en waar ze goed in was. Bovendien had ze het druk zat met andere dingen, zoals het schrijven van een wekelijkse column in een vakblad en diverse taken als vrijwilliger bij Amnesty International. Daar pasten een hoofdredacteurschap van *Millennium*, een werkdag van minstens twaalf uur en het opofferen van weekenden en vakanties niet bij.

Maar ze merkte dat er iets bij *Millennium* was veranderd. Het blad voelde plotseling vreemd aan. En ze kon niet aangeven wat er precies mis was.

Mikael Blomkvist trok zich zoals gewoonlijk nergens wat van aan, verdween op zijn geheime missies en kwam en ging zoals het hem uitkwam. Hij was mede-eigenaar van *Millennium* en kon zelf beslissen wat hij wilde doen, maar een beetje meer verantwoordelijkheid zou toch wel mogen.

Christer Malm was de andere aanwezige mede-eigenaar en hij was ongeveer net zo behulpzaam als wanneer hij op vakantie was. Hij was zeer zeker bekwaam en had het roer zonder meer overgenomen als Erika op vakantie of anderszins afwezig was, maar hij deed met name wat anderen hadden besloten. Hij was briljant in grafische vormgeving en presentaties, maar hij was volstrekt achterlijk als het ging om het plannen van een blad.

Monika Nilsson fronste haar wenkbrauwen.

Nee, ze was onrechtvaardig. Wat haar ergerde, was dat er iets was gebeurd op de redactie. Mikael werkte samen met Malin en Henry, en alle anderen stonden daar op de een of andere manier buiten. Ze hadden een interne kring gevormd en sloten zich op in de kamer van Erika, eh ... Malin, en kwamen zwijgend weer naar buiten. In Erika's tijd was het blad een collectief geweest. Monika begreep niet wat er was gebeurd, maar ze had wel door dat ze erbuiten werd gehouden.

Mikael was bezig met de Salander-story en repte er met geen woord over waar die over ging. Dat was aan de andere kant niets bijzonders. Hij had ook niets over de Wennerström-affaire verteld – zelfs Erika had er niets vanaf geweten – maar deze keer had hij Henry en Malin als vertrouwelingen.

Monika was kortom geïrriteerd. Ze had vakantie nodig. Ze moest er even uit. Ze zag Henry Cortez zijn ribcolbert aantrekken.

'Ik ben even weg,' zei hij. 'Kun je tegen Malin zeggen dat ik twee uur wegblijf?'

'Wat ga je doen?'

'Ik heb misschien een verhaal. Iets écht goeds. Over wc-potten. Ik wil een paar dingen natrekken, maar als het klopt, hebben we een goed stuk voor het juninummer.'

'Wc-potten?' vroeg Monika Nilsson terwijl ze hem nakeek.

Erika Berger klemde haar tanden op elkaar en legde langzaam de tekst over de komende rechtszaak tegen Lisbeth Salander neer. Het was een kort stukje, tweekoloms, bedoeld voor pagina vijf met binnenlands nieuws. Ze bekeek de tekst een minuutje en tuitte haar lippen. Het was halfvier en het was donderdag. Ze werkte nu twaalf dagen bij de SMP. Ze nam de hoorn van de haak en belde nieuwschef Anders Holm.

'Hallo. Met Berger. Kun je verslaggever Johannes Frisk voor me opsporen en direct met hem naar mijn kamer komen?'

Ze hing op en wachtte geduldig tot Holm de glazen kooi binnenslenterde met Johannes Frisk in zijn kielzog. Erika keek op haar horloge.

'Tweeëntwintig,' zei ze.

'Hè?' zei Holm.

'Tweeëntwintig minuten. Het kostte je tweeëntwintig minuten om van de redigeertafel op te staan, 15 meter naar het bureau van Johannes Frisk te lopen en met hem hierheen te komen.'

'Je had niet gezegd dat er haast bij was. Ik heb het druk.'

'Ik had ook niet gezegd dat er haast bij was. Ik zei dat je Johannes Frisk moest ophalen en naar mijn kamer moest komen. Ik zei "direct" en dan bedoel ik ook direct, niet vanavond of volgende week, of wanneer het jou uitkomt om op te staan.'

'Ik vind dit ...'

'Doe de deur dicht.'

Ze wachtte tot Anders Holm de deur achter zich had dichtgedaan. Erika bestudeerde hem zwijgend. Hij was zeer zeker een goede nieuwschef en zijn rol was ervoor te zorgen dat de pagina's van de SMP elke dag werden gevuld met de juiste tekst, begrijpelijk samengesteld en gepresenteerd in de volgorde en met de ruimte die op de ochtendmeeting waren afgesproken. Anders Holm jongleerde dus elke dag met een kolossaal aantal taken. En hij liet nooit een steek vallen.

Het probleem met Anders Holm was alleen dat hij consequent de instructies van Erika Berger negeerde. Ze probeerde nu al twee weken lang een formule te vinden om met hem samen te werken. Ze had vriendelijk op hem ingepraat, directe orders geprobeerd, hem aangemoedigd zelfstandig te denken en had over het geheel genomen alles gedaan om hem te laten begrijpen welke kant zij met de krant op wilde.

Het had niet geholpen.

Een stuk dat ze 's middags had verworpen, kwam 's avonds nadat zij naar huis was gegaan gewoon in de krant. 'Er was een stuk uitgevallen en toen ontstond er een gat dat ik ergens mee moest opvullen.'

Een kop waarvan Erika had besloten dat hij zou worden gebruikt, werd plotseling vervangen door iets heel anders. Het was niet altijd de verkeerde keuze, maar het werd gedaan zonder dat ze werd geraadpleegd. Het gebeurde demonstratief en uitdagend.

Er waren altijd kleine dingetjes. De redactievergadering van twee uur werd opeens naar tien voor twee verplaatst zonder dat zij werd geïnformeerd en de meeste beslissingen waren al genomen als zij dan op de vergadering arriveerde. 'Sorry ... ik ben in alle drukte vergeten jou te informeren.'

Erika Berger kon absoluut niet begrijpen waarom Anders Holm die houding had aangenomen, maar ze constateerde dat zachte gesprekken en vriendelijke reprimandes niet werkten. Ze had de zaak tot nu toe nog niet opgenomen met andere medewerkers op de redactie, maar had geprobeerd haar irritatie te beperken tot vertrouwelijke privégesprekken. Dat had geen resultaat opgeleverd en daarom was het tijd om zich duidelijker uit te drukken, deze keer in het bijzijn van verslaggever Johannes Frisk, zodat ze zeker wist dat de inhoud van het gesprek over de redactie zou worden verspreid.

'Een van de eerste dingen die ik heb gedaan toen ik hier begon, was zeggen dat ik een bijzondere interesse heb voor alles wat met Lisbeth Salander te maken heeft. Ik heb verteld dat ik van tevoren geïnformeerd wilde worden over alle geplande artikelen en dat ik alles wat gepubliceerd zou worden wilde bekijken en goedkeuren. Ik heb dat al wel tien keer gezegd, op de redactievergadering vrijdag nog. Welk deel van die instructie is onduidelijk?'

'Alle teksten die zijn gepland of in productie zijn, staan op het dag-PM op intranet. Ze worden voortdurend naar jouw computer gestuurd. Je bent constant geïnformeerd.'

'Gelul. Toen ik de *SMP* vanochtend in de bus kreeg, stond er een driekolommer over Salander en de ontwikkelingen in de zaak rond Stallarholmen op de voorpagina.'

'Dat was het stuk van Margareta Orring. Ze is freelancer en leverde pas tegen zevenen gisteravond.'

'Margareta Orring belde gisterochtend om elf uur al met het artikelvoorstel. Jij hebt het goedgekeurd en haar om halftwaalf de opdracht gegeven. Maar je hebt er tijdens de vergadering van twee uur met geen woord over gerept.'

'Het staat op het dag-PM.'

'Nou, daar staat dit: "Margareta Orring, interview met officier van justitie Martina Fransson. Betr.: narcoticavangst in Södertälje".'

'Het basisverhaal was een interview met Martina Fransson over een inbeslagneming van anabole steroïden, waar een *prospect* van de Svavelsjö MC voor is opgepakt.'

'Precies. En er staat geen woord in het dag-PM over de Svavelsjö MC of dat het interview zich zou richten op Magge Lundin en Stallarholmen en daarmee op het onderzoek naar Lisbeth Salander.'

'Ik neem aan dat dat tijdens het interview ...'

'Anders, ik kan niet begrijpen waaróm, maar je staat me hier gewoon in mijn gezicht voor te liegen. Ik heb met Margareta Orring gesproken. Ze heeft duidelijk aan jou uitgelegd waar haar interview op zou inzoomen.'

'Het spijt me, maar ik heb niet begrepen dat de focus op Salander zou liggen. Ik kreeg dat stuk pas gisteravond laat. Wat moest ik doen, de hele zaak annuleren? Die tekst van Orring was goed.'

'Dat is ook niet het punt. Het is een uitstekend verhaal. Maar dat was je derde leugen in ongeveer evenveel minuten. Orring heeft haar tekst namelijk om twintig over drie aangeleverd, dus lang voordat ik tegen zessen naar huis ging.'

'Berger, je toon bevalt me niet.'

'Mooi, dan kan ik jou meteen vertellen dat ik jouw toon en je smoezen en leugens ook niet erg kan waarderen.'

'Je klinkt alsof je het idee hebt dat ik bezig ben met een soort samenzwering tegen jou.'

'Je hebt nog steeds geen antwoord gegeven op mijn vraag. En punt twee: vandaag tref ik deze tekst van Johannes Frisk op mijn bureau aan. Ik kan me niet herinneren dat we daar op de vergadering van twee uur over hebben gesproken. Hoe komt het dat een van onze verslaggevers de dag besteedt aan Salander zonder dat ik dat weet?'

Johannes Frisk zat te draaien op zijn stoel. Hij hield wijselijk zijn mond.

'Luister eens ... wij maken hier een krant en er zijn honderden teksten die jij niet ziet. We hebben routines bij de SMP waar iedereen zich naar moet voegen. Ik heb geen tijd en mogelijkheid om bepaalde teksten een aparte behandeling te geven.'

'Ik heb je ook niet gevraagd om bepaalde teksten een aparte behandeling te geven. Ik heb geëist dat ik ten eerste geïnformeerd moet zijn over alles wat met de zaak Salander te maken heeft, en ten tweede dat ik alles moet goedkeuren wat er over dat onderwerp wordt gepubliceerd. Dus, nogmaals: welk deel van de instructie is onduidelijk?'

Anders Holm zuchtte en trok een getergd gezicht.

'Oké,' zei Erika Berger. 'Dan zal ik me nog duidelijker uitdrukken. Ik ben niet van plan om hier met jou over te bakkeleien. Eens kijken of je de volgende boodschap begrijpt. Als het nog één keer gebeurt, zal ik jou moeten vervangen als nieuwschef. Dat zal hard aankomen en een ontzettend kabaal veroorzaken, maar daarna kun je de pagina met familieberichten of strips gaan redigeren of iets dergelijks. Ik kan geen nieuwschef hebben op wie ik niet kan vertrouwen of met wie ik niet kan samenwerken, en die zich bezighoudt met het ondermijnen van mijn beslissingen. Is dat duidelijk?'

Anders Holm spreidde zijn handen uiteen in een gebaar dat aangaf dat hij vond dat de aantijgingen van Erika Berger onzinnig waren.

'Is dat duidelijk? Ja of nee?'

'Ik hoor wat je zegt.'

'Ik vroeg of het duidelijk was. Ja of nee?'

'Dacht je nou echt dat je daarmee wegkwam? Deze krant verschijnt omdat ik mij, in samenwerking met andere radertjes van de machinerie, uit de naad werk. De directie zal ...'

'De directie zal doen wat ik zeg. Ik ben hier om de krant te vernieuwen. Ik heb een zorgvuldig geformuleerde opdracht waar we uitvoerig over hebben onderhandeld en die inhoudt dat ik het recht heb om vergaande redactionele veranderingen op chefniveau door te voeren. Ik kan het wilde vlees verwijderen en nieuw bloed vanbuiten aannemen als ik dat wil. En Holm, ik ga je steeds meer zien als dood vlees.'

Ze zweeg. Anders Holm keek haar woedend aan.

'Dat was alles,' zei Erika Berger. 'Ik stel voor dat je goed nadenkt over wat we vandaag hebben besproken.'

'Ik ben niet van plan ...'

'Dat is aan jou. Dit was alles. Je kunt gaan.'

Hij keerde zich om en verdween uit het glazen hok. Ze zag hem door de redactie weglopen richting koffieruimte. Johannes Frisk stond op en wilde erachteraan lopen.

'Jij niet, Johannes. Ga weer even zitten.'

Ze pakte zijn tekst en keek hem nogmaals door.

'Je hebt een tijdelijke aanstelling, heb ik begrepen.'

'Ja. Ik ben hier nu vijf maanden en dit is mijn laatste week.'

'Hoe oud ben je?'

'Zevenentwintig.'

'Het spijt me dat je in mijn aanvaring met Holm terechtkwam. Vertel eens over dit verhaal.'

'Ik kreeg vanochtend een tip en ben ermee naar Holm gegaan. Hij zei dat ik erachteraan moest gaan.'

'Oké. Het verhaal gaat erover dat de politie nu onderzoek doet naar de vraag of Lisbeth Salander betrokken is geweest bij de verkoop van anabole steroïden. Houdt dat verhaal enig verband met de tekst van gisteren uit Södertälje, waar ook anabolen in voorkwamen?'

'Niet dat ik weet, maar het kan. Dat over die anabolen heeft te maken met haar link naar boksers. Paolo Roberto en zijn vrienden.'

'Gebruikt Paolo Roberto anabolen?'

'Hè? Nee, natuurlijk niet. Het gaat meer over het boksmilieu. Salander doet met een aantal vage figuren aan bokstraining bij een club op Södermalm. Maar dit is dus de draai van de politie. Niet de mijne. En daar is de gedachte ontstaan dat ze betrokken kan zijn bij de verkoop van anabolen.'

'Er zit dus geen enkele substantie in dat verhaal behalve een gerucht?'

'Het is geen gerucht dat de politie die mogelijkheid onderzoekt. Of ze het al dan niet bij het juiste eind hebben, daar weet ik niets van.'

'Oké, Johannes. Je moet goed weten dat wat ik nu met jou bespreek niets te maken heeft met mijn relatie tot Anders Holm. Ik vind jou een uitstekende verslaggever. Je schrijft goed en je hebt oog voor details. Dit is kortom een goed verhaal. Mijn enige probleem is dat ik niet geloof in de inhoud ervan.'

'Ik kan je verzekeren dat het helemaal correct is.'

'En ik zal jou uitleggen waarom er één fundamentele fout in dat verhaal zit. Waar is die tip vandaan gekomen?'

'Van een bron binnen de politie.'

'Wie?'

Johannes Frisk aarzelde. Dat was een automatische respons. Net als alle andere journalisten over de hele wereld was hij niet bereid zijn bron prijs te geven. Aan de andere kant was Erika Berger hoofdredacteur en daarmee een van de weinige personen die kon eisen dat hij die informatie bekendmaakte.

'Een politieman bij Geweld die Hans Faste heet.'

'Belde hij jou of belde jij hem?'

'Hij belde mij.'

Erika Berger knikte.

'Waarom denk je dat hij jou belde?'

'Ik heb hem een paar keer geïnterviewd tijdens de jacht op Salander. Hij weet wie ik ben.'

'En hij weet dat je zevenentwintig jaar oud bent en een tijdelijke aanstelling hebt, en dat je bruikbaar bent als de officier van justitie informatie heeft die naar buiten moet.'

'Ja, dat begrijp ik allemaal best. Maar ik krijg een tip van het politieonderzoek, ga eropaf, drink een kop koffie met Faste en hij vertelt dit. Hij is correct geciteerd. Wat moet ik dán?'

'Ik ben ervan overtuigd dat je correct citeert. Wat er had moeten gebeuren, was dat je met die informatie naar Anders Holm was gegaan, die bij mij had moeten aankloppen en de situatie had moeten voorleggen, en dan hadden we samen moeten beslissen wat er moest gebeuren.'

'Dat snap ik. Maar ik ...'

'Jij hebt het materiaal aan Holm gegeven. Die is nieuwschef. Jij hebt correct gehandeld. Maar bij Holm is het misgegaan. Maar laten we je stuk even analyseren. Ten eerste, waarom wil Faste dat deze informatie zal uitlekken?'

Johannes Frisk haalde zijn schouders op.

'Betekent dat dat je het niet weet of dat het je niet kan schelen?'

'Ik weet het niet.'

'Oké. Als ik beweer dat dit verhaal gelogen is en dat Salander geen klap met anabole steroïden te maken heeft, wat zeg jij dan?'

'Ik kan het tegendeel niet bewijzen.'

'Exact. Dus dat betekent dat jij vindt dat je een verhaal dat wellicht gelogen is moet publiceren, alleen omdat wij geen kennis hebben over het tegendeel.'

'Nee, wij hebben journalistieke verantwoordelijkheid. Maar het is een evenwichtsoefening. We kunnen niet zeggen dat we iets niet publiceren als we een bron hebben die daadwerkelijk en uitdrukkelijk iets beweert.'

'Filosofie. We kunnen de vraag stellen waarom die bron die informatie naar buiten wil hebben. Laat me daarmee verklaren waarom ik opdracht heb gegeven dat alles wat over Salander gaat via mijn bureau moet lopen. Ik heb namelijk speciale kennis over dat onderwerp die niemand anders bij de SMP heeft. De juridische redactie weet dat ik over deze kennis beschik en dat ik die niet met hen kan bespreken. *Millennium* gaat een verhaal publiceren en het is me contractueel verboden om dat aan de SMP te onthullen, ondanks het feit dat ik hier werk. Ik heb die informatie verkregen als hoofdredacteur van *Millennium* en heb momenteel eigenlijk twee petten op. Begrijp je wat ik bedoel?'

'Ja.'

'En mijn kennis van *Millennium* houdt in dat ik zonder aarzelen kan vaststellen dat dit verhaal één grote leugen is die tot doel heeft Lisbeth Salander voor de komende rechtszaak schade te berokkenen.'

'Het is moeilijk om Lisbeth Salander verdere schade te berokkenen als je denkt aan alle onthullingen die er al over haar zijn verschenen ...'

'Onthullingen die voor het merendeel leugenachtig en verdraaid zijn. Hans Faste is een van de belangrijkste bronnen van al die beweringen dat Lisbeth Salander een paranoïde, gewelddadige lesbienne zou zijn die zich bezighoudt met satanisme en bdsm-seks. En de media hebben Fastes campagne gewoon voor zoete koek geslikt omdat het een ogenschijnlijk serieuze bron is en het altijd leuk is om over seks te schrijven. En nu gaat hij verder vanuit een nieuwe invalshoek die haar in de publieke opinie nóg zwarter zal maken. Hij wil natuurlijk graag dat de SMP die berichten zal helpen verspreiden. Sorry, maar dat gaat mooi niet door.'

'Ik begrijp het.'

'Ja? Mooi. Dan kan ik alles wat ik wil zeggen in één zin samenvatten. Jouw taakomschrijving als journalist is vraagtekens te zetten en kritisch te screenen – niet om onkritisch beweringen te herhalen die van randfiguren uit de bureaucratie komen. Onthoud dat. Je bent een uitstekende scribent, maar dat talent is volkomen waardeloos als je je taakomschrijving vergeet.'

'Ja.'

'Ik ga dit verhaal annuleren.'

'Oké.'

'Het houdt geen stand. Ik geloof niet in de inhoud.'

'Ik snap het.'

'Dat betekent niet dat ik jou niet geloof.'

'Dank je.'

'Daarom wil ik je naar je bureau terugsturen met een voorstel voor een nieuw verhaal.'

'O?'

'Dat houdt verband met mijn contract met *Millennium*. Ik kan dus niet vertellen wat ik over de Salander-geschiedenis weet. Maar ik ben hoofdredacteur van een krant die een fikse uitglijder riskeert, aangezien de redactie niet over de informatie beschikt waarover ik beschik.'

'Hm.'

'En dat kan niet. Dit is een unieke situatie die uitsluitend betrekking heeft op Salander. Ik heb daarom besloten een verslaggever in te zetten die ik in de juiste richting stuur, zodat we niet voor gek staan als *Millennium* gaat publiceren.'

'En jij denkt dat *Millennium* iets opmerkelijks over Salander gaat publiceren?'

'Dat dénk ik niet alleen. Dat wéét ik. *Millennium* zit op een scoop die het hele Salander-gebeuren op zijn kop zal zetten, en het drijft me tot waanzin dat ik niet met dat verhaal naar buiten kan treden. Maar dat is godsonmogelijk.'

'Maar je beweert dat je mijn tekst afwijst omdat je weet dat hij niet klopt ... Dat betekent dat je nu al hebt gezegd dat er iets in dat verhaal zit wat alle andere verslaggevers hebben gemist.'

'Exact.'

'Sorry hoor, maar ik kan maar moeilijk geloven dat heel media-Zweden op zo'n mijn is getrapt ...'

'Lisbeth Salander is het onderwerp van een mediahype. De normale regels gelden dan niet meer en men kan alles schrijven wat men wil.'

'Dus jij zegt dat Salander niet is wat ze lijkt te zijn.'

'Probeer de gedachte eens dat ze onschuldig is aan de dingen waarvoor ze wordt aangeklaagd, dat het beeld dat van haar wordt geschilderd onzin is en dat er volkomen andere krachten in beweging zijn dan wat er tot nu toe naar voren is gekomen.'

'Jij beweert dat dat het geval is?'

Erika Berger knikte.

'En dat betekent dat het verhaal dat ik heb geprobeerd gepubliceerd te krijgen een deel van een verdere campagne tegen haar is?'

'Precies.'

'Maar je kunt niets vertellen over het hoe en wat?'

'Nee.'

Johannes Frisk krabde even op zijn hoofd. Erika Berger wachtte tot hij was uitgedacht.

'Oké ... wat wil je dat ik doe?'

'Ga terug naar je bureau en ga nadenken over een ander verhaal. Je hoeft niet te stressen, maar vlak voor de rechtszaak begint wil ik met een lange tekst kunnen komen, misschien een dubbele pagina, die het waarheidsgehalte screent van alle beweringen die er over Lisbeth Salander zijn gedaan. Lees eerst alle krantenknipsels, maak dan een lijst van wat er over haar is gezegd en werk die beweringen vervolgens een voor een af.'

'Aha ...'

'Denk als een verslaggever. Onderzoek wie het verhaal verspreidt, waarom het wordt verspreid en wie daar belang bij heeft.'

'Maar ik ben hier niet meer als de rechtszaak begint. Dit is zoals gezegd mijn laatste week.'

Erika haalde een plastic mapje uit een bureaulade en legde een papier voor Johannes Frisk neer.

'Ik heb je tijdelijke aanstelling al met drie maanden verlengd. Je werkt deze week nog gewoon en installeert je maandag hier.'

'Aha ...'

'Als je tenminste verder wilt bij de SMP.'

'Ja, natuurlijk.'

'Je bent gecontracteerd om graafwerk te doen buiten het gewone redactionele werk om. Je werkt rechtstreeks onder mij. Jouw taak is het bewaken van de Salander-rechtszaak voor rekening van de SMP.'

'De nieuwschef zal bezwaar hebben ...'

'Maak je niet druk om Holm. Ik heb al met de chef van de juridische redactie gesproken en gezorgd dat daar geen botsingen ontstaan. Jij gaat graven in de achtergrond, niet in de nieuwsverslaggeving. Hoe klinkt dat?'

'Geweldig!'

'Mooi, dan zijn we klaar. Tot maandag.'

Ze wenkte hem de glazen kooi uit. Toen ze opkeek, zag ze dat Anders Holm haar van de andere kant van de centrale balie aankeek. Hij keek omlaag en deed alsof hij haar niet zag.

11
VRIJDAG 13 MEI – ZATERDAG 14 MEI

Mikael Blomkvist keek goed of hij niet werd geschaduwd toen hij vrijdagmorgen vroeg van de redactie van *Millennium* naar de oude flat van Lisbeth Salander aan de Lundagatan liep. Hij moest naar Göteborg, waar hij Idris Ghidi zou ontmoeten. Het probleem was vervoer te regelen dat veilig was en waarbij hij niet zou kunnen worden geobserveerd of sporen zou nalaten. Hij had na rijp beraad besloten om niet met de trein te gaan, omdat hij zijn creditcard niet wilde gebruiken. Meestal leende hij de auto van Erika Berger maar dat kon nu niet meer. Hij had overwogen Henry Cortez of iemand anders te vragen een auto te huren, maar dan zou er een papieren spoor ontstaan.

Uiteindelijk kwam hij op de ultieme oplossing. Hij nam een flink bedrag op bij een geldautomaat aan de Götgatan. Hij gebruikte de sleutels van Lisbeth Salander om het portier van haar bordeauxrode Honda open te maken die al sinds maart ongebruikt voor de deur stond. Hij stelde de stoel af en constateerde dat de benzinetank nog halfvol was. Hij parkeerde uit en reed via de Liljeholmsbrug naar de E4.

Hij parkeerde om 14.50 uur in een zijstraat van de Avenue in Göteborg. Hij gebruikte een late lunch bij het eerste het beste restaurant dat hij tegenkwam. Om 16.10 uur nam hij de tram naar Angered en stapte in het centrum uit. Binnen twintig minuten had hij het adres van Idris Ghidi gevonden. Hij was ruim tien minuten te laat.

Idris Ghidi liep mank. Hij deed de deur open, gaf Mikael Blomkvist een hand en nodigde hem binnen in een spartaans ingerichte woonkamer. Op een ladekast naast de tafel waaraan hij Mikael vroeg te gaan zitten, stonden diverse ingelijste foto's die Mikael bestudeerde.

'Mijn familie,' zei Idris Ghidi.

Idris Ghidi sprak met een sterk accent. Mikael meende dat hij een taaltest van de Volkspartij niet zou overleven.

'Zijn dat je broers?'

'Mijn twee broers staan uiterst links. Zij zijn in de jaren tachtig door Saddam vermoord, evenals mijn vader in het midden. Mijn twee ooms zijn in de jaren negentig door Saddam vermoord. Mijn moeder is in 2000 overleden. Mijn drie zussen leven nog. Zij wonen in het buitenland. Twee in Syrië en mijn kleine zusje in Madrid.'

Mikael knikte. Idris Ghidi schonk Turkse koffie in.

'Je moet de groeten hebben van Kurdo Baksi.'

Idris Ghidi knikte.

'Heeft hij uitgelegd wat ik van je wilde?'

'Kurdo zei dat je mij in de arm wilde nemen voor een klus, maar niet waar het over ging. Laat ik meteen zeggen dat ik niet aan iets begin wat onwettig is. Ik kan me niet veroorloven bij zoiets betrokken te worden.'

Mikael knikte.

'Ik zal je niets onwettigs vragen te doen. Het is eerder iets ongebruikelijks. Het echte werk zal een paar weken in beslag nemen en moet elke dag worden gedaan. Aan de andere kant kost het je maar een minuut per dag. Ik wil je er duizend kronen per week voor betalen. Je krijgt het geld handje contantje en ik zal het niet opgeven bij de belastingen.'

'Ik begrijp het. Wat moet ik doen?'

'Je werkt als schoonmaker in het Sahlgrenska-ziekenhuis, toch?'

Idris Ghidi knikte.

'Een van jouw taken bestaat uit het dagelijks – of liever gezegd zes dagen per week, als ik het goed heb begrepen – schoonmaken van gang 11C, de intensive care.'

Idris Ghidi knikte.

'Ik wil dat je het volgende gaat doen.'

Mikael Blomkvist leunde voorover en legde uit wat de bedoeling was.

Officier van justitie Richard Ekström keek zijn gast nadenkend aan. Het was de derde keer dat hij commissaris Georg Nyström ontmoette. Hij zag een gegroefd gezicht voor zich dat omlijst werd door kort, grijs haar. De eerste keer dat Georg Nyström hem had bezocht, was een paar dagen na de moord op Zalachenko geweest. Hij had een legitimatie getoond die bevestigde dat hij bij de veiligheidsdienst werkte. Ze hadden langdurig en op gedempte toon met elkaar gesproken.

'Het is belangrijk dat u begrijpt dat ik uw werk of uw beslissingen op geen enkele manier wil trachten te beïnvloeden,' zei Nyström.

Ekström knikte.

'Ik onderstreep ook dat u onder geen enkel beding de informatie die ik u geef openbaar mag maken.'

'Ik begrijp het,' zei Ekström.

Ekström begreep er eerlijk gezegd weinig van, maar hij wilde niet dom overkomen door te veel vragen te stellen. Hij had begrepen dat Zalachenko een onderwerp was dat met de grootst mogelijke zorg moest worden behandeld. Hij had ook begrepen dat de bezoeken van Nyström informeel waren, ook al waren ze goedgekeurd door hoge omes binnen de veiligheidsdienst.

'Het gaat om mensenlevens,' had Nyström al bij hun eerste ontmoeting verklaard. 'Van de kant van de veiligheidsdienst is alles wat met de waarheid rond de Zalachenko-zaak te maken heeft geheim. Ik kan bevestigen dat hij een overgelopen voormalige agent van de Russische militaire spionagedienst is en een van de sleutelfiguren in het offensief van de Russen tegen West-Europa in de jaren zeventig.'

'Aha, zoiets beweerde Mikael Blomkvist ook al.'

'En in dit geval heeft Mikael Blomkvist volkomen gelijk. Hij is journalist en is over een van de meest geheime zaken van de Zweedse defensie aller tijden gestruikeld.'

'Dat gaat hij publiceren.'

'Natuurlijk. Hij vertegenwoordigt de media, met al zijn voor- en nadelen. We leven in een democratie en kunnen uiteraard geen invloed uitoefenen op wat de media schrijven. Het nadeel in dit geval is uiteraard dat Blomkvist slechts een fractie van de waarheid over Zalachenko kent, en veel van wat hij weet, is onjuist.'

'Aha.'

'Wat Blomkvist niet begrijpt, is dat als de waarheid over Zalachenko aan het licht komt, de Russen onze informanten en bronnen in Rusland zullen kunnen identificeren. Dat betekent dat het leven van mensen die hun leven hebben geriskeerd voor de democratie op het spel staat.'

'Maar is Rusland tegenwoordig geen democratie? Ik bedoel, als dat nu in de communistische tijd was gebeurd ...'

'Dat zijn illusies. Het gaat om mensen die zich schuldig hebben gemaakt aan spionage tegen Rusland – en er is geen enkel regime ter wereld dat dat zou accepteren, ook al is dat jaren geleden gebeurd. En meerdere van deze bronnen zijn nog steeds actief ...'

Dat soort agenten bestond helemaal niet, maar dat kon officier van justitie Ekström niet weten. Hij moest Nyström wel op zijn woord geloven. En hij kon er niets aan doen dat hij ook wel gevleid was door het feit dat hij informeel werd ingelicht over een van de meest geheime zaken van Zweden. Hij was lichtelijk verrast dat de Zweedse veiligheidsdienst de Russische defensie had kunnen infiltreren op de manier die Nyström aangaf, en hij begreep dat dat natuurlijk informatie was die absoluut niet mocht worden verspreid.

'Toen ik de opdracht kreeg contact met u op te nemen, heb ik u onderworpen aan een uitgebreid onderzoek,' zei Nyström.

Verleiden was altijd een kwestie van iemands zwakke punten zoeken. Officier Ekströms zwakheid was dat hij erg overtuigd was van zijn eigen belang en dat hij, net als alle andere mensen, gevoelig was voor complimentjes. Het was zaak te zorgen dat hij zich uitverkoren voelde.

'En we hebben geconstateerd dat u iemand bent die groot vertrouwen geniet binnen de politie ... en uiteraard binnen regeringskringen,' voegde Nyström eraan toe.

Ekström keek voldaan. Dat niet bij name genoemde mensen binnen regeringskringen vertrouwen in hem hadden, was informatie die, zonder dat het werd gezegd, aangaf dat hij op erkentelijkheid kon rekenen als hij zijn kaarten goed speelde. Dat beloofde veel goeds voor zijn toekomstige carrière.

'Ik begrijp het ... Maar wat wilt u eigenlijk?'

'Mijn taak is simpel gezegd u zo discreet mogelijk bijstaan met kennis. U begrijpt natuurlijk wel hoe onwaarschijnlijk gecompliceerd deze geschiedenis is geworden. Aan de ene kant is er een gerechtelijk vooronderzoek bezig waar u hoofdverantwoordelijke voor bent. Niemand ... noch de regering, noch de veiligheidsdienst of wie dan ook mag zich daarmee bemoeien. Uw taak is het boven tafel krijgen van de waarheid en het berechten van de schuldigen. Dat is een van de belangrijkste functies die er in een rechtsstaat bestaat.'

Ekström knikte.

'Aan de andere kant zou het een nationale ramp van haast onvoorstelbare proporties worden als de hele waarheid over Zalachenko aan het licht zou komen.'

'Dus wat is het doel van uw bezoek?'

'Ten eerste is het mijn taak u bewust te maken van de gevoeligheid van de situatie. Ik geloof niet dat Zweden zich sinds de Tweede Wereldoorlog in een lastiger parket heeft bevonden. Je zou kunnen zeggen dat het lot van Zweden in zekere zin in uw handen ligt.'

'Wie is uw chef?'

'Het spijt me, maar ik kan geen namen noemen van degenen met wie ik in deze zaak samenwerk. Laat mij alleen vaststellen dat mijn instructies van de hoogst mogelijke instantie komen.'

Godallemachtig. Hij handelt op last van de regering. Maar dat mag niet worden uitgesproken, want dat zou een politieke catastrofe worden.

Nyström zag dat Ekström hapte.

'Wat ik daarentegen kan doen, is u behulpzaam zijn met informatie. Ik heb zeer vergaande bevoegdheden om u, vanuit mijn eigen oordeel, in te wijden in materiaal dat tot het meest geheime van het land behoort.'

'Juist ja.'

'Dat betekent dat wanneer u ergens vragen over hebt, over wat dan ook, u zich tot mij moet richten. U mag met niemand anders binnen de veiligheidsdienst spreken, alleen met mij. Mijn taak is uw gids te zijn in deze doolhof, en mochten er botsingen tussen verschillende belangen ontstaan, dan moeten we elkaar helpen bij het vinden van oplossingen.'

'Ik begrijp het. In dat geval moet ik zeggen dat ik blij ben dat u en uw collega's bereid zijn de zaak voor mij op deze manier te vereenvoudigen.'

'Wij willen dat het gerechtelijke proces zijn loop krijgt, ook al is het een lastige situatie.'

'Goed. Ik kan u verzekeren dat ik zeer discreet te werk zal gaan. Het is natuurlijk niet de eerste keer dat ik met geheime informatie omga ...'

'Nee, dat is ons bekend.'

Ekström had tientallen vragen gehad die Nyström zorgvuldig had genoteerd en daarna zo goed mogelijk had proberen te beantwoorden. Bij dit derde bezoek zou Ekström op nog meer vragen antwoord krijgen. De belangrijkste vraag was wat er waar was van het rapport van Björck uit 1991.

'Dat is een punt van zorg,' zei Nyström.

Hij keek verontrust.

'Misschien moet ik beginnen met uit te leggen dat we er, sinds dit rapport aan het licht is gekomen, een analysegroep op hebben zitten die bijna vierentwintig uur per dag aan het onderzoeken is wat er precies is gebeurd. En we beginnen nu op het punt te komen dat we conclusies kunnen trekken. En dat zijn zeer onaangename conclusies.'

'Dat kan ik begrijpen. Het rapport beweert immers dat de veiligheidsdienst en psychiater Peter Teleborian hebben samengezworen om Lisbeth Salander in een gesticht te krijgen.'

'Was dat maar waar.'

'Pardon?'

'Ja, als het zo gelegen had, was de zaak simpel geweest. Dan was er een misdrijf gepleegd en kon er iemand worden veroordeeld. Het probleem is dat dat rapport niet overeenkomt met de rapporten die bij ons zijn gearchiveerd.'

'Hoe bedoelt u?'

Nyström haalde een blauwe map tevoorschijn, die hij opendeed.

'Hier heb ik het daadwerkelijke rapport dat Gunnar Björck in 1991 heeft geschreven. Hier is ook de originele correspondentie tussen hem en Teleborian, die in ons archief zit. Het probleem is dat die twee versies niet met elkaar overeenkomen.'

'Legt u dat eens uit.'

'Het ellendige is natuurlijk dat Björck zich heeft verhangen. We nemen aan dat dat verband houdt met de ophanden zijnde onthullingen over zijn seksuele slippertjes. *Millennium* was van plan een boekje over hem open te doen. Dat maakte hem zo wanhopig dat hij ervoor heeft gekozen zich van het leven te beroven.'

'Ja ...'

'Het originele rapport is een onderzoek naar de poging van Lisbeth Salander om haar vader, Alexander Zalachenko, met een brandbom te vermoorden. De eerste dertig pagina's van het onderzoek dat Blomkvist vond, komen overeen met het origineel. Die pagina's bevatten niets opmerkelijks. Pas op pagina drieëndertig, waar Björck conclusies trekt en aanbevelingen doet, ontstaat de discrepantie.'

'In welk opzicht?'

'In de originele versie doet Björck vijf duidelijke aanbevelingen. We hoeven niet onder stoelen of banken te steken dat het daarbij gaat om het afzwakken van de Zalachenko-affaire in de media en dergelijke. Björck stelt voor om Zalachenko's revalidatie – hij was immers zwaar verbrand – in het buitenland te laten plaatsvinden. Dat soort dingen. Hij stelt tevens voor Lisbeth Salander de best mogelijke psychiatrische zorg te bieden.'

'Aha ...'

'Het probleem is dat een aantal zinnen op zeer subtiele wijze is gewijzigd. Op pagina vierendertig staat een alinea waarin Björck lijkt voor te stellen Salander te bestempelen als psychotisch, zodat ze niet geloofwaardig zal overkomen als er iemand vragen over Zalachenko gaat stellen.'

'En die bewering komt niet in het originele rapport voor?'

'Inderdaad. Gunnar Björck heeft nooit zoiets voorgesteld. Dat zou bovendien in strijd zijn geweest met het recht. In Blomkvists kopie is dat een samenzwering geworden.'

'Zou ik het origineel mogen lezen?'

'Alstublieft. Maar ik moet het rapport weer meenemen als ik wegga. En voordat u het gaat lezen, wil ik graag uw aandacht vestigen op de bijlage met de correspondentie tussen Björck en Teleborian. Die is bijna helemaal een vervalsing. Het gaat hierbij niet om subtiele wijzigingen, maar om grove vervalsingen.'

'Vervalsingen?'

'Ik denk dat dat het enig juiste woord is in dit verband. Het origineel toont aan dat Peter Teleborian van de rechtbank opdracht kreeg om een gerechtelijk-psychiatrisch onderzoek naar Lisbeth Salander in te stellen. Dat is op zich niet opmerkelijk. Lisbeth Salander was twaalf jaar oud en had geprobeerd haar vader met een brandbom om het leven te brengen. Het zou opmerkelijker zijn geweest als dat níét had geresulteerd in een psychiatrisch onderzoek.'

'Dat is waar.'

'Als u officier van justitie was geweest, neem ik aan dat u ook om een sociaal en psychiatrisch onderzoek had verzocht.'

'Zeer zeker.'

'Teleborian was toen al een bekende en gerespecteerde kinderpsychiater en had bovendien binnen de forensische geneeskunde gewerkt. Hij kreeg de opdracht, deed een normaal onderzoek en kwam tot de conclusie dat Lisbeth Salander psychisch ziek was ... Ik hoef niet in te gaan op de vaktechnische termen.'

'Oké.'

'Dat deelde Teleborian mee in een rapport dat hij naar Björck stuurde en dat vervolgens werd behandeld door de rechtbank, die besloot dat Salander in het St. Stefans moest worden opgenomen.'

'Ik begrijp het.'

'In de versie van Blomkvist ontbreekt het onderzoek van Teleborian volledig. In plaats daarvan is er correspondentie te vinden tussen Björck en Teleborian die erop duidt dat Björck Teleborian instrueert een psychologisch onderzoek te faken.'

'En u meent dat dat een vervalsing is?'
'Zonder twijfel.'
'Maar wie zou er belang hebben bij zo'n vervalsing?'
Nyström legde het rapport neer en fronste zijn wenkbrauwen.
'Nu komt u bij de kernvraag.'
'En het antwoord is ...?'
'We weten het niet. Dat is de vraag waar de analysegroep wanhopig een antwoord op probeert te vinden.'
'Kan Blomkvist iets bij elkaar hebben verzonnen?'
Nyström lachte.
'Tja, dat was ook een van onze eerste gedachten. Maar wij denken van niet. Wij hebben het idee dat de vervalsingen lang geleden zijn gemaakt, vermoedelijk vrijwel gelijktijdig met het originele rapport.'
'O ja?'
'En dat leidt tot onaangename conclusies. Degene die de vervalsingen maakte, was zeer goed van de zaak op de hoogte. En bovendien had de vervalser toegang tot dezelfde typemachine als Gunnar Björck.'
'U bedoelt ...'
'We weten niet wáár Björck het onderzoek schreef. Dat kan op een typemachine thuis zijn geweest, op zijn werkplek of ergens anders. We denken aan twee alternatieven. Dat degene die de vervalsing maakte, iemand binnen de psychiatrie of de gerechtelijke geneeskunde was die om de een of andere reden Teleborian in opspraak wilde brengen. Of dat de vervalsing door iemand binnen de veiligheidsdienst werd gemaakt met een heel ander doel.'
'Zoals?'
'Het speelde zich allemaal af in 1991. Het kan een Russische agent binnen de veiligheidsdienst zijn geweest, die lucht had gekregen van het Zalachenko-spoor. Die mogelijkheid houdt in dat we momenteel een groot aantal oude personeelsbestanden aan het screenen zijn.'
'Maar als de KGB er lucht van had gekregen, zou dat toch al jaren geleden moeten zijn uitgelekt?'
'Dat is correct gedacht. Maar vergeet niet dat juist in die tijd de Sovjet-Unie uiteenviel en de KGB werd ontbonden. We weten niet wat er mis is gegaan. Misschien dat een geplande operatie op de lange baan is geschoven. De KGB was meester in het vervalsen van documenten en het verstrekken van desinformatie.'
'Maar wat zou het doel van een dergelijke vervalsing zijn voor de KGB?'

'Dat weten wij ook niet. Maar het zou natuurlijk zo kunnen zijn dat ze de Zweedse regering voor gek wilden zetten.'

Ekström kneep in zijn onderlip.

'Dus wat u zegt, is dat de medische beoordeling van Salander correct is?'

'O ja. Zonder twijfel. Salander is volkomen gestoord, om het wat populair uit te drukken. Daar hoeft u niet aan te twijfelen. De maatregel om haar in een gesloten inrichting te krijgen, was volkomen correct.'

'Wc-potten,' zei waarnemend hoofdredacteur Malin Eriksson aarzelend. Ze klonk alsof ze dacht dat Henry Cortez haar voor de gek hield.

'Wc-potten,' herhaalde Henry Cortez knikkend.

'Jij wilt een verhaal over toiletpotten in *Millennium*?'

Monika Nilsson moest opeens vreselijk lachen. Ze had Henry's nauw verholen enthousiasme gezien toen hij op de vrijdagbespreking kwam, en had alle signalen herkend van een journalist die op een verhaal zit te broeden.

'Oké, leg eens uit.'

'Het is heel eenvoudig,' zei Henry Cortez. 'De grootste bedrijfstak in Zweden is de bouwbranche. Dat is een industrie die in de praktijk niet naar het buitenland kan verhuizen, ook al doet Skanska of het een kantoor in Londen heeft en zo. Die huizen moeten toch in Zweden worden gebouwd.'

'Ja, maar dat is niets nieuws.'

'Nee. Maar wat wel nieuw is, is dat de bouwbranche wat betreft concurrentievermogen en effectiviteit een paar lichtjaren achterligt op alle andere bedrijfstakken in Zweden. Als Volvo op die manier auto's zou bouwen, zou het nieuwste model rond de één of twee miljoen kronen per stuk kosten. Bij elke normale onderneming is het zaak de prijzen te drukken. In de bouw is het andersom. Die heeft schijt aan het drukken van prijzen, wat inhoudt dat de vierkantemeterprijs toeneemt en dat de staat het geheel met belastinggeld subsidieert, zodat de prijzen niet helemaal de pan uit rijzen.'

'Zit daar een verhaal in?'

'Wacht even. Het is gecompliceerd. Als de prijsontwikkeling sinds de jaren zeventig van bijvoorbeeld hamburgers net zo zou zijn geweest, zou een Big Mac ruim 150 kronen of meer kosten. Wat hij zou kosten met friet en een cola erbij, wil je niet eens weten, maar met mijn salaris hier bij *Millennium* zou ik niet ver komen. Hoeveel van jullie zouden voor 150 kronen bij McDonald's een hamburger kopen?'

Niemand zei iets.

'Verstandig. Maar als de NCC, de Nordic Construction Company, in Gåshaga op Lidingö een paar golfplaten containers in elkaar flanst, vragen ze een huur van tien- of twaalfduizend kronen per maand voor een driekamerwoning. Wie van jullie kan dat betalen?'

'Ik niet,' zei Monika Nilsson.

'Nee, en dan woon jij nog in een tweekamerwoning bij Danvikstull, die je pa twintig jaar geleden voor je heeft gekocht en waar je, als je die zou verkopen, zo'n anderhalf mille voor zou krijgen. Maar wat doet een twintigjarige die het huis uit wil? Die heeft geen geld. Die woont dus in onderhuur of blijft noodgedwongen tot zijn pensioen bij zijn moeder wonen.'

'Waar komen de wc-potten in beeld?' vroeg Christer Malm.

'Ja, daar kom ik zo op. De vraag is waarom woningen zo ontzettend duur zijn. Ja, omdat degenen die die huizen willen laten bouwen, geen idee hebben hoe dat in zijn werk gaat. Simpel gezegd: een gemeentelijke woningbouwvereniging belt een bouwonderneming à la Skanska en zegt dat ze honderd appartementen willen laten bouwen en vragen wat dat kost. En Skanska gaat aan het rekenen en zegt bijvoorbeeld dat dat 500 miljoen kronen kost. Wat inhoudt dat de vierkantemeterprijs op een x-aantal kronen ligt en dat de huurprijs op tienduizend kronen per maand komt. Want in tegenstelling tot McDonald's kun je niet zeggen: laat maar zitten, ik ga wel naar een ander. Je moet toch érgens wonen. Dus moet je betalen wat het kost.'

'Alsjeblieft Henry, kom ter zake.'

'Ja, maar hier gaat het nu juist om. Waarom kost het tienduizend kronen als je naar die lelijke kolossen in Hammarbyhamnen wilt verhuizen? Nou, omdat de bouwondernemingen schijt hebben aan het drukken van de prijzen. De klant moet hoe dan ook betalen. Een van de grootste kostenposten is het bouwmateriaal. De handel in bouwmaterialen loopt via groothandels die hun eigen prijzen bepalen. Omdat daar geen eigenlijke concurrentie is, kost een badkuip in Zweden vijfduizend kronen. Dezelfde badkuip van dezelfde fabrikant kost in Duitsland tweeduizend kronen. Er zijn geen redelijke meerkosten die het prijsverschil kunnen verklaren.'

'Oké.'

'Een heleboel hiervan is te lezen in een rapport van de Bouwkostencommissie van de regering die eind jaren negentig actief was. Sindsdien is er niet veel gebeurd. Niemand onderhandelt met de bouwondernemingen over die onredelijke prijzen. De aanvragers betalen gewoon wat het kost en de prijs wordt uiteindelijk betaald door de huurders of de belastingbetalers.'

'Henry, die wc-potten!'

'Het kleine beetje dat er sinds de Bouwkostencommissie is gebeurd, heeft op lokaal niveau plaatsgevonden, voornamelijk buiten Stockholm. Er zijn aanvragers die de hoge bouwprijzen zat zijn. Een voorbeeld daarvan is Karlskronahem, dat goedkoper bouwt dan wie dan ook, gewoon door het materiaal zelf in te kopen. En bovendien is Svensk Handel zich ermee gaan bemoeien. Zij vinden dat de prijzen voor bouwmaterialen volstrekt waanzinnig zijn en proberen het daarom voor de bestellers gemakkelijker te maken om goedkopere, gelijkwaardige producten te krijgen. En dat heeft een jaar geleden op de bouwbeurs in Älvsjö tot een kleine clash geleid. Svensk Handel had een knul uit Thailand hierheen gehaald die wc-potten kon maken voor iets meer dan vijfhonderd kronen per stuk.'

'Ja, en?'

'De dichtstbijzijnde concurrent was een Zweedse witgoedgroothandel die Vitvara AB heet en die echte Zweedse wc-potten verkoopt voor zeventienhonderd kronen per stuk. En slimme gemeentelijke bestellers begonnen zich op hun hoofd te krabben en vroegen zich af waarom ze zeventienhonderd kronen zouden betalen als ze voor vijfhonderd kronen een gelijkwaardige pleepot uit Thailand konden krijgen.'

'Misschien een betere kwaliteit?' vroeg Lottie Karim.

'Nop. Gelijkwaardig product.'

'Thailand,' zei Christer Malm. 'Dat riekt naar kinderarbeid en zo. Dat kan een verklaring zijn voor de lage prijs.'

'Nop,' zei Henry Cortez. 'Kinderarbeid komt in Thailand met name voor in de textiel- en de souvenirindustrie. En in de pedofilie natuurlijk. Dit is échte industrie. De VN houdt kinderarbeid in de gaten en ik heb het bedrijf gecheckt. Ze gedragen zich goed. Het is een grote, moderne en respectabele industriële onderneming in de sanitairbranche.'

'Aha, maar dan hebben we het dus over lagelonenlanden, wat inhoudt dat jij riskeert een artikel te schrijven dat ervoor pleit dat de Zweedse industrie moet worden weggeconcurreerd door de Thaise industrie. Zweedse arbeiders ontslaan, de tent sluiten en importeren uit Thailand. Dat levert je geen vrienden op bij de vakcentrale.'

Henry Cortez kreeg een brede grijns op zijn gezicht. Hij leunde achterover en keek ontzettend verwaand.

'Nop,' zei hij. 'Raad eens waar Vitvara AB zijn pleepotten voor zeventienhonderd kronen per stuk laat maken?'

Iedereen zweeg.

'In Vietnam,' zei Henry Cortez.

'Dat is niet waar,' zei hoofdredacteur Malin Eriksson.

'*Yep*,' zei Henry. 'Ze halen die wc-potten daar al minstens tien jaar vandaan, van een toeleverancier. De Zweedse werknemers hebben al in de jaren negentig ontslag gekregen.'

'O, shit!'

'Maar nu komt het. Als wij direct van de fabriek in Vietnam zouden importeren, zou de prijs op ruim 390 kronen liggen. Raad eens hoe men het prijsverschil tussen Thailand en Vietnam kan verklaren.'

'Zeg niet dat ...'

Henry Cortez knikte. Zijn grijns was breder dan zijn gezicht.

'Vitvara AB besteedt het werk uit aan iets wat Fong Soo Industries heet. Die onderneming staat op de lijst van de VN met bedrijven die ten minste bij één onderzoek in 2001 gebruikmaakten van kinderarbeid. Maar het grootste deel van de werknemers bestaat uit strafgevangenen.'

Malin Eriksson glimlachte plotseling.

'Dit is goed,' zei ze. 'Dit is fantastisch! Jij wordt nog eens journalist als je groot bent, Henry. Hoe snel kun je dat verhaal klaar hebben?'

'Twee weken. Ik moet nog het een en ander checken binnen de internationale handel. En dan hebben we een *bad guy* voor het verhaal nodig, dus ik wil kijken wie de eigenaren van Vitvara AB zijn.'

'Dus het kan mee in het juninummer?' vroeg Malin hoopvol.

'*No problem*.'

Inspecteur Jan Bublanski keek officier van justitie Richard Ekström uitdrukkingsloos aan. De bespreking had veertig minuten geduurd. Bublanski had veel zin om zijn hand uit te strekken naar het exemplaar van het Zweedse Wetboek dat op de rand van Ekströms bureau lag en de officier daarmee op zijn hoofd te timmeren. Hij vroeg zich stilletjes af wat er zou gebeuren als hij dat zou doen. Er zouden ongetwijfeld grote koppen in de avondkranten verschijnen en vermoedelijk zou het resulteren in een aanklacht wegens mishandeling. Hij zette de gedachte opzij. De gesocialiseerde mens kon nu eenmaal geen gehoor geven aan dat soort impulsen, hoe provocatief de tegenpartij zich ook gedroeg. Bovendien werd de hulp van inspecteur Bublanski juist vaak ingeroepen wanneer iemand aan dergelijke impulsen had toegegeven.

'Mooi,' zei Ekström. 'Ik ga ervan uit dat we het eens zijn.'

'Nee, we zijn het niet eens,' antwoordde Bublanski terwijl hij opstond. 'Maar jij leidt het vooronderzoek.'

Hij liep in zichzelf mopperend de gang op op weg naar zijn kamer en riep de inspecteurs Curt Svensson en Sonja Modig bij zich. Zij tweeën vormden die middag zijn personeelsbestand. Jerker Holmberg had ongelukkigerwijs besloten twee weken vakantie te nemen.

'Mijn kamer,' zei Bublanski. 'Neem koffie mee.'

Toen ze zaten, pakte Bublanski zijn schrijfblok met aantekeningen van het gesprek met Ekström.

'Het is zo dat de leider van het vooronderzoek alle aanklachten tegen Lisbeth Salander met betrekking tot de moorden waarvoor ze werd gezocht, heeft geseponeerd. Zij maakt dus wat ons betreft geen deel meer uit van het vooronderzoek.'

'Dat mag ondanks alles worden gezien als een stap in de goede richting,' zei Sonja Modig.

Curt Svensson zei zoals gewoonlijk niets.

'Daar ben ik nog niet zo zeker van,' zei Bublanski. 'Salander wordt nog steeds verdacht van zware criminaliteit in verband met Stallarholmen en Gosseberga. Maar dat is niet langer ons pakkie-an. Wij moeten ons gaan concentreren op het vinden van Niedermann en het onderzoeken van die natuurbegraafplaats in Nykvarn.'

'Ik begrijp het.'

'Maar het is nu wel duidelijk dat Ekström Lisbeth Salander gerechtelijk zal vervolgen. De zaak is overgeheveld naar Stockholm en er is een apart onderzoek toegevoegd.'

'Hè?'

'En raad eens wie dat onderzoek naar Salander gaat doen?'

'Ik vrees het ergste.'

'Hans Faste is terug in dienst. Hij zal Ekström behulpzaam zijn bij het onderzoek naar Salander.'

'Dat is toch gestóórd. Faste is totaal ongeschikt om überhaupt iets over Salander te onderzoeken.'

'Vertel mij wat. Maar Ekström heeft een goed argument. Faste zit al sinds zijn eh ... instorting in april in de ziektewet en dit is voor hem een goede, eenvoudige zaak om zich op te richten.'

Niemand zei iets.

'Dus we worden verzocht al het materiaal over Salander vanmiddag aan hem over te dragen.'

'En dat verhaal over Gunnar Björck en de veiligheidsdienst en dat onderzoek uit 1991 dan?'

'Dat is nu de zaak van Faste en Ekström.'

'Dit bevalt mij niks,' zei Sonja Modig.

'Mij ook niet. Maar Ekström is de baas en zijn beslissing is hogerop in de bureaucratie genomen. Onze taak is met andere woorden nog steeds het vinden van de moordenaar. Curt, hoe staan we er wat dat betreft voor?'

Curt Svensson schudde zijn hoofd.

'Het lijkt er nog steeds op dat Niedermann van de aardbodem is verdwenen. Ik moet bekennen dat ik in al mijn jaren bij de politie nog nooit zoiets heb meegemaakt. We hebben niet één tipgever die hem kent of een idee heeft waar hij zou kunnen zijn.'

'Vreemd,' zei Sonja Modig. 'Maar hij wordt dus gezocht voor die politiemoord in Gosseberga, voor zware mishandeling van een politieman, voor poging tot moord op Lisbeth Salander en voor de ontvoering en mishandeling van tandartsassistente Anita Kaspersson. En voor de moord op Dag Svensson en Mia Bergman. In al deze gevallen is er goed technisch bewijs.'

'Daar komen we niet ver mee. Hoe gaat het met het onderzoek naar die financieel expert van de Svavelsjö MC?'

'Viktor Göransson en zijn vriendin Lena Nygren. We hebben technisch bewijs dat Niedermann op die plaats is geweest. Vingerafdrukken en DNA op het lichaam van Göransson. Niedermann heeft zijn knokkels tijdens die mishandeling behoorlijk geschaafd.'

'Oké. Nog nieuws over de Svavelsjö MC?'

'Sonny Nieminen is aangetreden als chef, nu Magge Lundin vastzit in afwachting van de rechtszaak wegens kidnapping van Miriam Wu. Het gerucht gaat dat Nieminen een grote beloning heeft uitgeloofd aan degene die tipt waar Niedermann zich bevindt.'

'Wat het alleen maar opmerkelijker maakt dat hij nog niet is gevonden. Hoe zit het met de auto van Göransson?'

'Omdat we de auto van Anita Kaspersson op de boerderij van Göransson hebben aangetroffen, denken we dat Niedermann van voertuig is gewisseld. We hebben geen spoor van die auto.'

'Dus de vraag die we ons moeten stellen, is of Niedermann zich nog steeds in Zweden schuilhoudt en zo ja, wáár en bij wie, of dat hij al veilig in het buitenland zit. Wat denken we?'

'We hebben niets wat erop wijst dat hij naar het buitenland is verdwenen, maar dat is wel het enig logische.'

'Waar heeft hij in dat geval die auto gedumpt?'

Sonja Modig en Curt Svensson schudden hun hoofd. Politiewerk was in negen van de tien gevallen vrij ongecompliceerd als het om het opsporen van een bij name genoemde, gezochte persoon ging. Het was zaak logisch na te denken en verbanden te ontrafelen. Wie zijn zijn vrienden? Met wie heeft hij samen in de bak gezeten? Waar woont zijn vriendin? Met wie gaat hij altijd naar de kroeg? In welk gebied is zijn mobiele telefoon het laatst gebruikt? Waar is zijn auto? En aan het eind van die keten kon de gezochte persoon dan worden gevonden.

Het probleem met Ronald Niedermann was dat hij geen vrienden had, geen vriendin, nooit in de bak had gezeten en geen bekende mobiele telefoon had.

Een groot deel van de naspeuringen had zich daardoor gericht op het vinden van de auto van Viktor Göransson, die Ronald Niedermann vermoedelijk gebruikte. Dat zou een indicatie moeten geven waar het zoeken verder moest gaan. Oorspronkelijk hadden ze verwacht dat de auto binnen een paar dagen zou opduiken, vermoedelijk op een parkeerplaats in Stockholm. Maar ondanks het landelijke opsporingsbericht schitterde het voertuig door afwezigheid.

'Als hij in het buitenland zit, waar is hij dan?'

'Hij is Duits staatsburger, dus het zou vrij natuurlijk zijn als hij naar Duitsland ging.'

'Hij wordt gezocht in Duitsland. Hij lijkt geen contact te hebben gehad met zijn oude vrienden in Hamburg.'

Curt Svensson zwaaide met zijn hand.

'Als het zijn plan was om naar Duitsland te gaan, waarom zou hij dan naar Stockholm gaan? Zou hij dan niet naar Malmö zijn gereden en de brug over de Sont hebben genomen, of een van de veerboten?'

'Ik weet het. Marcus Erlander in Göteborg heeft de opsporingen daar de eerste etmalen ook op gericht. De politie in Denemarken is geïnformeerd over de auto van Göransson, en we kunnen met zekerheid zeggen dat hij niet een van de veerboten heeft genomen.'

'Maar hij is naar Stockholm en de Svavelsjö MC gereden, waar hij hun penningmeester heeft doodgeslagen en waarna hij er – vermoedelijk – met een onbekend geldbedrag vandoor is gegaan. Wat zou de volgende stap zijn?'

'Hij moet Zweden uit,' zei Bublanski. 'Het meest voor de hand liggend is een van de veerboten naar de Baltische staten. Maar Göransson en zijn vriendin zijn pas laat in de nacht van 9 april vermoord. Dat betekent dat Niedermann de veerboot van de volgende ochtend genomen kan hebben. Het alarm kwam ruim zestien uur na hun dood binnen en er wordt sindsdien naar die auto gezocht.'

'Als hij 's morgens een ferry heeft genomen, moet Göranssons auto bij een van de veerboothavens geparkeerd hebben gestaan,' constateerde Sonja Modig.

Curt Svensson knikte.

'Kan het zo simpel zijn dat we Göranssons auto niet hebben gevonden, omdat Niedermann het land in het noorden heeft verlaten, via Haparanda? Een lange omweg via de Botnische golf, maar in zestien uur zou hij de grens met Finland kunnen hebben gepasseerd.'

'Ja, maar daarna moet hij die auto ergens in Finland hebben gedumpt en dan zou die nu toch wel door de collega's daar zijn gevonden?'

Ze zwegen allemaal geruime tijd. Uiteindelijk stond Bublanski op en ging bij het raam staan.

'Hoe onlogisch het ook klinkt, de auto van Göransson is nog steeds zoek. Kan Niedermann een plek hebben gevonden waar hij zich gewoon schuilhoudt, een zomerhuisje of zo?'

'Geen zomerhuisje. In deze tijd van het jaar zijn alle mensen die een zomerhuisje hebben in hun huisje.'

'En zeker niet iets wat met de Svavelsjö MC te maken heeft. Dat zijn wel de laatste luitjes die hij wil tegenkomen.'

'En daarmee zou de hele onderwereld uitgesloten moeten zijn. Een vriendin die we niet kennen?'

Ze hadden voldoende speculaties, maar geen feiten om op af te gaan.

Toen Curt Svensson naar huis was, ging Sonja Modig terug naar de kamer van Jan Bublanski en klopte op de deurpost. Hij wenkte haar binnen.

'Heb je twee minuten?'

'Waarover?'

'Salander.'

'Oké.'

'Ik vind die opzet met Ekström en Faste en een nieuwe rechtszaak maar niets. Jij hebt het onderzoek van Björck gelezen. Ik heb het onderzoek van Björck gelezen. Ze werd in 1991 in de vernieling geholpen en dat weet Ekström ook. Wat is er in godsnaam aan de hand?'

Bublanski zette zijn leesbril af en stopte hem in zijn borstzakje.

'Ik heb geen idee.'

'Echt niet?'

'Ekström beweert dat het onderzoek van Björck en de correspondentie met Teleborian een vervalsing is.'

'Gelul. Als het een vervalsing was geweest, zou Björck dat wel hebben gezegd nadat we hem hadden opgehaald.'

'Ekström zegt dat Björck weigerde om over de zaak te praten omdat die geheim was. Ik heb kritiek gekregen omdat ik op de gebeurtenissen vooruitliep door hem te laten ophalen.'

'Ik begin een steeds grotere hekel aan Ekström te krijgen.'

'Hij zit van meerdere kanten onder de plak.'

'Dat is geen excuus.'

'Wij hebben niet het monopolie op de waarheid. Ekström beweert dat hij bewijs heeft dat het rapport een vervalsing is – er bestaat geen daadwerkelijk onderzoek met dat dossiernummer. Hij zegt ook dat de vervalsing heel vakkundig is gedaan en dat de inhoud een combinatie is van waarheid en fantasie.'

'Welk deel was waarheid en welk deel was fantasie?'

'De raamvertelling is enigszins correct. Zalachenko is de vader van Lisbeth Salander en hij was een klootzak die haar moeder mishandelde. Het probleem is het gebruikelijke verhaal – de moeder heeft nooit aangifte willen doen en de mishandelingen konden dus jarenlang doorgaan. Björck had als taak uit te zoeken wat er was gebeurd toen Lisbeth had geprobeerd haar vader met een brandbom te vermoorden. Hij correspondeerde met Teleborian, maar de hele correspondentie in de vorm die wij hebben gezien, is een vervalsing. Teleborian heeft een doodgewoon psychiatrisch onderzoek bij Salander gedaan en geconstateerd dat ze gek was, en een officier van justitie heeft besloten de zaak tegen haar te seponeren. Ze had zorg nodig en die kreeg ze bij het St. Stefans.'

'Als het een vervalsing is, wie zou die dan hebben gemaakt en met welk doel?'

Bublanski spreidde zijn handen uiteen.

'Neem je me in de maling?'

'Zoals ik het heb begrepen, zal Ekström opnieuw een uitgebreid onderzoek naar Salanders toerekeningsvatbaarheid eisen.'

'Dat accepteer ik niet.'

'Het is onze zaak niet meer. Wij zijn van de zaak-Salander afgehaald.'

'En Hans Faste is erop gezet. Jan, ik ga naar de media als die klootzakken Salander nog een keer te grazen nemen.'

'Nee, Sonja. Dat doe je niet. Ten eerste hebben wij geen toegang meer tot het onderzoek en daarmee heb je geen bewijs voor je bewering. Je zult worden beschouwd als paranoïde en daarmee is je carrière ten einde.'

'Ik heb het onderzoek nog wél,' zei Sonja Modig zachtjes. 'Ik had een kopie gemaakt voor Curt Svensson, maar die heb ik hem nooit kunnen geven voordat de procureur-generaal de hele zaak terugvorderde.'

'En als jij dat onderzoek naar buiten brengt, word je niet alleen ontslagen, maar maak je je bovendien schuldig aan een grove ambtsovertreding, namelijk dat je een geheim onderzoek naar de media hebt gelekt.'

Sonja Modig keek haar chef een seconde zwijgend aan.

'Sonja, doe niets. Beloof me dat.'

Ze aarzelde.

'Nee, Jan. Dat kan ik niet beloven. Er is iets zieks met dit hele verhaal.'

Bublanski knikte.

'Ja, er is iets niet pluis. Maar we weten op dit moment niet wie onze vijanden zijn.'

Sonja Modig hield haar hoofd schuin.

'Ben jíj soms iets van plan?'

'Dat ben ik niet van plan met jou te bespreken. Vertrouw op mij. Het is vrijdagavond. Het is weekend. Ga naar huis. Dit gesprek heeft nooit plaatsgevonden.'

Het was zaterdagmiddag halftwee toen Securitas-bewaker Niklas Adamsson opkeek van zijn boek over nationale economie, het vak waarin hij over drie weken tentamen moest doen. Hij hoorde het geluid van de roterende borstels in de zachtjes brommende boenmachine en constateerde dat het die manke neger was. De man groette altijd beleefd, maar was erg stil en lachte nooit wanneer Niklas eens een grapje tegen hem maakte. Hij zag hem een flacon Ajax pakken, tweemaal op de balie van de receptie spuiten en het oppervlak afnemen met een doekje. Daarna pakte de man een mop en bewerkte een stukje van de vloer bij de receptie waar de borstels van de boenmachine niet bij konden. Niklas Adamsson zat alweer met zijn neus in zijn boek en probeerde te lezen.

Het duurde tien minuten voordat de schoonmaker bij Adamssons plaats aan het eind van de gang was gekomen. Ze knikten naar elkaar. Adamsson stond op zodat de schoonmaker de vloer rond de stoel voor de kamer van Lisbeth Salander kon schoonmaken. Hij had de man de dagen dat hij voor Salanders kamer de wacht had gehouden bijna elke keer gezien, maar hij kon zich zijn naam absoluut niet meer herinneren. Het was in elk geval een negernaam. Bovendien had Adamsson weinig zin om de legitimatie van de man te controleren. Aan de ene kant hoefde de neger niet de kamer van de gevangene schoon te maken, dat gebeurde 's morgens door twee vrouwelijke schoonmaaksters, maar aan de andere kant bezorgde de manke schoonmaker hem geen last.

Toen de man het eind van de gang had schoongemaakt, deed hij de deur naast de kamer van Lisbeth Salander open. Adamsson gluurde naar de schoonmaker, maar ook dat behoorde tot de dagelijkse routines. Het schoonmaakhok was aan het eind van de gang. De komende vijf minuten zou de schoonmaker bezig zijn met het legen van de emmer, het reinigen van de borstels en het bijvullen van de schoonmaakkar met plastic zakken voor de prullenbakken. Uiteindelijk trok hij de hele boenmachine het hok in.

Idris Ghidi was zich bewust van de Securitas-bewaker op de gang. Het was een blonde jongen van rond de vijfentwintig die daar twee of drie dagen in de week zat en boeken over economie bestudeerde. Ghidi trok de conclusie dat hij parttime bij Securitas werkte en daarnaast studeerde. En dat hij ongeveer net zo goed op zijn omgeving lette als een baksteen.

Idris Ghidi vroeg zich af wat Adamsson zou doen als er echt iemand in de kamer van Lisbeth Salander zou proberen te komen.

Idris Ghidi vroeg zich ook af waar Mikael Blomkvist eigenlijk op uit was. Hij schudde zijn hoofd. Hij had in de kranten natuurlijk over de journalist gelezen en de link naar Lisbeth Salander in 11C gelegd, en had verwacht dat hij iets bij haar naar binnen had moeten smokkelen. In dat geval had hij nee moeten zeggen omdat hij geen toegang had tot haar kamer en haar nooit had gezien. Maar wat hij ook had verwacht, dat was niet het verzoek dat hij kreeg.

Hij kon niets illegaals in de opdracht zien. Hij gluurde door de kier van de deur naar buiten en zag dat Adamsson weer op de stoel voor de deur was gaan zitten en in zijn boek las. Hij was blij dat er absoluut niemand in de buurt was, wat meestal ook niet het geval was, omdat de schoonmaakkast in een doodlopend stuk lag, aan het eind van de gang. Hij stak zijn hand in de zak van zijn werkjas en haalde een nieuwe Sony Ericsson Z600 mobiele telefoon tevoorschijn. Idris Ghidi had de telefoon opgezocht in een advertentie en had geconstateerd dat hij in de winkel ruim 3.500 kronen kostte en over alle snufjes en finesses op het gebied van de mobiele telefonie beschikte.

Hij wierp een blik op het display en stelde vast dat de telefoon aanstond, maar dat het geluid uit stond, zowel het belsignaal als het trilgeluid. Toen ging hij op zijn tenen staan en schroefde een rond, wit kapje los dat voor een ventilatieopening zat die naar Lisbeth Salanders kamer leidde. Hij plaatste het mobieltje uit het zicht in de ventilatieopening, precies zoals Mikael Blomkvist hem had gevraagd te doen.

De hele procedure nam ongeveer dertig seconden in beslag. De volgende dag zou het klusje ongeveer tien seconden duren. Wat hij dan moest doen, was de telefoon pakken, de batterij verwisselen en het toestel in de ventilatieopening terugleggen. De oude batterij moest hij mee naar huis nemen en 's nachts opladen.

Dat was alles wat Idris Ghidi hoefde te doen.

Dat zou Salander echter niet helpen. Aan haar kant van de muur zat een rooster vastgeschroefd. Ze zou de mobiel nooit kunnen pakken, tenzij ze een kruiskopschroevendraaier en een ladder had.

'Dat weet ik,' had Mikael gezegd. 'Maar ze mag er ook nooit aankomen.'

Dat moest Idris Ghidi elke dag doen tot Mikael Blomkvist hem zou laten weten dat het niet meer nodig was.

En voor dat klusje kon Idris Ghidi elke week 1.000 kronen vangen, zó in zijn zak. Bovendien mocht hij de mobiele telefoon houden als de klus was geklaard.

Hij schudde zijn hoofd. Hij begreep natuurlijk wel dat Mikael Blomkvist iets van plan was, maar hij kon absoluut niet bedenken wát. Het plaatsen van een mobiele telefoon in een ventilatieopening van een afgesloten kast met schoonmaakspullen, stand-by, maar niet hoorbaar, was zoiets vreemds dat Ghidi het doel ervan niet kon doorgronden. Als Blomkvist de mogelijkheid wilde hebben om met Lisbeth Salander te communiceren, was het toch veel slimmer om een van de verpleegsters om te kopen om de telefoon bij haar naar binnen te smokkelen? Dit was gewoon niet logisch.

Ghidi schudde zijn hoofd. Aan de andere kant had hij er niets op tegen om Mikael Blomkvist ter wille te zijn zolang Mikael hem 1.000 kronen per week betaalde. En hij was niet van plan vragen te stellen.

Dokter Anders Jonasson hield zijn pas even in toen hij een man van veertigplus tegen het traliewerk van de portiek naar zijn appartement aan de Hagagatan zag leunen. De man kwam hem enigszins bekend voor en knikte hem herkennend toe.

'Dokter Jonasson?'

'Ja, dat ben ik.'

'Sorry dat ik u hier op straat voor uw huis lastigval. Ik wilde u niet op uw werk opzoeken, maar ik zou u graag willen spreken.'

'Waar gaat het over en wie bent u?'

'Mijn naam is Mikael Blomkvist. Ik ben journalist en werk bij het tijdschrift *Millennium*. Het betreft Lisbeth Salander.'

'Aha, nu herken ik u. U bent degene die de hulpdiensten heeft gebeld toen ze was gevonden. Was u degene die zilvertape op haar schotwonden had geplakt?'

'Dat was ik.'

'Dat was heel slim. Maar het spijt me. Ik kan niet met journalisten over mijn patiënten praten. U moet zich net als alle anderen tot de persdienst van het Sahlgrenska wenden.'

'U begrijpt mij verkeerd. Ik wil geen informatie van u en ik ben hier voor een privéaangelegenheid. U hoeft niets tegen mij te zeggen of informatie te geven. Het is juist andersom. Ik wil ú informatie geven.'

Anders Jonasson fronste zijn wenkbrauwen.

'Alstublieft,' smeekte Mikael Blomkvist. 'Het is niet mijn gewoonte om chirurgen op straat lastig te vallen, maar het is uiterst belangrijk dat ik met u kan praten. Er is een cafetaria om de hoek, iets verderop. Mag ik u een kop koffie aanbieden?'

'Waar wilt u over praten?'

'De toekomst van Lisbeth Salander en haar welbevinden. Ik ben haar vriend.'

Anders Jonasson stond een behoorlijke tijd te aarzelen. Hij realiseerde zich dat als het iemand anders dan Mikael Blomkvist was geweest – als een onbekend iemand zomaar op hem af was gekomen – hij geweigerd zou hebben. Maar het feit dat Blomkvist een bekende persoon was, impliceerde dat Anders Jonasson er vrij zeker van was dat het niet om een of andere misselijke grap ging.

'Ik wil onder geen beding worden geïnterviewd en ik ga het niet over mijn patiënte hebben.'

'Prima,' zei Mikael.

Anders Jonasson gaf uiteindelijk een kort knikje en liep met Blomkvist mee naar de betreffende cafetaria.

'Waar gaat het om?' vroeg hij neutraal toen ze aan de koffie zaten. 'Ik luister, maar ben niet van plan commentaar te geven.'

'U bent bang dat ik u ga citeren of in opspraak breng in de media. Laat me dan meteen duidelijk maken dat dat nooit zal gebeuren. Wat mij betreft, heeft dit gesprek niet eens plaatsgevonden.'

'Goed.'

'Ik wil u om een gunst vragen. Maar voordat ik dat doe, moet ik exact uitleggen waarom, zodat u kunt beslissen of het voor u moreel acceptabel is mij die dienst te bewijzen.'

'Dit gesprek bevalt me niet erg.'

'U hoeft alleen maar te luisteren. Als arts van Lisbeth Salander is het uw taak om voor haar lichamelijke en geestelijke gezondheid te zorgen. Als Lisbeth Salanders vriend is het mijn taak om hetzelfde te doen. Ik ben geen arts en kan dus niet in haar hoofd rondwroeten en kogels en zo verwijderen, maar ik heb een andere vaardigheid die minstens even belangrijk is voor haar welbevinden.'

'Aha.'

'Ik ben journalist en heb de waarheid boven tafel weten te krijgen over wat haar is overkomen.'

'Oké.'

'Ik kan in algemene bewoordingen vertellen waar het om gaat, dan kunt u zelf een inschatting maken.'

'Ja.'

'Misschien moet ik allereerst zeggen dat Annika Giannini de advocaat van Lisbeth Salander is. U hebt haar ontmoet.'

Anders Jonasson knikte.

'Annika is mijn zus en ik ben degene die haar betaalt om Lisbeth Salander te verdedigen.

'O ja?'

'Dat zij mijn zus is, kunt u natrekken in het bevolkingsregister. Maar dit is een dienst waar ik Annika niet om kan vragen. Zij praat niet met mij over Lisbeth. Zij heeft ook zwijgplicht, maar we hebben het hier over een heel andere beroepscode.'

'Hm.'

'Ik neem aan dat u over Lisbeth hebt gelezen in de kranten.'

Jonasson knikte.

'Ze is beschreven als een psychotische en geesteszieke, lesbische seriemoordenaar. Dat is allemaal onzin. Lisbeth Salander is niet psychotisch en ze is vermoedelijk net zo slim als u en ik. En haar seksuele voorkeur gaat niemand wat aan.'

'Als ik de zaak goed begrijp, heeft er een zekere herwaardering plaatsgevonden. Tegenwoordig wordt die Duitser genoemd in verband met de moorden.'

'Wat volkomen correct is. Ronald Niedermann is schuldig. Hij is een volstrekt gewetenloze moordenaar. Daarentegen heeft Lisbeth vijanden. Echt grote, serieuze vijanden. Enkelen van hen opereren binnen de Zweedse veiligheidsdienst.'

Anders Jonasson fronste aarzelend zijn wenkbrauwen.

'Toen Lisbeth twaalf was, werd ze opgesloten in een kinderpsychiatrische kliniek in Uppsala omdat ze gestruikeld was over iets wat de veiligheidsdienst tegen elke prijs geheim probeerde te houden. Haar vader, Alexander Zalachenko, die in het Sahlgrenska is vermoord, was een overgelopen Russische spion, een relikwie van de Koude Oorlog. Hij was ook gewelddadig en heeft de moeder van Lisbeth jarenlang stelselmatig mishandeld. Toen Lisbeth twaalf was, sloeg ze terug en probeerde ze Zalachenko met een benzinebom om het leven te brengen. Om die reden werd ze opgesloten bij kinderpsychiatrie.'

'Maar als ze had geprobeerd haar vader te vermoorden, was er misschien wel reden voor een psychiatrische behandeling.'

'Mijn verhaal – dat ik ook ga publiceren – is dat de veiligheidsdienst wist wat er was gebeurd, maar ervoor koos Zalachenko te beschermen, omdat hij een belangrijke informatiebron was. Ze faketen dus een diagnose en zorgden ervoor dat Lisbeth werd opgesloten.'

Anders Jonasson keek zó weifelend dat Mikael moest glimlachen.

'Alles wat ik u vertel, kan ik documenteren. En tegen de tijd dat de rechtszaak tegen Lisbeth begint, kom ik met een uitvoerige publicatie. Geloof me, dan ontstaat er flink wat commotie.'

'Ik begrijp het.'

'Ik kom met onthullingen en zal twee artsen heel hard aanpakken, omdat ze klusjes voor de veiligheidsdienst hebben opgeknapt en hebben meegeholpen Lisbeth weg te moffelen in een gesticht. Ik zal hen meedogenloos aan de schandpaal nagelen. Een van deze artsen is een zeer bekend en gerespecteerd man. Maar zoals gezegd, ik heb alle documentatie die ik nodig heb.'

'Ik begrijp het. Als er een arts bij iets dergelijks betrokken is, is dat een schande voor de hele beroepsgroep.'

'Nee, ik geloof niet in collectieve schuld. Het is een schande voor de betrokkenen. Hetzelfde geldt voor de veiligheidsdienst. Er werken daar vast ook wel goede mensen. Het gaat hier om een groep sektariers. Toen Lisbeth achttien was, hebben ze opnieuw geprobeerd haar te laten opsluiten. Die keer mislukte dat, maar ze kwam onder toezicht te staan. Tijdens de rechtszaak zullen ze weer zo veel mogelijk shit over haar heen proberen te gooien. Ik, of liever gezegd, mijn zus, zal ervoor vechten dat Lisbeth wordt vrijgesproken en dat haar ondertoezichtstelling wordt opgeheven.'

'Oké.'

'Maar ze heeft munitie nodig. Dat zijn de voorwaarden voor dit spel. Ik moet er misschien ook bij zeggen dat er een paar politiemensen zijn die in deze strijd aan de kant van Lisbeth staan. Maar dat geldt niet voor de leider van het vooronderzoek die haar heeft aangeklaagd.'

'Nee, oké.'

'Lisbeth heeft in verband met de rechtszaak hulp nodig.'

'Goed. Maar ik ben geen advocaat.'

'Nee. Maar u bent arts en u mag bij Lisbeth komen.'

De ogen van Anders Jonasson versmalden zich.

'Wat ik u ga vragen, is onethisch en kan mogelijk zelfs worden gezien als wetsovertreding.'

'O.'

'Maar het is moreel juist. Haar rechten worden door de personen die haar zouden moeten beschermen, opzettelijk met voeten getreden.'

'O?'

'Ik kan een voorbeeld geven. Zoals u weet, mag Lisbeth geen bezoek ontvangen en mag ze geen kranten lezen of communiceren met de buitenwereld. De officier van justitie heeft haar advocaat bovendien ook aan regels gebonden. Annika houdt zich daar dapper aan. Daarentegen is de officier van justitie de voornaamste bron van lekken naar journalisten, die nog steeds onwaarheden over Lisbeth Salander schrijven.'

'Nee toch?'

'Dit verhaal bijvoorbeeld.' Mikael hield een avondkrant van de week ervoor omhoog. 'Een bron binnen het onderzoek beweert dat Lisbeth ontoerekeningsvatbaar is, wat ertoe leidt dat de krant een reeks speculaties over haar mentale toestand opbouwt.'

'Ik heb het artikel gelezen. Het is nonsens.'

'Dus u denkt niet dat Salander gestoord is?'

'Daar kan ik geen uitspraak over doen. Maar ik weet dat er geen enkel psychiatrisch onderzoek heeft plaatsgevonden. Dus is het artikel onzin.'

'Oké. Maar ik kan documenteren dat een politieman genaamd Hans Faste, die voor officier van justitie Ekström werkt, deze gegevens heeft gelekt.'

'O?'

'Ekström zal eisen dat de rechtszaak achter gesloten deuren plaatsvindt, wat inhoudt dat buitenstaanders het bewijsmateriaal tegen haar niet kunnen screenen en op waarde kunnen schatten. Maar wat erger is ... omdat de officier van justitie Lisbeth heeft geïsoleerd, zal ze zich niet goed kunnen voorbereiden, omdat ze de research niet kan doen die nodig is om zich goed te kunnen verweren.'

'Maar als ik het goed begrijp, wordt dat gedaan door haar advocaat.'

'Lisbeth is, zoals u zo langzamerhand wel hebt begrepen, een zeer speciaal persoon. Ze heeft geheimen die ik ken, maar die ik niet aan mijn zus kan vertellen. Bovendien kan Lisbeth kiezen of ze tijdens de rechtszaak van die verdediging gebruik wil maken of niet.'

'Aha.'

'En om zich voor te kunnen bereiden, heeft Lisbeth dit nodig.'

Mikael legde Lisbeth Salanders Palm Tungsten T3 handcomputer en een batterijlader op de cafétafel tussen hen in.

'Dit is het belangrijkste wapen dat Lisbeth in haar arsenaal heeft. Ze heeft hem nodig.'

Anders Jonasson keek wantrouwend naar de handcomputer.

'Waarom geeft u hem niet aan haar advocaat?'

'Omdat Lisbeth de enige is die weet hoe ze bij het bewijsmateriaal kan komen.'

Anders Jonasson zweeg geruime tijd zonder de handcomputer aan te raken.

'Laat me u over dokter Teleborian vertellen,' zei Mikael en hij pakte de map waarin hij al het belangrijke materiaal had verzameld.

Ze bleven meer dan twee uur zitten en spraken op gedempte toon met elkaar.

Het was even na achten zaterdagavond toen Dragan Armanskij het kantoor van Milton Security verliet en naar de synagoge aan de St. Paulsgatan liep. Hij klopte aan, stelde zich voor en werd binnengelaten door de rabbijn zelf.

'Ik heb hier een afspraak met een kennis,' zei Armanskij.

'Eerste verdieping. Ik zal u voorgaan.'

De rabbijn bood Armanskij een keppeltje aan, dat Armanskij aarzelend opzette. Hij kwam uit een islamitische familie waar het dragen van een keppeltje en het bezoek aan een synagoge niet tot de dagelijkse rituelen behoorden. Hij voelde zich opgelaten met het keppeltje op zijn hoofd.

Jan Bublanski droeg ook een keppeltje.

'Dag Dragan. Bedankt dat je tijd kon vrijmaken. Ik heb een kamer van de rabbijn geleend, zodat we ongestoord kunnen praten.'

Armanskij ging tegenover Bublanski zitten.

'Ik neem aan dat je een goede reden hebt voor deze geheimzinnigdoenerij.'

'Ik zal het kort houden. Ik weet dat jij een vriend van Lisbeth Salander bent.'

Armanskij knikte.

'Ik wil weten wat Blomkvist en jij in jullie schild voeren om Salander te helpen.'

'Waarom denk je dat wij iets aan het bekokstoven zijn?'

'Omdat officier van justitie Richard Ekström me wel tien keer heeft gevraagd hoeveel inzicht jullie bij Milton Security eigenlijk in het Salander-onderzoek hadden. Hij vraagt dat niet voor de lol, maar omdat hij bang is dat je iets in je schild voert wat repercussies vanuit de media kan opleveren.'

'Hm.'

'En als Ekström ongerust is, komt dat doordat hij weet of vreest dat jij met iets bezig bent. Ik denk tenminste dat hij met iemand heeft gesproken die daar bang voor is.'

'Iemand?'

'Dragan, laten we geen verstoppertje spelen. Je weet dat Salander in 1991 is blootgesteld aan inbreuk op de persoonlijke levenssfeer en ik vrees dat dat opnieuw het geval zal zijn als de rechtszaak begint.'

'Jij bent politieman in een democratie. Als jij informatie hebt, moet je wat doen.'

Bublanski knikte.

'Dat ben ik ook van plan. De vraag is alleen hóé.'

'Zeg wat je op je hart hebt.'

'Ik wil weten wat Blomkvist en jij in jullie schild voeren. Ik neem aan dat jullie niet stil zitten.'

'Het is gecompliceerd. Hoe weet ik dat ik jou kan vertrouwen?'

'Er is een onderzoek uit 1991 dat Mikael Blomkvist heeft gevonden ...'

'Dat is mij bekend.'

'Ik heb geen toegang meer tot dat rapport.'

'Ik ook niet. En de exemplaren die Blomkvist en zijn zus hadden, zijn verdwenen.'

'Verdwenen?' vroeg Bublanski.

'Het exemplaar van Blomkvist is gestolen bij een inbraak in zijn appartement, en Annika Giannini's kopie is verdwenen bij een overval in Göteborg. Dat gebeurde op dezelfde dag dat Zalachenko werd vermoord.'

Bublanski zweeg geruime tijd.

'Waarom hebben wij daar niets over gehoord?'

'Zoals Mikael Blomkvist het uitdrukt: er is maar één juist moment om te publiceren en er zijn een oneindig aantal verkeerde momenten.'

'Maar jullie ... Hij is van plan om te gaan publiceren?'

Armanskij knikte kort.

'Een overval in Göteborg en een inbraak hier in Stockholm. Dezelfde dag. Dat betekent dat onze tegenstanders goed zijn georganiseerd,' zei Bublanski.

'Bovendien moet ik zeggen dat we bewijs hebben dat Giannini's telefoon wordt afgeluisterd.'

'Er is dus iemand die een groot aantal wetsovertredingen begaat.'

'De vraag is zodoende wie onze tegenstanders zijn,' zei Dragan Armanskij.

'Mijn idee. Op zich heeft de veiligheidsdienst er belang bij om het rapport van Björck in de doofpot te stoppen. Maar Dragan ... we hebben het over de Zweedse véíligheidsdienst. Dat is een overheidsinstantie. Ik kan me niet voorstellen dat dit iets is wat door de veiligheidsdienst is goedgekeurd. Ik geloof niet eens dat de veiligheidsdienst zoiets zou kunnen.'

'Ik weet het. Ik heb ook moeite om dit te verstouwen. Om het nog maar niet eens te hebben over het feit dat iemand doodleuk het Sahlgrenska binnenwandelt en Zalachenko door zijn kop knalt.'

Bublanski zweeg. Armanskij legde zijn laatste troef op tafel.

'En dan verhangt Gunnar Björck zich óók nog.'

'Dus jullie denken dat het om georganiseerde moord gaat. Ik ken Marcus Erlander, de man die het onderzoek in Göteborg heeft gedaan. Hij heeft niets gevonden wat erop wijst dat de moord iets anders was dan de impulsieve daad van een ziek iemand. En wij hebben het sterfgeval van Björck minutieus onderzocht. Alles wijst erop dat het zelfmoord was.'

Armanskij knikte.

'Evert Gullberg, achtenzeventig jaar oud, terminaal kankerpatiënt, is een paar maanden voor de moord behandeld voor klinische depressie. Ik had Fräklund erop gezet om alles op te graven wat er over Gullberg in openbare documenten te vinden is.'

'En?'

'Hij zat in de jaren veertig in dienst in Karlskrona en studeerde rechten. Hij werd op den duur belastingconsulent voor particuliere ondernemers. Hij had ruim dertig jaar een kantoor in Stockholm, laag profiel, particuliere klanten – wie dat dan ook waren. Ging in 1991 met pensioen. Is in 1994 verhuisd naar zijn geboortestad Laholm. Eigenlijk niets opmerkelijks.'

'Maar?'

'Behalve een paar opvallende details. Fräklund kan geen enkele referentie naar Gullberg vinden, in geen enkel verband. Hij heeft nooit in een krant gestaan en er is niemand die weet welke klanten hij had. Het lijkt net of hij in het beroepsleven nooit heeft bestaan.'

'Wat wil je daarmee zeggen?'

'De veiligheidsdienst is de duidelijke link. Zalachenko was een Russische overloper en wie anders dan de veiligheidsdienst zou hem onder zijn hoede hebben genomen? En wie kan het voor elkaar krijgen dat Lisbeth Salander in 1991 wordt opgenomen bij psychiatrie? Om nog maar te zwijgen over inbraken, overvallen en telefoontaps vijftien jaar later ... Maar ik geloof ook niet dat de veiligheidsdienst hierachter zit. Mikael Blomkvist noemt het "de Zalachenko-club". Een kleine groep sektariërs bestaande uit overwinterende Koude Oorlogveteranen die zich in een donker hoekje bij de veiligheidsdienst schuilhouden.'

Bublanski knikte.

'Dus, wat kunnen we doen?'

12
ZONDAG 15 MEI – MAANDAG 16 MEI

Commissaris Torsten Edklinth, hoofd van de afdeling Grondwetsbescherming van de Zweedse binnenlandse veiligheidsdienst, kneep in zijn oorlelletje en keek nadenkend naar de algemeen directeur van het gerenommeerde beveiligingsbedrijf Milton Security, die hem onverwachts had gebeld en erop had gestaan hem zondag in zijn huis op Lidingö uit te nodigen voor het diner. Armanskij's vrouw Ritva had een verrukkelijke stoofpot geserveerd. Ze hadden gegeten en beleefd geconverseerd. Edklinth had zich afgevraagd wat Armanskij eigenlijk wilde. Na het eten had Ritva zich teruggetrokken op de bank voor de tv en had ze hen alleen aan de eettafel achtergelaten. Armanskij was langzaam het verhaal over Lisbeth Salander gaan vertellen.

Edklinth had zijn glas rode wijn peinzend rondgedraaid.

Dragan Armanskij was niet gek. Dat wist hij.

Edklinth en Armanskij kenden elkaar al twaalf jaar, al sinds de tijd dat een vrouwelijk parlementslid van de linkse partij een serie anonieme doodsbedreigingen had ontvangen. De politica had een en ander gemeld bij de fractievoorzitter van de partij in het parlement, waarna de veiligheidsafdeling van het parlement was geïnformeerd. De bedreigingen waren schriftelijk en vulgair, en bevatten informatie van het soort dat aangaf dat de anonieme brievenschrijver inderdaad over zekere persoonskennis van het parlementslid beschikte. Het verhaal wekte daardoor de belangstelling van de veiligheidsdienst. Terwijl het onderzoek liep, kreeg het parlementslid beveiliging.

Persoonsbeveiliging was in die tijd de qua budget kleinste eenheid binnen de veiligheidsdienst. De middelen van de dienst waren beperkt.

De afdeling Beveiliging is verantwoordelijk voor de beveiliging van het koningshuis en de premier, en daarbuiten naar behoefte voor afzonderlijke ministers en partijleiders. De behoefte is vaak groter dan de middelen en in werkelijkheid ontberen de meeste Zweedse politici iedere vorm van serieuze persoonsbeveiliging.

Het parlementslid kreeg tijdens enkele openbare optredens bewaking, maar werd na haar werkdag aan haar lot overgelaten, dat wil zeggen, juist op het tijdstip dat een stalker zou kunnen toeslaan. Het wantrouwen van het parlementslid in het vermogen van de veiligheidsdienst om haar te beschermen nam snel toe.

Ze woonde in een vrijstaand huis in Nacka. Toen ze op een avond laat thuiskwam van een duel in een financiële commissie, ontdekte ze dat iemand door de terrasdeur had ingebroken, schuttingwoorden op de muren van de woonkamer had gekliederd en in de slaapkamer van het parlementslid had gemasturbeerd. Waarop ze de telefoon had gepakt en Milton Security in de arm had genomen voor haar persoonsbeveiliging. Ze lichtte de veiligheidsdienst niet in over haar besluit, en toen ze de volgende ochtend moest optreden op een school in Täby ontstond er een frontale botsing tussen de door de staat geregelde kleerkasten en privé ingehuurde zware jongens.

In die tijd was Torsten Edklinth plaatsvervangend chef persoonsbeveiliging. Instinctief vond hij het maar niks dat particuliere hooligans taken uitvoerden die rijkshooligans zouden moeten verrichten. Maar hij zag ook in dat het parlementslid reden had tot klagen – haar besmeurde bed was bewijs genoeg voor het gebrek aan staatkundige effectiviteit. In plaats van hun krachten onderling te meten, bedacht Edklinth zich en maakte hij een lunchafspraak met de chef van Milton Security, Dragan Armanskij. Ze besloten dat de situatie mogelijk ernstiger was dan de veiligheidsdienst eerst had aangenomen en dat er reden was om de beveiliging rond de politica te verscherpen. Edklinth was ook slim genoeg om te zien dat de mensen van Armanskij niet alleen over de vaardigheden beschikten die voor het werk vereist waren – ze hadden ook een minstens even goede opleiding en zelfs vermoedelijk betere technische apparatuur dan zijn mannen. Ze losten het probleem op door de mensen van Armanskij de gehele verantwoordelijkheid voor de directe beveiliging te geven terwijl de veiligheidsdienst het onderzoek naar het misdrijf voor zijn rekening nam en de rekening betaalde.

De twee mannen ontdekten ook dat ze elkaar graag mochten en dat ze goed konden samenwerken, wat in de jaren daarna dan ook nog een paar keer gebeurde. Edklinth had groot respect voor Dragan Armanskij's deskundigheid, en toen Dragan hem voor een diner uitnodigde en om een vertrouwelijk gesprek onder vier ogen vroeg, was hij bereid te luisteren.

Maar hij had niet verwacht dat Armanskij een bom met een brandend lont op zijn schoot zou leggen.

'Als ik je goed begrijp, beweer jij dat de veiligheidsdienst bezig is met criminele activiteiten.'

'Nee,' zei Armanskij. 'Dan begrijp je me verkeerd. Ik beweer dat enkele personen die in dienst zijn van de veiligheidsdienst dergelijke activiteiten hebben ontplooid. Ik geloof geen moment dat dit door de leiding van de veiligheidsdienst is gesanctioneerd of dat er enige vorm van goedkeuring door de staat is.'

Edklinth bekeek de foto's die Christer Malm had gemaakt van de man die in een auto stapte met een kenteken dat begon met de letters KAB.

'Dragan ... het is toch geen practical joke, hè?'

'Was dat maar waar.'

Edklinth dacht even na.

'En wat verwacht je dat ik eraan ga doen?'

De volgende ochtend poetste Torsten Edklinth uitvoerig zijn brillenglazen terwijl hij nadacht. Hij was een man met grijs haar, grote oren en een krachtig gezicht. Dat gezicht leek op dit moment echter meer verward dan krachtig. Hij bevond zich op zijn werkkamer in het hoofdbureau van politie op Kungsholmen en had een groot deel van de nacht doorgebracht met piekeren over wat hij moest doen met de informatie die Dragan Armanskij hem had gegeven.

Het waren geen aangename overpeinzingen. De veiligheidsdienst was het instituut in Zweden waarvan alle partijen – nou ja, bijna alle – beweerden dat het van onschatbare waarde was en dat iedereen leek te wantrouwen, en waarover iedereen fantasievolle samenzweringstheorieën leek te hebben. Er waren diverse schandalen geweest, zeker in de links-radicale jaren zeventig toen er enkele constitutionele vergissingen waren begaan. Maar vijf hevig bekritiseerde overheidsonderzoeken van de veiligheidsdienst later was er een nieuwe generatie ambtenaren opgekomen. Dat was een jongere lichting activisten, gerekruteerd bij de economische controledienst en de afdelingen Wapens en Fraude van de politie – politiemensen die gewend waren om feitelijke delicten te onderzoeken en geen politieke fantasieën.

De binnenlandse veiligheidsdienst was gemoderniseerd en met name de afdeling Grondwetsbescherming had een nieuwe, vooraanstaande rol gekregen. Haar taak was, zoals het in de instructie van de regering was geformuleerd, het voorkomen en ontmaskeren van dreigingen tegen de binnenlandse veiligheid. Dat werd gedefinieerd als *illegale activiteiten die tot doel hebben om door middel van geweld, bedreiging of dwang onze staatsvorm te wijzigen, politieke organen of overheidsinstanties die beslissingen mogen nemen ervan te weerhouden om beslissingen in een bepaalde richting te nemen of afzonderlijke burgers te verhinderen hun grondwettelijke vrijheden en rechten uit te oefenen.*

De taak van de afdeling Grondwetsbescherming was dientengevolge het verdedigen van de Zweedse democratie tegen daadwerkelijke en vermoedelijke antidemocratische groeperingen. Hiertoe werden hoofdzakelijk anarchisten en nazi's gerekend. Anarchisten omdat ze volhardden in burgerlijke ongehoorzaamheid in de vorm van brandstichting bij bontzaken. Nazi's omdat het nazi's waren en daarmee per definitie tegenstanders van de democratie.

Met een opleiding tot jurist als basis was Torsten Edklinth begonnen als officier van justitie, en nu werkte hij al eenentwintig jaar voor de veiligheidsdienst. Eerst als administrateur van persoonsbeveiliging en daarna bij de afdeling Grondwetsbescherming, waar hij was opgeklommen van het maken van analyses tot hoofd administratie en uiteindelijk bureaudirecteur. Hij was met andere woorden de hoogste baas van het politiële deel van de verdediging van de Zweedse democratie. Commissaris Torsten Edklinth beschouwde zichzelf als democraat. In die zin was de definitie eenvoudig. De grondwet werd door het parlement vastgesteld en het was zijn taak ervoor te zorgen dat deze intact bleef.

De Zweedse democratie is gebaseerd op slechts één wet, de grondwettelijke vrijheid van meningsuiting. De grondwet verankert het onontbeerlijke recht om te mogen zeggen, vinden, denken en geloven wat men wil. Dit recht omvat alle Zweedse staatsburgers, van gestoorde nazi's tot stenengooiende anarchisten en iedereen die daartussenin zit.

Alle andere wetten, zoals die over de regeringsvorm, zijn alleen praktische versieringen van de vrijheid van meningsuiting. Daarom staat of valt de democratie met deze wet. Edklinth meende dat zijn meest primaire taak bestond uit het verdedigen van het wettelijke recht van de Zweedse staatsburgers om te vinden en te zeggen wat ze wilden, ook al deelde hij geen moment de inhoud van hun gedachten en uitspraken.

Deze vrijheid houdt echter niet in dat alles is toegestaan, iets wat sommige fundamentalisten van de vrijheid van meningsuiting – voornamelijk pedofielen en racistische groeperingen – in het cultureel-politieke debat probeerden te verdedigen. Ook de democratie heeft haar beperkingen, en de beperkingen van de vrijheid van meningsuiting worden vastgesteld door de vrijheid van drukpers. De vrijheid van drukpers beschrijft in principe vier beperkingen van de democratie. Het publiceren van kinderporno en bepaalde afbeeldingen van seksueel geweld, ongeacht hoe kunstzinnig de maker ze ook vindt, is verboden. Opruien en aanzetten tot het plegen van een misdrijf is verboden. Smaad en laster zijn verboden. En hetze tegen een bepaalde bevolkingsgroep is verboden.

Ook de vrijheid van drukpers is vastgesteld door het parlement; zij geeft de sociaal en democratisch acceptabele beperkingen van de democratie aan, dat wil zeggen, vormt het sociale contract dat het frame is van een geciviliseerde samenleving. De kern van de wetgeving impliceert dat niemand het recht heeft om een ander te pesten dan wel te vernederen.

Omdat de vrijheid van meningsuiting en de vrijheid van drukpers wetten zijn, is er een overheidsinstantie vereist die handhaving van de wetten kan garanderen. In Zweden is deze functie verdeeld over twee instanties waarvan de ene, de door de regering aangestelde procureur-generaal, tot taak heeft inbreuken op de VVDP te melden.

In dat opzicht was Torsten Edklinth allerminst blij. Hij vond de pg veel te laks met aanklachten tegen wat feitelijk directe misdaden tegen de Zweedse grondwet waren. De pg zei altijd dat het principe van de democratie zó belangrijk was dat hij uitsluitend in noodgevallen kon ingrijpen en een aanklacht kon indienen. Deze houding was de laatste jaren echter steeds meer in twijfel getrokken, zeker nadat secretaris-generaal Robert Hårdh van het Zweedse Helsinki Comité een rapport had laten opstellen dat het gebrek aan initiatief van de pg gedurende een aantal jaren onder de loep nam. Het rapport constateerde dat het schier onmogelijk was om iemand aan te klagen en veroordeeld te krijgen wegens hetze tegen een bevolkingsgroep.

De andere instelling waarvoor commissaris Torsten Edklinth verantwoordelijk was, was de afdeling Grondwetsbescherming van de binnenlandse veiligheidsdienst. Deze taak nam hij uiterst serieus. Hij vond zelf dat dit de mooiste en belangrijkste post was die een Zweedse politieman ooit kon krijgen, en hij wilde zijn functie voor geen enkele andere binnen het hele juridische of politiële Zweden ruilen.

Hij was gewoon de enige politieman in Zweden die officieel tot taak had een politieke politieman te zijn. Het was een gevoelige taak die veel wijsheid en minutieuze rechtvaardigheid vereiste, aangezien de ervaring van al te veel landen had geleerd dat een politieke politieman gemakkelijk kon worden getransformeerd tot de grootste bedreiging van de democratie.

De media en het publiek dachten gewoonlijk dat de afdeling Grondwetsbescherming hoofdzakelijk tot taak had nazi's en militante veganisten in het gareel te houden. Het was inderdaad correct dat dat soort figuren een aanzienlijk deel van de interesse van de afdeling opeisten, maar daarnaast waren er hele reeksen instituten en fenomenen die ook tot het werkterrein van de afdeling behoorden. Als bijvoorbeeld de koning of de opperbevelhebber het idee zou krijgen dat de rol van het parlement was uitgespeeld en vervangen zou moeten worden door een militaire dictatuur of iets dergelijks, zou de koning of de opperbevelhebber snel de aandacht trekken van de afdeling Grondwetsbescherming. En als een groep politiemensen de wetten wat zou willen oprekken zodat de grondrechten van een individu zouden worden beperkt, was het ook de taak van de afdeling Grondwetsbescherming om te reageren. In dergelijke ernstige gevallen zou het onderzoek naar verwachting bovendien onder de procureur-generaal vallen.

Het probleem was natuurlijk dat de afdeling Grondwetsbescherming bijna uitsluitend een analyserende en toetsende functie had en geen uitvoerende activiteiten ontplooide. Daarom greep voornamelijk de gewone politie of een andere afdeling binnen de veiligheidsdienst in wanneer er nazi's moesten worden opgepakt.

Deze situatie was in de ogen van Torsten Edklinth zeer onbevredigend. Bijna alle normale landen hadden een of andere zelfstandige rechtbank ter bescherming van de grondwet, die onder andere tot taak had erop toe te zien dat overheidsinstanties zich niet vergrepen aan de democratie. In Zweden wordt deze taak uitgevoerd door een door de regering aangestelde procureur-generaal of de parlementaire ombudsman, die zich echter alleen kunnen schikken naar de beslissing van anderen. Als Zweden een eigen rechtbank ter bescherming van de grondwet had gehad, zou de advocaat van Lisbeth Salander de Zweedse staat onmiddellijk hebben kunnen aanklagen voor inbreuk op Salanders grondrechten. De rechtbank zou daarmee alle papieren op tafel kunnen eisen en iedereen ter verhoor kunnen oproepen, inclusief de premier, totdat de kwestie tot op de bodem was uitgezocht.

Maar zoals de situatie nu was, kon de advocaat hoogstens aangifte doen bij de parlementaire ombudsman, die echter niet bevoegd was om bij de veiligheidsdienst binnen te lopen en documentatie op te eisen.

Torsten Edklinth was al jaren een warm pleitbezorger voor de oprichting van een rechtbank ter bescherming van de grondwet. Hij had de informatie die hij van Dragan Armanskij had gekregen dan gemakkelijk kunnen gebruiken om aangifte te doen en de documentatie over te dragen aan de rechtbank. Daarmee zou een onverbiddelijk proces in gang zijn gezet.

Maar zoals de situatie nu was, had Torsten Edklinth geen juridische bevoegdheden om een vooronderzoek op te starten.

Hij zuchtte en stopte wat pruimtabak onder zijn bovenlip.

Als de gegevens van Dragan Armanskij juist waren, hadden politiemensen met een leidinggevende functie binnen de binnenlandse veiligheidsdienst dus een reeks zware misdaden tegen een Zweedse vrouw door de vingers gezien. Daarna hadden ze haar dochter ten onrechte opgesloten in een psychiatrisch ziekenhuis en een voormalige Russische topspion uiteindelijk carte blanche gegeven om zich bezig te houden met illegaal wapenbezit, narcoticadelicten en mensensmokkel. Torsten Edklinth tuitte zijn lippen. Hij wilde niet eens uitrekenen hoeveel afzonderlijke wetsovertredingen er in de loop der tijd moesten zijn begaan. Om nog maar te zwijgen over de inbraak bij Mikael Blomkvist, de overval op de advocate van Lisbeth Salander en mogelijk – wat Edklinth weigerde te geloven – medeplichtigheid aan de moord op Alexander Zalachenko.

Het was een vreselijke toestand en Torsten Edklinth had weinig zin om erbij betrokken te raken. Helaas was dat al het geval vanaf het moment dat Dragan Armanskij hem had uitgenodigd voor het diner.

De vraag die hij daarmee moest beantwoorden, was hoe hij de situatie zou aanpakken. Formeel was het antwoord op die vraag simpel. Als het verhaal van Armanskij waar was, was Lisbeth Salander tot in het uiterste de mogelijkheid ontnomen om haar grondwettelijke vrijheden en rechten uit te oefenen. Uit constitutioneel oogpunt ging er echter ook een beerput aan verdenkingen open, namelijk dat politieke organen of overheidsinstanties waren gedwongen beslissingen in een bepaalde richting te nemen, wat daarmee de eigenlijke kern van de taken van de afdeling Grondwetsbescherming raakte. Maar Torsten Edklinth was een politieman met kennis van een misdrijf en had daardoor de plicht om contact op te nemen met een officier van justitie en aangifte te doen. Informeel was het antwoord echter niet zo eenvoudig. Het was op zijn zachtst gezegd gecompliceerd.

Inspecteur Monica Figuerola was ondanks haar ongebruikelijke naam geboren in de provincie Dalarna en kwam uit een geslacht dat al zeker sinds de tijd van Gustav Vasa in Zweden woonde. Ze was een opvallende verschijning. Dat kwam door een aantal zaken. Ze was zesendertig jaar oud, had blauwe ogen en was maar liefst 1 meter 84 lang. Ze had kortgeknipt, stroblond, krullend haar. Ze zag er goed uit en kleedde zich op een manier die haar aantrekkelijk maakte.

En ze was uitzonderlijk goed getraind.

Dat laatste kwam doordat ze in haar jeugd op topsportniveau aan atletiek had gedaan en zich als zeventienjarige bijna had gekwalificeerd voor de Olympische Spelen. Ze deed sindsdien niet meer aan atletiek, maar was vijf avonden in de week in de sportschool te vinden en was zeer fanatiek. Ze trainde zóveel dat haar endorfinen de werking hadden van een narcotisch preparaat dat afkickverschijnselen veroorzaakte als ze niet meer trainde. Ze liep hard, deed aan gewichtheffen, tenniste, deed aan karate en had bovendien tien jaar aan bodybuilding gedaan. Deze extreme vorm van lichaamsverheerlijking had ze twee jaar geleden aanzienlijk teruggeschroefd: toen deed ze dagelijks twee uur aan gewichtheffen, nu deed ze dat elke dag nog maar eventjes. Door haar algemene training was haar lichaam echter zo gespierd geworden dat ze door boosaardige collega's 'Mister Figuerola' werd genoemd. Als ze mouwloze hemdjes of zomerjurken droeg, konden haar biceps en schouderbladen niemand ontgaan.

Iets wat veel van haar mannelijke collega's stoorde, buiten haar lichaamsbouw, was dat ze bovendien meer was dan een *pretty face*. Ze had de middelbare school cum laude afgerond, was op twintigjarige leeftijd klaar als politieagente en had daarna negen jaar bij de politie in Uppsala gewerkt terwijl ze in haar vrije tijd rechten had gestudeerd. Ze had voor de lol ook examen politicologie gedaan. Ze had geen problemen om informatie te onthouden en te analyseren. Ze las zelden detectives of andere ontspanningsliteratuur, maar begroef zich daarentegen met veel interesse in de meest uiteenlopende onderwerpen, van internationaal recht tot de geschiedenis van de klassieke oudheid aan toe.

Bij de politie was ze van de patrouilledienst naar een dienst als inspecteur bij de recherche gegaan, wat in Uppsala een verlies was voor de veiligheid op straat. Eerst werkte ze bij Geweld en daarna bij de afdeling die gespecialiseerd was in economische delicten. In 2000 had ze gesolliciteerd bij de veiligheidsdienst in Uppsala en in 2001 was ze overgeplaatst naar Stockholm. Ze had aanvankelijk bij contraspionage gewerkt, maar was bijna onmiddellijk door Torsten Edklinth persoonlijk bij de afdeling Grondwetsbescherming ingelijfd. Edklinth kende namelijk toevallig haar vader en had haar carrière door de jaren heen gevolgd.

Toen Edklinth uiteindelijk had besloten dat hij iets met de informatie van Dragan Armanskij moest doen, had hij een tijdje nagedacht en vervolgens de hoorn van de haak gepakt en Monica Figuerola gevraagd naar zijn kamer te komen. Ze werkte pas drie jaar bij de afdeling Grondwetsbescherming, wat inhield dat ze nog steeds meer een echte politievrouw was dan een bureaucraat.

Ze was vandaag gekleed in een strakke, blauwe spijkerbroek, turkooiskleurige sandalen met een klein hakje en een marineblauw jasje.

'Waar ben je momenteel mee bezig?' vroeg Edklinth terwijl hij haar een stoel aanbood.

'We zijn bezig met de follow-up van de overval op die buurtsuper in Sunne twee weken geleden.'

Nu hield de veiligheidsdienst zich absoluut niet bezig met onderzoek naar berovingen van supermarkten. Dergelijke politiële basisklussen lagen uitsluitend bij de politie. Monica Figuerola was hoofd van een afdeling bestaande uit vijf medewerkers die zich bezighielden met de analyse van politieke delicten. Hun belangrijkste hulpmiddel bestond uit een aantal computers die waren gekoppeld aan de incidentenrapportage van de politie. Bijna elke aangifte die in een politiedistrict in Zweden werd gerapporteerd, passeerde de computers waarover Monica Figuerola de baas was. De computers hadden een softwareprogramma dat automatisch elk politierapport scande en dat tot taak had te reageren op 310 specifieke woorden, zoals nikker, skinhead, hakenkruis, allochtoon, anarchist, Hitlergroet, nazi, nationaaldemocraat, landverrader, jodenhoer of niggerlover. Als zo'n sleutelwoord in een politierapport voorkwam, sloeg de computer alarm en werd het betreffende rapport gedownload en handmatig getoetst. Afhankelijk van de samenhang kon daarna het vooronderzoek worden opgevraagd en kon verdere screening plaatsvinden.

Een van de taken van de afdeling Grondwetsbescherming was het jaarlijks publiceren van het rapport *Bedreigingen van de veiligheid van de natie*, de enig betrouwbare statistiek van politieke criminaliteit. De statistiek was uitsluitend gebaseerd op aangiften bij lokale politieoverheden. In de zaak van de beroving van de buurtsuper in Sunne had de computer gereageerd op drie woorden: 'allochtoon', 'schouderembleem' en 'neger'. Twee gemaskerde jongemannen hadden met behulp van een pistool een buurtsuper beroofd die eigendom was van een immigrant. De buit bedroeg 2.780 kronen en een slof sigaretten. Een van de overvallers droeg een kort jack met een Zweedse vlag als schouderembleem. De andere overvaller had meerdere keren 'kutneger' tegen de eigenaar geroepen en hem gedwongen op de grond te gaan liggen.

Dit alles was voldoende voor de medewerkers van Figuerola om het vooronderzoek op te vragen en te onderzoeken of de overvallers banden hadden met de lokale nazigroeperingen in de provincie Värmland, en of de overval in dat geval bestempeld zou kunnen worden als een racistisch delict, omdat een overvaller uitdrukking had gegeven aan racistische opvattingen. Als dat het geval was, kon het best zo zijn dat de beroving werd meegenomen in het statistisch overzicht van komend jaar, dat daarna zou worden geanalyseerd en ingevoegd in de Europese statistiek die het EU-bureau in Wenen jaarlijks samenstelde. Het kon ook blijken dat de overvallers scouts waren die een Frövikjack met een Zweedse vlag hadden gekocht en dat het louter toeval was dat de uitbater van de winkel van buitenlandse afkomst was, en dat het woord 'neger' was gevallen. Als dat het geval was, moest de afdeling van Figuerola de overval uit de statistiek schrappen.

'Ik heb een lastige klus voor je,' zei Torsten Edklinth.

'Aha,' zei Monica Figuerola.

'Het is een klus waardoor je behoorlijk in ongenade kunt vallen en waardoor aan je carrière zelfs voortijdig een einde kan komen.'

'Jeetje.'

'Maar als je je taak succesvol volbrengt en de zaken goed uitpakken, kan het een grote stap voorwaarts betekenen in je carrière. Ik ben van plan je over te hevelen naar de operatieve eenheid van de afdeling Grondwetsbescherming.'

'Sorry dat ik het zeg, maar de afdeling Grondwetsbescherming heeft geen operatieve eenheid.'

'Jawel,' zei Torsten Edklinth. 'Die eenheid bestaat tegenwoordig. Ik heb hem vanochtend opgericht en hij bestaat momenteel uit slechts één persoon. En dat ben jij.'

Monica Figuerola keek weifelend.

'Het is de taak van de afdeling Grondwetsbescherming om de grondwet te beschermen tegen interne dreigingen, wat meestal nazi's of anarchisten betekent. Maar wat doen we als blijkt dat de dreiging tegen de grondwet van onze eigen organisatie afkomstig is?'

Hij besteedde het daaropvolgende halfuur aan het weergeven van het hele verhaal dat Dragan Armanskij hem de vorige avond had verteld.

'Wie is de bron van deze beweringen?' vroeg Monica Figuerola.

'Onbelangrijk op dit moment. Richt je op de informatie die de informant heeft verstrekt.'

'Wat ik me afvraag, is of jij meent dat de bron geloofwaardig is.'

'Ik ken deze bron al jaren en ik ben van mening dat deze bron zeer geloofwaardig is.'

'Het klinkt ... tja, ik weet niet hoe. Onwaarschijnlijk is zacht uitgedrukt.'

Edklinth knikte.

'Als een spionageroman,' zei hij.

'Wat wil je dat ik ga doen?'

'Vanaf nu ben je vrijgesteld van alle andere taken. Je hebt maar één taak – het waarheidsgehalte van dit verhaal onderzoeken. Je moet de beweringen verifiëren dan wel afhandelen. Je rapporteert rechtstreeks aan mij en aan niemand anders.'

'Jeetje,' zei Monica Figuerola. 'Ik begrijp nu wat je bedoelde met dat dit kan betekenen dat ik in ongenade kan vallen.'

'Ja. Maar als het verhaal waar is ... als slechts een fractie van al die beweringen waar is, staan we voor een constitutionele crisis en die moeten we zien te vermijden.'

'Waar moet ik beginnen? Hoe zal ik te werk gaan?'

'Begin met het eenvoudigste. Lees allereerst dit onderzoek dat Gunnar Björck in 1991 heeft geschreven. Identificeer daarna de personen die Mikael Blomkvist in de gaten schijnen te houden. Volgens mijn bron is de auto eigendom van ene Göran Mårtensson, veertig jaar, politieman en woonachtig aan de Vittangigatan in Vällingby. Daarna moet je de andere persoon identificeren die op de foto's staat die door de fotograaf van Mikael Blomkvist zijn genomen. Die blonde jongeman hier.'

'Oké.'

'Daarna onderzoek je de achtergrond van Evert Gullberg. Ik had nooit van de man gehoord, maar volgens mijn bron moet er een link naar de veiligheidsdienst zijn.'

'Dus iemand hier bij de veiligheidsdienst zou de moord op een spion door een achtenzeventigjarige man hebben besteld. Dat geloof ik niet.'

'Hoe dan ook, je moet de zaak controleren. En het onderzoek moet in het diepste geheim plaatsvinden. Voordat je maatregelen neemt, wil ik worden geïnformeerd. Ik wil geen kringen op het water zien.'

'Het is een enorm onderzoek. Hoe moet ik dat in mijn eentje voor elkaar boksen?'

'Dat hoeft ook niet. Jij hoeft alleen maar deze eerste check te doen. Als je terugkomt en zegt dat je gekeken hebt en niets hebt gevonden, dan is alles koek en ei. Maar als je iets verdachts vindt, moeten we besluiten hoe we verdergaan.'

Monica Figuerola besteedde haar lunchpauze aan gewichtheffen in de fitnessruimte van het hoofdbureau van politie. Haar eigenlijke lunch bestond uit zwarte koffie en een broodje met gehaktballetjes en bietensalade, dat ze mee terug nam naar haar kamer. Ze deed de deur dicht, maakte haar bureau leeg en begon het onderzoek van Gunnar Björck te lezen terwijl ze haar broodje at.

Ze las ook de bijlage met de correspondentie tussen Björck en dokter Peter Teleborian. Ze noteerde elke naam en elke afzonderlijke gebeurtenis in het rapport die moesten worden geverifieerd. Na twee uur stond ze op, liep naar de koffieautomaat en haalde meer koffie. Toen ze haar kamer verliet, deed ze de deur op slot – een van de dagelijkse routines bij de veiligheidsdienst.

Het eerste wat ze deed, was het dossiernummer controleren. Ze belde naar de registrator en kreeg te horen dat er geen rapport met dat betreffende dossiernummer bestond. Haar tweede controle bestond uit het consulteren van het Media-archief. Dat leverde meer op. Beide avondkranten en een ochtendkrant hadden melding gemaakt van een persoon die op die betreffende datum in 1991 bij een autobrand op de Lundagatan ernstig gewond was geraakt. Het slachtoffer van het ongeluk was een niet bij name genoemde man van middelbare leeftijd. Een avondkrant meldde dat de brand volgens een getuige opzettelijk was gesticht. Door een jong meisje. Dat zou dus de fameuze brandbom zijn die Lisbeth Salander naar een Russische agent genaamd Zalachenko had gegooid. Die gebeurtenis leek in elk geval te hebben plaatsgevonden.

Gunnar Björck, die het rapport had geschreven, had daadwerkelijk bestaan. Hij was een bekende hoge functionaris bij de afdeling Buitenland geweest, had in de ziektewet gezeten wegens een hernia en was helaas overleden door zelfmoord.

De personeelseenheid kon echter niet vertellen waar Gunnar Björck zich in 1991 mee bezig had gehouden. Dat was geheim, ook voor andere medewerkers van de veiligheidsdienst. Wat routine was.

Dat Lisbeth Salander in 1991 op de Lundagatan had gewoond en de twee jaar daarna in de St. Stefans kinderpsychiatrische kliniek had doorgebracht, was gemakkelijk te verifiëren. Wat dat betreft leek de werkelijkheid de inhoud van het rapport in elk geval niet tegen te spreken.

Peter Teleborian was een bekende psychiater die regelmatig op tv te zien was. Hij had in 1991 bij het St. Stefans gewerkt en was daar tegenwoordig afdelingshoofd.

Monica Figuerola dacht lang na over de betekenis van het rapport. Daarna belde ze het plaatsvervangend hoofd van de personeelsafdeling.

'Ik heb een lastige vraag,' legde ze uit.

'Wat dan?'

'We zijn bij de afdeling Grondwetsbescherming bezig met een analyse waarbij het gaat om het beoordelen van iemands geloofwaardigheid en algemene geestelijke gesteldheid. Ik zou een psychiater of een andere deskundige willen raadplegen die bevoegd is geheime informatie tot zich te nemen. Ik heb de naam van dokter Peter Teleborian van iemand gekregen en ik wil weten of ik hem in de arm kan nemen.'

Het duurde even voordat het antwoord kwam.

'Dokter Peter Teleborian is een paar keer door de veiligheidsdienst geraadpleegd als externe consultant. Je mag vertrouwelijke informatie in algemene bewoordingen met hem bespreken. Maar voordat je je tot hem wendt, moet je de bureaucratische procedure volgen. Je chef moet alles goedkeuren en een formele aanvraag doen om Teleborian te mogen consulteren.'

Monica Figuerola kreeg bange vermoedens. Ze had iets geverifieerd dat slechts bij een zeer beperkt aantal mensen bekend kon zijn. Peter Teleborian had met de binnenlandse veiligheidsdienst van doen gehad. Dat vergrootte de geloofwaardigheid van het rapport.

Ze legde het rapport weg en begon aan andere delen van de informatie die ze van Torsten Edklinth had gekregen. Ze bestudeerde de foto's van Christer Malm van de twee personen die Mikael Blomkvist naar zijn zeggen op 1 mei vanaf Café Copacabana hadden geschaduwd.

Ze raadpleegde het register van de Zweedse Rijksdienst voor het Wegverkeer en constateerde dat Göran Mårtensson een bestaand iemand was die een grijze Volvo met het betreffende kenteken bezat. Daarna werd door de personeelsafdeling van de veiligheidsdienst bevestigd dat hij bij de veiligheidsdienst werkzaam was. Dat was de simpelste controle die ze kon doen en ook deze informatie leek correct. Ze kreeg nog meer bange vermoedens.

Göran Mårtensson werkte bij persoonsbeveiliging. Hij was lijfwacht. Hij maakte deel uit van de groep medewerkers die diverse keren de veiligheid van de premier voor zijn rekening had genomen. Sinds een paar weken was hij echter tijdelijk uitgeleend aan contraspionage. Dat was ingegaan op 10 april, een paar dagen nadat Alexander Zalachenko en Lisbeth Salander naar het Sahlgrenska-ziekenhuis waren gebracht, maar dat soort tijdelijke overplaatsingen waren niet ongebruikelijk als er ergens een dringend personeelstekort was.

Daarna belde Monica Figuerola naar het plaatsvervangend hoofd contraspionage, een man die ze persoonlijk kende en voor wie ze gedurende haar korte tijd op de afdeling had gewerkt. Ze vroeg of Göran Mårtensson met iets belangrijks bezig was of dat hij kon worden uitgeleend voor een onderzoek bij de afdeling Grondwetsbescherming.

Het plaatsvervangend hoofd contraspionage was verbaasd. Monica Figuerola moest verkeerd zijn geïnformeerd. Göran Mårtensson van persoonsbeveiliging was niet aan contraspionage uitgeleend. Sorry.

Monica Figuerola legde de telefoon neer en staarde twee minuten naar de hoorn. Bij persoonsbeveiliging dacht men dat Mårtensson aan contraspionage was uitgeleend. Maar contraspionage had hem helemaal niet geleend. Dergelijke transfers moesten door de chef de bureau zijn goedgekeurd en behandeld. Ze reikte opnieuw naar de telefoon om de chef de bureau te bellen, maar bedacht zich. Als persoonsbeveiliging Mårtensson had uitgeleend, moest de chef de bureau die beslissing hebben goedgekeurd. Maar Mårtensson zat niet bij contraspionage. Dat had de chef de bureau moeten weten. En als Mårtensson aan een afdeling was uitgeleend die Mikael Blomkvist schaduwde, moest de chef de bureau dat ook weten.

Torsten Edklinth had gezegd dat ze geen kringen op het water mocht veroorzaken. Als ze het de chef de bureau zou vragen, zou dat ongeveer hetzelfde zijn als een grote steen in een eendenvijvertje gooien.

Het was maandagmorgen even na halfelf. Erika Berger ging aan haar bureau in de glazen kooi zitten om even uit te blazen. Ze had grote behoefte aan de kop koffie die ze net uit de automaat in de kantine had gehaald. Ze had de eerste twee uur van haar werkdag besteed aan twee vergaderingen. De eerste was een vijftien minuten lange ochtendmeeting waarin redactiesecretaris Peter Fredriksson de richtlijnen voor het werk van die dag had opgesomd. Ze moest steeds meer vertrouwen op zijn oordeel, bij gebrek aan vertrouwen in Anders Holm.

De tweede bespreking was een vergadering van een uur geweest met bestuursvoorzitter Magnus Borgsjö, de financiële man van de SMP, Christer Sellberg, en budgetverantwoordelijke Ulf Flodin. De bespreking ging over de teruglopende advertentiemarkt en de dalende verkoop van losse nummers. De budgetverantwoordelijke en de financieel directeur waren het erover eens dat er maatregelen moesten worden genomen om het verlies van de krant terug te dringen.

'We hebben het het eerste kwartaal dit jaar gered dankzij een marginale stijging op de advertentiemarkt en doordat twee medewerkers rond de jaarwisseling met pensioen zijn gegaan. Die functies zijn niet opgevuld,' zei Ulf Flodin. 'We draaien dit kwartaal vermoedelijk met een klein verlies. Maar het is duidelijk dat de gratis kranten *Metro* en *Stockholm City* nog meer van de advertentiemarkt in Stockholm zullen afsnoepen. De enige prognose die we kunnen geven, is dat het derde kwartaal dit jaar een duidelijk verlies zal opleveren.'

'En wat gaan we daaraan doen?' vroeg Borgsjö.

'Het enig redelijke alternatief is bezuinigen. Dat is sinds 2002 niet voorgekomen. Ik schat in dat er voor de jaarwisseling minstens tien formatieplaatsen moeten verdwijnen.'

'Op welke posities?' vroeg Erika Berger.

'We moeten het kaasschaafprincipe hanteren en hier en daar een stukje weghalen. De sportredactie heeft nu zes komma vijf formatieplaatsen. Daar moeten we omlaag naar vijf fulltimers.'

'Als ik de zaak goed begrijp, loopt de sportredactie nu al op haar tandvlees. Dat betekent dat we de sportverslaggeving in haar geheel moeten wegbezuinigen.'

Flodin haalde zijn schouders op.

'Ik luister graag naar betere voorstellen.'

'Ik heb geen betere voorstellen, maar het principe is dat als we personeel wegbezuinigen, we een dunnere krant moeten maken en als we een dunnere krant maken, zal het aantal lezers afnemen en daarmee ook het aantal adverteerders.'

'De eeuwig vicieuze cirkel,' zei financieel directeur Sellberg.
'Ik ben aangenomen om deze ontwikkeling te keren. Dat betekent dat ik de krant duidelijk zal veranderen en dat ik hem aantrekkelijker wil maken voor de lezers. Maar dat kan ik niet doen als ik me moet bezighouden met het wegbezuinigen van personeel.'
Ze wendde zich tot Borgsjö.
'Hoe lang kan de krant bloeden? Hoeveel verlies kunnen we lijden tot het tij keert?'
Borgsjö tuitte zijn lippen.
'Sinds het begin van de jaren negentig heeft de SMP een groot deel van zijn oude reserves opgesnoept. We hebben een aandelenportefeuille die vergeleken met tien jaar geleden met ruim dertig procent in waarde is gedaald. Een groot deel van deze fondsen is aangewend voor investeringen op het gebied van computertechniek. We hebben dus gigantische uitgaven gehad.'
'Ik heb opgemerkt dat de SMP een eigen elektronisch opmaaksysteem heeft ontwikkeld, AXT. Wat kostte de ontwikkeling daarvan?'
'Ongeveer vijf miljoen kronen.'
'Ik begrijp de logica daarvan niet helemaal. Er zijn goedkope commerciële programma's op de markt. Waarom heeft de SMP geïnvesteerd in het ontwikkelen van eigen software?'
'Tja, Erika, zeg het eens. Het vorige hoofd techniek heeft ons overgehaald. Hij meende dat het op termijn goedkoper zou zijn en dat de SMP bovendien licenties voor het programma aan andere kranten zou kunnen verkopen.'
'En, heeft iemand die software gekocht?'
'Ja, een lokale krant in Noorwegen.'
'Geweldig,' zei Erika Berger droog. 'Volgende vraag, we zitten met pc's van een jaar of vijf, zes oud ...'
'Het is uitgesloten dat we komend jaar gaan investeren in nieuwe computers,' zei Flodin.
Zo was de discussie doorgegaan. Erika had zich onmiddellijk gerealiseerd dat haar opmerkingen door Flodin en Sellberg werden genegeerd. Het enige wat voor hen telde, waren bezuinigingen, wat uit het oogpunt van een financieel directeur en een budgetchef begrijpelijk was, maar vanuit de visie van een pas aangetreden hoofdredacteur onacceptabel. Maar wat haar ergerde, was dat ze haar argumenten constant met een vriendelijk glimlachje afpoeierden, waardoor ze zich als een schoolmeisje bij een mondelinge overhoring voelde. Zonder dat er een onvertogen woord viel, hadden ze een houding

tegenover haar die zó klassiek was dat het bijna vermakelijk was. *Pijnig jij je hersentjes nu maar niet over zulke gecompliceerde zaken, meisje.*

Aan Borgsjö had ze niet veel. Hij was afwachtend en liet de overige deelnemers aan de vergadering uitpraten, maar ze merkte bij hem niet dezelfde neerbuigende houding.

Ze zuchtte, zette haar laptop aan en bekeek haar mailbox. Ze had negentien mailtjes binnengekregen. Vier daarvan waren spam van (a) iemand die wilde dat ze Viagra zou kopen, (b) iemand die haar cyberseks met *The sexiest Lolitas on the net* aanbood tegen het luttele bedrag van slechts vier Amerikaanse dollar per minuut, (c) iemand met een enigszins grover aanbod van *Animal Sex, the Juiciest Horse Fuck in the Universe,* evenals (d) iemand die haar een abonnement wilde aansmeren op de elektronische nieuwsbrief *mode.nu*, die werd geproduceerd door een of ander bedrijf dat de markt overstemde met reclameboodschappen en waar nooit een eind aan kwam, hoe vaak ze ook aangaf dat ze geen reclame wilde ontvangen. Zeven mailtjes waren zogenaamde Nigeria-brieven van de weduwe van de voormalige president van de nationale bank in Abu Dhabi, die haar fantastische bedragen aanbood als ze er maar een klein vertrouwenskapitaaltje in wilde steken en meer van dergelijke onzin.

De resterende mail bestond uit het ochtend-PM, het lunch-PM, drie mailtjes van redactiesecretaris Peter Fredriksson waarin hij haar op de hoogte hield van de voortgang van het openingsverhaal van vandaag, een mail van haar persoonlijke accountant die een afspraak wilde maken om de wijzigingen in haar salaris na de overstap van *Millennium* naar de SMP af te stemmen en een mail van haar mondhygiëniste, die haar eraan herinnerde dat het tijd was voor het kwartaalbezoek. Ze noteerde de tijd in haar elektronische agenda en zag onmiddellijk dat ze de afspraak zou moeten verzetten omdat er die dag een grote redactievergadering gepland stond.

Ten slotte opende ze het laatste mailtje dat de afzender centralered@smpost.se had en de kop TER KENNISGEVING AAN DE HOOFDREDACTEUR. Ze zette haar koffiekopje langzaam neer.

hoer! je denkt dat je heel wat bent. stom kut. je moet niet denken dat je hier gewichtig kunt doen. je zult met een schroevendraaier in je reet worden geneukt, hoer! hoe sneller je verdwijnt hoe beter.

Erika Berger keek automatisch op en zocht nieuwschef Anders Holm met haar blik. Hij was niet op zijn plaats en ze zag hem nergens op de redactie. Ze keek naar de afzender, en nam daarna de hoorn van de haak en belde Peter Fleming, hoofd techniek bij de SMP.

'Hoi, wie gebruikt het adres centralered@smpost.se?'

'Niemand. Dat adres bestaat niet hier.'

'Ik heb net een mailtje van dat adres ontvangen.'

'Dat is fake. Bevat het een virus?'

'Nee. Het antivirusprogramma heeft in elk geval niet gereageerd.'

'Oké. Dat adres bestaat niet. Maar het is heel makkelijk om een ogenschijnlijk juist adres te faken. Er bestaan sites op internet waardoor je dat kunt versturen.'

'Is zo'n mailtje te achterhalen?'

'Dat is bijna onmogelijk, zelfs als de persoon in kwestie zo stom is om het van zijn privécomputer thuis te sturen. Wellicht is het IP-nummer van de server op te sporen, maar als hij bijvoorbeeld opstart via hotmail houdt het spoor op.'

Erika bedankte hem voor de informatie. Ze dacht even na. Het was niet de eerste keer dat ze een dreigmailtje of een bericht van een gestoorde idioot kreeg. Het mailtje doelde duidelijk op haar nieuwe baan als hoofdredacteur bij de SMP. Ze vroeg zich af of het een gek was die over haar had gelezen in verband met het overlijden van Morander of dat de afzender zich in het pand bevond.

Monica Figuerola dacht geruime tijd na over wat ze met Evert Gullberg aan moest. Een voordeel van het werken bij de afdeling Grondwetsbescherming was dat ze verregaande bevoegdheden had om bijna elk politieonderzoek in Zweden dat mogelijk iets met racistische of politieke criminaliteit van doen had op te vragen. Ze constateerde dat Alexander Zalachenko een immigrant was. En een van haar taken was het screenen van geweld tegen in het buitenland geboren personen om te bepalen of dat racistisch gemotiveerd was of niet. Het was zodoende haar volste, legitieme recht om kennis te nemen van het onderzoek naar de moord op Zalachenko, om te bepalen of Evert Gullberg banden had met een racistische organisatie of dat hij in verband met de moord racistische beweringen geuit had. Ze bestelde het onderzoek en las het door. Daar trof ze de brieven aan die naar de minister van Justitie waren gestuurd en constateerde dat deze – buiten een reeks betweterige en beledigende, persoonlijke aantijgingen – ook de woorden 'niggerlover' en 'landverrader' bevatten.

Toen was het vijf uur. Monica Figuerola borg al het materiaal op in de kluis op haar kamer, gooide haar koffiebekertje weg, sloot de computer af en klokte uit. Ze wandelde in rap tempo naar een sportschool aan het St. Eriksplan en besteedde het volgende uur aan wat lichte krachttraining.

Toen ze klaar was, liep ze naar haar tweekamerwoning aan de Pontonjärgatan, douchte en at een late, maar verantwoord samengestelde avondmaaltijd. Ze overwoog even om Daniel Mogren te bellen, die drie blokken verderop in dezelfde straat woonde. Daniel was timmerman en bodybuilder, en was al drie jaar af en toe haar trainingsmaatje. De laatste maanden was hij ook haar seksmaatje.

Seks was op zich net zo bevredigend als een stevige training op de sportschool, maar als rijpe dertigplusser, eerder veertigminner, was Monica erover gaan nadenken of ze toch niet moest gaan uitkijken naar een permanente man en een meer permanente levenssituatie. Misschien zelfs wel kinderen. Maar niet met Daniel Mogren.

Na een tijdje dubben, besloot ze dat ze eigenlijk helemaal geen zin had om iemand te zien. Ze kroop in plaats daarvan met een boek over de klassieke oudheid in bed. Even voor middernacht viel ze in slaap.

13
DINSDAG 17 MEI

Monica Figuerola werd dinsdagmorgen om tien over zes wakker, liep een lange ronde langs het Norr Mälarstrand, douchte en klokte om tien over acht in op haar werk. Ze besteedde de ochtenduren aan het samenstellen van een overzicht van de conclusies die ze de dag ervoor had getrokken.

Om negen uur arriveerde Torsten Edklinth. Ze gaf hem twintig minuten om eventuele ochtendpost af te handelen, liep daarna naar zijn kamer en klopte aan. Ze wachtte tien minuten terwijl haar chef haar overzicht las. Hij las de vier A4'tjes twee keer van begin tot eind. Ten slotte keek hij haar aan.

'De chef de bureau,' zei hij nadenkend.

Ze knikte.

'Hij moet het uitlenen van Mårtensson hebben goedgekeurd. Dus hij moet ook weten dat Mårtensson niet bij contraspionage zit, waar hij volgens persoonsbeveiliging zou moeten zijn.'

Torsten Edklinth zette zijn bril af, pakte een papieren servet en poetste uitvoerig de glazen. Hij dacht na. Hij had chef de bureau Albert Shenke diverse keren op vergaderingen en interne conferenties ontmoet, maar kon niet zeggen dat hij hem persoonlijk erg goed kende. Het was een relatief kleine man met dun, rossig haar en een taille die in de loop der jaren was uitgedijd. Hij wist dat Shenke ruim vijfenvijftig was en dat hij al minstens vijfentwintig jaar bij de binnenlandse veiligheidsdienst werkte, zo niet langer. Hij was al tien jaar chef de bureau. Voordien had hij gewerkt als plaatsvervangend chef de bureau en op andere posten binnen de administratie. Hij ervoer Shenke als een zwijgzame persoon die harde klappen kon uitdelen als dat nodig was. Edklinth had geen idee wat Shenke in zijn vrije tijd deed, maar hij kon zich vaag herinneren dat hij hem weleens in vrijetijdskleding en met golfclubs over zijn schouder in de garage van het hoofdbureau was tegengekomen. Hij was Shenke een paar jaar terug ook een keer in de Opera tegen het lijf gelopen.

'Er was iets wat me opviel,' zei Monica.

'Wat dan?'

'Evert Gullberg. Hij zat in de jaren veertig in dienst, werd fiscalist en is in de jaren vijftig in de schaduw verdwenen.'

'Ja?'

'Toen we het erover hadden, spraken we over hem alsof hij een huurmoordenaar was.'

'Ik weet dat het vergezocht is, maar ...'

'Wat mij opviel, was dat er zo weinig achtergrondinformatie over hem te vinden was dat het bijna fake lijkt. Zowel de inlichtingendienst als de veiligheidsdienst heeft in de jaren vijftig en zestig buitenshuis activiteiten opgestart.'

Torsten Edklinth knikte.

'Ik vroeg me al af wanneer die mogelijkheid bij je zou opkomen.'

'Ik zou toestemming willen hebben om de personeelsbestanden van de jaren vijftig in te kijken,' zei Monica Figuerola.

'Nee,' zei Torsten Edklinth terwijl hij zijn hoofd schudde. 'We kunnen het archief niet zonder toestemming van de chef de bureau in en we willen geen argwaan wekken voor we meer weten.'

'Hoe moeten we dan volgens jou verdergaan?'

'Mårtensson,' zei Edklinth. 'Probeer uit te vissen waar hij mee bezig is.'

Lisbeth Salander bestudeerde de ventilatieopening in het raam van haar afgesloten kamer toen ze de sleutel in de deur hoorde en dokter Anders Jonasson binnenkwam. Het was na tienen dinsdagavond. Hij onderbrak haar planning voor hoe ze het Sahlgrenska zou kunnen ontvluchten.

Ze had de ventilatieopening in het raam opgemeten en geconstateerd dat haar hoofd erdoor kon en dat ze geen noemenswaardige problemen zou ondervinden om de rest van haar lichaam erdoor te wurmen. Ze zat op drie hoog, maar een combinatie van kapotgescheurde lakens en een 3 meter lang verlengsnoer van een staande lamp zou dat probleem oplossen.

In gedachten had ze haar vlucht al stap voor stap gepland. Het probleem was kleding. Ze had een slipje, een nachthemd van het ziekenhuis en een paar geleende plastic sandalen. Ze had tweehonderd kronen aan contanten, die ze van Annika Giannini had gekregen om snoep bij de kiosk in het ziekenhuis te kunnen bestellen. Dat zou voldoende zijn voor een goedkope spijkerbroek en een T-shirt bij de kringloopwinkel, vooropgesteld dat ze in Göteborg een kringloopwinkel zou kunnen lokaliseren. De rest van het geld moest genoeg zijn voor een telefoontje naar Plague. Daarna zouden de zaken wel in orde komen. Ze was van plan om binnen een paar dagen na haar vlucht te landen in Gibraltar en daarna ergens in de wereld een nieuwe identiteit op te bouwen.

Anders Jonasson knikte en ging op de bezoekersstoel zitten. Zij ging op de rand van haar bed zitten.

'Hallo Lisbeth. Sorry dat ik de afgelopen dagen niet bij je langs ben geweest, maar ik had allemaal ellende op de eerste hulp en ben bovendien mentor geworden van een paar jonge artsen.'

Ze knikte. Ze had niet verwacht dat dokter Anders Jonasson speciaal bij haar op bezoek zou komen.

Hij pakte haar status en bestudeerde aandachtig haar temperatuurcurve en medicatie. Hij noteerde dat haar temperatuur stabiel was, tussen de 37 en de 37,2 graden, en dat ze de afgelopen week geen hoofdpijntabletten had geslikt.

'Dokter Endrin is je arts. Kun je het met haar vinden?'

'Ze is oké,' antwoordde Lisbeth zonder veel enthousiasme.

'Is het goed als ik even kijk?'

Ze knikte. Hij haalde een penlight uit zijn zak, boog zich voorover en scheen in haar ogen om te kijken hoe haar pupillen samentrokken en zich verwijdden. Hij vroeg haar haar mond open te doen en bekeek haar hals. Daarna legde hij voorzichtig zijn handen rond haar nek en draaide haar hoofd een paar keer op en neer en naar opzij.

'Geen last van je nek?'

Ze schudde haar hoofd.

'Hoe is het met de hoofdpijn?'

'Daar heb ik heel soms last van, maar het gaat vanzelf weer over.'

'Het genezingsproces is nog steeds bezig. De hoofdpijn zal steeds verder afnemen.'

Ze had nog steeds zulk kort haar dat hij maar een klein plukje opzij hoefde te doen om aan het litteken boven haar oor te voelen. Dat genas probleemloos, maar er zat nog een klein korstje op.

'Je hebt er weer aan gekrabd. Dat moet je niet doen.'

Ze knikte. Hij pakte haar linkerelleboog en deed haar arm omhoog.

'Kun je je arm zelf omhoog doen?'

Ze stak haar arm in de lucht.
'Heb je nog pijn of last van je schouder?'
Ze schudde haar hoofd.
'Trekt het?'
'Een beetje.'
'Volgens mij moet je je schouderspieren wat meer trainen.'
'Dat is lastig als je opgesloten zit.'
Hij glimlachte naar haar.
'Je blijft hier niet eeuwig. Doe je die oefeningen die de therapeut heeft gegeven?'
Ze knikte.
Hij pakte zijn stethoscoop en drukte hem even tegen zijn pols om hem op te warmen. Toen ging hij op de rand van haar bed zitten, knoopte haar nachthemd los, luisterde naar haar hart en voelde haar pols. Hij vroeg haar voorover te buigen en zette de stethoscoop op haar rug om naar haar longen te luisteren.
'Zucht eens.'
Ze zuchtte.
'Oké. Doe maar weer dicht. Medisch gezien ben je min of meer genezen.'
Ze knikte. Ze verwachtte dat hij zou opstaan en zou beloven over een paar dagen terug te komen, maar hij bleef op de stoel zitten. Hij zei een hele tijd niets en leek ergens over na te denken. Lisbeth wachtte geduldig af.
'Weet je waarom ik arts ben geworden?' vroeg hij plotseling.
Ze schudde haar hoofd.
'Ik kom uit een arbeidersgezin. Ik heb altijd arts willen worden. Als tiener wilde ik psychiater worden. Ik was vreselijk intellectueel.'
Lisbeth keek hem plotseling aandachtig aan zo gauw hij het woord 'psychiater' noemde.
'Maar ik wist niet zeker of ik die studie zou redden. Dus toen ik de middelbare school had afgerond, ben ik opgeleid als lasser en heb ik als zodanig een paar jaar gewerkt.'
Hij knikte ten teken dat hij de waarheid sprak.
'Het leek me een goed idee om iets achter de hand te hebben als mijn studie geneeskunde zou mislukken. En lasser verschilt niet zoveel van een arts. Ze moeten allebei dingen oplappen. En nu werk ik hier bij het Sahlgrenska en lap mensen op, zoals jou.'
Ze fronste haar wenkbrauwen en vroeg zich wantrouwig af of hij haar voor de gek hield. Maar hij keek bloedserieus.

'Lisbeth ... ik vraag me af ...'

Hij zweeg zó lang dat Lisbeth bijna vroeg wat hij wilde. Maar ze beheerste zich en wachtte tot hij zelf wat zei.

'Ik vraag me af of je heel boos op me wordt als ik je vraag of ik je een persoonlijke vraag mag stellen. Als privépersoon, dus niet als arts. Ik zal je antwoord nergens opschrijven en ik zal er met niemand over praten. Je hoeft geen antwoord te geven als je niet wilt.'

'Ja?'

'Het is een indiscrete en persoonlijke vraag.'

Ze ontmoette zijn blik.

'Sinds je op je twaalfde bij het St. Stefans in Uppsala werd opgesloten, heb je geweigerd om ook maar iets te zeggen als een psychiater je iets vroeg. Hoe komt dat?'

Lisbeth Salanders ogen kregen een wat donkerder nuance. Ze keek Anders Jonasson met volstrekt uitdrukkingsloze ogen aan. Ze zweeg twee minuten.

'Waarom vraagt u dat?' vroeg ze uiteindelijk.

'Eerlijk gezegd, weet ik dat niet precies. Ik geloof dat ik iets probeer te begrijpen.'

Haar mond krulde een beetje.

'Ik praat niet met gekkendokters, omdat ze nooit luisteren naar wat ik zeg.'

Anders Jonasson knikte en moest plotseling lachen.

'Oké. Zeg eens ... wat is jouw mening over dokter Peter Teleborian?'

Anders Jonasson had die naam er zo onverwacht uitgegooid, dat Lisbeth opschrok. Haar ogen versmalden zich aanzienlijk.

'Wat is dit in godsnaam? Een vragenspelletje? Wat wilt u?'

Haar stem klonk opeens als schuurpapier. Anders Jonasson boog zich zo ver naar haar voorover dat hij bijna haar persoonlijke territorium binnendrong.

'Omdat een eh ... hoe zei je dat ook alweer ... gekkendokter genaamd Peter Teleborian, die niet geheel onbekend is in mijn beroepsgroep, mij de laatste dagen twee keer heeft belaagd en een mogelijkheid probeert te vinden om jou te onderzoeken.'

Lisbeth voelde opeens een ijskoude rilling over haar rug lopen.

'De rechtbank zal hem aanwijzen om een gerechtelijk-psychiatrisch onderzoek naar jou te doen.'

'En?'

'Ik mag die Peter Teleborian niet. Ik heb hem de toegang geweigerd.

De laatste keer verscheen hij hier onaangekondigd op de afdeling en probeerde hij via een zuster binnen te dringen.'

Lisbeth kneep haar lippen stijf op elkaar.

'Zijn optreden was wat vreemd en iets te overijverig. Het voelde niet goed. Ik wil dus graag weten wat jij van hem vindt.'

Deze keer was het Anders Jonassons beurt om geduldig Lisbeths repliek af te wachten.

'Teleborian is een ongelofelijke lul,' zei ze ten slotte.

'Is het iets persoonlijks tussen jullie?'

'Dat kun je wel zeggen.'

'Ik heb ook een gesprek gehad met een overheidsfunctionaris die wil dat ik Teleborian bij je toelaat.'

'En?'

'Ik vroeg wat hij voor vakkundigheid had als arts om jouw toestand te kunnen beoordelen en heb hem gezegd dat hij de boom in kon. Zij het in wat diplomatiekere bewoordingen.'

'Oké.'

'Laatste vraag. Waarom heb je dit aan mij verteld?'

'U vroeg het toch.'

'Ja. Maar ik ben arts en ik heb psychiatrie gedaan. Dus waarom praat je wel met mij? Moet ik dat zien als dat je een heel klein beetje vertrouwen in mij hebt?'

Ze gaf geen antwoord.

'Dan kies ik ervoor om het op die manier te interpreteren. Ik wil dat je weet dat je mijn patiënte bent. Dat betekent dat ik voor jou werk en niet voor iemand anders.'

Ze keek hem wantrouwend aan. Hij zat een tijdje zwijgend naar haar te kijken. Daarna sprak hij op een lichte toon.

'Zuiver medisch gezien ben je min of meer genezen. Je moet nog een paar weken revalideren. Maar helaas ben je erg gezond.'

'Helaas?'

'Ja.' Hij glimlachte opgewekt naar haar. 'Je voelt je veel te goed.'

'Hoe bedoelt u?'

'Dat betekent dat ik geen legitieme redenen meer heb om je hier geïsoleerd te houden en dat de officier van justitie je daarom binnenkort zal kunnen laten overbrengen naar een gevangenis in Stockholm in afwachting van het proces dat over zes weken begint. Ik kan me voorstellen dat die aanvraag volgende week al komt. En dat betekent dat Peter Teleborian de mogelijkheid krijgt om je te observeren.'

Ze zat doodstil in bed. Anders Jonasson keek zeer verstrooid. Hij boog voorover en schudde haar kussen op. Hij sprak met een stem alsof hij hardop nadacht.

'Je hebt geen hoofdpijn of koorts, dus dokter Endrin zal je vermoedelijk uitschrijven.'

Hij stond plotseling op.

'Bedankt dat je met me wilde praten. Ik kom nog een keer langs voordat je wordt overgeplaatst.'

Hij was al bij de deur toen ze wat zei.

'Dokter Jonasson.'

Hij keerde zich naar haar toe.

'Bedankt.'

Hij knikte even kort voordat hij naar buiten ging en de deur op slot deed.

Lisbeth Salander zat langdurig naar de afgesloten deur te kijken. Uiteindelijk ging ze achterover liggen en staarde ze naar het plafond.

Op dat moment voelde ze iets hards onder haar achterhoofd. Ze deed het kussen omhoog en ontdekte tot haar verbazing een klein stoffen zakje dat daar beslist niet eerder had gelegen. Ze deed het zakje open en staarde niet-begrijpend naar een Palm Tungsten T3 handcomputer en een batterijlader. Toen ze de computer nader bekeek, ontdekte ze een krasje in de bovenrand. Haar hart sloeg over. *Dat is mijn eigen Palm. Maar hoe ...* Ze keek weer naar de afgesloten deur. Anders Jonasson zat vol verrassingen. Ze was plotseling opgewonden. Ze zette de computer onmiddellijk aan en ontdekte even snel dat hij beveiligd was met een password.

Ze staarde gefrustreerd naar het scherm, dat sommerend knipperde. *En hoe moet ik verdomme ...* Toen keek ze in het zakje en ontdekte onderin een opgevouwen papiertje. Ze vouwde het open en las een regeltje in een keurig handschrift.

Jij bent de hacker, dus succes ermee! / Kalle B.

Lisbeth moest voor het eerst in weken lachen. Hij nam revanche! Ze dacht een paar seconden na. Toen pakte ze de digitale pen en schreef de cijfercombinatie 9277, wat overeenkwam met de letters WASP op het toetsenbord. Dat was de code die die *Verrekte Kalle Blomkvist* had ontdekt toen hij ongenood haar appartement aan de Fiskargatan bij Mosebacke was binnengedrongen, waardoor het inbraakalarm was afgegaan.

Dat werkte niet.

Ze probeerde 52553, wat overeenkwam met de letters KALLE.

Dat werkte ook niet. Omdat die *Verrekte Kalle Blomkvist* wilde dat ze de computer zou gebruiken, had hij vermoedelijk een eenvoudig password gekozen. Hij had ondertekend met 'Kalle,' waar hij gewoonlijk een hekel aan had. Ze associeerde een en ander en dacht even na. Het moest een belediging zijn. Daarna schreef ze 63663, wat overeenkwam met het woord 'pippi'.

De computer ging aan.

Er verscheen een smiley op het scherm met een tekstballonnetje:

> Zie je wel, dat was niet zo moeilijk. Ik stel voor dat je op 'Mijn documenten' klikt.

Ze vond onmiddellijk het document <Hoi Sally> helemaal bovenaan. Ze klikte en las.

> Allereerst – dit is tussen jou en mij. Jouw advocaat, mijn zus Annika dus, heeft er geen idee van dat je deze computer tot je beschikking hebt. En dat moet ook zo blijven.
> Ik weet niet hoeveel je meekrijgt van wat er buiten jouw afgesloten kamer gebeurt, maar opmerkelijk genoeg (jouw karakter in aanmerking genomen) heb je een aantal loyale figuren die voor jou aan de slag zijn. Als het allemaal voorbij is, richt ik formeel een ideële vereniging op die ik 'Ridders van de dwaze tafel' ga noemen. De enige taak van de vereniging zal zijn om jaarlijks een diner te organiseren waar we alleen maar over jou gaan roddelen. (Nee, je bent niet uitgenodigd.)
> Goed. Ter zake. Annika probeert de rechtszaak zo goed mogelijk voor te bereiden. Een probleem in dat verband is natuurlijk dat ze voor jou werkt en aan die verdomde integriteit doet. Dat betekent dat ze niet eens aan mij vertelt waar jullie het over hebben, wat in dit geval een zekere handicap is. Gelukkig neemt ze wel informatie in ontvangst.
> We moeten praten, jij en ik. Gebruik niet mijn e-mailadres. Ik ben misschien wat paranoïde, maar ik heb alle reden om aan te nemen dat ik niet de enige ben die mijn mail leest. Als je iets wilt mailen, ga dan naar de yahoogroep Dwaze_Tafel. Username Pippi, password p9i2p7p7i.
> Mikael

Lisbeth las de brief van Mikael tweemaal door en keek verbaasd naar haar handcomputer. Na een periode van een totaal computercelibaat had ze last van ongelofelijke cyberonthoudingsverschijnselen. Ze vroeg zich af met welke grote teen die *Verrekte Kalle Blomkvist* had gedacht toen hij een computer bij haar naar binnen had gesmokkeld, maar er niet aan had gedacht dat ze haar mobiele telefoon nodig had om contact te krijgen met internet.

Ze lag na te denken toen ze opeens voetstappen op de gang hoorde. Ze zette onmiddellijk de computer uit en duwde hem onder het kussen. Toen ze de sleutel in het slot hoorde, merkte ze op dat het zakje en de batterijlader nog op het nachtkastje lagen. Ze stak haar hand uit en trok het zakje onder het dekbed en duwde het snoer tussen haar benen. Ze lag passief naar het plafond te staren toen de nachtzuster binnenkwam, haar vriendelijk groette en vroeg hoe het met Lisbeth was en of ze nog wat nodig had.

Lisbeth zei dat het goed ging en dat ze een pakje sigaretten wilde hebben. Dat verzoek werd vriendelijk maar beslist afgewimpeld. Ze kreeg in plaats daarvan een pakje nicotinekauwgom. Toen de verpleegkundige de deur afsloot, zag Lisbeth een glimp van de Securitas-bewaker die op een stoel in de gang geposteerd zat. Lisbeth wachtte tot de voetstappen zich verwijderden voordat ze de handcomputer weer pakte.

Ze zette hem aan en zocht contact met internet.

Ze kreeg bijna een schok toen de handcomputer opeens aangaf dat hij een verbinding had gevonden en dat ze was ingelogd. *Contact met het net. Onmogelijk.*

Ze sprong zó snel uit bed dat ze een pijnscheut in haar gewonde heup voelde. Ze keek verbaasd om zich heen. *Hoe?* Ze maakte langzaam een rondje en screende elk hoekje en gaatje. *Nee, er is geen mobiele telefoon in de kamer.* Toch had ze contact met internet. Toen verspreidde zich een scheef lachje over haar gezicht. De verbinding was radiogestuurd en via Bluetooth met een bereik van 10 tot 12 meter aan een mobiele telefoon gekoppeld. Haar blik ging naar een ventilatieopening vlak onder het plafond.

Die *Verrekte Kalle Blomkvist* had een telefoon vlak buiten haar kamer geplaatst. Dat was de enig mogelijke verklaring.

Maar waarom had hij de telefoon ook niet naar binnen gesmokkeld? *Natuurlijk. De batterij.*

Haar Palm hoefde maar één keer in de drie dagen of zo te worden opgeladen. Maar een mobieltje dat verbinding had met internet en dat frequent werd gebruikt om te surfen, was natuurlijk zó leeg.

Blomkvist, of liever gezegd iemand buiten die hij in de arm had genomen, moest de batterij regelmatig verwisselen.

Maar hij had de batterijlader voor haar Palm daarentegen wél meegestuurd. Die moest ze natuurlijk zelf hebben. En het was eenvoudiger om één voorwerp te verstoppen en te gebruiken dan twee. Zo dom was hij dus ook weer niet.

Lisbeth ging eerst nadenken waar ze de handcomputer zou kunnen verstoppen. Ze moest een bergplaats zien te vinden. Er zat een stopcontact bij de deur en in het paneel op de muur bij haar bed. Dat was het paneel dat haar bedlampje en digitale klok van stroom voorzag. Er was een holte van de radio die was verwijderd. Ze glimlachte. Er was plaats voor de batterijlader en voor de handcomputer. Ze kon de stroombron in het nachtkastje gebruiken om de handcomputer overdag aan de lader te laten liggen.

Lisbeth Salander was gelukkig. Haar hart ging als een bezetene tekeer toen ze voor de eerste keer in twee maanden haar handcomputer opstartte en op internet ging.

Surfen op een Palm handcomputer met een piepklein schermpje en een stylus was niet hetzelfde als surfen op een PowerBook met een 17"-scherm. *Maar ze had verbinding.* Vanuit haar bed in het Sahlgrenska kon ze de hele wereld bereiken.

Ze ging als eerste naar een particuliere website die reclame maakte voor tamelijk oninteressante foto's van een onbekende en niet erg vakkundige amateurfotograaf genaamd Gill Bates in Jobsville, Pennsylvania. Lisbeth had het ooit eens gecontroleerd en geconstateerd dat de plaats Jobsville niet bestond. Desondanks had Bates meer dan tweehonderd foto's van het dorp gemaakt en was er een galerie met thumbnails. Ze scrolde naar foto honderdzevenenzestig en klikte op vergroten. De foto stelde de kerk in Jobsville voor. Ze zette de stylus op de punt van de spits van de kerktoren en klikte. Er verscheen onmiddellijk een pop-upvenster dat een username en een password vereiste. Ze pakte de digitale pen en schreef het woord *Remarkable* in het vakje voor de username en *A(89)Cx#magnolia* als password.

Er verscheen een vakje met de tekst *error – You have the wrong password* en een toets met *ok – Try again*. Lisbeth wist dat als ze op *ok – Try again* klikte en een nieuw password probeerde, ze weer hetzelfde vakje zou krijgen, jaar na jaar, hoe lang ze ook door zou gaan. In plaats daarvan klikte ze op de letter *O* in het woord *error*.

Het scherm werd zwart. Daarna ging er een animatiedeurtje open en stapte er een figuurtje naar buiten dat eruitzag als Lara Croft. Er verscheen een tekstballonnetje met de tekst *Who goes there?*

Ze klikte op het tekstballonnetje en schreef het woord *Wasp*. Ze kreeg onmiddellijk het antwoord: *prove it – or else* ... terwijl de geanimeerde Lara Croft een pistool ontgrendelde. Lisbeth wist dat dit een niet geheel fictieve dreiging was. Als ze drie keer achter elkaar het verkeerde password zou geven, zou de pagina weer zwart worden en de naam Wasp uit de ledenlijst worden geschrapt. Ze schreef netjes in blokletters het password *MonkeyBusiness*.

Het scherm veranderde weer van vorm en kreeg een blauwe achtergrond met de tekst:

> *Welcome to Hacker Republic, citizen Wasp. It is 56 days since your last visit. There are 11 citizens online. Do you want to (a) Browse the Forum (b) Send a Message (c) Search the Archive (d) Talk (e) Get laid?*

Ze klikte op *(d) Talk* en ging daarna naar de menuregel *Who's online?* Er verscheen een lijstje met namen: Andy, Bambi, Dakota, Jabba, BuckRogers, Mandrake, Pred, Slip, SisterJen, SixOfOne en Trinity.

<Hi gang>, schreef Wasp.

<Wasp. That really U?>, schreef SixOfOne onmiddellijk. *<Look who's home>*

<Waar ben je geweest?>, vroeg Trinity.

<Plague zei dat je problemen had>, schreef Dakota.

Lisbeth wist het niet zeker, maar ze meende dat Dakota een vrouw was. De overige 'staatsburgers' online, inclusief degene die zich SisterJen noemde, waren mannen. De Hacker Republic had in totaal (de laatste keer dat ze online was) tweeënzestig inwoners, waarvan vier vrouwen.

<Hoi Trinity>, schreef Lisbeth. <Hallo allemaal>

<Waarom groet je Trin? Is er wat aan de hand? Is er iets mis met de rest?>, schreef Dakota.

<We hebben gedatet>, schreef Trinity. <Wasp gaat alleen om met intelligente mensen>

Hij kreeg meteen *abuse* van vijf kanten.

Van de tweeënzestig staatsburgers had Wasp er twee daadwerkelijk ontmoet. Plague, die voor de verandering niet online was, was de ene. De andere was Trinity. Hij was een Engelsman en woonde in Londen. Ze had hem twee jaar daarvoor een paar uur ontmoet toen hij haar en

Mikael Blomkvist had bijgestaan in de jacht op Harriët Vanger, door een telefoon in het keurige voorstadje St. Albans illegaal af te tappen. Lisbeth friemelde met de lompe digitale pen en wenste dat ze een toetsenbord had.

<Ben je er nog?>, vroeg Mandrake.

Ze spelde.

<Sorry. Heb alleen een Palm. Het gaat langzaam>

<Wat is er met je computer gebeurd?>, vroeg Pred.

<Mijn computer is oké. Ik ben zelf het probleem>

<Vertel aan grote broer>, schreef Slip.

<Ik ben door de staat gevangengezet>

<Wat? Waarom?>, kwam het meteen van drie chatters.

Lisbeth vatte haar toestand in vijf regels samen, wat met een bezorgd gemompel werd ontvangen.

<Hoe gaat het met je?>, vroeg Trinity.

<Ik heb een gat in mijn kop>

<Ik merk geen verschil>, constateerde Bambi.

<Wasp heeft altijd al lucht in haar hoofd>, zei SisterJen, wat werd gevolgd door een serie denigrerende scheldwoorden over het verstandelijke vermogen van Wasp. Lisbeth glimlachte. De conversatie werd weer opgepakt met een bijdrage van Dakota.

<Wacht. Dit is een aanval op een inwoner van de Hacker Republic. Hoe gaan we daarop reageren?>

<Kernwapenaanval op Stockholm?>, stelde SixOfOne voor.

<Nee, dat is wat overdreven>, zei Wasp.

<Ook geen piepklein bommetje?>

<Forget it, SixOO>

<We kunnen Stockholm platleggen>, stelde Mandrake voor.

<Een virus dat de regering platlegt?>

De inwoners van de Hacker Republic waren over het algemeen geen verspreiders van datavirussen. Integendeel, het waren hackers en daardoor onverzoenlijke tegenstanders van idioten die computervirussen stuurden die alleen tot doel hadden het net te saboteren en computers te laten crashen. Ze waren informatieverslaafd en wilden een goed werkend net dat ze konden hacken.

Maar het voorstel om de Zweedse regering plat te leggen, was geen loze bedreiging. De Hacker Republic was een zeer exclusieve club, het neusje van de zalm op het gebied van computers kraken. Elitetroepen die elke krijgsmacht maar wat graag zou willen inzetten voor cybermilitaire doeleinden. Dat wil zeggen: als *the citizens* voor een dergelijke loyaliteit jegens een staat te porren waren. Wat niet erg waarschijnlijk was.

Maar ze waren allemaal *Computer Wizards* en zeer bedreven in het uitdokteren van computervirussen; een ware kunst. Ze zouden ook niet moeilijk over te halen zijn tot speciale acties als de situatie daarom vroeg. Een paar jaar eerder was een *citizen* van de Hacker Rep, die in het gewone leven programmaontwikkelaar in Californië was, een patent afhandig gemaakt door een internetbedrijf in opkomst dat bovendien de brutaliteit had gehad de staatsburger voor de rechter te dagen. Hierop hadden alle activisten binnen de Hacker Rep een halfjaar zeer veel energie gestoken in het hacken en vernietigen van elke computer die het bedrijf in kwestie bezat. Elk bedrijfsgeheim en elke mail, inclusief een aantal gefakete documenten die konden worden geïnterpreteerd alsof de algemeen directeur van het bedrijf zich bezighield met belastingfraude, werden met genoegen op internet gezet, evenals informatie over de geheime minnares van de directeur en foto's van een feest in Hollywood, waar de directeur een lijntje coke had gesnoven. Het bedrijf was na een halfjaar failliet gegaan, maar haatdragende leden van de *volksmilitie* van de Hacker Rep waren de voormalige directeur nog jarenlang regelmatig blijven lastigvallen.

Als vijftig van de meest vooraanstaande hackers ter wereld besloten tot een gemeenschappelijke, gecoördineerde aanval op een staat, zou die staat het vermoedelijk wel overleven, maar niet zonder merkbare problemen. Als Lisbeth haar fiat gaf, zouden de kosten voor de Zweedse staat vermoedelijk in de miljarden lopen. Ze dacht even na.

<Nu niet. Maar als de dingen niet gaan zoals ik wil, vraag ik jullie misschien om hulp>

<Je zegt het maar>, zei Dakota.

<Het is lang geleden dat we ruzie hebben gemaakt met een regering>, zei Mandrake.

<Ik heb een voorstel. Het komt neer op het omkeren van het systeem voor belastingbetaling. Een programma dat op maat gemaakt zou zijn voor een klein land als Noorwegen>, schreef Bambi.

<Mooi, maar Stockholm ligt in Zweden>, schreef Trinity.

<Maakt niet uit. Het werkt als volgt ...>

Lisbeth Salander leunde tegen het kussen en volgde de conversatie met een scheef lachje. Ze vroeg zich af waarom iemand zoals zij, die het zo moeilijk vond om over zichzelf te praten met mensen die ze face to face zag, haar meest intieme geheimen zonder problemen kon delen met een stelletje volstrekt onbekende idioten op internet. Maar feit was dat áls Lisbeth Salander al een familieband en een groepsgevoel had, dat met deze compleet gestoorden was. Geen van hen had eigenlijk de mogelijkheid om haar te helpen met haar problemen met de Zweedse staat. Maar ze wist dat als het nodig was, ze veel tijd en energie in krachtdemonstraties zouden steken. Door dit netwerk kon ze ook in het buitenland een schuilplaats organiseren. Dankzij de contacten van Plague op internet had ze een Noors paspoort op naam van Irene Nesser kunnen regelen.

Lisbeth had er geen idee van hoe de medeburgers van de Hacker Rep eruitzagen, en ze had slechts een onduidelijk beeld van wat ze in het dagelijks leven deden – de citizens waren notoir vaag over hun identiteit. SixOfOne beweerde bijvoorbeeld dat hij een donkere, mannelijke Amerikaanse staatsburger van katholieke afkomst was en in Toronto, Canada woonde. Maar hij kon net zo goed een blanke, lutherse vrouw zijn uit het Zweedse Skövde.

Degene die ze het best kende, was Plague. Hij was degene die haar ooit in de familie had geïntroduceerd; niemand kon zonder zeer goede aanbevelingen lid worden van het exclusieve gezelschap. Degene die lid werd, moest bovendien een persoonlijke kennis zijn van een andere staatsburger, in haar geval Plague.

Op internet was Plague een intelligent en sociaal vaardig iemand. In werkelijkheid was hij een zeer zwaarlijvige en sociaal gestoorde dertigjarige WAO'er die in Sundbyberg buiten Stockholm woonde. Hij waste zich veel te weinig en zijn flat stonk verschrikkelijk. Lisbeth bezocht hem zo min mogelijk. Contact via internet was meer dan voldoende.

Terwijl het chatten doorging, downloadde Wasp de mail die in haar privémailbox van de Hacker Rep was binnengekomen. Eén mailtje was van het lid Poison en bevatte een verbeterde versie van haar programma *Asphyxia 1.3,* dat voor alle burgers van de republiek in het Archief toegankelijk was. *Asphyxia* was een programma waarmee ze de computers van anderen op internet kon controleren. Poison verklaarde dat hij het programma met succes had gebruikt en dat zijn geüpdate versie de laatste versies van Unix, Apple en Windows omvatte. Ze mailde een kort antwoord waarin ze bedankte voor de upgrade.

Het erop volgende uur – het werd inmiddels avond in de VS – waren er nog een stuk of zes citizens online gekomen, die Wasp welkom terug hadden geheten en zich in het debat hadden gemengd. Toen

Lisbeth uiteindelijk uitlogde, ging de discussie erover hoe ze het voor elkaar zouden kunnen krijgen om de computer van de Zweedse premier beleefde, maar totaal gestoorde mailtjes naar andere regeringsleiders ter wereld te laten sturen. Er was een werkgroep opgericht om daar duidelijkheid over te krijgen. Lisbeth sloot af door een kort antwoord te spellen.

<Praat rustig verder, maar doe niets voordat ik mijn fiat heb gegeven. Ik kom gauw weer terug>

Iedereen zei gedag en spoorde haar aan om goed voor het gat in haar hoofd te zorgen.

Toen Lisbeth bij de Hacker Republic had uitgelogd, ging ze naar www.yahoo.com en logde in op de privénieuwsgroep Dwaze_Tafel. Ze ontdekte dat de nieuwsgroep twee leden had, zijzelf en Mikael Blomkvist. De mailbox bevatte één mailtje dat twee dagen daarvoor was verstuurd. Het had als titel *Lees dit eerst.*

Hoi Sally,
De stand van zaken is momenteel als volgt:

- De politie heeft jouw woning nog niet gevonden en beschikt niet over de cd met de verkrachting door Bjurman. Die cd vormt zeer belangrijk bewijsmateriaal, maar ik wil hem niet zonder jouw toestemming aan Annika geven. Ik heb ook de sleutels van jouw flat en het paspoort op naam van Irene Nesser.
- Daarentegen heeft de politie wel de rugzak die je bij je had naar Gosseberga. Ik weet niet of daar iets schokkends in zit.

Lisbeth dacht even na. Nou, nee. Een halflege thermosfles, een paar appels en een set kleren. Geen probleem.

Er zal je zware mishandeling dan wel poging tot doodslag op Zalachenko evenals zware mishandeling van Carl-Magnus Lundin van de Svavelsjö MC in Stallarholmen ten laste worden gelegd, dat wil zeggen het feit dat je Lundin in zijn voet hebt geschoten en zijn kaakbeen hebt verbrijzeld. Een betrouwbare bron binnen de politie geeft echter aan dat het bewijs ten laste in beide gevallen enigszins onduidelijk is. Het volgende is van belang:

(1) Voordat Zalachenko werd doodgeschoten, heeft hij alles ontkend en beweerde hij dat Niedermann degene moest zijn die jou had neergeschoten en in het bos had begraven. Hij heeft aangifte tegen jou gedaan wegens poging tot doodslag. De officier van justitie zal benadrukken dat het de tweede keer was dat je geprobeerd hebt Zalachenko te doden.
(2) Magge Lundin en Sonny Nieminen hebben geen van beiden verteld wat er in Stallarholmen is gebeurd. Lundin is opgepakt voor het kidnappen van Miriam Wu. Nieminen hebben ze laten gaan.

Lisbeth dacht na over zijn woorden en haalde haar schouders op. Dit alles had ze met Annika Giannini al besproken. Het was een beroerde situatie, maar geen nieuws. Ze had openhartig verteld wat er in Gosseberga was gebeurd, maar had geen details verstrekt over Bjurman.

Ze hebben Zalachenko vijftien jaar lang de hand boven het hoofd gehouden. Hij kon bijna ongestoord zijn gang gaan, wát hij ook deed. Er zijn hele carrières opgebouwd rond het belang van Zalachenko. In een paar gevallen heeft men Zala geholpen door de rommel op te ruimen als hij weer tekeer was gegaan. Dit zijn allemaal criminele activiteiten. De Zweedse overheid heeft dus meegeholpen aan het in de doofpot stoppen van misdrijven ten aanzien van individuen.
Als dit bekend wordt, zal dat een politiek schandaal veroorzaken dat zowel niet-socialistische als sociaaldemocratische regeringen in opspraak brengt. Het betekent vooral dat enkele overheidspersonen bij de veiligheidsdienst aan de schandpaal worden genageld als ondersteuners van criminele en immorele activiteiten. Ook al zijn de afzonderlijke delicten verjaard, het zal een schandaal veroorzaken. Het gaat om zwaargewichten die heden ten dage gepensioneerd zijn of tegen hun pensioen lopen.
Zij zullen er alles aan doen om de schadelijke gevolgen te beperken en daar kom jij dan opeens weer in beeld. Deze keer gaat het er echter niet om dat ze een zwartepiet zoeken, nu moeten ze de schadelijke gevolgen voor zichzelf zien te beperken. Dus ben jij de klos.

Lisbeth beet nadenkend op haar onderlip.

Het werkt als volgt: ze weten dat ze het geheim over Zalachenko niet zo lang meer zullen kunnen bewaren. Ik ken het verhaal en ik ben journalist. Ze weten dat ik het vroeg of laat zal publiceren. Nu maakt dat niet zoveel uit, omdat Zalachenko toch dood is. Maar nu vechten ze om het hardst voor hun eigen hachje. De volgende punten staan daarom hoog op de agenda:

(1) Ze moeten de rechtbank (dat wil zeggen: het publiek) ervan zien te overtuigen dat de beslissing om jou in 1991 in het St. Stefans op te sluiten legitiem was – dus dat je inderdaad psychisch ziek was.

(2) Ze moeten 'de zaak-Lisbeth Salander' scheiden van 'de zaak-Zalachenko'. Ze proberen een positie te creëren waarin ze kunnen zeggen: 'Ja, Zalachenko was een hufter, maar dat had niets te maken met het besluit om zijn dochter op te sluiten. Dat gebeurde omdat ze geestesziek was, alle andere beweringen zijn zieke fantasieën van verbitterde journalisten. Nee, we hebben Zalachenko niet bijgestaan bij misdrijven, dat is gewoon geklets; dat zijn fantasieën van een geestelijk gestoord tienermeisje.'

(3) Als jij in de komende rechtszaak wordt vrijgesproken, hebben ze natuurlijk een probleem, want dat betekent dat de rechtbank beweert dat jij niet gek bent. Dat is dan dus een bewijs dat er iets niet pluis is met die gedwongen opname van jou in 1991. Dat houdt in dat ze jou tot elke prijs willen kunnen veroordelen tot gesloten psychiatrische opname. Als de rechtbank vaststelt dat jij geesteszieк bent, zal de interesse van de media om verder in de Salander-affaire te gaan roeren, afnemen. Dat werkt zo bij de media.
Mee eens?

Lisbeth knikte bij zichzelf. Dit alles had ze zelf ook al bedacht. Het probleem was alleen dat ze niet precies wist wat ze eraan moest doen.

Lisbeth, serieus, deze strijd zal in de media worden uitgevochten en niet in de rechtszaal. Helaas zal de rechtszaak

'omwille van de integriteit' achter gesloten deuren plaatsvinden.
Dezelfde dag dat Zalachenko werd vermoord, is er ingebroken in mijn flat. Er zijn geen sporen van braak en er is niets aangeraakt of veranderd – op één ding na. De map uit het zomerhuis van Bjurman met het onderzoek van Gunnar Björck uit 1991 is verdwenen. Tegelijkertijd is mijn zus overvallen en is haar kopie gestolen. Die map is jouw belangrijkste bewijsmateriaal.
Ik heb gedaan alsof we de Zalachenko-papieren nu kwijt zijn. In werkelijkheid had ik een derde kopie die ik aan Armanskij zou geven. Die heb ik nu meerdere malen gekopieerd en op diverse plaatsen verstopt.
De tegenstander, in de vorm van bepaalde overheidsfunctionarissen en diverse psychiaters, is de rechtszaak samen met Richard Ekström uiteraard ook aan het voorbereiden. Ik heb een bron die wat info geeft over wat er aan de hand is, maar ik denk dat jij over betere mogelijkheden beschikt om relevante informatie te vinden. In dat geval is er haast bij.
De officier van justitie zal proberen jou veroordeeld te krijgen tot gesloten psychiatrische verpleging. Hij heeft daarbij hulp van jouw oude bekende, Peter Teleborian.
De officier van justitie zal informatie naar buiten lekken zoals het hem uitkomt, maar Annika kan natuurlijk niet zo'n mediacampagne voeren. Haar handen zijn dus gebonden.
Maar men heeft mij geen restricties opgelegd. Ik kan exact schrijven wat ik wil, en ik heb bovendien een heel magazine tot mijn beschikking.
Er ontbreken twee belangrijke details.

1. Ten eerste wil ik iets hebben wat aantoont dat officier van justitie Ekström vandaag de dag op onoorbare wijze met Teleborian samenwerkt met als doel jou opnieuw in het gekkenhuis te krijgen. Ik wil naar de beste televisieomroep kunnen gaan en documentatie op tafel kunnen leggen die de argumenten van de kant van de officier van justitie in één klap van tafel veegt.
2. Om een mediaoorlog tegen de veiligheidsdienst te kunnen voeren, moet ik publiekelijk dingen kunnen bespreken die jij vermoedelijk als persoonlijk beschouwt. Anonimiteit is op dit moment een gepasseerd station als je

bedenkt wat er allemaal sinds Pasen over jou is geschreven. Ik moet een geheel nieuw mediabeeld van jou kunnen opbouwen, ook al is jouw integriteit in jouw ogen daarmee in het geding. Maar dat doe ik bij voorkeur met jouw goedkeuring. Begrijp je wat ik bedoel?

Ze opende het archief op Dwaze_Tafel. Het bevatte zesentwintig documenten van variërende grootte.

14
WOENSDAG 18 MEI

Monica Figuerola stond woensdagochtend om vijf uur op en liep een ongebruikelijk korte joggingronde voordat ze douchte en een zwarte spijkerbroek, een wit topje en een dun, grijs, linnen colbertje aantrok. Ze zette koffie, die ze in een thermoskan schonk, en maakte brood klaar. Ze deed ook haar schouderholster om en haalde haar Sig Sauer uit de wapenkast. Even na zessen startte ze haar witte Saab 9-5 en reed ze naar de Vittangigatan in Vällingby.

Göran Mårtensson woonde op de bovenste etage van een flatgebouw van drie verdiepingen in de Stockholmse voorstad. De dag ervoor had ze alles opgezocht wat er in openbare archieven over hem te vinden was. Hij was ongehuwd maar kon natuurlijk wel met iemand samenwonen. Hij had geen kredietregistratie, geen groot vermogen en leek geen losbandig leven te leiden. Hij was zelden ziek.

Het enig opmerkelijke aan hem was dat hij een licentie had voor maar liefst zestien vuurwapens. Drie daarvan waren jachtgeweren, de overige waren diverse soorten handvuurwapens. Zolang hij een vergunning had, was dat uiteraard geen misdrijf maar Monica Figuerola had een gegronde scepsis tegen mensen die grote hoeveelheden wapens verzamelden.

De Volvo met het kenteken dat met KAB begon, stond op de parkeerplaats ongeveer 40 meter van de plaats waar Monica Figuerola parkeerde. Ze schonk een half kopje zwarte koffie in een papieren bekertje en at een baguette met sla en kaas. Daarna pelde ze een sinaasappel en zoog lang op elk partje.

Tijdens de ochtendronde was Lisbeth Salander hangerig en had ze zware hoofdpijn. Ze vroeg om een lichte pijnstiller, die ze zonder discussie kreeg.

Na een uur was de hoofdpijn verergerd. Ze belde de zuster en vroeg nóg een pijnstiller. Ook die hielp niet. Tegen lunchtijd had Lisbeth zo'n hoofdpijn dat de verpleegkundige dokter Endrin erbij riep, die haar na een kort onderzoek sterke pijnstillers voorschreef.

Lisbeth legde de tabletten onder haar tong en spuugde ze uit zo gauw ze weer alleen was.

Tegen tweeën 's middags begon ze te braken. Dat herhaalde zich tegen drieën.

Tegen vieren kwam dokter Anders Jonasson op de afdeling, vlak voordat dokter Helena Endrin naar huis zou gaan. Ze overlegden even.

'Ze is misselijk en heeft zware hoofdpijn. Ik heb haar Dexofen gegeven. Ik begrijp niet helemaal wat er met haar aan de hand is. Ze deed het de laatste tijd juist zo goed. Het kan een of ander griepje zijn ...'

'Heeft ze koorts?' vroeg dokter Jonasson.

'Nee, een uur geleden maar 37,2. Geen verhoging om over naar huis te schrijven.'

'Oké. Ik zal vannacht een oogje in het zeil houden.'

'Ik heb nu drie weken vakantie,' zei dokter Endrin. 'Nu moeten Svantesson of jij voor haar zorgen. Maar Svantesson heeft niet veel met haar van doen gehad ...'

'Oké. Ik werp me op als haar arts tijdens jouw vakantie.'

'Fijn. Als er een crisis is en je hebt hulp nodig, kun je natuurlijk altijd bellen.'

Ze brachten samen een kort bezoek aan het ziekbed van Lisbeth. Ze lag met het dekbed tot aan het puntje van haar neus en zag er miserabel uit.

Anders Jonasson legde zijn hand op haar voorhoofd en constateerde dat dat vochtig was.

'Ik geloof dat we een klein onderzoek moeten doen.'

Hij bedankte dokter Endrin en wenste haar een fijne vakantie.

Tegen vijven ontdekte dokter Jonasson dat Lisbeth snel een temperatuur van 37,8 graden had bereikt, wat in haar status werd genoteerd. Hij bezocht haar die avond driemaal en noteerde in haar status dat de temperatuur rond de 38 graden bleef hangen. Te hoog om normaal te zijn en te laag om een daadwerkelijk probleem te vormen. Tegen achten gaf hij opdracht tot een röntgenfoto van haar schedel.

Toen hij de röntgenfoto's kreeg, bestudeerde hij ze uitvoerig. Hij kon niets geks ontdekken, maar constateerde dat er een nauwelijks zichtbaar donkerder gedeelte vlak naast het kogelgat zat. Hij maakte een zorgvuldig doordachte en tot niets verplichtende formulering in haar status:

Het röntgenonderzoek vormt geen basis voor definitieve conclusies, maar de toestand van de patiënte is gedurende de dag duidelijk in snel tempo verslechterd. Het kan niet worden uitgesloten dat er een kleine bloeding heeft plaatsgevonden die niet op de röntgenfoto's te zien is. De patiënte moet rust houden en de komende tijd goed in de gaten worden gehouden.

Erika Berger had drieëntwintig mailtjes ontvangen toen ze woensdagochtend om halfzeven op de redactie kwam.

Een van deze mails had de afzender redactie-sr@sverigesradio.com. De tekst was kort. Hij bevatte slechts één woord.

HOER

Ze zuchtte en hief haar pink op om het mailtje te verwijderen. Ze bedacht zich op het laatste moment. Ze scrolde terug in de rij met ontvangen mailtjes en opende het mailtje dat twee dagen daarvoor was gekomen. De afzender was centralered@smpost.se geweest. Hm. Twee mailtjes met het woord 'hoer' en gefakete afzenders uit de mediawereld. Ze maakte een nieuwe map aan die ze MediaGek noemde en sloeg beide mailtjes daarin op. Daarna ging ze aan de slag met het nieuws-PM van die ochtend.

Göran Mårtensson verliet zijn woning 's morgens om 7.40 uur. Hij nam plaats in zijn Volvo, reed in de richting van het centrum, maar sloeg af richting Stora Essingen en Gröndal en kwam zo op Södermalm. Hij reed door de Hornsgatan en bereikte via de Brännkyrkagatan de Bellmansgatan. Hij sloeg bij de pub Bishop's Arms links af, de Tavastgatan in en parkeerde precies op de hoek.

Monica Figuerola had onwijs veel geluk. Net toen ze bij Bishop's Arms aan kwam rijden, reed er een bestelwagen weg en kwam er een parkeerplaats op de Bellmansgatan vrij. Ze stond met haar neus precies in de richting van de kruising Bellmansgatan-Tavastgatan. Vanaf haar plaats had ze een fantastisch uitzicht over het schouwspel. Ze kon een klein stukje van de achterruit van Mårtenssons Volvo op de Tavastgatan zien. Recht voor haar, op de extreem steile helling naar de Pryssgränd, lag Bellmansgatan 1. Ze zag de voorgevel vanaf de zijkant en kon daardoor de portiekdeur net niet zien, maar ze zag het zo gauw er iemand naar buiten kwam. Ze twijfelde er niet aan dat dit adres de reden was voor Mårtenssons bezoek aan de wijk. Dit was de portiek van Mikael Blomkvist.

Monica Figuerola constateerde dat het gebied rond Bellmansgatan 1 een nachtmerrie was om in de gaten te houden. De enige plaats van waaruit de portiek direct kon worden geobserveerd, was vanaf de promenade en de loopbrug een stukje verderop bij de Marialift en het Laurinskahuis. Daar kon je nergens parkeren en de observant stond dus open en bloot op de loopbrug, als een zwaluw op een oude telefoondraad. De plaats op de kruising van de Bellmansgatan en de Tavastgatan, waar Monica Figuerola had geparkeerd, was in principe de enige plaats waar ze in de auto kon blijven zitten en uitzicht had over het hele gebied. Maar het was ook een slechte plek, omdat een oplettend iemand haar gemakkelijk in de auto kon zien zitten.

Ze draaide haar hoofd om. Ze wilde de auto niet verlaten en in de buurt gaan rondstruinen, want ze was zich ervan bewust dat ze een opmerkelijke verschijning was. Voor een politiefunctionaris had ze haar uiterlijk tegen.

Mikael Blomkvist kwam om 9.10 uur naar buiten. Monica Figuerola noteerde de tijd. Ze zag dat hij omhoogkeek naar de loopbrug. Hij liep de helling op, precies in haar richting.

Monica Figuerola deed het handschoenenkastje open en vouwde de kaart van Stockholm open, die ze op de passagiersstoel legde. Daarna pakte ze een notitieblok, haalde ze een pen en haar mobiele telefoon uit de zak van haar colbertje en deed ze of ze in gesprek was. Ze hield haar hoofd omlaag, zodat de hand met de telefoon een deel van haar gezicht verborg.

Ze zag dat Mikael Blomkvist een korte blik in de Tavastgatan wierp. Hij wist dat hij in de gaten gehouden werd en moest Mårtenssons auto hebben gezien, maar hij liep door zonder belangstelling voor de auto te tonen. *Reageert rustig en koel. Sommigen zouden het portier hebben opengerukt en hem ervanlangs hebben gegeven.*

Op dat moment passeerde hij haar auto. Monica Figuerola werd geheel in beslag genomen door het opzoeken van een adres op de kaart terwijl ze in haar telefoon sprak, maar ze voelde dat Mikael Blomkvist naar haar keek toen hij passeerde. *Argwanend tegenover alles in zijn omgeving.* Ze zag zijn rug in de zijspiegel aan de passagierskant toen hij naar de Hornsgatan liep. Ze had hem een paar keer op tv gezien, maar dit was de eerste keer dat ze hem in het echt zag. Hij was gekleed in een blauwe spijkerbroek, een T-shirt en een grijs colbertje. Hij had een schoudertas en liep met lange, zwaaiende passen. Een knappe vent.

Göran Mårtensson verscheen op de hoek van de Bishop's Arms en volgde Mikael Blomkvist met zijn blik. Hij had een vrij grote sporttas over zijn schouder en beëindigde net een gesprek op zijn mobiele telefoon. Monica Figuerola had verwacht dat hij achter Mikael Blomkvist aan zou gaan, maar tot haar verbazing stak hij de straat over, voor haar auto langs, sloeg links af en liep in de richting van de portiek van Mikael Blomkvist. Het volgende moment liep een man in een blauwe overall langs de auto van Monica Figuerola. Hij liep vervolgens met Mårtensson op. *Hé, waar kom jij opeens vandaan?*

Ze bleven voor de portiek staan. Mårtensson toetste de portiekcode in en ze verdwenen in het trappenhuis. *Ze gaan de flat controleren. Wat een stelletje amateurs. Waar denken ze dat ze mee bezig zijn?*

Daarna keek Monica Figuerola weer in haar achteruitkijkspiegel en schrok op toen ze Mikael Blomkvist plotseling weer zag. Hij was teruggekomen en stond ongeveer 10 meter achter haar, precies zo dichtbij dat hij Mårtensson en diens kompaan kon zien. Ze keek naar zijn gezicht. Hij keek niet naar haar. Maar hij had Göran Mårtensson naar binnen zien gaan. Al gauw maakte Blomkvist weer rechtsomkeert en vervolgde hij zijn wandeling naar de Hornsgatan.

Monica Figuerola bleef dertig seconden onbeweeglijk zitten. *Hij weet dat hij wordt gevolgd. Hij houdt zijn omgeving in de gaten. Maar waarom doet hij niets? Normale mensen zouden in alle staten zijn ... Hij is iets van plan.*

Mikael Blomkvist hing op en keek nadenkend naar het notitieblok op zijn bureau. De Zweedse Rijksdienst voor het Wegverkeer had hem zojuist laten weten dat de auto met de blonde vrouw die hij op de hoek van de Bellmansgatan had gezien, eigendom was van ene Monica Figuerola, geboren in 1969 en woonachtig aan de Pontonjärgatan op Kungsholmen. Omdat er een vrouw in de auto had gezeten, nam Mikael aan dat dat Figuerola zelf was.

Ze had mobiel zitten bellen en een kaart geraadpleegd die op de passagiersstoel had gelegen. Mikael had geen reden om te vermoeden dat ze iets met de Zalachenko-club van doen had, maar hij registreerde elke afwijking van het normale in zijn omgeving en met name rond zijn woning.

Hij riep Lottie Karim bij zich.

'Wie is die vrouw? Achterhaal haar pasfoto, waar ze werkt en alles wat je over haar achtergrond kunt vinden.'

'Oké,' zei Lottie Karim en ze liep terug naar haar bureau.

Financieel directeur Christer Sellberg van de SMP keek bijna verbluft. Hij schoof het A4'tje met de negen korte punten die Erika Berger tijdens de wekelijkse vergadering van de budgetcommissie had gepresenteerd van zich af. Budgetverantwoordelijke Ulf Flodin keek bezorgd. Bestuursvoorzitter Borgsjö keek zoals altijd neutraal.

'Dit is onmogelijk,' constateerde Sellberg met een beleefde glimlach.

'Waarom?' vroeg Erika Berger.

'De raad van bestuur zal hier nooit in meegaan. Dit gaat tegen alle logica in.'

'Zullen we bij het begin beginnen?' stelde Erika Berger voor. 'Ik ben aangenomen om de SMP weer winstgevend te maken. Om dat te kunnen doen, moet ik iets hebben om mee te werken. Toch?'

'Ja, maar ...'

'Ik kan de inhoud van een dagblad niet tevoorschijn toveren door in de glazen kooi dingen te gaan zitten wensen.'

'Je begrijpt de financiële realiteit niet.'

'Dat zou kunnen. Maar ik weet wél hoe je een krant moet maken. En de realiteit is dat het totale personeelsbestand van de SMP de laatste vijftien jaar is afgenomen met honderdachttien personen. Goed, de helft daarvan waren grafici die zijn vervangen door nieuwe techniek en dergelijke, maar het aantal tekstproducerende journalisten is in die tijd verminderd met maar liefst achtenveertig.'

'Dat waren noodzakelijke bezuinigingen. Als die niet hadden plaatsgevonden, zou de krant al lang geleden zijn opgeheven.'

'Laten we even wachten met aan te geven wat wel en niet noodzakelijk is. De afgelopen drie jaar zijn er achttien redactionele functies verdwenen. Bovendien hebben we nu de situatie dat er maar liefst negen functies bij de SMP vacant zijn die in zekere mate zijn opgevuld door tijdelijke krachten. De sportredactie is ernstig onderbezet. Er moeten daar negen mensen zijn, maar twee functies zijn al meer dan een jaar onbezet.'

'Het is een kwestie van geld besparen. Zo simpel is dat.'

'Bij cultuur zijn drie formatieplaatsen onbemand. De financiële redactie mist één formatieplaats. De juridische redactie bestaat in de praktijk niet ... Daar zit een redactiechef die voor elke opdracht verslaggevers van de algemene redactie plukt. En ga zo maar door. De SMP heeft al acht jaar geen serieuze verslaggeving van diensten en overheden. Daar zijn we volledig afhankelijk van freelancers en materiaal dat het algemeen persbureau produceert. En zoals je weet, is het persbureau daar ook al jaren geleden mee gestopt. Er is met andere woorden geen enkele redactie in Zweden die overheidsinstellingen en dergelijke in de gaten houdt.'

'De krantenbranche bevindt zich in een lastige positie ...'

'De realiteit is: óf de SMP moet met onmiddellijke ingang worden opgeheven óf het bestuur moet de beslissing nemen de schouders eronder te zetten. We hebben vandaag de dag minder medewerkers, die elke dag méér tekst moeten produceren. De teksten worden slecht, oppervlakkig en missen geloofwaardigheid. Dus lezen de mensen de SMP niet meer.'

'Je begrijpt het niet ...'

'Ik heb er schoon genoeg van dat ik telkens te horen krijg dat ik het niet snap. Ik ben geen middelbare scholiere die hier stage loopt en moet worden beziggehouden.'

'Maar jouw voorstel is waanzinnig.'

'Waarom?'

'Je stelt voor een krant zonder winstoogmerk te maken!'

'Luister eens, Sellberg, dit jaar ga jij een grote som geld in de vorm van dividend uitkeren aan de drieëntwintig aandeelhouders van de krant. Daar komen volstrekt absurde bonussen aan negen leden van de raad van bestuur bij. Die gaan de SMP bijna tien miljoen kronen kosten. Je hebt jezelf een bonus van 400.000 kronen toegekend als beloning voor het administreren van de bezuinigingen bij de SMP. Dat is op zich lang niet zo'n grote bonus als diverse directeuren bij Skandia zichzelf hebben toegeëigend, maar in mijn ogen ben je geen öre waard. Bonussen moeten worden toegekend aan mensen die de SMP hebben versterkt, maar jouw bezuinigingen hebben de SMP juist verzwakt en de crisis verdiept.'

'Dit is zeer onrechtvaardig. De raad van bestuur heeft elke maatregel die ik heb voorgesteld goedgekeurd.'

'De raad van bestuur heeft jouw maatregelen goedgekeurd, omdat je hun elk jaar dividend hebt gegarandeerd. Hier moet onmiddellijk een einde aan komen.'

'Jij stelt dus serieus voor dat het bestuur het besluit neemt om alle dividenduitkeringen en alle bonussen af te schaffen? Hoe denk je de aandeelhouders daarin mee te krijgen?'

'Ik stel dit jaar een systeem voor van nul procent winst. Dat zou een besparing opleveren van bijna 21 miljoen kronen en de mogelijkheid om het medewerkersbestand van de SMP en de financiële situatie aanzienlijk te versterken. Ik stel ook een loonsverlaging voor het management voor. Ik krijg een maandsalaris van 88.000 kronen, wat volstrekt absurd is voor een krant die niet eens de vacante functies op de sportredactie kan invullen.'

'Je wilt je eigen salaris dus verlagen? Ben je soms voorstander van een soort salariscommunisme?'

'Lul niet. Jij krijgt 112.000 kronen per maand als je je jaarbonus meerekent. Dat is belachelijk. Als de krant nou stabiel was en je een fantastische winst binnenhaalde, zou je van mij zoveel aan bonussen mogen uitkeren als je maar wilde. Maar de situatie is er nu niet naar om je eigen bonus dit jaar op te schroeven. Ik stel voor de salarissen van de managers te halveren.'

'Wat jij niet begrijpt, is dat onze aandeelhouders aandeelhouder zijn omdat ze geld willen verdienen. "Kapitalisme" heet dat. Als jij voorstelt dat ze geld gaan verliezen, zullen ze niet langer aandeelhouder willen zijn.'

'Ik stel niet voor dat ze geld gaan verliezen, maar dat zou inderdaad kunnen. Maar bij bezit hoort ook verantwoordelijkheid. Het gaat hier inderdaad, zoals je zelf zegt, om kapitalisme. De eigenaren van de SMP willen winst maken. Maar de regels zijn dusdanig dat de markt beslist of het winst wordt of verlies. Jij wilt met jouw redenering dat de regels voor kapitalisme selectief zullen gelden voor medewerkers van de SMP, maar dat de aandeelhouders en jijzelf worden uitgezonderd.'

Sellberg zuchtte en sloeg zijn ogen ten hemel. Hij keek hulpeloos naar Borgsjö, maar die zat nadenkend het negenpuntenprogramma van Erika Berger te bestuderen.

Monica Figuerola moest negenenveertig minuten wachten voordat Göran Mårtensson en de onbekende man weer bij Bellmansgatan 1 naar buiten kwamen. Toen ze in haar richting liepen, deed ze haar Nikon met 300 millimeter telelens omhoog en nam ze twee foto's. Ze legde de camera in het handschoenenkastje en wilde net weer met haar kaart aan de gang gaan toen ze toevallig een blik in de richting van de Marialift wierp. Ze sperde haar ogen open. Boven aan de Bellmansgatan, net naast de ingang van de Marialift, stond een donkerharige vrouw met een digitale camera Mårtensson en zijn kompaan te filmen. *Wat krijgen we nu? Is er een algemeen spionnencongres op de Bellmansgatan gaande?*

Mårtensson en de onbekende man gingen boven aan de straat zonder wat te zeggen uiteen. Mårtensson liep naar zijn auto op de Tavastgatan. Hij startte de motor, reed weg en verdween uit Monica Figuerola's blikveld.

Ze keek weer in de achteruitkijkspiegel, waar ze de man in de overall nu op zijn rug keek. Ze keek op en zag dat de vrouw met de camera was gestopt met filmen en dat ze op weg was in haar richting. Ze liep net voor het Laurinskahuis.

Kop of munt? Ze wist al wie Göran Mårtensson was en wat hij deed. Maar de man in de overall en de vrouw met de camera waren onbekende troeven. Maar als ze uit haar auto stapte, liep ze het risico door de vrouw met de camera te worden gezien.

Ze zat stil. In haar achteruitkijkspiegel zag ze de man in de overall links afslaan, de Brännkyrkagatan in. Ze wachtte af tot de vrouw met de camera op de kruising vóór haar was, maar in plaats van de man in de overall te volgen, draaide ze honderdtachtig graden en liep ze in de richting van Bellmansgatan 1. Monica Figuerola zag een vrouw van rond de vijfendertig. Ze had donker, kortgeknipt haar en was gekleed in een donkere spijkerbroek en een zwart jack. Zo gauw ze een stukje de helling af was, duwde Monica Figuerola het portier open en rende ze naar de Brännkyrkagatan. Ze zag de man in de overall nergens. Het volgende moment reed er een Toyota van de stoeprand weg. Monica Figuerola zag de man en profil en onthield het kenteken. En zelfs al had ze dat niet gezien, dan had ze hem toch wel kunnen opsporen. De auto maakte reclame voor Lars Faulssons Sloten- en Sleutelservice en er stond een telefoonnummer bij.

Ze deed geen pogingen om terug te rennen naar haar auto om de Toyota te volgen. In plaats daarvan liep ze rustig terug. Ze was net op tijd boven aan de helling om de vrouw met de camera in de portiek van Mikael Blomkvist te zien verdwijnen.

Ze ging in haar auto zitten en noteerde het kenteken en het telefoonnummer van Lars Faulssons Sloten- en Sleutelservice. Daarna krabde ze op haar hoofd. Er was ontzettend veel mysterieus verkeer rond het adres van Mikael Blomkvist. Ze keek op en zag het dak van Bellmansgatan 1. Ze wist dat Blomkvist een appartement op de zolderverdieping had, maar op de tekeningen van het kadaster had ze geconstateerd dat dat aan de andere kant van het pand lag, met uitzicht op Riddarfjärden en de oude binnenstad. Een exclusief adres in een roemrijke cultuurwijk. Ze vroeg zich af of hij een opschepperige nouveaux-richesfiguur was.

Na negen minuten kwam de vrouw met de camera weer naar buiten. In plaats van terug te lopen naar de Tavastgatan, liep ze verder de helling af en ging ze rechtsaf de hoek om bij de Pryssgränd. *Hm.* Als ze een auto op de Pryssgränd had staan, was Monica Figuerola hopeloos verloren. Maar als ze te voet was, kon ze het gebied maar op één manier verlaten – via de Brännkyrkagatan en de Pustegränd bij Slussen.

Monica Figuerola verliet haar auto en liep linksaf over de Brännkyrkagatan naar Slussen. Ze was bijna bij de Pustegränd toen de vrouw met de camera voor haar de hoek om kwam. *Bingo.* Ze volgde haar langs het Hilton tot op het Södermalmstorg, voor het Stadsmuseum bij Slussen. De vrouw liep snel en doelbewust, zonder om zich heen te kijken. Monica Figuerola gaf haar ongeveer 30 meter voorsprong. Ze verdween in de ingang naar de metro bij Slussen en Monica versnelde haar pas, maar bleef staan toen ze zag dat de vrouw naar de kiosk ging in plaats van door de poortjes te lopen.

Monica Figuerola keek naar de vrouw in de rij voor de kiosk. Ze was ruim 1 meter 70 en zag er tamelijk goed getraind uit. Ze droeg joggingschoenen. Toen ze eenmaal aan de beurt was, kreeg Monica Figuerola opeens het gevoel dat de vrouw van de politie was. Ze kocht een doosje *Catch Dry*, liep weer terug naar het Södermalmstorg en sloeg rechts af, de Katarinavägen in.

Monica Figuerola liep achter haar aan. Ze was er vrij zeker van dat de vrouw haar niet had opgemerkt. De vrouw verdween bij McDonald's de hoek om en Monica Figuerola hield ongeveer 40 meter afstand.

Toen ze de hoek om kwam, was de vrouw spoorloos verdwenen. Monica Figuerola bleef verbaasd staan. *Shit!* Ze liep langzaam langs de portiekdeuren. Toen viel haar blik op een bord. *Milton Security.*

Monica Figuerola knikte bij zichzelf en liep terug naar de Bellmansgatan.

Ze reed naar de Götgatan waar de redactie van *Millennium* was gevestigd en besteedde het volgende halfuur aan het doorkruisen van de straten in de buurt. Ze zag de auto van Mårtensson nergens. Tegen lunchtijd keerde ze terug naar het hoofdbureau van politie op Kungsholmen en bracht het uur erna door met gewichtheffen in de sportschool.

‘We hebben een probleem,’ zei Henry Cortez.

Malin Eriksson en Mikael Blomkvist keken op van het manuscript over de zaak Zalachenko. Het was halftwee ’s middags.

‘Ga zitten,’ zei Malin.

‘Het gaat over Vitvara AB, het bedrijf dat pleepotten in Vietnam maakt en verkoopt voor zeventienhonderd kronen per stuk.’

‘O, en waaruit bestaat het probleem?’ vroeg Mikael.

‘Vitvara AB is een volledige dochter van SveaBygg AB.’

‘Oké, dat is een vrij groot bedrijf.’

‘Ja. En de voorzitter van de raad van bestuur heet Magnus Borgsjö en is beroepsbestuurder. Hij is onder andere voorzitter van de raad van bestuur van de *Svenska Morgon-Posten* en is voor ruim tien procent eigenaar van de *SMP*.’

Mikael keek Henry Cortez scherp aan.

‘Weet je dat zeker?’

‘Ja. De baas van Erika Berger is een schurk die kinderen in Vietnam uitbuit door middel van kinderarbeid.’

‘Oeps,’ zei Malin Eriksson.

Redactiesecretaris Peter Fredriksson keek ongemakkelijk toen hij tegen tweeën ’s middags voorzichtig op de deur van de glazen kooi van Erika Berger klopte.

‘Ja?’

‘Tja, het is wat gênant. Maar iemand op de redactie heeft mailtjes van jou ontvangen.’

‘Van mij?’

‘Ja.’ Hij zuchtte.

‘Wat dan?’

Hij gaf haar een paar A4’tjes met uitgeprinte mailtjes die waren geadresseerd aan Eva Carlsson, een zesentwintigjarige invalkracht bij cultuur. De afzender was volgens het briefhoofd erika.berger@smpost.se.

> Lieve Eva. Ik wil je strelen en je borsten kussen. Ik word helemaal warm vanbinnen als ik aan jou denk en kan me niet langer beheersen. Ik hoop dat je mijn gevoelens wilt beantwoorden. Kunnen we een afspraak maken? Erika

Eva Carlsson had het inleidende mailtje niet beantwoord, wat had geresulteerd in nog twee mailtjes de dagen erna.

Allerliefste Eva. Ik vraag je me niet af te wijzen. Ik word gek van verlangen. Ik wil je naakt zien. Ik moet je hebben! We zullen het heel fijn krijgen samen. Je zult er nooit spijt van hebben. Ik zal elke centimeter van je naakte huid kussen, je mooie borsten en dat heerlijke spleetje van je. Erika

Eva, waarom geef je geen antwoord? Wees niet bang voor me. Wijs me niet af. Je bent geen maagd. Je weet waar het om gaat. Ik wil met je vrijen en zal je rijkelijk belonen. En als je lief voor mij bent, ben ik lief voor jou. Je hebt om verlenging van je contract gevraagd. Ik kan het verlengen en het zelfs omzetten in een vast contract. Laten we om 21.00 uur afspreken bij mijn auto in de parkeergarage. Je Erika

'Aha,' zei Erika Berger. 'En nu vraagt zij zich af of ik hier oneerbare voorstellen aan haar zit te sturen.'

'Nou nee ... ik bedoel ... tja.'

'Peter, voor de draad ermee.'

'Ze was erg verbaasd over dat eerste mailtje en wist niet precies wat ze ervan moest denken. Maar later zag ze in dat het geschift was, niet helemaal jouw stijl en toen ...'

'Toen wat?'

'Tja, ze vindt het erg gênant en weet niet precies wat ze moet doen. Ze is bovendien erg geïmponeerd door jou en mag je graag ... als baas dus. Daarom kwam ze naar mij toe voor advies.'

'Ik begrijp het. En wat heb je gezegd?'

'Ik heb gezegd dat iemand jouw adres heeft gefaket en haar lastigvalt. Of mogelijk jullie allebei. En toen heb ik beloofd dat ik met jou zou gaan praten.'

'Dank je wel. Zou je willen vragen of ze over tien minuutjes hier wil komen?'

Erika gebruikte de tijd om een mailtje op te stellen.

Hierbij wil ik jullie informeren dat een medewerker bij de SMP een aantal e-mails heeft ontvangen die van mij lijken te komen. De mails bevatten grove seksuele toespelingen. Ik heb zelf mails met een vulgaire inhoud ontvangen van een afzender 'centralered' van de SMP. Een dergelijk adres bestaat zoals bekend hier niet.

Ik heb contact opgenomen met het hoofd technische dienst die aangeeft dat je heel gemakkelijk een afzenderadres kunt faken. Ik weet niet precies hoe dat werkt, maar er zijn blijkbaar sites op internet waar dat kan. Ik moet helaas de conclusie trekken dat een ziek iemand zich hiermee bezighoudt.
Ik wil weten of er meer medewerkers zijn die vreemde e-mails hebben ontvangen. Ik wil dat zij in dat geval onmiddellijk contact opnemen met redactiesecretaris Peter Fredriksson. Als dit zo doorgaat, zullen we aangifte bij de politie moeten overwegen.
Erika Berger, hoofdredacteur

Ze printte een kopie van het mailtje en drukte daarna op de verzendknop, zodat het bericht naar alle medewerkers binnen het SMP-concern ging. Op dat moment klopte Eva Carlsson op de deur.

'Ha, ga zitten,' zei Erika. 'Ik hoor dat je e-mails van mij ontvangt.'

'Ach, ik geloof niet dat ze van jou komen.'

'Dertig seconden geleden heb je in elk geval een e-mail ontvangen die wél van mij afkomstig was. Dit mailtje heb ik geschreven en naar alle medewerkers gestuurd.'

Ze gaf Eva Carlsson de geprinte kopie.

'Oké. Ik begrijp het,' zei Eva Carlsson.

'Het spijt me dat iemand jou als doelwit heeft uitgekozen voor deze onaangename campagne.'

'Je hoeft geen excuus aan te bieden voor iets wat een of andere gek heeft verzonnen.'

'Ik wil me er alleen van verzekeren dat je toch niet denkt dat ik iets met deze mailtjes van doen heb.'

'Ik heb nooit gedacht dat jij ze had verstuurd.'

'Mooi, bedankt,' zei Erika glimlachend.

Monica Figuerola besteedde de middag aan het verzamelen van informatie. Ze begon met het bestellen van een pasfoto van Lars Faulsson om te kijken of hij degene was die ze in gezelschap van Göran Mårtensson had gezien. Daarna checkte ze het centrale strafregister en ze had meteen beet.

Lars Faulsson, zevenenveertig jaar oud en bekend onder de bijnaam 'Falun', was zijn carrière als zeventienjarige begonnen als autodief. In de jaren zeventig en tachtig was hij tweemaal opgepakt en aangeklaagd wegens inbraak, diefstal en heling. De eerste keer was hij veroordeeld tot een lichte gevangenisstraf en de tweede keer tot drie jaar cel. Hij werd in die tijd in criminele kringen gezien als *up and coming* en was als verdachte verhoord voor minstens drie inbraken, waarvan één een vrij gecompliceerde en opmerkelijke coup was op een kluis in een warenhuis in Västerås. Nadat hij in 1984 zijn gevangenisstraf had uitgezeten, had hij zich koest gehouden – dat wil zeggen, hij had niets gedaan wat had geleid tot een arrestatie en een veroordeling. Hij had zich daarentegen laten omscholen tot slotenmaker, *of all professions*, en was in 1987 een eigen bedrijf begonnen: Lars Faulsson Sloten- en Sleutelservice, met een adres in de buurt van Norrtull.

Het identificeren van de onbekende vrouw die Mårtensson en Faulsson had gefilmd, bleek eenvoudiger dan Monica had gedacht. Ze belde gewoon de receptie van Milton Security en legde uit dat ze een vrouwelijke medewerker zocht die ze een tijdje geleden had ontmoet, maar van wie ze de naam was vergeten. Ze kon echter een goede beschrijving geven van de vrouw in kwestie. De receptioniste zei dat dat klonk als Susanne Linder en verbond haar door. Toen Susanne Linder opnam, excuseerde Monica Figuerola zich en zei ze dat ze het verkeerde nummer had gebeld.

Ze keek in het bevolkingsregister en constateerde dat er achttien Susanne Linders in de provincie Stockholm waren. Drie van hen waren rond de vijfendertig. Eentje woonde in Norrtälje, een in Stockholm en een in Nacka. Ze bestelde hun pasfoto's en identificeerde de vrouw die ze vanaf de Bellmansgatan had geschaduwd onmiddellijk als de Susanne Linder die in Nacka woonde.

Ze vatte haar bezigheden van die dag samen in een rapport en ging naar Torsten Edklinth.

Tegen vijven deed Mikael Blomkvist de researchmap van Henry Cortez dicht en schoof hem met weerzin van zich af. Christer Malm legde de uitgeprinte tekst van Henry Cortez neer. Hij had hem vier keer gelezen. Henry Cortez zat op de bank in de kamer van Malin Eriksson en keek schuldbewust.

'Koffie,' zei Malin en ze stond op. Ze kwam terug met vier bekers en de koffiekan.

Mikael zuchtte.

'Het is een verdomd goed verhaal,' zei hij. 'Eersteklas research. Alles gedocumenteerd. Perfecte dramaturgie met een *bad guy*, die Zweedse huurders via het systeem oplicht, wat volkomen legaal is, maar die zo verdomde gierig en naïef is dat hij een bedrijf in Vietnam dat met kinderen werkt uitbuit.'

'Goed geschreven bovendien,' zei Christer Malm. 'De dag nadat we het hebben gepubliceerd, is Borgsjö persona non grata in het Zweedse bedrijfsleven. De tv zal onmiddellijk happen op deze tekst. Borgsjö zal in één adem worden genoemd met de directeuren van Skandia en andere zwendelaars. Een echte *Millennium*-quote. Goed gedaan, Henry.'

Mikael knikte.

'Maar dat met Erika gooit roet in het eten,' zei hij.

Christer Malm knikte.

'Maar waarom is het eigenlijk een probleem?' vroeg Malin. 'Erika is toch niet de schurk? We moeten elke bestuursvoorzitter toch screenen, ook al is hij toevallig haar chef?'

'Het is een ontzettend probleem,' zei Mikael.

'Erika Berger is hier namelijk niet weg,' zei Christer Malm. 'Ze is voor dertig procent eigenaar van *Millennium* en zit in ons bestuur. Ze is daar zelfs voorzitter van totdat we Harriët Vanger op de volgende bestuursvergadering als voorzitter kunnen kiezen, maar dat is pas in augustus. En Erika werkt voor de SMP, waar ze ook in de raad van bestuur zit en waar haar voorzitter door ons aan de schandpaal zal worden genageld.'

Doordringende stilte.

'Ja, jezus, wat moeten we dan?' vroeg Henry Cortez. 'Het stuk annuleren?'

Mikael keek Henry Cortez recht in zijn ogen.

'Nee, Henry. We gaan het stuk niet annuleren. Zo werken we niet bij *Millennium*. Maar dit vergt enige voorbereiding. We kunnen Erika niet zomaar opzadelen met voorpaginanieuws.'

Christer Malm knikte en zwaaide met een vinger.

'We zetten Erika hiermee voor het blok. Ze kan kiezen: of haar aandeel verkopen en onmiddellijk uit het bestuur van *Millennium* stappen, of – in het ergste geval – ontslag krijgen bij de SMP. Ze zal hoe dan ook in een vreselijk belangenconflict verzeild raken. Eerlijk gezegd, Henry ... ik ben het met Mikael eens dat we gaan publiceren, maar ik kan me voorstellen dat we het een maand opschuiven.'

Mikael knikte.

'Omdat wij ook in een loyaliteitsconflict zitten,' zei hij.

'Zal ik haar bellen?' vroeg Christer Malm.
'Nee,' zei Mikael. 'Ik bel haar en maak een afspraak. Voor vanavond bijvoorbeeld.'

Torsten Edklinth luisterde aandachtig naar Monica Figuerola toen ze het circus rond de woning van Mikael Blomkvist aan Bellmansgatan 1 samenvatte. Hij voelde de vloer licht deinen.

'Een medewerker van de veiligheidsdienst is dus de portiek van Mikael Blomkvist binnengegaan, samen met een voormalige kluizenkraker, die zich heeft omgeschoold tot slotenmaker.'

'Dat klopt.'

'Wat denk je dat ze in het trappenhuis hebben gedaan?'

'Dat weet ik niet. Maar ze zijn negenenveertig minuten weggebleven. Een gokje is natuurlijk dat Faulsson de deur heeft opengemaakt en dat Mårtensson in het appartement van Blomkvist is geweest.'

'En wat hebben ze daar gedaan?'

'Ik denk niet dat ze afluisterapparatuur hebben geïnstalleerd, omdat dat maar een minuutje duurt. Dus heeft Mårtensson vermoedelijk in de papieren van Blomkvist zitten snuffelen, of in iets anders wat Blomkvist thuis heeft.'

'Maar Blomkvist was gewaarschuwd ... Ze hebben immers het rapport van Björck uit zijn flat gestolen.'

'Precies. Hij weet dat hij in de gaten wordt gehouden en houdt degenen in de gaten die hem in de gaten houden. Het is een koude kikker.'

'Hoe bedoel je?'

'Hij heeft een plan. Hij verzamelt informatie en is van plan Göran Mårtensson voor gek te zetten. Dat is het enig logische.'

'En toen verscheen die vrouw, Linder.'

'Susanne Linder, vierendertig jaar oud, woont in Nacka. Ze is een voormalige politieagente.'

'Politieagente?'

'Ze heeft de politieacademie gedaan en heeft toen zes jaar bij het arrestatieteam van Södermalm gewerkt. Ze heeft opeens ontslag genomen. Er staat niet in haar papieren waarom. Ze was een paar maanden werkloos voor ze door Milton Security werd aangenomen.'

'Dragan Armanskij,' zei Edklinth in gedachten. 'Hoe lang was zij in het pand?'

'Negen minuten.'

'Om wát te doen?'

'Gokje. Omdat ze Mårtensson en Faulsson aan het filmen was, documenteert ze hun activiteiten. Dat betekent dat Milton Security met Blomkvist samenwerkt en bewakingscamera's in zijn flat of in het trappenhuis heeft geplaatst. Ze heeft vermoedelijk de informatie uit de camera's geleegd.'

Edklinth zuchtte. De Zalachenko-geschiedenis begon ontzettend gecompliceerd te worden.

'Oké, bedankt. Ga lekker naar huis. Ik moet hierover nadenken.'

Monica Figuerola ging naar de sportschool op het St. Eriksplan om een beetje te trainen.

Mikael Blomkvist gebruikte zijn blauwe Ericsson T10 reservetelefoon en toetste het nummer van Erika Berger bij de SMP in. Hij onderbrak daarmee een discussie die Erika net met de redigeerders voerde over welke draai een tekst over internationaal terrorisme moest krijgen.

'Hé, hallo ... wacht heel even.'

Erika legde haar hand op de hoorn en keek om zich heen.

'Volgens mij zijn we klaar,' zei ze en ze gaf een paar laatste instructies over hoe ze het wilde hebben. Toen ze weer alleen was in de glazen kooi, haalde ze haar hand van de hoorn.

'Hoi Mikael. Sorry dat ik niks van me heb laten horen. Ik ben gewoon helemaal bedolven onder het werk en er zijn duizend dingen die ik moet leren.'

'Nou, ik heb ook geen vrijetijdsproblemen hoor,' zei Mikael.

'Hoe gaat het met het Salander-verhaal?'

'Goed. Maar dat is niet waarom ik bel. Ik moet je spreken. Vanavond.'

'Dat zou ik graag willen, maar ik zit hier tot acht uur. Ik ben bekaf. Ik ben al sinds zes uur vanochtend in de weer.'

'Ricky, ik heb het niet over het onderhouden van je seksleven. Ik moet met je praten. Het is belangrijk.'

Erika zweeg even.

'Waar gaat het over?'

'Dat vertel ik je dan. Maar leuk is anders.'

'Oké. Ik kom tegen halfnegen naar je toe.'

'Nee, niet bij mij thuis. Dat is een lang verhaal, maar mijn flat is de komende tijd niet geschikt. Kom naar Samirs Stoofpot, dan drinken we een biertje.'

'Ik ben met de auto.'

'Oké, dan nemen we een maltje.'

Erika Berger was licht geïrriteerd toen ze rond halfnegen Samirs Stoofpot binnenkwam. Ze had een slecht geweten dat ze niets van zich had laten horen sinds ze bij de SMP was begonnen. Maar ze had nog nooit zoveel te doen gehad als nu.

Mikael Blomkvist stak zijn hand op van een hoektafel aan het raam. Ze hield even haar pas in. Mikael leek een seconde wel een vreemde en ze ervoer dat ze hem met nieuwe ogen zag. *Wie is dat? Jezus, wat ben ik moe.* Hij stond op en kuste haar op haar wang. Tot haar ontzetting besefte ze dat ze al weken niet aan hem had gedacht, maar dat ze hem waanzinnig miste. Het was net alsof de tijd bij de SMP een droom was en dat ze plotseling op de bank bij *Millennium* wakker zou worden. Het voelde onwezenlijk.

'Hoi Mikael.'

'Hoi hoofdredacteur. Heb je al gegeten?'

'Het is halfnegen! Ik heb niet van die slechte eetgewoonten als jij.'

Toen realiseerde ze zich dat ze enorme trek had. Samir kwam met de kaart en ze bestelde een maltbiertje en een bordje calamaris en gebakken aardappels. Mikael bestelde couscous en ook een maltje.

'Hoe gaat ie?' vroeg ze.

'We leven in een interessante tijd. Ik heb het loeidruk.'

'Hoe is het met Salander?'

'Zij is onderdeel van dat interessante.'

'Micke, ik ben niet van plan om er met jouw verhaal vandoor te gaan.'

'Sorry, het is niet zo dat ik geen antwoord wil geven. Maar op dit moment is de zaak wat verwarrend. Ik vertel het graag, maar dan zitten we hier morgenochtend nog. Hoe is het om de baas te zijn bij de SMP?'

'Het is niet bepaald zoals bij *Millennium*.'

Ze zweeg even.

'Ik val 's avonds als ik thuiskom als een uitgedoofde kaars in slaap en als ik wakker word, zie ik budgetcalculaties voor mijn ogen. Ik heb je gemist. Kunnen we niet naar jouw huis gaan om te slapen? Ik heb geen fut om te vrijen, maar ik zou graag tegen je aan in slaap willen vallen.'

'Sorry, Ricky. Mijn flat is momenteel geen goede plek.'

'Waarom niet? Is er iets gebeurd?'

'Mwa ... mijn flat wordt momenteel afgeluisterd, ze horen elk woord dat binnen wordt gezegd. Zelf heb ik een verborgen camera geïnstalleerd die laat zien wat er gebeurt als ik niet thuis ben. Ik geloof dat we de buitenwereld jouw naakte lijf moeten besparen.'

'Maak je een geintje?'
Hij schudde zijn hoofd.
'Nee. Maar dat was niet waarom ik je absoluut moest zien.'
'Wat is er gebeurd? Je kijkt zo vreemd.'
'Tja ... jij bent begonnen bij de SMP. En *Millennium* heeft een verhaal dat jouw bestuursvoorzitter de grond in boort. Het heeft betrekking op het uitbuiten van kinderen en politieke gevangenen in Vietnam. Ik geloof dat we in een belangenconflict verstrikt zijn geraakt.'
Erika legde haar vork neer en staarde Mikael aan. Ze besefte onmiddellijk dat Mikael geen grapje maakte.
'Het zit zo,' zei hij. 'Borgsjö is bestuursvoorzitter en grootaandeelhouder van een bedrijf dat SveaBygg heet, en dat op zijn beurt voor honderd procent eigenaar is van een dochteronderneming die Vitvara AB heet. Dat bedrijf laat toiletpotten maken bij een bedrijf in Vietnam, dat door de VN op een lijst is geplaatst vanwege het aanwenden van kinderarbeid.'
'Zeg dat nog eens.'
Mikael vertelde stap-voor-stap het verhaal dat Henry Cortez bij elkaar had gesprokkeld. Hij deed zijn schoudertas open en pakte een kopie van de documentatie. Erika las Cortez' artikel langzaam door. Ten slotte keek ze op en ontmoette ze Mikaels blik. Ze voelde een onredelijke paniek vermengd met argwaan.
'Het eerste wat *Millennium* doet zo gauw ik weg ben, is het bestuur van de SMP tegen het licht houden. Hoe komt dat?'
'Dat is beslist niet het geval, Ricky.'
Hij legde uit hoe het verhaal tot stand was gekomen.
'En hoe lang weet je dit al?'
'Sinds vanmiddag. Ik vind deze hele ontwikkeling bijzonder vervelend.'
'Wat gaan jullie doen?'
'Ik weet het niet. We moeten publiceren. We kunnen geen uitzondering maken alleen omdat het om jouw chef gaat. Maar geen van ons wil jou schade berokkenen.' Hij spreidde zijn handen uiteen. 'We zijn tamelijk wanhopig. Henry vooral.'
'Ik zit nog steeds in het bestuur van *Millennium*. Ik ben mede-eigenaar ... Dit zal worden ervaren als ...'
'Ik weet precies hoe het zal worden ervaren. Jij belandt bij de SMP in een modderpoel.'
Erika voelde de vermoeidheid toeslaan. Ze klemde haar tanden op

elkaar en onderdrukte een impuls om Mikael te vragen het verhaal in de doofpot te stoppen.

'Verdomme,' zei ze. 'Jullie weten zeker dat het klopt?'

Mikael knikte.

'Ik heb de hele avond besteed aan het doornemen van Henry's documentatie. We hebben Borgsjö klaar voor de slacht.'

'Wat gaan jullie doen?'

'Wat zou jij hebben gedaan als we dit verhaal twee maanden geleden hadden gevonden?'

Erika Berger keek aandachtig naar haar vriend en minnaar, die ze al meer dan twintig jaar kende. Toen sloeg ze haar ogen neer.

'Je weet wat ik zou hebben gedaan.'

'Dit is een catastrofaal toeval. Niets van dit alles is tegen jou gericht. Het spijt me enorm. Daarom drong ik zo aan op deze ontmoeting. We moeten beslissen wat we doen.'

'We?'

'Kijk ... dit verhaal was gepland voor het juninummer. Ik heb het al geannuleerd. Het zal op zijn vroegst in augustus worden gepubliceerd en kan nog verder worden opgeschoven als dat wat jou betreft nodig is.'

'Ik begrijp het.'

Haar stem kreeg een bittere toon.

'Ik stel voor dat we vanavond niets beslissen. Jij neemt deze documentatie mee naar huis en denkt er eens goed over na. Doe niets voordat we een gemeenschappelijke strategie hebben afgesproken. We hebben de tijd.'

'Gemeenschappelijke strategie?'

'Jij moet ruim voordat we publiceren uit het bestuur van *Millennium* zijn gestapt óf weggaan bij de SMP. Maar je kunt niet op twee stoelen tegelijk zitten.'

Ze knikte.

'Ik ben zo verbonden met *Millennium* dat niemand zal geloven dat ik geen vinger in de pap heb, al zou ik aftreden.'

'Er is een alternatief. Je kunt het verhaal meenemen naar de SMP en Borgsjö ermee confronteren, en zijn vertrek eisen. Ik ben ervan overtuigd dat Henry Cortez daarin meegaat. Maar doe absoluut niets voordat we het allemaal eens zijn.'

'Ik begin bij de SMP en ga er dan meteen voor zorgen dat degene die mij heeft gerekruteerd, wordt ontslagen.'

'Het spijt me.'

'Hij is geen slecht mens.'
Mikael knikte.
'Ik geloof je. Maar hij is hebberig.'
Erika knikte. Ze stond op.
'Ik ga naar huis.'
'Ricky, ik ...'
Ze onderbrak hem.
'Ik ben gewoon doodmoe. Bedankt dat je me vooraf hebt gewaarschuwd. Ik moet eerst goed bedenken wat dit voor consequenties heeft.'
Mikael knikte.
Ze vertrok zonder hem op zijn wang te kussen en liet hem met de rekening achter.

Erika Berger stond op 200 meter van Samirs Stoofpot geparkeerd. Toen ze halverwege was, had ze zulke hartkloppingen dat ze even moest blijven staan en tegen een portiekdeur moest leunen. Ze was misselijk.

Ze stond lang de koele meilucht in te ademen. Opeens drong het tot haar door dat ze sinds 1 mei gemiddeld vijftien uur per dag had gewerkt. Dat was al bijna drie weken. Hoe zou ze zich na drie jaar voelen? Hoe had Morander zich gevoeld toen hij midden op de redactie dood was neergevallen?

Na tien minuten liep ze terug naar Samirs Stoofpot en kwam bij de ingang Mikael tegen, die net op weg was naar buiten. Hij bleef verbaasd staan.

'Erika ...'

'Zeg niets, Mikael. We zijn al zo lang bevriend dat dat door niets kan worden verpest. Je bent mijn beste vriend en dit is net als toen jij twee jaar geleden naar Hedestad vertrok, alleen andersom. Ik voel me onder druk staan en ben ongelukkig.'

Hij knikte en sloeg zijn armen om haar heen. Ze voelde plotseling tranen in haar ogen.

'Drie weken bij de SMP hebben me al gebroken,' zei ze lachend.

'Kom nou, er is méér nodig om Erika Berger te breken.'

'Die flat van jou is shit. Maar ik ben te moe om helemaal naar Saltsjöbaden te rijden. Dan val ik achter het stuur in slaap en rij ik mezelf dood. Ik heb net een besluit genomen. Ik wandel naar het Scandic Crown en boek een kamer. Ga mee.'

Hij knikte.

'Het heet tegenwoordig Hilton.'
'Eén pot nat.'

Ze liepen het korte stukje. Geen van beiden zei iets. Mikael hield zijn arm om haar schouders. Erika keek hem schuin van opzij aan en realiseerde zich dat hij net zo moe was als zij.

Ze gingen direct naar de receptie, boekten een tweepersoonskamer en betaalden met Erika's creditcard. Ze gingen naar de kamer, kleedden zich uit, namen een douche en kropen in bed. Erika had spierpijn alsof ze de Stockholm Marathon had gelopen. Ze knuffelden even en vielen toen uitgeput in slaap.

Geen van hen had gemerkt dat ze in de gaten werden gehouden. Ze hadden de man die bij de ingang van het hotel naar hen had staan kijken niet opgemerkt.

15
DONDERDAG 19 MEI – ZONDAG 22 MEI

Lisbeth Salander besteedde het grootste deel van de nacht van woensdag op donderdag aan het lezen van de artikelen van Mikael Blomkvist en de hoofdstukken van zijn boek die in grote lijnen klaar waren. Omdat officier van justitie Ekström inzette op een rechtszaak in juli, had Mikael de deadline voor de druk op 20 juni gesteld. Dat betekende dat die *Verrekte Kalle Blomkvist* nog iets meer dan een maand de tijd had om het schrijven af te ronden en alle gaten in de tekst te dichten.

Lisbeth begreep niet hoe hij dat voor elkaar wilde krijgen, maar dat was zijn probleem en niet het hare. Haar probleem was stelling te nemen ten aanzien van de vragen die hij had gesteld.

Ze pakte haar Palm Tungsten T3, logde in op Dwaze_Tafel en controleerde of hij het afgelopen etmaal nog wat had gestuurd. Ze constateerde dat dat niet het geval was. Daarna opende ze het document dat hij de titel Kernvragen had gegeven. Ze kende de tekst uit haar hoofd, maar las hem toch nog een keer door.

Hij schetste de strategie die Annika Giannini haar al had uitgelegd. Toen Annika met haar had gesproken, had ze verstrooid en met weinig belangstelling geluisterd, alsof het niet over haarzelf ging. Maar Mikael Blomkvist kende geheimen van haar die Annika Giannini niet kende. Hij kon de strategie daardoor veel sterker presenteren. Ze ging naar de vierde alinea.

De enige persoon die kan beslissen hoe jouw toekomst eruit gaat zien, ben jij zelf. Het maakt niet uit hoe goed Annika haar best doet of hoe Armanskij, Palmgren, anderen en ik je steunen. Ik ben niet van plan je over te halen om iets te doen. Je moet zelf beslissen wat je doet. Of je keert de rechtszaak in je voordeel óf je laat je veroordelen. Maar als je wilt winnen, zul je ervoor moeten vechten.

Ze sloot de computer af en staarde naar het plafond. Mikael vroeg haar toestemming om de waarheid te mogen vertellen in zijn boek. Hij wilde de verkrachting door Bjurman achterhouden. Hij had het hoofdstuk over Bjurman al geschreven en de boel aan elkaar gebreid door vast te stellen dat Bjurman een samenwerking met Zalachenko was aangegaan waarbij iets mis was gelopen en Niedermann zich genoodzaakt had gezien hem te doden. Hij ging niet in op het motief van Bjurman om Zalachenko in de arm te nemen.

Die *Verrekte Kalle Blomkvist* compliceerde het bestaan voor haar.

Ze dacht lang na. Om twee uur 's nachts pakte ze haar Palm Tungsten T3 en opende het tekstverwerkingsprogramma. Ze maakte een nieuw document aan, pakte de elektronische pen en begon op de letters van het digitale toetsenbord te klikken.

Mijn naam is Lisbeth Salander. Ik ben geboren op 30 april 1978. Mijn moeder was Agneta Sofia Salander. Ze was zeventien toen ik werd geboren. Mijn vader was een psychopaat, een moordenaar en een vrouwenmishandelaar genaamd Alexander Zalachenko. Hij werkte destijds als spion voor de Russische militaire geheime dienst GRU *in West-Europa.*

Het schrijven ging langzaam omdat ze de letters een voor een moest aanklikken. Ze formuleerde elke zin in haar hoofd voordat ze hem opschreef. Ze bracht geen enkele wijziging aan in de tekst die ze had geschreven. Ze werkte tot vier uur 's morgens, toen ze haar handcomputer uitzette en hem aan de lader legde in de holte aan de achterkant van haar nachtkastje. Toen had ze een tekst van twee A4'tjes met enkele regelafstand geproduceerd.

Erika Berger werd om zeven uur 's morgens wakker. Ze voelde zich verre van uitgerust, maar had acht uur achtereen geslapen. Ze wierp een blik op Mikael Blomkvist, die nog diep in slaap was.

Ze zette allereerst haar mobiele telefoon aan om te kijken of er iemand had gebeld. Het display gaf aan dat haar man Greger Backman haar elf keer had gebeld. *Shit. Ik ben vergeten hem te bellen.* Ze toetste het nummer in en legde uit waar ze zich bevond en waarom ze die nacht niet thuis was gekomen. Hij was woest.

'Erika, wil je dat nooit meer doen? Je weet dat het niets met Mikael te maken heeft, maar ik was wanhopig. Ik was doodsbang dat er iets was gebeurd. Je moet bellen als je niet thuiskomt. Zoiets mag je niet vergeten.'

Greger Backman had er geen enkel probleem mee dat Mikael Blomkvist de minnaar van zijn vrouw was. Hun affaire vond plaats met zijn toestemming en zijn goedkeuring. Maar als ze voorheen had besloten bij Mikael te blijven slapen, had ze altijd eerst haar man gebeld om dat te laten weten. Deze keer was ze naar het Hilton gegaan zonder aan iets anders te denken dan aan slapen.

'Sorry,' zei ze. 'Ik ben gisteravond gewoon ingestort.'

Hij zat nog even te mokken.

'Niet boos zijn, Greger. Dat kan ik nu even niet hebben. Vanavond mag je me uitschelden.'

Hij draaide al wat bij en beloofde haar uit te schelden als hij haar te pakken kreeg.

'Oké. Hoe is het met Blomkvist?'

'Hij slaapt.' Ze begon opeens te lachen. 'Geloof het of niet, maar we sliepen binnen vijf minuten nadat we in bed lagen. Dat is nog nooit eerder gebeurd.'

'Erika, dat is ernstig. Misschien moet je eens naar de dokter.'

Toen ze het gesprek met haar man had afgerond, belde ze naar de centrale bij de SMP en liet een bericht voor redactiesecretaris Peter Fredriksson achter. Ze legde uit dat er iets tussen was gekomen en dat ze wat later zou zijn. Ze verzocht hem een vroeg geplande vergadering met de medewerkers van de cultuurpagina te verzetten.

Daarna zocht ze haar schoudertas, viste een tandenborstel op en ging naar de badkamer. Toen ging ze terug naar bed en maakte Mikael wakker.

'Hoi,' mompelde hij.

'Hoi,' zei ze. 'Ga gauw naar de badkamer, was je en poets je tanden.'

'Hè, wat?'

Hij ging rechtop zitten en keek zo verbaasd om zich heen dat ze hem eraan moest helpen herinneren dat hij zich in het Hilton bij Slussen bevond. Hij knikte.

'Dus hup, naar de badkamer.'

'Waarom?'

'Als je terug bent, wil ik met je vrijen.'

Ze keek op haar horloge.

'En haast je. Ik heb om elf uur een vergadering en het kost me minstens een halfuur om me op te maken. En ik moet nog een schoon topje kopen op weg naar mijn werk. Dus we hebben maar iets meer dan twee uur om een hoop verloren tijd in te halen.'

Jerker Holmberg parkeerde de Ford van zijn vader op het erf van oud-premier Thorbjörn Fälldin in Ås, even buiten Ramvik in de gemeente Härnösand. Hij stapte uit en keek om zich heen. Het was donderdagochtend. Het miezerde en de velden waren bijzonder groen. Op zijn negenenzeventigste was Fälldin niet meer actief als boer en Holmberg vroeg zich af wie er zaaide en oogstte. Hij wist dat hij door het keukenraam werd gadegeslagen. Dat hoorde bij de regels van het platteland. Hij was zelf opgegroeid in Hälledal bij Ramvik, op een steenworp afstand van de Sandöbrug, een van de mooiste plekken op aarde. Volgens Jerker Holmberg.

Hij liep de trap op en klopte aan.

De voormalige partijleider van de Centrumpartij zag er oud uit, maar leek nog steeds vitaal en krachtig.

'Goedemorgen. Mijn naam is Jerker Holmberg. Wij hebben elkaar eerder ontmoet, maar dat is al een paar jaar geleden. Mijn vader is Gustav Holmberg, die in de jaren zeventig en tachtig wethouder voor de Centrumpartij was.'

'Hallo. Ja, ik herken je nog wel, Jerker. Jij zit toch bij de politie in Stockholm als ik me niet vergis? Volgens mij is het al wel tien, vijftien jaar geleden.'

'Misschien nog wel langer. Mag ik binnenkomen?'

Hij ging aan de keukentafel zitten terwijl Thorbjörn Fälldin koffie inschonk.

'Ik hoop dat het goed gaat met je vader. Daarvoor kom je toch niet, hè?'

'Nee. Met mijn vader gaat het prima. Hij zit momenteel op het dak van zijn huis te timmeren.'

'Hoe oud is hij nu?'

'Hij is twee maanden geleden eenenzeventig geworden.'

'Aha,' zei Fälldin en hij ging zitten. 'Wat brengt jou dan hier?'

Jerker Holmberg keek door het keukenraam naar buiten en zag een ekster die naast de auto was gaan zitten en de grond inspecteerde. Daarna wendde hij zich tot Fälldin.

'Ik kom onuitgenodigd en met een groot probleem. Het kan zijn dat ik ontslagen word als dit gesprek ten einde is. Ik ben hier dus beroepshalve, maar mijn chef, inspecteur Jan Bublanski van Geweld in Stockholm, weet niet van dit bezoek af.'

'Dat klinkt ernstig.'

'Ik bevind me dus op zeer glad ijs als mijn superieuren van dit bezoek zouden vernemen.'

'Ik begrijp het.'

'Maar ik ben bang dat als ik niets doe, er kans bestaat op een vreselijke rechtsovertreding, voor de tweede keer op rij.'

'Verklaar je nader.'

'Het betreft een man genaamd Alexander Zalachenko. Hij was spion van de Russische GRU en liep op de dag van de verkiezingen in 1976 over naar Zweden. Hij kreeg asiel en ging voor de veiligheidsdienst werken. Ik heb reden om aan te nemen dat u op de hoogte bent van dat verhaal.'

Thorbjörn Fälldin keek Jerker Holmberg aandachtig aan.

'Het is een lang verhaal,' zei Holmberg en hij begon te vertellen over het vooronderzoek waarbij hij de laatste maanden betrokken was.

Erika Berger draaide zich op haar buik en rustte met haar hoofd op haar knokkels. Ze glimlachte opeens.

'Mikael, heb jij je nooit afgevraagd of wij eigenlijk niet volkomen gestoord zijn?'

'Hoezo?'

'Ik dan in elk geval. Ik heb een onverzadigbaar verlangen naar jou. Ik voel me net een bakvis.'

'Jaaa.'

'En later wil ik dan naar huis, met mijn man vrijen.'

Mikael lachte.

'Ik weet een goede therapeut,' zei hij.

Ze prikte hem met een vinger in zijn middel.

'Mikael, ik heb het gevoel dat dat met de *SMP* gewoon één grote vergissing is.'

'Klets niet. Het is een geweldige kans voor jou. Als er íémand is die dat kadaver tot leven kan brengen, ben jij het.'

'Ja, misschien wel. Maar dat is juist het probleem. De *SMP* voelt aan als een kadaver. En dan kom jij met dat verhaal over Magnus Borgsjö. Ik begrijp niet wat ik daar te zoeken heb.'

'De boel moet nog een beetje beklijven.'

'Ja, maar dat met Borgsjö is niet leuk. Ik heb geen idee wat ik daarmee aan moet.'

'Ik ook niet. Maar we verzinnen wel iets.'

Ze zweeg geruime tijd.

'Ik mis je.'

Hij knikte en keek haar aan.

'Ik mis jou ook,' zei hij.

'Hoeveel is ervoor nodig om jou over te halen nieuwschef te worden bij de SMP?'

'Nooit van mijn leven. Is niet ... hoe heet ie ook alweer ... Holm nieuwschef?'

'Ja, maar hij is een idioot.'

'Daar heb je gelijk in.'

'Ken je hem?'

'Jazeker. Ik heb halverwege de jaren tachtig drie maanden onder hem gewerkt. Hij is een klootzak die mensen tegen elkaar uitspeelt. Bovendien ...'

'Bovendien wat?'

'Ach nee, niets. Ik wil niet roddelen.'

'Vertel op.'

'Een meisje dat daar ook inviel, Ulla nog wat, beweerde dat hij haar lastigviel. Ongewenste intimiteiten. Ik weet niet wat ervan waar was en wat niet, maar de lokale vakorganisatie deed niets en haar contract werd niet verlengd.'

Erika Berger keek op haar horloge en zuchtte, gooide haar benen over de rand van het bed en verdween richting douche. Mikael lag nog in dezelfde houding toen ze er weer onderuit kwam, zich afdroogde en haar kleren aantrok.

'Ik blijf nog even liggen,' zei hij.

Ze kuste hem op zijn wang, zwaaide en vertrok.

Monica Figuerola parkeerde 20 meter van de auto van Göran Mårtensson op de Luntmakargatan, vlak bij de Olof Palmes gata. Ze zag Mårtensson iets meer dan 60 meter naar de parkeermeter lopen en betalen. Hij liep naar de Sveavägen.

Monica Figuerola liet de parkeermeter voor wat hij was. Ze zou Mårtensson uit het oog verliezen als ze nu ging betalen. Ze volgde Mårtensson naar de Kungsgatan, waar hij links afsloeg. Hij ging bij Kungstornet naar binnen. Ze mopperde, maar had geen keus en wachtte drie minuten voor ze achter hem aan liep de broodjeszaak in. Hij zat op de benedenverdieping met een man van rond de vijfendertig te praten. De man was blond en had een goed getraind lijf. *Een smeris*, dacht Monica Figuerola.

Ze identificeerde hem als de man die door Christer Malm op 1 mei voor de Copacabana was gefotografeerd.

Ze bestelde koffie, ging aan de andere kant van de zaak zitten en sloeg *Dagens Nyheter* open. Mårtensson en zijn gezelschap spraken op zachte toon met elkaar. Ze kon geen woord horen van wat er werd gezegd. Ze pakte haar mobiele telefoon en deed of ze een gesprek voerde – wat onnodig was omdat geen van beide mannen naar haar keek. Ze nam een foto met haar mobiele telefoon. Ze wist dat hij een veel te lage resolutie zou hebben om hem te kunnen publiceren. Maar hij kon wel dienen als bewijs voor het feit dat de ontmoeting had plaatsgevonden.

Na ruim een kwartier stond de blonde man op en verliet het etablissement. Monica Figuerola vloekte binnensmonds. Waarom was ze niet buiten blijven staan? Ze zou hem hebben herkend als hij de zaak had verlaten. Ze wilde opstaan en de jacht onmiddellijk openen. Maar Mårtensson bleef rustig zitten om zijn koffie op te drinken. Ze wilde niet de aandacht op zich vestigen door op te staan en achter zijn ongeïdentificeerde gezelschap aan te gaan.

Na ongeveer veertig seconden stond Mårtensson op en ging naar het toilet. Zo gauw hij de deur had dichtgedaan, kwam Monica Figuerola op de been en liep ze de Kungsgatan op. Ze keek alle kanten op, maar de blonde man was verdwenen.

Ze waagde een gok en rende naar de kruising met de Sveavägen. Ze zag hem nergens en spurtte naar beneden het metrostation in. Ook niets. Het was hopeloos.

Ze liep weer terug naar Kungstornet. Mårtensson was ook verdwenen.

Erika Berger begon hevig te vloeken toen ze op de plek kwam waar ze haar BMW de avond ervoor had achtergelaten, twee blokken van Samirs Stoofpot.

De auto stond er nog. Maar iemand had 's nachts alle vier de banden lek gestoken. *Gore klootzakken*, vloekte ze bij zichzelf terwijl ze kookte van woede.

Er waren weinig alternatieven. Ze belde een takelwagen en legde uit waar ze stond. Ze had geen tijd om te blijven wachten en stopte haar autosleutel in de uitlaat, zodat de bergers de auto in konden. Daarna liep ze naar het Mariatorget en wenkte een taxi.

Lisbeth Salander ging naar de internetpagina van de Hacker Republic en constateerde dat Plague was ingelogd. Ze pingde hem.

<Hoi Wasp. Hoe is het Sahlgrenska?>

<Rustgevend. Ik heb je hulp nodig>

<Shoot. Ik dacht dat je het nooit zou vragen. Dan moet het wel ernstig zijn>

<Göran Mårtensson, woont in Vällingby. Ik moet toegang hebben tot zijn computer>
<Oké>
<Al het materiaal moet naar Mikael Blomkvist bij *Millennium*>
<Oké. Doe ik>
<Big Brother houdt de telefoon en vermoedelijk de e-mail van Kalle Blomkvist in de gaten. Je moet al het materiaal naar een hotmailadres sturen>
<Oké>
<Als ik niet beschikbaar ben, heeft Blomkvist jouw hulp nodig. Hij moet contact met je kunnen opnemen>
<Hm>
<Hij is een beetje een lomperik, maar je kunt hem vertrouwen>
<Hm>
<Hoeveel wil je hebben?>

Plague liet een paar seconden niets van zich horen.

<Heeft dit te maken met jouw situatie?>
<Ja>
<Kan het je helpen?>
<Ja>
<Dan kost het niets>
<Bedankt, maar ik betaal altijd mijn schulden. Ik heb tot de rechtszaak je hulp nodig. Ik betaal je 30.000 kronen>
<Heb je geld?>
<Ik heb geld>
<Oké>
<Volgens mij hebben we Trinity nodig. Denk je dat je hem naar Zweden kunt lokken?>
<Voor wat?>
<Waar hij het best in is. Ik betaal hem de standaardvergoeding + onkosten>
<Oké. Wie?>

Ze legde uit wat ze gedaan wilde hebben.

Dokter Anders Jonasson keek bezorgd toen hij vrijdagochtend een duidelijk geïrriteerde inspecteur Hans Faste aan de andere kant van zijn bureau beleefd aankeek.

'Het spijt me,' zei Anders Jonasson.

'Ik begrijp hier niks van. Ik dacht dat Salander hersteld was. Ik kom helemaal naar Göteborg om haar te kunnen verhoren en voorbereidingen te treffen voor haar overplaatsing naar een cel in Stockholm, waar ze thuishoort.'

'Het spijt me,' zei Anders Jonasson nogmaals. 'Ik wil erg graag van haar af, want we hebben bepaald geen overschot aan bedden. Maar ...'

'Het kan niet zo zijn dat ze simuleert?'

Anders Jonasson lachte.

'Dat lijkt me onwaarschijnlijk. U moet het volgende begrijpen. Lisbeth Salander is in haar hoofd geschoten. Ik heb een kogel uit haar hersenen verwijderd en het was op dat moment een grote gok of ze het zou overleven of niet. Ze heeft het overleefd en haar prognose was buitengewoon bevredigend, zo goed zelfs dat mijn collega's en ik ons erop voorbereidden haar uit te schrijven. Maar gisteren heeft er een duidelijke verslechtering plaatsgevonden. Ze klaagde over zware hoofdpijn en kreeg plotseling koorts, die op en neer ging. Gisteravond had ze 38 graden en heeft ze twee keer moeten overgeven. De koorts is vannacht gedaald en ze was bijna koortsvrij, dus ik dacht dat het iets tijdelijks was. Maar toen ik haar vanochtend onderzocht, had ze bijna 39 graden en dat is ernstig. De koorts is vandaag wat afgenomen.'

'Dus wat is er mis?'

'Dat weet ik niet, maar dat haar temperatuur schommelt, geeft aan dat het geen griep is of iets dergelijks. Waar het precies aan ligt, kan ik helaas niet zeggen, maar het kan zoiets simpels zijn als een allergie voor een bepaald medicijn of voor iets anders waarmee ze in aanraking is gekomen.'

Hij riep een foto op de computer op en liet Hans Faste op het scherm meekijken.

'Ik heb om een röntgenfoto van de schedel gevraagd. Zoals u kunt zien, is er een donkerder gedeelte hier in directe aansluiting op de schotwond. Ik kom er maar niet achter wat dat is. Het kan littekenvorming zijn in verband met de genezing, maar er kan ook een kleine bloeding zijn ontstaan. Maar zolang ik niet weet wat er mis is, laat ik haar niet gaan, hoe dringend het ook is.'

Hans Faste knikte gelaten. Hij wist dat het geen zin had met artsen in discussie te gaan omdat zij macht hadden over leven en dood, en zo ongeveer de plaatsvervangers van God op aarde waren. De politie mogelijk uitgezonderd. Hoe het ook zij, hij bezat niet de kennis of de deskundigheid om te bepalen hoe erg Lisbeth Salander eraan toe was.

'En nu?'

'Ik heb haar volledige rust voorgeschreven en onderbreking van de therapie – ze heeft fysiotherapie vanwege de schotwonden in haar schouder en heup.'

'Oké ... ik moet contact opnemen met officier van justitie Ekström in Stockholm. Dit is een verrassing. Wat kan ik tegen hem zeggen?'

'Twee dagen geleden was ik bereid toestemming te geven voor overplaatsing, wellicht eind deze week. Zoals de situatie nu is, zal dat nog even duren. U moet hem er maar op voorbereiden dat ik komende week geen beslissing zal nemen en dat het misschien nog wel twee weken kan duren voordat jullie haar mee kunnen nemen naar de gevangenis in Stockholm. Dat hangt er helemaal van af hoe ze zich ontwikkelt.'

'Het proces begint in juli ...'

'Als er niets onvoorziens gebeurt, is ze ruim voor die tijd weer op de been.'

Inspecteur Jan Bublanski keek argwanend naar de gespierde vrouw aan de andere kant van het cafétafeltje. Ze zaten op het terras van het Norr Mälarstrand koffie te drinken. Het was vrijdag 20 mei en er hing zomerwarmte in de lucht. Ze had zich gelegitimeerd als Monica Figuerola van de veiligheidsdienst en hem om vijf uur opgevangen, net toen hij op weg was naar huis. Ze had een gesprek onder vier ogen voorgesteld bij een kop koffie.

Bublanski was eerst onwillig en bot geweest. Na een tijdje had ze hem in de ogen gekeken en gezegd dat ze geen officiële opdracht had om hem te verhoren en dat hij natuurlijk niets tegen haar hoefde te zeggen als hij dat niet wilde. Hij had gevraagd wat ze wilde en ze had openhartig verklaard dat ze van haar chef de opdracht had gekregen om zich onofficieel een beeld te vormen van wat er waar was en wat niet in de zogenaamde Zalachenko-geschiedenis die regelmatig in de Salander-geschiedenis opdook. Ze had ook gezegd dat het helemaal niet zeker was dat ze het recht had hem vragen te stellen en dat hij zelf moest beslissen wat hij zou doen.

'Wat wil je weten?' had Bublanski uiteindelijk gevraagd.

'Vertel wat je weet over Lisbeth Salander, Mikael Blomkvist, Gunnar Björck en Alexander Zalachenko. Hoe passen die puzzelstukken in elkaar?'

Ze hadden meer dan twee uur zitten praten.

Torsten Edklinth dacht lang en goed na over hoe hij verder zou gaan. Na vijf dagen speuren had Monica Figuerola hem een reeks duidelijke indicaties gegeven dat er iets gigantisch mis was bij de veiligheidsdienst. Hij begreep dat hij zorgvuldig moest handelen voordat hij genoeg bewijsmateriaal had. Zoals de situatie nu was, bevond hij zich in een zekere constitutionele nood, omdat hij niet de bevoegdheid had om in het geheim onderzoeken op te starten, zéker niet ten aanzien van zijn eigen medewerkers.

Dientengevolge moest hij een formule zien te vinden die zijn maatregelen legitimeerde. In crisissituaties kon hij altijd verwijzen naar zijn politielegitimatie en dat het altijd de plicht van een politiefunctionaris was om misdaad te onderzoeken – maar nu was het delict van dusdanige, extreem gevoelige, constitutionele aard dat hij vermoedelijk ontslag zou krijgen als hij een misstap beging. Hij bracht de vrijdag in afzondering op zijn kamer door met gepieker.

De conclusie die hij had getrokken, was dat Dragan Armanskij gelijk had, hoe onwaarschijnlijk dat ook klonk. Er bestond een samenzwering binnen de veiligheidsdienst, waarbij een aantal personen naast of buiten de gewone werkzaamheden om handelde. Omdat deze activiteiten al jarenlang gaande waren – al zeker sinds 1976, toen Zalachenko in Zweden was gearriveerd – moesten de activiteiten van bovenaf zijn georganiseerd en gesanctioneerd. Hoe hoog in de hiërarchie de samenzwering ging, daar had hij geen idee van.

Hij noteerde drie namen op een schrijfblok op zijn bureau.

Göran Mårtensson, persoonsbeveiliging, inspecteur, recherche
Gunnar Björck, plv. hoofd afdeling Buitenland, overleden (zelfmoord?)
Albert Shenke, chef de bureau, veiligheidsdienst

Monica Figuerola had de conclusie getrokken dat ten minste de chef de bureau de touwtjes in handen moest hebben gehad toen Mårtensson van persoonsbeveiliging naar contraspionage werd overgeplaatst zonder dat dat eigenlijk het geval was. Mårtensson hield zich immers bezig met de bewaking van journalist Mikael Blomkvist, wat niets met de activiteiten van contraspionage van doen had.

Aan het overzicht moesten tevens twee namen van buiten de veiligheidsdienst worden toegevoegd.

Peter Teleborian, psychiater
Lars Faulsson, slotenmaker

Teleborian was eind jaren tachtig en begin jaren negentig door de veiligheidsdienst geraadpleegd als psychiatrisch adviseur. Dat was om precies te zijn drie keer gebeurd en Edklinth had de rapporten uit het archief uitgeplozen. De eerste keer was bijzonder geweest: contraspionage had binnen de Zweedse tele-industrie een Russische informant geïdentificeerd en de achtergrond van de spion bracht vermoedens met zich mee dat de man in het geval van ontmaskering eventueel zelfmoord zou plegen. Teleborian had een opzienbarend goede analyse gemaakt, die inhield dat de informant kon worden overgehaald dubbelagent te worden. De andere twee gevallen waarin Teleborian in de arm was genomen, hadden betrekking gehad op aanzienlijk kleinere onderzoeken. Het ene van een medewerker binnen de veiligheidsdienst die alcoholproblemen had en het andere van een diplomaat uit een Afrikaans land die opmerkelijk seksueel gedrag vertoonde.

Maar noch Teleborian noch Faulsson – vooral Faulsson niet – had een aanstelling binnen de veiligheidsdienst. Toch waren ze door hun opdrachten verbonden aan ... ja, aan wát?

De samenzwering was nauw gekoppeld aan de overleden Alexander Zalachenko, een overgelopen Russische GRU-informant, die volgens de overlevering op de verkiezingsdag van 1976 naar Zweden was gekomen. En van wie niemand ooit had gehoord. *Hoe was het mogelijk?*

Edklinth probeerde zich voor te stellen wat er redelijkerwijs kon zijn gebeurd als hij zelf in 1976 een leidinggevende functie bij de veiligheidsdienst had gehad toen Zalachenko was overgelopen. Hoe zou hij hebben gehandeld? Absolute geheimhouding. Dat zou noodzakelijk zijn geweest. De zaak mocht alleen bij een klein, exclusief kringetje bekend zijn als men niet het risico wilde lopen dat de informatie zou uitlekken naar de Russen en ... Hoe klein was dat kringetje?

Een operatieve afdeling?

Een onbekende operatieve afdeling?

Als alles koosjer was geweest, zou Zalachenko onder contraspionage zijn terechtgekomen. Hij had bij voorkeur onder de militaire inlichtingendienst moeten vallen, maar die had de middelen en de kennis voor dat soort operationele werkzaamheden niet. De veiligheidsdienst dus.

Maar contraspionage had hem nooit gehad. Björck was de sleutel; hij was blijkbaar een van de mensen geweest die met Zalachenko te maken had gehad. Maar Björck had nooit wat met contraspionage van doen gehad. Björck was een mysterie. Formeel had hij sinds de jaren zeventig een aanstelling gehad bij de afdeling Buitenland, maar in werkelijkheid was hij op die afdeling vóór de jaren negentig nauwelijks zichtbaar geweest, toen hij opeens plaatsvervangend hoofd was geworden.

Toch was Björck Blomkvists voornaamste informatiebron. Hoe had Blomkvist het voor elkaar gekregen dat Björck dergelijk dynamiet had vrijgegeven? Aan een journalist!

De hoeren. Björck bezocht tienerhoertjes en *Millennium* was van plan geweest hem aan de schandpaal te nagelen. Blomkvist moest Björck hebben gechanteerd.

Toen was Lisbeth Salander in beeld gekomen.

De overleden advocaat Nils Bjurman had gelijktijdig met Björck op de afdeling Buitenland gewerkt. Zij waren degenen die Zalachenko hadden opgevangen. Maar wat hadden ze met hem gedaan?

Iemand moest de beslissingen hebben genomen. Met een overloper van zo'n kaliber moest de order van de allerhoogste regionen zijn gekomen.

Van de regering. Het moest verankerd zijn geweest. Iets anders was ondenkbaar.

Toch?

Edklinth voelde koude rillingen van ongenoegen over zijn rug lopen. Dit alles was formeel begrijpelijk. Een overloper van een dergelijk formaat moest met de grootst mogelijke geheimhouding worden behandeld. Dat was wat hijzelf zou hebben besloten. Dat was wat de regering-Fälldin besloten moest hebben. Dat was volstrekt logisch.

Maar wat er in 1991 was gebeurd, was niet logisch. Björck had Peter Teleborian in de arm genomen om Lisbeth Salander op te sluiten in een psychiatrische kinderkliniek, onder voorwendsel dat ze geestelijk niet in orde was. Dat was een misdrijf. Dat was zo'n groot misdrijf dat het Edklinth opnieuw koude rillingen bezorgde.

Iemand moest die beslissingen hebben genomen. In dat geval kon het gewoon niet de regering zijn geweest ... Ingvar Carlsson was in die tijd premier, opgevolgd door Carl Bildt. Maar er was geen enkele politicus die ook maar in de buurt van zo'n beslissing zou willen komen. Een beslissing die dwars tegen elke wet en rechtvaardigheid inging, en die zou resulteren in een catastrofaal schandaal als het ooit bekend zou worden.

Als de regering erbij betrokken was geweest, was Zweden geen haar beter dan welke dictatuur ter wereld dan ook.

Dat kón niet waar zijn.

En dan die gebeurtenissen in het Sahlgrenska op 12 april. Zalachenko vermoord door een geesteszieke betweter, terwijl op hetzelfde moment bij Mikael Blomkvist werd ingebroken en Annika Giannini werd overvallen. In beide gevallen was het opmerkelijke rapport van Gunnar Björck uit 1991 gestolen. Dat was informatie die hij van Dragan Armanskij had gekregen, *off the record*. Er was geen aangifte gedaan.

En dan pleegt Gunnar Björck ook nog zelfmoord. De persoon met wie Edklinth meer dan met wie ook een ernstig gesprek had willen voeren.

Torsten Edklinth geloofde niet in toeval van een dergelijk gigaformaat. Inspecteur Jan Bublanski geloofde daar niet in. Mikael Blomkvist geloofde daar niet in. Edklinth pakte opnieuw zijn pen.

Evert Gullberg, 78, fiscalist???

Wie was verdomme die Evert Gullberg?

Hij overwoog even het hoofd van de veiligheidsdienst te bellen, maar deed dat niet om de doodeenvoudige reden dat hij niet wist hoe hoog in de hiërarchie de samenzwering zich uitstrekte. Hij wist kortom niet wie hij wél en wie hij niet kon vertrouwen.

Na de mogelijkheid om zich tot iemand van de veiligheidsdienst te wenden te hebben afgedaan, dacht hij er even over om zich tot de politie te wenden. Jan Bublanski was opsporingsleider van het onderzoek naar Ronald Niedermann en zou vanzelfsprekend geïnteresseerd moeten zijn in alle randinformatie. Maar zuiver politiek was dat een onmogelijkheid.

Hij voelde een zware last op zijn schouders drukken.

Uiteindelijk restte er nog maar één alternatief dat constitutioneel juist was en dat mogelijk bescherming zou kunnen bieden als hij in de toekomst in politieke ongenade zou vallen. Hij moest zich tot *de chef* wenden en politieke verankering regelen voor hetgeen waar hij mee bezig was.

Hij keek op zijn horloge. Even voor vieren op vrijdagmiddag. Hij pakte de telefoon en belde de minister van Justitie, die hij al jaren kende en regelmatig ontmoette bij diverse voordrachten op het departement. Hij had hem zowaar binnen vijf minuten aan de lijn.

'Hallo, Torsten,' groette de minister van Justitie. 'Dat is lang geleden. Wat kan ik voor je doen?'

'Eerlijk gezegd bel ik om te onderzoeken hoe groot mijn krediet bij jou is.'

'Krediet? Dat is een aparte vraag. Wat mij betreft heb je veel krediet. Maar vanwaar die vraag?'

'Die wordt veroorzaakt door een dramatisch en buitengewoon verzoek ... Ik zou een gesprek met jou en met de premier willen hebben, en er is haast bij.'

'Nou, nou.'

'Als je het niet erg vindt, zou ik graag willen wachten met een verklaring tot we onder elkaar zijn. Ik heb een klus op mijn bord gekregen die zó opmerkelijk is, dat ik van mening ben dat ik de premier en jou daarover moet inlichten.'

'Dat klinkt ernstig.'

'Dat is het ook.'

'Heeft het iets met terroristen en vijandbeelden te maken?'

'Nee. Het is ernstiger dan dat. Ik zet mijn hele aanzien en carrière op het spel door jou te bellen met dit verzoek. Ik zou dit gesprek niet voeren als ik niet van mening was dat de situatie zó ernstig was dat dat noodzakelijk was.'

'Ik begrijp het. Vandaar jouw vraag of je krediet hebt of niet ... Hoe snel moet je de premier spreken?'

'Vanavond al, als dat zou kunnen.'

'Nu maak je me ongerust.'

'Daar is helaas ook reden voor.'

'Hoe lang zal die ontmoeting duren?'

Edklinth dacht na.

'Het samenvatten van alle details zal ongeveer een uur in beslag nemen.'

'Ik bel je zo terug.'

De minister van Justitie belde binnen een kwartier terug en verklaarde dat de premier Torsten Edklinth diezelfde avond om 21.30 uur bij hem thuis kon ontvangen. Het zweet stond Edklinth in de handen toen hij ophing. *Oké, morgen kan mijn carrière ten einde zijn.*

Hij nam de hoorn weer van de haak en belde Monica Figuerola.

'Hoi Monica. Je moet vanavond om negen uur opdraven. Je moet er netjes uitzien.'

'Ik zie er altijd netjes uit.'

De premier keek het hoofd van de afdeling Grondwetsbescherming aan met een blik die nog het meest kon worden omschreven als wantrouwend. Edklinth kreeg het gevoel dat achter de bril van de premier een tandrad op hoge frequentie ronddraaide.

De premier verplaatste zijn blik naar Monica Figuerola, die tijdens het uur dat de uiteenzetting had geduurd niets had gezegd. Hij zag een ongebruikelijk lange en gespierde vrouw, die hem met een beleefde, verwachtingsvolle blik aankeek. Daarna wendde hij zich tot de minister van Justitie, die tijdens de presentatie enigszins bleek was geworden.

Uiteindelijk haalde de premier diep adem, zette zijn bril af en staarde geruime tijd in de verte.

'Ik geloof dat we wat meer koffie nodig hebben,' zei hij ten slotte.

'Ja, graag,' zei Monica Figuerola.

Edklinth knikte en de premier schonk in uit een thermoskan.

'Laat me het samenvatten, zodat ik er absoluut zeker van ben dat ik u goed heb begrepen,' zei de premier. 'U vermoedt dat er een samenzwering binnen de veiligheidsdienst bestaat die buiten de constitutionele opdracht om handelt en dat deze samenzwering zich in de afgelopen jaren heeft beziggehouden met iets wat kan worden omschreven als criminele activiteiten.'

Edklinth knikte.

'En u komt naar mij toe omdat u geen vertrouwen hebt in de leiding van de veiligheidsdienst?'

'Tja,' antwoordde Edklinth. 'Ik besloot me direct tot u te wenden, omdat dit soort activiteiten in strijd is met de grondwet. Maar ik ken het doel van de samenzwering niet en het kan ook zijn dat ik iets verkeerd interpreteer. Misschien zijn de activiteiten wel gewoon legitiem en door de regering goedgekeurd. Dan loop ik de kans op foutieve of verkeerd begrepen informatie te reageren en daarmee een lopende, geheime operatie te ondermijnen.'

De premier keek naar de minister van Justitie. Ze begrepen beiden dat Edklinth zich probeerde in te dekken.

'Ik heb hier nooit iets over gehoord. Weet jij hier iets van?'

'Absoluut niet,' antwoordde de minister. 'Er staat niets in enig rapport van de veiligheidsdienst dat ik onder ogen heb gehad wat hierop betrekking heeft.'

'Mikael Blomkvist denkt dat het een interne fractie binnen de veiligheidsdienst is. Hij noemt het "de *Zalachenko-club*".'

'Ik heb zelfs nooit gehoord dat Zweden een Russische overloper van een dergelijk kaliber zou hebben opgevangen en geholpen ... Dit vond dus plaats ten tijde van de regering-Fälldin ...'

'Ik kan me nauwelijks voorstellen dat Fälldin zoiets zou hebben verzwegen,' zei de minister van Justitie. 'Zo'n overloper zou je maar wát graag aan een komende regering overdragen.'

Edklinth kuchte.

'De coalitieregering heeft het stokje overgedragen aan Olof Palme. Het is geen geheim dat enkelen van mijn voorgangers bij de veiligheidsdienst een wat eigenaardige opvatting over Palme hadden ...'

'Je bedoelt dat iemand vergeten is om de sociaaldemocratische regering te informeren?'

Edklinth knikte.

'Ik wil jullie eraan herinneren dat Fälldin twee ambtstermijnen heeft gezeten. Beide keren is de regering gevallen. De eerste keer heeft hij de zaak overgedragen aan Ola Ullsten, die in 1979 een minderheidsregering had. Vervolgens is de regering nogmaals gevallen, toen de conservatieven eruit stapten en Fälldin samen met de Volkspartij regeerde. Ik zou me kunnen voorstellen dat het er in het regeringskantoor tijdens die overdrachten wat chaotisch aan toe ging. Het is zelfs mogelijk dat een zaak als Zalachenko gewoon binnen zo'n klein kringetje werd gehouden dat premier Fälldin geen goed inzicht had en dat hij daardoor nooit iets had om aan Palme over te dragen.'

'Wie is in dat geval verantwoordelijk?' vroeg de premier.

Iedereen behalve Monica Figuerola schudde het hoofd.

'Ik neem aan dat dit onvermijdelijk naar de media zal uitlekken,' zei de premier.

'Mikael Blomkvist en *Millennium* zullen gaan publiceren. *We* bevinden ons met andere woorden in een dwangpositie.'

Edklinth was zorgvuldig met het toevoegen van het woordje 'we'. De premier knikte. Hij zag de ernst van de situatie in.

'Dan wil ik u allereerst bedanken dat u zo snel met deze informatie naar mij toe bent gekomen. Ik ontvang eigenlijk nooit van dit soort ad-hocbezoek, maar de minister zei dat u een verstandig iemand bent en dat er iets bijzonders moest zijn gebeurd als u mij buiten alle normale kanalen om wilde spreken.'

Edklinth ademde voorzichtig uit. Wat er ook zou gebeuren, de woede van de premier zou hem niet treffen.

'Nu moeten we alleen beslissen hoe we hiermee verder zullen gaan. Hebt u een voorstel?'

'Misschien,' zei Edklinth aarzelend.

Hij zweeg zo lang dat Monica Figuerola kuchte.

'Zou ik iets mogen zeggen?'

'Ga uw gang,' zei de premier.

'Als het zo is dat de regering niets van deze operatie af weet, is deze onwettig. Degene die in een dergelijk geval verantwoordelijk is, is de delinquent, dat wil zeggen de ambtenaar of ambtenaren die buiten hun boekje zijn gegaan. Als we alle beweringen van Mikael Blomkvist kunnen staven, betekent dit dat een groep medewerkers binnen de veiligheidsdienst zich schuldig heeft gemaakt aan criminele activiteiten. Het probleem valt daarna in twee stukken uiteen.'

'Hoe bedoelt u?'

'Ten eerste moet de vraag worden beantwoord hoe dit heeft kunnen gebeuren. Wie is verantwoordelijk? Hoe heeft een dergelijke samenzwering binnen het kader van een gevestigde politieorganisatie kunnen ontstaan? Ik wil er graag aan herinneren dat ik zelf bij de veiligheidsdienst werk, en daar ben ik trots op. Hoe heeft dit zo lang door kunnen gaan? Hoe heeft men deze activiteiten verborgen kunnen houden en kunnen financieren?'

De premier knikte.

'Over dat stuk zullen boeken worden geschreven,' vervolgde Monica Figuerola. 'Maar één ding is duidelijk – er moet een geldstroom zijn en het moet jaarlijks om miljoenen gaan. Ik heb naar het budget van de veiligheidsdienst gekeken en niets gevonden wat als de Zalachenko-club zou kunnen worden gerubriceerd. Maar zoals u weet, zijn er enkele geheime fondsen waar de chef de bureau en de budgetverantwoordelijke inzage in hebben, maar waar ik niet bij kom.'

De premier knikte somber. Waarom moest het administreren van de veiligheidsdienst altijd zo'n crime zijn?

'Het tweede gedeelte gaat over wie erbij betrokken zijn. Of liever gezegd: welke mensen er moeten worden opgepakt.'

De premier tuitte zijn lippen.

'In mijn optiek zijn al deze vragen afhankelijk van de persoonlijke beslissing die u de komende minuten neemt.'

Torsten Edklinth hield zijn adem in. Als hij Monica Figuerola een schop tegen haar schenen had kunnen geven, had hij dat gedaan. Ze had plotseling alle retoriek doorbroken en beweerd dat de premier persoonlijk verantwoordelijk was. Hij was zelf van plan geweest om tot dezelfde conclusie te komen, maar pas na langdurige, diplomatieke omzwervingen.

'Welk besluit vindt u dat ik moet nemen?' vroeg de premier.

'Wij hebben van onze kant gemeenschappelijke interessen. Ik werk al drie jaar op de afdeling Grondwetsbescherming en ik vind dit een taak van cruciaal belang voor de Zweedse democratie. De veiligheidsdienst heeft zich in constitutioneel verband de laatste jaren correct gedragen. Ik wil uiteraard niet dat het schandaal de hele veiligheidsdienst treft. Voor ons is het belangrijk om te benadrukken dat het om criminele activiteiten gaat die door afzonderlijke individuen worden verricht.'

'Dat soort activiteiten is zeer zeker niet gesanctioneerd door de regering,' zei de minister van Justitie.

Monica Figuerola knikte en dacht een paar seconden na.

'Van uw kant neem ik aan dat het belangrijk is dat het schandaal de regering niet treft – wat wel het geval zal zijn als de regering de geschiedenis in de doofpot zal proberen te stoppen,' zei ze.

'De regering heeft niet de gewoonte om criminele activiteiten in de doofpot te stoppen,' zei de minister van Justitie.

'Nee, maar laten we aannemen dat de regering dat zou willen doen. In dat geval ontstaat er een gigaschandaal.'

'Ga door,' zei de premier.

'De situatie wordt nu gecompliceerd doordat wij bij de afdeling Grondwetsbescherming in de praktijk genoodzaakt zijn tegen de regels in te gaan om deze geschiedenis überhaupt te kunnen onderzoeken. Maar wij willen natuurlijk dat het er juridisch en constitutioneel correct aan toe gaat.'

'Dat willen we allemaal,' zei de premier.

'In dat geval stel ik voor dat u – in de hoedanigheid van premier – de afdeling Grondwetsbescherming opdracht geeft om deze warboel zo spoedig mogelijk te ontrafelen. Geef ons een schriftelijke order en de benodigde bevoegdheden.'

'Ik weet niet zeker of wat u voorstelt wettig is,' zei de minister van Justitie.

'Ja, dat is wettig. De regering is bij machte om verstrekkende maatregelen te nemen in het geval de constitutie door onwettige ingrepen wordt bedreigd. Als een groep militairen of politiemensen een zelfstandige buitenlandse politiek gaat beginnen, heeft er in het land de facto een staatsgreep plaatsgevonden.'

'Buitenlandse politiek?' vroeg de minister van Justitie.

De premier knikte opeens.

'Zalachenko was een overloper van een vreemde macht,' zei Monica Figuerola. 'De informatie die hij heeft aangedragen, is volgens Mikael Blomkvist aan buitenlandse inlichtingendiensten verstrekt. Als de regering niet geïnformeerd was, heeft er een staatsgreep plaatsgevonden.'

'Ik begrijp uw gedachtegang,' zei de premier. 'Laat mij nu dit zeggen.'

De premier stond op en liep een rondje om de salontafel. Uiteindelijk bleef hij voor Edklinth staan.

'U hebt een getalenteerde medewerkster. Bovendien zegt ze dingen zonder omwegen.'

Edklinth slikte en knikte. De premier wendde zich tot zijn minister van Justitie.

'Bel je staatssecretaris en de hoofdambtenaar juridische zaken. Morgenvroeg wil ik een document hebben dat de afdeling Grondwetsbescherming buitengewone bevoegdheden geeft om in deze zaak te kunnen handelen. De opdracht bestaat uit het in kaart brengen van het waarheidsgehalte van de beweringen waarover we hebben gesproken, het verzamelen van documentatie over de omvang ervan evenals het identificeren van de personen die verantwoordelijk dan wel betrokken zijn.'

Edklinth knikte.

'Het document moet niet bepalen dat u bezig bent met een vooronderzoek – ik kan het mis hebben, maar volgens mij kan alleen de procureur-generaal in deze situatie iemand aanwijzen die het vooronderzoek gaat leiden. Maar ík kan u opdracht geven om een eenmansonderzoek te leiden om de waarheid boven tafel te krijgen. Wat u doet, is dus een officieel staatsonderzoek. Begrijpt u?'

'Ja. Maar mag ik erop wijzen dat ik zelf oud-officier van justitie ben.'

'Hm. We moeten de hoofdambtenaar juridische zaken vragen daarnaar te kijken en exact te bepalen wat er formeel juist is. U bent hoe dan ook alléén verantwoordelijk voor dit onderzoek. U wijst zelf de medewerkers aan die u nodig hebt. Als u bewijs voor criminele activiteiten vindt, dient u deze informatie over te dragen aan de procureur-generaal, die beslist over aanklachten.'

'Ik moet even nakijken hoe het precies zit, maar ik geloof dat je de kamervoorzitter en de parlementaire commissie voor grondwettelijke aangelegenheden moet inlichten ... Dit zal snel uitlekken,' zei de minister van Justitie.

'Met andere woorden: we moeten vlot handelen,' zei de premier.

'Hm,' zei Monica Figuerola.

'Ja?' vroeg de premier.

'Er resteren nog twee problemen. Ten eerste kan de publicatie van *Millennium* botsen met ons onderzoek, en ten tweede begint de rechtszaak tegen Lisbeth Salander over een paar weken.'

'Kunnen we erachter komen wanneer *Millennium* gaat publiceren?'

'We zouden het kunnen vragen,' zei Edklinth. 'Het laatste wat we willen doen, is ons mengen in de werkzaamheden van de media.'

'Wat betreft dat meisje Salander ...' begon de minister van Justitie. Hij dacht even na. 'Het zou vreselijk zijn als zij is blootgesteld aan de vergrijpen die *Millennium* beweert ... Zou dat daadwerkelijk zo kunnen zijn?'

'Ik vrees van wel,' zei Edklinth.

'In dat geval moeten we erop toezien dat ze eerherstel krijgt en vooral dat het niet opnieuw gebeurt,' zei de premier.

'En hoe zou dat in zijn werk moeten gaan?' vroeg de minister van Justitie. 'De regering kan onder geen enkele omstandigheid ingrijpen in een aanklacht die reeds in behandeling is. Dan zouden we ons boekje te buiten gaan.'

'Kunnen we met de officier van justitie praten?'

'Nee,' zei Edklinth. 'De premier mag het juridische proces in geen enkel opzicht beïnvloeden.'

'Salander moet met andere woorden haar strijd in de rechtbank zelf uitvechten,' zei de minister van Justitie. 'Pas als ze de rechtszaak verliest en in hoger beroep gaat, kan de regering ingrijpen om haar gratie te verlenen of de procureur-generaal opdracht geven te onderzoeken of er een grondslag bestaat voor een nieuwe rechtszaak.'

Toen voegde hij er iets aan toe.

'Maar dat geldt dus alleen als ze wordt veroordeeld tot gevangenisstraf. Als ze wordt veroordeeld tot gesloten psychiatrische verpleging kan de regering niets doen. Dan is het een medische kwestie, en de premier beschikt niet over de deskundigheid om te bepalen of ze gezond is of niet.'

Vrijdagavond om tien uur hoorde Lisbeth Salander de sleutel in de deur. Ze deed onmiddellijk de handcomputer uit en stopte hem onder haar kussen. Toen ze opkeek, zag ze Anders Jonasson de deur dichtdoen.

'Goedenavond, juffrouw Salander,' groette hij. 'Hoe maakt u het vanavond?'

'Ik heb een gigantische koppijn en voel me koortsig,' zei Lisbeth.

'Dat klinkt niet best.'

Lisbeth Salander zag eruit of ze niet noemenswaardig werd geteisterd door koorts dan wel hoofdpijn. Dokter Anders Jonasson onderzocht zijn patiënte gedurende tien minuten. Hij constateerde dat de koorts die avond sterk was toegenomen.

'Wat vervelend dat we dit nu krijgen, je was de laatste weken juist zo goed opgeknapt. Ik kan je de eerste twee weken zeker nog niet laten gaan, helaas.'

'Twee weken zou voldoende moeten zijn.'

Hij keek haar langdurig aan.

De afstand tussen Londen en Stockholm over land bedraagt grof gerekend 1.800 kilometer, wat je in theorie in ongeveer twintig uur zou kunnen overbruggen. In werkelijkheid had het al bijna twintig uur gekost om überhaupt de grens tussen Duitsland en Denemarken te bereiken. De lucht hing vol loodzware onweerswolken, en toen de man die Trinity werd genoemd zich maandag midden op de brug over de Sont bevond, begon het te stortregenen. Hij minderde vaart en zette zijn ruitenwissers aan.

Trinity vond het een hel om in Europa te rijden, omdat het hele Europese vasteland maar stug volhield om aan de verkeerde kant van de weg te blijven rijden. Hij had zaterdagochtend zijn bestelwagen ingepakt en de autoferry van Dover naar Calais gepakt, en had daarna België doorkruist via Luik. Hij was de Duitse grens gepasseerd bij Aken en had daarna de Autobahn in noordelijke richting naar Hamburg genomen en vandaar verder naar Denemarken.

Zijn compagnon Bob the Dog zat te dutten op de achterbank. Ze hadden om en om gereden, en afgezien van een paar stops van een uur om te eten, hadden ze voortdurend 90 kilometer per uur gereden. De bestelauto was achttien jaar oud en was niet in staat tot veel hogere snelheden.

Er waren eenvoudiger manieren om tussen Londen en Stockholm te reizen, maar het was helaas onwaarschijnlijk dat hij ruim dertig kilo elektronische apparatuur op een reguliere vlucht kon meenemen. Hoewel ze onderweg zes grenzen waren gepasseerd, waren ze geen enkele keer tegengehouden door een douanebeambte of pascontrole. Trinity was een warm aanhanger van de EU, want de Europese regelgeving vereenvoudigde zijn bezoeken aan het Europese vasteland.

Trinity was tweeëndertig jaar oud en geboren in de stad Bradford, maar hij woonde al van jongs af aan in Noord-Londen. Hij had formeel een belabberde opleiding genoten, een ambachtsschool, waar hij een papiertje van had dat hij teletechnicus was. Vanaf zijn negentiende had hij ook drie jaar als installateur voor British Telecom gewerkt.

In werkelijkheid had hij een zodanige theoretische kennis op het gebied van elektronica en computerkunde dat hij zich zonder meer kon mengen in discussies waarbij hij elke snobistische professor in die vakken moeiteloos overtrof. Hij speelde al met computers sinds zijn tiende en had zijn eerste computer op zijn dertiende gehackt. Dat had naar meer gesmaakt en toen hij zestien was, had hij zich dusdanig ontwikkeld dat hij wedijverde met de besten van de wereld. Er was een periode geweest dat hij elke wakkere minuut achter het beeldscherm doorbracht, eigen programma's schreef en verraderlijke programmalussen op het net plaatste. Hij infiltreerde bij de BBC, bij het Engelse ministerie van Defensie en bij Scotland Yard. Hij slaagde er zelfs, vluchtig, in om het commando van een Britse atoomonderzeeër op verkenning in de Noordzee over te nemen. Gelukkig behoorde Trinity eerder tot het nieuwsgierige dan tot het boosaardige soort computerplunderaars. Zijn fascinatie hield op op het moment dat hij een computer had gekraakt, zich er toegang toe had verschaft en zich de geheimen ervan had toegeëigend. Hij voerde hoogstens eens een practical joke uit. Zo had hij bijvoorbeeld een computer in die atoomonderzeeër instructie gegeven de kapitein voor te stellen zijn reet af te vegen toen deze om de positieaanduiding vroeg. Het laatstgenoemde incident gaf aanleiding tot een reeks crisisberaden op het ministerie van Defensie, en Trinity ging later inzien dat het misschien niet zo geslaagd was geweest om op te scheppen met zijn kennis als de staat het serieus meende dat ze hackers wilde veroordelen tot langdurige gevangenisstraffen.

Hij volgde de opleiding tot teletechnicus omdat hij al wist hoe het telefoonnet werkte. Hij constateerde vervolgens dat het hopeloos ouderwets was, verlegde zijn koers en werd particulier veiligheidsconsultant die alarmsystemen installeerde en de inbraakbeveiliging nakeek. Aan speciaal uitgekozen cliënten kon hij ook specialismen bieden als bewaking en het afluisteren van telefoons.

Hij was een van de oprichters van de Hacker Republic. En Wasp was een van de staatsburgers.

Toen Bob the Dog en hij Stockholm naderden, was het zondagavond halfacht. Toen ze IKEA bij Kungens Kurva in Skärholmen passeerden, klapte Trinity zijn mobiele telefoon open en toetste een nummer in dat hij uit zijn hoofd had geleerd.

'Plague?' zei Trinity.

'Waar zijn jullie?'

'Je zei dat we moesten bellen als we langs IKEA kwamen.'

Plague beschreef de weg naar de jeugdherberg op Långholmen,

waar hij zijn collega's uit Engeland had ingekwartierd. Omdat Plague zijn flat bijna nooit uit kwam, spraken ze af om elkaar de volgende ochtend tien uur bij hem thuis te ontmoeten.

Nadat hij even had nagedacht, besloot Plague zichzelf te overtreffen en af te wassen, te dweilen en te luchten voordat zijn gasten arriveerden.

Deel 3

DISCCRASH

27 mei tot 6 juni

De historicus Diodoros van Sicilië, die in de eerste eeuw v. Chr. leefde (en die door andere historici als onbetrouwbare bron wordt gezien) beschrijft amazonen in Libië, wat in die tijd een verzamelnaam was voor heel Noord-Afrika ten westen van Egypte. Dit amazonenrijk was een gynocratie, dat wil zeggen dat alleen vrouwen officiële – inclusief militaire – functies mochten bekleden. Volgens de legende werd het rijk bestuurd door een koningin Myrina, die met 30.000 vrouwelijke soldaten en 3.000 vrouwelijke cavaleristen door Egypte en Syrië trok, helemaal tot aan de Egeïsche zee, en onderweg een reeks mannelijke legers versloeg. Toen koningin Myrina uiteindelijk sneuvelde, werd haar leger uiteengejaagd.

Het leger van Myrina liet echter zijn sporen na in de regio. De vrouwen in Anatolië grepen naar de wapens om een invasie vanuit de Kaukasus te onderdrukken nadat de mannelijke soldaten in een omvangrijke volkerenmoord waren uitgeroeid. Deze vrouwen werden getraind in alle vormen van wapengebruik, waaronder pijl en boog, speer, strijdbijl en lans. Ze kopieerden bronzen maliënkolders en wapenuitrusting van de Grieken.

Ze wezen het huwelijk af, omdat ze het als onderwerping beschouwden. Om kinderen te verwekken, kregen ze verlof en in die verlofperiode hadden ze gemeenschap met willekeurig gekozen, anonieme mannen uit dorpen in de buurt. Alleen vrouwen die een man in de strijd hadden gedood, mochten hun maagdelijkheid opgeven.

16
VRIJDAG 27 MEI – DINSDAG 31 MEI

Mikael Blomkvist verliet de redactie van *Millennium* vrijdagavond om halfelf. Hij liep via het trappenhuis naar de benedenverdieping, maar in plaats van naar buiten, de straat op te gaan, sloeg hij links af en ging hij via de kelder naar de binnentuin en door de uitgang van het naastgelegen pand naar de Hökens gata. Hij kwam een groep jongelui tegen die van Mosebacke kwam, maar er was niemand die aandacht aan hem schonk. Iemand die hem in de gaten hield, zou denken dat hij zoals gewoonlijk op de redactie van *Millennium* overnachtte. Met dat patroon was hij in april al gestart. In werkelijkheid was Christer Malm echter degene die nachtdienst had op de redactie.

Hij liep een kwartier door kleine straatjes en wandelwegen rond Mosebacke voordat hij koers zette naar Fiskargatan 9. Hij gebruikte de juiste portiekcode en nam de trap naar de zolderverdieping, waar hij de sleutels van Lisbeth Salander gebruikte om binnen te komen. Hij zette het alarm uit. Hij voelde zich altijd even verward als hij het appartement van Lisbeth Salander betrad, dat uit eenentwintig kamers bestond, maar waarvan er maar drie waren ingericht.

Hij zette allereerst een pot koffie en smeerde een paar broodjes voordat hij naar Lisbeths werkkamer liep en haar PowerBook opstartte.

Vanaf het moment medio april, toen het rapport van Björck was gestolen en Mikael zich ervan bewust was geworden dat hij onder bewaking stond, had hij zijn hoofdkwartier in Lisbeths woning ingericht. Hij had alle essentiële documentatie overgebracht naar haar bureau. Hij bracht de meeste nachten van de week in haar flat door, sliep in haar bed en werkte aan haar computer. Voordat ze naar Gosseberga was afgereisd voor de afrekening met Zalachenko had ze alle informatie van haar computer gewist. Mikael gokte erop dat ze vermoedelijk niet van plan was terug te keren.

Hij had haar systeemdiskettes gebruikt om het besturingssysteem opnieuw te installeren, zodat hij weer op de computer kon werken.

Sinds april had hij het breedbandsnoer niet eens in zijn eigen computer geplugd. Hij logde in op haar breedband, startte ICQ en pingde het adres dat zij voor hem had aangemaakt en hem via de yahoogroep Dwaze_Tafel had meegedeeld.

<Hoi Sally>

<Vertel>

<Ik heb de twee hoofdstukken waarover we eerder deze week hadden gesproken, bewerkt. De nieuwe versie staat op yahoo. Hoe gaat het daar?>

<Heb zeventien pagina's klaar. Zet ze nu op DwazeTafel>

Pling.

<Oké. Heb ze. Laat me lezen, dan praten we straks verder>

<Ik heb meer>

<Wat?>

<Ik heb nog een yahoogroep aangemaakt onder de naam Ridders>

Mikael glimlachte.

<Oké. De Ridders van de DwazeTafel>

<Password yacaraca12>

<Oké>

<Vier leden. Jij, ik, Plague en Trinity>

<Je geheimzinnige internetvrienden>

<Voor de zekerheid>

<Oké>

<Plague heeft informatie van de computer van Ekström gekopieerd. Die hebben we in april gehackt>

<Oké>

<Als ik mijn handcomputer kwijtraak, houdt hij je op de hoogte>

<Goed. Bedankt>

Mikael sloot ICQ af en ging naar de nieuwe yahoogroep Ridders. Alles wat hij vond, was een link van Plague naar een anoniem internetadres dat alleen uit cijfers bestond. Hij kopieerde het adres in Explorer, drukte op Enter en kwam meteen in een website ergens op internet die de 16 gigabyte grote harddisk van officier van justitie Richard Ekström bevatte.

Plague had het zichzelf blijkbaar gemakkelijk gemaakt. Hij had

Ekströms harddisk gewoon sec gekopieerd. Mikael was een uur bezig om de inhoud te sorteren. Hij gooide systeembestanden, software en oneindige hoeveelheden vooronderzoeken die vele jaren teruggingen in de prullenbak. Uiteindelijk downloadde hij vier mappen. Drie daarvan heetten Voorond/Salander, Prullenbak/Salander respectievelijk Voorond/Niedermann. De vierde map was een kopie van de mails van Ekström tot twee uur de vorige dag.

'Bedankt, Plague,' zei Mikael Blomkvist bij zichzelf.

Hij besteedde drie uur aan het lezen van Ekströms vooronderzoek en strategie voor de rechtszaak tegen Lisbeth Salander. Het ging, niet onverwacht, veel over haar geestelijke gesteldheid. Ekström wilde een uitgebreid onderzoek naar haar toerekeningsvatbaarheid en had een grote hoeveelheid mailtjes verstuurd met als doel haar zo snel mogelijk naar de Kronobergsgevangenis overgeplaatst te krijgen.

Mikael constateerde dat de naspeuringen van Ekström naar Niedermann niet veel verder waren gekomen. Bublanski was onderzoeksleider. Hij was erin geslaagd enig technisch bewijs tegen Niedermann te vergaren wat betreft de moorden op Dag Svensson en Mia Bergman, evenals in de zaak van de moord op advocaat Bjurman. Mikael Blomkvist had zelf, tijdens drie lange verhoren in april, voor een groot deel aan dit bewijs bijgedragen en als Niedermann ooit zou worden gepakt, zou hij moeten getuigen. Men had onlangs DNA van enkele zweetdruppels en twee haartjes uit de flat van Bjurman kunnen koppelen aan DNA uit de kamer van Niedermann in Gosseberga. Hetzelfde DNA was tevens in grote mate aangetroffen op het stoffelijk overschot van de financieel expert van de Svavelsjö MC, Viktor Göransson.

Ekström had daarentegen verbazingwekkend weinig informatie over Zalachenko.

Mikael stak een sigaret op, ging voor het raam staan en keek uit over het eiland Djurgården.

Ekström leidde op dit moment twee vooronderzoeken die van elkaar waren gescheiden. Inspecteur Hans Faste leidde alle opsporingen die betrekking hadden op Lisbeth Salander. Bublanski hield zich uitsluitend bezig met Niedermann.

Het zou logisch zijn geweest als Ekström, toen de naam Zalachenko in het vooronderzoek opdook, contact had opgenomen met de directeur-generaal van de veiligheidsdienst om eens te vragen wie die Zalachenko nou eigenlijk was. Maar zo'n contact kon Mikael niet in Ekströms mail, brievenboek of aantekeningen terugvinden. Maar het was duidelijk dat hij bepaalde informatie over Zalachenko bezat. In de aantekeningen vond hij daarvoor diverse cryptische formuleringen.

Salander-onderzoek een vervalsing. Origineel Björck komt niet overeen met versie van Blomkvist. Staatsgeheim.

Hm. Daarna een serie aantekeningen die beweerden dat Lisbeth Salander een paranoïde schizofreen was.

Correct om Salander in 1991 op te sluiten.

Wat de onderzoeken verbond, vond Mikael in Prullenbak/Salander. Dit was randinformatie die de officier van justitie als irrelevant had beschouwd voor het vooronderzoek en die daardoor niet zou worden gebruikt in de rechtszaak dan wel deel zou uitmaken van de bewijzen tegen haar. Daar hoorde grotendeels alles bij wat met Zalachenko's verleden te maken had.

Het onderzoek was totaal ondermaats.

Mikael vroeg zich af hoeveel hiervan toeval was en hoeveel was gearrangeerd. Waar liep de grens? En was Ekström zich ervan bewust dat er een grens bestond?

Of kon het zo zijn dat iemand Ekström bewust van geloofwaardige, maar misleidende informatie voorzag?

Uiteindelijk logde hij in op hotmail en hij besteedde de volgende tien minuten aan het controleren van een zestal anonieme postadressen die hij had aangemaakt. Hij had het hotmailadres dat hij aan inspecteur Sonja Modig had gegeven trouw elke dag gecontroleerd. Hij had weinig hoop dat ze wat van zich zou laten horen. Hij was daarom licht verbaasd toen hij in de mailbox een mailtje aantrof van reisgezelschap9april@hotmail.com. Het bericht bestond uit één regel.

Café Madeleine, bovenverdieping, zaterdag 11.00 uur.

Mikael Blomkvist knikte nadenkend.

Plague pingde Lisbeth Salander tegen middernacht en onderbrak haar toen ze net een stuk aan het formuleren was over haar leven met Holger Palmgren als voogd. Ze keek geïrriteerd op het display.

<Wat wil je?>
<Hoi Wasp, ook leuk om wat van jou te horen>
<Ja, ja. Wat?>
<Teleborian>

Ze ging rechtop in bed zitten en keek gespannen naar het scherm van de handcomputer.
<Vertel>
<Trinity had het in recordtijd voor elkaar>
<Hoe?>
<De gekkendokter zit niet stil. Hij reist voortdurend heen en weer tussen Uppsala en Stockholm en we konden geen hostile takeover doen>
<Weet ik. Hoe dan wel?>
<Hij tennist twee keer per week. Ruim twee uur. Liet zijn computer in een parkeergarage in de auto>
<Aha>
<Trinity had geen moeite om het autoalarm uit te schakelen en de computer uit de auto te halen. Hij had maar dertig minuten nodig om alles via Firewire te kopiëren en Asphyxia te installeren>
<Waar?>

Plague gaf het internetadres van de server waar hij de harddisk van dokter Peter Teleborian had geparkeerd.
<Om Trinity te citeren: *'This is some nasty shit'*>
<?>
<Kijk maar op zijn harde schijf>

Lisbeth Salander verbrak het contact met Plague, ging naar internet en zocht de server op die Plague had aangegeven. Ze besteedde de daaropvolgende drie uur aan het screenen van alle mappen in de computer van Teleborian.

Ze vond correspondentie tussen Teleborian en een persoon die een hotmailadres had en gecodeerde mailtjes stuurde. Omdat ze toegang had tot Teleborians PGP-sleutel kon ze de correspondentie ongecodeerd lezen. Zijn naam was Jonas, een achternaam ontbrak. Jonas en Teleborian hadden een ongezonde belangstelling voor Lisbeth Salanders gebrek aan welbevinden.

Yes … we kunnen bewijzen dat er een samenzwering is.

Maar wat Lisbeth Salander pas écht interesseerde, waren een zevenenveertigtal mappen met in totaal 8.756 foto's van grove kinderporno. Ze opende foto na foto en trof kinderen aan van naar schatting vijftien jaar of jonger. Een aantal foto's stelde veel jongere kinderen voor. Het grootste gedeelte van de kinderen op de foto's waren meisjes. Diverse foto's waren sadistisch van aard.

Ze vond links naar zeker een tiental mensen in meerdere landen die kinderporno met elkaar uitwisselden.

Lisbeth beet op haar onderlip. Verder was haar gezicht uitdrukkingsloos.

Ze herinnerde zich de nachten toen ze twaalf jaar oud was en vastgebonden in een prikkelvrije kamer in de St. Stefans kinderpsychiatrische kliniek had gelegen.

Teleborian was telkens weer naar de duisternis in haar kamer gekomen en had in het schijnsel van het nachtlampje naar haar staan kijken.

Ze wist het. Hij had haar nooit aangeraakt, maar ze had het altijd geweten.

Ze vervloekte zichzelf. Ze had Teleborian al jaren geleden onder handen moeten nemen. Maar ze had hem verdrongen en zijn bestaan genegeerd.

Ze had hem zijn gang laten gaan.

Na een tijdje pingde ze Mikael Blomkvist op ICQ.

Mikael Blomkvist bracht de nacht door in Lisbeth Salanders flat aan de Fiskargatan. Pas om halfzeven 's ochtends zette hij de computer uit. Hij viel in slaap met foto's van grove kinderporno op zijn netvlies en werd om kwart over tien wakker, sprong uit bed, douchte en bestelde een taxi die hem voor het Söderteater ophaalde. Hij stapte om vijf voor elf op de Birger Jarlsgatan uit en liep naar Café Madeleine.

Sonja Modig zat achter een kop zwarte koffie op hem te wachten.

'Hallo,' zei Mikael.

'Ik neem hier een groot risico,' zei ze zonder te groeten. 'Ik krijg ontslag en kan worden aangeklaagd als het ooit uitkomt dat ik jou heb ontmoet.'

'Niemand zal dat van mij te weten komen.'

Ze leek gestrest.

'Een collega van mij heeft onlangs een bezoek gebracht aan oud-premier Thorbjörn Fälldin. Hij is er privé heen gegaan en zijn baan hangt nu ook aan een zijden draadje.'

'Ik begrijp het.'

'Ik eis dus anonimiteitsbescherming voor ons allebei.'

'Ik weet niet eens over welke collega je het hebt.'

'Dat zal ik vertellen. Ik wil dat je belooft hem bronbescherming te bieden.'

'Je hebt mijn woord.'

Ze gluurde op de klok.
'Heb je haast?'
'Ja, ik heb over tien minuten een afspraak met mijn man en kinderen in de Sturegalerie. Mijn man denkt dat ik op mijn werk ben.'
'En Bublanski weet hier niets van.'
'Nee.'
'Oké. Jij en je collega zijn bronnen en genieten volledige bronbescherming. Allebei. Die geldt tot het graf.'
'Mijn collega is Jerker Holmberg die je in Göteborg hebt ontmoet. Zijn vader is van de Centrumpartij en Jerker kent Fälldin al sinds zijn kinderjaren. Holmberg heeft een privébezoek aan Fälldin gebracht en hem naar Zalachenko gevraagd.'
'Ik snap het.'
Mikaels hart begon opeens sneller te kloppen.
'Fälldin lijkt een geschikte kerel. Holmberg vertelde over Zalachenko en vroeg wat Fälldin van dat overlopen wist. Fälldin zei niets. Toen vertelde Holmberg dat wij vermoeden dat Lisbeth Salander door toedoen van degenen die Zalachenko beschermden, in die psychiatrische kliniek verzeild is geraakt. Fälldin raakte behoorlijk van zijn stuk.'
'Daar kan ik in komen.'
'Fälldin vertelde dat de toenmalige chef van de veiligheidsdienst en een collega kort nadat hij premier was geworden bij hem langs waren gekomen. Ze vertelden een prachtig spionnenverhaal over een Russische overloper die naar Zweden was gekomen. Fälldin kreeg te horen dat dat het gevoeligste militaire geheim was dat Zweden kende ... dat er niets bij de hele Zweedse defensie was wat daar qua belang ook maar aan kon tippen.'
'Oké.'
'Fälldin zei dat hij niet had geweten wat hij ermee aan had gemoeten. Hij was net aangetreden als premier en de regering was onervaren. De sociaaldemocraten waren immers meer dan veertig jaar aan de macht geweest. Hij kreeg te horen dat hij persoonlijk, en in zijn eentje, een besluit in die zaak moest nemen, en dat als hij zijn regeringscollega's zou raadplegen, de veiligheidsdienst alle verdere verantwoordelijkheid zou afwijzen en zijn handen van de zaak zou aftrekken. Fälldin ervoer het geheel als onaangenaam en wist gewoon niet wat hij moest doen.'
'Oké.'
'Uiteindelijk voelde hij zich genoodzaakt te doen wat de heren van de veiligheidsdienst voorstelden. Hij vaardigde een richtlijn uit waarin stond dat de veiligheidsdienst als enige de zorg voor Zalachenko

voor zijn rekening nam. Hij verplichtte zich om nooit met iemand over de zaak te spreken. Fälldin kreeg de naam van de overloper zelfs nooit te horen.'

'Ik begrijp het.'

'Daarna hoorde Fälldin gedurende zijn twee zittingsperiodes vrijwel niets over de zaak. Maar hij deed wel iets buitengewoon slims. Hij stond erop dat een staatssecretaris in het geheim zou worden ingewijd en als een go-between zou optreden tussen het regeringskantoor en degenen die Zalachenko de hand boven het hoofd hielden.'

'O ja?'

'Die staatssecretaris heet Bertil K. Janeryd en is momenteel drieënzestig jaar oud en consul-generaal van Zweden in Amsterdam.'

'O, shit.'

'Toen Fälldin begreep hoe serieus dit vooronderzoek is, heeft hij meteen een brief aan die Janeryd geschreven.'

Sonja Modig schoof een envelop over tafel.

Beste Bertil,
Het geheim dat wij beiden tijdens mijn regeringsperiode hebben beschermd, is nu het onderwerp van zeer ernstige verdenkingen. De persoon op wie de zaak betrekking had, is inmiddels overleden en kan er geen schade meer van ondervinden. Er kunnen daarentegen wel andere mensen worden geschaad.

Het is van groot belang dat we antwoord krijgen op noodzakelijke vragen.

De persoon die deze brief overhandigt, werkt onofficieel en heeft mijn vertrouwen. Ik vraag je naar zijn verhaal te luisteren en antwoord te geven op de vragen die hij stelt.

Gebruik je bekende goede oordeel.

TF

'Deze brief duidt dus op Jerker Holmberg.'

'Nee. Holmberg heeft Fälldin gevraagd geen naam te noemen. Hij heeft uitdrukkelijk gezegd dat hij niet wist wie er naar Amsterdam zou gaan.'

'Je bedoelt ...'

'Jerker en ik hebben de zaak doorgesproken. Wij bevinden ons al op dusdanig glad ijs dat we het absoluut niet kunnen verantwoorden om naar Amsterdam af te reizen voor een verhoor van de consul-generaal. Maar jij wel.'

Mikael vouwde de brief op en was bezig hem in de zak van zijn colbert te stoppen toen Sonja Modig zijn hand vastpakte. Haar greep was stevig.

'Informatie voor informatie,' zei ze. 'Wij willen weten wat Janeryd je vertelt.'

Mikael knikte. Sonja Modig stond op.

'Wacht. Je zei dat Fälldin bezoek kreeg van twéé personen van de veiligheidsdienst. De ene was de chef van de veiligheidsdienst. Wie was zijn collega?'

'Fälldin heeft die man alleen toen ontmoet en kon zich zijn naam niet herinneren. Er zijn geen notulen gemaakt. Hij herinnerde hem zich als een magere man met een smalle snor. Hij werd voorgesteld als het hoofd van de Sectie voor Speciale Analyse of iets dergelijks. Maar toen Fälldin later in een organogram van de veiligheidsdienst keek, kon hij die afdeling nergens vinden.'

De Zalachenko-club, dacht Mikael.

Sonja Modig ging weer zitten. Ze leek haar woorden af te wegen.

'Oké,' zei ze uiteindelijk. 'Met het risico dat ik word gefusilleerd: er is een aantekening waar noch Fälldin noch de bezoekers aan hebben gedacht.'

'En dat is?'

'Het bezoekersdossier van Fälldin op Rosenbad.'

'En?'

'Jerker heeft het dossier opgevraagd. Dat is openbaar.'

'En?'

Sonja Modig aarzelde opnieuw.

'Het dossier geeft alleen aan dat de premier een ontmoeting had met het hoofd van de veiligheidsdienst plus een collega voor het bespreken van algemene vragen.'

'Stond er een naam bij?'

'Ja. E. Gullberg.'

Mikael voelde het bloed naar zijn hoofd stijgen.

'Evert Gullberg,' zei hij.

Sonja Modig keek verbeten. Ze knikte. Ze stond op en vertrok.

Mikael Blomkvist zat nog steeds bij Café Madeleine toen hij zijn anonieme mobiele telefoon openklapte en een vliegticket naar Amsterdam boekte. Het vliegtuig zou om 14.50 uur van Arlanda vertrekken. Hij wandelde naar Dressmann op de Kungsgatan en kocht een overhemd en een stel ondergoed, daarna liep hij naar de dichtstbijzijnde apotheek en kocht een tandenborstel en andere toiletartikelen. Hij keek heel goed of hij niet werd gevolgd toen hij naar de Arlanda Express rende. Hij haalde het vliegtuig precies; hij had nog tien minuten over.

Om 18.30 uur checkte hij in bij een vervallen hotel in de rosse buurt van Amsterdam, op nog geen tien minuten lopen van het Centraal Station.

Hij was vervolgens twee uur bezig om de consul-generaal van Zweden in Amsterdam te lokaliseren en had hem tegen negenen aan de telefoon. Hij gebruikte al zijn overredingskracht en onderstreepte dat hij een zaak van het grootste belang had die hij dringend met hem moest bespreken. De consul-generaal gaf uiteindelijk toe en ging ermee akkoord Mikael zondagochtend om tien uur te ontvangen.

Daarna ging Mikael naar buiten en at een lichte avondmaaltijd bij een restaurant vlak naast het hotel. Hij sliep al om elf uur.

Consul-generaal Bertil K. Janeryd was weinig spraakzaam toen hij in zijn woning koffie aanbood.

'Zo, wat is er zo urgent?'

'Alexander Zalachenko. De Russische overloper die in 1976 naar Zweden kwam,' zei Mikael en hij overhandigde de brief van Fälldin.

Janeryd keek ontsteld. Hij las de brief en legde hem voorzichtig terzijde.

Mikael besteedde het volgende halfuur aan het verklaren waaruit het probleem bestond en waarom Fälldin die brief had geschreven.

'Ik ... ik kan die zaak niet met u bespreken,' zei Janeryd uiteindelijk.

'Jazeker wel.'

'Nee, die kan ik alleen bespreken ten overstaan van de parlementaire commissie voor grondwettelijke aangelegenheden.'

'Het is zeer waarschijnlijk dat u dat ook zult moeten doen. Maar in de brief staat dat u uw goede oordeel moet gebruiken.'

'Fälldin is een fatsoenlijk man.'

'Daar twijfel ik ook geen moment aan. En ik ben ook niet uit op een van u beiden. U hoeft geen militaire geheimen te onthullen die Zalachenko eventueel heeft prijsgegeven.'

'Ik ken geen geheimen. Ik wist niet eens dat hij Zalachenko heette. Ik kende hem alleen maar onder een schuilnaam.'

'Welke?'

'Hij werd Ruben genoemd.'

'Oké.'

'Ik kan dit niet met u bespreken.'

'Jawel,' herhaalde Mikael en hij ging rechtop zitten. 'Het is namelijk zo dat dit hele verhaal binnenkort in de openbaarheid komt. En als dat gebeurt, zullen de media u óf afmaken, óf beschrijven als een rechtschapen ambtenaar die van een beroerde situatie het beste heeft geprobeerd te maken. U had van Fälldin opdracht gekregen op te treden als sparringpartner tussen hem en degenen die Zalachenko onder hun hoede hadden. Dat is mij reeds bekend.'

Janeryd knikte.

'Vertel.'

Janeryd zweeg bijna een minuut lang.

'Ik heb nooit informatie gekregen. Ik was jong ... ik wist niet wat ik met die zaak aan moest. Ik zag hen ongeveer twee keer per jaar in de jaren dat dat speelde. Ik kreeg te horen dat Ruben ... Zalachenko in leven was en gezond was, dat hij samenwerkte en dat de informatie die hij verstrekte van onschatbare waarde was. Ik heb nooit details te horen gekregen. Die hóéfde ik ook niet te weten.'

Mikael wachtte.

'De overloper had in andere landen geopereerd en wist niets over Zweden, en daarom was hij nooit een groot vraagstuk voor onze veiligheidspolitiek. Ik heb de premier een paar keer geïnformeerd, maar er viel vaak niets te zeggen.'

'Goed.'

'Ze zeiden altijd dat hij op de gebruikelijke wijze werd behandeld en dat de informatie die hij gaf via onze gewone kanalen werd bewerkt. Wat moest ik zeggen? Als ik vroeg wat dat inhield, glimlachten ze beleefd en zeiden ze dat dat buiten mijn veiligheidsniveau lag. Ik voelde me een idioot.'

'U hebt er nooit over nagedacht dat er iets mis was met die regeling?'

'Nee. Er was niets mis met die regeling. Ik ging ervan uit dat de veiligheidsdienst wist wat hij deed en dat ze over de noodzakelijke routine en ervaring beschikten. Maar ik kan dit niet met u bespreken.'

Janeryd had de zaak inmiddels al minutenlang met Mikael besproken.

'Dit is allemaal onbelangrijk. Er is op dit moment maar één ding dat van belang is.'

'En dat is?'

'De namen van degenen die u ontmoette.'

Janeryd keek Mikael vragend aan.

'De personen die Zalachenko onder hun hoede hadden, zijn hun boekje ver te buiten gegaan. Ze hebben zich schuldig gemaakt aan ernstige criminele feiten en moeten het onderwerp worden van een vooronderzoek. Daarom heeft Fälldin mij op u afgestuurd. Fälldin kent die namen niet. U was degene die hen ontmoette.'

Janeryd knipperde met zijn ogen en kneep zijn lippen op elkaar.

'U hebt Evert Gullberg ontmoet ... Hij was het opperhoofd.'

Janeryd knikte.

'Hoe vaak hebt u hem gezien?'

'Hij was aanwezig bij alle bijeenkomsten op één na. Er waren zo'n tien ontmoetingen in de jaren dat Fälldin premier was.'

'Waar ontmoette u elkaar?'

'In de lobby van een hotel. Meestal het Sheraton. Eén keer bij Amaranten op Kungsholmen en een paar keer in de pub van het Continental.'

'En wie waren er nog meer bij die ontmoetingen aanwezig?'

Janeryd knipperde gelaten.

'Het is zo lang geleden ... Ik weet het niet meer.'

'Probeer het.'

'Een ... Clinton. Zoals de Amerikaanse president.'

'Voornaam?'

'Fredrik Clinton. Hem heb ik een keer of vier, vijf ontmoet.'

'Oké, nog meer?'

'Hans von Rottinger. Die kende ik via mijn moeder.'

'Uw moeder?'

'Ja, mijn moeder kende de familie Von Rottinger. Hans von Rottinger was een gezellige man. Ik had er geen idee van dat hij voor de veiligheidsdienst werkte totdat hij opeens opdook bij zo'n ontmoeting, samen met Gullberg.'

'Dat was ook niet zo,' zei Mikael.

Janeryd verbleekte.

'Hij werkte voor iets wat de Sectie voor Speciale Analyse heette,' zei Mikael. 'Wat weet u daarover?'

'Niets ... Ik bedoel, zíj waren degenen die die overloper onder hun hoede hadden.'

'Ja, maar het is toch wel vreemd dat die Sectie nergens in het organogram van de veiligheidsdienst voorkomt?'

'Dat is absurd ...'

'Ja, toch? Hoe ging dat als u een afspraak maakte? Belden zij u of belde u hen?'

'Nee, de tijd en de plaats voor elke ontmoeting werden de keer ervoor afgesproken.'

'Wat gebeurde er als u contact met hen moest opnemen? Bijvoorbeeld om een afspraak te verzetten of iets dergelijks.'

'Ik had een telefoonnummer dat ik kon bellen.'

'Welk nummer?'

'Dat weet ik eerlijk gezegd niet meer.'

'Naar wie ging dat nummer?'

'Dat weet ik niet. Ik heb het nooit gebruikt.'

'Oké. Volgende vraag: aan wie hebt u de zaak overgedragen?'

'Hoe bedoelt u?'

'Nou, toen Fälldin aftrad. Wie heeft uw plaats toen ingenomen?'

'Dat weet ik niet.'

'Hebt u nooit een rapport geschreven?'

'Nee, alles was immers geheim. Ik mocht zelfs geen aantekeningen maken.'

'En u hebt nooit een opvolger gebrieft?'

'Nee.'

'Hoe ging dat dan?'

'Tja ... Fälldin trad af en droeg de zaak over aan Ola Ullsten. Ik kreeg te horen dat we zouden afwachten tot na de volgende verkiezingen. Toen werd Fälldin herkozen en werden onze bijeenkomsten weer hervat. Toen kwamen er in 1982 weer verkiezingen en die werden gewonnen door de sociaaldemocraten. En ik neem aan dat Palme iemand heeft aangewezen die mij heeft opgevolgd. Zelf ben ik toen bij Buitenlandse Zaken begonnen en werd diplomaat. Ik werd in Egypte gestationeerd en later in India.'

Mikael ging nog een paar minuten door met het stellen van vragen, maar hij was ervan overtuigd dat hij alles al had gekregen wat Janeryd wist. Drie namen.

Fredrik Clinton.

Hans von Rottinger.

En Evert Gullberg – de man die Zalachenko had doodgeschoten.

De Zalachenko-club.

Hij bedankte Janeryd voor de informatie en nam een taxi terug naar het Centraal Station. Pas toen hij in de taxi zat, zette hij de cassetterecorder uit die hij in de zak van zijn colbert had zitten. Zondagavond om halfacht landde hij op Arlanda.

Erika Berger keek aandachtig naar de foto op het scherm. Ze keek op en monsterde de halflege redactie. Anders Holm was vrij. Ze zag niemand die interesse voor haar toonde, hetzij openlijk hetzij in het geniep. Ze had ook geen enkele reden om aan te nemen dat iemand op de redactie het slecht met haar voorhad.

Het mailtje was een minuut daarvoor binnengekomen. De afzender was redax@aftonbladet.com. *Waarom nou juist Aftonbladet?* Het adres was gefaket.

Het bericht van vandaag bevatte geen tekst. Er was alleen een JPEG-plaatje dat ze in Photoshop opende.

De foto was pornografisch en stelde een naakte vrouw voor met exceptioneel grote borsten en een hondenriem om haar nek. Ze stond op handen en voeten en werd van achteren genomen.

Het gezicht van de vrouw was vervangen. Het was geen fraaie retouchering, maar dat was vermoedelijk ook niet de bedoeling. In plaats van het originele gezicht zat het gezicht van Erika Berger erin geplakt. De foto was haar eigen oude signatuur van *Millennium*, die kon worden gedownload van internet. Aan de onderkant van de foto was met Type Tool van Photoshop een woord geschreven.

Hoer.

Dit was het negende anonieme bericht met het woord 'hoer' dat ze had ontvangen en dat van een afzender van een groot, bekend mediabedrijf in Zweden afkomstig leek. Ze had blijkbaar een cyberstalker op haar dak gekregen.

Het afluisteren van de telefoon was een lastiger verhaal dan het bewaken van het dataverkeer. Trinity had geen enkele moeite om de kabel naar de privételefoon van Ekström te lokaliseren; het probleem was natuurlijk dat Ekström deze zelden of nooit voor werkgerelateerde gesprekken gebruikte. Trinity deed geen moeite om Ekströms werkgerelateerde telefoon in het hoofdbureau van politie op Kungsholmen af te luisteren. Dat vereiste toegang tot het Zweedse kabelnet in een omvang die Trinity niet had.

Daarentegen waren Trinity en Bob the Dog bijna een week bezig met het identificeren en onderscheiden van Ekströms mobiele telefoon in het achtergrondgeruis van bijna tweehonderdduizend andere mobiele telefoons binnen een straal van een kilometer rond het hoofdbureau van politie.

Trinity en Bob the Dog maakten gebruik van een techniek die *Random Frequency Tracking System* werd genoemd, RFTS. Die techniek was niet nieuw. Hij was ontwikkeld door de Amerikaanse National Security Agency, NSA, en zat ingebouwd in een onbekend aantal satellieten die specifiek interessante crisishaarden en hoofdsteden overal ter wereld bewaakten.

De NSA beschikte over gigantische middelen en gebruikte een flink schepnet om een groot aantal mobiele telefoongesprekken in een bepaalde regio gelijktijdig op te vangen. Elk afzonderlijk gesprek werd gescheiden en digitaal bewerkt door computers die waren geprogrammeerd om op bepaalde woorden te reageren, bijvoorbeeld 'terrorist' of 'kalasjnikov'. Als zo'n woord leek voor te komen, verstuurde de computer automatisch een alarm, wat inhield dat er een operator handmatig inlogde en het gesprek afluisterde om te beoordelen of dat van belang was of niet.

Het identificeren van een specifieke mobiele telefoon was een lastiger probleem. Elke mobiele telefoon heeft een eigen, unieke signatuur – een vingerafdruk – in de vorm van het telefoonnummer. Met exceptioneel gevoelige apparatuur kon de NSA zich richten op een specifiek gebied en mobiele gesprekken onderscheiden en afluisteren. De techniek was simpel, maar niet honderd procent safe. Uitgaande gesprekken waren met name lastig te identificeren, terwijl inkomende gesprekken eenvoudiger geïdentificeerd konden worden omdat die begonnen met die vingerafdruk, waardoor de betreffende telefoon het signaal zou opvangen.

Het verschil tussen de ambities van Trinity en de NSA wat betreft de afluisterpraktijken was van economische aard. De NSA had een jaarbudget van vele miljarden Amerikaanse dollars, beschikte over bijna 12.000 fulltime-agenten en had toegang tot het nieuwste van het nieuwste op het gebied van technologie voor data en telefonie.

Trinity had zijn bestelwagen met ongeveer 30 kilo elektronische apparatuur, waarvan een groot deel bestond uit zelfgemaakte constructies die Bob the Dog in elkaar had gezet.

De NSA kon door wereldwijde satellietbewaking extreem gevoelige antennes op elk gebouw ter wereld richten. Trinity had een antenne die Bob the Dog had geconstrueerd en die een effectieve reikwijdte had van circa 500 meter.

De techniek waarover Trinity beschikte, hield in dat hij de bestelwagen in de Bergsgatan of in een van de straten in de buurt moest parkeren en de apparatuur moeizaam moest kalibreren totdat hij de vingerafdruk had geïdentificeerd die het mobiele nummer van officier van justitie Richard Ekström vormde. Omdat hij geen Zweeds verstond, moest hij de gesprekken via een andere mobiel naar het huis van Plague dirigeren, die het afluisteren voor zijn rekening nam.

Een steeds hologiger Plague had zich gedurende vijf etmalen doof geluisterd naar een zeer groot aantal gesprekken naar en van het hoofdbureau van politie en omliggende gebouwen. Hij had fragmenten opgevangen uit lopende onderzoeken, geplande liefdesontmoetingen onthuld en een groot aantal gesprekken opgenomen die oninteressante nonsens bevatten. Laat op de avond van de vijfde dag stuurde Trinity een signaal dat een digitaal display onmiddellijk herkende als het mobiele nummer van Ekström. Plague vergrendelde de paraboolantenne op de exacte frequentie.

De techniek met RFTS werkte voornamelijk voor binnenkomende gesprekken naar Ekström. De parabool van Trinity ving gewoon het zoeken naar Ekströms mobiele nummer op, dat in heel Zweden door de ether werd gestuurd.

Toen Trinity gesprekken van Ekström kon gaan opnemen, kreeg hij ook stemafdrukken van Ekström die Plague kon bewerken.

Plague liet Ekströms gedigitaliseerde stem bewerken door een programma dat VPRS heette, oftewel *Voiceprint Recognition System*. Hij specificeerde een twaalftal veelvoorkomende woorden, bijvoorbeeld 'oké' of 'Salander'. Als hij vijf afzonderlijke voorbeelden van een woord had, werd dat in kaart gebracht: hoe lang het duurde om het uit te spreken, met welke stemdiepte en frequentieomvang, hoe de uitgang werd benadrukt en nog wel tien andere kenmerken. Het resultaat was een grafische curve. Daarmee had Plague de mogelijkheid om ook uitgaande gesprekken van officier van justitie Ekström af te luisteren. Zijn parabool luisterde voortdurend naar een gesprek waarin juist Ekströms grafische curve voor een van die veelvoorkomende woorden terugkwam. De techniek was niet perfect. Maar toch. Naar schatting vijftig procent van alle gesprekken die Ekström van ergens in of in de naaste omgeving van het hoofdbureau van politie op zijn mobiele telefoon voerde, werd opgenomen en afgeluisterd.

Helaas had de techniek één duidelijk nadeel. Zo gauw officier van justitie Ekström het hoofdbureau verliet, hield de mogelijkheid om zijn gsm af te luisteren op. Tenzij Trinity wist waar Ekström zich bevond en hij in de onmiddellijke nabijheid van de gsm kon parkeren.

Op bevel van de hoogste baas had Torsten Edklinth eindelijk een kleine, maar legitieme operatieve afdeling kunnen oprichten. Hij zocht zelf vier medewerkers uit en koos bewust jonge talenten met een achtergrond bij de politie die relatief nieuw waren bij de veiligheidsdienst. Twee kwamen van de afdeling Fraude, een van de Economische Controledienst en eentje van Geweld. Ze werden bij Edklinth binnengeroepen en kregen uitleg over de aard van de opdracht en de behoefte aan absolute geheimhouding. Hij onderstreepte dat het onderzoek plaatsvond op direct verzoek van de premier. Monica Figuerola werd hun chef en stuurde het onderzoek aan met een kracht die overeenkwam met haar uiterlijk.

Maar het onderzoek vorderde langzaam, en dat kwam grotendeels doordat niemand exact wist wie er precies moest of moesten worden onderzocht. Meer dan eens overwogen Edklinth en Figuerola om Mårtensson zonder meer op te pakken om hem te ondervragen. Maar telkens besloten ze af te wachten. Als ze hem zouden oppakken, zou dat betekenen dat het hele onderzoek bekend werd.

Pas op dinsdag, elf dagen na de ontmoeting met de premier, klopte Monica Figuerola op de deur van Edklinths werkkamer.

'Ik geloof dat we iets hebben.'

'Ga zitten.'

'Evert Gullberg.'

'Ja?'

'Een van onze rechercheurs heeft een praatje gemaakt met Marcus Erlander, die het onderzoek naar de moord op Zalachenko doet. Volgens Erlander nam de veiligheidsdienst al twee uur na de moord contact op met de politie van Göteborg om hen te informeren over die dreigbrieven van Gullberg.'

'Ze lieten er geen gras over groeien.'

'Nee. Maar ze gingen een beetje té voortvarend te werk. De veiligheidsdienst faxte negen brieven naar de politie van Göteborg, die Gullberg zou hebben geschreven. Maar er is één klein probleempje.'

'En dat is?'

'Twee van die brieven waren gericht aan het ministerie van Justitie; één aan de minister van Justitie en één aan de minister van Democratie.'

'Ja. Dat wist ik al.'

'Ja, maar de brief aan de minister van Democratie werd pas de volgende dag op het departement in het brievenboek ingevoerd. Die kwam met een latere postzending.'

Edklinth staarde Monica Figuerola aan. Hij was voor het eerst bang dat zijn verdenkingen gerechtvaardigd waren. Monica Figuerola ging onverbiddelijk door.

'De veiligheidsdienst heeft met andere woorden een faxkopie van een dreigbrief gestuurd die nog niet bij de geadresseerde was aangekomen.'

'Godallemachtig,' zei Edklinth.

'De brieven zijn gefaxt door een medewerker bij persoonsbeveiliging.'

'Wie?'

'Ik geloof niet dat hij er wat mee te maken heeft. Hij kreeg die brieven 's morgens op zijn bureau en kreeg kort na de moord opdracht contact op te nemen met de politie van Göteborg.'

'Wie gaf hem die opdracht?'

'De secretaresse van de chef de bureau.'

'Jezus, Monica. Begrijp je wat dit betekent?'

'Ja.'

'Dat betekent dat de veiligheidsdienst betrokken was bij de moord op Zalachenko.'

'Nee. Maar het betekent absoluut dat personen *binnen* de veiligheidsdienst af wisten van die moord vóórdat hij werd gepleegd. De vraag is alleen wíé?'

'De chef de bureau ...'

'Ja. Maar ik krijg het bruine vermoeden dat de Zalachenko-club zich buiten het pand bevindt.'

'Hoe bedoel je?'

'Mårtensson. Hij werd overgeplaatst van persoonsbeveiliging en werkt alleen. We hebben hem de afgelopen week fulltime onder bewaking gehad. Hij heeft voor zover wij weten geen contact gehad met iemand binnen. Hij krijgt gesprekken op een mobiele telefoon die we niet kunnen afluisteren. We weten niet welk nummer het is, maar het is niet zijn eigen gsm. Hij heeft die blonde man ontmoet, die we nog niet hebben kunnen identificeren.'

Edklinth fronste zijn voorhoofd. Op dat moment klopte Anders Berglund aan. Hij was de medewerker die bij de Economische Controledienst vandaan kwam.

'Ik geloof dat ik Evert Gullberg heb gevonden,' zei Berglund.

'Kom binnen,' zei Edklinth.

Berglund legde een gehavende zwart-witfoto op het bureau. Edklinth en Figuerola bekeken de foto. Hij stelde een man voor die ze allebei onmiddellijk herkenden. Hij werd door twee potige politiemannen in burger door een deur geleid. De legendarische topspion Stig Wennerström.

'Die foto komt van uitgeverij Åhlén & Åkerlund en werd in het voorjaar van 1964 gepubliceerd in het blad *Se*. Hij werd genomen tijdens de rechtszaak toen Wennerström werd veroordeeld tot levenslang.'

'Aha.'

'Je ziet drie personen op de achtergrond. Rechts commissaris Otto Danielsson, degene die Wennerström had opgepakt.'

'Ja ...'

'Kijk eens naar die man die schuin links achter Danielsson staat.'

Edklinth en Figuerola zagen een lange man met een smalle snor en een hoed. Hij deed vaag denken aan de schrijver Dashiell Hammett.

'Vergelijk dat gezicht eens met deze pasfoto van Gullberg. Hij was zesenzestig toen die pasfoto werd genomen.'

Edklinth fronste zijn wenkbrauwen.

'Ik zou niet kunnen zweren dat het dezelfde persoon is.'

'Maar ik wel,' zei Berglund. 'Keer die foto eens om.'

Op de achterkant stond een stempel die aangaf dat de foto eigendom was van uitgeverij Åhlén & Åkerlund en dat de foto was genomen door de fotograaf Julius Estholm. De tekst was geschreven met potlood. *Stig Wennerström geflankeerd door twee politieagenten op weg naar de rechtbank van Stockholm. Op de achtergrond O. Danielsson, E. Gullberg en H.W. Francke.*

'Evert Gullberg,' zei Monica Figuerola. 'Hij zat bij de veiligheidsdienst.'

'Nou ja,' zei Berglund. 'Zuiver technisch gezien niet. In elk geval niet toen die foto werd genomen.'

'Hoezo?'

'De veiligheidsdienst werd pas vier maanden later opgericht. Op deze foto behoorde hij nog tot de Geheime Staatspolitie.'

'Wie is H.W. Francke?' vroeg Monica Figuerola.

'Hans Wilhelm Francke,' zei Edklinth. 'Hij is begin jaren negentig overleden, maar was eind jaren vijftig en begin jaren zestig plaatsvervangend hoofd van de Geheime Staatspolitie. Hij was een soort legende, net als Otto Danielsson. Ik heb hem zelfs een paar keer ontmoet.'

'O ja?' vroeg Monica Figuerola.

'Hij ging eind jaren zestig weg bij de veiligheidsdienst. Francke en

P.G. Vinge konden niet samen door één deur en hij werd zo'n beetje ontslagen toen hij vijftig, vijfenvijftig was. Hij is toen voor zichzelf begonnen.'

'Voor zichzelf begonnen?'

'Ja, hij werd adviseur op het gebied van veiligheidsaangelegenheden voor de particuliere sector. Hij had een kantoor bij het Stureplan, maar hield af en toe ook lezingen bij de interne opleiding van de veiligheidsdienst. Op die manier heb ik hem weleens ontmoet.'

'Aha. Waar hadden Vinge en Francke ruzie over?'

'Ze zaten niet op één lijn. Francke was een soort cowboy die overal KGB-agenten zag en Vinge was een bureaucraat van de oude stempel. Het ironische is dat Vinge kort daarop werd ontslagen, omdat hij dacht dat Palme voor de KGB werkte.'

'Hm,' zei Monica Figuerola terwijl ze naar de foto keek waarop Gullberg en Francke zij aan zij stonden.

'Volgens mij is het tijd voor een nieuw gesprek met justitie,' zei Edklinth tegen haar.

'*Millennium* is vandaag verschenen,' zei Monica Figuerola.

Edklinth wierp haar een scherpe blik toe.

'Geen woord over de Zalachenko-affaire,' zei ze.

'Dat betekent dat we vermoedelijk nog een maand de tijd hebben voor het volgende nummer. Dat is goed om te weten. Maar we moeten aan de slag met Blomkvist. Hij is net een handgranaat waar de pin uit is. En het is al zo'n chaos.'

17
WOENSDAG 1 JUNI

Mikael Blomkvist had er geen idee van dat er zich iemand in het trappenhuis bevond toen hij de laatste bocht van de trap naar zijn zolderverdieping op Bellmansgatan 1 nam. Het was zeven uur 's avonds. Hij bleef stokstijf staan toen hij een blonde vrouw met kort, krullend haar op de bovenste traptrede zag zitten. Hij identificeerde haar onmiddellijk als Monica Figuerola van de veiligheidsdienst; van de pasfoto die Lottie Karim had opgevraagd.

'Dag Blomkvist,' groette ze vrolijk en ze sloeg het boek dicht dat ze had zitten lezen. Mikael gluurde naar het boek en constateerde dat het Engels was en over het godsbeeld in de klassieke oudheid ging. Hij keek op en inspecteerde zijn onverwachte bezoek. Ze ging staan. Ze was gekleed in een witte zomerjurk met korte mouwen en had een steenrood leren jack over de trapleuning gelegd.

'Wij moeten met elkaar praten,' zei ze.

Mikael Blomkvist keek haar aan. Ze was lang, langer dan hij, en die indruk werd versterkt doordat ze twee traptreden hoger stond. Hij bekeek haar armen, keek toen omlaag naar haar benen en stelde vast dat ze aanzienlijk meer spieren bezat dan hij.

'Jij brengt zo te zien wel een paar uur per week in de sportschool door,' zei hij.

Ze glimlachte en haalde haar legitimatie tevoorschijn.

'Mijn naam is ...'

'Je heet Monica Figuerola, bent geboren in 1969 en woont aan de Pontonjärgatan op Kungsholmen. Je komt oorspronkelijk uit Borlänge en hebt bij de politie in Uppsala gewerkt. Je werkt sinds drie jaar bij de veiligheidsdienst, afdeling Grondwetsbescherming. Je traint heel fanatiek, was ooit topsporter en had bijna voor Zweden aan de Olympische Spelen meegedaan. Wat kom je doen?'

Ze was verrast, maar knikte en herstelde zich snel.

'Mooi,' zei ze op lichte toon. 'Dan weet je wie ik ben en dat je niet bang voor me hoeft te zijn.'

'Nee?'

'Er zijn een paar mensen die in alle rust met jou zouden willen spreken. Omdat jouw appartement en je mobiel lijken te worden afgeluisterd en er aanleiding is om discreet te zijn, ben ik erop uitgestuurd om je uit te nodigen.'

'En waarom zou ik ergens heen gaan met iemand die bij de veiligheidsdienst werkt?'

Ze dacht even na.

'Tja ... je kunt op een vriendelijke, persoonlijke uitnodiging met me meegaan, maar als dat beter aanvoelt, kan ik je ook geboeid afvoeren.'

Ze glimlachte lief. Mikael Blomkvist glimlachte terug.

'Blomkvist ... ik begrijp best dat je niet bijster veel redenen hebt om iemand van de veiligheidsdienst te vertrouwen. Maar niet iederéén die daar werkt is jouw vijand en er zijn zeer zwaarwegende redenen voor een gesprek met mijn opdrachtgevers.'

Hij wachtte af.

'Dus, wat wil je? Geboeid of vrijwillig?'

'Ik ben dit jaar al een keer door de politie geboeid, dus ik heb mijn quotum wel bereikt. Waar gaan we heen?'

Ze reed in een nieuwe Saab 9-5 en stond om de hoek van de Pryssgränd geparkeerd. Toen ze in de auto stapten, klapte ze haar mobiele telefoon open en toetste een snelkeuzenummer.

'We zijn er over een kwartier,' zei ze.

Ze zei tegen Mikael dat hij zijn gordel om moest doen, reed via Slussen naar Östermalm en parkeerde in een zijstraat van de Artillerigatan. Ze zat hem een seconde stil aan te kijken.

'Blomkvist ... dit is een vriendschappelijke ontmoeting. Je loopt geen enkel risico.'

Mikael Blomkvist zei niets. Hij wachtte met zijn oordeel tot hij wist waar het om ging. Ze toetste de portiekcode in. Ze namen de lift naar de vierde verdieping en kwamen bij een flat met de naam Martinsson op de deur.

'We hebben deze flat vanavond even geleend,' zei ze en ze deed de deur open. 'Rechtsaf, daar is de woonkamer.'

De eerste die Mikael zag, was Torsten Edklinth, wat geen verrassing was, omdat de veiligheidsdienst in allerhoogste mate bij de gebeurtenissen betrokken was en Edklinth Monica Figuerola's chef was. Dat het hoofd van de afdeling Grondwetsbescherming de moeite had genomen om hem op te laten halen, betekende dat er iemand ongerust was.

Daarna zag hij bij een raam iemand die zich naar hem toe keerde. De minister van Justitie. Dát was een verrassing.

Toen hoorde hij een geluid van rechts en hij zag een zeer bekend iemand overeind komen uit een fauteuil. Hij had er niet op gerekend dat Monica Figuerola hem zou ophalen voor een conspiratief avondoverleg met de minister-president.

'Goedenavond, meneer Blomkvist,' groette de premier. 'Het spijt me dat we u op zo'n korte termijn voor deze bijeenkomst moesten uitnodigen, maar we hebben de situatie besproken en waren het erover eens dat we met u moesten praten. Mag ik u iets te drinken aanbieden? Koffie of iets anders?'

Mikael keek om zich heen. Hij zag een eettafel van donker hout, die vol stond met glazen, lege koffiekopjes en de restanten van een hartige broodtaart. Ze moesten hier al een paar uur hebben gezeten.

'Ramlösa,' zei hij.

Monica Figuerola serveerde. Ze namen plaats op een bankstel terwijl zij zich op de achtergrond hield.

'Hij herkende mij, weet hoe ik heet, waar ik woon, waar ik werk en dat ik verslaafd ben aan trainen,' zei Monica Figuerola.

De premier keek even naar Torsten Edklinth en daarna naar Mikael Blomkvist. Mikael besefte opeens dat hij een sterke positie had. De premier wilde iets van hem en had er vermoedelijk geen idee van hoeveel of weinig Mikael Blomkvist wist.

'Ik probeer alle acteurs in deze warboel uit elkaar te houden,' zei Mikael op lichte toon.

Nu moet ik slim zijn, wil ik tegen de premier bluffen.

'En hoe kende u Monica Figuerola's naam?' vroeg Edklinth.

Mikael gluurde naar het hoofd van de afdeling Grondwetsbescherming. Hij had er geen idee van waarom de premier een geheime ontmoeting in een geleend appartement op Östermalm met hem wilde hebben, maar hij voelde zich geïnspireerd. Dat kon in de praktijk niet op zoveel manieren zijn gegaan. Dragan Armanskij had de boel in werking gesteld door de informatie te verstrekken aan iemand in wie hij vertrouwen had. En dat moest Edklinth of een andere intimus zijn geweest. Mikael waagde een gok.

'Een gemeenschappelijke kennis heeft met u gesproken,' zei hij tegen Edklinth. 'U hebt Figuerola erop gezet om te onderzoeken wat er aan de hand was en zij ontdekte dat een paar uitslovers van de veiligheidsdienst zich bezighouden met het onrechtmatig afluisteren van mijn telefoon, inbreken in mijn flat en dergelijke. Dat betekent dat u de bevestiging hebt gekregen van het bestaan van de Zalachenko-club. Dat maakte u zó ongerust dat u de behoefte voelde om de zaak verder door te spelen. U zat een hele tijd op uw kamer te piekeren, omdat u niet precies wist tot wie u zich moest wenden. Dat werd dus de minister van Justitie en die wendde zich tot de minister-president. En nu zitten we hier. Wat wilt u?'

Mikael sprak op een toon die suggereerde dat hij een bron op een centrale plek had en dat hij elke stap die Edklinth had gezet had gevolgd. Hij zag dat zijn bluf werkte, want Edklinths ogen verwijdden zich. Hij vervolgde.

'De Zalachenko-club bespioneert mij, ik bespioneer hen, u bespioneert de Zalachenko-club en de minister-president is op dit moment boos, maar ook ongerust. Hij weet dat er aan het eind van dit gesprek een schandaal wacht dat de regering wellicht niet overleeft.'

Monica Figuerola moest plotseling lachen, maar verborg dat door een glas Ramlösa omhoog te houden. Ze begreep dat Blomkvist blufte en ze wist hoe hij haar had kunnen verrassen met zijn kennis van haar naam en haar schoenmaat.

Hij heeft mij in mijn auto op de Bellmansgatan gezien. Hij is ontzettend waakzaam. Hij heeft mijn kenteken genoteerd en me geïdentificeerd. Maar de rest gokt hij.

Ze zei niets.

De premier keek bezorgd.

'Is dat wat ons te wachten staat?' vroeg hij. 'Een schandaal waardoor de regering valt?'

'De regering is niet mijn probleem,' zei Mikael. 'Mijn taak is het onthullen van shit zoals de Zalachenko-club.'

De premier knikte.

'En mijn taak is het leiden van dit land in overeenstemming met de grondwet.'

'Dat betekent dat mijn probleem in allerhoogste mate ook het probleem van de regering is. Maar andersom niet.'

'Kunnen we ophouden met in een kringetje te praten? Waarom denkt u dat ik deze ontmoeting heb gearrangeerd?'

'Om erachter te komen wat ik weet en wat ik van plan ben te doen.'

'Gedeeltelijk waar. Maar meer exact is dat we in een constitutionele crisis zijn beland. Laat me eerst uitleggen dat de regering niets met deze zaak van doen heeft. Wij zijn volledig in onze slaap verrast. Ik heb nooit eerder gehoord van wat u eh ... "de Zalachenko-club" noemt. De minister van Justitie heeft er nooit van gehoord. Torsten Edklinth, die een hoge functie bij de veiligheidsdienst heeft en daar al jaren werkt, heeft er nooit van gehoord.'

'Dat is nog steeds niet mijn probleem.'

'Dat weet ik. Wat wij willen weten, is wanneer u uw tekst gaat publiceren en bij voorkeur ook exact wát u gaat publiceren. Ik ben degene die die vraag stelt. En dat heeft niets met het beperken van de schadelijke gevolgen te maken.'

'O nee?'

'Blomkvist, het absoluut slechtste wat ik in deze situatie zou kunnen doen, is proberen de inhoud van jouw verhaal te beïnvloeden. Ik stel daarentegen een samenwerking voor.'

'Legt u dat eens uit.'

'Nu we bevestigd hebben gekregen dat er binnen een buitengewoon gevoelig deel van het openbaar bestuur een samenzwering bestaat, heb ik opdracht gegeven tot een onderzoek.' De premier wendde zich tot de minister van Justitie. 'Wil jij exact uitleggen wat de order van de regering is.'

'Dat is heel simpel. Torsten Edklinth heeft opdracht gekregen om onmiddellijk uit te zoeken of deze hele geschiedenis kan worden bevestigd. Zijn taak bestaat uit het verzamelen van informatie die aan de procureur-generaal kan worden overhandigd, die op zijn beurt tot taak heeft om te beoordelen of er een aanklacht moet worden ingediend. Dat is dus een zeer duidelijke instructie.'

Mikael knikte.

'Edklinth heeft ons vanavond geïnformeerd over de voortgang van het onderzoek. We hebben een lange discussie gevoerd over constitutionele zaken – wij willen uiteraard dat het er correct aan toe zal gaan.'

'Natuurlijk,' zei Mikael op een toon die aangaf dat hij geen cent gaf voor de uitspraken van de premier.

'Het onderzoek bevindt zich nu in een gevoelig stadium. We hebben nog niet exact geïdentificeerd wie erbij betrokken zijn. Daar hebben we tijd voor nodig. En daarom hebben we Monica Figuerola erop uitgestuurd om u uit te nodigen voor dit gesprek.'

'Dat deed ze met verve. Ik had weinig keus.'

De premier fronste zijn wenkbrauwen en gluurde naar Monica Figuerola.

'Nee, laat maar,' zei Mikael. 'Ze gedroeg zich voorbeeldig. Maar wat wilt u nu precies?'

'We willen weten wanneer u gaat publiceren. Dit onderzoek vindt momenteel onder grote geheimhouding plaats en als u publiceert voordat Edklinth klaar is, kan dat het hele onderzoek in de war schoppen.'

'Hm. En wanneer wilt u dat ik ga publiceren? Na de volgende verkiezingen?'

'Dat bepaalt u zelf. Dat is niet iets wat ik kan beïnvloeden. Wat ik u vraag, is dat u vertelt wanneer u gaat publiceren, zodat we exact weten welke deadline we voor het onderzoek hebben.'

'Ik begrijp het. U had het over samenwerking.'

De premier knikte.

'Ik wil allereerst zeggen dat het in normale gevallen niet in mijn hoofd zou zijn opgekomen om een journalist uit te nodigen voor een dergelijke bespreking.'

'In normale gevallen zou u er vermoedelijk alles aan hebben gedaan om journalisten van zo'n ontmoeting te weren.'

'Ja. Maar ik heb begrepen dat u door meerdere factoren wordt gedreven. U hebt als journalist de naam dat u geen consideratie hebt als er corruptie in het spel is. In dit geval zijn er geen tegenstellingen tussen ons.'

'Nee?'

'Nee. Zeker niet. Of liever gezegd, de tegenstellingen die er zijn, zijn mogelijk van juridische aard, maar er zijn geen tegenstellingen wat betreft de doelstelling. Als die Zalachenko-club bestaat, is dat niet alleen een criminele organisatie, maar ook een bedreiging voor de veiligheid van het land. Die club moet worden gestopt en de daders zullen zich moeten verantwoorden. Op dat punt zouden we het eens moeten zijn.'

Mikael knikte.

'Ik heb begrepen dat u meer over dit verhaal weet dan wie dan ook. Wij stellen voor dat u uw kennis met ons deelt. Als dit een gewoon politieonderzoek zou zijn over een gewoon misdrijf, zou de leider van het vooronderzoek kunnen besluiten u op te roepen voor verhoor. Maar dit is zoals u begrijpt een uitzonderlijke situatie.'

Mikael zat de situatie een tijdje zwijgend te overdenken.

'En wat krijg ik ervoor terug als ik samenwerk?'

'Niets. Ik ga niet met u marchanderen. Als u morgenvroeg wilt publiceren, dan moet u dat doen. Ik ben niet van plan te worden betrokken bij een koehandel die constitutioneel dubieus kan zijn. Ik vraag u samen te werken in het belang van de natie.'

'Voor niets gaat de zon op,' zei Mikael Blomkvist. 'Laat mij één ding zeggen ... ik ben woest. Ik ben waanzinnig kwaad op de staat, de regering, de Zweedse veiligheidsdienst en die klootzakken die zonder enige reden een twaalfjarig meisje in een psychiatrisch ziekenhuis hebben opgesloten en er vervolgens voor hebben gezorgd dat ze onmondig werd verklaard.'

'Lisbeth Salander is een zaak van de regering geworden,' zei de premier. Hij glimlachte zelfs. 'Blomkvist, ik ben persoonlijk zeer verbolgen over wat er met haar is gebeurd. En geloof me als ik zeg dat de daders zich zullen moeten verantwoorden. Maar voordat we dat kunnen doen, moeten we weten wie er verantwoordelijk zijn.'

'U hebt úw problemen. Mijn probleem is dat ik wil dat Lisbeth Salander wordt vrijgesproken en dat ze mondig wordt verklaard.'

'Daar kan ik u niet bij helpen. Ik sta niet boven de wet en ik kan niet voorschrijven wat officieren van justitie en rechtbanken moeten beslissen. Ze moet door een rechtbank worden vrijgesproken.'

'Oké,' zei Mikael Blomkvist. 'U wilt een samenwerking. Geef mij inzicht in het onderzoek van Edklinth, dan vertel ik wanneer en wat ik ga publiceren.'

'Dat inzicht kan ik u niet geven. Dan zou ik mezelf in dezelfde penibele relatie tot u manoeuvreren als de voorganger van de minister van Justitie tot een zekere Ebbe Carlsson.'

'Ik ben Ebbe Carlsson niet,' pareerde Mikael kalm. Hij zinspeelde op de situatie uit 1988. Minister van Justitie Anna-Greta Leijon had destijds moeten aftreden toen uitkwam dat de uitgever Ebbe Carlsson met haar toestemming onderzoek had gedaan naar betrokkenheid van de PKK bij de moord op Olof Palme.

'Dat heb ik begrepen. Maar Torsten Edklinth kan natuurlijk zelf beslissen wat hij binnen het kader van zijn opdracht met u kan delen.'

'Hm,' zei Mikael Blomkvist. 'Ik wil weten wie Evert Gullberg was.'

De aanwezigen zwegen.

'Evert Gullberg is vermoedelijk jarenlang het hoofd geweest van de afdeling binnen de veiligheidsdienst die u de Zalachenko-club noemt,' zei Edklinth.

De minister-president keek Edklinth scherp aan.

'Ik denk dat hij dat al weet,' zei Edklinth verontschuldigend.

'Dat klopt,' zei Mikael. 'Hij is in de jaren vijftig bij de veiligheidsdienst begonnen en werd hoofd van iets wat in de jaren zestig de "Sectie voor Speciale Analyse" werd genoemd. Hij was belast met de hele Zalachenko-affaire.'

De premier schudde zijn hoofd.

'U weet meer dan u zou moeten weten. Ik zou best willen weten hoe u aan die informatie bent gekomen. Maar dat zal ik niet vragen.'

'Er zitten gaten in mijn verhaal,' zei Mikael. 'Die gaten zou ik willen dichten. Geef mij die informatie, dan zal ik u niet voor de voeten lopen.'

'Als minister-president kan ik u die informatie niet geven. En Torsten Edklinth balanceert op een heel slap lijntje als hij dat doet.'

'Onzin. Ik weet wat u wilt hebben. U weet wat ik wil hebben. Als jullie mij informatie geven, zal ik jullie behandelen als bronnen, met alle anonimiteit die daarbij hoort. Begrijp me niet verkeerd, ik zal de waarheid vertellen zoals ik die in mijn reportage ervaar. Als u ergens bij betrokken bent, zal ik u aan de schandpaal nagelen en ervoor zorgen dat u nooit meer wordt herkozen. Maar ik heb op dit moment geen enkele reden om aan te nemen dat dat het geval is.'

De premier gluurde naar Edklinth. Hij knikte na korte tijd. Mikael zag dat als teken dat de premier op dat moment een wetsovertreding had begaan, zij het van meer academische aard, en zijn stilzwijgende goedkeuring had gegeven aan het feit dat Mikael vertrouwelijke informatie zou krijgen.

'We kunnen dit vrij eenvoudig oplossen,' zei Edklinth. 'Ik ben eenmansonderzoeker en bepaal zelf welke medewerkers ik voor het onderzoek aanstel. U kunt niet door de regering worden aangenomen, omdat dat zou inhouden dat u een verklaring van geheimhouding zou moeten ondertekenen. Maar ik kan u als externe adviseur in de arm nemen.'

Het leven van Erika Berger was meer dan gevuld met werk en oneindige vergaderingen sinds ze in de schoenen van de overleden hoofdredacteur Håkan Morander stond. Ze voelde zich voortdurend onvoorbereid, ontoereikend en ongeïnformeerd.

Pas op de woensdagavond bijna twee weken nadat Mikael Blomkvist haar de onderzoeksmap van Henry Cortez over bestuursvoorzitter Magnus Borgsjö had overhandigd, had Erika tijd om zich in het probleem in te lezen. Toen ze de map opensloeg, zag ze in dat dat ook kwam doordat ze zich helemaal niet met deze zaak bezig *wílde* houden. Ze wist al bij voorbaat dat het, hoe ze het ook zou aanpakken, in een catastrofe zou eindigen.

Ze kwam ongewoon vroeg thuis in haar villa in Saltsjöbaden, al tegen zevenen 's avonds, zette het alarm in de hal uit en constateerde verbaasd dat haar man Greger Backman niet thuis was. Het duurde even voor ze zich herinnerde dat ze hem 's morgens extra uitgebreid had geknuffeld omdat hij naar Parijs zou gaan om een paar lezingen te geven en pas tegen het weekend terug zou zijn. Ze realiseerde zich dat ze geen idee had voor wie hij een lezing zou geven, waar die lezing over zou gaan of wanneer dit was afgesproken.

Sorry, maar ik heb mijn man verkwanseld. Ze voelde zich net een figuur uit een boek van dokter Richard Schwartz en vroeg zich af of ze hulp van een psychotherapeut nodig had.

Ze ging naar de bovenverdieping, liet het bad vollopen en kleedde zich uit. Ze nam de onderzoeksmap mee in bad en besteedde het volgende halfuur aan het doorlezen van het hele verhaal. Toen ze klaar was, kon ze niet anders dan glimlachen. Henry Cortez zou een formidabele persmuskiet worden. Hij was zesentwintig jaar en werkte al vier jaar bij *Millennium*, sinds hij van de School voor de Journalistiek was gekomen. Ze voelde een zekere trots. Het hele verhaal over die wc-potten en Borgsjö droeg van begin tot eind de signatuur van *Millennium* en elke regel was gedocumenteerd.

Maar ze voelde zich ook zwaarmoedig. Magnus Borgsjö was een goede man die ze graag mocht. Hij was discreet, had een luisterend oor, was charmant en kwam pretentieloos over. Bovendien was hij haar chef en werkgever. *Verdomme, Borgsjö. Hoe kon je zo stom zijn?*

Ze dacht even na of er andere verklaringen of verzachtende omstandigheden konden zijn, maar ze wist al dat het niet goedgepraat kon worden.

Ze legde de map op de vensterbank en strekte zich peinzend uit in bad.

Dat *Millennium* het verhaal zou publiceren, was onvermijdelijk. Als ze zelf nog hoofdredacteur was geweest, zou ze geen seconde hebben getwijfeld, en het feit dat *Millennium* haar van tevoren van het verhaal op de hoogte had gesteld, was alleen een persoonlijk gebaar dat aangaf dat *Millennium* de schadelijke gevolgen voor haar persoonlijk zo veel mogelijk wilde beperken. Als de situatie omgekeerd was geweest, als de SMP overeenkomstige shit over de bestuursvoorzitter van *Millen-*

nium had gevonden (dat was Erika Berger trouwens zelf) zou ze ook niet hebben geaarzeld of het wel of niet zou worden gepubliceerd.

De publicatie zou Magnus Borgsjö ernstige schade toebrengen. Het probleem was eigenlijk niet dat zijn bedrijf, Vitvara AB, wc-potten had besteld bij een bedrijf in Vietnam dat op de zwarte lijst van de VN stond met bedrijven die kinderen uitbuitten, en in dit geval bovendien gebruikmaakte van slavenarbeid door strafgevangenen. (Sommigen van die strafgevangenen zouden overigens vrijwel zeker kunnen worden gedefinieerd als politieke gevangenen.) Het probleem was dat Magnus Borgsjö op de hoogte was van deze omstandigheden en er toch voor had gekozen wc-potten bij Fong Soo Industries te blijven bestellen. Dat getuigde van een inhaligheid die het Zweedse volk van Borgsjö net zomin zou pikken als van andere gangsterkapitalisten, zoals de afgetreden directeur van Skandia.

Magnus Borgsjö zou uiteraard beweren dat hij niet op de hoogte was geweest van de omstandigheden bij Fong Soo, maar Henry Cortez had goede documentatie op dat gebied en op het moment dat Borgsjö op die toer zou gaan, zou hij bovendien worden ontmaskerd als leugenaar. Magnus Borgsjö was in juni 1997 namelijk naar Vietnam gereisd om de eerste contracten te ondertekenen. Hij had toen tien dagen in Vietnam doorgebracht en onder andere de fabrieken van het bedrijf bezocht. Als hij zou beweren dat hij nooit had begrepen dat de meeste arbeiders bij de fabriek daar pas twaalf, dertien jaar oud waren, zou hij overkomen als een idioot.

Borgsjö's eventuele gebrek aan kennis zou immers volledig de grond in worden geboord doordat Henry Cortez kon bewijzen dat de VN-commissie tegen kinderarbeid Fong Soo Industries in 1999 op de lijst had gezet van bedrijven die kinderarbeidskracht misbruikten. Daar was vervolgens in de kranten aandacht aan besteed. Bovendien hadden twee van elkaar onafhankelijke ideële organisaties tegen kinderarbeid, waaronder de internationaal prestigieuze *International Joint Effort Against Child Labour* in Londen, een reeks brieven geschreven aan bedrijven die bestellingen deden bij Fong Soo. Er waren maar liefst zeven brieven naar Vitvara AB gestuurd. Twee van deze brieven waren aan Magnus Borgsjö persoonlijk geadresseerd geweest. De organisatie in Londen had de documentatie maar wát graag aan Henry Cortez overhandigd en had er tegelijkertijd bij vermeld dat Vitvara AB de brieven geen enkele keer had beantwoord.

Magnus Borgsjö was daarentegen nog tweemaal naar Vietnam gereisd, in 2001 en 2004, om de contracten te vernieuwen. Dat was de doodssteek. Alle mogelijkheden voor Borgsjö om zich te beroepen op onwetendheid, hielden daarmee op.

De aandacht in de media die zou volgen, kon maar tot één ding leiden. Als Borgsjö slim was, bood hij zijn verontschuldigingen aan en trad hij terug uit al zijn bestuursfuncties. Als hij in de tegenaanval zou gaan, zou hij in de loop van het proces worden vernietigd.

Of Borgsjö wel of niet bestuursvoorzitter van Vitvara AB was, kon Erika Berger niet schelen. Haar probleem was dat hij ook voorzitter van de SMP was. Publicatie hield in dat hij zou moeten aftreden. In een tijd waarin de krant op het randje van de afgrond balanceerde en er vernieuwingen moesten worden doorgevoerd, kon de SMP zich geen voorzitter permitteren van een twijfelachtig allooi. De krant zou er schade van ondervinden. Dus moest hij weg bij de SMP.

Erika Berger kon nu op twee manieren te werk gaan.

Ze kon naar Borgsjo toe gaan, de kaarten op tafel leggen, hem de documentatie laten zien en hem dan zelf de conclusie laten trekken dat hij zou moeten aftreden voordat het verhaal werd gepubliceerd.

Of, als hij zou tegenstribbelen, zou ze de raad van bestuur bliksemsnel bijeenroepen, hen informeren over de situatie en hen dwingen hem te ontslaan. En als het bestuur die lijn niet wenste te volgen, zou ze zelf met onmiddellijke ingang moeten aftreden als hoofdredacteur van de SMP.

Toen Erika Berger zo lang had nagedacht, was het badwater koud geworden. Ze nam een douche, droogde zich af, ging naar de slaapkamer en trok een ochtendjas aan. Daarna pakte ze haar mobiele telefoon en belde ze Mikael Blomkvist. Ze kreeg geen gehoor. Daarom ging ze naar de benedenverdieping om koffie te zetten. Ook wilde ze voor het eerst sinds ze bij de SMP was begonnen nagaan of er eventueel een film op tv was waarbij ze zich zou kunnen ontspannen.

Toen ze de ingang naar de woonkamer passeerde, voelde ze een scherpe pijn in haar voet. Ze keek omlaag en ontdekte dat ze hevig bloedde. Ze deed nog een stap en de pijn sneed door haar hele voet. Ze sprong op één been naar een antieke stoel en ging zitten. Ze tilde haar voet op en ontdekte tot haar ontsteltenis dat er een glasscherf in het zoolkussentje onder haar hiel was gedrongen. Eerst werd ze heel slap. Toen vermande ze zich, pakte de glasscherf beet en trok hem eruit. Het deed vreselijk veel pijn en het bloed gutste uit de wond.

Ze trok een lade van de ladekast in de hal open, waar ze sjaaltjes, handschoenen en mutsen bewaarde. Ze vond een sjaaltje dat ze snel om haar voet wikkelde en stevig vastknoopte. Dat was niet voldoende en ze versterkte het geheel met nog een geïmproviseerd verband. De bloedstroom verminderde enigszins.

Ze keek verbaasd naar het bebloede stuk glas. *Hoe is dat daar in godsnaam terechtgekomen?* Toen ontdekte ze meer stukken glas op de vloer in de hal. *Wat is hier in vredesnaam ...* Ze stond op, wierp een blik in de woonkamer en zag dat het grote panoramaraam met uitzicht op het Saltsjön versplinterd was en dat de hele vloer bezaaid was met glasscherven.

Ze liep achteruit naar de buitendeur en trok de wandelschoenen aan die ze had uitgeschopt toen ze was thuisgekomen. Dat wil zeggen, ze trok haar ene schoen aan en zette de tenen van haar gewonde voet in de andere, en sprong min of meer op één been de woonkamer in om de verwoesting te aanschouwen.

Toen ontdekte ze de baksteen midden op de salontafel.

Ze hinkte naar de terrasdeur en liep de achtertuin in.

Iemand had in metershoge letters een woord op de gevel gespoten.

HOER

Het was even na negenen 's avonds toen Monica Figuerola het portier voor Mikael Blomkvist openhield. Ze liep om de auto heen en ging op de bestuurdersstoel zitten.

'Zal ik je naar huis rijden of wil je ergens anders worden afgezet?'

Mikael Blomkvist staarde leeg voor zich uit.

'Eerlijk gezegd ben ik wat in de war. Ik heb nog nooit eerder een minister-president onder druk gezet.'

Monica Figuerola moest lachen.

'Je hebt het er goed van afgebracht,' zei ze. 'Ik had er geen idee van dat je zo'n talent voor blufpoker had.'

'Elk woord was gemeend.'

'Ja, maar wat ik bedoel, is dat je deed alsof je veel meer wist dan je in werkelijkheid weet. Dat begreep ik toen ik inzag hoe je mij had geïdentificeerd.'

Mikael draaide zijn hoofd en keek naar haar profiel.

'Je had mijn kenteken genoteerd toen ik vlak bij jouw huis geparkeerd stond.'

Hij knikte.

'Je deed het voorkomen alsof je precies wist wat er op het secretariaat van de premier was besproken.'

'Waarom heb je niets gezegd?'

Ze keek hem even snel aan en reed de Grev Turegatan op.

'De regels van het spel. Ik had daar niet moeten gaan staan. Maar er was geen andere plek om te parkeren. Jij houdt je omgeving nauwlettend in de gaten, hè?'

'Jij zat met een kaart op de voorstoel te telefoneren. Ik had je kenteken genoteerd en dat uit routine gecheckt. Meestal is het niks. In jouw geval ontdekte ik dat je bij de veiligheidsdienst werkte.'

'Ik hield Mårtensson in de gaten. Toen ontdekte ik dat jij hém via Susanne Linder van Milton Security in de gaten hield.'

'Armanskij heeft haar erop gezet om te documenteren wat er rond mijn appartement gebeurt.'

'En omdat zij jouw portiek binnenging, neem ik aan dat Armanskij een verborgen camera of iets dergelijks in jouw appartement heeft geïnstalleerd.'

'Dat klopt. We hebben een schitterende video van hoe ze inbreken en mijn papieren doornemen. Mårtensson had een draagbaar kopieerapparaat bij zich. Hebben jullie Mårtenssons kompaan al geïdentificeerd?'

'Hij is onbelangrijk. Een slotenmaker met een crimineel verleden die vermoedelijk betaald krijgt om jouw deur open te maken.'

'Naam?'

'Bronbescherming?'

'Uiteraard.'

'Lars Faulsson, zevenenveertig jaar, wordt "Falun" genoemd. Veroordeeld voor een kluiskraak in de jaren tachtig en nog wat andere kleine vergrijpen. Heeft een zaak bij Norrtull.'

'Bedankt.'

'Maar laten we de geheimen bewaren tot de meeting van morgen.'

De bijeenkomst was afgerond met een afspraak die inhield dat Mikael Blomkvist de volgende dag bij de afdeling Grondwetsbescherming langs zou gaan voor een eerste informatie-uitwisseling. Mikael dacht na. Ze reden net langs Sergels torg.

'Weet je, ik heb ontzettende trek. Ik heb om twee uur vanmiddag geluncht en was toen ik thuiskwam van plan pasta te maken, maar werd door jou afgeleid. Heb jij al gegeten?'

'Dat is alweer een tijd terug.'

'Rij naar een of andere tent waar ze fatsoenlijk voedsel hebben.'

'Al het voedsel is fatsoenlijk.'

Hij keek haar aan.

'Ik dacht dat jij zo'n reformfreak was.'

'Nee, ik ben trainingsfanaat. Als je traint, kun je eten wat je wilt. Binnen zekere grenzen, natuurlijk.'

Ze remde bij het Klarabergsviaduct en overwoog de mogelijkheden. In plaats van naar Södermalm af te slaan, reed ze rechtdoor naar Kungsholmen.

'Ik weet niet hoe de tenten op Söder zijn, maar ik weet een uitstekend Bosnisch restaurantje bij het Fridhemsplan. Hun *burek* is fantastisch.'

'Klinkt goed,' zei Mikael Blomkvist.

Lisbeth Salander klikte letter voor letter aan. Ze werkte elke dag gemiddeld vijf uur aan haar verklaring. Ze formuleerde exact. Ze was zeer secuur met het achterhouden van alle details die tegen haar konden worden gebruikt.

Het feit dat ze was opgesloten, was een zegen geworden. Ze kon als ze alleen in de kamer was te allen tijde werken en ze werd altijd gewaarschuwd dat er iemand aan kwam door gerammel van een sleutelbos of een sleutel die in het slot werd gestoken, zodat ze haar handcomputer snel kon opbergen.

Toen ik bezig was het zomerhuisje van Bjurman bij Stallarholmen af te sluiten, arriveerden Carl-Magnus Lundin en Sonny Nieminen op hun motorfietsen. Omdat ze al een tijd in opdracht van Zalachenko/Niedermann naar mij op zoek waren, waren ze verbaasd mij daar aan te treffen.

Magge Lundin stapte van zijn motor en zei: 'Ik geloof dat die pot wat pik nodig heeft.' Nieminen en hij traden zó dreigend op dat ik genoodzaakt was het recht op noodweer toe te passen. Ik verliet de plek op de motorfiets van Lundin, die ik later bij de beurs van Älvsjö heb achtergelaten.

Ze las het stuk door en knikte goedkeurend. Er was geen reden om ook nog te vertellen dat Magge Lundin haar 'hoer' had genoemd, dat ze daarom gebukt had om Sonny Nieminens P-83 Wanad te pakken en dat ze Lundin had bestraft door hem in zijn voet te schieten. Dat kon de politie vermoedelijk zelf wel bedenken, maar het was aan hen om te bewijzen dat dat het geval was. Ze was niet van plan hun werk te vergemakkelijken door iets toe te geven wat gevangenisstraf voor zware mishandeling zou opleveren.

De tekst was gegroeid tot drieëndertig pagina's en ze naderde het eind. Ze was in sommige stukken bijzonder spaarzaam met details en zorgde dat ze nergens enig bewijs presenteerde waarmee iets van de vele beweringen die ze deed, kon worden gestaafd. Ze ging zover dat ze bepaalde duidelijke bewijzen achterhield en de tekst liet overgaan in de volgende schakel van het gebeuren.

Ze dacht even na, scrolde terug en las de tekst door in het hoofdstuk waarin ze vertelde over de grove en sadistische verkrachting door advocaat Nils Bjurman. Dat was het hoofdstuk waar ze de meeste tijd aan had besteed en een van de weinige stukken die ze meerdere malen had herschreven voor ze tevreden was met het resultaat. Het hoofdstuk omvatte negentien regels in het verhaal. Ze vertelde zakelijk hoe hij haar had geslagen, haar op haar buik op bed had geduwd, haar mond dicht had geplakt en haar handen had geboeid. Ze stelde daarna vast dat hij herhaalde seksuele verkrachtingshandelingen had uitgevoerd, die in de loop van de nacht zowel anale als orale penetratie hadden omvat. Ze vertelde verder hoe hij op enig moment tijdens de verkrachting een kledingstuk – haar eigen T-shirt – om haar keel had gewikkeld en haar zo lang had gewurgd dat ze even buiten bewustzijn was geweest. Daarna volgden nog een paar tekstregels waarin ze de instrumenten beschreef die hij tijdens de verkrachting had gebruikt: een kort zweepje, een anaalplug, een grove dildo en klemmen die hij aan haar tepels had bevestigd.

Ze fronste haar wenkbrauwen en bestudeerde de tekst. Ten slotte tilde ze de elektronische pen op en tikte nog een paar tekstregels in.

Bjurman maakte eenmaal, toen mijn mond nog zat dichtgeplakt, een opmerking over het feit dat ik diverse tatoeages en piercings had, waaronder een ring door mijn linkertepel. Hij vroeg of ik het lekker vond om gepiercet te worden en liep vervolgens even de kamer uit. Hij kwam terug met een speld, die hij door mijn rechtertepel stak.

Na de nieuwe tekst te hebben doorgelezen, knikte ze goedkeurend. De bureaucratische toon gaf de tekst zo'n surrealistisch tintje, dat hij overkwam als een onredelijke fantasie.

Het verhaal klonk gewoon niet geloofwaardig.

En dat was precies Lisbeth Salanders bedoeling.

Op dat moment hoorde ze gerammel van de sleutelbos van de Securitas-bewaker. Ze deed de handcomputer onmiddellijk uit en stopte hem in de nis aan de achterkant van het nachtkastje. Het was Annika Giannini. Ze fronste haar wenkbrauwen. Het was na negenen 's avonds en Giannini kwam nooit zo laat.

‘Hallo Lisbeth.’

‘Hoi.’

‘Hoe gaat het?’

‘Ik ben nog niet klaar.’

Annika Giannini zuchtte.

‘Lisbeth, de rechtszaak begint op 13 juli.’

‘Dat is goed.’

‘Nee, dat is helemaal niet goed. De tijd vliegt en je neemt mij niet in vertrouwen. Ik begin te vrezen dat ik een kolossale misstap heb begaan door jouw advocaat te worden. Als we een kans willen maken, moet je me vertrouwen. We moeten samenwerken.’

Lisbeth Salander bestudeerde Annika Giannini geruime tijd. Uiteindelijk leunde ze achterover, met haar hoofd op het kussen en keek naar het plafond.

‘Ik weet nu hoe we het moeten aanpakken,’ zei ze. ‘Ik heb Mikaels plan begrepen en hij heeft gelijk.’

‘Daar ben ik nog niet zo zeker van,’ zei Annika.

‘Maar ik wel.’

‘De politie wil je opnieuw verhoren. Ene Hans Faste uit Stockholm.’

‘Laat hem mij maar verhoren. Ik zeg geen woord.’

‘Je moet met een verklaring komen.’

Lisbeth keek Annika Giannini scherp aan.

‘Ik herhaal. We zeggen geen woord tegen de politie. Als we in de rechtszaal komen, mag de officier van justitie geen lettergreep van enig verhoor met mij hebben om op terug te vallen. Alles wat ze krijgen, is de verklaring die ik op dit moment aan het formuleren ben en die grotendeels onredelijk zal overkomen. En die krijgen ze een paar dagen voor de rechtszaak.’

‘En wanneer ga je ervoor zitten om hem op papier te zetten?’

‘Je krijgt hem over een paar dagen. Maar hij mag pas vlak voor de rechtszaak naar de officier van justitie.’

Annika Giannini keek weifelend. Lisbeth gunde haar plotseling een scheef lachje.

‘Je hebt het over vertrouwen. Kan ik jou vertrouwen?’

‘Uiteraard.’

‘Oké, kun je een handcomputer bij mij naar binnen smokkelen, zodat ik contact kan onderhouden met mensen via internet?’

‘Nee, natuurlijk niet. Als dat ontdekt zou worden, zou ik worden aangeklaagd en mijn advocatenlicentie kwijtraken.’

'Maar als iemand anders zo'n computer bij mij naar binnen zou smokkelen, zou je dan aangifte doen bij de politie?'

Annika fronste haar wenkbrauwen.

'Als ik het niet weet ...'

'Maar als je het wél weet. Wat zou je dan doen?'

Annika dacht lang na.

'Ik zou mijn ogen ervoor sluiten. Hoezo?'

'Die hypothetische computer stuurt je binnenkort een hypothetisch mailtje. Als je het gelezen hebt, wil ik dat je weer bij me langskomt.'

'Lisbeth ...'

'Wacht. Het zit zo. De officier speelt met een gemerkt kaartspel. Ik ben altijd in het nadeel, wat ik ook doe, en het doel van de rechtszaak is om mij in een gesloten psychiatrische inrichting te krijgen.'

'Ik weet het.'

'Wil ik overleven, dan moet ik óók met unfaire methoden vechten.'

Annika Giannini knikte uiteindelijk.

'Toen je de eerste keer bij me kwam, deed je me de groeten van Mikael Blomkvist. Je vertelde dat hij had gezegd dat hij het meeste aan jou had verteld, op een paar uitzonderingen na. Eén van die uitzonderingen waren de vaardigheden die hij bij mij had ontdekt toen we in Hedestad waren.'

'Ja.'

'Waar hij op doelde, was dat ik heel goed ben met computers. Zó goed dat ik alles wat er in de computer van officier van justitie Ekström staat kan lezen en kopiëren.'

Annika Giannini verbleekte.

'Jij kunt daar niet bij worden betrokken. Jij kunt dat materiaal in de rechtszaak dus niet gebruiken,' zei Lisbeth.

'Nee, nauwelijks.'

'Je hebt er dus ook geen weet van.'

'Oké.'

'Maar iemand anders, jouw broer bijvoorbeeld, kan bepaalde delen van het materiaal publiceren. Dat moet je meewegen bij het plannen van onze strategie voor de rechtszaak.'

'Ik snap het.'

'Annika, het gaat er bij deze rechtszaak om wie de hardste methoden hanteert.'

'Daar ben ik me van bewust.'

'Ik ben tevreden met jou als mijn advocaat. Ik vertrouw je en heb je hulp nodig.'

'Hm.'

'Maar als jij dwars gaat liggen omdat ik óók gebruikmaak van onethische methoden, zullen we de rechtszaak verliezen.'

'Ja.'

'En in dat geval wil ik het nu weten. Dan moet ik je ontslaan en een andere advocaat zoeken.'

'Lisbeth, ik kan geen strafbare feiten plegen.'

'Dat is ook helemaal niet de bedoeling. Maar je moet je ogen sluiten voor het feit dat ik dat wél doe. Kun je dat?'

Lisbeth Salander wachtte bijna een minuut geduldig tot Annika Giannini knikte.

'Goed. Laat me de hoofdlijnen van mijn verklaring vertellen.'

Ze zaten twee uur te praten.

Monica Figuerola had gelijk gehad dat de *burek* van het Bosnische restaurant fantastisch was. Mikael Blomkvist gluurde voorzichtig naar haar toen ze terugkwam van het toilet. Ze bewoog zich gracieus als een balletdanseres, maar had een lichaam als ... Mikael kon het niet helpen dat hij gefascineerd raakte. Hij onderdrukte een impuls om zijn hand uit te steken en aan haar beenspieren te voelen.

'Hoe lang train je al?' vroeg hij.

'Sinds mijn tienertijd.'

'En hoeveel uur per week besteed je aan trainen?'

'Twee uur per dag. Soms drie.'

'Waarom? Ik bedoel, ik begrijp waarom mensen trainen, maar ...'

'Jij vindt het overdreven.'

'Ik weet niet precies wat ik bedoel.'

Ze glimlachte en leek zich helemaal niet te ergeren aan zijn vraag.

'Misschien vind je het alleen maar gek dat je een meid met spieren ziet en dat dat weinig opwindend en vrouwelijk is?'

'Nee, helemaal niet. Het past op de een of andere manier bij je. Je bent ontzettend sexy.'

Ze lachte opnieuw.

'Ik ben momenteel zelfs aan het afbouwen. Tien jaar geleden deed ik aan keiharde bodybuilding. Dat was leuk. Maar ik moet nu voorzichtig zijn, zodat niet al het spierweefsel wordt omgezet in vetweefsel en ik pafferig word. Dus tegenwoordig doe ik nog maar eenmaal per week aan gewichtheffen en besteed ik de rest van de tijd aan hardlopen, badminton, zwemmen en dergelijke. Dat is meer beweging dan training.'

'Oké.'

'De reden dat ik train, is omdat het lekker is. Dat is een gebruikelijk fenomeen bij extreme sporters. Het lichaam ontwikkelt een pijnstillend middel waar je verslaafd aan raakt. Na een tijdje krijg je afkickverschijnselen als je niet elke dag gaat hardlopen. Het geeft een enorme kick als je echt alles geeft. Het is bijna net zo heftig als goede seks.'

Mikael lachte.

'Jij zou ook wat aan beweging moeten doen. Je krijgt een buikje.'

'Ik weet het,' zei hij. 'Ik heb voortdurend een slecht geweten. Soms krijg ik het op mijn heupen en ga ik hardlopen. Ik val dan een paar kilo af, maar dan ben ik weer ergens druk mee en komt het er een maand of twee niet van.'

'Je bent de laatste maanden erg druk.'

Hij werd plotseling serieus. Toen knikte hij.

'Ik heb de laatste twee weken veel over je gelezen. Je lag straatlengten voor op de politie bij de opsporing van Zalachenko en de identificatie van Niedermann.'

'Lisbeth Salander was sneller.'

'Hoe ben je Gosseberga op het spoor gekomen?'

Mikael haalde zijn schouders op.

'Gewoon, research. Ik ben trouwens niet degene die hem heeft gevonden, dat was onze redactiesecretaris, de huidige hoofdredacteur Malin Eriksson. Zij wist Niedermann op te sporen via het Patent- en Registratiebureau. Hij zat in het bestuur van het bedrijf van Zalachenko, KAB.'

'Ik begrijp het.'

'Waarom ben je bij de veiligheidsdienst gaan werken?' vroeg hij.

'Geloof het of niet, maar ik ben zoiets ouderwets als een democraat. Ik vind dat de politie nodig is en dat een democratie politieke bescherming nodig heeft. Daarom ben ik er heel trots op dat ik op de afdeling Grondwetsbescherming werk.'

'Hm,' zei Mikael Blomkvist.

'Jij mag de veiligheidsdienst niet?'

'Ik hou niet van instituten die boven de normale parlementaire controle staan. Dat is een uitnodiging tot machtsmisbruik, hoe goed de intenties ook zijn. Waarom ben je geïnteresseerd in het godsbeeld van de klassieke oudheid?'

Ze fronste haar wenkbrauwen.

'Je zat bij mij op de trap een boek te lezen met die titel.'

'O ja. Ja, dat onderwerp fascineert me.'

'Aha.'

'Ik heb heel veel interessen. Ik heb rechten en politicologie gestudeerd in de tijd dat ik bij de politie werkte. En daarvóór had ik ideeengeschiedenis en filosofie gedaan.'

'Heb je geen zwakke kanten?'

'Ik lees geen literatuur, ik ga nooit naar de bioscoop en ik kijk op tv alleen maar naar het nieuws. En jij? Waarom ben je journalist geworden?'

'Omdat er instituten als de veiligheidsdienst zijn waarop parlementair toezicht ontbreekt en die regelmatig moeten worden doorgelicht.'

Mikael glimlachte.

'Eerlijk gezegd, ik weet het niet precies. Maar eigenlijk is het antwoord hetzelfde als het jouwe. Ik geloof in een constitutionele democratie, en die moet zo nu en dan worden beschermd.'

'Zoals je met die financieel expert Hans-Erik Wennerström hebt gedaan.'

'Iets in die richting.'

'Je bent niet getrouwd. Heb je een relatie met Erika Berger?'

'Erika Berger is getrouwd.'

'Oké, dus al die geruchten over jullie zijn onzin. Heb je een vriendin?'

'Niets vasts.'

'Dus die geruchten zijn ook waar.'

Mikael haalde zijn schouders op en glimlachte opnieuw.

Hoofdredacteur Malin Eriksson bracht de avond tot ver in de kleine uurtjes thuis in Årsta door aan de keukentafel. Ze zat over printjes van het budget van *Millennium* gebogen en was zó geconcentreerd bezig dat haar vriend Anton uiteindelijk zijn pogingen tot een normaal gesprek opgaf. Hij waste af, smeerde nog een boterham en zette koffie. Daarna liet hij haar met rust en ging hij voor de tv zitten om naar een herhaling van *Crime Scene Investigation* te kijken.

Malin Eriksson had zich nooit eerder in haar leven beziggehouden met iets geavanceerders dan een huishoudbudget, maar ze had altijd samen met Erika Berger naar de maandafsluitingen gekeken en begreep de principes. Nu was ze opeens hoofdredacteur geworden en daarmee ook verantwoordelijk voor het budget. Ergens na middernacht besloot ze dat ze, wat er ook gebeurde, iemand nodig had om mee van gedachten te wisselen. Ingela Oscarsson, die één dag per week de boekhouding deed, had geen eigen budgetverantwoordelijkheid en was absoluut niet van nut bij het nemen van beslissingen over hoeveel een freelancer moest krijgen en of ze buiten het bedrag om dat was gereserveerd voor technische verbeteringen geld hadden voor een nieuwe laserprinter. Het was eigenlijk een belachelijke situatie – *Millennium* maakte zelfs winst, maar dat kwam doordat Erika Berger voortdurend op de kleintjes had gelet. Zoiets simpels als een nieuwe kleurenprinter van 45.000 kronen werd bij haar een zwart-witprinter van 8.000 kronen.

Even was ze jaloers op Erika Berger. Bij de SMP had ze een budget waar zo'n uitgave zou worden gezien als een fooitje.

Op de laatste jaarvergadering was de economische situatie van *Millennium* goed geweest, maar het overschot in het budget was hoofdzakelijk afkomstig van de verkoop van het boek van Mikael Blomkvist over de Wennerström-affaire. Het overschot dat was gereserveerd voor investeringen, kromp onrustbarend snel. Dit kwam mede door de uitgaven die Mikael deed in verband met het Salander-verhaal. *Millennium* beschikte niet over de middelen die nodig waren om een medewerker een lopend budget te geven, met allerhande uitgaven in de vorm van huurauto's, hotelkamers, taxikosten, de aankoop van researchmateriaal en mobiele telefoons en dergelijke.

Malin fiatteerde een factuur van freelancer Daniel Olofsson in Göteborg. Ze zuchtte. Mikael Blomkvist had een bedrag van 14.000 kronen goedgekeurd voor de research van een week voor een verhaal dat niet eens zou worden gepubliceerd. De vergoeding aan ene Idris Ghidi in Göteborg viel onder het kopje 'vergoeding aan anonieme bronnen', mensen die niet bij name genoemd mochten worden, wat inhield dat de accountant het ontbreken van bonnetjes zou bekritiseren en dat dat een zaak zou worden die door het bestuur moest worden goedgekeurd. *Millennium* betaalde bovendien een honorarium aan Annika Giannini, die op zich geld uit de algemene middelen zou krijgen, maar die in elk geval contant geld nodig had om treinkaartjes en dergelijke van te betalen.

Ze legde haar pen neer en bekeek de eindbedragen die ze had uitgerekend. Mikael Blomkvist had er voor het Salander-verhaal rücksichtslos meer dan 150.000 kronen doorheen gejaagd. Geheel buiten het budget om. Zo kon het niet doorgaan.

Ze zou met hem moeten praten.

Erika Berger bracht de avond door op de spoedeisende hulp van het ziekenhuis van Nacka in plaats van thuis voor de buis. Het stuk glas was zo diep in haar voet gedrongen dat het bloeden niet ophield en bij nader onderzoek bleek dat er nog een afgebroken punt van het stuk glas in haar hiel zat, die moest worden verwijderd. Ze kreeg een plaatselijke verdoving en daarna werd de wond met drie hechtingen gehecht.

Erika Berger vervloekte het ziekenhuisbezoek en probeerde regelmatig Greger Backman en Mikael Blomkvist te bereiken. Maar haar echtgenoot en haar minnaar namen geen van beiden op. Tegen tienen zat haar voet in een stevig verband. Ze mocht krukken lenen en nam weer een taxi naar huis.

Daar was ze eerst een tijdje bezig om hinkend op haar ene voet en de spits van haar andere de vloer in de woonkamer schoon te vegen en bij Glasacuut een nieuw raam te bestellen. Ze had geluk. Het was rustig geweest in de stad en Glasacuut was er binnen twintig minuten. Daarna had ze pech. Het raam van de woonkamer was zo groot dat het glas niet op voorraad was. De glaszetter bood aan om het raam provisorisch af te dekken met triplex, wat ze dankbaar accepteerde.

Terwijl het triplex werd aangebracht, belde ze de dienstdoende medewerker van het particuliere beveiligingsbedrijf NIP, wat stond voor Nacka Integrated Protection, en vroeg waarom het kostbare inbraakalarm niet was afgegaan toen iemand een baksteen door het grootste raam van de 250 vierkante meter grote villa had gegooid.

Er kwam een autootje van de NIP en er werd geconstateerd dat de technicus die het alarm jaren daarvoor had geïnstalleerd, blijkbaar vergeten was om de draden van de ramen in de woonkamer aan te sluiten.

Erika Berger was sprakeloos.

De NIP bood aan de zaak de volgende ochtend al te komen verhelpen. Erika antwoordde dat ze geen moeite hoefden te doen. Ze belde in plaats daarvan naar de nachtdienst van Milton Security. Ze legde haar situatie uit en zei dat ze zo spoedig mogelijk een compleet alarmpakket wilde hebben. *Ja, ik weet dat er een contract moet worden getekend, maar zeg maar tegen Dragan Armanskij dat Erika Berger heeft gebeld en zorg dat het alarm morgenochtend wordt geïnstalleerd.*

Uiteindelijk belde ze ook de politie. Ze kreeg te horen dat er geen auto beschikbaar was om de aangifte te komen opnemen. Ze kreeg de tip om de volgende dag contact op te nemen met het wijkteam. *Nou bedankt. Fuck off.*

Daarna zat ze een hele tijd in haar eentje in de keuken te koken van woede tot haar adrenalinegehalte wat begon te zakken. Ze besefte dat ze helemaal alleen in een onbeveiligd pand zou moeten slapen terwijl iemand die haar 'hoer' noemde en gewelddadige neigingen vertoonde in de buurt rondsloop.

Even vroeg ze zich af of ze naar de stad moest gaan om de nacht in een hotel door te brengen, maar Erika Berger was nu eenmaal iemand die niet graag werd bedreigd en er al helemáál niet van hield om daaraan toe te geven. *Ik laat me toch niet door een of andere eikel mijn huis uit jagen!*

Maar ze nam wel een paar eenvoudige veiligheidsmaatregelen.

Mikael Blomkvist had haar verteld hoe Lisbeth Salander de seriemoordenaar Martin Vanger met een golfclub te lijf was gegaan. Dus strompelde ze naar de garage en zocht vervolgens tien minuten naar haar golftas, die ze al vijftien jaar niet had gezien. Ze koos de ijzeren club met de beste swing en legde deze op een handige afstand van haar bed in de slaapkamer. Ze zette een putter in de hal en een andere ijzeren club in de keuken. Ze haalde een hamer uit de gereedschapskist in de kelder en legde die in de badkamer naast de slaapkamer.

Ze pakte de traangasspray uit haar schoudertas en zette hem op het nachtkastje. Ten slotte zocht ze een rubberen wig, sloot de slaapkamerdeur en vergrendelde hem met de wig. Daarna hoopte ze bijna dat de idioot die haar 'hoer' noemde en haar ramen ingooide zo dom zou zijn om die nacht terug te komen.

Toen ze zich voldoende had verschanst, was het inmiddels één uur 's nachts. Ze moest om acht uur op de redactie zijn. Ze raadpleegde haar agenda en constateerde dat ze vier afspraken had, te beginnen om tien uur. Haar voet deed behoorlijk veel pijn en ze hinkte op haar tenen. Ze kleedde zich uit en kroop in bed. Ze bezat geen nachthemd en vroeg zich af of ze een T-shirt of iets dergelijks moest aantrekken, maar omdat ze al sinds haar tienertijd naakt sliep, besloot ze dat een baksteen door het raam van de woonkamer geen reden was om verandering aan te brengen in haar gewoonten.

Daarna lag ze natuurlijk te piekeren en kon ze niet slapen.

Hoer.

Ze had negen mailtjes ontvangen die het woord 'hoer' bevatten en die van verschillende bronnen binnen de media leken te komen. Het eerste was van haar eigen redactie gekomen, maar de afzender was fake.

Ze stond op en pakte haar nieuwe Dell-laptop, die ze had gekregen toen ze bij de *SMP* was begonnen.

Het eerste mailtje – dat ook het meest vulgaire en dreigende was, en waarin werd voorgesteld dat ze met een schroevendraaier zou worden geneukt – was op 16 mei binnengekomen, zestien dagen geleden.

Mail twee was twee dagen later binnengekomen, op 18 mei.

Daarna een pauze van een week voordat er opnieuw e-mails kwamen, maar nu met een regelmaat van eenmaal per vierentwintig uur. Daarna de aanval op haar huis. *Hoer.*

In de tussentijd had Eva Carlsson van de cultuurredactie vreemde mailtjes ontvangen, die Erika zelf leek te hebben gestuurd. En als Eva Carlsson gekke mailtjes had ontvangen, was het heel goed mogelijk dat de brievenschrijver elders ook actief was geweest, dat andere mensen post van 'haar' hadden ontvangen waar ze niets vanaf wist.

Dat was een onaangename gedachte.

Maar het meest onrustbarende was toch wel de aanval op haar huis in Saltsjöbaden.

Dat betekende dat iemand de moeite had genomen daarnaartoe te gaan, haar woning te lokaliseren en een baksteen door de ruit te gooien. De aanval was voorbereid; de dader had een spuitbus met verf meegenomen. Op hetzelfde moment werd ze ijskoud, toen ze inzag dat ze mogelijk nóg een aanval in het overzicht moest opnemen. Toen ze met Mikael Blomkvist in het Hilton bij Slussen had overnacht, waren alle vier haar banden lek gestoken.

De conclusie was net zo onaangenaam als duidelijk. Ze had een stalker.

Ergens daarbuiten was iemand die het om onbekende redenen leuk vond om Erika Berger te treiteren.

Dat haar woning het doelwit was van een aanval, was begrijpelijk – het huis lag waar het lag en was moeilijk te verstoppen of te verplaatsen. Maar als haar auto het doelwit was van een aanval terwijl hij op een willekeurig gekozen straat op Södermalm geparkeerd stond, betekende dat dat haar stalker zich altijd in haar onmiddellijke nabijheid bevond.

18
DONDERDAG 2 JUNI

Erika Berger werd om vijf over negen wakker doordat haar mobiele telefoon ging.

'Goedemorgen, juffrouw Berger. Dragan Armanskij. Ik heb begrepen dat er vannacht wat is gebeurd.'

Erika legde uit wat er gebeurd was en vroeg of Milton Security de Nacka Integrated Protection kon vervangen.

'Wij kunnen in elk geval een alarm installeren dat werkt,' zei Armanskij sarcastisch. 'Het probleem is dat 's nachts onze dichtstbijzijnde auto in Nacka centrum staat. De aanrijtijd is ongeveer dertig minuten. Als we die klus aannemen, moet ik jouw huis uitbesteden. We hebben een samenwerkingsverband met een plaatselijk beveiligingsbedrijf, Adam Säkerhet in Fisksätra, dat als alles goed gaat een aanrijtijd van tien minuten heeft.'

'Dat is beter dan de NIP, die niet eens komt opdagen.'

'Ik wil je informeren dat het een familiebedrijf is, bestaande uit een vader, twee zonen en een paar neven. Grieken, goede mensen, ik ken die vader al jaren. Ze hebben circa 320 dagen per jaar dekking. De dagen dat ze niet kunnen, bijvoorbeeld wegens vakantie en dergelijke, worden van tevoren meegedeeld en dan ben je aangewezen op onze auto in Nacka.'

'Daar kan ik mee leven.'

'Ik stuur vanochtend iemand naar je toe. Hij heet David Rosin en is al onderweg. Hij zal een veiligheidsanalyse maken. Hij heeft je sleutels nodig als je niet thuis bent en hij heeft jouw toestemming nodig om het huis van onder tot boven te bekijken. Hij zal het huis, het perceel en de naaste omgeving fotograferen.'

'Ik begrijp het.'

'Rosin is zeer ervaren en we zullen een voorstel doen voor veiligheidsmaatregelen. Dat plan is over een paar dagen klaar. Het omvat een overvalalarm, brandveiligheid, een ontruimingsplan en inbraakbeveiliging.'

'Oké.'

'Als er iets gebeurt, willen we ook dat je weet wat je moet doen in de tien minuten die de auto van Fisksätra erover doet om het huis te bereiken.'

'Ja.'

'Het alarm wordt vanmiddag al geïnstalleerd. Daarna moeten we een contract ondertekenen.'

Onmiddellijk na het gesprek met Dragan Armanskij besefte Erika dat ze zich had verslapen. Ze pakte haar mobiele telefoon, belde redactiesecretaris Peter Fredriksson en legde uit dat ze zich had verwond en vroeg hem de afspraak van tien uur te annuleren.

'Voel je je niet goed?' vroeg hij.

'Ik heb mijn voet bezeerd,' zei Erika. 'Ik kom binnenstrompelen zo gauw ik kan.'

Ze ging allereerst naar de badkamer die naast de slaapkamer lag. Daarna kleedde ze zich aan. Ze koos een zwarte pantalon en leende een pantoffel van haar man voor aan haar gewonde voet. Ze trok een zwarte bloes aan en pakte een colbertje. Voordat ze de rubber wig onder de slaapkamerdeur verwijderde, bewapende ze zich met de traangaspatroon.

Ze liep waakzaam door het huis en zette het koffiezetapparaat aan. Ze ontbeet aan de keukentafel, voortdurend alert op geluiden uit de omgeving. Ze had net een tweede kopje ingeschonken toen David Rosin van Milton Security aanbelde.

Monica Figuerola liep naar de Bergsgatan en riep haar vier medewerkers bijeen voor een vroege ochtendbespreking.

'We hebben nu een deadline,' zei Monica Figuerola. 'Ons werk moet op 13 juli klaar zijn, want dan begint de rechtszaak tegen Lisbeth Salander. Dat betekent dat we nog ruim een maand de tijd hebben. Laten we wat dingen afstemmen en beslissen welke zaken op dit moment het belangrijkst zijn. Wie wil beginnen?'

Berglund kuchte.

'De blonde man die Mårtensson ontmoet. Wie is hij?'

Iedereen knikte. De conversatie kwam op gang.

'We hebben foto's van hem, maar geen idee hoe we hem kunnen lokaliseren. We kunnen geen opsporingsbericht doen uitgaan.'

'En Gullberg. Er moet toch iets te vinden zijn! We weten dat hij van begin jaren vijftig tot 1964 bij de Geheime staatspolitie zat. In 1964 werd de huidige Zweedse veiligheidsdienst opgericht. Daarna verdwijnt hij naar de achtergrond.'

Figuerola knikte.

'Moeten we de conclusie trekken dat de Zalachenko-club iets was wat in 1964 werd opgericht? Dus ver voordat Zalachenko naar Zweden kwam?'

'Dan moet het doel iets anders zijn geweest ... Een geheime organisatie binnen de organisatie.'

'Dat was na Wennerström. Iedereen was paranoïde.'

'Een soort geheime spionnenpolitie?'

'Er zijn wel parallellen in het buitenland. In de VS is in de jaren zestig een specifieke groep interne spionnenjagers opgericht binnen de CIA. Die werd geleid door ene James Jesus Angleton en door zijn toedoen is bijna de hele CIA gesaboteerd. Die bende van Angleton bestond uit paranoïde fanatici – ze verdachten iedereen binnen de CIA ervan voor de Russen te werken. Het effect was dat de activiteiten van de CIA in veel opzichten werden verlamd.'

'Maar dat zijn speculaties ...'

'Waar worden oude personeelsbestanden bewaard?'

'Gullberg zit er niet tussen. Dat heb ik al gecheckt.'

'Maar het budget dan? Zo'n operatie moest op de een of andere manier toch worden gefinancierd ...'

De discussie ging door tot de lunch, toen Monica Figuerola zich verontschuldigde en naar de sportschool ging om alleen te zijn en rustig te kunnen nadenken.

Erika Berger strompelde pas tegen lunchtijd de redactie van de *SMP* binnen. Ze had zo'n pijn in haar voet dat ze haar voetzool überhaupt niet kon neerzetten. Ze hinkte naar de glazen kooi en plofte op haar bureaustoel. Peter Fredriksson kon haar van zijn plaats bij de centrale balie zien zitten. Ze wenkte hem naar binnen.

'Wat is er gebeurd?' vroeg hij.

'Ik ben in een stuk glas getrapt dat afbrak en in mijn hiel bleef steken.'

'Dat klinkt niet best.'

'Nee, zeker niet. Peter, zijn er nog vreemde e-mailtjes bij mensen binnengekomen?'

'Niet dat ik weet.'

'Oké. Hou je oren en ogen open. Ik wil weten of er rare dingen gebeuren rond de SMP.'

'Hoe bedoel je?'

'Ik ben bang dat er een of andere gek giftige mailtjes verstuurt en mij tot slachtoffer heeft gebombardeerd. Ik wil het dus weten als jij opvangt dat er ergens iets gaande is.'

'Het soort mailtjes dat Eva Carlsson kreeg?'

'Alles wat opmerkelijk is. Zelf heb ik een hoop gestoorde mailtjes ontvangen die mij aanklagen voor van alles en nog wat en voorstellen doen voor diverse perverse dingen die men met mij zou moeten doen.'

Peter Fredrikssons gezicht betrok.

'Hoe lang is dat al gaande?'

'Een paar weken. Maar vertel. Wat komt er morgen in de krant?'

'Hm.'

'Wat "hm"?'

'Holm en de chef van de juridische redactie zijn op oorlogspad.'

'O ja? Waarom?'

'Vanwege Johannes Frisk. Jij hebt zijn aanstelling verlengd en hem een reportageopdracht gegeven, en hij wil niet vertellen waar het over gaat.'

'Hij mág niet vertellen waar het over gaat. Mijn order.'

'Dat zegt hij ook. Daarom zijn Holm en de juridische redactie kwaad op jou.'

'Dat snap ik best. Beleg een vergadering met de juridische redactie om drie uur vanmiddag, dan zal ik de situatie uitleggen.'

'Holm is woest ...'

'En ik ben woest op Holm, dus dat heft elkaar mooi op.'

'Hij is zó boos dat hij zich beklaagd heeft bij het bestuur.'

Erika keek op. *Shit, ik moet Borgsjö onder handen nemen.*

'Borgsjö komt vanmiddag en wil jou spreken. Ik vrees dat dat de verdienste van Holm is.'

'Oké. Hoe laat?'

'Om twee uur.' Hij begon het lunch-PM op te lepelen.

Dokter Anders Jonasson bezocht Lisbeth Salander tijdens de lunch. Ze schoof een bord met tot snot gekookte overheidsgroenten van zich af. Zoals altijd onderzocht hij haar kort, maar ze merkte op dat hij dat deze keer meer uit routine dan uit belangstelling deed.

'Je bent gezond,' constateerde hij.

'Hm. U moet iets aan het eten hier doen.'
'Het eten?'
'Kunt u geen pizza of zo regelen?'
'Het spijt me. Daar is geen budget voor.'
'Dat vermoedde ik al.'
'Lisbeth. Morgen is er een uitvoerige bespreking over jouw gezondheidstoestand ...'
'Ik begrijp het. En ik ben beter.'
'Je bent gezond genoeg om naar de Kronobergsgevangenis in Stockholm te worden overgebracht.'
Ze knikte.
'Ik zou de overplaatsing mogelijk nog een week kunnen rekken, maar mijn collega's zullen vraagtekens gaan zetten.'
'Niet doen.'
'Zeker weten?'
Ze knikte.
'Ik ben er klaar voor. En het moet vroeg of laat toch gebeuren.'
Hij knikte.
'Mooi,' zei Anders Jonasson. 'Ik geef morgen groen licht voor de verhuizing. Dat betekent dat je vermoedelijk al vrij snel zult worden overgebracht.'
Ze knikte.
'Het zou kunnen dat dat dit weekend al gebeurt. De ziekenhuisstaf is je liever kwijt dan rijk.'
'Dat begrijp ik.'
'Eh ... je speeltje ...'
'Dat zit in de uitsparing achter het nachtkastje.'
Ze wees.
'Oké.'
Ze zaten even in gedachten voordat Anders Jonasson opstond.
'Ik moet naar andere patiënten die mij harder nodig hebben.'
'Bedankt voor alles. Ik sta bij u in het krijt.'
'Ik heb gewoon mijn werk gedaan.'
'Nee, u hebt méér gedaan. Dat zal ik niet vergeten.'

Mikael Blomkvist liep het hoofdbureau van politie op Kungsholmen binnen door de ingang aan de Polhemsgatan. Hij werd ontvangen door Monica Figuerola, die hem omhoog leidde naar de lokalen van de afdeling Grondwetsbescherming. Ze staarden zwijgend naar elkaar in de lift.

'Is het wel verstandig dat ik me hier op het hoofdbureau vertoon?' vroeg Mikael. 'Iemand kan me zien en er vraagtekens bij zetten.'

Monica Figuerola knikte.

'Dit wordt onze enige ontmoeting hier. In de toekomst zullen we elkaar zien in een klein kantoor aan het Fridhemsplan dat we hebben gehuurd. Daar kunnen we vanaf morgen in. Maar dit is safe. De afdeling is een kleine eenheid die zichzelf nagenoeg helemaal bedruipt en waar niemand anders bij de veiligheidsdienst in is geïnteresseerd. En we zitten op een heel andere verdieping dan de rest van de veiligheidsdienst.'

Hij knikte naar Torsten Edklinth zonder hem een hand te geven en groette de twee medewerkers die blijkbaar deel uitmaakten van Edklinths onderzoeksteam. Ze stelden zich voor als Stefan en Anders. Mikael merkte op dat ze hun achternaam niet noemden.

'Waar zullen we beginnen?' vroeg Mikael.

'Als we eens beginnen met een bakje koffie ... Monica?'

'Ja, lekker,' zei Monica Figuerola.

Mikael merkte op dat het hoofd van de afdeling Grondwetsbescherming even aarzelde voor hij opstond en de thermoskan ging halen, en hem meenam naar de vergadertafel waar de kopjes al klaarstonden. Torsten Edklinth had vermoedelijk gedacht dat Monica Figuerola de koffie zou serveren. Mikael constateerde ook dat Edklinth bij zichzelf lachte, wat Mikael als een goed teken zag. Toen werd hij serieus.

'Ik weet eerlijk gezegd niet hoe ik met deze situatie moet omgaan. Dat er een journalist bij een werkbespreking van de veiligheidsdienst aanwezig is, is vermoedelijk uniek. De dingen waar we het momenteel over hebben, zijn grotendeels staatsgeheim.'

'Ik ben niet geïnteresseerd in militaire geheimen. Ik ben geïnteresseerd in de Zalachenko-club.'

'Maar we moeten een balans zien te vinden. Ten eerste mogen de hier aanwezige medewerkers niet bij name worden genoemd in jouw teksten.'

'Oké.'

Edklinth keek Mikael Blomkvist verbaasd aan.

'Ten tweede mag je met geen andere medewerkers praten dan met Monica en mij. Wij bepalen wat we je kunnen vertellen.'

'Als je een lange lijst met eisen hebt, had je dat gisteren moeten zeggen.'

'Toen had ik de zaak nog niet kunnen overdenken.'

'Dan zal ik je iets onthullen. Dit is vermoedelijk de eerste en de enige keer in mijn carrière dat ik de inhoud van een ongepubliceerd verhaal aan de politie ga zitten vertellen. Dus om jou te citeren ... Ik weet eerlijk gezegd niet hoe ik met deze situatie moet omgaan.'

Er viel een korte stilte.

'Misschien moeten we ...'

'Wat zou je ervan zeggen ...'

Edklinth en Monica Figuerola begonnen tegelijkertijd te praten en zwegen ook meteen weer.

'Ik ben uit op de Zalachenko-club. Jullie willen de Zalachenko-club aanklagen. Laten we ons daarop richten,' zei Mikael.

Edklinth knikte.

'Wat hebben jullie?'

Edklinth vertelde wat Monica Figuerola en haar team hadden opgegraven. Hij toonde de foto van Evert Gullberg in gezelschap van topspion Stig Wennerström.

'Mooi. Ik wil een kopie van die foto.'

'Hij zit in het archief van Åhlén & Åkerlund,' zei Monica Figuerola.

'Hij ligt voor mij op tafel. Met tekst op de achterkant,' zei Mikael.

'Oké. Geef hem een kopie,' zei Edklinth.

'Dat betekent dat Zalachenko door de Sectie is vermoord.'

'Moord door, en een poging tot zelfmoord van een man die zelf stervende is aan kanker. Gullberg leeft nog, maar de artsen geven hem hoogstens nog een paar weken. Hij heeft door die zelfmoordpoging dusdanig hersenletsel opgelopen dat hij in principe vegeteert.'

'Hij was degene die hoofdverantwoordelijk was voor Zalachenko toen hij overliep.'

'Hoe weet je dat?'

'Gullberg had zes weken na het overlopen van Zalachenko een ontmoeting met premier Thorbjörn Fälldin.'

'Kun je dat bewijzen?'

'Ja. De bezoekersagenda van het regeringskantoor. Gullberg kwam samen met het toenmalige hoofd van de veiligheidsdienst.'

'Die nu is overleden.'

'Maar Fälldin leeft nog en is bereid om over de zaak te praten.'

'Heb jij ...'

'Nee, ik heb niet met Fälldin gesproken. Maar iemand anders wél. Ik kan die persoon niet bij name noemen. Bronbescherming.'

Mikael vertelde hoe Thorbjörn Fälldin op de informatie over Zalachenko had gereageerd en hoe hijzelf naar Nederland was gevlogen en Janeryd had geïnterviewd.

'Dus de Zalachenko-club bevindt zich ergens hier in het pand,' zei Mikael terwijl hij op de foto wees.

'Gedeeltelijk. Wij denken dat het een organisatie binnen de organisatie is. De Zalachenko-club kan niet bestaan zonder hulp van sleutelfiguren hier in het gebouw. Maar wij denken dat de zogenaamde "Sectie voor Speciale Analyse" ergens buiten dit pand is opgericht.'

'Het kan dus blijkbaar zo zijn dat iemand in dienst is van de veiligheidsdienst, dat hij zijn salaris van de veiligheidsdienst krijgt, maar dat hij vervolgens aan een andere werkgever rapporteert.'

'Zo ongeveer.'

'Dus wie in dit gebouw helpt de Zalachenko-club?'

'Dat weten we nog niet. Maar we hebben een paar verdachten.'

'Mårtensson,' stelde Mikael voor.

Edklinth knikte.

'Mårtensson werkt voor de veiligheidsdienst en als hij bij de Zalachenko-club nodig is, wordt hij vrijgemaakt van zijn gewone werk,' zei Monica Figuerola.

'Hoe werkt dat, praktisch gezien?'

'Heel goede vraag,' zei Edklinth met een zwak glimlachje. 'Jij hebt geen zin om bij ons te komen werken?'

'Nooit van mijn leven,' zei Mikael.

'Ik maak ook maar een grapje. Maar het is een logische vraag. We hebben een verdachte, maar kunnen dat nog niet bewijzen.'

'Eens kijken ... het moet iemand met administratieve bevoegdheden zijn.'

'Wij verdenken chef de bureau Albert Shenke,' zei Monica Figuerola.

'En nu komt het eerste struikelblok,' zei Edklinth. 'We hebben je een naam gegeven, maar dat gegeven is niet gedocumenteerd. Hoe denk je daarmee om te gaan?'

'Ik kan geen naam publiceren die ik niet kan documenteren. Als Shenke onschuldig is, zal hij *Millennium* voor de rechter dagen wegens laster.'

'Mooi, dan zijn we het daarover eens. Deze samenwerking moet een kwestie zijn van onderling vertrouwen. Jouw beurt. Wat heb jij?'

'Drie namen,' zei Mikael. 'De eerste twee waren in de jaren tachtig lid van de Zalachenko-club.'

Edklinth en Figuerola waren meteen een en al oor.

'Hans von Rottinger en Fredrik Clinton. Rottinger is dood. Clinton is met pensioen. Maar ze maakten allebei deel uit van het kleine kringetje rond Zalachenko.'

‘En de derde naam?’ vroeg Edklinth.

‘Teleborian wordt gelinkt aan een persoon die “Jonas” heet. We kennen geen achternaam, maar we weten dat hij deel uitmaakt van de Zalachenko-club anno 2005 ... We hebben er een beetje over zitten speculeren of hij degene kan zijn die samen met Mårtensson op de foto’s van de Copacabana staat.’

‘En in welk verband is de naam Jonas opgedoken?’

‘Lisbeth Salander heeft de computer van Peter Teleborian gehackt en wij kunnen de correspondentie volgen die aantoont hoe Teleborian samenzweert met Jonas. Op dezelfde manier als hij in 1991 met Björck samenzwoer. Die Jonas geeft Teleborian instructies. En nu komen we bij het tweede struikelblok,’ zei Mikael terwijl hij naar Edklinth glimlachte. ‘Ik kan mijn beweringen documenteren, maar ik kan jullie de documentatie niet geven zonder mijn bron te verraden. Jullie moeten dus accepteren wat ik zeg.’

Edklinth keek nadenkend.

‘Een collega van Teleborian in Uppsala misschien,’ zei hij. ‘Goed. We beginnen met Clinton en Von Rottinger. Vertel wat je weet.’

Magnus Borgsjö ontving Erika Berger op zijn kamer, die naast de vergaderkamer van het bestuur lag. Hij keek bezorgd.

‘Ik hoorde dat je je hebt bezeerd,’ zei hij en hij wees op haar voet.

‘Dat gaat wel weer over,’ zei Erika en ze zette haar krukken tegen het bureau terwijl ze op de bezoekersstoel plaatsnam.

‘Nou dat is mooi. Erika, je bent hier nu een maand en we moeten de zaak eens even samen afstemmen. Hoe voelt het?’

Ik moet Vitvara met hem bespreken. Maar hoe? Wanneer?

‘Ik begin wat grip op de zaak te krijgen. Er zijn twee kanten. Aan de ene kant heeft de SMP financiële problemen en worden ontwikkelingen beperkt door het budget. Aan de andere kant zit er op de redactie van de SMP een ongelofelijke hoeveelheid dood vlees.’

‘Zijn er geen positieve kanten?’

‘Ja. Een heleboel geroutineerde profs die weten hoe het werk moet worden gedaan. Het probleem is dat er anderen zijn die hen het werk niet laten doen.’

‘Holm heeft met me gesproken ...’

‘Dat weet ik.’

Borgsjö fronste zijn wenkbrauwen.

‘Hij heeft nogal wat opmerkingen over jou. Die zijn bijna allemaal negatief.’

'Geen punt. Ik heb ook een heleboel opmerkingen over hem.'

'Negatieve? Het is niet goed als jullie niet kunnen samenwerken ...'

'Ik heb geen problemen om met hem samen te werken. Maar hij heeft wél problemen met mij.'

Erika zuchtte.

'Hij drijft me tot waanzin. Holm is geroutineerd en ongetwijfeld een van de meest competente nieuwschefs die ik ooit heb meegemaakt. Maar hij is ook een klootzak. Hij intrigeert en speelt mensen tegen elkaar uit. Ik zit al vijfentwintig jaar in het vak, maar ik ben nog nooit zo iemand in een leidinggevende functie tegengekomen.'

'Hij móét soms wel hardhandig zijn. Hij staat van alle kanten onder druk.'

'Hardhandig, oké. Maar dat betekent niet dat hij een idioot hoeft te zijn. Holm is helaas een ramp en hij is een van de belangrijkste redenen dat het zo goed als onmogelijk is om de medewerkers aan te zetten tot teamwork. Hij meent dat zijn taakomschrijving bestaat uit verdelen en heersen.'

'Dat zijn harde woorden.'

'Ik geef Holm nog een maand om op betere gedachten te komen. Daarna vervang ik hem als nieuwschef.'

'Dat kun je niet doen! Jouw taak is niet het kapotmaken van de organisatie.'

Erika zweeg en bestudeerde de bestuursvoorzitter.

'Sorry dat ik het zeg, maar dat is exact waarvoor je mij hebt aangenomen. We hebben zelfs een contract opgesteld dat mij de vrije hand geeft om de redactionele veranderingen door te voeren die ik noodzakelijk acht. Mijn taak is het vernieuwen van de krant en dat kan alleen maar door de organisatie en de werkroutines te veranderen.'

'Holm heeft zijn leven gewijd aan de SMP.'

'Ja. En hij is achtenvijftig en gaat pas over zes jaar met pensioen. Ik heb niet de middelen om hem gedurende al die jaren als extra ballast te houden. Begrijp me niet verkeerd, Magnus. Vanaf het moment dat ik beneden in de glazen kooi ben gaan zitten, bestaat mijn levenstaak uit het verbeteren van de kwaliteit van de SMP en het verhogen van de oplage. Holm kan kiezen: óf hij gaat de dingen doen op de manier die ik wil, óf hij gaat iets anders doen. Ik zal echt iedereen wegwerken die me belemmert om mijn doel te bereiken of die op andere wijze de SMP schade berokkent.'

Shit ... ik moet Vitvara ter sprake brengen. Borgsjö zal ontslagen worden.

Borgsjö glimlachte plotseling.

'Volgens mij kun jij ook hardhandig zijn.'

'Ja, dat klopt, en in dit geval is dat betreurenswaardig omdat het niet nodig zou moeten zijn. Mijn werk is het maken van een goede krant en dat kan alleen als de leiding functioneert en de medewerkers het naar hun zin hebben.'

Na de ontmoeting met Borgsjö hinkte Erika terug naar de glazen kooi. Ze voelde zich ongemakkelijk. Ze had drie kwartier met Borgsjö zitten praten zonder Vitvara ter sprake te brengen. Ze was met andere woorden niet erg rechtstreeks en eerlijk tegen hem geweest.

Toen Erika Berger haar computer aanzette, had ze een mailtje ontvangen van MikBlom@millennium.nu. Omdat ze natuurlijk heel goed wist dat dat e-mailadres bij *Millennium* niet bestond, kostte het haar weinig moeite om te bedenken dat dit een nieuw levensteken van haar cyberstalker was. Ze opende het mailtje.

denk je dat Borgsjö jou kan redden, stomme hoer? hoe is het met je voet?

Ze keek op en liet haar blik spontaan over de redactie glijden. Haar blik viel op Holm. Hij keek haar aan. Daarna knikte hij haar glimlachend toe.

Die mailtjes worden gestuurd door iemand binnen de SMP, dacht Erika.

De bijeenkomst bij de afdeling Grondwetsbescherming werd pas om vijf uur afgerond. Ze spraken af dat ze volgende week opnieuw bij elkaar zouden komen en dat Mikael Blomkvist zich tot Monica Figuerola zou wenden als hij vóór die tijd contact met de veiligheidsdienst wilde hebben. Mikael pakte zijn computertas en stond op.

'Hoe kom ik hier weer uit?' vroeg hij.

'Je mag hier niet op eigen houtje rondlopen,' zei Edklinth.

'Ik breng hem naar beneden,' zei Monica Figuerola. 'Als je een paar minuutjes geduld hebt, pak ik even mijn spullen.'

Ze liepen met elkaar op door het Kronobergspark naar het Fridhemsplan.

'En wat gebeurt er nu?' vroeg Mikael.

'We houden contact,' zei Monica Figuerola.

'Ik begin het contact met de veiligheidsdienst leuk te vinden,' zei Mikael lachend.

'Heb je zin om later vanavond samen een hapje te eten?'
'Dat Bosnische restaurant weer?'
'Nee, ik heb geen geld om elke avond uit eten te gaan. Ik dacht meer aan iets eenvoudigs bij mij thuis.'
Ze bleef staan en keek hem grijnzend aan.
'Weet je waar ik op dit moment zin in heb?' vroeg Monica Figuerola.
'Nee.'
'Ik heb zin om je nu mee naar huis te nemen en je uit te kleden.'
'Dat kan ingewikkeld worden.'
'Ik weet het. Ik was niet direct van plan om het aan mijn baas te vertellen.'
'We weten niet hoe het verhaal zich verder ontwikkelt. We kunnen ieder aan een kant van de barricade komen te staan.'
'Dat risico neem ik. Ga je vrijwillig mee of moet ik je in de boeien slaan?'
Hij knikte. Ze pakte hem onder zijn arm en stuurde in de richting van de Pontonjärgatan. Dertig seconden nadat ze de buitendeur hadden dichtgedaan, waren ze uit de kleren.

David Rosin, veiligheidsconsultant bij Milton Security, zat op Erika Berger te wachten toen ze tegen zevenen 's avonds thuiskwam. Haar voet deed erg veel pijn. Ze hinkte de keuken in en plofte op de dichtstbijzijnde stoel. Hij had koffiegezet en schonk haar in.
'Bedankt. Is het zetten van koffie ook onderdeel van het servicecontract van Milton?'
Hij glimlachte beleefd. David Rosin was een mollige man van in de vijftig, met een rood sikje.
'Bedankt dat ik vandaag de keuken mocht gebruiken.'
'Dat was toch wel het minste wat ik kon aanbieden. Hoe is de stand van zaken?'
'Vandaag zijn onze technici hier geweest. Ze hebben een echt alarm geïnstalleerd. Ik zal u zo meteen laten zien hoe het werkt. Ik heb ook het huis van kelder tot zolder geïnspecteerd en de omgeving bekeken. Wat er nu gaat gebeuren, is dat ik uw situatie met collega's bij Milton ga bespreken en over een paar dagen hebben we dan een analyse die we met u willen doornemen. Maar in afwachting daarvan zijn er een aantal zaken die we moeten bespreken.'
'Oké.'
'Ten eerste moeten we wat formaliteiten afhandelen. Het definitieve

contract zullen we later formuleren – dat hangt af van de diensten die we afspreken – maar hier is een document dat aangeeft dat u Milton Security opdracht geeft om het alarm te installeren dat we vandaag hebben geïnstalleerd. Dat moet worden ondertekend. Het is een wederzijds standaardcontract dat inhoudt dat wij bij Milton bepaalde eisen aan u stellen en dat wij onszelf bepaalde verplichtingen opleggen, zoals zwijgplicht en dergelijke.'

'Jullie stellen eisen aan mij?'

'Ja. Een alarm is een alarm en dat heeft geen enkele betekenis als er opeens een gek met een automatisch wapen in de woonkamer staat. Wil het zinvol zijn, dan betekent dat dat wij willen dat u en uw man aan bepaalde dingen denken en dat jullie bepaalde routinemaatregelen nemen. Ik zal de punten met u doornemen.'

'Oké.'

'Ik zal niet op de uiteindelijke analyse vooruitlopen, maar zo ervaar ik de algemene situatie. U en uw man wonen in een vrijstaand huis. Het grenst aan de achterkant aan het strand en er zijn slechts een paar grote, vrijstaande huizen in de directe omgeving. Voor zover ik heb kunnen zien, hebben de buren geen goed zicht op jullie huis, het ligt nogal geïsoleerd.'

'Dat klopt.'

'Dat betekent dat een indringer goede mogelijkheden heeft om de woning te naderen zonder te worden gezien.'

'De buren rechts zijn grote delen van het jaar op reis, en links woont een ouder echtpaar dat vrij vroeg naar bed gaat.'

'Precies. Bovendien staan de huizen met de zijkanten naar elkaar toe. Er zijn weinig ramen en dergelijke. Als een indringer jullie erf op gaat – het duurt vijf seconden om vanaf de weg aan de achterkant van het huis te komen – is hij totaal niet meer te zien. De achterkant is omheind door een grote heg, een garage en een groot, vrijstaand gebouw.'

'Dat is het atelier van mijn man.'

'Ik heb begrepen dat hij kunstenaar is?'

'Dat klopt. En verder?'

'De indringer die het raam heeft ingegooid en de gevel heeft volgespoten, kon volkomen ongestoord zijn gang gaan. Hij nam mogelijk een risico dat het geluid van brekend glas te horen was en iemand daarop zou reageren, maar doordat het huis dwars staat, wordt het geluid opgevangen door de gevel.'

'Aha.'

'Het tweede is dat het een groot huis is van circa 250 vierkante meter en daar komen de zolder en de kelder nog bij. Er zijn elf kamers verdeeld over twee verdiepingen.'

'Het huis is een monster. Het is het ouderlijk huis van mijn man. Hij kon het overnemen.'

'Er zijn ook veel verschillende manieren om binnen te komen. Via de hoofdingang, via de terrasdeur aan de zijkant, via het balkon op de bovenverdieping en via de garage. Bovendien zijn er ramen op de begane grond en zes kelderramen waar geen alarm op zat. Tenslotte kan ik inbreken door de brandladder aan de achterkant van het huis te gebruiken en door het dakluik van de zolder naar binnen te gaan; dat zit alleen met een haak vast.'

'Dat klinkt alsof je zo via een draaideur binnenkomt. Wat moeten we doen?'

'Het alarm dat we vandaag hebben geïnstalleerd, is provisorisch. We komen volgende week terug voor een fatsoenlijke installatie, met een alarm op elk raam op de benedenverdieping en in de kelder. Dat is jullie inbraakbeveiliging wanneer u en uw man niet thuis zijn.'

'Oké.'

'Maar de huidige stand van zaken is ontstaan doordat u bent blootgesteld aan een directe bedreiging door een specifiek individu. Dat is aanzienlijk ernstiger. Wij hebben geen idee wie die persoon is, welke motieven hij heeft en hoe ver hij bereid is te gaan, maar we kunnen bepaalde conclusies trekken. Als het alleen om anonieme e-mails ging, zouden we de dreiging lager inschatten, maar in dit geval gaat het om een persoon die de moeite heeft genomen om naar uw huis af te reizen – en het is best een eind naar Saltsjöbaden – om een aanslag te plegen. Dat is zeer onheilspellend.'

'Dat ben ik met u eens.'

'Ik heb vandaag met Armanskij gesproken en wij zijn het erover eens dat er een duidelijk vijandbeeld is.'

'O.'

'Tot we meer weten over degene die u bedreigt, moeten we het zekere voor het onzekere nemen.'

'En wat houdt dat in?'

'Ten eerste. Het alarm dat we vandaag hebben geïnstalleerd, omvat twee componenten. Deels een gewoon inbraakalarm dat aanstaat als u niet thuis bent, deels een bewegingsdetector voor de benedenverdieping die u aan moet zetten als u 's nachts boven bent.'

'Oké.'

'Dat is lastig omdat u het alarm telkens uit moet zetten als u naar beneden gaat.'

'Ik snap het.'

'Ten tweede hebben we uw slaapkamerdeur vandaag vervangen.'

'De slaapkamerdeur vervangen?'

'Ja. We hebben een stalen veiligheidsdeur geïnstalleerd. Wees niet bang, hij is witgeschilderd en ziet eruit als een gewone slaapkamerdeur. Het verschil is dat de deur automatisch in het slot valt als u hem dichtdoet. Om de deur van de binnenkant open te maken, hoef je alleen de deurkruk omlaag te doen, net als bij elke andere deur. Maar om de deur van buitenaf te openen, moet u een driecijferige code intoetsen op een plaatje dat op de deurkruk zit.'

'Oké.'

'Als u thuis wordt lastiggevallen, hebt u dus een veilige kamer waarin u zich kunt verschansen. De muren zijn stevig en het duurt een tijd voordat die deur eruit ligt, ook al heb je gereedschap bij de hand. Ten derde gaan we camerabewaking installeren, wat inhoudt dat je kunt zien wat er in de achtertuin en op de benedenverdieping gebeurt als je in de slaapkamer bent. Dat gebeurt later deze week, als we ook bewegingsdetectoren buiten gaan installeren.'

'Jeetje. Dat klinkt alsof de slaapkamer in de toekomst een weinig romantisch plekje wordt.'

'Het is een kleine monitor. We kunnen hem in een kast inbouwen.'

'Oké.'

'Later deze week wil ik de deur van de werkkamer en van een kamer hier beneden ook vervangen. Als er iets gebeurt, moet u snel bescherming kunnen zoeken en de deur op slot kunnen doen terwijl u op assistentie wacht.'

'Ja.'

'Als u het inbraakalarm per ongeluk laat afgaan, moet u onmiddellijk naar de alarmcentrale van Milton bellen en de melding annuleren. Om te annuleren, moet u een password kunnen opgeven dat bij ons is geregistreerd. Als u het password vergeet, komen we toch en krijgt u een rekening gepresenteerd.'

'Dat is duidelijk.'

'Ten vierde zit er nu een overvalalarm op vier plaatsen. Hier beneden in de keuken, in de hal, in uw werkkamer boven en in jullie slaapkamer. Het overvalalarm bestaat uit twee knoppen die je tegelijkertijd moet indrukken en drie seconden ingedrukt moet houden. Je kunt het met één hand doen, maar je kunt het niet per ongeluk indrukken.'

'Mooi.'

'Als het overvalalarm afgaat, houdt dat drie dingen in. Ten eerste rukt Milton uit met auto's. De dichtstbijzijnde auto komt van Adam Säkerhet in Fisksätra. Dat zijn twee potige kerels die hier binnen tien, twaalf minuten zijn. Ten tweede komt er een auto van Milton uit Nacka. Die is hier in het gunstigste geval in twintig, maar vermoedelijk in vijfentwintig minuten. Ten derde wordt de politie automatisch gewaarschuwd. Er komen met andere woorden meerdere auto's ter plaatse met enkele minuten tussenpauze.'

'Oké.'

'Een overvalalarm kan niet op dezelfde manier worden uitgeschakeld als het inbraakalarm. U kunt dus niet bellen om te zeggen dat het per ongeluk is afgegaan. Ook als u ons op de oprit tegemoetkomt en zegt dat het vals alarm was, zal de politie het huis binnengaan. We willen er zeker van zijn dat er niet iemand met een pistool tegen het hoofd van uw man gedrukt staat of iets dergelijks. Het overvalalarm mag u alleen gebruiken als er echt gevaar is.'

'Uiteraard.'

'Het hoeft geen daadwerkelijke overval te zijn. Het kan ook zijn dat iemand probeert in te breken of opeens in de achtertuin of iets dergelijks staat. U gebruikt het alarm als u zich ook maar enigszins bedreigd voelt, maar gebruik uw verstand.'

'Dat beloof ik.'

'Ik heb gezien dat u op verschillende plaatsen in huis golfclubs hebt neergezet.'

'Ja, ik was vannacht alleen thuis.'

'Zelf zou ik in een hotel zijn gaan slapen. Ik heb er geen moeite mee dat u zelf voorzorgsmaatregelen neemt, maar ik hoop dat u begrijpt dat je met een golfclub gemakkelijk iemand kunt doodslaan.'

'Hm.'

'En áls u dat doet, zult u hoogstwaarschijnlijk worden aangeklaagd wegens poging tot doodslag. Als u zegt dat u die golfclubs daar hebt neergezet om u mee te bewapenen, kan het zelfs worden aangemerkt als moord.'

'Dus ik moet ...'

'Zeg niets. Ik weet wat u wilt zeggen.'

'Als iemand mij overvalt, ben ik van plan diegene zijn hersens in te slaan.'

'Dat begrijp ik best. Maar het nut van het inschakelen van Milton Security is juist dat je daar een alternatief voor hebt. Je moet hulp kunnen inroepen, maar je moet vooral niet in een situatie verzeild hoeven raken waarbij je iemand de hersens in moet slaan.'

'Oké.'

'En wat heb je trouwens aan golfclubs als hij met een vuurwapen komt? Veiligheid is een stap vóór liggen op degene die jou wat aan wil doen.'

'Wat doe ik als ik een stalker achter me aan heb?'

'U moet ervoor zorgen dat hij geen kans heeft om contact met u te krijgen. Het is zo dat we pas over een paar dagen klaar zijn met de installatie en daarna moeten we ook een gesprek hebben met uw man. Hij moet net zo veiligheidsbewust zijn als u.'

'Aha.'

'Tot die tijd wil ik eigenlijk niet dat u hier woont.'

'Ik kan nergens anders heen. En mijn man is over een paar dagen weer thuis. Maar hij en ik reizen vrij vaak en zijn hier sowieso van tijd tot tijd alleen.'

'Dat begrijp ik. Maar het gaat maar om een paar dagen, tot we alle installaties op hun plaats hebben. Hebt u geen kennis bij wie u even kunt logeren?'

Erika dacht even na over de flat van Mikael Blomkvist, maar bedacht toen dat dat niet zo'n goed idee was.

'Bedankt, maar ik wil hier blijven.'

'Daar was ik al bang voor. In dat geval wil ik dat u hier de rest van de week gezelschap hebt.'

'Hm.'

'Hebt u iemand die bij u kan komen logeren?'

'Vast wel. Maar niet om halfacht 's avonds als er een gestoorde moordenaar in de achtertuin rondstruint.'

David Rosin dacht even na.

'Oké. Hebt u er iets op tegen om gezelschap te krijgen van een medewerkster van Milton? Ik kan even bellen om te vragen of mijn collega Susanne Linder vanavond vrij is. Ze heeft er vast niets op tegen om wat bij te verdienen.'

'Wat kost dat?'

'Dat mag u met haar afspreken. Dat gaat dus buiten alle formele afspraken om, maar ik wil gewoon niet dat u alleen bent.'

'Ik ben niet bang in het donker.'

'Dat geloof ik ook niet. Anders had u hier vannacht niet geslapen. Susanne Linder is bovendien een voormalig politieagente. En het is maar zeer tijdelijk. Als we een echte lijfwacht moeten regelen, wordt het een heel andere kwestie, en dat is pas écht prijzig.'

Ze raakte onder de indruk van David Rosins serieuze toon. Erika Berger zag plotseling in dat hij nuchter de mogelijkheid zat te bespreken dat haar leven in gevaar was. Was dat overdreven? Zou ze zijn professionele ongerustheid afwimpelen? Maar waarom had ze in dat geval überhaupt Milton Security gebeld en hen gevraagd een alarm te installeren?

'Oké. Bel haar maar. Ik ga de logeerkamer in orde maken.'

Pas tegen tienen 's avonds drapeerden Monica Figuerola en Mikael Blomkvist een laken om zich heen. Ze gingen naar Monica's keuken en flansten een koude pastasalade in elkaar met tonijn, bacon en andere restjes uit de koelkast. Ze dronken water bij het eten. Monica Figuerola begon opeens te giechelen.

'Wat is er?'

'Volgens mij wordt Edklinth een beetje gestoord als hij ons zo zou zien zitten. Ik geloof niet dat hij dít direct bedoelde toen hij zei dat ik je goed in de gaten moest houden.'

'Jij bent hiermee begonnen. Ik kon kiezen tussen geboeid worden afgevoerd of vrijwillig meegaan.'

'Weet ik. Maar je was niet zo moeilijk over te halen.'

'Je bent je er misschien niet van bewust, hoewel ik denk van wel, maar jouw lichaam schreeuwt gewoon om seks. En welke vent kan dat nou weerstaan?'

'Dank je wel. Maar zo sexy ben ik niet. En ik doe het ook niet zo vaak.'

'Ja, ja.'

'Het is waar. Ik beland niet met zoveel kerels in bed, hoor. Ik had dit voorjaar half-en-half wat met een man. Maar dat ging uit.'

'Waarom?'

'Hij was best leuk, maar het werd een soort vermoeiende wedstrijd handjedrukken. Ik was sterker dan hij en daar kon hij niet tegen.'

'Oké.'

'Ben jij ook zo'n knul die met mij wil handjedrukken?'

'Je bedoelt of ik er moeite mee heb dat jij beter getraind en lichamelijk sterker bent dan ik? Nee.'

'Eerlijk gezegd, ik heb gemerkt dat vrij veel mannen geïnteresseerd zijn, maar vervolgens gaan ze me uitdagen en willen ze verschillende manieren vinden om mij te domineren. Vooral als ze ontdekken dat ik bij de politie zit.'

'Ik ben niet van plan om met je te wedijveren. Ik ben beter dan jij in wat ik doe. En jij bent beter dan ik in wat jij doet.'

'Mooi. Met die instelling kan ik leven.'

'Waarom heb je me versierd?'

'Ik geef meestal toe aan impulsen. En jij was zo'n impuls.'

'Oké. Maar jij bent politievrouw bij de Zweedse veiligheidsdienst *of all places* en zit midden in een onderzoek waarin ik een rol speel ...'

'Je bedoelt dat het onprofessioneel van mij was. Je hebt gelijk. Ik had het niet moeten doen. En ik krijg grote problemen als het bekend zou worden. Edklinth zou razend worden.'

'Ik zal niets zeggen.'

'Bedankt.'

Ze zwegen even.

'Ik weet niet wat hiervan komt. Jij bent niet vies van vrouwenvlees, heb ik begrepen. Is die omschrijving correct?'

'Ja, helaas. En ik ben ook niet op zoek naar een vaste vriendin.'

'Oké, ik ben gewaarschuwd. Ik ben ook niet op zoek naar een vaste vriend. Kunnen we het niet gewoon vriendschappelijk houden?'

'Bij voorkeur wel. Monica, ik zal niemand iets vertellen van deze tête-à-tête. Maar als het misloopt, kan ik in een enorm conflict met jouw collega's verzeild raken.'

'Dat denk ik eigenlijk niet. Edklinth is fair. En we willen die Zalachenko-club daadwerkelijk pakken. Als jouw theorieën kloppen, lijkt het volkomen gestoord.'

'We zien wel.'

'Je hebt ook wat gehad met Lisbeth Salander, hè?'

Mikael keek Monica Figuerola aan.

'Luister eens, ik ben geen dagboek dat iedereen mag inzien. Mijn relatie met Lisbeth gaat niemand wat aan.'

'Ze is de dochter van Zalachenko.'

'Ja. En daar zal ze mee moeten leven. Maar ze is Zalachenko niet. Dat is een wezenlijk verschil.'

'Zo bedoelde ik het ook niet. Ik vroeg me af wat jouw betrokkenheid in dit verhaal is.'

'Lisbeth is een vriendin. Dat is mijn verklaring.'

Susanne Linder van Milton Security was gekleed in een spijkerbroek, een zwart leren jack en sneakers. Ze kwam tegen negenen 's avonds in Saltsjöbaden aan, kreeg instructies van David Rosin en maakte met hem een ronde door het huis. Ze was bewapend met een laptop, een korte, uitschuifbare wapenstok, traangaspatronen, handboeien en een tandenborstel. De hele zaak zat in een groene legertas, die ze in de logeerkamer van Erika Berger uitpakte. Daarna bood Erika Berger haar koffie aan.

'Bedankt. U vindt waarschijnlijk dat ik een gast ben die u op de een of andere manier bezig moet houden. Maar ik ben helemaal geen gast. Ik ben een noodzakelijk kwaad dat plotseling in uw leven is gekomen, ook al is het maar voor een paar dagen. Ik heb zes jaar bij de politie gewerkt en werk al vier jaar bij Milton Security. Ik ben opgeleid tot lijfwacht.'

'Jeetje.'

'U wordt door iemand bedreigd en ik ben hier als waakhond, zodat u rustig kunt slapen, werken, een boek lezen of wat u maar wilt. Als u zin hebt om te praten luister ik graag. Maar ik heb een boek bij me, dus ik vermaak me wel.'

'Oké.'

'Wat ik bedoel is dat u gewoon door moet gaan met uw leven en dat u zich niet verplicht hoeft te voelen om mij bezig te houden. Dan word ik alleen maar een storend element in uw bestaan. Dus het is misschien het best als u mij ziet als een tijdelijke collega.'

'Ik moet zeggen dat deze situatie wat onwennig is. Toen ik hoofdredacteur van *Millennium* was, ben ik ook weleens bedreigd, maar dat was beroepsmatig. Het gaat hier om een zeer onaangenaam iemand ...'

'Die het op u heeft gemunt.'

'Zoiets, ja.'

'Als we echte beveiliging door een lijfwacht voor u moeten regelen, wordt dat een kostbare geschiedenis en dat moet u met Dragan Armanskij opnemen. En wil dat rendabel zijn, dan moet er een zeer duidelijk en specifiek dreigement zijn. Dit is gewoon wat extra bijverdienste voor mij. Ik reken 500 kronen per nacht om hier de rest van de week te slapen in plaats van thuis. Dat is goedkoop en ver onder wat ik zou rekenen als ik deze klus in opdracht van Milton zou aannemen. Is dat oké?'

'Dat is prima.'

'Als er iets gebeurt, wil ik dat u zich opsluit in de slaapkamer en mij het tumult laat afhandelen. Uw taak is het indrukken van het overvalalarm.'

'Ik begrijp het.'

'Ik meen het serieus. Ik wil u niet zien als er wat gebeurt.'

Erika Berger ging tegen elven 's avonds naar bed. Ze hoorde de klik van het slot toen ze de slaapkamerdeur dichtdeed. In gedachten verzonken kleedde ze zich uit en kroop in bed.

Hoewel haar gast had gezegd dat Erika haar niet bezig hoefde te houden, had ze twee uur met Susanne Linder aan de keukentafel gezeten. Ze hadden ontdekt dat ze het samen goed konden vinden en de sfeer was ongedwongen geweest. Ze hadden het over de psychologische beweegredenen gehad waardoor sommige mannen vrouwen gaan achtervolgen. Susanne Linder had verteld dat ze zich niets van dat psychologische gewauwel aantrok. Het belangrijkste voor haar was dat die gekken werden gestopt. Ze had het bijzonder naar haar zin met haar baan bij Milton Security. Haar taak was immers grotendeels om een tegenmaatregel te zijn tegen dat soort gestoorde lieden.

'Waarom ben je gestopt bij de politie?' vroeg Erika Berger.

'Vraag liever waarom ik bij de politie ging.'

'Oké. Waarom ben je bij de politie gegaan?'

'Toen ik zeventien was, werd een goede vriendin van mij beroofd en verkracht door drie smeerlappen in een auto. Ik ging bij de politie omdat ik een romantisch beeld had dat de politie er was om zulke misdrijven te voorkomen.'

'Ja ...'

'Maar ik kon helemaal niets voorkomen. Als politieagente kwam ik altijd ter plaatse nádat er een misdrijf was gepleegd. En dat verwaande jargon in de patrouillewagen hing me mateloos de keel uit. Ik leerde al snel dat bepaalde misdrijven niet werden onderzocht. Daar ben jij een typisch voorbeeld van. Heb je geprobeerd de politie te bellen over wat er was gebeurd?'

'Ja.'

'En, kwamen ze?'

'Niet bepaald. Ik mocht de volgende dag aangifte komen doen bij het wijkbureau.'

'Zo zie je maar. Nu werk ik voor Armanskij en daar kom ik in beeld vóórdat het misdrijf wordt gepleegd.'

'Bedreigde vrouwen?'

'Ik doe van alles en nog wat. Veiligheidsanalysen, beveiliging als lijfwacht, bewaking en dergelijke. Maar het gaat vaak om mensen die worden bedreigd en ik heb het bij Milton veel meer naar mijn zin dan bij de politie.'

'Oké.'

'Er is natuurlijk één nadeel.'

'Wat dan?'

'Wij helpen alleen cliënten die het kunnen betalen.'

Toen ze in bed lag, dacht Erika Berger na over wat Susanne Linder had gezegd. Niet iedereen heeft geld voor veiligheid. Zelf had ze David Rosins voorstel voor diverse andere deuren, vaklieden, dubbele alarmsystemen en wat al niet meer zonder blikken of blozen geaccepteerd. Het totaalbedrag voor alle maatregelen zou rond de 50.000 kronen uitkomen. Zij had geld.

Ze dacht even na over haar gevoel dat degene die haar bedreigde iets met de SMP van doen had. De persoon in kwestie had geweten dat ze haar voet had bezeerd. Ze dacht aan Anders Holm. Ze mocht hem niet, wat bijdroeg aan haar argwaan jegens hem, maar het nieuws dat ze haar voet had bezeerd, had zich als een lopend vuurtje over de redactie verspreid toen ze op krukken was komen binnenstrompelen.

En ze moest het probleem met Borgsjö ter hand nemen.

Ze ging plotseling rechtop in bed zitten, fronste haar wenkbrauwen en keek om zich heen. Ze vroeg zich af waar ze Henry Cortez' map over Borgsjö en Vitvara AB had neergelegd.

Erika stond op, trok haar ochtendjas aan en steunde op één kruk. Daarna deed ze de deur van de slaapkamer open, ging naar haar werkkamer en deed het licht aan. Nee, ze was niet in haar werkkamer geweest sinds ze ... ze had de map gisteravond in bad liggen lezen. Ze had hem in de vensterbank gelegd.

Ze ging naar de badkamer. De map lag er niet.

Ze stond een hele tijd na te denken.

Ik ben uit bad gestapt en ben naar beneden gegaan om koffie te zetten, toen trapte ik in dat stuk glas en had ik vervolgens wat anders aan mijn hoofd.

Ze kon zich niet herinneren dat ze de map 's morgens nog had gezien. Ze had de map niet ergens anders naartoe gebracht.

Plotseling werd ze ijskoud. Ze besteedde de volgende vijf minuten aan het systematisch doorzoeken van de badkamer en het omkeren van stapels papieren en kranten en tijdschriften in de keuken en de slaapkamer. Uiteindelijk moest ze constateren dat de map weg was.

Ergens nadat ze in het stuk glas had getrapt en voordat David Rosin 's morgens was verschenen, was er iemand in de badkamer geweest die het materiaal van *Millennium* over Vitvara AB had meegenomen.

Toen bedacht ze dat ze nog meer geheimen in huis had. Ze hinkte snel terug naar de slaapkamer en deed de onderste lade van de ladekast bij haar bed open. Haar adem stokte in haar keel. Alle mensen hebben geheimen. Zij bewaarde de hare in de ladekast in de slaapkamer. Erika Berger hield niet regelmatig een dagboek bij, maar er waren periodes geweest dat ze dat wel had gedaan. Er waren oude liefdesbrieven uit haar tienertijd.

Er was een envelop met foto's die leuk waren toen ze werden genomen, maar die niet geschikt waren voor publicatie. Toen Erika vijfentwintig was, was ze lid geweest van Club Xtreme, die particuliere datingfeesten organiseerde voor mensen die plezier maakten met leer en lak. Er waren foto's van feesten waarvan ze in nuchtere toestand zou beweren dat ze er niet helemaal normaal uit had gezien.

En erger nog, er was een video die tijdens een vakantie begin jaren negentig was gemaakt, toen zij en haar man te gast waren geweest bij glaskunstenaar Torkel Bollinger in zijn zomerhuis aan de Costa del Sol. Tijdens die vakantie had Erika ontdekt dat haar man een duidelijke biseksuele geaardheid had, en ze waren beiden met Torkel in bed beland. Het was een fantastische vakantie geweest. Videocamera's waren toen nog een relatief nieuw fenomeen en de film die ze speels hadden opgenomen, was niet bepaald geschikt voor alle leeftijden.

De la was leeg.

Hoe kon ik zo stom zijn?

Op de bodem van de la had iemand de welbekende vier letters gespoten.

19
VRIJDAG 3 JUNI – ZATERDAG 4 JUNI

Lisbeth Salander rondde haar autobiografie vrijdagmorgen om vier uur af en stuurde Mikael Blomkvist een kopie op de yahoogroep Dwaze_Tafel. Daarna lag ze stil in bed naar het plafond te staren.

Ze constateerde dat ze op 30 april zevenentwintig was geworden maar dat ze er niet eens aan had gedacht dat het haar verjaardag was. Ze had zich in gevangenschap bevonden. Toen ze in de St. Stefans kinderpsychiatrische kliniek lag, had ze hetzelfde ervaren, en als de dingen niet zouden lopen zoals zij wilde, was de kans groot dat ze in de toekomst nog meer verjaardagen in een gesticht zou doorbrengen.

Maar ze was niet van plan dat te accepteren.

De vorige keer dat ze opgesloten had gezeten, was ze nog heel jong geweest. Nu was ze volwassen en bezat ze andere kennis en vaardigheden. Ze vroeg zich af hoeveel tijd het haar zou kosten om te ontsnappen en zich ergens in het buitenland in veiligheid te brengen, een nieuwe identiteit te regelen en een nieuw leven op te bouwen.

Ze ging rechtop in bed zitten en liep naar het toilet, waar ze in de spiegel keek. Ze hinkte niet meer. Ze voelde met haar hand aan de buitenkant van haar heup, waar de schotwond was genezen tot een litteken. Ze draaide haar armen en strekte haar schouder naar voren en weer terug. Het ging nog wat stroef, maar ze was praktisch volledig hersteld. Ze tikte op haar hoofd. Ze nam aan dat haar hersenen niet erg beschadigd waren door de volledig omhulde kogel waarmee ze waren geperforeerd.

Ze had ontzettend veel geluk gehad.

Tot het moment dat ze de beschikking had gekregen over haar handcomputer, had ze liggen bedenken hoe ze uit de afgesloten kamer van het Sahlgrenska-ziekenhuis zou kunnen ontsnappen.

Daarna hadden dokter Anders Jonasson en Mikael Blomkvist haar plannen doorkruist door de handcomputer binnen te smokkelen. Ze had Mikael Blomkvists teksten gelezen en liggen piekeren. Ze had een consequentieanalyse gemaakt, nagedacht over zijn plan en haar mogelijkheden afgewogen. Ze had besloten om voor één keer te doen wat hij voorstelde. Ze zou het systeem testen. Mikael Blomkvist had haar ervan weten te overtuigen dat ze in feite niets te verliezen had, en hij bood haar een heel andere ontsnappingsmogelijkheid aan. En als de plannen mislukten, zou ze gewoon de ontsnapping uit het St. Stefans of een ander gekkenhuis moeten plannen.

Wat haar had doen besluiten het spel van Mikael mee te spelen, was haar wraakzucht.

Ze vergaf niets en niemand.

Zalachenko, Björck en Bjurman waren dood.

Maar Teleborian leefde nog.

En haar broer Ronald Niedermann ook. Maar hij was in principe niet haar probleem. Hij had weliswaar geholpen om haar te vermoorden en te begraven, maar feitelijk stond hij erbuiten. *Mocht ik hem een keer tegenkomen, dan zien we wel verder, maar tot die tijd is hij het probleem van de politie.*

Maar Mikael had gelijk dat er achter de samenzwering andere, onbekende gezichten moesten zitten die van invloed waren geweest op haar leven. Ze moest namen en persoonsnummers bij deze anonieme gezichten hebben.

Dus had ze besloten het plan van Mikael te volgen. En daarom had ze de waarheid over haar leven op papier gezet in de vorm van een gortdroge autobiografie van veertig kantjes. Ze was zeer zorgvuldig geweest in haar formuleringen. De inhoud van elke zin was waar. Ze had Mikaels redenering geaccepteerd dat ze in de Zweedse media toch al met dusdanig groteske beweringen aan de schandpaal was genageld dat een portie waargebeurde dwaasheden haar reputatie niet kon schaden.

Daarentegen was de biografie een falsificatie in die zin dat ze niet echt de héle waarheid over zichzelf en haar leven had verteld. Daar had ze geen reden toe.

Ze ging terug naar bed en kroop onder het dekbed. Ze voelde een irritatie die ze niet onder woorden kon brengen. Ze strekte zich uit naar het notitieblok dat ze van Annika Giannini had gekregen en dat ze nauwelijks had gebruikt. Ze sloeg de eerste pagina open, waar ze één regel had opgeschreven.

$(x^3+y^3=z^3)$

Ze had afgelopen winter wekenlang in het Caribisch gebied vertoefd en zich suf gepiekerd over het theorema van Fermat. Toen ze terugkwam in Zweden, en voordat ze verwikkeld raakte in de jacht op Zalachenko, was ze verder gaan spelen met de vergelijkingen. Het probleem was dat ze het hinderlijke gevoel had dat ze een oplossing had gezien ... *dat ze een oplossing had ervaren.*

Maar ze kon hem zich niet meer herinneren.

Zich iets niet kunnen herinneren, was een onbekend fenomeen voor Lisbeth Salander. Ze had zichzelf getest door op internet te gaan en enkele willekeurig gekozen HTML-codes op te vragen. Ze had ze één keer gelezen en in haar geheugen opgeslagen, en vervolgens exact weergegeven.

Ze was haar fotografische geheugen, dat ze ervoer als een vloek, niet kwijt.

In haar hoofd was alles bij het oude gebleven.

Afgezien van het feit dat ze meende een oplossing voor het theorema van Fermat te hebben gezien, maar zich niet kon herinneren hoe, wanneer en waar.

Het ergste was dat ze helemaal geen belangstelling voor het raadsel meer had. Het theorema van Fermat fascineerde haar niet meer. Dat was onheilspellend. Zo werkte het gewoon bij haar. Ze raakte gefascineerd door een raadsel, maar zo gauw ze het had opgelost, kon het haar niet meer boeien.

En dat was precies wat ze voor Fermat voelde. Hij was niet langer een duiveltje op haar schouder dat haar aandacht trok en haar intellect tartte. Het was een platte formule, een paar krabbeltjes op een papiertje, en ze had geen enkele zin om weer met het raadsel aan de slag te gaan.

Dat verontrustte haar. Ze legde het notitieblok weer weg.

Ze zou moeten gaan slapen.

Maar ze haalde de handcomputer weer tevoorschijn en ging het internet op. Ze dacht even na en ging daarna naar de harddisk van Dragan Armanskij, die ze niet had bezocht sinds ze de handcomputer had gekregen. Armanskij werkte samen met Mikael Blomkvist, maar ze had geen onmiddellijke behoefte gehad om te lezen waar hij zich mee bezighield.

Ze las verstrooid zijn e-mail.

Toen vond ze de veiligheidsanalyse van David Rosin over het huis van Erika Berger. Ze fronste haar wenkbrauwen.

Erika Berger heeft een stalker achter zich aan.

Ze vond een notitie van medewerkster Susanne Linder, die blijkbaar vannacht bij Erika Berger had gelogeerd en laat in de nacht een rapport had verstuurd. Ze keek naar de tijdsaanduiding. De mail was even voor drieën 's nachts verstuurd en rapporteerde dat Berger had ontdekt dat persoonlijke dagboeken, brieven en foto's evenals een video van hoogstpersoonlijke aard uit een ladekast in haar slaapkamer waren gestolen.

Na de zaak met mevrouw Berger te hebben besproken, hebben wij geconstateerd dat de diefstal moet hebben plaatsgevonden in de periode dat zij in het ziekenhuis van Nacka was nadat ze in het stuk glas had getrapt. Daardoor ontstond een periode van tweeënhalf uur waarin het huis onbewaakt was en het gebrekkige alarm van de NIP niet was ingeschakeld. De rest van de tijd, tot aan het moment waarop de diefstal is opgemerkt, is Berger of David Rosin steeds in de woning aanwezig geweest.
Daaruit kan worden geconcludeerd dat haar achtervolger zich in de nabijheid van mevrouw Berger bevond en kon zien dat ze met een taxi werd opgehaald en mogelijk ook dat ze hinkte en gewond was aan haar voet. Hij heeft toen van de gelegenheid gebruikgemaakt om de woning te betreden.

Lisbeth sloot Armanskij's harddisk af en zette peinzend de handcomputer uit. Ze had tegenstrijdige gevoelens.

Ze had geen reden om Erika Berger te mogen. Ze herinnerde zich nog maar al te goed de vernedering die ze had gevoeld toen ze Erika anderhalf jaar geleden eind december met Mikael Blomkvist op de Hornsgatan had zien verdwijnen.

Dat was een van de meest primitieve momenten van haar leven geweest en ze zou zichzelf dergelijke gevoelens nooit meer toestaan.

Ze herinnerde zich de onredelijke haat die ze had gevoeld en de zin om hen achterna te rennen en Erika Berger wat aan te doen.

Pijnlijk.

Ze was genezen.

Maar ze had, zoals gezegd, geen reden om Erika Berger te mogen.

Na een tijdje vroeg ze zich af wat Bergers video *van hoogstpersoonlijke aard* inhield. Ze had zelf een video van hoogstpersoonlijke aard die liet zien hoe Nils Gore Klootzak Bjurman zich aan haar vergreep.

En die was nu in handen van Mikael Blomkvist. Ze vroeg zich af hoe ze gereageerd zou hebben als iemand bij haar had ingebroken en die film had gestolen. Wat Mikael Blomkvist in feite ook had gedaan, al was dat niet met het doel haar schade te berokkenen.

Hm.

Lastig.

Erika Berger had de nacht van donderdag op vrijdag niet kunnen slapen. Ze hinkte rusteloos door het huis terwijl Susanne Linder een oogje in het zeil hield. Haar angst lag als een dichte mist over het huis.

Tegen halfdrie 's nachts was Susanne Linder erin geslaagd Berger over te halen om – ook al zou ze niet slapen – ten minste in bed te gaan liggen om te rusten. Ze had een zucht van verlichting geslaakt toen Berger haar slaapkamerdeur had dichtgedaan. Susanne had haar laptop opengeklapt en in een mail naar Dragan Armanskij samengevat wat er was gebeurd. Ze had het mailtje amper kunnen versturen toen ze hoorde dat Erika Berger alweer op was.

Tegen zevenen 's morgens had ze Erika Berger er eindelijk toe kunnen bewegen de *SMP* te bellen om zich die dag ziek te melden. Erika Berger had schoorvoetend moeten toegeven dat ze op haar werk niet van veel nut zou zijn als haar ogen telkens bijna dichtvielen. Daarna was ze op de bank in de woonkamer in slaap gevallen, voor het met triplex afgedekte raam. Susanne Linder had een deken gehaald en die over haar heen gelegd. Daarna had ze koffie voor zichzelf gemaakt en Dragan Armanskij gebeld. Ze had haar aanwezigheid ter plaatse uitgelegd en verteld dat ze door David Rosin was opgeroepen.

'Ik heb vannacht ook geen oog dichtgedaan,' zei Susanne Linder.

'Oké. Blijf bij Berger. Ga ook maar een paar uur slapen,' zei Armanskij.

'Ik weet niet hoe we dit moeten factureren ...'

'Dat zien we dan wel.'

Erika Berger sliep tot halfdrie 's middags. Toen ze wakker werd, trof ze Susanne Linder slapend aan in een fauteuil aan de andere kant van de woonkamer.

Monica Figuerola versliep zich vrijdagochtend en had geen tijd meer om een rondje te lopen voordat ze naar haar werk moest. Ze gaf Mikael Blomkvist daar de schuld van, douchte en schopte hem daarna het bed uit.

Mikael Blomkvist vertrok naar *Millennium*, waar iedereen verbaasd was hem al zo vroeg te zien. Hij mompelde wat, haalde koffie en ging met Malin Eriksson en Henry Cortez op zijn kamer zitten. Ze besteedden drie uur aan het doorspreken van stukken voor het komende themanummer en het afstemmen van hoe de productie van het boek momenteel vorderde.

'Het boek van Dag Svensson is gisteren naar de drukker gegaan,' zei Malin. 'Het wordt gedrukt op pocketformaat.'

'Oké.'

'Het magazine wordt *The Lisbeth Salander Story*,' zei Henry Cortez. 'Ze zijn bezig de datum te wijzigen, maar de rechtszaak is nu vastgesteld op woensdag 13 juli. *Millennium* is dan gedrukt, maar wordt pas halverwege de week verspreid. Jij bepaalt wanneer *Millennium* eruit gaat.'

'Mooi, dan resteert alleen nog het boek over Zalachenko, wat op dit moment een nachtmerrie is. De titel wordt *De Sectie*. De eerste helft van het boek is feitelijk wat we in *Millennium* publiceren. De moorden op Dag Svensson en Mia Bergman zijn het uitgangspunt en daarna de jacht op Lisbeth Salander, Zalachenko en Niedermann. De andere helft van het boek beschrijft wat we over de Sectie weten.'

'Mikael, ook al doet de drukkerij haar uiterste best, we moeten het origineel uiterlijk 30 juni aanleveren,' zei Malin. 'Christer heeft op zijn minst een paar dagen nodig voor de lay-out. We hebben nog maar iets meer dan twee weken. Ik begrijp niet hoe we dat moeten klaarspelen.'

'We kunnen het verhaal niet volledig opgraven,' gaf Mikael toe. 'Maar ik geloof ook niet dat we dat hadden kunnen doen als we een jaar de tijd hadden gehad. Wat we in dit boek gaan doen, is vertellen wat er is gebeurd. Als we ergens een bron van missen, komt dat erbij te staan. Als we speculeren, moet dat ook duidelijk blijken. We schrijven dus wat er is gebeurd en wat we kunnen documenteren. En dan schrijven we wat we dénken dat er nog meer gebeurd kan zijn.'

'Ontzettend zweverig,' zei Henry Cortez.

Mikael schudde zijn hoofd.

'Als ik zeg dat een medewerker van de Zweedse veiligheidsdienst inbreekt in mijn appartement en dat ik dat met een video kan documenteren, dan is het gedocumenteerd. Als ik zeg dat hij dat in opdracht doet van de Sectie, dan is dat speculatie, maar in het licht van alle onthullingen die we doen, is het een rationele speculatie. Begrijp je?'

'Oké.'

'Ik zal niet alle teksten zelf kunnen schrijven. Henry, ik heb een lijst van teksten die jij zult moeten produceren. Dat komt overeen met ruim vijftig pagina's boektekst. Malin, jij bent Henry's back-up, net zoals toen we het boek van Dag Svensson redigeerden. Alle drie onze namen staan als auteur op de omslag. Is dat goed wat jullie betreft?'

'Tuurlijk,' zei Malin. 'Maar we hebben nog een aantal andere problemen.'

'Zoals?'

'Terwijl jij met die Zalachenko-geschiedenis bezig was, hebben wij ons hier uit de naad gewerkt ...'

'En je bedoelt dat ik niet beschikbaar was?'

Malin Eriksson knikte.

'Je hebt gelijk. Het spijt me.'

'Dat hoeft niet. We weten allemaal dat als jij eenmaal bezeten bent van een verhaal er niets anders bestaat. Maar zo werkt het voor de anderen niet. Voor mij werkt het in elk geval niet zo. Erika Berger had mij om tegenaan te leunen. Ik heb Henry en hij is een kanjer, maar hij werkt net zoveel aan jouw verhaal als jij. En zelfs als ik jou meereken, komen we op de redactie gewoon twee mensen tekort.'

'Goed.'

'En ik ben bovendien Erika Berger niet. Zij had een routine die ik mis. Ik zit nog in het leerproces. Monika Nilsson doet enorm haar best. En Lottie Karim ook. Maar niemand heeft tijd om pas op de plaats te maken en even mee te denken.'

'Dit is tijdelijk. Zo gauw de rechtszaak begint ...'

'Nee, Mikael. Dan is het niet voorbij. Als de rechtszaak begint, wordt het een heksenketel. Je weet hoe het tijdens de Wennerström-affaire was. Het betekent dat we jou drie maanden niet zullen zien omdat je de verschillende praatprogramma's op tv afloopt.'

Mikael zuchtte. Hij knikte langzaam.

'Wat stel je voor?'

'Als we het bij *Millennium* dit najaar willen redden, moeten we nieuwe mensen aannemen. Minstens twee, misschien meer. We hebben onvoldoende capaciteit voor wat we proberen te doen, en ...'

'En?'

'Ik weet niet of ik zo wel verder wil.'

'Oké.'

'Ik meen het. Ik ben een uitstekende redactiesecretaris en dat is een *piece of cake* met Erika Berger als chef. We hebben gezegd dat we het een tijdje zouden proberen ... Oké, we hebben het geprobeerd. Ik ben geen goede hoofdredacteur.'

'Gelul,' zei Henry Cortez.

Malin schudde haar hoofd.

'Goed,' zei Mikael. 'Ik hoor wat je zegt. Maar bedenk dat het een extreme situatie was.'

Malin glimlachte naar hem.

'Zie dit als een klacht van het personeel,' zei ze.

De operatieve eenheid van de afdeling Grondwetsbescherming besteedde de vrijdag aan het checken van de informatie die ze van Mikael Blomkvist hadden gekregen. Twee van de medewerkers waren naar een tijdelijke kantoorruimte bij het Fridhemsplan verhuisd, waar alle documentatie werd verzameld. Dat was onpraktisch, omdat het interne computersysteem in het hoofdbureau van politie zat, wat betekende dat de medewerkers elke dag een paar keer op en neer moesten lopen. Ook al was dat maar tien minuten, het was een irritatiemoment.

Al tegen lunchtijd hadden ze omvangrijke documentatie dat Fredrik Clinton en Hans von Rottinger in de jaren zestig en begin jaren zeventig aan de Zweedse veiligheidsdienst verbonden waren geweest.

Von Rottinger kwam oorspronkelijk van de militaire inlichtingendienst en had jaren op het bureau gewerkt dat zich bezighield met de coördinatie tussen de krijgsmacht en de veiligheidsdienst. Fredrik Clinton had een achtergrond bij de luchtmacht en was in 1967 bij de personeelscontrole van de veiligheidsdienst gaan werken.

Beiden hadden de veiligheidsdienst echter begin jaren zeventig verlaten; Clinton in 1971 en Von Rottinger in 1973. Clinton was als consultant het particuliere bedrijfsleven in gegaan en Von Rottinger was als burger aangesteld om onderzoeken te verrichten voor het Internationale Atoomagentschap. Hij werd in Londen gestationeerd.

Pas laat in de middag kon Monica Figuerola bij Edklinth aankloppen om uit te leggen dat de carrières van Clinton en Von Rottinger nadat ze de veiligheidsdienst hadden verlaten met grote waarschijnlijkheid vals waren. De carrière van Clinton was lastig na te trekken. Consultant in het bedrijfsleven kan praktisch gezien alles zijn, en zo iemand is niet verplicht zijn feitelijke werkzaamheden aan de staat te verantwoorden. Uit zijn aangiften bleek dat hij uitstekend verdiende, maar helaas leek zijn clientèle hoofdzakelijk te bestaan uit anonieme bedrijven die gevestigd waren in Zwitserland of soortgelijke landen.

Dientengevolge was niet goed te bewijzen dat het bluf was.

Von Rottinger had daarentegen nooit een voet gezet in het kantoor waar hij in Londen gewerkt zou hebben. In 1973 was het betreffende kantoorgebouw namelijk gesloopt en vervangen door een uitbouw van het King's Cross Station. Vermoedelijk had iemand een blunder begaan toen de legende in het leven werd geroepen. Het team van Figuerola had die dag diverse gepensioneerde medewerkers van het Internationale Atoomagentschap ondervraagd. Geen van hen had ooit van Hans von Rottinger gehoord.

'Dan weten we dat ook,' zei Edklinth. 'Dan moeten we er alleen nog achter zien te komen wat ze wél deden.'

Monica Figuerola knikte.

'Wat doen we met Blomkvist?'

'Hoe bedoel je?'

'We hebben beloofd hem feedback te geven over wat we over Clinton en Von Rottinger zouden vinden.'

Edklinth dacht even na.

'Oké. Daar komt hij zelf ook wel achter als hij nog even doorgaat. Maar het is beter om op goede voet met hem te blijven. Geef hem de informatie, maar gebruik je gezonde verstand.'

Dat beloofde Monica Figuerola. Ze spraken nog even over het weekend. Monica had twee medewerkers die door zouden werken. Zelf zou ze vrij zijn.

Daarna klokte ze uit en liep naar de sportschool op het St. Eriksplan, waar ze twee uur als een waanzinnige probeerde haar verloren trainingstijd in te halen. Ze was tegen zevenen 's avonds thuis, douchte, bereidde een eenvoudige maaltijd en zette de tv aan om naar het nieuws te kijken. Tegen halfacht was ze alweer rusteloos en trok ze haar joggingpak aan. Ze bleef bij de buitendeur staan en dacht na. *Die Verrekte Blomkvist.* Ze klapte haar mobieltje open en belde zijn T10.

'We hebben wat informatie over Von Rottinger en Clinton.'

'Vertel,' zei Mikael.

'Als je hierheen komt, kan ik het vertellen.'

'Hm,' zei Mikael.

'Ik heb net mijn joggingpak aangetrokken om wat overtollige energie kwijt te raken,' zei Monica Figuerola. 'Zal ik gaan of zal ik op je wachten?'

'Is het goed dat ik na negenen kom?'

'Dat is prima.'

Vrijdagavond tegen achten kreeg Lisbeth Salander bezoek van dokter Anders Jonasson. Hij ging op de bezoekersstoel zitten en leunde achterover.

'Gaat u me onderzoeken?' vroeg Lisbeth Salander.

'Nee. Vanavond niet.'

'Oké.'

'We hebben vandaag de balans over jou opgemaakt en de officier van justitie laten weten dat we bereid zijn je te laten gaan.'

'Ik begrijp het.'

'Ze wilden je vanavond al naar de gevangenis van Göteborg overbrengen.'

'Zo snel al?'

Hij knikte.

'Stockholm oefent blijkbaar druk uit. Ik heb gezegd dat ik morgen nog een aantal eindtests moest doen en dat ik je niet voor zondag laat gaan.'

'Waarom?'

'Ik weet het niet. Het ergert me dat ze zo halsstarrig zijn.'

Lisbeth Salander glimlachte. Ze zou van dokter Anders Jonasson een goede anarchist kunnen maken als ze een paar jaar de tijd kreeg. Hij had op het privévlak hoe dan ook aanleg voor burgerlijke ongehoorzaamheid.

'Fredrik Clinton,' zei Mikael Blomkvist terwijl hij naar het plafond boven het bed van Monica Figuerola staarde.

'Als je die sigaret opsteekt, druk ik hem in je navel uit,' zei Monica Figuerola.

Mikael keek verrast naar de sigaret die hij uit de zak van zijn colbert had gehaald.

'Sorry,' zei hij. 'Mag ik je balkon even gebruiken?'

'Als je daarna je tanden poetst.'

Hij knikte en wikkelde een laken om zijn lichaam. Ze liep achter hem aan naar de keuken en vulde een groot glas met koud water. Ze leunde tegen de deurpost bij het balkon.

'Fredrik Clinton?'

'Hij leeft nog. Hij is de schakel naar het verleden.'

'Hij is stervende. Hij heeft een nieuwe nier nodig en brengt het grootste deel van zijn tijd door aan de dialyse of met de een of andere behandeling.'

'Maar hij lééft. We zouden contact met hem kunnen opnemen en hem de vraag rechtstreeks kunnen stellen. Misschien wil hij praten.'

'Nee,' zei Monica Figuerola. 'Ten eerste is dit een vooronderzoek en dat wordt door de politie gedaan. In dat opzicht is er in dit verband geen "wij". Ten tweede krijg je deze informatie op basis van jouw overeenkomst met Edklinth, maar je hebt je verplicht om niets te doen wat het onderzoek kan storen.'

Mikael keek haar glimlachend aan. Hij maakte zijn sigaret uit.

'Shit,' zei hij. 'Ik word teruggefloten door de Zweedse veiligheidsdienst.'

Ze keek plotseling bedenkelijk.

'Mikael, dit is geen grapje.'

Erika Berger vertrok zaterdagochtend met een bang voorgevoel naar de *Svenska Morgon-Posten*. Ze had het idee dat ze het eigenlijke krantenmaken inmiddels wel onder de knie begon te krijgen en was eigenlijk van plan geweest zichzelf een vrij weekend te gunnen – het eerste sinds ze bij de SMP was begonnen. Maar door de ontdekking dat haar meest persoonlijke en intieme herinneringen waren verdwenen, evenals het Borgsjö-rapport, kon ze zich onmogelijk ontspannen.

Tijdens een slapeloze nacht, die ze grotendeels samen met Susanne Linder in de keuken had doorgebracht, had Erika verwacht dat *de Gifpen* zou toeslaan en er spoedig geenszins vleiende beelden van haar verspreid zouden worden. Internet was een perfect middel voor smeerlappen. *Godallemachtig, een video waarop te zien is dat ik met mijn eigen man en een andere man lig te neuken – ik kom in elk roddelblad ter wereld. Het meest intieme wat een mens kan doen.*

Ze had 's nachts paniek en angst gevoeld.

Susanne Linder had haar uiteindelijk gedwongen naar bed te gaan.

Om acht uur 's morgens was ze opgestaan en naar de SMP vertrokken. Ze kon niet wegblijven. Als er storm op komst was, wilde ze die als eerste tegemoet treden.

Maar op de halflege redactie was alles normaal. De medewerkers groetten haar vriendelijk toen ze langs de centrale balie liep. Anders Holm was vrij. Peter Fredriksson was de nieuwschef.

'Môge. Ik dacht dat je vandaag vrij was,' groette hij.

'Ik ook. Maar ik was gisteren niet lekker en heb nog het een en ander te doen. Zijn er nog dingen gebeurd?'

'Nee, het is rustig. Het spannendste op dit moment is dat de houtindustrie in Dalarna een stijgende lijn vertoont en dat er een overval in Norrköping is geweest waarbij een gewonde is gevallen.'

'Oké. Ik ga een tijdje in de glazen kooi zitten werken.'

Ze ging zitten, zette haar krukken tegen de boekenkast en logde in op de computer. Ze begon met het checken van haar post. Ze had diverse mailtjes, maar niets van de Gifpen. Ze fronste haar wenkbrauwen. De inbraak was nu twee dagen geleden en hij had nog niet gereageerd op wat een goudmijn aan mogelijkheden moest zijn. *Waarom niet? Gaat hij van tactiek veranderen? Afpersing? Wil hij me alleen maar in spanning houden?*

Ze had niets specifieks te doen en opende het strategische document dat ze voor de SMP aan het schrijven was. Ze zat een kwartier naar het beeldscherm te staren zonder de letters te zien.

Ze had Greger proberen te bellen, maar hem nog niet te pakken gekregen. Ze wist niet eens of zijn mobiele telefoon het in het buitenland deed. Ze had hem natuurlijk kunnen opsporen als ze er moeite voor had gedaan, maar ze voelde zich lamlendig. Nee, ze voelde zich wanhopig en verlamd.

Ze probeerde Mikael Blomkvist te bellen om hem te informeren dat de Borgsjö-map gestolen was. Hij nam zijn mobiel niet op.

Om tien uur had ze nog niets zinnigs gedaan en ze besloot naar huis te gaan. Ze stond op het punt de computer uit te zetten toen haar ICQ pingde. Ze keek verbaasd naar de menuregel. Ze wist wat ICQ was, maar chatte zelden en had het programma sinds ze bij de SMP was begonnen nog nooit gebruikt.

Ze klikte aarzelend op Beantwoorden.

<Hallo Erika>

<Hallo. Wie ben je?>

<Privé. Ben je alleen?>

Een trucje? De Gifpen?

<Ja. Wie ben je?>

<We hebben elkaar bij Kalle Blomkvist thuis ontmoet toen hij uit Sandhamn kwam>

Erika Berger staarde naar het scherm. Het duurde een paar seconden voor ze het verband legde. *Lisbeth Salander. Onmogelijk.*

<Ben je er nog?>

<Ja>

<Geen naam. Weet je wie ik ben?>

<Hoe weet ik dat je niet bluft?>

<Ik weet hoe Mikael aan het litteken op zijn hals is gekomen>

Erika slikte. Er waren maar vier personen op de hele wereld die wisten hoe dat was ontstaan. Lisbeth Salander was er één van.

<Oké. Maar hoe kun je met mij chatten?>
<Ik kan vrij goed met computers overweg>

Lisbeth Salander is een duivel met computers. Maar hoe kan ze in godsnaam communiceren terwijl ze al sinds april geïsoleerd in het Sahlgrenska ligt?

<Oké>
<Kan ik je vertrouwen?>
<Hoe bedoel je?>
<Dit gesprek mag niet uitlekken>

Ze wil niet dat de politie weet dat ze toegang tot internet heeft. Natuurlijk niet. Dus daarom chat ze met de hoofdredacteur van een van de grootste kranten van Zweden.

<Geen probleem. Wat wil je?>
<Betalen>
<Hoe bedoel je?>
<*Millennium* heeft me gesteund>
<We hebben gewoon ons werk gedaan>
<Andere kranten doen dat niet>
<Je bent onschuldig aan de dingen waarvoor je wordt aangeklaagd>
<Je hebt een stalker achter je aan>

Erika Berger kreeg plotseling hartkloppingen. Ze aarzelde geruime tijd.

<Wat weet je?>
<Gestolen video. Inbraak>
<Ja. Kun je helpen?>

Erika Berger geloofde zelf niet dat die vraag van haarzelf afkomstig was. Dit was volkomen gestoord. Lisbeth Salander lag op de revalidatieafdeling van het Sahlgrenska en zat tot over haar oren in de problemen. Ze was de meest onwaarschijnlijke persoon tot wie Erika zich met enige hoop op hulp kon wenden.

<Weet niet. Kan het proberen>
<Hoe?>
<Vraag. Denk je dat die smeerlap bij de SMP zit?>
<Ik kan het niet bewijzen>
<Waarom denk je dat?>

Erika dacht geruime tijd na voor ze antwoord gaf.

<Een gevoel. Het is begonnen toen ik bij de SMP ging werken. Andere personen bij de SMP hebben onaangename mailtjes van de Gifpen ontvangen, die van mij leken te komen>

<De Gifpen?>
<Zo noem ik die klootzak>
<Oké. Waarom heeft de Gifpen het op jou gemunt?>
<Geen idee>
<Is er iets wat erop duidt dat het persoonlijk is?>
<Hoe bedoel je?>
<Hoeveel werknemers heeft de SMP?>
<Ruim 230 inclusief de uitgeverij>
<Hoeveel ken je er persoonlijk?>
<Weet ik niet precies. Ik heb diverse journalisten en medewerkers door de jaren heen in verschillende settings ontmoet>
<Iemand met wie je vroeger ruzie hebt gehad?>
<Nee. Niet specifiek>
<Iemand die wraak op je zou willen nemen?>
<Wraak? Voor wat?>
<Wraak is een sterke drijfveer>

Erika keek naar het scherm terwijl ze probeerde te begrijpen waar Lisbeth Salander op doelde.

<Ben je er nog?>
<Ja. Waarom vraag je naar wraak?>
<Ik heb Roslins lijst gelezen van alle incidenten die je aan de Gifpen koppelt>

Waarom ben ik niet verbaasd?

<Oké???>
<Komt niet over als stalker>
<Hoe bedoel je?>
<Een stalker is een persoon die wordt gedreven door seksuele bezetenheid. Dit voelt aan als iemand die een stalker imiteert. Schroevendraaier in je kut ... hallo, pure parodie>
<O?>
<Ik heb voorbeelden gezien van echte stalkers. Die zijn veel perverser, vulgairder en grotesker. Ze brengen tegelijkertijd liefde en haat tot uitdrukking. Dit voelt anders>
<Je vindt het niet vulgair genoeg?>
<Nee. Die mailtjes naar Eva Carlsson zijn helemaal fout. Iemand die wil treiteren>
<Ik snap het. Heb niet op die manier gedacht>
<Geen stalker. Persoonlijk tegen jou>
<Oké. Wat stel je voor?>
<Vertrouw je me?>

<Misschien>
<Ik heb toegang nodig tot het computernetwerk van de SMP>
<Rustig aan>
<Nu. Ik word op korte termijn overgeplaatst en heb dan geen internet meer>

Erika aarzelde tien seconden. De SMP overleveren aan ... ja, aan wat? Een volledig gestoord iemand? Lisbeth was dan misschien onschuldig aan moord, maar ze was beslist niet normaal.

Maar wat had ze te verliezen?

<Hoe?>
<Ik moet een programma op je computer installeren>
<We hebben firewalls>
<Je moet meehelpen. Start internet>
<Staat al aan>
<Explorer?>
<Ja>
<Ik geef je nu een adres. Kopieer dat en plak het in Explorer>
<Gedaan>
<Nu zie je een aantal programma's in een lijst. Klik Asphyxia Server aan en klik op downloaden>

Erika volgde de instructie op.

<Klaar>
<Start Asphyxia. Klik op installeren en kies Explorer>

Het duurde drie minuten.

<Klaar. Oké. Nu moet je de computer opnieuw opstarten. Dan verliezen we even contact>
<Oké>
<Herstart maar. Tot zo>

Erika Berger keek gefascineerd naar het scherm terwijl haar computer langzaam opnieuw opstartte. Ze vroeg zich af of ze wel goed bij haar hoofd was. Toen pingde haar ICQ.

<Hoi>
<Hoi>
<Het gaat sneller als jij het doet. Start internet en kopieer het adres dat ik stuur>
<Oké>
<Nu krijg je een vraag te zien. Klik op Start>
<Oké>
<Nu krijg je een vraag over het benoemen van de harddisk. Noem hem SMP-2>

<Oké>
<Ga koffie halen. Dit duurt even>

Monica Figuerola werd zaterdagochtend tegen achten wakker, ruim twee uur later dan haar normale reveil. Ze ging rechtop in bed zitten en keek naar Mikael Blomkvist. Hij snurkte. *Well. Nobody is perfect.*

Ze vroeg zich af waar haar affaire met Mikael Blomkvist toe zou leiden. Hij was niet van het trouwe soort met wie je een wat langduriger relatie kon plannen – dat had ze uit zijn biografie wel begrepen. Maar zelf was ze er ook niet zeker van dat ze echt op zoek was naar een stabiele huisje-boompje-beestjerelatie. Na een tiental mislukte pogingen sinds haar jonge jaren was ze steeds meer geneigd te geloven dat stabiele relaties overschat werden. Ze had twee jaar samengewoond met een collega in Uppsala. Dat was haar langste verhouding tot nu toe geweest.

Ze was aan de andere kant ook geen type voor onenightstands, hoewel ze vond dat seks als therapeutisch middel tegen vrijwel alle kwalen werd onderschat. En seks met Mikael Blomkvist was oké. Zelfs meer dan dat. Hij was een goed mens. Hij smaakte naar meer.

Zomerromance? Verliefdheid? Was ze verliefd?

Ze ging naar de badkamer, hield haar gezicht onder de kraan, poetste haar tanden, trok daarna een sportbroekje en een dun jack aan en sloop de flat uit. Ze stretchte en jogde een ronde van drie kwartier langs het ziekenhuis van Rålambshov, om Fredhäll en terug via Smedsudden. Ze was om negen uur terug en constateerde dat Blomkvist nog steeds sliep. Ze boog voorover en beet hem in zijn oor, tot hij verward zijn ogen opendeed.

'Goedemorgen schatje. Ik heb iemand nodig die mijn rug schrobt.'

Hij keek haar aan en mompelde iets.

'Wat zei je?'

'Je hoeft niet te douchen. Je bent al drijfnat.'

'Ik ben wezen hardlopen. Je had mee moeten gaan.'

'Ik ben bang dat als ik jouw tempo zou aanhouden, je een ambulance zou moeten bellen. Hartstilstand op het Norr Mälarstrand.'

'Nonsens. Kom. Tijd om op te staan.'

Hij schrobde haar rug en zeepte haar schouders in. En haar heupen. En haar buik. En haar borsten. Na een tijdje verloor Monica Figuerola de belangstelling voor het douchen en trok ze hem naar bed. Ze dronken pas tegen elven koffie op een terras bij het Norr Mälarstrand.

'Jij zou een slechte gewoonte kunnen worden,' zei Monica Figuerola.

'We kennen elkaar pas een paar dagen.'

'Ik voel me ontzettend tot je aangetrokken. Maar dat weet je volgens mij al.'

Ze knikte.

'Waarom?'

'Sorry. Daar kan ik geen antwoord op geven. Ik heb nooit begrepen waarom ik me plotseling aangetrokken voel tot een bepaalde vrouw terwijl ik andere vrouwen totaal niet interessant vind.'

Ze glimlachte nadenkend.

'Ik ben vandaag vrij,' zei ze.

'Ik niet. Ik heb nog een hoop werk te doen voordat de rechtszaak begint en ik heb de laatste drie nachten bij jou doorgebracht in plaats van te werken.'

'Jammer.'

Hij knikte en stond op. Hij kuste haar op haar wang. Ze pakte hem bij zijn mouw.

'Blomkvist, ik wil je graag blijven zien.'

'Ik jou ook,' knikte hij. 'Maar het zal wel een beetje onregelmatig worden tot we deze zaak hebben afgerond.'

Hij verdween in de richting van de Hantverkargatan.

Erika Berger had koffie gehaald en keek naar haar monitor. Er gebeurde drieënvijftig minuten niets behalve dat haar screensaver regelmatig aanging. Toen pingde haar ICQ weer.

<Klaar. Je hebt ontzettend veel shit op je harde schijf, waaronder twee virussen>

<Sorry. Wat is de volgende stap?>

<Wie beheert het computernetwerk van de *SMP*?>

<Geen idee. Vermoedelijk Peter Fleming, hij is hoofd technische afdeling>

<Oké>

<Wat moet ik doen?>

<Niets. Ga naar huis>

<Gewoon zo weggaan?>

<Ik neem contact op>

<Moet ik de computer aan laten staan?>

Maar Lisbeth Salander was al niet meer te bereiken. Erika Berger staarde gefrustreerd naar het beeldscherm. Uiteindelijk zette ze de computer uit en ging naar buiten om een tentje te zoeken waar ze rustig kon zitten nadenken.

20
ZATERDAG 4 JUNI

Mikael Blomkvist stapte bij Slussen uit de bus, nam de Katarinalift omhoog naar Mosebacke en liep naar Fiskargatan 9. Hij kocht brood, melk en kaas in de buurtsuper vóór het gebouw van de Provinciale Raad en zette na aankomst allereerst de boodschappen in de koelkast. Daarna deed hij Lisbeth Salanders computer aan.

Hij zette na een tijdje ook zijn blauwe Ericsson T10 aan. Zijn normale mobiele telefoon liet hij uit staan omdat hij hoe dan ook niet wilde praten met iemand die niet met het Zalachenko-verhaal van doen had. Hij constateerde dat hij de afgelopen vierentwintig uur zes keer was gebeld: drie keer door Henry Cortez, twee keer door Malin Eriksson en eenmaal door Erika Berger.

Hij belde allereerst Henry Cortez, die in een café in Vasastan zat en een aantal dingen met hem wilde afstemmen, maar dat was niet dringend.

Malin Eriksson had alleen maar gebeld om wat van zich te laten horen.

Daarna belde hij Erika Berger en kreeg de ingesprektoon.

Hij opende de yahoogroep Dwaze_Tafel en vond de eindversie van Lisbeth Salanders biografie. Hij knikte glimlachend, printte het document en begon meteen te lezen.

Lisbeth Salander werkte moeizaam op haar Palm Tungsten T3. Ze was een uur bezig geweest om het computernetwerk van de SMP met behulp van Erika Bergers account te penetreren en in kaart te brengen. Ze had het account van Peter Fleming niet gebruikt, omdat het niet nodig was om volledige toegang tot het netwerk te verkrijgen. Ze was uitsluitend geïnteresseerd in toegang tot de administratie van de SMP met de persoonsgegevens. En daar kon Erika Berger gewoon bij.

Ze wenste vurig dat Mikael Blomkvist zo goed was geweest om haar PowerBook met een echt toetsenbord en een 17"-scherm naar binnen te smokkelen in plaats van alleen haar handcomputer. Ze downloadde een overzicht van alle medewerkers van de SMP en begon de lijst af te werken. Het waren tweehonderddrieëntwintig personen, van wie tweeëntachtig vrouwen.

Ze schrapte allereerst alle vrouwen. Niet dat ze meende dat vrouwen geen gekke dingen konden uithalen, maar statistisch gezien waren het meestal mannen die vrouwen lastigvielen. Nu resteerden er nog honderdeenenveertig personen.

Volgens de statistieken bevond het grootste aantal 'gifpennen' zich onder tieners en mannen van middelbare leeftijd. Omdat de SMP geen tieners in dienst had, maakte ze een leeftijdscurve en schrapte ze iedereen boven de vijfenvijftig en onder de vijfentwintig. Daarna waren er nog honderddrie personen over.

Ze dacht even na. Ze had weinig tijd. Misschien minder dan vierentwintig uur. Ze nam snel een beslissing. Ze schrapte in één keer alle fotografen en technici en alle medewerkers van de distributie, de afdeling acquisitie en de facilitaire dienst. Ze focuste op de groep journalisten en redactiemedewerkers en kwam tot een lijst bestaande uit achtenveertig personen: mannen tussen de zesentwintig en vierenvijftig jaar oud.

Daarna hoorde ze gerinkel van een sleutelbos. Ze zette de handcomputer onmiddellijk uit en stopte hem tussen haar benen onder het dekbed. Haar laatste zaterdagse lunch in het Sahlgrenska was gearriveerd. Ze keek gelaten naar het snotterige koolprutje. Ze wist dat ze na de lunch een tijdje niet ongestoord zou kunnen werken. Ze stopte de handcomputer in de opening achter het nachtkastje en wachtte terwijl de twee vrouwen uit Eritrea stofzuigden en haar bed opmaakten.

Een van de vrouwen heette Sara en had de laatste maand regelmatig een paar Marlboro Lights bij Lisbeth naar binnen gesmokkeld. Lisbeth had ook een aansteker gekregen, die ze achter het nachtkastje verstopte. Lisbeth nam dankbaar twee sigaretten in ontvangst, die ze 's nachts voor het ventilatieraampje wilde gaan oproken.

Pas tegen tweeën was alles weer rustig. Ze haalde haar handcomputer weer tevoorschijn en logde in. Ze was van plan geweest direct terug te gaan naar de administratie van de SMP, maar zag in dat ze ook haar eigen problemen had die ze moest zien op te lossen. Ze maakte haar dagelijkse ronde en ging eerst naar de yahoogroep Dwaze_Tafel. Ze constateerde dat Mikael Blomkvist al drie dagen niets nieuws had toegevoegd en vroeg zich af waar hij mee bezig was. *Die klojo is vast aan de boemel met een of andere blonde doos met grote tieten.*

Ze ging verder naar de yahoogroep Ridders en onderzocht of Plague nog een bijdrage had geleverd. Dat was niet het geval.

Daarna controleerde ze de harddisks van officier van justitie Richard Ekström (minder interessante correspondentie over de komende rechtszaak) en die van dokter Peter Teleborian.

Elke keer als ze inlogde op Teleborians harddisk had ze het gevoel dat haar lichaamstemperatuur met een paar graden daalde.

Ze vond het gerechtelijk-psychiatrische onderzoek over haar dat hij al klaar had, maar dat officieel niet zou worden geschreven voordat hij de mogelijkheid had gehad om haar te onderzoeken. Hij had diverse verbeteringen aangebracht in het proza, maar over het geheel genomen was het niets nieuws. Ze downloadde het onderzoek en stuurde het naar Dwaze_Tafel. Ze controleerde Teleborians e-mail van de laatste vierentwintig uur door van mail naar mail te klikken. Ze miste bijna de betekenis van het korte mailtje.

Zaterdag, 15.00 uur bij de ring op het CS. /Jonas

Fuck. Jonas. Hij komt in diverse mailtjes naar Teleborian voor. Gebruikt een hotmailaccount. Ongeïdentificeerd.

Lisbeth Salander keek naar de digitale klok op het nachtkastje. 14:28 uur. Ze pingde onmiddellijk Mikael Blomkvists ICQ. Geen respons.

Mikael Blomkvist had de tweehonderdtwintig pagina's van het manuscript die klaar waren uitgeprint. Daarna had hij de computer uitgezet en was hij met een correctiepotlood aan Lisbeth Salanders keukentafel gaan zitten.

Hij was content met het verhaal. Maar er resteerde nog een groot, gapend gat. Hoe zou hij het restant van de Sectie kunnen vinden? Malin Eriksson had gelijk. Dat was onmogelijk. Hij bevond zich in tijdnood.

Lisbeth Salander vloekte gefrustreerd en probeerde Plague op ICQ te pingen. Hij reageerde niet. Ze keek naar de klok. 14:30 uur.

Ze ging op de rand van haar bed zitten en riep de ICQ-accounts op uit haar geheugen. Ze probeerde eerst dat van Henry Cortez en daarna dat van Malin Eriksson. Geen gehoor. *Zaterdag. Iedereen vrij.* Ze keek hoe laat het was. 14:32 uur.

Daarna probeerde ze Erika Berger te bereiken. Zonder succes. *Ik heb gezegd dat ze naar huis moest gaan. Shit. 14:33 uur.*

Ze zou een sms naar Mikael Blomkvists mobiel kunnen sturen, maar die werd afgeluisterd. Ze beet op haar onderlip.

Uiteindelijk keerde ze zich wanhopig naar haar nachtkastje en belde de zuster. Het was 14:35 uur toen ze de sleutel in het slot hoorde en zuster Agneta om het hoekje keek. Zuster Agneta was in de vijftig.

'Hallo. Is er iets?'

'Is dokter Jonasson op de afdeling?'

'Voel je je niet goed?'

'Ik voel me prima. Maar ik zou een paar woorden met hem willen wisselen als dat kan.'

'Ik heb hem zo-even nog gezien. Waar gaat het om?'

'Ik moet even met hem praten.'

Zuster Agneta fronste haar wenkbrauwen. De patiënte Lisbeth Salander had maar zelden de verpleging gebeld als ze geen zware hoofdpijn of een ander acuut probleem had. Ze had nooit ergens over gezeurd en nooit eerder gevraagd met een specifieke arts te mogen praten. Zuster Agneta had echter opgemerkt dat Anders Jonasson de tijd had genomen voor de patiënte in hechtenis, die voor het overige afgesloten was van de buitenwereld. Het zou kunnen dat hij enig contact tot stand had gebracht.

'Oké, ik zal even vragen of hij tijd heeft,' zei zuster Agneta vriendelijk en ze deed de deur dicht. En op slot. Het was 14:36 uur en de cijfers gingen net naar 14:37.

Lisbeth stond op en liep naar het raam. Ze keek regelmatig op de klok. 14:39. 14:40.

Om 14:44 uur hoorde ze voetstappen op de gang en het gerinkel van de sleutelbos van de Securitas-bewaker. Anders Jonasson keek haar vragend aan en bleef staan toen hij Lisbeth Salanders wanhopige blik zag.

'Is er iets gebeurd?'

'Er gebeurt momenteel iets. Hebt u een mobiele telefoon bij u?'

'Hè?'

'Een gsm. Ik moet bellen.'

Anders Jonasson keek aarzelend naar de deur.

'Alstublieft ... ik heb een mobiel nodig. Nu!'

Hij hoorde de wanhoop in haar stem, stak zijn hand in een binnenzak en gaf haar zijn Motorola. Lisbeth rukte hem bijna uit zijn handen. Ze kon Mikael Blomkvist niet bellen, omdat hij aannam dat hij door de vijand werd afgeluisterd. Het probleem was dat hij haar nooit het nummer van zijn anonieme blauwe Ericsson T10 had gegeven. Dat was ook niet nodig geweest, omdat hij nooit had verwacht dat ze hem vanuit haar isolement zou kunnen bellen. Ze aarzelde tien seconden en toetste Erika Bergers mobiele nummer in. Lisbeth hoorde de telefoon drie keer overgaan voor ze opnam.

Erika Berger zat in haar BMW een kilometer van haar huis in Saltsjöbaden toen ze een telefoontje kreeg dat ze niet verwachtte. Maar Lisbeth Salander had haar aan de andere kant die ochtend ook al verrast.

'Berger.'

'Salander. Geen tijd voor uitleg. Heb jij het nummer van Mikaels anonieme telefoon? Die niet wordt afgeluisterd?'

'Ja.'

'Bel hem. *Nu!* Teleborian ontmoet Jonas om 15.00 uur bij de ring op het CS.'

'Wat is ...'

'Haast je. Teleborian. Jonas. De ring op het CS. 15.00 uur. Hij heeft nog een kwartier.'

Lisbeth brak het gesprek af opdat Erika niet in de verleiding zou komen kostbare seconden te verspillen met onnodige vragen. Ze keek op de wekker, die net overging naar 14:46 uur.

Erika Berger remde en parkeerde langs de kant van de weg. Ze rekte zich uit naar het telefoonboekje in haar tas en bladerde naar het nummer dat Mikael haar had gegeven op de avond dat ze elkaar bij Samirs Stoofpot hadden ontmoet.

Mikael Blomkvist hoorde het gepiep van zijn mobiele telefoon. Hij stond op van de keukentafel, liep terug naar Lisbeth Salanders werkkamer en pakte zijn gsm van het bureau.

'Ja?'

'Erika.'

'Hoi.'

'Teleborian ontmoet Jonas om 15.00 uur bij de ring op het CS. Je hebt nog een paar minuten.'

'Wat? Hè?'

'Teleborian ...'

'Ik heb je gehoord. Hoe weet jij dat?'

'Niet kletsen, opschieten.'

Mikael keek op zijn horloge. 14.47 uur.

'Bedankt. Doei.'

Hij pakte zijn computertas en nam de trap in plaats van op de lift te wachten. Terwijl hij rende, toetste hij het nummer van Henry Cortez' blauwe T10.

'Cortez.'

'Waar ben je?'

'Bij de Academische Boekhandel.'

'Teleborian ontmoet Jonas om 15.00 uur bij de ring op het CS. Ik ben onderweg, maar jij bent dichterbij.'

'O, shit. Ik ben al op weg.'

Mikael jogde naar de Götgatan en liep in hoog tempo naar Slussen. Hij keek op zijn horloge toen hij daar buiten adem aankwam. Monica Figuerola had misschien wel gelijk met haar gezeur dat hij moest gaan sporten. 14.56 uur. Hij zou het niet halen. Hij speurde naar een taxi.

Lisbeth Salander gaf de gsm terug aan Anders Jonasson.

'Bedankt,' zei ze.

'Teleborian?' vroeg Anders Jonasson. Hij had uiteraard gehoord wat ze had gezegd.

Ze knikte en keek hem aan.

'Teleborian is een ongelofelijke hufter. Dat kunt u zich gewoon niet voorstellen.'

'Nee. Maar ik vermoed dat er momenteel iets gaande is wat jou méér opwindt dan alles wat ik gezien heb in de tijd dat ik je onder mijn hoede had. Ik hoop dat je weet wat je doet.'

Lisbeth lachte een scheef lachje.

'Het antwoord daarop krijgt u vermoedelijk in de nabije toekomst,' zei ze.

Henry Cortez rende als een bezetene de Academische Boekwinkel uit. Hij stak de Sveavägen over op het viaduct bij de Mäster Samuelsgatan en rende rechtdoor naar Klara Norra, waar hij het Klarabergsviaduct op rende en de Vasagatan overstak. Hij spurtte de Klarabergsgatan over tussen een bus en twee auto's door die uitvoerig begonnen te toeteren, en snelde exact om 15.00 uur het Centraal Station binnen.

Hij nam de roltrap naar de centrale hal met drie treden tegelijk en rende langs de Pocketshop voordat hij vaart minderde om geen aandacht te trekken. Hij staarde uitvoerig naar de mensen in de buurt van de ring.

Hij zag Teleborian niet en hij zag al evenmin de man die door Christer Malm buiten de Copacabana was gefotografeerd en van wie ze aannamen dat het Jonas was. Hij keek op de klok. 15.01 uur. Hij hijgde alsof hij de marathon van Stockholm had gelopen.

Hij nam een gok en spoedde zich door de hal naar buiten naar de Vasagatan. Hij bleef staan en keek om zich heen en bekeek alle mensen zo ver het oog reikte. Geen Peter Teleborian. Geen Jonas.

Hij keerde zich om en rende het Centraal Station weer in. 15.03 uur. Het was leeg bij de ring.

Toen keek hij op en zag in een fractie van een seconde het verfomfaaide profiel en sikje van Peter Teleborian, die uit de Pressbyrå-kiosk aan de andere kant van de hal kwam aanlopen. Een seconde later verscheen de man van de foto's van Christer Malm aan zijn zijde. *Jonas.* Ze staken de centrale hal over en verdwenen via de noordelijke uitgang naar de Vasagatan.

Henry Cortez ademde uit. Hij veegde met zijn handpalm het zweet van zijn voorhoofd en begon de twee mannen te achtervolgen.

Mikael Blomkvist arriveerde om 15.07 uur per taxi op het Stockholmse Centraal Station. Hij rende de centrale hal in, maar zag geen Teleborian of Jonas. En geen Henry Cortez.

Hij haalde zijn T10 tevoorschijn om Henry Cortez te bellen en net op dat moment ging zijn telefoon.

'Ik heb ze. Ze zitten in het café Tre Remmare aan de Vasagatan bij de ingang naar de metro naar Akalla.'

'Bedankt, Henry. Waar ben je zelf?'

'Ik sta aan de bar een biertje te drinken. Dat heb ik wel verdiend.'

'Goed. Ze herkennen mij, dus ik blijf buiten. Je kunt neem ik aan niet horen wat ze zeggen?'

'Nee, absoluut niet. Ik kijk Jonas op zijn rug en die verdomde Teleborian mompelt als hij praat, dus ik kan niet eens liplezen.'

'Ik snap het.'

'Maar we kunnen een probleem krijgen.'

'Wat dan?'

'Die Jonas heeft zijn portefeuille en zijn mobiel op tafel gelegd. En hij heeft er een paar autosleutels bovenop gelegd.

'Oké. Ik verzin wel wat.'

Monica Figuerola's mobiele telefoon ging met een polyfoon signaal: het leidmotief uit *Once Upon a Time in the West.* Ze legde het boek over het godsbeeld in de klassieke oudheid neer, dat ze nooit leek uit te krijgen.

'Hoi. Met Mikael. Wat ben je aan het doen?'

'Ik zit thuis plaatjes van oude minnaars te sorteren. Ik ben eerder vandaag schandelijk in de steek gelaten.'

'Sorry. Heb je je auto in de buurt?'

'De laatste keer dat ik keek, stond hij buiten op de parkeerplaats.'

'Mooi. Heb je zin in een ritje door de stad?'

'Niet echt. Wat is er aan de hand?'

'Peter Teleborian zit momenteel op de Vasagatan bier te drinken met Jonas. En omdat ik met de Stasi-bureaucratie van de veiligheidsdienst samenwerk, dacht ik dat je misschien geïnteresseerd was om je aan te sluiten.'

Monica Figuerola was al opgestaan en reikte naar haar autosleutels.

'Je maakt geen geintje?'

'Zeker niet. En Jonas heeft een paar autosleutels voor zich op tafel gelegd.'

'Ik ben onderweg.'

Malin Eriksson nam haar telefoon niet op, maar Mikael Blomkvist had geluk en kreeg Lottie Karim te pakken die net bij warenhuis Åhléns was om een verjaarscadeautje voor haar man te kopen. Mikael gebood haar overuren te maken en sommeerde haar snel naar het café te gaan ter versterking van Henry Cortez. Daarna belde hij Cortez terug.

'Dit is het plan. Ik heb over vijf minuten een auto ter plaatse. We parkeren vlakbij op de Järnvägsgatan.'

'Oké.'

'Lottie Karim komt je over een paar minuten versterken.'

'Mooi.'

'Als ze de kroeg verlaten, richt jij je op Jonas. Volg hem te voet en laat mij per gsm weten waar jullie zijn. Zo gauw je hem in de buurt van een auto ziet, moeten we het weten. Lottie richt zich op Teleborian. Als we niet op tijd zijn, noteer je zijn kenteken.'

'Oké.'

Monica Figuerola parkeerde bij het Nordic Light Hotel, voor het gebouw van de Arlanda Express. Mikael Blomkvist opende het portier aan de passagierskant een minuut nadat ze had geparkeerd.

'In welke kroeg zitten ze?'

Mikael praatte haar bij.

'We moeten versterking vragen.'

'Maak je niet ongerust. We hebben ze in de peiling. Als er meer mensen komen, kan het misgaan.'

Monica Figuerola keek hem wantrouwend aan.

'En hoe wist jij van deze ontmoeting af?'

'Sorry. Bronbescherming.'

'Hebben jullie soms een eigen inlichtingendienst bij *Millennium*?' barstte ze uit.

Mikael keek voldaan. Het was altijd leuk om de veiligheidsdienst op zijn eigen terrein de loef af te steken.

In werkelijkheid had hij er geen flauw benul van hoe Erika Berger hem als een donderslag bij heldere hemel had kunnen bellen om hem mee te delen dat Teleborian en Jonas elkaar zouden ontmoeten. Zij had sinds 10 april geen inzicht meer in de redactionele werkzaamheden van *Millennium*. Ze kende Teleborian natuurlijk, maar Jonas was pas in mei in de gebeurtenissen opgedoken, en voor zover Mikael wist, had Erika zelfs geen vermoeden van zijn bestaan, laat staan van het feit dat hij het onderwerp was van overpeinzingen bij *Millennium* en de Zweedse veiligheidsdienst.

Hij moest in de zeer nabije toekomst een hartig woordje met Erika Berger spreken.

Lisbeth Salander tuitte haar lippen en keek naar het scherm op haar handcomputer. Na het gesprek met dokter Anders Jonassons mobiele telefoon had ze alle gedachten aan de Sectie terzijde geschoven en zich op het probleem van Erika Berger gefocust. Na rijp beraad had ze alle getrouwde mannen in de groep zesentwintig tot vierenvijftig jaar geschrapt. Ze wist dat ze nu met een zeer brede kwast aan het werk was en dat er amper een rationeel-statistische, wetenschappelijke redenering aan deze beslissing ten grondslag lag. De Gifpen kon heel goed een getrouwde man met vijf kinderen en een hond zijn. Het kon iemand zijn die als portier werkte. Het kon zelfs een vrouw zijn, hoewel ze dat niet geloofde.

Ze wilde gewoon het aantal namen op de lijst omlaag hebben en haar groep was door de laatste beslissing geslonken van achtenveertig naar achttien mensen. Ze constateerde dat de selectie grotendeels bestond uit tamelijk belangrijke verslaggevers, chefs en souschefs in de leeftijd vijfendertigplus. Als ze onder hen niets interessants vond, kon ze haar netwerk altijd weer uitbreiden.

Om vier uur 's middags ging ze naar de website van de Hacker Republic en legde de lijst voor aan Plague. Hij pingde haar een paar minuten later.
<18 namen. ???>
<Klein zijproject. Zie het als oefenopgave>
<Oké>
<Een van die namen hoort bij een smeerlap. Vind hem>
<Criteria?>
<Je moet snel werken. Morgen gaat hier de stekker eruit. We moeten hem voor die tijd zien te vinden>

Ze legde de situatie met de Gifpen van Erika Berger uit.
<Oké. Levert het nog wat op?>

Lisbeth Salander dacht even na.
<Ik kom niet naar Sundbyberg om brand bij je te stichten>
<Was je dat dan van plan?>
<Ik betaal je elke keer dat ik je vraag iets voor mij te doen. Dit is niet voor mij. Zie het als belastinginvordering>
<Je begint tekenen te vertonen van sociale vaardigheden>
<Nou?>
<Oké>

Ze gaf hem de toegangscodes voor de redactie van de SMP en sloot ICQ af.

Het was 16.20 uur toen Henry Cortez belde.

'Het lijkt erop dat ze gaan opstappen.'

'Oké. Wij zijn er klaar voor.'

Stilte.

'Ze gaan voor de kroeg uit elkaar. Jonas loopt in noordelijke richting. Lottie gaat achter Teleborian aan. Hij gaat in zuidelijke richting.'

Mikael wees met zijn vinger toen Jonas over de Vasagatan langs flitste. Monica Figuerola knikte. Een paar seconden later zag Mikael Henry Cortez ook. Monica Figuerola startte de motor.

'Hij kruist de Vasagatan en loopt richting de Kungsgatan,' zei Henry Cortez in zijn gsm.

'Hou afstand, zodat hij je niet ontdekt.'

'Er zijn veel mensen op straat.'

Stilte.

'Hij neemt de Kungsgatan in noordelijke richting.'

'Kungsgatan noordelijke richting,' zei Mikael.

Monica Figuerola schakelde en reed de Vasagatan in. Ze moesten wachten voor het rode licht.

'Waar zijn jullie nu?' vroeg Mikael toen ze de Kungsgatan in reden.

'Ter hoogte van de PUB, het warenhuis. Hij stapt stevig door. Hallo, hij gaat de Drottninggatan in in noordelijke richting.'

'Drottninggatan noordelijke richting,' zei Mikael.

'Oké,' zei Monica Figuerola. Ze maakte een illegale bocht over Klara Norra en reed naar de Olof Palmes gata. Ze reed de straat in en remde voor het gebouw van de vakbond. Jonas stak de Olof Palmes gata over en liep naar de Sveavägen. Henry Cortez volgde hem aan de andere kant van de straat.

'Hij is afgebogen in oostelijke richting ...'

'Oké. We zien jullie allebei.'

'Hij gaat de Holländargatan in ... Hallo ... Auto. Rode Audi.'

'Auto,' zei Mikael en hij noteerde het kenteken dat Cortez snel opdreunde.

'In welke richting staat hij geparkeerd?' vroeg Monica Figuerola.

'Voorkant naar het zuiden,' rapporteerde Cortez. 'Hij komt nu vóór jullie op de Olof Palmes gata aanrijden.'

Monica Figuerola was al in beweging en passeerde de Drottninggatan. Ze knipperde met haar lichten en gebaarde naar een paar voetgangers die door het rode licht probeerden te lopen.

'Bedankt, Henry. Wij nemen hem hiervandaan over.'

De rode Audi reed de Sveavägen af in zuidelijke richting. Monica Figuerola volgde hem terwijl ze met haar linkerhand haar telefoon openklapte en een nummer intoetste.

'Ik wil graag informatie over een kenteken, een rode Audi,' zei ze en ze somde het kenteken op dat Henry Cortez had gerapporteerd.

'Jonas Sandberg, geboren in 1971 ... Sorry? Aha ... Helsingörsgatan in Kista. Bedankt.'

Mikael noteerde de gegevens die Monica Figuerola had gekregen.

Ze volgden de rode Audi via de Hamngatan naar de Strandvägen en daarna onmiddellijk omhoog naar de Artillerigatan. Jonas Sandberg parkeerde één blok van het Legermuseum. Hij stak de straat over en verdween door een deur van een huis van rond de vorige eeuwwisseling.

'Hm,' zei Monica Figuerola terwijl ze Mikael aankeek.

Hij knikte. Jonas Sandberg was naar een pand gereden dat één blok af lag van het pand waar de premier een appartement had geleend voor een privéontmoeting.

'Mooi gedaan,' zei Monica Figuerola.

Op hetzelfde moment belde Lottie Karim en vertelde dat dokter Peter Teleborian via de roltrappen op het Centraal Station naar de Klarabergsgatan was gegaan, en vandaar naar het hoofdbureau van politie op Kungsholmen was gelopen.

'Het hoofdbureau? Op zaterdagmiddag om vijf uur?' vroeg Mikael.

Monica Figuerola en Mikael Blomkvist keken elkaar weifelend aan. Monica dacht een paar seconden diep na. Toen pakte ze haar telefoon en belde inspecteur Jan Bublanski.

'Hallo. Monica, veiligheidsdienst. We hebben elkaar een tijdje geleden op het Norr Mälarstrand ontmoet.'

'Zeg het eens,' zei Bublanski.

'Heeft er iemand van jullie weekenddienst?'

'Sonja Modig,' zei Bublanski.

'Ik zou haar om een gunst willen vragen. Weet je of ze op het hoofdbureau is?'

'Dat denk ik niet. Het is stralend weer en zaterdagmiddag.'

'Oké. Zou je kunnen proberen haar of iemand anders van het onderzoeksteam te bereiken, die even naar de afdeling van officier van justitie Richard Ekström kan gaan? Ik wil namelijk heel graag weten of daar op dit moment een bespreking gaande is.'

'Een bespreking?'

'Ik kan het nu niet allemaal uitleggen. Maar ik zou willen weten of hij op dit moment met iemand in gesprek is. En zo ja, met wie.'

'Je wilt dus dat ik een officier van justitie ga bespioneren die mijn meerdere is?'

Monica Figuerola fronste haar wenkbrauwen. Daarna haalde ze haar schouders op.

'Ja,' zei ze.

'Oké,' zei hij en hij hing op.

Sonja Modig bevond zich dichter bij het hoofdbureau dan Bublanski had kunnen vermoeden. Ze zat met haar man koffie te drinken op het balkon van een vriendin die in de wijk Vasastan woonde. Het was zomervakantie en Sonja's ouders hadden de kinderen een weekje meegenomen, en Sonja en haar man waren van plan geweest zoiets ouderwets te gaan doen als een hapje eten en naar de bioscoop.

Bublanski legde uit waarom hij belde.

'En wat heb ik voor smoes om bij Ekström binnen te lopen?'

'Ik had hem beloofd dat ik hem gisteren een update van Niedermann zou geven, maar ik ben vergeten die bij hem neer te leggen. Hij ligt op mijn bureau.'

'Oké,' zei Sonja Modig.

Ze keek naar haar man en haar vriendin.

'Ik moet even naar het bureau. Ik neem de auto, met een beetje geluk ben ik over een uurtje terug.'

Haar man zuchtte. Haar vriendin zuchtte.

'Ik heb wél dienst, hoor,' verontschuldigde Sonja Modig zich.

Ze parkeerde op de Bergsgatan, ging naar de kamer van Bublanski en haalde de drie A4'tjes die het magere resultaat vormden van de naspeuringen naar de gezochte politiemoordenaar Ronald Niedermann. Dit verdient geen schoonheidsprijs, bedacht ze.

Daarna liep ze een verdieping naar boven. Ze bleef op de gang staan. Het hoofdbureau was uitgestorven op deze zomeravond. Ze sloop niet, ze liep alleen heel zachtjes. Ze bleef voor Ekströms gesloten deur staan. Ze hoorde stemmen en beet op haar onderlip.

Plotseling zonk de moed haar in de schoenen. Ze voelde zich onnozel. In alle normale situaties zou ze op de deur hebben geklopt, open hebben gedaan en hebben geroepen 'Hé, ben je er nog?' en naar binnen zijn gelopen. Nu voelde dat verkeerd.

Ze keek om zich heen.

Waarom had Bublanski haar gebeld? Waar ging die ontmoeting over?

Ze keek de gang op. Tegenover de kamer van Ekström was een kleine vergaderkamer met plaats voor tien personen. Ze had daar zelf een aantal voordrachten meegemaakt.

Ze ging de vergaderkamer in en deed de deur zachtjes achter zich dicht. De jaloezieën waren omlaag en de glaswand naar de gang was bedekt met een gordijn. Het was donker in de kamer. Ze pakte een stoel, ging zitten en schoof het gordijn wat opzij, zodat ze een stukje van de gang kon zien.

Ze voelde zich ongemakkelijk. Als iemand de deur open zou doen, zou ze niet zo eenvoudig kunnen verklaren wat ze daar deed. Ze pakte haar mobiele telefoon en keek op het display hoe laat het was. Even voor zessen. Ze zette het belsignaal uit, leunde tegen de rugleuning en hield de gesloten deur van Ekströms kamer in de gaten.

Om zeven uur 's avonds pingde Plague Lisbeth Salander.

<Oké. Ik heb de administratieve bevoegdheden voor de SMP>

<Waar?>

Hij gaf haar een http-adres.
<We halen het nooit in vierentwintig uur. Ook al hebben we van alle achttien het e-mailadres, dan duurt het nog dagen om hun computers thuis te kraken. De meesten zijn op zaterdagavond vermoedelijk niet eens ingelogd>
<Plague, concentreer je op hun pc's thuis, dan neem ik de computers bij de *SMP*>
<Dacht ik al. Jouw handcomputer is wat beperkt. Moet ik me op iemand speciaal richten?>
<Nee. Op allemaal>
<Oké>
<Plague>
<Ja>
<Als we voor morgen niets vinden, wil ik dat je doorgaat>
<Oké>
<In dat geval betaal ik je>
<Hoeft niet, dit is gewoon leuk>

Ze sloot ICQ af en ging naar het internetadres waar Plague alle administratieve bevoegdheden van de *SMP* had neergezet. Ze keek allereerst of Peter Fleming was ingelogd en op de redactie aanwezig was. Dat was niet het geval. Dus leende ze zijn bevoegdheid en ging naar de mailserver van de *SMP*. Ze kon daarmee alle mailtjes lezen die ooit waren verstuurd, dus ook mailtjes die allang door de afzonderlijke accounts waren gewist.

Ze begon met Ernst Teodor Billing, drieënveertig jaar oud, een van de nachtchefs bij de *SMP*. Ze opende zijn mail en begon achteruit te klikken in de tijd. Ze besteedde ongeveer twee seconden aan elke mail, voldoende om een idee te krijgen wie de mail had verstuurd en wat de mail inhield. Na een paar minuten had ze geleerd wat routinepost was in de vorm van dag-PM's, tijdplanningen en ander oninteressants. Deze mailtjes liet ze verder voor wat ze waren.

Ze nam mailtje voor mailtje door, drie maanden terug in de tijd. Daarna ging ze per maand terug. Ze las alleen de onderwerpregels en opende uitsluitend de mailtjes die van belang leken. Ze leerde dat Ernst Billing omging met een vrouw die Sofia heette en tegen wie hij een onaardige toon aansloeg. Ze constateerde dat dit niet opmerkelijk was, omdat Billing een onaardige toon aansloeg tegen de meeste mensen aan wie hij iets persoonlijks schreef – verslaggevers, lay-outers en anderen. Ze vond het toch wel opmerkelijk dat een man zijn vriendin met grote vanzelfsprekendheid *stomme teef, stomme doos* of *stomme kut* noemde.

Toen ze een jaar terug in de tijd was gegaan, stopte ze met zijn e-mailverkeer. Ze ging naar zijn Explorer en begon zijn surfgedrag op internet in kaart te brengen. Ze merkte op dat hij net als de meeste mannen in zijn leeftijdsgroep regelmatig pornosites bezocht, maar dat het merendeel van zijn surfen werkgerelateerd leek. Ze constateerde ook dat hij belangstelling had voor auto's en vaak sites bezocht waar nieuwe automodellen werden getoond.

Na ruim een uur zoeken, sloot ze Billing af en streepte hem van haar lijst. Ze ging verder met verslaggever Lars Örjan Wollberg, eenenvijftig jaar oud en een veteraan op de juridische redactie.

Torsten Edklinth betrad zaterdagavond tegen halfacht het hoofdbureau van politie op Kungsholmen. Monica Figuerola en Mikael Blomkvist zaten hem op te wachten. Ze zaten aan dezelfde vergadertafel als waar Blomkvist de dag ervoor ook had gezeten.

Edklinth constateerde dat hij zich op zeer glad ijs bevond en dat een aantal interne regels was overtreden toen hij Blomkvist toegang had gegeven tot de gang. Monica Figuerola had absoluut niet het recht om hem uit eigen beweging daar uit te nodigen. In normale gevallen mochten echtgenoten of echtgenotes de geheime gangen van de veiligheidsdienst niet eens betreden – zij moesten zoet in het trappenhuis wachten als ze hun partner wilden zien. En Blomkvist was tot overmaat van ramp ook nog eens journalist. In de toekomst zou Blomkvist alleen maar in de tijdelijke ruimte bij het Fridhemsplan mogen komen.

Maar aan de andere kant renden er ook buitenstaanders op speciale uitnodiging door de gangen. Buitenlandse gasten, onderzoekers, academici, tijdelijke consultants ... Hij stopte Blomkvist in het vakje tijdelijke consultants. Al dat gezeur met veiligheidsclassificaties; het waren hoe dan ook alleen maar woorden. Er was iemand die besloot dat een bepaalde persoon een bepaald bevoegdheidsniveau kreeg. En Edklinth had besloten dat als er kritiek zou komen, hij zou beweren dat hij Blomkvist persoonlijk dat bevoegdheidsniveau had gegeven.

Als het allemaal goed ging tenminste. Edklinth ging zitten en keek Figuerola aan.

'Hoe wist je van die ontmoeting af?'

'Blomkvist belde mij tegen vieren,' antwoordde ze glimlachend.

'En hoe wist jij ervan?'

'Tip van een bron,' zei Mikael Blomkvist.

'Moet ik de conclusie trekken dat je Teleborian op de een of andere manier in de gaten houdt?'

Monica Figuerola schudde haar hoofd.

'Dat was mijn eerste gedachte ook,' zei ze opgewekt, alsof Mikael Blomkvist zich niet eens in de kamer bevond. 'Maar dat is niet zo. Ook al zou iemand Teleborian in opdracht van Blomkvist schaduwen, dan nog zou die persoon niet hebben kunnen weten dat Teleborian Jonas Sandberg zou ontmoeten.'

Edklinth knikte langzaam.

'Dus, wat blijft er over? Illegaal afluisteren of zo?'

'Ik kan je garanderen dat ik niemand illegaal afluister en zelfs niet gehoord heb dat iets dergelijks aan de gang zou zijn,' zei Mikael Blomkvist om hen eraan te herinneren dat hij ook in de kamer was. 'Wees realistisch. Illegale afluisterpraktijken zijn dingen waar de rijksoverheid zich mee bezighoudt.'

Edklinth tuitte zijn lippen.

'Je wilt dus niet zeggen hoe je aan die informatie over die ontmoeting bent gekomen.'

'Jawel, dat heb ik al verteld. Een tip van een bron. De bron geniet bronbescherming. Wat zou je ervan zeggen als we ons eens concentreerden op de vruchten van de tip?'

'Ik hou niet van losse draadjes,' zei Edklinth. 'Maar oké. Wat weten we?'

'Hij heet Jonas Sandberg,' zei Monica Figuerola. 'Opgeleid bij de marine tot duiker met aanvalstaken, deed begin jaren negentig de politieacademie. Heeft eerst in Uppsala gewerkt en daarna in Södertälje.'

'Jij komt uit Uppsala.'

'Ja, maar we zijn elkaar daar net misgelopen. Ik begon daar toen hij naar Södertälje vertrok.'

'Goed.'

'Hij is in 1998 gerekruteerd door contraspionage van de veiligheidsdienst. Werd in 2000 overgeplaatst naar een geheime post in het buitenland. Hij bevindt zich volgens onze eigen papieren officieel op de ambassade in Madrid, maar ik heb het gecheckt bij de ambassade; ze hebben geen idee wie Jonas Sandberg is.'

'Net als Mårtensson. Officieel overgeplaatst naar een plek waar hij niet is.'

'Alleen de chef de bureau heeft de mogelijkheid om zoiets systematisch te doen en te zorgen dat het werkt.'

'En in normale gevallen zou alles worden afgedaan als een foutje in de papierwinkel. Wij merken het omdat we er specifiek naar kijken.

En als iemand zou gaan zeuren, zeggen ze gewoon "Geheim" of dat het met terrorisme te maken heeft.'

'Er is nog steeds veel te checken op financieel gebied.'

'De budgetverantwoordelijke?'

'Misschien.'

'Oké. Meer?'

'Jonas Sandberg woont in Kista. Hij is ongehuwd, maar heeft een kind bij een lerares in Södertälje. Voorbeeldig. Licentie voor twee handvuurwapens. Plichtsgetrouw. Geheelonthouder. Het enig opmerkelijke is dat hij gelovig lijkt en in de jaren negentig lid was van die beweging "Het Woord des Levens".'

'Hoe kom je daaraan?'

'Ik heb mijn oude chef uit Uppsala gesproken. Hij kan zich Sandberg nog goed herinneren.'

'Goed. Een christelijke duiker met twee wapens en een kind in Södertälje. Meer?'

'We hebben hem pas drie uur geleden onder de loep genomen. Dit is al vrij snel.'

'Sorry. Wat weten we over dat pand aan de Artillerigatan?'

'Nog niet veel. Stefan heeft iemand bij het kadaster moeten opjagen. We hebben tekeningen van het pand. Appartementsrecht sinds de vorige eeuwwisseling. Zes verdiepingen met in totaal tweeëntwintig appartementen plus acht appartementen in een klein tuinhuis. Ik heb de bewoners nagetrokken, maar zie niets opzienbarends. Twee van hen zijn veroordeeld wegens een misdrijf.'

'Welke?'

'Ene Lindström op de eerste verdieping. Drieënzestig jaar. In de jaren zeventig veroordeeld voor verzekeringsfraude. En een zekere Wittfelt op de derde. Zevenenveertig. Twee keer veroordeeld wegens mishandeling van zijn ex-vrouw.'

'Hm.'

'Degenen die daar wonen, zijn gegoede middenklassers. Er is slechts één flat die vraagtekens oproept.'

'Wat dan?'

'Het appartement helemaal bovenin. Elf kamers, hoge plafonds en zo. Het is eigendom van een bedrijf genaamd Bellona AB.'

'Waar houdt dat zich mee bezig?'

'God mag het weten. Ze doen marktanalyses en hebben een omzet van ruim dertig miljoen kronen per jaar. Alle eigenaren van Bellona wonen in het buitenland.'

'Aha.'

'Wat "aha"?'

'Gewoon, aha. Ga door met Bellona.'

Op dat moment kwam de ambtenaar binnen die Mikael alleen kende onder de naam Stefan.

'Hallo chef,' groette hij Torsten Edklinth. 'Dit is leuk. Ik heb het verhaal achter dat appartement van Bellona gecheckt.'

'En?' vroeg Monica Figuerola.

'Het bedrijf Bellona werd in de jaren zeventig opgericht en kocht dat appartement van de erfgenamen van de vorige eigenaar, een vrouw genaamd Kristina Cederholm, geboren in 1917.'

'Ja?'

'Zij was getrouwd met Hans Wilhelm Francke, die cowboy die ruzie had met P.G. Vinge toen de Zweedse veiligheidsdienst werd opgericht.'

'Goed,' zei Torsten Edklinth. 'Heel goed. Monica, ik wil dat pand vierentwintig uur per dag bewaakt hebben. Zoek uit welke telefoons daar zijn. Ik wil weten wie er naar binnen en naar buiten gaan, wie het adres bezoeken. Het gewone werk.'

Edklinth gluurde naar Mikael Blomkvist. Hij keek alsof hij iets wilde zeggen, maar bedacht zich. Mikael fronste zijn wenkbrauwen.

'Ben je content met de informatiestroom?' vroeg Edklinth uiteindelijk.

'Zeer content. Ben jij tevreden met de bijdrage van *Millennium*?'

Edklinth knikte langzaam.

'Ben je je ervan bewust dat dit me mijn baan kan kosten?' vroeg hij.

'Niet door mij. Ik beschouw de informatie die ik hier krijg als bronbeschermd. Ik zal feiten weergeven, maar niet vertellen hoe ik eraan ben gekomen. Voordat ik ga drukken, zal ik jou formeel interviewen. En als je niet wilt antwoorden, zeg je gewoon "Geen commentaar". Of je kunt zeggen wat jij van de Sectie voor Speciale Analyse vindt. Dat is aan jou.'

Edklinth knikte.

Mikael was tevreden. In de loop van een paar uur had de Sectie plotseling fysiek vorm gekregen. Het was een echte doorbraak.

Sonja Modig had gefrustreerd geconstateerd dat de bespreking in de kamer van officier van justitie Ekström behoorlijk lang duurde. Ze had op de vergadertafel een achtergebleven flesje Loka mineraalwater gevonden. Ze had haar man twee keer gebeld en gezegd dat ze verlaat was, en had beloofd het te compenseren met een gezellig avondje zo gauw ze thuis waren. Ze begon rusteloos te worden en voelde zich een indringer.

Pas om halfacht was de vergadering afgelopen. Ze was geheel onvoorbereid toen de deur openging en Hans Faste de gang op kwam. Hij werd onmiddellijk gevolgd door dokter Peter Teleborian. Daarna kwam een oudere man met grijs haar, die Sonja Modig nooit eerder had gezien. En uiteindelijk kwam officier Ekström naar buiten. Hij trok zijn colbert aan, deed het licht uit en sloot de deur af.

Sonja Modig stak haar mobiele telefoon door de opening in het gordijn omhoog en nam twee lageresolutiefoto's van het gezelschap voor Ekströms deur. Ze bleven een paar seconden staan voordat ze zich in beweging zetten en de gang uit liepen.

Ze hield haar adem in toen ze de vergaderkamer passeerden waar ze gehurkt zat. Ze merkte dat het koude zweet haar op de rug stond toen ze eindelijk de deur in het trappenhuis hoorde dichtslaan. Ze kwam met knikkende knieën overeind.

Bublanski belde Monica Figuerola even na achten 's avonds.

'Jij wilde weten of Ekström een bespreking had.'

'Ja,' zei Monica Figuerola.

'Die is net afgelopen. Ekström zat op zijn kamer met dokter Peter Teleborian en mijn voormalige medewerker, inspecteur Hans Faste, plus een oudere man die we niet kennen.'

'Eén momentje,' zei Monica Figuerola terwijl ze haar hand op de hoorn legde en zich tot de anderen wendde. 'Onze inval heeft vruchten afgeworpen. Teleborian is rechtstreeks naar officier Ekström gegaan.'

'Ben je er nog?'

'Ja, sorry. Hebben we een signalement van die onbekende derde man?'

'Méér dan dat. Ik stuur je een foto van hem.'

'Een foto? Prachtig. Ik ben je wat verschuldigd.'

'Het zou de zaak aanzienlijk vereenvoudigen als ik wist wat er aan de hand was.'

'Ik kom erop terug.'

Ze zaten een paar minuten zwijgend om de vergadertafel.

'Oké,' zei Edklinth uiteindelijk. 'Teleborian ontmoet de Sectie en gaat daarna linea recta naar officier Ekström. Ik zou er heel wat voor overhebben om te weten wat er daar besproken is.'

'Dat zou je mij kunnen vragen,' stelde Mikael Blomkvist voor.

Edklinth en Figuerola keken hem aan.

'Ze kwamen bij elkaar voor de laatste details in de strategie hoe ze Lisbeth Salander kunnen pakken in de rechtszaak die over een maand begint.'

Monica Figuerola keek hem aan. Toen knikte ze langzaam.

'Dat is een veronderstelling,' zei Edklinth. 'Voor zover je geen paranormale gaven hebt.'

'Dat is geen veronderstelling,' zei Mikael. 'Ze hebben vergaderd om de details door te nemen van het gerechtelijk-psychiatrische onderzoek van Salander dat Teleborian onlangs heeft afgerond.'

'Nonsens. Salander is niet eens onderzocht.'

Mikael Blomkvist haalde zijn schouders op en deed zijn laptoptas open.

'Daar heeft Teleborian zich eerder ook niet door laten weerhouden. Hier is de laatste versie van het gerechtelijk-psychiatrische onderzoek. Zoals jullie kunnen zien, is het gedateerd in dezelfde week dat de rechtszaak begint.'

Edklinth en Figuerola keken naar de papieren voor hen. Ten slotte keken ze langzaam naar elkaar en daarna naar Mikael Blomkvist.

'En hoe kom jij hieraan?' vroeg Edklinth.

'Sorry. Bronbescherming,' zei Mikael Blomkvist.

'Blomkvist ... we moeten elkaar kunnen vertrouwen. Jij houdt informatie achter. Heb je nog meer van dit soort verrassingen?'

'Ja. Natuurlijk heb ik geheimen. Net zo goed als ik ervan overtuigd ben dat jullie mij geen carte blanche hebben gegeven om alles in te zien wat jullie hier bij de veiligheidsdienst hebben. Of heb ik het mis?'

'Dat is niet hetzelfde.'

'Jawel. Dat is precies hetzelfde. Onze afspraak gaat over samenwerking. Zoals je zegt: we moeten elkaar vertrouwen. Ik hou niets achter wat kan bijdragen aan jouw onderzoek om de Sectie in kaart te brengen of de verschillende misdaden die zijn gepleegd te identificeren. Ik heb al eerder materiaal overhandigd waaruit is gebleken dat Teleborian in 1991 samen met Björck een misdaad heeft begaan en ik heb gezegd dat Teleborian nu in de arm is genomen om exact hetzelfde te doen. En hier is het document dat aantoont dat het op die manier gebeurt.'

'Maar je hebt geheimen.'

'Uiteraard. Je kunt kiezen: óf je verbreekt de samenwerking óf je moet ermee leren leven.'

Monica Figuerola stak een diplomatieke vinger op.

'Sorry, maar betekent dit dat officier van justitie Ekström voor de Sectie werkt?'

Mikael fronste zijn wenkbrauwen.

'Dat weet ik niet. Ik heb meer het idee dat hij een nuttige idioot is die door de Sectie wordt misbruikt. Hij is carrièrebelust, maar ik ervaar hem als degelijk en wat naïef. Daarentegen heeft een bron mij verteld dat Ekström tijdens een referaat in de tijd dat de jacht op Lisbeth Salander nog in volle gang was, het meeste wat Teleborian over haar vertelde, slikte.'

'Er is niet veel voor nodig om hem te manipuleren, bedoel je?'

'Exact. En Hans Faste is een idioot die denkt dat Lisbeth Salander een lesbische sataniste is.'

Erika Berger zat eenzaam in haar grote huis in Saltsjöbaden. Ze voelde zich verlamd en niet in staat zich te concentreren op iets zinnigs. Ze verwachtte voortdurend dat er iemand zou bellen om te vertellen dat er foto's van haar op een internetsite stonden.

Ze betrapte zich erop dat ze telkens aan Lisbeth Salander dacht en zag in dat ze enige ijdele hoop op Lisbeth had gevestigd. Maar Salander lag opgesloten in het Sahlgrenska. Ze had een bezoekverbod en mocht niet eens de krant lezen. Maar ze was een opmerkelijk meisje en een fantastische onderzoekster. Ondanks haar isolement had ze Erika kunnen bereiken via ICQ en daarna per telefoon. En ze had twee jaar daarvoor geheel eigenhandig het imperium van Wennerström om zeep geholpen en *Millennium* van de ondergang gered.

Om acht uur 's avonds klopte Susanne Linder aan. Erika schrok op alsof iemand een pistool in de kamer had afgevuurd.

'Hallo, Erika. Wat zit jij hier in het donker somber te kijken.'

Erika knikte en deed het licht aan.

'Hoi. Ik zal koffiezetten ...'

'Nee, laat mij dat maar doen. Is er nog nieuws?'

Nou en of. Lisbeth Salander heeft wat van zich laten horen en de controle over mijn computer overgenomen. En me gebeld dat Teleborian en ene Jonas vanmiddag een ontmoeting hadden op Stockholm Centraal.

'Nee, niets nieuws,' zei ze. 'Maar ik heb een theorie die ik op jou zou willen toetsen.'

'Oké.'

'Wat denk jij van de mogelijkheid dat het geen stalker is, maar iemand in mijn kennissenkring die vervelend wil doen?'

'Wat is het verschil?'

'Een stalker is een voor mij onbekend iemand die zich op mij heeft gefixeerd. De tweede variant is een persoon die wraak op mij wil nemen of mijn leven om persoonlijke redenen wil saboteren.'

'Interessante gedachte. Hoe kom je daar zo bij?'

'Ik eh ... sprak daar vandaag met iemand over. Ik kan niet zeggen met wie, maar zij meende dat dreigingen van een echte stalker er anders uit zouden zien. Vooral dat een stalker nooit die mailtjes aan Eva Carlsson op de cultuurredactie zou hebben gestuurd. Dat is een totaal irrelevante handeling.'

Susanne Linder knikte langzaam.

'Daar zit wat in. Weet je, ik heb de mailtjes waar het om gaat nooit gelezen. Zou ik ze mogen zien?'

Erika pakte haar laptop en zette hem op de keukentafel.

Monica Figuerola escorteerde Mikael Blomkvist tegen tienen 's avonds het hoofdbureau van politie uit. Ze bleven op dezelfde plaats in het Kronobergspark staan als de dag ervoor.

'Zo, daar zijn we weer. Ga je nog werken of ga je met mij mee voor lekkere spelletjes?'

'Tja ...'

'Mikael, je moet je niet door mij onder druk gezet voelen. Als je moet werken, moet je dat doen.'

'Luister eens, Figuerola, je bent ontzettend verslavend.'

'En jij wilt nergens van afhankelijk zijn. Bedoel je dat?'

'Nee. Niet op die manier. Maar er is iemand met wie ik vannacht moet praten en dat duurt wel even. Dus als ik klaar ben, slaap jij al.'

Ze knikte.

'Doei.'

Hij kuste haar op haar wang en liep naar de bushalte op het Fridhemsplan.

'Blomkvist,' riep ze.

'Ja?'

'Ik ben morgenochtend ook vrij. Kom ontbijten als je tijd en zin hebt.'

21
ZATERDAG 4 JUNI – MAANDAG 6 JUNI

Er liepen onheilspellende rillingen langs Lisbeth Salanders rug toen ze nieuwschef Anders Holm natrok. Hij was achtenvijftig jaar oud en viel daarmee eigenlijk buiten de groep, maar Lisbeth had hem er toch bij genomen, omdat Erika Berger en hij al in de clinch hadden gelegen. Hij was een intrigant en stuurde mailtjes naar allerlei personen waarin hij meedeelde dat iemand slecht werk had geleverd.

Lisbeth constateerde dat Holm Erika Berger niet mocht en dat hij regelmatig ventileerde dat 'dat mens' weer zus of zo had gezegd of gedaan. Hij surfte uitsluitend op werkgerelateerde sites. Mocht hij andere interessen hebben, dan handelde hij die in zijn vrije tijd of op een andere computer af.

Ze hield hem aan als kandidaat voor de rol van Gifpen, maar hij gooide geen hoge ogen. Lisbeth zat even te denken waarom ze niet echt in hem geloofde en trok toen de conclusie dat Holm zo hooghartig was dat hij geen omweg via anonieme mailtjes nodig had. Als hij Erika Berger een hoer wilde noemen, zou hij dat openlijk doen. En hij leek niet het type dat de moeite zou nemen om midden in de nacht naar Erika Bergers huis af te reizen.

Tegen tienen nam ze een pauze en ging naar Dwaze_Tafel. Ze constateerde dat Mikael Blomkvist nog niet terug was. Ze voelde een lichte irritatie, en vroeg zich af waar hij mee bezig was en of hij op tijd was geweest voor de afspraak van Teleborian.

Daarna keerde ze weer terug naar de server van de *SMP*.

Ze ging naar de volgende naam op de lijst, de redactiesecretaris van de sportredactie, Claes Lundin, negenentwintig jaar oud. Ze had net zijn mail geopend toen ze zich bedacht en op haar onderlip beet. Ze sloot Lundin af en ging in plaats daarvan naar Erika Bergers e-mail.

Ze scrolde terug in de tijd. De bestandsindex was relatief kort, omdat Erika's e-mailaccount pas op 2 mei was geopend. Het allereerste mailtje was een ochtend-PM geweest dat door redactiesecretaris Peter Fredriksson was gestuurd. De eerste dag hadden diverse personen haar gemaild en welkom geheten bij de SMP.

Lisbeth las elk mailtje dat Erika Berger had ontvangen zorgvuldig door. Ze kon zien dat er al vanaf dag één een vijandelijke ondertoon in de correspondentie met nieuwschef Anders Holm had gezeten. Ze leken het ergens niet over eens te zijn en Lisbeth constateerde dat Holm het Erika lastig maakte door haar ook telkens twee of drie mailtjes over bagatellen te sturen.

Ze sloeg reclame, spam en echte nieuws-PM's over. Ze richtte zich op elke vorm van persoonlijke correspondentie. Ze las interne budgetcalculaties, het resultaat van advertenties en de marktontwikkeling, een mailwisseling met financieel directeur Christer Sellberg die een week besloeg en die het best kon worden omschreven als een fikse ruzie over besparingen door gedwongen ontslagen. Ze kreeg geïrriteerde mailtjes te zien van het hoofd van de juridische redactie over een invalkracht genaamd Johannes Frisk, die blijkbaar door Erika Berger op een verhaal was gezet, hetgeen niet werd gewaardeerd. Afgezien van de eerste welkomstmailtjes leek het erop dat geen enkele medewerker op chefniveau iets positiefs in Erika's argumenten of voorstellen zag.

Na een tijdje scrolde ze terug naar het begin en maakte ze in haar hoofd een statistische berekening. Ze constateerde dat van alle hogere managers die Erika bij de SMP om zich heen had, er slechts vier waren die zich niet bezighielden met het ondermijnen van haar positie. Dat waren bestuursvoorzitter Borgsjö, redactiesecretaris Peter Fredriksson, de baas van het hoofdartikel Gunnar Magnusson en de chef van de cultuurpagina, Sebastian Strandlund.

Hadden ze bij de SMP nog nooit van vrouwen gehoord? Alle chefs waren mannen.

De persoon met wie Erika Berger het minst van doen had gehad, was het hoofd van de cultuurpagina. In de tijd dat Erika er werkte, had ze maar twee mailtjes met Sebastian Strandlund gewisseld. De vriendelijkste en duidelijk sympathiekste mailtjes kwamen van redacteur Magnusson van het hoofdartikel. Borgsjö was kort en bondig. Alle andere chefs schoten duidelijk vanuit een hinderlaag.

Waarom heeft deze groep kerels Erika Berger in godsnaam aangenomen, als hun enige tijdverdrijf is haar te ondermijnen?

De persoon met wie ze het meest te maken leek te hebben, was redactiesecretaris Peter Fredriksson. Hij was als een schaduw bij alle vergaderingen aanwezig. Hij bereidde de PM's voor, briefte Erika over teksten en problemen, en zorgde dat de boel liep.

Hij en Erika stuurden elkaar tientallen mailtjes per dag.

Lisbeth verzamelde al Peter Fredrikssons mailtjes aan Erika en las ze een voor een door. Een enkele keer had hij commentaar op een beslissing die Erika had genomen. Hij kwam met redelijke argumenten en Erika Berger leek vertrouwen in hem te hebben, want ze wijzigde regelmatig haar beslissingen of accepteerde zijn redenering. Hij was nooit vijandig. Daarentegen was er niets wat duidde op een persoonlijke relatie tot Erika.

Lisbeth sloot Erika Bergers mail af en dacht even na.

Ze opende Peter Fredrikssons account.

Plague was de hele avond zonder veel succes bezig geweest met de thuiscomputers van diverse medewerkers van de *SMP*. Hij was erin geslaagd in te breken bij nieuwschef Anders Holm omdat hij een open verbinding naar zijn bureau op het werk had, zodat hij daar elk gewenst moment van de dag op kon inloggen en dingen kon regelen. Holms privécomputer was een van de saaiste die Plague ooit had gekraakt. De rest van de achttien namen op de lijst die Lisbeth Salander hem had gegeven, was hem niet gelukt. Een bijkomende oorzaak was dat geen van de personen deze zaterdagavond online was. Hij begon net een beetje genoeg te krijgen van zijn onmogelijke taak toen Lisbeth Salander hem om halfelf 's avonds pingde.

<Ja?>

<Peter Fredriksson>

<Oké>

<Laat die anderen zitten. Concentreer je op hem>

<Waarom?>

<Een gevoel>

<Dat zal even duren>

<Er is een sluipweg. Fredriksson is redactiesecretaris en werkt met een programma dat Integrator heet om van huis uit te kunnen kijken wat er in zijn computer op de *SMP* gebeurt>

<Ik ken Integrator niet>

<Klein programma, is sinds een paar jaar op de markt. Nu vrij achterhaald. Integrator heeft een bug. Zit in het archief van de Hacker Rep. Je kunt in theorie het programma omkeren en vanuit zijn account bij de *SMP* in zijn pc thuis kijken>

Plague zuchtte. Ze was ooit zijn leerlinge geweest, maar wist er nu meer vanaf dan hij.
<Oké, zal het proberen>
<Als je iets vindt – geef het aan Kalle Blomkvist als ik niet meer online ben>

Mikael Blomkvist was voor twaalven terug in Lisbeth Salanders flat bij Mosebacke. Hij was moe, en begon met een douche en zette vervolgens koffie. Daarna opende hij Lisbeth Salanders computer en pingde haar ICQ.
<Dat werd tijd>
<Sorry>
<Wat heb je de laatste dagen uitgespookt?>
<De liefde bedreven met een geheim agente. En op Jonas gejaagd>
<Was je op tijd?>
<Ja. Had jij Erika getipt?>
<De enige manier om jou te bereiken>
<Slim>
<Ik word morgen overgebracht naar de gevangenis>
<Ik weet het>
<Plague staat je bij op het net>
<Perfect>
<Dan resteert alleen nog de finale>
Mikael knikte bij zichzelf.
<Sally ... we zullen doen wat we moeten doen>
<Ik weet het. Je bent voorspelbaar>
<Jij bent even charmant als altijd>
<Is er meer dat ik moet weten?>
<Nee>
<In dat geval heb ik nog wat laatste dingetjes op internet te doen>
<Oké. Het beste>

Susanne Linder werd met een schok wakker doordat haar oortelefoontje piepte. Iemand had de bewegingsdetector in werking gesteld in de hal op de begane grond. Ze leunde op haar ellebogen en zag dat het zondagmorgen 5.23 uur was. Ze kroop zachtjes uit bed en trok haar spijkerbroek, T-shirt en gympen aan. Ze stopte een traangaspatroon in haar achterzak en nam de uitschuifbare wapenstok mee.

Ze passeerde geruisloos de deur naar Erika Bergers slaapkamer en constateerde dat deze dichtzat en dus op slot.

Daarna bleef ze bij de trap staan luisteren. Ze hoorde plotseling een zacht geklik en bewegingen op de begane grond. Ze liep langzaam naar beneden en bleef in de hal weer staan luisteren.

Er werd een stoel verschoven in de keuken. Ze hield de wapenstok in een vaste greep, liep geluidloos naar de keukendeur en zag een kale, ongeschoren man die met een glas jus d'orange aan de keukentafel de SMP zat te lezen. Hij ontdekte haar aanwezigheid en keek op.

'Wie ben jij in godsnaam?' vroeg hij.

Susanne Linder ontspande en leunde tegen de deurpost.

'Greger Backman, neem ik aan? Dag, ik ben Susanne Linder.'

'Aha, ben je van plan mijn hersens met die baton in te slaan of wil je een glas jus d'orange?'

'Graag,' zei Susanne en ze legde de wapenstok weg. 'Die jus, dan.'

Greger Backman pakte een glas van het afdruiprek en schonk sinaasappelsap voor haar in uit een pak.

'Ik werk voor Milton Security,' zei Susanne Linder. 'Het is denk ik het best als uw vrouw mijn aanwezigheid verklaart.'

Greger Backman stond op.

'Is er iets met Erika gebeurd?'

'Met Erika is alles in orde. Maar er is wat ongerief geweest. We hebben geprobeerd u in Parijs op te sporen.'

'Parijs? Ik zat verdorie in Helsinki.'

'O, sorry, maar uw vrouw meende dat u in Parijs was.'

'Dat is volgende maand.'

Greger liep naar de deur.

'De slaapkamerdeur is op slot. U hebt een code nodig om binnen te komen,' zei Susanne Linder.

'Code?'

Ze gaf hem de drie cijfers die hij nodig had om de slaapkamerdeur te kunnen openen. Hij rende de trap op naar de bovenverdieping. Susanne Linder reikte over de tafel en pakte zijn achtergebleven SMP.

Zondagochtend om tien uur kwam dokter Anders Jonasson naar de kamer van Lisbeth Salander.

'Dag Lisbeth.'

'Hallo.'

'Ik wil je alleen even waarschuwen dat de politie tegen lunchtijd komt.'

'Oké.'

'Je lijkt niet erg ongerust.'

'Nee.'

'Ik heb een cadeautje voor je.'

'Cadeautje? Waarom?'

'Je bent een van mijn meest onderhoudende patiënten van de laatste jaren geweest.'

'O,' zei Lisbeth Salander argwanend.

'Ik heb begrepen dat je gefascineerd bent door DNA en genetica.'

'Wie heeft er gekletst ... Die psychologietante zeker?'

Anders Jonasson knikte.

'Als je je verveelt in de gevangenis ... Hier is het laatste nieuws over DNA-onderzoek.'

Hij gaf haar een dikke pil die *Spirals – Mysteries of DNA* heette, geschreven door een professor Yoshito Takamura van de Universiteit van Tokyo. Lisbeth Salander sloeg het boek open en bestudeerde de inhoudsopgave.

'Mooi,' zei ze.

'Ik zou ooit weleens willen horen hoe het komt dat jij essays leest van onderzoekers die ikzelf niet eens begrijp.'

Zo gauw Anders Jonasson de kamer had verlaten, pakte Lisbeth haar handcomputer. De laatste stuiptrekkingen. Uit de personeelsbestanden van de *SMP* had Lisbeth begrepen dat Peter Fredriksson daar al zes jaar werkte. In die tijd was hij twee langere periodes ziek geweest. In 2003 twee maanden en in 2004 drie maanden. Lisbeth kon uit de gegevens de conclusie trekken dat de oorzaak in beide gevallen een burn-out was geweest. Erika Bergers voorganger Håkan Morander had eenmaal gevraagd of Fredriksson wel kon aanblijven als redactiesecretaris.

Gelul. Gelul. Gelul. Niets concreets om op af te gaan.

Om kwart voor twaalf pingde Plague haar.

<Ja?>

<Ben je nog in het Sahlgrenska?>

<Wat denk je?>

<Hij is het>

<Zeker weten?>

<Hij ging een halfuur geleden vanuit huis in zijn computer op het werk. Ik ben toen in zijn computer thuis gegaan. Hij heeft foto's van Erika Berger gescand op zijn harde schijf>

<Bedankt>

<Ze ziet er lekker uit>

<Plague>
<Ik weet het. Wat moet ik doen?>
<Heeft hij de foto's op internet gepubliceerd?>
<Voor zover ik kan zien niet>
<Kun je zijn computer ondermijnen?>
<Is al gebeurd. Als hij foto's probeert te mailen of iets gaat versturen via internet wat groter is dan 20 kB, crasht zijn harddisk>
<Mooi>
<Nu ga ik slapen. Red jij jezelf nu?>
<Als altijd>

Lisbeth sloot ICQ af. Ze wierp een blik op de klok en zag dat het bijna lunchtijd was. Ze zette snel een bericht in elkaar dat ze aan yahoogroep Dwaze_Tafel adresseerde.

> Mikael. Belangrijk. Bel onmiddellijk Erika Berger en vertel haar dat Peter Fredriksson de Gifpen is.

Op hetzelfde moment dat ze het bericht verzond, hoorde ze beweging op de gang. Ze tilde haar Palm Tungsten T3 op en kuste het scherm. Toen zette ze de computer uit en stopte hem in de opening achter het nachtkastje.

'Hallo Lisbeth,' zei haar advocate Annika Giannini vanuit de deuropening.

'Hallo.'

'De politie komt je zo halen. Ik heb hier kleren voor je. Ik hoop dat er iets bij zit wat je past.'

Lisbeth keek wantrouwend naar een aantal keurige donkere pantalons en lichte blouses.

Lisbeth Salander werd opgehaald door twee geüniformeerde agentes van de Göteborgse politie. Haar advocaat ging mee naar de gevangenis.

Toen ze van haar kamer door de gang liepen, zag Lisbeth dat diverse personeelsleden haar nieuwsgierig aan stonden te kijken. Ze knikte vriendelijk naar het personeel en iemand zwaaide terug. Toevallig stond Anders Jonasson bij de receptie. Ze keken elkaar aan en knikten. Al voordat ze de hoek om waren, zag Lisbeth dat Anders Jonasson koers had gezet richting haar kamer.

Gedurende het hele transport naar de gevangenis zei Lisbeth Salander geen woord tegen de politie.

Mikael Blomkvist deed zijn iBook zondagochtend om zeven uur dicht en stopte met werken. Hij zat een tijdje aan Lisbeth Salanders bureau leeg voor zich uit te staren.

Daarna ging hij naar de slaapkamer en keek naar haar gigantische tweepersoonsbed. Na een tijdje ging hij terug naar de werkkamer, klapte zijn mobieltje open en belde Monica Figuerola.

'Hoi, met Mikael.'

'Hé, hallo. Ben je al op?'

'Ik ben net klaar met werken en ga nu naar bed. Ik wilde je alleen even gedag zeggen.'

'Mannen die alleen maar opbellen om gedag te zeggen, hebben bijbedoelingen.'

Hij moest lachen.

'Blomkvist, je kunt hierheen komen om te slapen als je wilt.'

'Je zult niet veel aan me hebben.'

'Daar raak ik wel aan gewend.'

Hij nam een taxi naar de Pontonjärgatan.

Erika Berger bracht de zondag met Greger Backman in bed door. Ze lagen te praten en te dutten. 's Middags kleedden ze zich aan en maakten een wandeling naar de aanlegsteiger en rond het dorp.

'De SMP was een vergissing,' zei Erika Berger toen ze thuiskwamen.

'Dat moet je niet zeggen. Het is zwaar zo in het begin, maar dat wist je van tevoren. Het komt wel goed als je er wat langer zit.'

'Het is niet het werk. Dat kan ik wel aan. Het is de hele mentaliteit.'

'Hm.'

'Ik heb het er niet naar mijn zin. Maar ik kan niet na een paar weken al opstappen.'

Ze ging somber aan de keukentafel zitten en staarde doelloos voor zich uit. Greger Backman had zijn vrouw nog nooit eerder zo gelaten gezien.

Inspecteur Hans Faste ontmoette Lisbeth Salander zondagmiddag om halfeen voor het eerst, toen een agente van de Göteborgse politie haar naar de kamer van Marcus Erlander bracht.

'Jij was niet eenvoudig te pakken te krijgen,' zei Hans Faste.

Lisbeth Salander wierp hem een langdurige blik toe. Ze besloot dat hij een idioot was en dat ze niet van plan was zich druk te maken om zijn bestaan.

'Inspecteur Gunilla Wäring gaat mee tijdens het transport naar Stockholm,' zei Erlander.

'Mooi,' zei Faste. 'Dan gaan we maar. Er zijn een aantal mensen die eens een hartig woordje met je willen spreken, Salander.'

Erlander zei Lisbeth Salander gedag. Ze negeerde hem.

Ze hadden besloten het transport van de gevangene voor het gemak te laten plaatsvinden met een dienstauto. Gunilla Wäring reed. Aan het begin van de rit zat Hans Faste op de passagiersstoel met zijn hoofd naar de achterbank gedraaid terwijl hij met Lisbeth Salander probeerde te praten. Maar ter hoogte van Alingsås had hij al zo'n pijn in zijn nek dat hij het opgaf.

Lisbeth Salander keek door het raam naar buiten. Het leek alsof Faste in haar belevingswereld niet bestond.

Teleborian heeft gelijk. Ze is inderdaad achterlijk, dacht Faste. *Daar zullen we in Stockholm wel verandering in brengen.*

Hij keek regelmatig naar Lisbeth Salander en probeerde zich een beeld te vormen van de vrouw op wie hij zo lang jacht had gemaakt. Ook Hans Faste voelde twijfel toen hij het tengere meisje zag. Hij vroeg zich af hoeveel ze eigenlijk woog. Hij herinnerde zich dat ze lesbisch was en dus eigenlijk geen echte vrouw was.

Het zou wel kunnen dat dat met dat satanisme overdreven was. Ze zag er niet erg satanisch uit.

Ironisch genoeg had hij haar veel liever gepakt voor de drie moorden waarvan ze oorspronkelijk was verdacht, maar waarbij de werkelijkheid zijn onderzoek nu had ingehaald. Ook een tenger meisje kan een pistool hanteren. Ze was nu opgepakt wegens zware mishandeling van de hoogste baas van de Svavelsjö MC, waaraan ze ongetwijfeld schuldig was en waarvoor bovendien technisch bewijs aanwezig was, voor het geval ze wilde ontkennen.

Monica Figuerola maakte Mikael Blomkvist tegen enen 's middags wakker. Ze had op het balkon gezeten en het boek over het godsbeeld in de klassieke oudheid uitgelezen terwijl ze naar Mikaels gesnurk uit de slaapkamer had geluisterd. Het was vredig geweest. Toen ze naar binnen ging en naar hem keek, werd ze zich ervan bewust dat ze zich meer tot Mikael aangetrokken voelde dan tot welke man de laatste jaren dan ook.

Dat was een aangenaam maar onrustbarend gevoel. Mikael Blomkvist voelde niet aan als een stabiele factor in haar bestaan.

Toen hij wakker was, gingen ze naar het Norr Mälarstrand om koffie te drinken. Daarna trok ze hem mee naar huis en brachten ze de rest van de middag in bed door. Hij verliet haar tegen zevenen 's avonds. Ze miste hem al op het moment dat hij haar op haar wang kuste en de buitendeur achter zich dichttrok.

Tegen achten zondagavond klopte Susanne Linder aan bij Erika Berger. Ze zou niet bij haar slapen omdat Greger Backman thuis was, dus het bezoek had niets met haar werk te maken. Maar in de paar dagen dat ze bij Erika had gelogeerd, hadden ze elkaar tijdens de eindeloze gesprekken in de keuken goed leren kennen. Ze had ontdekt dat ze Erika Berger graag mocht, en ze zag een wanhopige vrouw die de schijn ophield en naar haar werk ging alsof er niets aan de hand was, maar die in feite een wandelende angsthaas was.

Susanne Linder vermoedde dat die angst niet alleen met de Gifpen te maken had. Maar ze was geen maatschappelijk werkster en het leven en de problemen van Erika Berger waren niet háár zaak. Ze reed alleen even naar haar toe om gedag te zeggen en te vragen of alles goed was. Ze trof Erika en haar man zachtjes pratend in de keuken aan. Het leek alsof ze de zondag hadden doorgebracht met het bespreken van serieuze zaken.

Greger Backman zette koffie. Susanne Linder was er pas een paar minuten toen Erika's mobiele telefoon ging.

Erika Berger had elk gesprek die dag opgenomen met een gevoel van een naderende ondergang.

'Berger.'

'Hoi, Ricky.'

Mikael Blomkvist. Shit. Ik heb niet verteld dat de Borgsjö-map verdwenen is.

'Hoi Micke.'

'Salander is vandaag overgebracht naar de gevangenis in Göteborg in afwachting van transport naar Stockholm.'

'Aha.'

'Ze heeft een eh ... mededeling voor je.'

'O ja?'

'Het is vrij cryptisch.'

'Wat dan?'

'Ze zegt dat Peter Fredriksson de Gifpen is.'

Erika Berger zweeg tien seconden terwijl de gedachten door haar hoofd raasden. *Onmogelijk. Zo is hij niet. Salander moet het mis hebben.*

'Nog meer?'

'Nee. Dat is het hele bericht. Begrijp jij waar het over gaat?'

'Ja.'

'Ricky, wat hebben jij en Lisbeth eigenlijk met elkaar? Ze belde jou om mij te tippen over Teleborian en ...'

'Bedankt, Micke. We hebben het er nog wel over.'

Ze had haar mobiele telefoon uitgezet en keek Susanne Linder met verwilderde ogen aan.

'Vertel,' zei Susanne Linder.

Susanne Linder had tegenstrijdige gevoelens. Erika Berger had plotseling te horen gekregen dat haar redactiesecretaris Peter Fredriksson de Gifpen was. De woorden waren bijna uit haar mond gestroomd toen ze het vertelde. Toen had Susanne Linder gevraagd hoe ze wist dat Fredriksson haar stalker was.

Erika Berger was plotseling doodstil geworden. Susanne had haar in haar ogen gekeken en gezien hoe er iets in de houding van de hoofdredacteur was veranderd. Erika Berger had plotseling heel verward gekeken.

'Dat kan ik niet vertellen.'

'Hoe bedoel je?'

'Susanne, ik weet dat Fredriksson de Gifpen is. Maar ik kan niet vertellen waar ik die informatie vandaan heb. Wat moet ik doen?'

'Je moet het me vertellen, wil ik je kunnen helpen.'

'Ik ... Dat kan niet. Je begrijpt het niet.'

Erika Berger stond op en ging met haar rug naar Susanne Linder bij het keukenraam staan. Uiteindelijk keerde ze zich om.

'Ik ga naar die klootzak toe.'

'Helemaal niet. Jij gaat helemaal nergens heen, en zeker niet naar iemand die, naar wij vermoeden, wordt gedreven door een gewelddadige haat tegen jou.'

Erika Berger zag eruit alsof ze innerlijk verscheurd werd.

'Ga zitten. Vertel wat er gebeurd is. Was dat Mikael Blomkvist?'

Erika knikte.

'Ik eh ... heb vandaag een hacker gevraagd de thuiscomputers van de medewerkers door te nemen.'

'Aha. Daarmee heb je je vermoedelijk schuldig gemaakt aan zware computercriminaliteit. En je wilt niet vertellen wie die hacker is?'

'Ik heb beloofd om dat nooit prijs te geven ... Het betreft andere mensen. Iets waar Mikael mee bezig is.'

'Weet Blomkvist van de Gifpen?'

'Nee, hij heeft alleen het bericht doorgegeven.'

Susanne Linder hield haar hoofd schuin en nam Erika Berger op. Plotseling legde ze het verband.

Erika Berger. Mikael Blomkvist. Millennium. *Vage politiemensen die bij Blomkvist inbraken en zijn appartement afluisterden. Susanne Linder die de bewakers bewaakte. Blomkvist die als een bezetene bezig was met een verhaal over Lisbeth Salander.*

Dat Lisbeth een kei was met computers, was bij Milton Security algemeen bekend. Niemand wist hoe ze aan die kennis was gekomen en Susanne had nooit een gerucht gehoord dat Salander hacker zou zijn. Maar Dragan Armanskij had ooit eens gezegd dat Salander verbluffende rapporten leverde toen ze persoonsonderzoeken deed. Een hacker ...

Maar Salander ligt verdomme geïsoleerd in Göteborg.

Dit was gestoord.

'Hebben we het over Salander?' vroeg Susanne Linder.

Erika Berger zag eruit alsof ze door de bliksem was getroffen.

'Ik kan niet vertellen waar die informatie vandaan komt. Met geen woord.'

Susanne Linder moest plotseling grinniken.

Het was Salander. Bergers bevestiging had niet duidelijker kunnen zijn. Ze is helemaal uit balans.

Maar dat kán helemaal niet.

Wat is er eigenlijk gaande?

Lisbeth Salander zou zich dus in gevangenschap hebben beziggehouden met uitzoeken wie de Gifpen was. Dat was te zot voor woorden.

Susanne Linder dacht diep na.

Ze had geen idee wat er waar was van de verhalen over Lisbeth Salander. Ze had haar misschien vijf keer ontmoet in de tijd dat ze bij Milton Security had gewerkt en nooit een persoonlijk woord met haar gewisseld. Salander leek haar een chagrijnig en onaardig iemand met zo'n dikke huid dat een klopboor er zelfs niet doorheen drong. Ze had ook geconstateerd dat Dragan Armanskij zijn beschermende vleugels over Lisbeth Salander had uitgespreid. Omdat Susanne Linder Armanskij respecteerde, nam ze aan dat hij goede redenen had voor zijn houding ten aanzien van dat knorrige meisje.

De Gifpen is Peter Fredriksson.

Kon ze gelijk hebben? Was er bewijs?

Susanne Linder besteedde daarom twee uur aan het uithoren van Erika Berger over alles wat ze over Peter Fredriksson wist, wat zijn rol was bij de *SMP* en hoe hun relatie gedurende haar tijd als hoofdredacteur was geweest. Ze werd niet veel wijzer van de antwoorden.

Erika Berger was gefrustreerd en onzeker geweest. Ze werd heen en weer geslingerd tussen het idee om naar Fredrikssons huis te gaan en hem te confronteren, en twijfel of het echt waar kon zijn. Ten slotte had Susanne Linder haar ervan weten te overtuigen dat ze niet zomaar bij Peter Fredriksson binnen kon stappen en hem kon beschuldigen – als hij onschuldig was, zou Berger voor gek staan.

Daarom had Susanne Linder beloofd om naar de zaak te kijken. Dat was een belofte waar ze al onmiddellijk spijt van had, omdat ze geen idee had hoe ze dat moest aanpakken.

Daarom parkeerde ze nu haar oude Fiat Strada zo dicht bij de huurflat van Peter Fredriksson in Fisksätra als ze maar kon. Ze sloot de auto af en keek om zich heen. Ze wist niet precies waar ze mee bezig was, maar nam aan dat ze bij hem zou moeten aanbellen en hem er op de een of andere manier toe zou moeten bewegen een aantal vragen te beantwoorden. Ze was zich er donders goed van bewust dat dit iets was wat totaal buiten haar werk bij Milton Security lag en dat Dragan Armanskij razend op haar zou worden als hij wist waar ze mee bezig was.

Het was geen goed plan. En het ging hoe dan ook al mis voordat ze het in werking had kunnen stellen.

Want op het moment dat zij naar het flatgebouw liep en de portiekdeur van Peter Fredriksson naderde, ging de deur open. Susanne Linder herkende hem onmiddellijk van de foto uit het personeelsbestand, dat ze in de computer van Erika Berger had bestudeerd. Ze liep door en ze passeerden elkaar. Susanne Linder bleef aarzelend staan en keek hem na. Toen keek ze op haar horloge en constateerde dat het even voor elven 's avonds was en dat Peter Fredriksson ergens naartoe op weg was. Ze vroeg zich af waar hij heen ging en rende terug naar haar auto.

Mikael Blomkvist zat een hele tijd naar zijn telefoon te staren nadat Erika Berger het gesprek had afgekapt. Hij vroeg zich af wat er aan de hand was. Hij keek gefrustreerd naar de computer van Lisbeth Salander, maar Lisbeth was inmiddels naar de gevangenis in Göteborg overgebracht en hij kon het haar dus niet meer vragen.

Hij opende zijn blauwe T10 en belde Idris Ghidi in Angered.

'Hallo, met Mikael Blomkvist.'

'Hallo,' zei Idris Ghidi.

'Ik bel om te zeggen dat je de werkzaamheden die je voor mij hebt gedaan kunt beëindigen.'

Idris Ghidi knikte zwijgend. Hij had al vermoed dat Mikael Blomkvist hem zou bellen, omdat Lisbeth Salander naar de gevangenis was overgebracht.

'Ik begrijp het,' zei hij.

'Je kunt de telefoon houden, zoals we hadden afgesproken. Ik stuur je deze week de laatste betaling.'

'Bedankt.'

'Nee, jíj bedankt voor je hulp.'

Hij deed zijn iBook open en begon te werken. De ontwikkeling van de laatste dagen betekende dat een aanzienlijk deel van het manuscript moest worden herzien en dat er hoogstwaarschijnlijk een heel nieuw verhaal moest worden ingevoegd.

Hij zuchtte.

Om kwart over elf parkeerde Peter Fredriksson drie blokken van het huis van Erika Berger. Susanne Linder wist al waar hij naar op weg was en had hem laten gaan om geen aandacht te trekken. Ze passeerde zijn auto meer dan twee minuten nadat hij had geparkeerd. Ze constateerde dat de auto leeg was. Ze reed langs het huis van Erika Berger en parkeerde een stukje verderop uit het zicht. Het zweet stond in haar handen.

Ze maakte een doosje Catch Dry open en stopte een portie pruimtabak onder haar bovenlip.

Daarna deed ze het portier open en keek ze om zich heen. Zo gauw ze had begrepen dat Fredriksson op weg was naar Saltsjöbaden had ze geweten dat de informatie van Salander juist was. Hoe Salander dat voor elkaar had gekregen, wist ze niet, maar ze twijfelde er niet langer aan dat Fredriksson de Gifpen was. Ze nam aan dat hij niet voor de lol naar Saltsjöbaden was gereden, maar dat hij iets van plan was.

Dat zou perfect zijn, want dan zou ze hem op heterdaad kunnen betrappen.

Ze pakte een telescopische wapenstok uit het zijvak van het portier en woog hem even in haar hand. Ze drukte op de vergrendeling in het heft en schoot de zware, verende staalkabel naar buiten. Ze klemde haar tanden op elkaar.

Dat was de reden dat ze was gestopt bij het arrestatieteam van Södermalm.

Ze had eenmaal een waanzinnige woede-uitbarsting gehad toen ze voor de derde keer in evenzoveel dagen waren uitgerukt naar een adres in Hägersten, nadat telkens dezelfde vrouw de politie had gebeld en om hulp had geschreeuwd omdat haar man haar had afgetuigd. En net als de twee keer daarvoor was de situatie weer gekalmeerd voordat ze waren gearriveerd.

Ze hadden de man uit routine meegenomen naar het trappenhuis terwijl de vrouw werd gehoord. *Nee, ze wilde geen aangifte doen. Nee, het was een misverstand geweest. Nee, hij was heel aardig ... Het was eigenlijk háár fout. Zij had hem geprovoceerd ...*

En de hele tijd had die klootzak daar staan grijnzen en Susanne Linder recht in de ogen gekeken.

Ze had niet kunnen uitleggen waarom ze het had gedaan. Maar opeens was er iets geknapt en had ze haar wapenstok gepakt en hem in zijn gezicht geslagen. De eerste klap had geen kracht gehad. Ze had zijn tand door zijn lip geslagen en hij had gebukt. De volgende tien seconden – tot haar collega's haar hadden vastgepakt en haar met geweld de trap af hadden gedragen – had ze de wapenstok op zijn rug, nieren, heupen en schouders laten regenen.

Er was nooit een aanklacht ingediend. Ze had dezelfde avond ontslag genomen, was naar huis gegaan en had een week zitten janken. Toen had ze zich vermand en aangeklopt bij Dragan Armanskij. Ze had verteld wat ze had gedaan en waarom ze was gestopt bij de politie. Ze had werk gezocht. Armanskij had zijn twijfels gehad en had gevraagd erover te mogen nadenken. Ze had de hoop al opgegeven toen hij zes weken later belde en zei dat hij bereid was het met haar te proberen.

Susanne Linder trok een grimmig gezicht en stak de wapenstok achter haar rug onder haar riem. Ze controleerde of ze het busje traangas in haar rechterjaszak had en of de veters van haar gymschoenen goed waren vastgeknoopt. Ze liep terug naar het huis van Erika Berger en glipte het erf op.

Ze wist dat de bewegingsdetector in de achtertuin nog niet was geïnstalleerd en ze bewoog zich geluidloos over het gazon en liep langs de heg bij de perceelgrens. Ze kon hem niet zien. Ze liep om het huis heen en stond stil. Ze zag hem plotseling als een schaduw in het duister bij het atelier van Greger Backman opdoemen.

Hij snapt niet hoe naïef het van hem is om hier weer terug te komen. Hij kán gewoon niet wegblijven.

Hij zat op zijn hurken en probeerde door een spleet van de gordijnen naar binnen te kijken bij de salon die aan de woonkamer grensde. Daarna verplaatste hij zich op het terras en keek door een kleine opening onder de neergelaten jaloezieën naast het grote panoramaraam, waar nog steeds een plaat triplex voor zat.

Susanne Linder moest plotseling grijnzen.

Ze sloop over het erf tot aan de hoek van het huis terwijl hij met zijn rug naar haar toe stond. Ze verstopte zich achter een paar aalbessenstruiken langs de gevel en wachtte. Door de takken heen kon ze een stukje van hem zien. Vanaf zijn plaats kon Fredriksson door de hal kijken, en een stukje de keuken in. Hij had blijkbaar iets interessants gevonden om naar te kijken want het duurde tien minuten voor hij zich weer bewoog. Hij naderde Susanne Linder.

Toen hij de hoek om kwam en langs haar heen liep, kwam Susanne Linder overeind en sprak met zachte stem.

'Ho eens even, Fredriksson.'

Hij keerde zich abrupt om, en draaide om haar heen.

Ze zag zijn ogen glinsteren in het duister. Ze kon zijn gezichtsuitdrukking niet zien, maar hoorde dat hij zijn adem inhield van de schrik.

'We kunnen dit makkelijk of moeilijk afhandelen,' zei ze. 'We gaan naar jouw auto en ...'

Hij keerde zich om en begon te rennen.

Susanne Linder pakte haar telescopische wapenstok en gaf een vernietigende, uiterst pijnlijke tik tegen de buitenkant van zijn linkerknieschijf.

Hij viel met een halfgesmoord geluid op de grond.

Ze hief haar baton op voor een tweede klap, maar bedacht zich. Ze voelde Dragan Armanskij's ogen in haar rug prikken.

Ze boog zich over hem heen, draaide hem op zijn buik en zette een knie in zijn onderrug. Ze pakte zijn rechterhand beet, dwong deze omhoog en boeide hem. Hij was zwak en bood geen weerstand.

Erika Berger deed de lamp in de woonkamer uit en hinkte naar boven. Ze had geen krukken meer nodig, maar haar voetzool deed nog steeds pijn zo gauw ze erop steunde. Greger Backman deed het licht in de keuken uit en volgde zijn vrouw naar boven. Hij had Erika nog nooit zo ongelukkig gezien. Niets wat hij zei leek haar te kunnen kalmeren of de angst die ze had te kunnen verzachten.

Ze kleedde zich uit en kroop in bed, met haar rug naar hem toe.

'Het is niet jóúw fout, Greger,' zei ze toen ze hem in bed hoorde komen.

'Je voelt je niet goed,' zei hij. 'Ik wil dat je een paar dagen thuisblijft.'

Hij legde een arm om haar schouder. Ze probeerde hem niet weg te duwen, maar ze lag volkomen passief. Hij boog voorover en kuste haar voorzichtig in haar nek en omarmde haar.

'Er is niets wat je kunt zeggen of doen om de situatie te verlichten. Ik weet dat ik een pauze nodig heb. Ik voel me alsof ik op een sneltrein ben gestapt en heb ontdekt dat ik op het verkeerde spoor zit.'

'We kunnen een paar dagen gaan zeilen. Even weg van alles.'

'Nee. Ik kan het toch niet loslaten.'

Ze keerde zich naar hem toe.

'Het ergste wat ik nu zou kunnen doen, is vluchten. Ik moet eerst de problemen oplossen. Daarna kunnen we er even tussenuit.'

'Oké,' zei Greger. 'Aan mij heb je niet veel.'

Ze glimlachte zwak.

'Onzin, het is al heerlijk dat je hier bent. Ik ben ontzettend gek op je, dat weet je.'

Hij knikte.

'Ik kan maar niet geloven dat het Peter Fredriksson is,' zei Erika Berger. 'Ik heb nooit enige vijandigheid bij hem bespeurd.'

Susanne Linder vroeg zich af of ze bij Erika Berger zou aanbellen toen ze zag dat het licht op de benedenverdieping uitging. Ze keek omlaag naar Peter Fredriksson. Hij had geen woord gezegd. Hij was totaal passief. Ze dacht een hele tijd na voordat ze een beslissing nam.

Ze boog voorover, pakte hem hij zijn handboeien, trok hem overeind en zette hem tegen de gevel.

'Kun je staan?' vroeg ze.

Hij gaf geen antwoord.

'Goed, dan houden we het simpel. Als je ook maar enige weerstand biedt, krijgt je rechterbeen precies dezelfde behandeling. En bij nog meer verzet, breek ik je armen. Begrijp je wat ik zeg?'

Ze merkte dat hij heel snel ademde. Van angst?

Ze duwde hem voor zich uit en leidde hem naar de straat en naar zijn auto, drie blokken verderop. Hij liep mank. Ze ondersteunde hem. Toen ze bij de auto kwamen, ontmoetten ze een nachtwandelaar met een hond die bleef staan en naar de geboeide Peter Fredriksson keek.

'Dit is een zaak van de politie,' zei Susanne Linder met besliste stem. 'Ga naar huis.'

Ze zette hem op de achterbank en reed hem naar Fisksätra. Het was halfeen 's nachts en ze kwamen niemand tegen toen ze zijn huis binnengingen. Susanne Linder viste zijn sleutels uit zijn zak en leidde hem de trap op naar zijn flat op de derde verdieping.

'Je kunt mijn flat niet binnengaan,' zei Peter Fredriksson.

Dat was het eerste wat hij zei sinds ze hem had geboeid.

Ze maakte de voordeur open en duwde hem naar binnen.

'Je hebt het recht niet. Je moet een huiszoekingsbevel hebben.'

'Ik ben niet van de politie,' zei ze zachtjes.

Hij staarde haar wantrouwend aan.

Ze greep zijn overhemd beet, duwde hem voor zich uit naar de woonkamer en pootte hem neer op de bank. Hij had een netjes opgeruimde driekamerwoning. De slaapkamer links van de woonkamer, de keuken aan de andere kant van de hal en een kleine werkkamer in aansluiting op de woonkamer.

Ze liep de werkkamer in en haalde opgelucht adem. *The smoking gun.* Ze zag onmiddellijk foto's uit Erika Bergers fotoalbum uitgespreid op een bureau naast een computer liggen. Hij had zo'n dertig foto's op de muur rond de computer geprikt. Ze bekeek de vernissage met gefronste wenkbrauwen. Erika Berger was een verdomd mooie vrouw. En ze had een leuker seksleven dan Susanne Linder.

Ze hoorde Peter Fredriksson zich bewegen, ging terug naar de woonkamer en ving hem op. Ze gaf hem een mep, trok hem mee naar de werkkamer en plantte hem op de vloer.

'Zit stil,' zei ze.

Ze liep naar de keuken en vond een papieren zak van de Konsum. Ze haalde foto voor foto van de muur. Ze vond het leeggeplukte fotoalbum en de dagboeken van Erika Berger.

'Waar is de video?' vroeg ze.

Peter Fredriksson gaf geen antwoord. Susanne Linder ging naar de woonkamer en zette de tv aan. Er zat een film in de video, maar het duurde even voordat ze het videokanaal op de afstandsbediening had gevonden.

Ze haalde de video eruit en was geruime tijd bezig om te controleren of hij geen kopieën had gemaakt.

Ze vond Bergers liefdesbrieven uit haar jeugd en het rapport over Borgsjö. Daarna richtte ze haar interesse op de computer van Peter Fredriksson. Ze constateerde dat hij een Microtek scanner aan een

IBM-pc had gekoppeld. Ze deed de deksel van de scanner omhoog en vond een achtergebleven foto van Erika Berger op een feest bij de Club Xtreme; oudejaarsavond 1986, volgens een spandoek op de muur.

Ze zette de computer aan en ontdekte dat er een password op zat.

'Wat is je password?' vroeg ze.

Peter Fredriksson zat koppig en zwijgend op de grond, en weigerde met haar te praten.

Susanne Linder voelde zich opeens heel rustig. Ze wist dat ze vanavond technisch gezien een aantal strafbare feiten had gepleegd, inclusief iets wat zou kunnen worden bestempeld als huisvredebreuk en zelfs ontvoering. Maar het deed haar niets. Ze voelde zich juist opgeruimd.

Na een tijdje haalde ze haar schouders op, groef in haar zak en haalde een Zwitsers legermes tevoorschijn. Ze maakte alle snoeren van de computer los, keerde de achterkant naar zich toe en gebruikte de schroevendraaier om de computer open te maken. Het kostte haar vijftien minuten om de computer uit elkaar te halen en de harde schijf eruit te vissen.

Ze keek om zich heen. Ze had alles bij zich, maar keek voor de zekerheid alle bureaulades, stapels papieren en kasten grondig door. Plotseling viel haar oog op een oude schoolcatalogus die in de vensterbank lag. Ze constateerde dat hij van het Djursholm gymnasium was. Uit 1978. *Kwam Erika Berger niet uit een goed nest uit Djursholm?* Ze sloeg de catalogus open en keek alle eindexamenklassen door.

Ze vond Erika Berger, achttien jaar oud, op haar eindexamenfoto. Lachend, met een studentenmuts op haar hoofd en kuiltjes in haar wangen. Ze was gekleed in een dunne, witte, katoenen jurk en had een bos bloemen in haar handen. Ze zag eruit als het zinnebeeld van een onschuldige tiener met een prachtige cijferlijst.

Susanne Linder miste bijna het verband, maar dat stond op de volgende pagina. Ze zou hem nooit van de foto hebben herkend, maar de tekst gaf geen ruimte voor twijfel. Peter Fredriksson. Hij had in een parallelklas gezeten. Ze zag een spichtige jongen met een serieus gezicht, die vanonder zijn studentenmuts in de camera keek.

Ze keek op en zag Peter Fredrikssons ogen.

'Toen was ze al een hoer.'

'Fascinerend,' zei Susanne Linder.

'Ze neukte elke jongen op school.'

'Dat vraag ik me af.'

'Ze was een verdomde ...'

'Zeg het niet. Wat gebeurde er? Mocht jij niet in haar broekje komen?'

'Ze behandelde mij als lucht. Ze lachte me uit. En toen ze bij de SMP begon, herkende ze me niet eens.'

'Ach ja,' zei Susanne Linder vermoeid. 'Je hebt vast een slechte jeugd gehad. Zullen we nu even ter zake komen?'

'Wat wil je?'

'Ik ben niet van de politie,' zei Susanne Linder. 'Ik hou me bezig met van die gasten als jij.'

Ze wachtte en liet zijn fantasie zijn werk doen.

'Ik wil weten of je ergens foto's van haar op internet hebt gezet.'

Hij schudde zijn hoofd.

'Zeker weten?'

Hij knikte.

'Erika Berger moet zelf beslissen of ze aangifte doet bij de politie voor pesterij, bedreiging en huisvredebreuk, of dat ze een en ander wil schikken.'

Hij zei niets.

'Als ze besluit schijt aan je te hebben – en dat is volgens mij de enige inspanning die jij waard bent – zal ik je in de gaten blijven houden.'

Ze hield haar wapenstok omhoog.

'Als je ooit nog eens in de buurt van Erika Bergers huis komt of haar mailtjes stuurt, of haar op andere wijze lastigvalt, kom ik terug. Dan zal ik je gezicht zó verbouwen, dat je moeder je niet meer herkent. Is dat duidelijk?'

Hij zei niets.

'Je hebt dus zelf de mogelijkheid om de afloop van deze geschiedenis te beïnvloeden. Interesse?'

Hij knikte langzaam.

'In dat geval zal ik Erika Berger adviseren je te laten lopen. Je hoeft niet meer terug te komen op het werk. Je bent met onmiddellijke ingang ontslagen.'

Hij knikte.

'Je verdwijnt uit haar leven en uit Stockholm. Het kan me geen bal schelen wat je doet en waar je heen gaat. Zoek een baan in Göteborg of Malmö. Meld je weer ziek. Doe wat je wilt. Maar laat Erika Berger met rust.'

Hij knikte.

'Is dat afgesproken?'

Peter Fredriksson begon plotseling te huilen.

'Ik wilde haar geen kwaad doen,' zei hij. 'Ik wilde alleen ...'

'Je wilde alleen haar leven tot een hel maken. Nou, daar ben je aardig in geslaagd. Heb ik je woord?'

Hij knikte.

Ze boog zich voorover, keerde hem op zijn buik en maakte de handboeien los. Ze nam de Konsum-tas met het leven van Erika Berger mee en liet Peter Fredriksson op de vloer achter.

Het was maandagnacht halfdrie toen Susanne Linder weer buiten stond. Ze overwoog de zaak tot morgen te laten wachten, maar bedacht dat als het haarzelf had betroffen, ze 's nachts al bericht had willen hebben. Bovendien stond haar auto nog in Saltsjöbaden. Ze belde een taxi.

Greger Backman deed open nog voor ze maar op de bel had kunnen drukken. Hij had een spijkerbroek aan en keek behoorlijk wakker uit zijn ogen.

'Is Erika al op?' vroeg Susanne Linder.

Hij knikte.

'Is er weer iets gebeurd?' vroeg hij.

Ze knikte glimlachend.

'Kom binnen. We zitten in de keuken te praten.'

Ze gingen naar binnen.

'Hallo, Erika,' zei Susanne Linder. 'Je moet eens leren af en toe te slapen.'

'Wat is er gebeurd?'

Ze gaf haar de Konsum-tas.

'Peter Fredriksson belooft je in de toekomst met rust te laten. Ik weet niet of ik daarop zou vertrouwen, maar als hij woord houdt, is dat minder pijnlijk dan aangifte te doen bij de politie en een rechtszaak te beginnen. Je moet zelf beslissen.'

'Hij was het dus?'

Susanne Linder knikte. Greger Backman serveerde koffie maar Susanne bedankte. Ze had de laatste dagen veel te veel koffie gedronken. Ze ging zitten en vertelde wat er die nacht bij hun huis was gebeurd.

Erika Berger zweeg geruime tijd. Toen stond ze op. Ze liep naar boven en kwam terug met haar exemplaar van de schoolcatalogus. Ze keek lang naar Peter Fredrikssons gezicht.

'Ik kan me hem herinneren,' zei ze uiteindelijk. 'Maar ik had er geen idee van dat hij de Peter Fredriksson was die bij de SMP werkte. Ik herinnerde me zijn naam niet voordat ik hier in de schoolcatalogus keek.'

'Wat is er gebeurd?' vroeg Susanne Linder.

'Niets. Helemaal niets. Hij was een stille, totaal oninteressante knul in een parallelklas. Ik geloof dat we één vak gemeenschappelijk hadden. Frans, als ik me niet vergis.'

'Hij zei dat je hem als lucht had behandeld.'

Erika knikte.

'Dat zal ook wel. Ik kende hem verder niet en hij maakte geen deel uit van onze groep.'

'Werd hij door jullie gepest of iets dergelijks?'

'Nee, absoluut niet. Ik heb nooit van pesten gehouden. We hadden op de middelbare school zelfs campagnes tegen pesten en ik was voorzitter van de leerlingenraad. Ik kan me niet eens herinneren dat hij me ooit heeft aangesproken of dat ik ook maar één woord met hem heb gewisseld.'

'Goed,' zei Susanne Linder. 'Hij had blijkbaar de pik op je. Hij heeft twee lange periodes in de ziektewet gezeten vanwege stress en een burn-out. Misschien waren er andere redenen voor die afwezigheidperiodes die wij niet kennen.'

Ze stond op en trok haar leren jack aan.

'Zijn harde schijf hou ik. Dat is technisch gezien gestolen goed en moet niet bij jou liggen. Je hoeft niet bang te zijn, ik zal hem thuis vernietigen.'

'Wacht, Susanne ... Hoe zal ik je ooit kunnen bedanken?'

'Tja, je kunt me rugdekking geven als Armanskij uit zijn dak gaat.'

Erika keek haar ernstig aan.

'Kom je hierdoor in de problemen?'

'Ik weet het niet ... ik weet het echt niet.'

'Kunnen we je betalen voor ...'

'Nee. Maar Armanskij stuurt wellicht een factuur voor vannacht. Dat hoop ik maar, want dat zou betekenen dat hij wat ik heb gedaan goedkeurt en dat hij me daardoor hopelijk niet ontslaat.'

'Ik zal ervoor zorgen dat hij een factuur stuurt.'

Erika Berger stond op en gaf Susanne Linder een dikke pakkerd.

'Dank je wel. Als je ooit hulp nodig hebt, dan weet je me te vinden. Wat er ook is.'

'Bedankt. Laat die foto's niet rondslingeren. Milton Security levert trouwens ook zeer solide brandkasten.'

Erika Berger glimlachte.

22
MAANDAG 6 JUNI

Erika Berger werd maandagmorgen om zes uur wakker. Hoewel ze maar een paar uur had geslapen, voelde ze zich opmerkelijk uitgerust. Ze nam aan dat dat een soort fysieke reactie was. Voor het eerst in maanden trok ze haar joggingpak aan en rende als een bezetene naar de steiger en weer terug. Dat wil zeggen, de eerste 100 meter liep ze keihard, tot haar gewonde hiel pijn ging doen en ze het tempo verlaagde en in normaal tempo verder rende. Ze genoot bij elke stap van de pijn in haar voet.

Ze voelde zich als herboren. Het was alsof Magere Hein langs was gekomen, maar zich op het laatste moment had bedacht en naar het huis van de buren was gegaan. Ze kon amper bevatten wat een geluk ze had gehad. Peter Fredriksson had haar foto's vier dagen lang in huis gehad zonder er iets mee te doen. Het scannen duidde erop dat hij iets van plan was geweest, maar dat dat er nog niet van was gekomen.

Wat er ook gebeurde, ze zou Susanne Linder een duur en verrassend kerstcadeau geven. Ze zou iets speciaals bedenken.

Het was halfacht. Ze liet Greger slapen, stapte in haar BMW en reed naar de redactie van de *SMP* bij Norrtull. Ze parkeerde in de garage, nam de lift naar de redactie en nam plaats in haar glazen kooi. Haar eerste maatregel was een huismeester bellen.

'Peter Fredriksson heeft met onmiddellijke ingang ontslag genomen,' zei ze. 'Zou je een verhuisdoos willen regelen en de persoonlijke spullen van zijn bureau willen halen, en willen zorgen dat die vanochtend al bij zijn huis worden afgeleverd?'

Ze keek naar de nieuwsbalie. Anders Holm kwam net binnen. Hij keek in haar richting en knikte haar toe.

Ze knikte terug.

Holm was een eikel, maar na hun confrontatie van een paar weken geleden was hij gestopt met moeilijk doen. Als hij zijn positieve houding aanhield, zou hij het wellicht overleven als nieuwschef. Wellicht.

Ze voelde dat ze het tij kon keren.

Om 8.45 uur zag ze een flits van Borgsjö toen hij uit de lift kwam en via de interne trap naar zijn kamer op de verdieping erboven liep. *Ik moet vandaag met hem babbelen.*

Ze haalde koffie en besteedde wat tijd aan het ochtend-PM. Het was een nieuwsarme morgen. Het enige stuk van belang was een notitie, een zakelijke mededeling dat Lisbeth Salander die zondag naar de gevangenis van Göteborg was overgebracht. Ze gaf haar fiat en mailde de tekst naar Anders Holm.

Om 8.59 uur belde Borgsjö.

'Berger. Kom onmiddellijk naar mijn kamer.'

Daarna hing hij op.

Magnus Borgsjö's gezicht was krijtwit toen Erika Berger zijn deur opendeed. Hij stond op en smeet een stapel papieren op het bureau.

'Wat is dit in godsnaam?' brulde hij.

De moed zonk Erika Berger in de schoenen. Ze hoefde maar een blik op de omslag te werpen om te weten wat Borgsjö in zijn post had gevonden.

Fredriksson had nog niets met de foto's kunnen doen. Maar hij had het verhaal van Henry Cortez wel naar Borgsjö kunnen sturen.

Ze ging rustig voor hem zitten.

'Dat is een tekst die verslaggever Henry Cortez heeft geschreven en die *Millennium* had willen publiceren in het nummer dat vorige week is verschenen.'

Borgsjö keek wanhopig.

'Hoe durf je! Ik heb je naar de SMP gehaald en het eerste wat je doet, is gaan intrigeren. Wat ben jij voor mediahoer?'

De ogen van Erika Berger versmalden zich en ze werd ijskoud. Ze was het woord 'hoer' meer dan zat.

'Denk je werkelijk dat iemand zich hier druk om maakt? Denk je dat je mij door dit soort praatjes onderuit kunt halen? En waarom stuur je het me anoniem toe?'

'Zo is het niet gegaan, Borgsjö.'

'Vertel dan maar hoe het wél is gegaan.'

'Degene die jou die tekst anoniem heeft toegestuurd, is Peter Fredriksson. Hij is gisteren ontslagen.'

‘Waar heb je het in godsnaam over?’

‘Dat is een lang verhaal. Maar ik heb die tekst al meer dan twee weken in huis en heb me suf gepiekerd hoe ik het met je zou moeten opnemen.’

‘Dus jij zit achter die tekst?’

‘Nee, helemaal niet. Henry Cortez heeft onderzoek gedaan en die tekst geschreven. Ik had daar geen idee van.’

‘En jij wilt dat ik dat geloof?’

‘Zo gauw mijn collega’s bij *Millennium* beseften dat jij in de tekst voorkwam, heeft Mikael Blomkvist de publicatie tegengehouden. Hij belde mij en gaf me een kopie. Dat was uit bezorgdheid voor mij. Die kopie is gestolen en de tekst is nu bij jou beland. *Millennium* wilde mij een kans geven om met jou te praten voordat ze zouden gaan publiceren. Wat ze nu in het nummer van augustus gaan doen.’

‘Ik heb nog nooit een journaliste ontmoet die gewetenlozer was dan jij. Dit slaat echt alles!’

‘Oké. Nu je de reportage hebt gelezen, heb je het researchgedeelte misschien ook door kunnen kijken. Cortez heeft een verhaal dat standhoudt. Dat weet je.’

‘En wat heeft dat verdomme te betekenen?’

‘Als jij nog bestuursvoorzitter bent als *Millennium* verschijnt, zal dat de SMP schaden. Ik heb me suf gepiekerd om een uitweg te vinden, maar ik heb niets kunnen bedenken.’

‘Wat bedoel je?’

‘Je moet opstappen.’

‘Maak je een geintje? Ik heb niets onwettigs gedaan.’

‘Magnus, zie je nou echt de reikwijdte van deze onthulling niet in? Laat me het bestuur niet bijeen hoeven roepen. Dat wordt alleen maar pijnlijk.’

‘Jij roept helemaal niets bijeen. Je bent klaar bij de SMP.’

‘Sorry. Alleen het bestuur kan mij ontslaan. Dan moet je ze maar bijeenroepen voor een extra vergadering. Ik stel voor vanmiddag al.’

Borgsjö liep om het bureau heen en ging zo dicht bij Erika Berger staan dat ze zijn adem voelde.

‘Berger ... je hebt een kans om dit te overleven. Ga naar die verdomde vrienden van je bij *Millennium* en zorg dat dit verhaal nooit wordt gedrukt. Als je dit netjes afhandelt, zal ik dit incident vergeten.’

Erika Berger zuchtte.

‘Magnus, je begrijpt de ernst van de situatie gewoon niet. Ik heb geen enkele invloed op wat *Millennium* publiceert of niet. Dit verhaal wordt openbaar, wat ik ook zeg. Het enige waarin ík ben geïnteresseerd, is hoe dit de SMP zal beïnvloeden. Daarom moet je aftreden.'

Borgsjö zette zijn handen op de rug van de stoel en boog zich naar haar over.

'Jouw vrienden bij *Millennium* zullen zich misschien wel bedenken als ze weten dat jij ontslagen wordt op het moment dat zij dit gelul naar buiten brengen.'

Hij kwam weer overeind.

'Ik ga vandaag naar een vergadering in Norrköping.' Hij keek haar aan en voegde daarna nadrukkelijk nog een woord toe. 'SveaBygg.'

'Aha.'

'Als ik morgen terugkom, ga je aan mij rapporteren dat deze zaak is afgehandeld. Is dat duidelijk?'

Hij trok zijn colbertje aan. Erika Berger keek hem met half gesloten ogen aan.

'Handel dit netjes af, dan overleef je het misschien bij de SMP. En nu mijn kamer uit.'

Ze stond op, liep terug naar de glazen kooi en zat twintig minuten doodstil. Toen pakte ze de hoorn van de haak en vroeg Anders Holm naar haar kamer te komen. Hij had van zijn fouten geleerd en verscheen binnen een minuut.

'Ga zitten.'

Anders Holm fronste een wenkbrauw en nam plaats.

'Zo, wat heb ik nú weer fout gedaan?' vroeg hij ironisch.

'Anders, dit is mijn laatste werkdag bij de SMP. Ik neem op staande voet ontslag. Ik roep de vicevoorzitter en de rest van het bestuur voor een lunchafspraak bij elkaar.'

Hij staarde haar ontsteld aan.

'Ik zal hen adviseren jou te benoemen tot interim-hoofdredacteur.'

'Hè?'

'Is dat goed?'

Anders Holm leunde achterover en keek Erika Berger aan.

'Ik heb verdomme nooit hoofdredacteur willen worden,' zei hij.

'Dat weet ik. Maar jij bent hardhandig genoeg. En jij gaat over lijken om een goed verhaal te kunnen publiceren. Ik had alleen gewild dat je wat meer verstand in je kop had gehad.'

'Wat is er eigenlijk gebeurd?'

'Ik heb een andere stijl dan jij. Jij en ik hebben voortdurend ruzie gemaakt over welke draai bepaalde dingen moesten krijgen en we zullen het nooit eens worden.'

'Nee,' zei hij. 'Dat zal nooit gebeuren. Maar het zou kunnen dat mijn stijl ouderwets is.'

'Ik weet niet of ouderwets het juiste woord is. Je bent een ontzettend goed nieuwsdier, maar je gedraagt je als een klootzak. Dat is volstrekt onnodig. Maar over één ding zijn we het steeds oneens geweest. Ik heb voortdurend beweerd dat de beoordeling van wat nieuws is niet beïnvloed mag worden door je persoonlijke mening.'

Erika Berger keek Anders Holm plotseling met een gemeen lachje aan. Ze deed haar tas open en pakte haar kopie van het Borgsjö-verhaal.

'Laten we jouw gevoel voor nieuwsgaring testen. Ik heb hier een verhaal dat we hebben gekregen van Henry Cortez, een medewerker van *Millennium*. Mijn besluit is nu, vandaag, dat we deze tekst meenemen als het openingsverhaal van morgen.'

Ze gooide het rapport bij Holm op schoot.

'Jij bent de nieuwschef. Ik ben benieuwd of jij mijn nieuwsinschatting deelt.'

Anders Holm deed de map open en begon te lezen. Al bij de inleiding zette hij grote ogen op. Hij ging kaarsrecht op zijn stoel zitten en staarde Erika Berger aan. Toen keek hij omlaag en las de hele tekst van begin tot einde door. Hij sloeg de documentatie open en las deze zorgvuldig. Dat duurde tien minuten. Daarna legde hij de map langzaam weg.

'Dit zal een hoop commotie veroorzaken.'

'Dat weet ik. Daarom is dit mijn laatste werkdag hier. *Millennium* wilde het verhaal al in het juninummer plaatsen, maar Mikael Blomkvist heeft het tegengehouden. Hij heeft mij de tekst gegeven zodat ik met Borgsjö kon praten voordat zij ermee naar buiten zouden treden.'

'En?'

'Borgsjö heeft mij geboden te zorgen dat dit verhaal in de doofpot wordt gestopt.'

'Ik snap het. Dus nu ben je van plan het uit koppigheid in de SMP te zetten?'

'Nee, niet uit koppigheid. We hebben geen andere uitweg. Als de SMP dit publiceert, hebben we kans het vege lijf te redden. Borgsjö moet vertrekken. Maar het betekent ook dat ik hierna niet kan aanblijven.'

Holm zat twee minuten doodstil.

'Jezus, Berger. Ik had niet gedacht dat je zó hard zou zijn. Ik had niet gedacht dat ik dit ooit zou zeggen, maar nu blijkt dat je zoveel haar op je tanden hebt, vind ik het zonde dat je opstapt.'

'Jij zou de publicatie kunnen tegenhouden, maar als jij en ik allebei ons fiat geven ... Ben je van plan dat verhaal te publiceren?'

'Natuurlijk. Het zal hoe dan ook uitlekken.'

'Precies.'

Anders Holm kwam overeind en stond onzeker bij haar bureau.

'Aan het werk,' zei Erika Berger.

Nadat Holm haar kamer had verlaten, wachtte ze vijf minuten voordat ze de telefoon pakte en Malin Eriksson bij *Millennium* belde.

'Hoi, Malin. Heb je Henry Cortez in de buurt?'

'Ja, hij zit aan zijn bureau.'

'Kun je hem even op jouw kamer roepen en de telefoon op luidspreker zetten? We moeten overleggen.'

Henry Cortez was binnen vijftien seconden ter plaatse.

'Wat is er?'

'Henry, ik heb vandaag iets immoreels gedaan.'

'O, wat dan?'

'Ik heb jouw verhaal over Vitvara aan Anders Holm gegeven, de nieuwschef hier bij de SMP.'

'O ...'

'Ik heb hem gesommeerd het verhaal morgen in de SMP te zetten. Met jouw naam erbij. En je krijgt uiteraard een vergoeding. Je mag je eigen prijs bepalen.'

'Erika ... wat is er in godsnaam aan de hand?'

Ze vatte samen wat er de afgelopen weken was gebeurd en vertelde hoe Peter Fredriksson haar bijna kapot had gemaakt.

'Shit,' zei Henry Cortez.

'Ik weet dat dit jouw verhaal is, Henry, maar ik heb geen keus. Kun jij je hierin vinden?'

Henry Cortez zweeg een paar seconden.

'Bedankt dat je hebt gebeld, Erika. Je kunt mijn verhaal met mijn naam erbij opnemen. Althans, als Malin het goedvindt.'

'Ik vind het prima,' zei Malin.

'Mooi,' zei Erika. 'Kunnen jullie het aan Mikael vertellen? Ik neem aan dat hij er nog niet is.'

'Ik zal met Mikael praten,' zei Malin Eriksson. 'Maar Erika, houdt dat in dat je vanaf vandaag werkloos bent?'

Erika moest lachen.

'Ik heb besloten de rest van het jaar vakantie te nemen. Geloof me, een paar weken bij de SMP waren voldoende.'

'Volgens mij moet je geen vakantie gaan plannen,' zei Malin.

'Hoezo niet?'

'Kun je vanmiddag bij *Millennium* langskomen?'

'Waarom?'

'Ik heb hulp nodig. Als je weer terug wilt komen als hoofdredacteur, kun je morgenochtend beginnen.'

'Malin, jij bent de hoofdredacteur van *Millennium*. Van iets anders kan geen sprake zijn.'

'Goed. Dan kun je beginnen als redactiesecretaris,' grapte Malin.

'Meen je het serieus?'

'Jezus, Erika, ik mis je ontzettend. Ik heb die baan bij *Millennium* onder andere genomen omdat ik dan met jou zou kunnen samenwerken. En dan zit je opeens bij de verkeerde krant.'

Erika Berger zweeg geruime tijd. Ze had niet eens gedacht aan de mogelijkheid van een comeback bij *Millennium*.

'Zou ik welkom zijn?' vroeg ze langzaam.

'Wat denk je? Ik denk dat we meteen een groot feest zouden organiseren en ik ben de hoofdorganisator. En je zou net op tijd terug zijn voor de publicatie van jeweetwel.'

Erika keek op de klok op haar bureau. Vijf voor tien. In de loop van een uur was haar hele leven op zijn kop gezet. Ze voelde opeens hoe ze ernaar verlangde de trap naar *Millennium* weer op te lopen.

'Ik heb de komende uren het een en ander te doen bij de SMP. Is het goed als ik tegen vieren langskom?'

Susanne Linder keek Dragan Armanskij recht in de ogen terwijl ze exact vertelde wat er die nacht was gebeurd. Het enige wat ze wegliet, was haar plotselinge overtuiging dat het hacken van Fredrikssons computer met Lisbeth Salander te maken had. Ze liet dat om twee redenen achterwege. Ten eerste vond ze het te onwaarschijnlijk klinken. En ten tweede wist ze dat Dragan Armanskij samen met Mikael Blomkvist sterk betrokken was bij de Salander-affaire.

Armanskij luisterde aandachtig. Toen Susanne Linder klaar was, zat ze zwijgend te wachten op zijn reactie.

'Greger Backman belde een uur geleden,' zei hij.

'Aha.'

'Erika Berger en hij komen van de week een keer langs om het con-

tract te tekenen. Ze bedankten voor de inzet van Milton en met name voor jóúw inzet.'
'Mooi. Tevreden klanten zijn altijd fijn.'
'Hij wilde ook een brandkast bestellen. Het alarmpakket wordt later deze week geïnstalleerd en afgemaakt.'
'Mooi.'
'Hij wil dat we jouw inzet van het weekend factureren.'
'Hm.'
'Ze krijgen met andere woorden een vette rekening.'
'Aha.'
Armanskij zuchtte.
'Susanne, je bent je ervan bewust dat Fredriksson naar de politie kan gaan en aangifte kan doen van een aantal zaken?'
Ze knikte.
'Hij is er zelf dan ook gloeiend bij, maar misschien vindt hij het dat wel waard.'
'Ik denk niet dat hij voldoende ruggengraat heeft om naar de politie te gaan.'
'Dat kan zijn, maar je hebt gehandeld buiten alle instructies om die ik je had gegeven.'
'Ik weet het,' zei Susanne Linder.
'En hoe denk je dat ik daarop zal reageren?'
'Dat is aan jou.'
'Maar hoe vind je dat ik zou móéten reageren?'
'Mijn mening doet niet ter zake. Je kunt me altijd ontslaan.'
'Geen sprake van. Ik kan een medewerker van jouw kaliber helemaal niet missen.'
'Bedankt.'
'Maar als je in de toekomst weer zoiets doet, word ik heel boos.'
Susanne Linder knikte.
'Wat heb je met die harddisk gedaan?'
'Die is vernietigd. Ik heb hem vanochtend in een bankschroef gezet en versplinterd.'
'Oké, dan zetten we hier een streep onder.'

Erika Berger bracht de ochtend door met het opbellen van de bestuursleden van de SMP. Ze trof de vicevoorzitter aan in zijn zomerhuisje in Vaxholm. Hij beloofde onmiddellijk in zijn auto te stappen en naar de redactie te komen. Na de lunch kwam een sterk afgeslankt bestuur bij elkaar. Erika Berger legde in een halfuur uit hoe de Cortezmap was ontstaan en welke consequenties deze had.

Toen ze uitgesproken was, kwamen de verwachte voorstellen dat er wellicht een alternatieve oplossing kon worden gezocht. Erika legde uit dat de SMP het verhaal in de krant van de volgende dag wilde plaatsen. Ze verklaarde ook dat dit haar laatste werkdag was en dat haar beslissing onherroepelijk was.

Het bestuur keurde twee beslissingen goed en deze werden ook genotuleerd. Magnus Borgsjö zou worden verzocht zijn plaats met onmiddellijke ingang ter beschikking te stellen en Anders Holm zou worden aangesteld als interim-hoofdredacteur. Daarna verontschuldigde ze zich en verliet ze het bestuur zodat dat de situatie intern kon bespreken.

Om twee uur ging ze naar personeelszaken en stelde een contract op. Daarna ging ze naar de cultuurredactie en vroeg een gesprek aan met cultuurchef Sebastian Strandlund en verslaggeefster Eva Carlsson.

'Wat ik ervan heb begrepen, vinden jullie bij cultuur Eva Carlsson een goede en verdienstelijke verslaggeefster.'

'Dat klopt,' zei cultuurchef Strandlund.

'En jullie hebben de laatste twee jaar in je budgetaanvraag verzocht of de redactie met ten minste twee personen kon worden versterkt.'

'Ja.'

'Eva. In verband met de correspondentie waarvan jij de dupe bent geworden, ontstaan er wellicht onaangename geruchten als ik je een vaste aanstelling geef. Maar heb je nog steeds belangstelling?'

'Tuurlijk.'

'In dat geval is mijn laatste beslissing bij de SMP het ondertekenen van deze arbeidsovereenkomst.'

'Laatste?'

'Dat is een lang verhaal. Maar ik stop vandaag. Zouden jullie dat alsjeblieft nog een paar uur stil kunnen houden?'

'Wat ...?'

'Er komt straks een PM.'

Erika Berger ondertekende het contract eerst zelf en schoof het toen over tafel naar Eva Carlsson.

'Succes,' zei ze lachend.

'De onbekende oudere man die zaterdag aan de bespreking bij Ekström heeft deelgenomen, heet Georg Nyström en is commissaris,' zei Monica Figuerola terwijl ze enkele foto's voor Torsten Edklinth op het bureau legde.

'Commissaris,' mompelde Edklinth.

'Stefan heeft hem gisteravond geïdentificeerd. Hij kwam met de auto naar het pand aan de Artillerigatan.'

'Wat weten we over hem?'

'Hij komt van de politie en werkt sinds 1983 bij de veiligheidsdienst. Sinds 1996 heeft hij een baan als onderzoeker met een eigen verantwoordelijkheid. Hij voert interne controles uit en screent zaken die de veiligheidsdienst heeft afgerond.'

'Oké.'

'Sinds zaterdag zijn er in totaal zes personen van belang bij dat pand naar binnen gegaan. Behalve Jonas Sandberg en Georg Nyström is ook Fredrik Clinton daar. Hij is vanochtend met het ziekenvervoer naar de dialyse geweest.'

'Wie zijn de andere drie?'

'Een man genaamd Otto Hallberg. Hij werkt sinds de jaren tachtig bij de veiligheidsdienst, maar is eigenlijk verbonden aan de generale staf. Hij maakt deel uit van de marine en de militaire inlichtingendienst.'

'Aha. Waarom ben ik niet verbaasd?'

Monica Figuerola legde een nieuwe foto op tafel.

'Deze knul hebben we nog niet geïdentificeerd. Hij is samen met Hallberg gaan lunchen. We moeten kijken of we hem vanavond kunnen identificeren als hij naar huis gaat.'

'Goed.'

'Deze persoon is echter het interessantst.'

Ze legde nog een foto op het bureau.

'Die ken ik,' zei Edklinth.

'Hij heet Wadensjöö.'

'Inderdaad. Hij werkte zo'n vijftien jaar geleden bij de afdeling Terrorisme. Bureaugeneraal. Hij was een van de kandidaten voor een van de hoogste functies hier bij de Firma. Ik weet niet wat er met hem is gebeurd.'

'Hij heeft in 1991 ontslag genomen. Raad eens met wie hij een uur geleden heeft geluncht?'

Ze legde de laatste foto op het bureau.

'Chef de bureau Albert Shenke en budgetverantwoordelijke Gustav Atterbom.'

'Ik wil die figuren vierentwintig uur per dag onder toezicht stellen. Ik wil precies weten wie zij ontmoeten.'

'Dat is onredelijk. Ik heb maar vier man tot mijn beschikking. En er moet ook aan de documentatie worden gewerkt.'

Edklinth knikte en kneep nadenkend in zijn onderlip. Na een tijdje keek hij Monica Figuerola aan.

'We hebben meer mensen nodig,' zei hij. 'Denk jij dat je inspecteur Jan Bublanski een beetje discreet kunt benaderen en hem kunt vragen of hij vanavond na het werk met mij zou willen dineren? Zo tegen zevenen?'

Edklinth reikte naar zijn telefoon en toetste een nummer in dat hij uit zijn hoofd kende.

'Hallo, Armanskij. Met Edklinth. Zou ik jou nu op mijn beurt mogen uitnodigen voor een gezellig etentje? Nee, ik sta erop. Zullen we zeggen vanavond om zeven uur?'

Lisbeth Salander had de nacht doorgebracht in de Kronobergsgevangenis, in een cel van ongeveer 2 bij 4 meter. Over de inrichting viel weinig te zeggen. Ze was vijf minuten nadat ze was opgesloten in slaap gevallen, was maandagmorgen vroeg wakker geworden en had gehoorzaam de rek- en strekoefeningen gedaan die de therapeut in het Sahlgrenska had voorgeschreven. Daarna had ze ontbijt gekregen en stil op haar brits voor zich uit zitten staren.

Om halftien was ze naar een verhoorkamer aan het andere eind van de gang gebracht. De bewaker was een oudere, kleine, kale man met een rond gezicht en een hoornen bril. Hij behandelde haar correct en goedmoedig.

Annika Giannini had haar vriendelijk gegroet. Lisbeth had Hans Faste genegeerd. Daarna had ze voor het eerst officier van justitie Richard Ekström ontmoet en het halfuur daarna had ze op een stoel gezeten en stuurs naar de muur zitten staren, naar een punt een stukje boven Ekströms hoofd. Ze zei geen woord en vertrok geen spier.

Om tien uur beëindigde Ekström het mislukte verhoor. Het ergerde hem dat hij er niet in was geslaagd haar ook maar enige respons te ontlokken. Voor het eerst werd hij onzeker toen hij naar het magere, popperige meisje keek. Hoe had zij Magge Lundin en Sonny Nieminen in Stallarholmen kunnen mishandelen? Zou de rechtbank dat verhaal wel geloven, ook al had hij overtuigend bewijs?

Om twaalf uur kreeg Lisbeth een eenvoudige lunch. Ze besteedde het uur erna aan het oplossen van vergelijkingen in haar hoofd. Ze concentreerde zich op een hoofdstuk over sferische astronomie in een boek dat ze twee jaar daarvoor had gelezen.

Om halfdrie werd ze naar de verhoorkamer teruggebracht. De bewaker die haar begeleidde, was deze keer een jonge vrouw. De verhoorkamer was leeg. Ze ging op een stoel zitten en mediteerde verder over een buitengewoon complexe vergelijking.

Na tien minuten ging de deur open.

'Dag Lisbeth,' groette Peter Teleborian vriendelijk.

Hij glimlachte. Lisbeth Salander verstijfde. De bestanddelen van de vergelijking die ze in de lucht voor zich had geconstrueerd, vielen op de grond in duigen. Ze kon de cijfers en tekens haast horen stuiteren en rinkelen.

Peter Teleborian stond haar een minuutje aan te kijken voordat hij tegenover haar ging zitten. Ze bleef naar de muur staren.

Na een tijdje verplaatste ze haar blik en keek hem aan.

'Het spijt me dat je in deze situatie verzeild bent geraakt,' zei Peter Teleborian. 'Ik zal je op alle manieren proberen te helpen. Ik hoop dat we een onderlinge vertrouwensrelatie kunnen opbouwen.'

Lisbeth nam elke centimeter van hem in zich op. Het samengeklitte haar. Zijn baard. Het spleetje tussen zijn voortanden. Zijn dunne lippen. Zijn bruine colbert. Het overhemd met de bovenste knoopjes open. Ze hoorde zijn zachte en verraderlijk-vriendelijke stem.

'Ik hoop ook dat ik je beter zal kunnen helpen dan de vorige keer dat we elkaar zagen.'

Hij legde een schrijfblokje en een pen voor zich op tafel. Lisbeth keek omlaag naar de pen. Hij was puntig en zilverkleurig.

Consequentieanalyse.

Ze onderdrukte de impuls om haar hand uit te steken en de pen naar zich toe te grissen.

Haar ogen zochten zijn linkerpink. Ze zag een licht, wit randje op de plek waar ze vijftien jaar daarvoor haar tanden in het vlees had gezet en haar kaken zo stevig op slot had gedaan dat ze zijn vinger bijna had afgebeten. Er waren drie bewakers nodig geweest om haar vast te houden en haar kaken open te breken.

Die keer was ik een klein, bang meisje. Een tiener. Nu ben ik volwassen. Als ik wil, kan ik je vermoorden.

Ze richtte haar blik op een punt op de muur achter Teleborian, en begon de cijfers en wiskundige tekens van de grond op te vissen en zette de vergelijking opnieuw op.

Dokter Peter Teleborian keek Lisbeth Salander met een neutrale gelaatsuitdrukking aan. Hij was een internationaal gezaghebbend psychiater geworden, omdat hij inzicht in mensen had. Hij was goed in staat gevoelens en gemoedstoestanden af te lezen. Hij ervoer dat er een kille schaduw door de kamer trok, maar hij interpreteerde dit als een teken dat de patiënte onder het onverstoorbare oppervlak angst- en schaamtegevoelens had. Hij zag dat als een goed teken; dat ze ondanks alles op zijn aanwezigheid reageerde. Hij was ook content dat haar gedrag niet was veranderd. *Ze redt het nooit in de rechtbank.*

De laatste maatregel van Erika Berger bij de SMP was het schrijven van een PM aan de medewerkers. Ze zat in haar glazen kooi en was vrij geïrriteerd toen ze begon, en tegen beter weten in werden het twee A4'tjes waarin ze uitlegde waarom ze stopte bij de SMP en aangaf wat ze van bepaalde personen vond. Ze wiste de hele tekst en begon opnieuw, op een wat zakelijker toon.

Ze zei niets over Peter Fredriksson. Als ze dat zou doen, zou alle belangstelling naar hem uitgaan en zouden de daadwerkelijke redenen verloren gaan in koppen over seksuele intimidatie.

Ze gaf twee redenen op. De belangrijkste was dat ze bij het management veel weerstand had ondervonden tegen haar voorstel dat leidinggevenden en eigenaren moesten snoeien in hun salarissen en winstbonussen. Ze zou in plaats daarvan haar tijd bij de SMP moeten beginnen met forse inkrimpingen van het personeelsbestand. En dat was niet alleen niet in overeenstemming met wat haar was voorgespiegeld toen ze deze baan aannam, het zou tevens alle pogingen voor langetermijnveranderingen en versterking van de positie van de krant onmogelijk maken.

De tweede reden was de onthulling over Borgsjö. Ze legde uit dat ze gesommeerd was het verhaal in de doofpot te stoppen, maar dat dat niet in haar taakomschrijving stond. Het hield echter in dat ze geen keus had en van mening was dat ze de redactie moest verlaten. Ze eindigde met de constatering dat het probleem van de SMP niet een personeelsprobleem was maar een managementprobleem.

Ze las het PM een keer door, corrigeerde een typefout en mailde het naar alle medewerkers binnen het concern. Ze maakte een kopie en stuurde deze naar *Pressens Tidning* en het vakblad *Journalisten*. Vervolgens pakte ze haar laptop in en ging naar Anders Holm.

'Dag Holm,' zei ze.

'Dag Berger. Het was een ellende om met je samen te werken.'

Ze glimlachten naar elkaar.

'Nog één ding,' zei ze.

'Wat dan?'

'Johannes Frisk heeft voor mijn rekening aan een verhaal gewerkt.'

'En niemand weet waar hij mee bezig is.'

'Geef hem ruggensteun. Hij is vrij ver gekomen en ik blijf contact met hem houden. Laat hem zijn klus afmaken. Ik beloof je dat het wat zal opleveren.'

Hij keek bedenkelijk. Daarna knikte hij.

Ze gaven elkaar geen hand. Ze legde haar toegangspasje op het bureau van Holm, ging naar de parkeergarage en haalde haar BMW. Ze parkeerde even na vieren in de buurt van de redactie van *Millennium.*

Deel 4

REBOOTING SYSTEM

1 juli tot 7 oktober

Ondanks de rijke schat aan amazonelegenden uit het oude Griekenland, Zuid-Amerika, Afrika en andere plaatsen, is er slechts één historisch gedocumenteerd voorbeeld van vrouwelijke strijders. Dat is het vrouwenleger van de Fon, een bevolkingsgroep in het West-Afrikaanse Dahomey, het huidige Benin.

Deze vrouwelijke strijders worden nooit in de openbare militaire geschiedenis genoemd, er zijn geen geromantiseerde films over gemaakt en vandaag de dag komen ze hoogstens voor als vergeten historische voetnoten. Er is slechts één wetenschappelijk stuk over deze vrouwen geschreven, *Amazons of Black Sparta*, van de historicus Stanley B. Alpern (Hurst & Co Ltd, Londen 1998). Toch was het een leger dat zich kon meten met welk toenmalig leger van mannelijke elitesoldaten van de bezettingsmachten ook.

Het is onduidelijk wanneer het vrouwenleger van Fon precies is ontstaan, maar sommige bronnen dateren het leger rond de zeventiende eeuw. Het was oorspronkelijk een koninklijke garde, maar die ontwikkelde zich tot een militair collectief bestaande uit zesduizend soldaten met een halfgoddelijke status. Ze dienden niet zomaar als versiering. Gedurende ruim tweehonderd jaar vormden ze de speerpunt van de Fon tegen binnenvallende kolonisatoren. Ze werden gevreesd door de Franse militairen, die bij meerdere veldslagen werden overwonnen. Pas in 1892 kon het vrouwenleger worden verslagen, nadat Frankrijk per boot moderne troepen met artillerie, soldaten van het vreemdelingenlegioen, een marine-infanterieregiment en cavalerie had aangevoerd.

Het is onbekend hoeveel van de vrouwelijke strijders zijn gesneuveld. Overlevenden gingen jarenlang door met guerrillaoorlogen en zelfs in de jaren veertig van de vorige eeuw werden veteranen van het leger nog geïnterviewd en gefotografeerd.

23
VRIJDAG 1 JULI – ZONDAG 10 JULI

Twee weken voor de rechtszaak tegen Lisbeth Salander legde Christer Malm de laatste hand aan de lay-out van het 364 pagina's dikke boek met de bondige titel *De Sectie*. De omslag was blauw. De tekst was geel. Christer Malm had zeven postzegelgrote zwart-witportretten van Zweedse ministers-presidenten onder aan de cover gezet. Boven hen zweefde een foto van Zalachenko. Hij had de pasfoto van Zalachenko als illustratie gebruikt en het contrast vergroot, zodat alleen de donkerste gedeelten als een schaduw over de hele omslag naar voren kwamen. Het was geen geavanceerd ontwerp, maar het was effectief. Als auteurs stonden vermeld Mikael Blomkvist, Henry Cortez en Malin Eriksson.

Het was halfzes 's morgens en Christer Malm had de hele nacht gewerkt. Hij voelde zich een beetje misselijk en had een wanhopige behoefte om naar huis te gaan en te slapen. Malin Eriksson had de hele nacht bij hem gezeten en de eindcorrecties gedaan van de pagina's die Christer stuk voor stuk had uitgeprint. Zij was inmiddels op de bank op de redactie in slaap gevallen.

Christer Malm zette het document met foto's en lettertypen in een map. Hij startte het programma Toast en brandde twee cd's. De ene legde hij in de brandkast op de redactie. De andere kwam een slaapdronken Mikael Blomkvist even voor zevenen halen.

'Ga naar huis om te slapen,' zei hij.

'Ik ben al onderweg,' antwoordde Christer.

Ze lieten Malin Eriksson verder slapen en schakelden het deuralarm in. Henry Cortez zou om acht uur komen om de volgende shift voor zijn rekening te nemen. Ze deden een high five en gingen buiten uiteen.

Mikael Blomkvist wandelde naar de Lundagatan, waar hij opnieuw ongeoorloofd Lisbeth Salanders vergeten Honda leende. Hij bracht de cd persoonlijk naar Jan Köbin, de baas van Hallvigs Reklam, dat in een onaanzienlijk stenen gebouw naast de spoorlijn in Morgongåva buiten Sala lag. Het bezorgen was een opdracht die hij niet aan de posterijen wilde toevertrouwen.

Hij reed langzaam en zonder te stressen, en bleef even wachten terwijl de drukkerij controleerde of de cd het deed. Hij verzekerde zich ervan dat het boek daadwerkelijk klaar zou zijn op de dag dat de rechtszaak begon. Het probleem was niet zozeer het drukken, maar het binden van het boek, dat wellicht langer kon duren. Maar Jan Köbin beloofde dat er minstens vijfhonderd exemplaren van de eerste oplage van tienduizend op de betreffende datum klaar zouden zijn. Het boek zou worden uitgegeven op groot pocketformaat.

Mikael verzekerde zich er tevens van dat iedereen zich er goed van bewust was, dat voor deze opdracht de grootst mogelijke mate van geheimhouding gold. Dat was vermoedelijk een overbodige garantie. Hallvigs had twee jaar daarvoor onder vrijwel identieke omstandigheden Mikaels boek over financieel expert Hans-Erik Wennerström gedrukt. Ze wisten dat boeken van de kleine uitgeverij Millennium iets extra's beloofden.

Daarna keerde Mikael in gezapig tempo terug naar Stockholm. Hij parkeerde bij zijn woning aan de Bellmansgatan, bracht een kort bezoek aan zijn appartement en haalde een tas, waarin hij wat schone kleren, zijn scheerspullen en een tandenborstel stopte. Hij reed naar de Stavsnäs-steiger in Värmdö, waar hij parkeerde en de veerboot naar Sandhamn nam.

Het was de eerste keer sinds kerst dat hij in zijn zomerhuisje kwam. Hij schroefde de luiken voor de ramen los en liet frisse lucht binnen. Hij dronk een Ramlösa. Zoals altijd wanneer hij een klus had afgerond, de tekst naar de drukker was en er niets meer aan gedaan kon worden, voelde hij zich leeg.

Daarna besteedde hij een uur aan vegen, stoffen, uitsoppen van de douche, de koelkast aan de praat krijgen, controleren of het water het deed en het verschonen van het bed op de slaapzolder. Hij ging naar de ICA en kocht alles wat hij voor een weekend nodig dacht te hebben. Toen zette hij het koffiezetapparaat aan, ging op de veranda zitten, rookte een sigaret en dacht aan niets speciaals.

Even voor vijven ging hij naar de steiger om Monica Figuerola af te halen.

'Ik had niet gedacht dat je vrij zou kunnen nemen,' zei hij en hij kuste haar op haar wang.

'Ik ook niet. Maar ik heb tegen Edklinth gezegd dat ik de laatste weken elke wakkere minuut heb gewerkt en ineffectief begon te worden. En dat ik twee dagen nodig had om de batterij op te laden.'

'In Sandhamn?'

'Ik heb er niet bij gezegd waar ik naartoe ging,' zei ze lachend.

Monica Figuerola keek rond in Mikaels 25 vierkante meter grote huis. Ze onderwierp de kitchenette, de badkamer en de slaapzolder aan een kritische inspectie voordat ze goedkeurend knikte. Ze friste zich even op en trok een dun zomerjurkje aan terwijl Mikael lamskoteletjes in rodewijnsaus braadde en buiten de tafel dekte. Ze aten zwijgend, terwijl ze naar de stroom zeilboten keken die op weg waren naar of van de jachthaven van Sandhamn. Ze deelden een fles wijn.

'Het is een heerlijk huisje. Neem je al je vriendinnen hier mee naartoe?' vroeg Monica Figuerola plotseling.

'Niet allemaal. Alleen de belangrijkste.'

'Erika Berger is hier geweest?'

'Diverse malen.'

'En Lisbeth Salander?'

'Zij heeft hier een paar weken gelogeerd toen ik het boek over Wennerström schreef. En we hebben hier twee jaar geleden kerst gevierd.'

'Dus Berger en Salander zijn belangrijk in je leven?'

'Erika is mijn beste vriendin. We zijn al ruim vijfentwintig jaar bevriend. Lisbeth is een heel ander verhaal. Zij is heel speciaal en de meest asociale persoon die ik ooit heb ontmoet. Je kunt zeggen dat ze een grote indruk op mij heeft gemaakt toen we elkaar voor het eerst ontmoetten. Ik mag haar graag. Ze is een vriendin.'

'Heb je medelijden met haar?'

'Nee. Een heleboel ellende heeft ze zichzelf op de hals gehaald. Maar ik voel veel sympathie vóór en saamhorigheid mét haar.'

'Maar je bent niet verliefd op haar of op Berger?'

Hij haalde zijn schouders op. Monica Figuerola keek naar een laat aangekomen Amigo 23 met ontstoken lantaarns die op een buitenboordmotor langspruttelde op weg naar de jachthaven.

'Als liefde is dat je erg veel om iemand geeft, neem ik aan dat ik op een heleboel mensen verliefd ben,' zei hij.

'En nu op mij?'

Mikael knikte. Monica Figuerola fronste haar wenkbrauwen en keek hem aan.

'Stoort het je?' vroeg hij.

'Dat je eerder vrouwen hebt gehad? Nee. Maar wat mij stoort, is dat ik niet precies weet wat er tussen ons gebeurt. En ik geloof niet dat ik een relatie wil hebben met iemand die maar een beetje rondneukt zoals het hem uitkomt ...'

'Ik ben niet van plan me te verontschuldigen voor mijn leven.'

'En ik neem aan dat ik op de een of andere manier voor je val, omdat je bent wie je bent. Het is lekker om met je te vrijen omdat het ongedwongen is, en ik voel me veilig bij jou. Maar het is begonnen, omdat ik toegaf aan een gestoorde impuls. Dat gebeurt niet vaak en ik had niets gepland. En nu zijn we in een stadium gekomen dat ik een van de vrouwen ben die hier wordt uitgenodigd.'

Mikael zweeg eventjes.

'Je hóéfde niet te komen.'

'Jawel. Dat moest wél. Shit, Mikael ...'

'Ik weet het.'

'Ik ben ongelukkig. Ik wil niet verliefd op je worden. Dat doet veel te veel pijn als het uit gaat.'

'Ik heb dit huis gekregen toen mijn vader stierf en mijn moeder terugging naar Norrland. We hebben het zo verdeeld dat mijn zus de flat kreeg en ik dit huisje. Ik heb het al bijna vijfentwintig jaar.'

'Aha.'

'Afgezien van een aantal vage kennissen begin jaren tachtig zijn er exact vijf vrouwen die hier vóór jou zijn geweest. Erika, Lisbeth en mijn ex-vrouw, met wie ik in de jaren tachtig getrouwd was. Een vrouw die ik begin jaren negentig heel serieus heb gedated en een vrouw die iets ouder is dan ik en die ik twee jaar geleden heb ontmoet en af en toe zie. Dat is een beetje een apart verhaal ...'

'O.'

'Ik heb dit huis om even de stad te kunnen ontvluchten en tot mezelf te kunnen komen. Ik ben hier bijna altijd alleen. Ik lees boeken, ik schrijf, ik relax en zit op de steiger naar boten te kijken. Het is niet het geheime liefdesnestje van een vrijgezel.'

Hij stond op en haalde de wijnfles, die hij in de schaduw bij de deur had gezet.

'Ik ben niet van plan om iets te beloven,' zei hij. 'Mijn huwelijk is gestrand, omdat Erika en ik niet van elkaar af konden blijven. *Been there, done that, got the T-shirt.*'

Hij vulde de glazen bij.

'Maar jij bent de interessantste persoon die ik in jaren ben tegengekomen. Het is alsof onze relatie vanaf dag één op volle toeren draait. Ik geloof dat ik al voor je ben gevallen toen je mij in het trappenhuis zat op te wachten. De weinige nachten die ik sindsdien thuis heb geslapen, werd ik midden in de nacht wakker en verlangde ik naar jou. Ik weet niet of ik een vaste vriendin wil, maar ik ben doodsbang om je kwijt te raken.'

Hij keek haar aan.

'Dus wat vind je dat we moeten doen?'

'Laten we erover nadenken,' zei Monica Figuerola. 'Ik voel me ook ontzettend tot jou aangetrokken.'

'Dit begint serieus te worden,' zei Mikael.

Hij knikte en ervoer plotseling een groot gevoel van weemoed. Vervolgens zeiden ze een hele tijd niets. Toen het donker werd, ruimden ze de tafel af, gingen naar binnen en deden de deur dicht.

De vrijdag voor de rechtszaak bleef Mikael voor de Pressbyrå-kiosk bij Slussen staan. Hij snelde de krantenkoppen. De algemeen directeur en bestuursvoorzitter van de *Svenska Morgon-Posten,* Magnus Borgsjö, had gecapituleerd en had zijn vertrek aangekondigd. Mikael kocht de kranten, liep naar café Java op de Hornsgatan en nuttigde een laat ontbijt. Borgsjö voerde familieomstandigheden aan als reden voor zijn plotselinge vertrek. Hij wilde geen commentaar geven op de beweringen dat zijn vertrek iets te maken zou hebben met het feit dat Erika Berger zich genoodzaakt had gezien af te treden, nadat hij haar had opgedragen het verhaal over zijn betrokkenheid bij groothandel Vitvara AB in de doofpot te stoppen. Als bladvulling werd echter gemeld dat de voorzitter van Svenskt Näringsliv, de hoofdorganisatie voor het Zweedse bedrijfsleven, had besloten onderzoek te doen naar de manier waarop Zweedse bedrijven omgingen met bedrijven in Zuidoost-Azië die gebruikmaakten van kinderarbeid.

Mikael Blomkvist barstte plotseling in lachen uit.

Daarna vouwde hij de ochtendkranten op, klapte zijn Ericsson T10 open en belde 'Zij van TV4'. Ze zat net te lunchen.

'Dag schat,' zei Mikael Blomkvist. 'Ik neem aan dat ik je nog steeds niet kan strikken voor een date?'

'Hoi, Mikael,' lachte 'Zij van TV4'. 'Sorry, maar je bent absoluut mijn type niet. Maar je bent wel ontzettend grappig.'

'Maar zou je je kunnen indenken om vanavond met mij te gaan eten om over het werk te praten?'

'Waar ben je mee bezig?'

'Erika Berger heeft twee jaar geleden een deal met je gesloten over de Wennerström-affaire. Dat werkte goed. Ik zou eenzelfde soort deal met je willen sluiten.'

'Vertel.'

'Niet voordat we afspraken hebben gemaakt over de voorwaarden. Net als bij Wennerström gaan we een boek publiceren in combinatie met een themanummer van het blad. En dit verhaal wordt groot. Ik bied je een exclusieve preview aan van al het materiaal als je belooft dat je niets lekt voordat we gaan publiceren. De publicatie is in dit geval extra gecompliceerd, omdat die op een specifieke dag moet plaatsvinden.'

'Hoe groot is dat verhaal?'

'Groter dan dat van Wennerström,' zei Mikael Blomkvist. 'Heb je belangstelling?'

'Maak je een geintje? Waar spreken we af?'

'Wat denk je van Samirs Stoofpot? Erika Berger zal ook aanwezig zijn.'

'Hoe zit dat met Berger? Is ze weer terug bij *Millennium* nadat ze bij de SMP is ontslagen?'

'Ze is niet ontslagen. Ze heeft op staande voet ontslag genomen na meningsverschillen met Borgsjö.'

'Hij komt over als een ontzettende stommeling.'

'Klopt,' zei Mikael Blomkvist.

Fredrik Clinton luisterde via zijn koptelefoon naar Verdi. Muziek was vrijwel het enige in zijn bestaan wat hem afleiding bezorgde van dialyseapparaten en een toenemende pijn in zijn onderrug. Hij neuriede niet mee. Hij sloot zijn ogen en volgde de klanken met zijn rechterhand, die zweefde en een eigen leven leek te leiden naast zijn steeds meer getergde lichaam.

Zo is het gewoon. We worden geboren. We leven. We worden oud. We gaan dood. Hij had het zijne gedaan. Alles wat overbleef, was het verval.

Hij voelde zich opmerkelijk content met zijn bestaan.

Hij speelde voor zijn vriend Evert Gullberg.

Het was zaterdag 9 juli. Nog minder dan een week tot de rechtszaak zou beginnen en de Sectie dit ellendige verhaal in het archief kon stoppen. Hij had die ochtend bericht gekregen. Gullberg was een taaie geweest. Als je een volledig omhulde 9-millimeter kogel op je eigen slaap afvuurt, verwacht je te sterven. Toch had het nog drie maanden geduurd voordat Gullbergs lichaam het had opgegeven, wat misschien meer te wijten was aan het toeval dan aan de koppigheid waarmee dokter Anders Jonasson had geweigerd in te zien dat de strijd verloren was.

Uiteindelijk was hij geveld door de kanker, niet door de kogel.

Zijn sterven was echter gepaard gegaan met pijn, en dat deed Clinton verdriet. Gullberg was niet in staat geweest om met zijn omgeving te communiceren, maar had zich af en toe in een soort bewustzijn bevonden. Hij kon zijn omgeving waarnemen. Het verplegend personeel had opgemerkt dat hij glimlachte als iemand hem over zijn wang streek en bromde als iets hem niet zinde. Soms communiceerde hij met het verplegend personeel door te proberen woorden uit te spreken die niemand echt begreep.

Hij had geen familie en geen van zijn vrienden had hem aan zijn ziekbed bezocht. De laatste die hij had gezien, was een in Eritrea geboren nachtzuster genaamd Sara Kitama geweest, die aan zijn bed had gewaakt en zijn hand had vastgehouden toen hij insliep.

Fredrik Clinton realiseerde zich dat hij zijn voormalige wapenbroeder spoedig zou volgen. Daar was geen twijfel over mogelijk. Het werd met de dag onwaarschijnlijker dat hij de niertransplantatie zou kunnen ondergaan die hij zo hard nodig had. Zijn lichaam takelde steeds verder af. Zijn lever- en darmfunctie werden bij elk onderzoek slechter.

Hij hoopte de kerst te overleven.

Maar hij was tevreden. Hij ervoer een haast bovennatuurlijke, prikkelende bevrediging dat hij dit mocht meemaken; dat hij de laatste periode van zijn leven zo verrassend mocht slijten in dienst van de Sectie.

Dat was een voorrecht dat hij nooit had verwacht.

De laatste tonen van Verdi weerklonken net toen Birger Wadensjöö de deur van Clintons rustkamertje in het hoofdkwartier van de Sectie aan de Artillerigatan opendeed.

Clinton deed zijn ogen open.

Hij was tot het inzicht gekomen dat Wadensjöö een belasting was. Hij was absoluut ongeschikt als chef van de Sectie, de belangrijkste speerpunt van de totale Zweedse defensie. Hij kon niet begrijpen dat Hans von Rottinger en hij ooit zo'n foutieve inschatting hadden gemaakt dat ze Wadensjöö als vanzelfsprekende erfgenaam hadden gezien.

Wadensjöö was een strijder die de wind mee moest hebben. Op het moment van een crisis was hij zwak en niet in staat beslissingen te nemen. Een angsthaas. Een bangelijke lastpost die geen ruggengraat had en die, als Wadensjöö had moeten beslissen, niet tot handelen in staat was geweest en de Sectie ten onder had laten gaan.

Zo was het gewoon.

Sommigen hadden het in zich. Anderen zouden op het moment van de waarheid altijd teleurstellen.

'Je wilde me spreken?' vroeg Wadensjöö.

'Ga zitten,' zei Clinton.

Wadensjöö nam plaats.

'Ik ben op de leeftijd gekomen dat ik geen tijd meer heb om zaken op de lange baan te schuiven. Ik zal er geen doekjes om winden. Als dit voorbij is, wil ik dat je stopt als hoofd van de Sectie.'

'O?'

Clinton ging op mildere toon verder.

'Je bent een goed mens, Wadensjöö. Maar je bent helaas totaal ongeschikt om de verantwoordelijkheid van Gullberg over te nemen. Je had die verantwoordelijkheid nooit moeten krijgen. Het was de fout van mij en Von Rottinger dat we niet duidelijker met de troonopvolging aan de slag zijn gegaan toen ik ziek werd.'

'Je hebt mij nooit gemogen.'

'Dat is niet waar. Je was een uitstekende administrateur toen Von Rottinger en ik de Sectie leidden. Zonder jou zouden we hulpeloos zijn geweest en ik heb groot vertrouwen in jouw patriottisme. Maar ik heb geen vertrouwen in jouw vermogen om beslissingen te nemen.'

Wadensjöö glimlachte opeens bitter.

'Nu ik dit weet, weet ik niet of ik bij de Sectie wil blijven.'

'Nu Gullberg en Von Rottinger overleden zijn, moet ik in mijn eentje de cruciale beslissingen nemen. Je hebt elke beslissing die ik de afgelopen maanden heb genomen, belemmerd.'

'En ik herhaal dat de beslissingen die jij hebt genomen onzinnig zijn. Dit eindigt in een catastrofe.'

'Dat kan zijn. Maar jouw besluiteloosheid zou zeker tot de ondergang hebben geleid. Nu hebben we in elk geval een kans, en die lijkt te slagen. *Millennium* is niet tot handelen in staat. Misschien vermoeden ze wel dat wij bestaan, maar ze hebben geen documentatie en zullen die ook niet vinden. En ons ook niet. Wij weten exact wat ze doen.'

Wadensjöö keek naar buiten. Hij zag de daken van een aantal naastgelegen panden.

'Het enige wat resteert, is de dochter van Zalachenko. Als iemand in haar geschiedenis gaat wroeten en luistert naar wat ze te zeggen heeft, is alles mogelijk. Maar over een paar dagen begint de rechtszaak en dan is het voorbij. We moeten haar deze keer zó diep begraven dat ze nooit meer komt spoken.'

Wadensjöö schudde zijn hoofd.

'Ik begrijp jouw houding niet,' zei Clinton.

'Nee, ik begrijp wel dat je het niet snapt. Je bent onlangs achtenzestig geworden. Je kijkt de dood in de ogen. Jouw beslissingen zijn niet rationeel, maar toch lijk je Georg Nyström en Jonas Sandberg te hebben betoverd. Ze gehoorzamen je of je God zelf bent.'

'Ik bén God zelf voor alles wat met de Sectie te maken heeft. We werken volgens een plan. Door onze besluitvaardigheid heeft de Sectie een kans gekregen. En ik zeg zeer beslist dat de Sectie nooit meer in zo'n riskante positie verzeild mag raken. Als dit voorbij is, gaan we de activiteiten grondig herzien.'

'Ik begrijp het.'

'Georg Nyström wordt de nieuwe chef. Hij is eigenlijk te oud, maar hij is de enige die in aanmerking komt en hij heeft beloofd nog minstens zes jaar te blijven. Sandberg is te jong en, door jouw bewind, te onervaren. Hij had inmiddels volleerd moeten zijn.'

'Clinton, zie je nou niet in wat je hebt gedaan? Je hebt iemand vermoord. Björck heeft vijfendertig jaar voor de Sectie gewerkt en jij hebt opdracht gegeven hem te doden. Begrijp je nou écht niet ...'

'Je weet heel goed dat dat noodzakelijk was. Hij had ons verraden en zou nooit de druk hebben kunnen weerstaan als de politie hem in de val had gelokt.'

Wadensjöö stond op.

'Ik ben nog niet klaar.'

'Dat komt dan later wel. Jij ligt hier alleen maar te fantaseren dat je de Almachtige bent, maar ik heb werk te doen.'

Wadensjöö liep naar de deur.

'Als je moreel zo verontwaardigd bent, waarom ga je dan niet naar Bublanski en beken je je daden?'

Wadensjöö keerde zich om naar de zieke.

'Ik heb met die gedachte gespeeld. Maar wat jij ook denkt, ik bescherm de Sectie zo goed ik kan.'

Net toen hij de deur opendeed, kwamen Georg Nyström en Jonas Sandberg eraan.

'Hoi, Clinton,' zei Nyström. 'We moeten een paar dingen bespreken.'

‘Kom binnen. Wadensjöö zou net gaan.’

Nyström wachtte tot de deur dicht was.

‘Fredrik, ik ben zeer ongerust,’ zei Nyström.

‘Waarom?’

‘Sandberg en ik hebben nagedacht. Er gebeuren dingen die wij niet begrijpen. De advocaat van Salander heeft vanochtend Salanders biografie aan de officier van justitie overhandigd.’

‘Hè?’

Inspecteur Hans Faste keek naar Annika Giannini terwijl officier van justitie Richard Ekström koffie inschonk uit een thermoskan. Ekström was verbluft over het document dat hij gepresenteerd had gekregen toen hij die ochtend op zijn werk was gekomen. Samen met Faste had hij de veertig pagina’s van Lisbeth Salanders levensverhaal gelezen. Ze hadden langdurig over het opmerkelijke document gesproken. Uiteindelijk had hij zich genoodzaakt gevoeld Annika Giannini te vragen langs te komen voor een informeel gesprek.

Ze namen plaats aan een kleine vergadertafel op Ekströms werkkamer.

‘Fijn dat u even langs wilde komen,’ begon Ekström. ‘Ik heb deze eh ... uiteenzetting die u hier vanochtend hebt afgegeven gelezen en heb een aantal vraagtekens ...’

‘Ja?’ vroeg Annika Giannini behulpzaam.

‘Ik weet eigenlijk niet waar ik moet beginnen. Misschien moet ik beginnen te zeggen dat inspecteur Faste en ik bijzonder verbluft zijn.’

‘O ja?’

‘Ik probeer uw intenties te begrijpen.’

‘Hoe bedoelt u?’

‘Deze autobiografie, of hoe je het moet noemen. Wat is het doel daarvan?’

‘Dat lijkt me duidelijk. Mijn cliënte wil háár versie van de loop der gebeurtenissen weergeven.’

Ekström lachte goedmoedig. Hij streek over zijn sikje in een welbekend gebaar dat Annika op de een of andere manier was gaan ergeren.

‘Ja, maar uw cliënte heeft maandenlang de tijd gehad om een verklaring te geven. Ze heeft geen woord gezegd tijdens alle verhoren die Faste haar heeft geprobeerd af te nemen.’

‘Voor zover ik weet, is er geen wet die haar kan dwingen te praten als het inspecteur Faste uitkomt.’

'Nee, maar ik bedoel ... het proces tegen Salander begint over twee dagen en dan komt ze hier te elfder ure mee aanzetten. Ik voel hier op de een of andere manier een verantwoordelijkheid die enigszins buiten mijn plicht als officier van justitie om gaat.'

'O, ja?'

'Ik wil me onder geen beding uitdrukken op een wijze die u beledigend acht. Dat is niet mijn bedoeling. We hebben in dit land een procesorde. Maar, mevrouw Giannini, u bent advocate op het gebied van vrouwenrecht en hebt nooit eerder een cliënte vertegenwoordigd in een strafzaak. Ik heb Lisbeth Salander niet aangeklaagd omdat ze een vrouw is, maar omdat ze grove geweldmisdrijven heeft gepleegd. Ik denk dat ook u wel begrepen zult hebben dat ze ernstig psychisch ziek is en zorg en hulp van de samenleving nodig heeft.'

'Laat mij u helpen,' zei Annika Giannini vriendelijk. 'U bent bang dat ik Lisbeth Salander niet goed zal kunnen verdedigen.'

'Dat bedoel ik niet denigrerend,' zei Ekström. 'Ik trek uw capaciteiten niet in twijfel. Ik benadruk alleen dat u onervaren bent.'

'Ik begrijp het. Laat me dan zeggen dat ik het helemaal met u eens ben. Ik ben bijzonder onervaren als het om strafzaken gaat.'

'En toch hebt u consequent bedankt voor de hulp die u door aanzienlijk meer ervaren advocaten is aangeboden ...'

'Naar de wens van mijn cliënte. Lisbeth Salander wil mij als haar advocaat en ik zal haar over twee dagen voor de rechtbank vertegenwoordigen.'

Ze glimlachte beleefd.

'Goed. Maar ik vraag me af of u serieus van plan bent de inhoud van dit opstel aan de rechtbank te presenteren?'

'Uiteraard. Het is de geschiedenis van Lisbeth Salander.'

Ekström en Faste keken elkaar aan. Faste fronste zijn wenkbrauwen. Hij begreep niet waar Ekström eigenlijk over zat te zeuren. Als Giannini niet begreep dat ze op weg was haar cliënte volledig voor gek te zetten, was dat toch niet de zaak van de officier van justitie? Dan kon je toch alleen maar in je handjes knijpen?

Dat Salander volkomen geschift was, daar was geen twijfel over mogelijk. Hij had al zijn vaardigheden gemobiliseerd om haar ertoe te bewegen toch op zijn minst te zeggen waar ze woonde. Maar verhoor na verhoor had dat verdomde grietje zwijgend naar de muur achter Hans Faste zitten staren. Ze had zich geen millimeter verplaatst. Ze had de sigaretten die hij haar had aangeboden mordicus geweigerd, evenals koffie of gekoelde frisdrank. Ze had niet gereageerd toen hij haar had gesmeekt of, op momenten van grote irritatie, zijn stem had verheven.

Het waren vermoedelijk de meest frustrerende verhoren die inspecteur Hans Faste ooit had afgenomen.

Hij zuchtte.

'Mevrouw Giannini,' zei Ekström uiteindelijk. 'Ik ben van mening dat uw cliënte deze rechtszaak niet zou moeten ondergaan. Ze is ziek. Ik heb een zeer gekwalificeerd gerechtelijk-psychiatrisch onderzoek om op terug te vallen. Ze zou de psychiatrische zorg moeten hebben die ze al zoveel jaren ontbeert.'

'In dat geval neem ik aan dat u dat aan de rechtbank kenbaar zult maken.'

'Dat is juist. Het is niet mijn taak om u te vertellen hoe u haar verdediging ter hand dient te nemen. Maar als dit serieus de lijn is die u denkt te volgen, is de situatie volkomen absurd. Die autobiografie bevat totaal onzinnige en onbevestigde aanklachten tegen een reeks personen ... zeker tegen haar vroegere toezichthouder, advocaat Bjurman en dokter Peter Teleborian. Ik hoop niet dat u serieus gelooft dat de rechtbank redeneringen zal accepteren die Teleborian zonder enig bewijs verdacht maken. Dit document zal de laatste nagel aan de doodkist van uw cliënte vormen, als u me de vergelijking excuseert.'

'Het is duidelijk.'

'U kunt tijdens het proces ontkennen dat ze ziek is en een aanvullend gerechtelijk-psychiatrisch onderzoek eisen, en de zaak kan worden onderzocht door de gerechtelijk-geneeskundige dienst. Maar, eerlijk gezegd, met deze uiteenzetting van Salander is er geen twijfel over mogelijk dat alle andere gerechtspsychiaters tot dezelfde conclusie zullen komen als Peter Teleborian. Haar eigen verhaal bevestigt immers alle documentatie dat ze een schizofrene paranoïca is.'

Annika Giannini glimlachte beleefd.

'Er is nog een andere mogelijkheid,' zei ze.

'Wat dan?' vroeg Ekström.

'Tja. Dat haar betoog helemaal waar is en dat de rechtbank ervoor zal kiezen dit te geloven.'

Officier van justitie Ekström keek ontsteld. Toen glimlachte hij beleefd en streek over zijn sikje.

Fredrik Clinton was aan de kleine tafel bij het raam in zijn kamer gaan zitten. Hij luisterde aandachtig naar Georg Nyström en Jonas

Sandberg. Zijn gezicht was gegroefd, maar zijn ogen waren geconcentreerde, waakzame peperkorreltjes.

'We houden het telefoon- en e-mailverkeer van de belangrijkste medewerkers van *Millennium* nu al sinds april in de gaten,' zei Clinton. 'We hebben geconstateerd dat Blomkvist, Malin Eriksson en die Cortez berustend zijn. We hebben de lay-outversie van het volgende nummer van *Millennium* gelezen. Het lijkt alsof Blomkvist een stapje terug heeft gedaan en er inmiddels ook van overtuigd is dat Salander ondanks alles gestoord is. Er staat een sociaal gehouden verdediging voor Lisbeth Salander in – hij argumenteert dat ze niet de maatschappelijke steun heeft gekregen die ze eigenlijk had moeten krijgen en dat het daarom op de een of andere manier niet háár fout is dat ze heeft geprobeerd haar vader te vermoorden ... Maar dat is een opvatting die verder niets om het lijf heeft. Geen woord over de inbraak in zijn appartement of over de overval op zijn zus in Göteborg en de verdwenen onderzoeken. Hij weet dat hij niets kan bewijzen.'

'En dat is nu precies het probleem,' zei Jonas Sandberg. 'Blomkvist moet redelijkerwijs weten dat er iets niet pluis is. Maar hij negeert al deze vraagtekens. Sorry hoor, maar dat lijkt helemaal niet in de stijl van *Millennium*. Bovendien is Erika Berger terug op de redactie. Dit hele nummer van *Millennium* is zo leeg en zo zonder inhoud, dat het een grap lijkt.'

'Hoe bedoel je ... Is het fake?'

Jonas Sandberg knikte.

'Het zomernummer van *Millennium* zou eigenlijk de laatste week van juni zijn verschenen. Naar wat we uit e-mails van Malin Eriksson aan Mikael Blomkvist hebben kunnen aflezen, zal dit nummer worden gedrukt bij een bedrijf in Södertälje. Maar toen ik eerder vandaag bij die drukkerij informeerde, hadden ze nog helemaal geen kopij ontvangen. Alles wat ze hadden gekregen, was een aanvraag voor een offerte een maand geleden.'

'Hm,' zei Fredrik Clinton.

'Waar hebben ze eerder gedrukt?'

'Bij iets wat Hallvigs Reklam heet, in Morgongåva. Ik heb gebeld en gevraagd hoe ver ze waren – ik deed me voor alsof ik bij *Millennium* werkte. Maar de chef bij Hallvigs wilde geen woord kwijt. Ik was van plan om er vanavond eens heen te rijden om een kijkje te nemen.'

'Aha. Georg?'

'Ik heb al het beschikbare telefoonverkeer van de laatste week doorgenomen,' zei Georg Nyström. 'Het is vreemd, maar niemand van de medewerkers van *Millennium* heeft het over de rechtszaak of over de Zalachenko-affaire.'

'Niets?'

'Nee. Het komt uitsluitend ter sprake wanneer een van de medewerkers met iemand van buiten *Millennium* spreekt. Luister bijvoorbeeld eens hier naar. Mikael Blomkvist wordt gebeld door een verslaggever van *Aftonbladet*, die vraagt of hij iets te zeggen heeft in verband met de ophanden zijnde rechtszaak.'

Hij zette een cassetterecorder neer.

'Sorry, maar ik heb geen commentaar.'

'U bent sinds het begin bij deze zaak betrokken. U hebt Salander immers in Gosseberga gevonden. En u hebt nog geen woord gepubliceerd. Wanneer gaat u dat doen?'

'Als de tijd daar is. Vooropgesteld dat ik iets te publiceren héb.'

'En is dat het geval?'

'Tja, ik zou zeggen: koop Millennium, *dan ziet u het vanzelf.'*

Nyström zette de cassetterecorder uit.

'We hebben er eigenlijk niet eerder over nagedacht, maar ik ben teruggegaan in de tijd en heb een beetje hapsnap zitten luisteren. Het gaat voortdurend zo. Hij spreekt bijna nooit over de Zalachenko-affaire, en áls hij dat al doet, is het in zeer algemene bewoordingen. Hij praat er zelfs niet over met zijn zus, die Salanders advocaat is.'

'Misschien heeft hij gewoon niets te zeggen.'

'Hij weigert consequent om ergens over te speculeren. Hij lijkt permanent op de redactie te verblijven en is bijna nooit thuis in zijn woning aan de Bellmansgatan. Als hij het klokje rond werkt, zou hij iets beters tot stand hebben moeten brengen dan wat er in het volgende nummer van *Millennium* staat.'

'En we hebben nog steeds geen mogelijkheid om de redactie af te luisteren?'

'Nee,' zei Jonas Sandberg. 'Er is voortdurend iemand op de redactie aanwezig. Dat is ook opmerkelijk.'

'Hm.'

'Vanaf het moment dat we bij Blomkvist hebben ingebroken, is er constant iemand op de redactie geweest. Blomkvist verdwijnt naar boven en de verlichting op zijn kamer bij de redactie brandt voortdurend. Als hij er niet is, dan is Cortez daar, of Malin Eriksson. Of die flikker, eh ... Christer Malm.'

Clinton streek over zijn kin. Hij dacht even na.

'Oké. Conclusies?'

Georg Nyström aarzelde even.

'Tja ... als ik niet beter wist, zou ik denken dat ze ons voor de gek houden.'

Clinton voelde een koude rilling over zijn rug lopen.

'Waarom hebben we dat niet eerder gemerkt?'

'We hebben geluisterd naar wat er werd gezegd, niet naar wat er níét werd gezegd. We waren content toen we hun verwarring hoorden of in e-mails lazen. Blomkvist begrijpt dat iemand dat Salander-rapport uit 1991 van hem en van zijn zus heeft gestolen. Maar wat moet hij eraan doen?'

'Ze hebben geen aangifte gedaan bij de politie?'

Nyström schudde zijn hoofd.

'Giannini is bij de verhoren met Salander aanwezig geweest. Ze is beleefd, maar laat niets van belang los. En Salander zegt absoluut niets.'

'Maar dat speelt ons alleen maar in de kaart. Hoe meer ze haar mond houdt, des te beter. Wat zegt Ekström?'

'Ik heb hem twee uur geleden gesproken. Dat was toen hij die verklaring van Salander had gekregen.'

Hij wees op de kopie op Clintons schoot.

'Ekström is in de war gebracht. Het is maar goed dat Salander niet in staat is zich schriftelijk uit te drukken. Voor niet-ingewijden komt die uiteenzetting over als een volledig gestoorde samenzweringstheorie met pornografische trekjes. Maar ze schiet rakelings langs het doel. Ze vertelt precies hoe het ging toen ze bij St. Stefans werd opgesloten, ze beweert dat Zalachenko voor de veiligheidsdienst werkte en dergelijke. Ze geeft aan dat ze denkt dat het om een kleine sekte binnen de veiligheidsdienst gaat, en dat duidt erop dat ze vermoedt dat er zoiets als de Sectie bestaat. Over het geheel genomen is het een zeer exacte beschrijving van ons. Maar het is zoals gezegd niet geloofwaardig. Ekström is in de war gebracht omdat het ook Giannini's verdediging tijdens de rechtszaak lijkt te zijn.'

'Shit,' riep Clinton.

Hij leunde met zijn hoofd naar voren en dacht een paar minuten diep na. Uiteindelijk keek hij op.

'Jonas, rij vanavond naar Morgongåva en onderzoek of daar iets gaande is. Als ze *Millennium* drukken, wil ik een kopie.'

'Ik neem Falun mee.'

'Uitstekend. Georg, ik wil dat je vanmiddag naar Ekström gaat en hem probeert te peilen. Tot nu toe loopt alles voor ons op rolletjes, maar ik kan wat jullie zeggen niet zomaar wegwuiven.'

'Oké.'

Clinton bleef nog even zitten zonder iets te zeggen.

'Het beste zou zijn als er geen rechtszaak kwam ...' zei hij uiteindelijk.

Hij keek op en priemde zijn ogen in die van Nyström. Nyström knikte. Sandberg knikte. Er was een stilzwijgende overeenstemming.

'Nyström, kun jij onderzoeken welke mogelijkheden er zijn?'

Jonas Sandberg en slotenmaker Lars Faulsson, alias 'Falun', parkeerden een stuk van de spoorlijn en liepen door Morgongåva. Het was halfnegen 's avonds. Het was te licht en te vroeg om iets te doen, maar ze wilden zich oriënteren en een overzicht krijgen.

'Als er een alarm op die toko staat, begin ik er niet aan,' zei Falun.

Sandberg knikte.

'Dan kunnen we beter door de ramen naar binnen kijken. Als er iets te zien is, gooi je gewoon een steen door de ruit, grijp je wat je nodig hebt en ren je keihard weg.'

'Dat is goed,' zei Sandberg.

'Als je alleen een exemplaar van dat blad nodig hebt, kunnen we kijken of er vuilcontainers aan de achterkant zijn. Er moeten afval en proefdrukken en dergelijke zijn.'

Hallvigs Reklam was gehuisvest in een laag, bakstenen gebouw. Ze naderden het pand uit zuidelijke richting aan de overkant van de straat. Sandberg wilde net oversteken toen Falun hem bij zijn elleboog greep.

'Rechtdoor lopen,' zei hij.

'Hè?'

'Loop gewoon rechtdoor, doe alsof je aan een avondwandelingetje bezig bent.'

Ze passeerden Hallvigs en maakten een rondje om het blok.

'Wat is er aan de hand?' vroeg Sandberg.

'Je moet je ogen goed de kost geven. Dat pand is niet alleen beveiligd. Er stond een auto aan de achterkant van het gebouw.'

'Je bedoelt dat er iemand is?'

'Het was een auto van Milton Security. Die drukkerij staat verdomme onder bewaking.'

'Milton Security?' riep Fredrik Clinton. Hij voelde de schok in zijn middenrif.

‘Als Falun er niet bij was geweest, was ik ze recht in de armen gelopen,’ zei Jonas Sandberg.

‘Dan is er iets aan de hand,’ zei Georg Nyström. ‘Er is geen enkele zinnige reden te bedenken dat een klein drukkerijtje op het platteland Milton Security zou inhuren voor vaste bewaking.’

Clinton knikte. Zijn mond was een rechte streep. Het was elf uur ’s avonds en hij had rust nodig.

‘Dat betekent dat *Millennium* met iets bezig is,’ zei Sandberg.

‘Zo ver was ik ook,’ zei Clinton. ‘Goed. Laten we de situatie analyseren. Wat is het meest vreselijke scenario? Wat kunnen ze weten?’

Hij keek Nyström sommerend aan.

‘Dat moet het Salander-rapport uit 1991 zijn,’ zei hij. ‘Ze hebben de veiligheid verhoogd nadat wij die kopieën hebben gestolen. Ze moeten hebben vermoed dat ze bewaakt werden. In het ergste geval hebben ze een extra kopie van het rapport.’

‘Maar Blomkvist was juist helemaal panisch dat ze het kwijt waren.’

‘Dat weet ik. Maar dat kan bluf zijn geweest. We mogen onze ogen niet voor die mogelijkheid sluiten.’

Clinton knikte.

‘Daar gaan we dan van uit. Sandberg?’

‘We kennen Salanders verdediging. Ze vertelt de waarheid zoals zij die ervaart. Ik heb die zogenaamde autobiografie nogmaals gelezen. Hij speelt ons in feite in de kaart. Hij bevat zulke grove aanklachten over verkrachting en gerechtelijke overtredingen, dat het geheel zal overkomen als kletspraat van een mythomaan.’

Nyström knikte.

‘Ze kan bovendien niets van haar beweringen bewijzen. Ekström zal de uiteenzetting tégen haar gebruiken. Hij zal haar geloofwaardigheid de grond in boren.’

‘Oké. Teleborians nieuwe rapport is uitmuntend. Maar de mogelijkheid bestaat natuurlijk dat Giannini een eigen expert in de arm neemt die beweert dat Salander niet gestoord is en dat de hele zaak bij de gerechtelijk-geneeskundige dienst belandt. Maar nogmaals, als Salander niet van tactiek verandert, zal ze ook met hen weigeren te praten en dan zullen ze de conclusie trekken dat Teleborian gelijk heeft en dat ze gestoord is. Ze is zelf haar grootste vijand.’

‘Het zou nog steeds het rustigst zijn als er helemaal geen rechtszaak kwam,’ zei Clinton.

Nyström schudde zijn hoofd.

'Dat is bijna onmogelijk. Ze zit in de Kronobergsgevangenis en heeft geen contact met andere gevangenen. Ze wordt elke dag een uur gelucht in die taartpunt op het dak, maar daar kunnen we niet bij haar komen. En we hebben geen contacten onder het gevangenispersoneel.'

'Ik begrijp het.'

'Als we iets tegen haar hadden willen ondernemen, hadden we dat moeten doen toen ze in het Sahlgrenska lag. Nu moet het openlijk gebeuren. De kans dat de moordenaar wordt gepakt, is bijna honderd procent. En waar vinden we een *shooter* die daarmee akkoord gaat? Op zo'n korte termijn kunnen we geen zelfmoord of ongeluk organiseren.'

'Dat vermoedde ik al. En onverwacht overlijden roept altijd veel vragen op. Goed, we moeten maar zien hoe het tijdens het proces gaat. Op zich is er niets veranderd. We hebben de hele tijd verwacht dat ze een tegenzet zouden doen en dat is blijkbaar die zogenaamde autobiografie.'

'Het probleem is *Millennium*,' zei Jonas Sandberg.

Er werd instemmend geknikt.

'*Millennium* en Milton Security,' zei Clinton nadenkend. 'Salander heeft voor Armanskij gewerkt en Blomkvist heeft wat met Salander gehad. Moeten we de conclusie trekken dat ze de handen ineen hebben geslagen?'

'Die gedachte is niet onredelijk als Milton Security de drukkerij bewaakt waar *Millennium* wordt gedrukt. Dat kan geen toeval zijn.'

'Goed. Wanneer zijn ze van plan te publiceren? Sandberg, jij zei dat ze bijna twee weken over tijd zijn. Als we aannemen dat Milton Security de drukkerij bewaakt opdat niemand *Millennium* voortijdig in handen kan krijgen, betekent dat enerzijds dat ze iets gaan publiceren wat ze niet van tevoren willen onthullen, en anderzijds dat het blad vermoedelijk al is gedrukt.'

'In verband met de rechtszaak,' zei Jonas Sandberg. 'Dat is het enig redelijke.'

Clinton knikte.

'Wat staat er in dat blad? Wat is het ergste scenario?'

Ze dachten alle drie lang na. Nyström doorbrak de stilte.

'In het ergste geval hebben ze zoals gezegd nog een kopie van het rapport uit 1991.'

Clinton en Sandberg knikten. Ze waren tot dezelfde conclusie gekomen.

'De vraag is hoeveel ze daarmee kunnen doen,' zei Sandberg. 'Het rapport noemt Björck en Teleborian. Björck is dood. Ze zullen Teleborian hard aanpakken, maar hij kan zeggen dat hij gewoon een gerechtelijk-psychiatrisch onderzoek heeft gedaan. Het zal zijn woord tegen hun woord worden en hij zal natuurlijk doen alsof hij niets begrijpt van alle aanklachten.'

'Wat doen we als ze het rapport publiceren?' vroeg Nyström.

'Ik denk dat we een troef in handen hebben,' zei Clinton. 'Als er gezeur met dat rapport komt, zal de focus op de veiligheidsdienst komen te liggen en niet op de Sectie. En als journalisten vragen gaan stellen, haalt de veiligheidsdienst het rapport uit het archief ...'

'En dat is natuurlijk niet hetzelfde rapport,' zei Sandberg.

'Shenke heeft de aangepaste versie in het archief gestopt, dus de versie die officier van justitie Ekström heeft gelezen. Die heeft een dossiernummer gekregen. Hierdoor kunnen we vrij snel een hoop desinformatie aan de media geven. Wij beschikken tenslotte over het origineel dat Bjurman had gekregen en *Millennium* heeft slechts een kopie. We kunnen zelfs informatie verspreiden die aanduidt dat Blomkvist zélf het originele rapport heeft vervalst.'

'Mooi. Wat kan *Millennium* nog meer weten?'

'Ze kunnen niets weten over de Sectie. Dat is onmogelijk. Ze zullen zich dus focussen op de veiligheidsdienst, wat inhoudt dat Blomkvist zal overkomen als iemand die overal samenzweringen ziet en dat de veiligheidsdienst zal beweren dat hij geschift is.'

'Hij is vrij bekend,' zei Clinton langzaam. 'Na de Wennerström-affaire heeft hij veel geloofwaardigheid.'

Nyström knikte.

'Kunnen we die geloofwaardigheid op de een of andere manier onderuithalen?' vroeg Jonas Sandberg.

Nyström en Clinton keken elkaar aan. Toen knikten ze allebei. Clinton keek naar Nyström.

'Denk je dat je eh ... laat zeggen, aan vijftig gram cocaïne kunt komen?'

'Misschien bij de Joego's.'

'Oké. Doe een poging. Maar er is haast bij. De rechtszaak begint over twee dagen.'

'Ik snap het niet ...' zei Jonas Sandberg.

'Dat is een trucje dat al zo oud is als de weg naar Rome. Maar nog steeds erg effectief.'

'Morgongåva?' vroeg Torsten Edklinth en hij fronste zijn wenkbrauwen. Hij zat in zijn ochtendjas thuis op de bank voor de derde keer de autobiografie van Salander door te lezen toen Monica Figuerola hem belde. Omdat het al behoorlijk laat, of liever gezegd, vroeg was, vermoedde hij meteen dat er iets aan de hand was.

'Morgongåva,' herhaalde Monica Figuerola. 'Sandberg en Lars Faulsson zijn daar vanavond tegen zevenen heen gereden. Curt Svensson van Bublanski's team heeft ze de hele weg in de gaten kunnen houden, wat wordt vereenvoudigd doordat we een spoorzender in Sandbergs auto hebben geïnstalleerd. Ze parkeerden in de buurt van het oude station, liepen daarna een blokje om, gingen terug naar de auto en reden vervolgens weer naar Stockholm.'

'Aha. Hebben ze iemand ontmoet of ... ?'

'Nee. Dat is juist het gekke. Ze stapten uit, liepen een stukje en keerden toen weer terug naar Stockholm.'

'O. En waarom bel je mij om halfeen 's nachts op om dat te vertellen?'

'Het duurde even voordat we het doorhadden. Ze liepen langs een gebouw waarin Hallvigs Reklam is gevestigd. Ik heb met Mikael Blomkvist gesproken. Daar wordt *Millennium* gedrukt.'

'O, shit,' zei Edklinth.

Hij zag meteen in wat dat betekende.

'Omdat Falun erbij was, neem ik aan dat ze een laat bezoekje aan de drukkerij wilden brengen, maar de expeditie hebben afgebroken,' zei Monica Figuerola.

'Waarom?'

'Omdat Blomkvist Dragan Armanskij heeft gevraagd de drukkerij te bewaken tot het blad wordt gedistribueerd. Ze hebben vermoedelijk de auto van Milton Security zien staan. Ik nam aan dat je deze informatie wel graag onmiddellijk wilde hebben.'

'Dat klopt. Dat betekent dat ze onraad ruiken ...'

'En zo niet, dan zullen de alarmbellen zijn gaan rinkelen toen ze de auto zagen. Sandberg heeft Falun in de stad gedropt en is daarna teruggekeerd naar het adres op de Artillerigatan. We weten dat Fredrik Clinton daar is. Georg Nyström kwam ongeveer gelijktijdig aan. De vraag is wat ze nu gaan doen.'

'De rechtszaak begint dinsdag ... Zou jij Blomkvist willen bellen en hem willen vragen de veiligheid bij *Millennium* te verscherpen? Voor de zekerheid.'

'De veiligheid daar is al vrij hoog. En de manier waarop ze een rookgordijn om hun afgeluisterde telefoons hebben gelegd is zeer professioneel. Feit is dat Blomkvist zo paranoïde is dat hij methoden voor afleidingsmanoeuvres heeft ontwikkeld waar wij nog wat van kunnen leren.'

'Goed. Maar bel hem toch maar.'

Monica Figuerola zette haar mobiele telefoon uit en legde hem op het nachtkastje. Ze keek naar Mikael Blomkvist, die naakt tegen het voeteneind van het bed geleund lag.

'Ik moet je bellen en zeggen dat je de veiligheid bij *Millennium* moet verscherpen,' zei ze.

'Bedankt voor de tip,' zei hij droog.

'Ik meen het serieus. Als ze onraad ruiken, bestaat de kans dat ze ondoordacht gaan handelen. En dan kan er een inbraak ophanden zijn.'

'Henry Cortez slaapt daar vannacht. En we hebben een inbraakalarm rechtstreeks naar Milton Security, dat drie minuten verderop zit.'

Hij zweeg even.

'Paranoïde,' morde hij.

24
MAANDAG 11 JULI

Het was maandagochtend zes uur toen Susanne Linder van Milton Security Mikael Blomkvist op zijn blauwe T10 belde.

'Slaap jij nooit?' vroeg Mikael slaapdronken.

Hij gluurde naar Monica Figuerola, die al op was en een sportbroekje had aangetrokken, maar haar T-shirt nog niet aanhad.

'Jawel. Maar ik werd gewekt door de nachtdienst. Het stille alarm dat we in jouw appartement hebben laten installeren, is om drie uur vannacht afgegaan.'

'O?'

'Dus ik ben erheen gegaan om te kijken wat er aan de hand was. Het is wat penibel. Kun je vanmorgen naar Milton Security komen? Op korte termijn?'

'Dit is ernstig,' zei Dragan Armanskij.

Het was even na achten toen ze elkaar voor een tv-monitor in een vergaderkamer bij Milton Security ontmoetten. Het gezelschap bestond uit Armanskij, Mikael Blomkvist en Susanne Linder. Armanskij had ook Johan Fräklund, tweeënzestig jaar oud, opgeroepen, een oud-inspecteur van de politie van Solna en tegenwoordig chef van de operatieve eenheid van Milton. Ook oud-inspecteur Sonny Bohman was er, achtenveertig, die de Salander-affaire van begin af aan had gevolgd. Ze dachten allemaal na over het bewakingsfilmpje dat Susanne Linder hen zojuist had laten zien.

'We zien Jonas Sandberg de deur van Mikael Blomkvists appartement openmaken. Dat was om 3.17 uur vanochtend. Hij heeft eigen sleutels ... Jullie herinneren je dat slotenmaker Faulsson weken geleden al een afdruk van Blomkvists reservesleutels heeft gemaakt, toen hij en Göran Mårtensson een inbraak pleegden in de flat.'

Armanskij knikte grimmig.
'Sandberg is ruim acht minuten in de flat geweest. In die tijd neemt hij de volgende maatregelen: hij haalt een plastic zakje uit de keuken, dat hij vult. Hij schroeft de achterkant van een luidspreker in de woonkamer los. En daar stopt hij dat zakje in.'
'Hm,' zei Mikael Blomkvist.
'Dat hij een zakje uit jouw keuken haalt, is typerend.'
'Het is een zakje van de Konsum waar pistoletjes in hebben gezeten,' zei Mikael. 'Die bewaar ik altijd om kaas en zo in te doen.'
'Dat doe ik thuis ook. En het typerende is natuurlijk dat het zakje jouw vingerafdrukken bevat. Daarna haalt hij een oude *SMP* uit de oudpapiertas in de hal. Hij gebruikt een pagina van de krant om een voorwerp in te stoppen, dat hij vervolgens boven in de garderobekast legt.'
'Hm,' zei Mikael Blomkvist opnieuw.
'Ook daar zitten jouw vingerafdrukken op.'
'Ik begrijp het,' zei Mikael Blomkvist.
'Ik ben tegen vijven naar jouw flat gegaan. Ik heb het volgende aangetroffen: in de luidspreker zit ongeveer honderdtachtig gram cocaïne. Ik heb een proef van een gram genomen, die is hier.'
Ze legde een klein bewijszakje op de vergadertafel.
'Wat zit er in de garderobekast?' vroeg Mikael.
'Ongeveer 120.000 kronen aan contanten.'
Armanskij wees naar Susanne Linder om de tv uit te zetten. Hij keek naar Fräklund.
'Mikael Blomkvist is dus betrokken bij cocaïnehandel,' zei Fräklund goedmoedig. 'Ze ruiken blijkbaar onraad voor datgene waar Blomkvist mee bezig is.'
'Dit is een tegenzet,' zei Mikael Blomkvist.
'Tegenzet?'
'Ze hebben gisteravond de bewakers van Milton in Morgongåva ontdekt.'
Hij vertelde wat hij van Monica Figuerola had gehoord over Sandbergs uitstapje naar Morgongåva.
'Een vlijtig ventje,' zei Sonny Bohman.
'Maar waarom juist nú?'
'Ze zijn blijkbaar ongerust voor wat *Millennium* teweeg kan brengen als de rechtszaak begint,' zei Fräklund. 'Als Blomkvist wordt opgepakt voor cocaïnehandel zal zijn geloofwaardigheid drastisch dalen.'
Susanne Linder knikte. Mikael Blomkvist keek weifelend.

'Wat gaan we hiermee doen?' vroeg Armanskij.

'We doen op dit moment niks,' stelde Fräklund voor. 'We hebben een troef in handen. We hebben uitstekende documentatie van hoe Sandberg het bewijsmateriaal in jouw flat plaatst, Mikael. Laat de val maar dichtklappen. We zullen jouw onschuld onmiddellijk kunnen bewijzen en bovendien is dit nóg een bewijs voor de criminele activiteiten van de Sectie. Ik zou graag officier van justitie zijn wanneer die figuren voor de rechtbank moeten verschijnen.'

'Ik weet het niet,' zei Mikael Blomkvist langzaam. 'De rechtszaak begint overmorgen. *Millennium* verschijnt vrijdag, op de derde dag van de rechtszaak. Als ze mij willen oppakken voor cocaïnehandel, moet dat voor die tijd gebeuren ... en dan zal ik niet kunnen verklaren hoe het zit voordat ons magazine uitkomt. Dat betekent dat ik de kans loop in hechtenis te zitten als de rechtszaak begint.'

'Jij hebt met andere woorden redenen om deze week onzichtbaar te blijven,' stelde Armanskij voor.

'Mwa ... ik moet met TV4 aan de slag en nog een groot aantal andere voorbereidingen doen. Dat komt me slecht uit ...'

'Maar waarom nu?' vroeg Susanne Linder opeens.

'Hoe bedoel je?' vroeg Armanskij.

'Ze hebben drie maanden de tijd gehad om Blomkvist zwart te maken. Waarom doen ze dat nu pas? Wat ze ook doen, de publicatie kunnen ze niet verhinderen.'

Iedereen zat een tijdje zwijgend na te denken.

'Dat kan komen doordat ze niet hebben begrepen wat jij gaat publiceren, Mikael,' zei Armanskij langzaam. 'Ze weten dat je met iets bezig bent ... maar ze denken misschien dat je alleen het onderzoek van Björck uit 1991 hebt.'

Mikael knikte aarzelend.

'Ze hebben niet begrepen dat je van plan bent de hele Sectie op te rollen. Als het alleen gaat om het onderzoek van Björck, is het voldoende om wantrouwen tegen jou te wekken. Jouw eventuele onthullingen zullen volkomen overschaduwd worden door het feit dat je wordt opgepakt en achter de tralies belandt. Groot schandaal. De bekende journalist Mikael Blomkvist opgepakt wegens handel in verdovende middelen. Zes tot acht jaar gevangenisstraf.'

'Kan ik twee kopieën krijgen van die bewakingsfilm?' vroeg Mikael.

'Wat ga je daarmee doen?'

'Een kopie voor Edklinth. En over drie uur heb ik een afspraak met

TV4. Ik denk dat het goed is dat we ons voorbereiden om dit op tv uit te zenden als alles losbarst.'

Monica Figuerola zette de dvd-speler uit en legde de afstandsbediening op tafel. Ze waren in het tijdelijke kantoor bij het Fridhemsplan.

'Cocaïne,' zei Edklinth. 'Ze spelen het hard.'

Monica Figuerola keek bedenkelijk. Ze gluurde vanuit haar ooghoek naar Mikael.

'Het leek mij het best om jullie te informeren,' zei hij terwijl hij zijn schouders ophaalde.

'Dit bevalt mij niet,' zei ze. 'Het duidt op een wanhoopsdaad die niet echt doordacht is. Ze moeten toch inzien dat jij je niet in alle rust in de Kumla-bunker zult laten opsluiten als je wordt opgepakt voor een drugsdelict.'

'Tja,' zei Mikael.

'Ook al zou je worden veroordeeld, dan is de kans groot dat mensen geloven wat jij zegt. En jouw collega's bij *Millennium* zullen ook hun mond niet houden.'

'Bovendien kost het een hoop geld,' zei Edklinth. 'Ze hebben dus blijkbaar een budget waarmee ze zonder met hun ogen te knipperen even 120.000 kronen, plus wat die cocaïne waard is, kunnen neertellen.'

'Ik weet het,' zei Mikael. 'Maar hun plan is vrij goed. Ze rekenen erop dat Lisbeth Salander bij psychiatrie belandt en dat ik zal verdwijnen in een wolk van verdachtmakingen. Bovendien denken ze dat alle eventuele aandacht naar de veiligheidsdienst zal gaan – en niet naar de Sectie. Van hun standpunt uit is dat goed gezien.'

'Maar hoe gaan ze de narcoticabrigade overhalen huiszoeking bij jou te doen? Ik bedoel, een anonieme tip is toch niet voldoende om de deur van een bekende journalist in te trappen? En wil dat werken, dan moet jij de komende dagen verdacht worden gemaakt.'

'Tja, we weten natuurlijk niets over hun planning,' zei Mikael.

Hij voelde zich moe en wilde dat het allemaal voorbij was. Hij stond op.

'Waar ga je heen?' vroeg Monica Figuerola. 'Ik wil graag weten waar je de komende tijd bent.'

'Ik heb rond lunchtijd een afspraak met TV4. En daarna zie ik Erika Berger om zes uur bij een lamsschotel bij Samir. We gaan het persbericht waarmee we naar buiten treden fijnslijpen. De rest van de avond ben ik op de redactie, neem ik aan.'

De ogen van Monica Figuerola versmalden zich enigszins toen hij Erika Berger noemde.

'Ik wil dat je vandaag contact houdt. Het liefst wil ik dat je nauw contact houdt tot de rechtszaak is begonnen.'

'Oké. Misschien kan ik een paar dagen bij jou komen logeren,' zei Mikael met een grijns, alsof hij een grapje maakte.

Monica Figuerola's gezicht betrok. Ze keek snel naar Edklinth.

'Monica heeft gelijk,' zei Edklinth. 'Ik denk dat het het beste zou zijn als je relatief onzichtbaar blijft tot het voorbij is. Als je door de narcoticabrigade wordt opgepakt, moet je je stilhouden tot de rechtszaak is begonnen.'

'Rustig maar,' zei Mikael. 'Ik ben niet van plan me te laten leiden door paniek en op dit moment iets ondoordachts te doen. Doen jullie jullie ding nou maar, dan doe ik het mijne.'

'Zij van TV4' kon haar enthousiasme over het nieuwe beeldmateriaal waar Mikael mee aankwam, maar nauwelijks bedwingen. Mikael glimlachte om haar honger. Ze waren een week lang als bezetenen in de weer geweest om voor tv-doeleinden geschikt materiaal over de Sectie samen te stellen. Zowel haar producent als de nieuwschef bij TV4 had ingezien wat een primeur dit zou worden. Het materiaal werd in het grootste geheim geproduceerd met slechts een paar ingewijden. Ze hadden Mikaels eis geaccepteerd dat het verhaal pas op de avond van de derde dag van de rechtszaak mocht worden uitgezonden. Er was besloten tot een extra nieuwsuitzending van een uur.

Mikael had haar een groot aantal foto's gegeven om mee te spelen, maar op tv weegt niets op tegen bewegende beelden. Een retescherpe video die laat zien hoe een bij name genoemde politieman cocaïne in de flat van Mikael Blomkvist verstopt – ze ging bijna uit haar dak.

'Dit is geweldig,' zei ze. 'Stilstaand beeld – "Zweedse veiligheidsdienst plaatst cocaïne in flat journalist".'

'Ho, niet de Zweedse veiligheidsdienst ... de Sectie,' corrigeerde Mikael. 'Maak niet de vergissing dat je die twee door elkaar haalt.'

'Sandberg werkt toch bij de veiligheidsdienst,' protesteerde ze.

'Ja, maar in de praktijk kan hij worden beschouwd als infiltrant. Hou die grens vlijmscherp.'

'Oké. Het gaat om de Sectie, niet om de veiligheidsdienst. Mikael, kun je mij uitleggen hoe het komt dat jij altijd bij dit soort verkoopsuccessen betrokken raakt? Je hebt gelijk. Dit wordt groter dan de Wennerström-affaire.'

'Puur talent, denk ik. Ironisch genoeg begint dit verhaal óók met een Wennerström-affaire. Die spionagezaak in de jaren zestig dus.'

Om vier uur 's middags belde Erika Berger. Ze bevond zich op een vergadering van de Krantenuitgevers om haar visie te geven op de geplande bezuinigingen bij de SMP, die binnen de branche tot een scherp conflict hadden geleid nadat zij ontslag had genomen. Ze vertelde dat de boel uitliep en dat ze niet op tijd zou zijn voor hun afspraak bij Samirs Stoofpot om zes uur, en dat ze er pas om halfzeven zou kunnen zijn.

Jonas Sandberg assisteerde Fredrik Clinton toen hij zich van zijn rolstoel naar het bed in de rustkamer verplaatste, Clintons commandocentrale in het hoofdkwartier van de Sectie aan de Artillerigatan. Clinton was net terug. Hij had de hele ochtend aan de dialyse gelegen. Hij voelde zich stokoud en dodelijk vermoeid. Hij had de laatste dagen amper geslapen en wenste dat het allemaal voorbij zou zijn. Hij zat net weer rechtop in bed, toen Georg Nyström binnenkwam.

Clinton verzamelde al zijn krachten.

'Is het voor elkaar?' vroeg hij.

'Ik heb zojuist de gebroeders Nikolic ontmoet,' zei hij. 'Het gaat vijftigduizend kosten.'

'Geen probleem,' zei Clinton.

O, was ik maar weer jong!

Hij draaide zich om en nam eerst Georg Nyström en daarna Jonas Sandberg in zich op.

'Geen gewetensbezwaren?' vroeg hij.

Beiden schudden hun hoofd.

'Wanneer?' vroeg Clinton.

'Binnen vierentwintig uur,' zei Nyström. 'Het is verdomde lastig om uit te vissen waar Blomkvist uithangt, maar in het ergste geval doen ze het voor de deur van de redactie.'

Clinton knikte.

'We hebben vanavond al een mogelijke opening, over twee uur,' zei Jonas Sandberg.

'O?'

'Erika Berger belde hem net. Ze gaan vanavond eten bij Samirs Stoofpot. Dat is een tent in de buurt van de Bellmansgatan.'

'Berger ... ' zei Clinton aarzelend.

'Ik hoop in godsnaam niet dat zij ook ...' zei Georg Nyström.

'Dat zou niet verkeerd zijn,' onderbrak Jonas Sandberg hem.
Clinton en Nyström keken hem aan.
'We zijn het erover eens dat Blomkvist degene is die de grootste bedreiging voor ons vormt en dat het waarschijnlijk is dat hij iets in het volgende nummer van *Millennium* zal gaan publiceren. Maar we kunnen de publicatie niet tegenhouden. Dus moeten we zijn geloofwaardigheid om zeep helpen. Als hij wordt vermoord bij wat een afrekening in de onderwereld lijkt en de politie vervolgens narcotica en geld in zijn flat aantreft, zal het onderzoek bepaalde conclusies trekken. Ze zullen hoe dan ook niet in eerste instantie aan een samenzwering en banden met de veiligheidsdienst denken.'
Clinton knikte.
'Erika Berger is Blomkvists minnares,' zei Sandberg met klem. 'Ze is getrouwd en pleegt overspel. Als zij ook plotseling sterft, zal dat tevens tot een reeks andere speculaties leiden.'
Clinton en Nyström keken elkaar snel aan. Sandberg was een natuurtalent als het ging om het creëren van rookgordijnen. Hij leerde snel. Maar Clinton en Nyström voelden allebei een lichte aarzeling. Sandberg was veel te zorgeloos in zijn beslissingen ten aanzien van leven of dood. Dat was niet goed. Een extreme maatregel als moord kon niet zomaar worden toegepast, alleen omdat de mogelijkheid zich nu eenmaal voordeed. Het was geen patentoplossing, maar een maatregel die uitsluitend mocht worden toegepast als er geen andere alternatieven waren.
Clinton schudde zijn hoofd.
Collateral damage, dacht hij. Hij voelde plotseling afkeer van de hele zaak.
Na een leven in dienst van het rijk, zitten we hier als een stelletje simpele huurmoordenaars. Zalachenko was noodzakelijk. Björck was ... spijtig, maar Gullberg had gelijk. Björck zou hebben bekend. Blomkvist is ... vermoedelijk noodzakelijk. Maar Erika Berger was slechts een onschuldige toeschouwer.
Hij keek vanuit zijn ooghoek naar Jonas Sandberg. Hij hoopte dat de jongeman zich niet zou ontpoppen tot een psychopaat.
'Hoeveel weten de gebroeders Nikolic?'
'Niets. Over ons althans. Ik ben de enige die ze hebben ontmoet, ik heb een andere identiteit gebruikt en ze kunnen mij niet opsporen. Ze denken dat die moord iets met mensensmokkel te maken heeft.'
'Wat gebeurt er na de moord met de gebroeders Nikolic?'
'Ze verlaten Zweden onmiddellijk,' zei Nyström. 'Net als na Björck.

Als het politieonderzoek niets oplevert, kunnen ze over een paar weken voorzichtig terugkeren.'

'Wat is het plan?'

'Siciliaans model. Ze lopen op Blomkvist af, legen hun magazijn en vertrekken.'

'Wapen?'

'Ze hebben een automatisch wapen. Ik weet niet welk type.'

'Ik hoop niet dat ze dat hele restaurant onder vuur gaan nemen ...'

'Nee, ze zijn koelbloedig en weten wat ze moeten doen. Maar als Berger aan hetzelfde tafeltje zit als Blomkvist ...'

Collateral damage.

'Luister eens,' zei Clinton. 'Het is belangrijk dat Wadensjöö er geen lucht van krijgt dat wij hierbij betrokken zijn. Zeker als Erika Berger een van de slachtoffers wordt. Hij is nú al helemaal over de rooie. Ik ben bang dat we hem met pensioen moeten sturen als dit voorbij is.'

Nyström knikte.

'Dat betekent dat als we bericht krijgen dat Blomkvist is vermoord, we toneel moeten spelen. We beleggen een crisisoverleg en zijn volledig verrast door deze gang van zaken. We speculeren over wie er achter de moord kan zitten, maar zeggen niets over narcotica en dergelijke voordat de politie het bewijsmateriaal heeft gevonden.'

Mikael Blomkvist nam even voor vijven afscheid van 'Zij van TV4'. Ze hadden de hele middag besteed aan het doornemen van onduidelijke punten in het materiaal en daarna was Mikael geschminkt en onderworpen aan een lang interview dat was opgenomen.

Ze had hem een vraag gesteld die hij maar moeilijk op begrijpelijke wijze had kunnen beantwoorden, en ze hadden dat fragment een paar keer overnieuw gedaan.

Hoe kan het dat ambtenaren in dienst van de Zweedse staat zo ver gaan dat ze mensen vermoorden?

Mikael had al lang over die vraag lopen piekeren vóórdat 'Zij van TV4' hem stelde. De Sectie moest Zalachenko hebben gezien als een buitengewone dreiging, maar dat was geen bevredigend antwoord. Het antwoord dat hij uiteindelijk gaf, was ook niet bevredigend.

'De enig redelijke verklaring die ik kan geven, is dat de Sectie zich in de loop der jaren heeft ontwikkeld tot een sekte in de letterlijke zin van het woord. Ze zijn een soort dominee Jim Jones of iets dergelijks geworden. Ze schrijven hun eigen wetten, waarin begrippen als goed en fout niet langer relevant zijn, en waardoor ze totaal geïsoleerd van de normale maatschappij opereren.'

'Dat klinkt krankzinnig.'

'Dat is geen onjuiste beschrijving.'

Hij nam de metro naar Slussen en constateerde dat het te vroeg was om naar Samirs Stoofpot te gaan. Hij bleef even op het Södermalmstorg staan. Hij maakte zich zorgen, maar tegelijkertijd voelde het leven plotseling ook weer goed aan. Pas nadat Erika Berger naar *Millennium* was teruggekeerd, had hij ingezien hoe enorm hij haar had gemist. Bovendien had haar overname van het roer niet geleid tot interne conflicten. Malin Eriksson was weer teruggekeerd op haar post als redactiesecretaris en was juist dolgelukkig dat het leven – zoals zij het uitdrukte – weer zijn gewone gangetje ging.

Erika's terugkomst had er ook toe geleid dat ze allemaal hadden ontdekt hoe vreselijk onderbemand ze de afgelopen drie maanden waren geweest. Erika was spoorslags weer bij *Millennium* in dienst getreden en samen met Malin Eriksson was ze erin geslaagd een deel van de organisatorische werkdruk die was ontstaan, te bedwingen. Ze hadden ook een redactievergadering gehouden waarin ze hadden besloten dat *Millennium* moest uitbreiden en dat er minstens één en vermoedelijk twee nieuwe medewerkers bij moesten. Ze hadden alleen nog geen idee hoe ze hiervoor budget konden vrijmaken.

Uiteindelijk kocht Mikael de avondkranten en dronk hij een kop koffie bij Java op de Hornsgatan om de tijd te doden tot zijn afspraak met Erika.

Officier van justitie Ragnhild Gustavsson van het College van Procureurs-Generaal legde haar leesbril op de vergadertafel en keek het gezelschap aan. Ze was achtenvijftig jaar oud en had een gegroefd gezicht met appelwangetjes en grijzend, kortgeknipt haar. Ze was al vijfentwintig jaar officier van justitie en werkte sinds het begin van de jaren negentig bij het College.

Er waren pas drie weken verstreken sinds ze plotseling bij de procureur-generaal was binnengeroepen om kennis te maken met Torsten Edklinth. Ze was die dag bezig geweest met het afronden van enkele routineklussen om vervolgens te gaan genieten van een zes weken lange vakantie in haar huisje op Husarö. In plaats daarvan had ze opdracht gekregen het onderzoek te leiden naar een groep overheidsambtenaren die opereerde onder de naam 'de Sectie'. Alle vakantieplannen waren snel in de ijskast gezet. Ze had te horen gekregen dat dit in de nabije toekomst haar voornaamste taak zou zijn en ze had nagenoeg de vrije hand gekregen om zelf haar organisatie vorm te geven en noodzakelijke beslissingen te nemen.

'Dit zal een van de meest opzienbarende strafrechtelijke onderzoeken in de Zweedse geschiedenis worden,' had de procureur-generaal gezegd.

Ze was geneigd hem gelijk te geven.

Ze had met stijgende verbazing geluisterd naar de samenvatting van Torsten Edklinth van de zaak en van het onderzoek dat hij in opdracht van de minister-president had uitgevoerd. Het onderzoek was nog niet afgerond, maar hij was van mening dat hij zo ver was gekomen dat hij de zaak aan een officier van justitie moest voorleggen.

Eerst had ze getracht een overzicht te krijgen van het materiaal dat Torsten Edklinth had aangeleverd. Toen de omvang van de strafbare feiten duidelijk werd, had ze ingezien dat alles wat ze deed en alle beslissingen die ze nam in toekomstige geschiedenisboeken tegen het licht zouden worden gehouden. Vervolgens had ze elke wakkere minuut besteed om inzicht proberen te krijgen in het haast onvoorstelbare strafregister waarmee ze te maken had. De zaak was uniek in de Zweedse rechtsgeschiedenis en omdat het ging om het in kaart brengen van criminele activiteiten die al minstens dertig jaar bezig waren, besefte ze dat ze een speciale organisatie nodig had. Ze moest denken aan de landelijke antimaffiaonderzoekers in Italië in de jaren zeventig en tachtig die, om te overleven, nagenoeg ondergronds hadden moeten opereren. Ze begreep waarom Edklinth in het geheim had moeten werken. Hij wist niet wie hij wel en niet kon vertrouwen.

Haar eerste maatregel was het oproepen van drie medewerkers van het College van Procureurs-Generaal. Ze koos mensen die ze al jaren kende. Daarna nam ze een bekende historicus in de arm, die bij de Raad ter Voorkoming van Misdrijven werkte. Hij zou hen bijstaan met kennis over het ontstaan en de ontwikkeling van de Zweedse veiligheidsdienst in de afgelopen decennia. Ten slotte benoemde ze Monica Figuerola formeel als onderzoeksleider.

Daarmee had het onderzoek naar de Sectie een constitutioneel geldige vorm gekregen. Het kon nu worden gezien als elk ander politieonderzoek, ook al was er sprake van totale geheimhouding.

In de afgelopen twee weken had officier Gustavsson een groot aantal personen opgeroepen voor formele, maar zeer discrete verhoren. De verhoren omvatten naast Edklinth en Figuerola ook de inspecteurs Bublanski, Sonja Modig, Curt Svensson en Jerker Holmberg. Daarna had ze Mikael Blomkvist, Malin Eriksson, Henry Cortez, Christer Malm, Annika Giannini, Dragan Armanskij, Susanne Linder en Holger Palmgren opgeroepen. Afgezien van de vertegenwoordigers van *Millennium*, die uit principe geen antwoord gaven op vragen waardoor bronnen konden worden geïdentificeerd, hadden de overigen bereidwillig uitvoerige verklaringen afgelegd en documentatie gegeven.

Ragnhild Gustavsson was beslist not amused geweest door het feit dat ze een door *Millennium* opgestelde tijdtabel gepresenteerd had gekregen die inhield dat ze op een bepaalde datum een aantal personen in hechtenis zou moeten nemen. Ze ging ervan uit dat ze maandenlange voorbereiding nodig zou hebben voordat het onderzoek überhaupt zo ver zou zijn, maar ze had in dit geval geen keus. Mikael Blomkvist van *Millennium* was op dit punt onvermurwbaar. Hij viel niet onder enig landelijke verordening of reglement en hij was vast van plan zijn verhaal op dag drie van de rechtszaak tegen Lisbeth Salander te publiceren. Daardoor was Ragnhild Gustavsson genoodzaakt zich aan te passen en gelijktijdig toe te slaan, opdat verdachte personen en eventueel bewijsmateriaal niet zouden kunnen verdwijnen. Blomkvist kreeg opmerkelijk veel steun van Edklinth en Figuerola, en geleidelijk was de officier van justitie gaan inzien dat het model-Blomkvist zekere voordelen met zich meebracht. Als officier van justitie zou ze precies de zorgvuldig geregisseerde mediasteun in de rug krijgen die ze voor de gerechtelijke vervolging nodig had. Bovendien zou het proces zó snel gaan, dat het hachelijke onderzoek onmogelijk in de wandelgangen van de bureaucratie zou kunnen uitlekken en daardoor bij de Sectie zou kunnen belanden.

'Voor Blomkvist gaat het er in eerste instantie om dat Lisbeth Salander eerherstel krijgt. Het oprollen van de Sectie is daar slechts een gevolg van,' constateerde Monica Figuerola.

De rechtszaak tegen Lisbeth Salander zou woensdag beginnen, over twee dagen, en de bijeenkomst deze maandag had tot doel gehad het beschikbare materiaal grondig door te nemen en de taken te verdelen.

Er hadden dertien personen aan de bijeenkomst deelgenomen. Van het College had Ragnhild Gustavsson haar twee naaste medewerkers meegenomen. Van de afdeling Grondwetsbescherming had opsporingsleider Monica Figuerola deelgenomen evenals haar medewerkers Stefan Bladh en Anders Berglund. Het hoofd van de afdeling Grondwetsbescherming, Torsten Edklinth, had erbij gezeten als waarnemer.

Ragnhild Gustavsson had echter besloten dat een zaak van dit kaliber niet geloofwaardig was als hij werd beperkt tot de Zweedse binnenlandse veiligheidsdienst. Ze had daarom inspecteur Jan Bublanski en zijn groep, bestaande uit Sonja Modig, Jerker Holmberg en Curt Svensson van de politie ook uitgenodigd. Zij hadden immers al sinds Pasen aan de zaak-Salander gewerkt en waren goed op de hoogte van de gebeurtenissen. Bovendien had ze officier van justitie Agneta Jervas en inspecteur Marcus Erlander uit Göteborg opgeroepen. Het onderzoek naar de Sectie hield immers direct verband met het onderzoek naar de moord op Alexander Zalachenko.

Toen Monica Figuerola opmerkte dat oud-premier Thorbjörn Fälldin wellicht als getuige moest worden gehoord, begonnen de politiemensen Jerker Holmberg en Sonja Modig wat onrustig op hun stoelen te schuiven.

Gedurende vijf uur waren alle personen die als medewerkers van de Sectie waren geïdentificeerd, stuk voor stuk de revue gepasseerd. De officier had misdrijven geconstateerd en beslissingen genomen ten aanzien van het oppakken van deze mensen. Er waren in totaal zeven personen geïdentificeerd en in verband gebracht met het appartement op de Artillerigatan. Daarnaast waren er nog eens negen personen geïdentificeerd die banden onderhielden met de Sectie, maar die nooit op de Artillerigatan kwamen. Zij werkten hoofdzakelijk bij de veiligheidsdienst op Kungsholmen, maar hadden een ontmoeting met één of meer medewerkers van de Sectie gehad.

'Het is nog onmogelijk om aan te geven hoe omvangrijk de samenzwering is. We weten niet onder welke omstandigheden deze personen Wadensjöö of iemand anders hebben ontmoet. Het kunnen informanten zijn of mensen die de indruk hebben gekregen dat ze ingeschakeld zijn ten bate van interne onderzoeken of zo. Er is dus onzekerheid over hun betrokkenheid en die kan alleen maar worden weggenomen als we de mogelijkheid krijgen de personen in kwestie te ondervragen. Dit zijn bovendien de enige personen die we gedurende de weken dat het onderzoek loopt, hebben opgemerkt; er kunnen dus nog meer personen zijn, van wie wij geen weet hebben.'

'Maar de chef de bureau en de budgetverantwoordelijke ...'

'Van hen kunnen we met zekerheid zeggen dat ze voor de Sectie werken.'

Ragnhild Gustavsson besloot om zes uur 's avonds een eetpauze van een uur in te lassen, waarna de presentatie verder zou gaan.

Op het moment dat iedereen opstond en door elkaar heen begon te lopen, vroeg Monica Figuerola's medewerker Jesper Thoms van de operatieve eenheid van de afdeling Grondwetsbescherming haar aandacht om haar te informeren over wat er de laatste uren was gebeurd.

'Clinton heeft een groot deel van de dag aan de dialyse gelegen en is tegen drieën naar de Artillerigatan teruggekeerd. De enige die iets van belang heeft gedaan, is Georg Nyström, maar we weten niet helemaal zeker wat hij heeft uitgespookt.'

'Aha,' zei Monica Figuerola.

'Nyström is vanmiddag om halftwee naar het Centraal Station gegaan en ontmoette daar twee personen. Ze liepen naar hotel Sheraton en dronken daar koffie aan de bar. De ontmoeting duurde ruim twintig minuten, waarna Nyström naar de Artillerigatan is teruggekeerd.'

'Oké. Wie waren dat?'

'Dat weten we niet. Nieuwe gezichten. Twee mannen van rond de vijfendertig die qua uiterlijk van Oost-Europese komaf lijken. Maar onze man is ze helaas uit het oog verloren toen ze naar de metro gingen.'

'O,' zei Monica Figuerola vermoeid.

'Hier zijn de opnamen,' zei Jesper Thoms en hij gaf haar een serie foto's.

Ze keek naar vergrotingen van gezichten die ze nooit eerder had gezien.

'Oké, bedankt,' zei ze. Ze legde de foto's op de vergadertafel en stond op om iets te eten te gaan zoeken.

Curt Svensson stond vlak bij haar en bekeek de foto's.

'Nee, hè,' zei hij. 'Hebben de gebroeders Nikolic hier ook al mee te maken?'

Monica Figuerola bleef staan.

'Wie?'

'Dat zijn twee schurken,' zei Curt Svensson. 'Tomi en Miro Nikolic.'

'Jij kent ze?'

'Ja. Twee broers uit Huddinge. Serviërs. We hebben ze diverse keren in de gaten gehouden toen ze in de twintig waren en ik bij de gangstereenheid zat. Miro Nikolic is de gevaarlijkste van de twee. Hij wordt overigens gezocht wegens zware mishandeling. Maar ik dacht dat ze naar Servië waren vertrokken en in de politiek waren gegaan of zoiets.'

‘In de politiek?’

‘Ja. Ze zaten begin jaren negentig in Joegoslavië en werkten mee aan de etnische zuiveringen. Ze werkten voor maffialeider Arkan, die aan het hoofd stond van een soort particuliere fascistenmilitie. Ze kregen naam als echte shooters.’

‘Shooters?’

‘Ja, huurmoordenaars. Ze reizen heen en weer tussen Belgrado en Stockholm. Hun oom heeft een kroeg op Norrmalm, waar ze officieel af en toe werken. We hebben diverse gegevens dat ze betrokken zijn bij zeker twee moorden in verband met afrekeningen binnen de zogenaamde Joegoslavische sigarettenoorlog, maar we hebben ze nooit ergens voor kunnen pakken.’

Monica Figuerola keek zwijgend naar de foto’s. Toen werd ze opeens lijkbleek. Ze staarde naar Torsten Edklinth.

‘Blomkvist,’ schreeuwde ze met paniek in haar stem. ‘Ze nemen er geen genoegen mee hem in opspraak te brengen. Ze zijn van plan hem te vermoorden. Als de politie die cocaïne dan vindt, zal zij tijdens het onderzoek haar eigen conclusies trekken.’

Edklinth staarde terug.

‘Hij had een afspraak met Erika Berger bij Samirs Stoofpot,’ zei Monica Figuerola. Ze greep Curt Svensson bij zijn schouder.

‘Ben je gewapend?’

‘Ja ...’

‘Kom mee.’

Monica Figuerola spurtte de vergaderkamer uit. Haar werkkamer lag drie deuren verder de gang op. Ze deed de deur van het slot en pakte haar dienstwapen uit de bureaula. Tegen alle regels in deed ze de deur van haar kamer niet op slot maar liet hem wijd openstaan terwijl ze vaart zette naar de liften. Curt Svensson bleef een paar seconden besluiteloos staan.

‘Ga,’ zei Bublanski tegen Curt Svensson. ‘Sonja ... ga met ze mee.’

Mikael Blomkvist was om tien voor halfzeven bij Samirs Stoofpot. Erika Berger was net gearriveerd en had een tafeltje naast de bar weten te bemachtigen, vlak bij de ingang. Hij kuste haar op haar wang. Ze bestelden elk een groot glas bier en een lamspot, en wachtten tot het bier werd geserveerd.

‘Hoe was “Zij van TV4”?’ vroeg Erika Berger.

‘Even kil als altijd.’

Erika Berger moest lachen.

'Als je niet oppast, raak je nog bezeten van haar. Nou, nou, er is zomaar een meid die niet voor Blomkvists charmes valt.'

'Er zijn in de loop der jaren wel meer meiden geweest die daar niet voor zijn gevallen,' zei Mikael Blomkvist. 'Hoe was jouw dag?'

'Weggegooid. Maar ik heb een uitnodiging aangenomen om deel te nemen aan een debat over de SMP bij de Grote Club voor de Media. Dat wordt mijn laatste bijdrage over die kwestie.'

'Lekker dan.'

'Het is zó heerlijk om weer terug te zijn bij *Millennium*,' zei ze.

'Je snapt niet half hoe fijn ík het vind dat jij weer terug bent. Dat gevoel is nog steeds niet weg.'

'Het is weer leuk om naar mijn werk te gaan.'

'Mm.'

'Ik ben gelukkig.'

'En ik moet naar de wc,' zei Mikael en hij stond op.

Hij deed een paar stappen en botste bijna tegen een man van rond de vijfendertig op die net door de ingang naar binnen kwam. Mikael merkte op dat hij een Oost-Europees uiterlijk had en staarde hem aan. Toen zag hij het machinepistool.

Toen ze langs Riddarholmen reden, belde Torsten Edklinth en zei dat Mikael Blomkvist en Erika Berger geen van beiden hun mobiele telefoon opnamen. Ze hadden ze wellicht uitgezet tijdens het eten.

Monica Figuerola vloekte en passeerde het Södermalmstorg met een snelheid van bijna 80 kilometer per uur. Ze hield de claxon ingedrukt en maakte een scherpe bocht de Hornsgatan in. Curt Svensson moest zich stevig vasthouden aan het portier. Hij had zijn dienstwapen tevoorschijn gehaald en controleerde of het geladen was. Sonja Modig deed op de achterbank hetzelfde.

'We moeten versterking vragen,' zei Curt Svensson. 'Met de gebroeders Nikolic valt niet te spotten.'

Monica Figuerola knikte.

'We doen het als volgt,' zei ze. 'Sonja en ik gaan direct bij Samirs Stoofpot naar binnen en hopen dat ze daar zitten. Jij, Curt, herkent de gebroeders Nikolic en blijft buiten staan om toezicht te houden.'

'Oké.'

'Als alles rustig is, nemen we Blomkvist en Berger meteen mee naar de auto en brengen we ze naar Kungsholmen. Als we ook maar enig onraad ruiken, blijven we in het restaurant en vragen we versterking.'

'Oké,' zei Sonja Modig.

Monica Figuerola reed nog in de Hornsgatan toen de politieradio onder het dashboard begon te knetteren.

'Alle eenheden. Schotenwisseling op de Tavastgatan, Södermalm. Het betreft restaurant Samirs Stoofpot.'

Monica Figuerola voelde een plotselinge kramp in haar middenrif.

Erika Berger zag Mikael Blomkvist bijna tegen een man van rond de vijfendertig opbotsen toen hij naar het toilet bij de ingang liep. Ze fronste haar wenkbrauwen zonder precies te weten waarom. Ze zag dat de onbekende man Mikael met een verbaasde gezichtsuitdrukking aanstaarde. Ze vroeg zich af of het iemand was die Mikael kende.

Toen zag ze dat de man een stap achteruit deed en een tas op de grond liet vallen. Ze begreep eerst niet wat ze zag. Ze zat als verlamd toen hij een automatisch wapen op Mikael Blomkvist richtte.

Mikael Blomkvist reageerde zonder erbij na te denken. Hij greep met zijn linkerhand de loop vast en draaide deze naar het plafond. Gedurende een microseconde scheerde de loop rakelings langs zijn gezicht.

Het salvo van het machinepistool was oorverdovend in de krappe ruimte. Metselspecie en glas van de plafondverlichting regenden over Mikael heen toen Miro Nikolic elf schoten loste. Mikael Blomkvist staarde heel kort in de ogen van de Oost-Europeaan.

Toen deed Miro Nikolic een stap achteruit en rukte het wapen naar zich toe. Mikael was totaal onvoorbereid en liet de loop los. Hij besefte plotseling dat hij in levensgevaar verkeerde. Zonder erbij na te denken, wierp hij zich op de man in plaats van dekking te zoeken. Later begreep hij dat hij, als hij anders zou hebben gereageerd, als hij in elkaar was gekrompen of achteruit was gelopen, onmiddellijk zou zijn neergeschoten. Hij kreeg opnieuw de loop van het machinepistool te pakken. Hij gebruikte zijn lichaamsgewicht om de man tegen de muur te drukken. Hij hoorde nog eens zes of zeven schoten afvuren en trok wanhopig aan het machinepistool om de loop naar de grond te richten.

Erika Berger ging instinctief op haar hurken zitten toen de tweede serie schoten werd afgevuurd. Ze viel en kwam met haar hoofd tegen een stoel. Daarna kroop ze op de grond ineen, keek omhoog en zag dat er drie kogelgaten in de muur zaten op de plek waar ze zo-even nog had gezeten.

Geschokt draaide ze haar hoofd om en zag Mikael Blomkvist bij de ingang met de man worstelen. Hij zat op één knie en had het machinepistool met beide handen vastgepakt. Hij probeerde het los te trekken. Ze zag de dader vechten om zich te bevrijden. Hij beukte telkens met zijn vuist op Mikaels gezicht en slaap.

Monica Figuerola remde abrupt tegenover Samirs Stoofpot, duwde het portier open en zette vaart naar het restaurant. Ze had haar Sig Sauer in de aanslag en ontgrendelde hem toen ze zich bewust werd van de auto die precies voor het restaurant stond geparkeerd.

Ze zag Tomi Nikolic achter het stuur zitten en richtte haar wapen op zijn gezicht aan de andere kant van de ruit.

'Politie! Handen omhoog!' riep ze.

Tomi Nikolic stak zijn handen omhoog.

'Kom de auto uit en ga op straat liggen,' brulde ze met razernij in haar stem. Ze draaide haar hoofd om en keek Curt Svensson snel aan. 'Het restaurant,' zei ze.

Curt Svensson en Sonja Modig renden de straat over.

Sonja Modig dacht aan haar kinderen. Het ging tegen elke politie-instructie in om met getrokken wapen een gebouw binnen te rennen zonder fatsoenlijke versterking ter plaatse, zonder kogelvrij vest en zonder overzicht over de situatie ...

Toen hoorde ze een knal. In het restaurant werd een schot gelost.

Mikael Blomkvist zat met zijn wijsvinger tussen de trekker en de beugel van het machinepistool toen Miro Nikolic opnieuw begon te schieten. Hij hoorde glas achter zich versplinteren. Hij voelde een vreselijke pijn in zijn vinger toen zijn aanvaller telkens weer op de trekker duwde en zijn vinger fijnkneep, maar zolang zijn vinger daar zat, kon het wapen niet meer worden afgevuurd. De vuistslagen hagelden tegen de zijkant van zijn hoofd en hij voelde plotseling dat hij vijfenveertig jaar oud was en absoluut niet getraind.

Dit red ik niet. Dit moet stoppen, dacht hij.

Dat was zijn eerste rationele gedachte sinds hij de man met het machinepistool had ontdekt.

Hij klemde zijn tanden op elkaar en stak zijn vinger nóg verder achter de trekker.

Vervolgens zette hij zich met zijn voeten af, drukte zijn schouder tegen het lichaam van de dader en werkte zich op die manier weer op de been. Hij liet het machinepistool met zijn rechterhand los en duwde zijn elleboog omhoog om de vuistslagen af te weren. Daarop begon Miro Nikolic in zijn oksel en tegen zijn ribben te beuken. Eén seconde stonden ze weer oog in oog.

Het volgende moment voelde Mikael dat de dader bij hem werd weggetrokken. Hij voelde een laatste vernietigende pijn in zijn vinger en zag de enorme gestalte van Curt Svensson. Svensson tilde Miro Nikolic letterlijk op met een stevige greep in zijn nek en sloeg hem met zijn hoofd tegen de muur naast de deurpost. Miro Nikolic zakte als een zoutzak op de grond.

'Liggen!' hoorde hij Sonja Modig brullen. 'Politie. Lig stil!'

Hij draaide zijn hoofd om en zag haar wijdbeens staan, ze hield haar pistool met twee handen vast terwijl ze probeerde overzicht te krijgen over de chaotische situatie. Uiteindelijk hief ze haar wapen naar het plafond en richtte haar blik op Mikael Blomkvist.

'Ben je gewond?' vroeg ze.

Mikael keek haar onthutst aan. Zijn ene wenkbrauw en neus bloedden.

'Ik geloof dat mijn vinger gebroken is,' zei hij terwijl hij op de grond ging zitten.

Monica Figuerola kreeg minder dan een minuut nadat ze Tomi Nikolic op de stoep had gedwongen, assistentie van het arrestatieteam van Södermalm. Ze legitimeerde zich, liet de arrestant over aan de goede zorgen van de uniformen, en rende daarna naar het restaurant. Ze bleef in de deuropening staan en probeerde overzicht te krijgen over de situatie.

Mikael Blomkvist en Erika Berger zaten op de grond. Zijn gezicht bloedde en hij leek in shock te zijn. Monica ademde uit. Hij leefde in elk geval. Daarna fronste ze haar wenkbrauwen toen Erika Berger haar arm om Mikaels schouder sloeg.

Sonja Modig zat op haar hurken en inspecteerde Blomkvists hand. Curt Svensson was bezig Miro Nikolic te boeien, die eruitzag alsof hij door een intercity was geraakt. Ze zag een machinepistool van Zweeds legermodel op de grond liggen.

Ze keek op en zag geschokt restaurantpersoneel, geschrokken gasten, en constateerde gebroken serviesgoed, omgevallen stoelen en tafels, en de ravage na diverse schoten. Ze rook de kruitdampen. Maar ze zag geen doden of gewonden in het restaurant. De politiemensen van het arrestatieteam kwamen met getrokken wapens het restaurant binnen. Ze stak haar hand uit en raakte Curt Svenssons schouder aan. Hij stond op.

'Je zei dat Miro Nikolic werd gezocht?'

'Klopt. Zware mishandeling ongeveer een jaar geleden. Een ruzie in Hallunda.'

'Oké. We doen het als volgt. Ik smeer hem nu meteen met Blomkvist en Berger. Jij blijft. Het verhaal is dat jij en Sonja Modig hierheen gingen om samen te eten en dat jij Nikolic herkende uit je tijd bij de gangstereenheid. Toen je hem probeerde te pakken, trok hij een wapen en schoot erop los. Toen heb je hem geboeid.'

Curt Svensson keek verbaasd.

'Dat lukt nooit ... er zijn getuigen.'

'Die getuigen zullen vertellen dat er is gevochten en dat er werd geschoten. Als het maar tot de avondkranten van morgen houdt. Het verhaal is dus dat de gebroeders Nikolic toevallig zijn opgepakt, omdat jij ze herkende.'

Curt Svensson keek naar de chaos om zich heen. Toen knikte hij kort.

Monica Figuerola baande zich een weg door de grote hoeveelheid politiemensen op straat en pootte Mikael Blomkvist en Erika Berger op de achterbank van haar auto. Ze wendde zich tot de bevelvoerder van het arrestatieteam en sprak dertig seconden op zachte toon met hem. Ze knikte naar de auto waarin Mikael en Erika zaten. De bevelvoerder keek verbaasd, maar knikte uiteindelijk. Ze reed naar de wijk Zinkensdamm, parkeerde en draaide zich om.

'Hoe ernstig ben je toegetakeld?'

'Ik heb een paar rake klappen gekregen. Mijn tanden zitten er nog in. Maar ik heb mijn wijsvinger bezeerd.'

'We gaan naar de eerste hulp van het St. Görans.'

'Wat is er gebeurd?' vroeg Erika Berger. 'En wie ben jij?'

'Sorry,' zei Mikael. 'Erika, dit is Monica Figuerola. Ze werkt bij de veiligheidsdienst. Monica, dit is Erika Berger.'

'Zo ver was ik al,' zei Monica Figuerola met neutrale stem. Ze keek Erika Berger niet aan.

'Monica en ik hebben elkaar tijdens het onderzoek leren kennen. Ze is mijn contactpersoon bij de veiligheidsdienst.'

'Aha,' zei Erika Berger. Ze begon plotseling te rillen; de shock zette in.

Monica Figuerola staarde Erika Berger strak aan.

'Wat is er gebeurd?' vroeg Mikael.

'We hebben het doel van die cocaïne verkeerd geïnterpreteerd,' zei

Monica Figuerola. 'We dachten dat ze een val voor je hadden opgezet om je in opspraak te brengen. Maar ze waren van plan je te vermoorden. De politie zou de cocaïne dan vinden als ze je appartement zouden doorzoeken.'

'Welke cocaïne?' vroeg Erika Berger.

Mikael sloot kort zijn ogen.

'Breng me naar het St. Görans,' zei hij.

'Opgepakt?' riep Fredrik Clinton. Hij voelde een vederlichte druk in zijn hartstreek.

'Vermoedelijk niets aan de hand,' zei Georg Nyström. 'Het lijkt puur toeval te zijn.'

'Toeval?'

'Miro Nikolic werd gezocht voor een oude mishandelingsgeschiedenis. Een smeris van straatgeweld herkende hem en heeft hem opgepakt toen hij die tent binnenkwam. Nikolic raakte in paniek en probeerde zich vrij te schieten.'

'Blomkvist?'

'Hij is er nooit bij betrokken geraakt. We weten niet eens of hij in het restaurant was toen Nikolic werd opgepakt.'

'Jezus, dit is toch niet wáár?' zei Fredrik Clinton. 'Wat weten de gebroeders Nikolic?'

'Over ons? Niets. Ze denken dat Björck en Blomkvist klussen waren die met trafficking te maken hadden.'

'Maar ze weten dat Blomkvist het doelwit was?'

'Ja, maar ze zullen heus niet vertellen dat ze een klus hadden aangenomen om iemand om zeep te helpen. Ze houden echt hun mond wel. Ze worden beschuldigd wegens verboden wapenbezit en – denk ik – geweld tegen een ambtenaar in functie.'

'Wat een sukkels,' zei Clinton.

'Ja, dit is niks. We moeten Blomkvist maar even laten rusten, maar godzijdank is er eigenlijk niets gebeurd.'

Om elf uur 's avonds werden Mikael Blomkvist en Erika Berger op Kungsholmen opgehaald door Susanne Linder en twee potige uitsmijters van Milton Security's persoonsbeveiliging.

'Jij bent wel bezig, hè,' zei Susanne Linder tegen Erika Berger.

'Sorry,' antwoordde Erika somber.

In de auto op weg naar het St. Görans ziekenhuis raakte Erika behoorlijk in shock. Ze had plotseling beseft dat Mikael Blomkvist en zij op het nippertje aan de dood waren ontsnapt.

Mikael bracht een uur door op de spoedeisende hulp. Zijn gezicht werd verbonden, er werden röntgenfoto's gemaakt en zijn linkerwijsvinger werd ingepakt. Doordat zijn bovenste kootje flink beklemd was geraakt, zou hij vermoedelijk zijn nagel verliezen. Het ernstigste letsel was ironisch genoeg ontstaan toen Curt Svensson Miro Nikolic bij hem had weggetrokken. Mikaels wijsvinger was in de beugel van het machinepistool blijven steken en door de actie van Svensson gewoon doormidden gebroken. Het deed verschrikkelijk veel pijn, maar was niet direct levensbedreigend.

Voor Mikael kwam de schok pas twee uur later, toen hij al lang en breed bij de afdeling Grondwetsbescherming van de veiligheidsdienst zat en een verklaring aflegde aan inspecteur Bublanski en officier van justitie Ragnhild Gustavsson. Hij kreeg het plotseling ijskoud en voelde zich zo moe dat hij tussen de vragen door bijna in slaap viel. Daarna was er enige discussie ontstaan.

'We weten niet wat ze van plan zijn,' zei Monica Figuerola. 'We weten niet of Blomkvist alléén het doelwit was of dat Berger er ook aan had moeten geloven. We weten niet of ze het nogmaals gaan proberen en of anderen bij *Millennium* ook bedreigd zijn ... En waarom zouden ze Salander niet doden? Zij vormt immers een echte bedreiging voor de Sectie.'

'Ik heb de medewerkers van *Millennium* al gebeld en hun geïnformeerd terwijl Mikael werd geholpen,' zei Erika Berger. 'Iedereen houdt zich koest tot het blad uitkomt. De redactie is voorlopig onbemand.'

Torsten Edklinths eerste reactie was Mikael Blomkvist en Erika Berger onmiddellijk een lijfwacht te geven. Daarna hadden Monica Figuerola en hij ingezien dat het misschien niet zo'n slimme zet was om de aandacht te trekken door contact op te nemen met de afdeling Persoonsbeveiliging van de veiligheidsdienst.

Erika Berger loste het probleem op door de politiebescherming af te wijzen. Ze belde Dragan Armanskij en legde de situatie uit, wat ertoe leidde dat Susanne Linder die avond laat werd opgeroepen om te werken.

Mikael Blomkvist en Erika Berger werden ingekwartierd op de bovenverdieping van een *safe house* in de buurt van Drottningholm op weg naar het centrum van Ekerö. Het was een grote villa uit de jaren dertig met uitzicht op het water, een imposante tuin met bijgebouwen en veel eigen grond. Het pand was eigendom van Milton Security, maar werd bewoond door Martina Sjögren, achtenzestig jaar oud, weduwe van oud-medewerker Hans Sjögren die vijftien jaar daarvoor was verongelukt toen hij tijdens een opdracht door een verrotte vloer van een leegstaand huis buiten Sala was gezakt. Na de begrafenis had Dragan Armanskij met Martina Sjögren gesproken en haar aangesteld als huishoudster en locatiemanager. Zij zorgde voor het onderhoud en het beheer van het pand. Ze woonde gratis in een aanbouw op de benedenverdieping en hield de bovenverdieping gereed voor die gevallen, een paar keer per jaar, waarin Milton Security op korte termijn iemand moest onderbrengen die om daadwerkelijke of ingebeelde redenen bang was voor zijn of haar veiligheid.

Monica Figuerola ging ook mee. Ze plofte op een stoel in de keuken en liet Martina Sjögren haar van koffie voorzien terwijl Erika Berger en Mikael Blomkvist zich op de bovenverdieping installeerden en Susanne Linder het alarm en de elektronische beveiligingsapparatuur rond het pand controleerde.

'Er zijn tandenborstels en toiletartikelen in de ladekast op de gang voor de badkamer,' riep Martina Sjögren naar boven.

Susanne Linder en de twee lijfwachten van Milton Security installeerden zich in kamers op de benedenverdieping.

'Ik ben al vanaf vier uur vanochtend in de weer,' zei Susanne Linder. 'Maak maar een roulatieschema, maar laat mij alsjeblieft tot vijf uur morgenochtend slapen.'

'Je kunt de hele nacht slapen, wij regelen dit wel,' zei een van de lijfwachten.

'Bedankt,' zei Susanne Linder en ze ging naar bed.

Monica Figuerola luisterde verstrooid terwijl de twee lijfwachten de bewegingsdetector in de tuin inschakelden en lootten wie de eerste shift voor zijn rekening zou nemen. De verliezer smeerde een boterham en ging in een tv-kamer naast de keuken zitten. Monica Figuerola bestudeerde de gebloemde koffiekopjes. Zij was ook al sinds vanochtend vroeg in de weer en voelde zich behoorlijk afgepeigerd. Ze dacht er net over om naar huis te gaan toen Erika Berger beneden kwam en een kop koffie inschonk. Ze ging aan de andere kant van de tafel zitten.

'Mikael is als een blok in slaap gevallen zo gauw hij in bed lag.'

'Reactie op de adrenaline,' zei Monica Figuerola.

'Wat gebeurt er nu?'

'Jullie moeten je een paar dagen koest houden. Binnen een week is het voorbij, hoe het ook afloopt. Hoe voel jij je?'

'Tja. Nog steeds een beetje shaky. Dit maak je niet elke dag mee. Ik heb net mijn man gebeld om te zeggen waarom ik vanavond niet thuiskom.'

'Hm.'

'Ik ben getrouwd met ...'

'Ik weet met wie je getrouwd bent.'

Stilte. Monica Figuerola wreef in haar ogen en gaapte.

'Ik moet naar huis om te slapen.'

'Jezus, schei eens uit, zeg. Ga toch bij Mikael liggen,' zei Erika.

Monica Figuerola keek haar aan.

'Is het zo duidelijk?' vroeg ze.

Erika knikte.

'Heeft Mikael iets gezegd ...'

'Geen woord. Hij is erg discreet als het om zijn damesgezelschap gaat. Maar soms is hij een open boek. En jij bent duidelijk vijandig als je naar me kijkt. Jullie proberen iets te verbergen.'

'Mijn chef,' zei Monica Figuerola.

'Je chef?'

'Ja, Edklinth zou waanzinnig worden als hij wist dat Mikael en ik een ...'

'Aha.'

Stilte.

'Ik weet niet wat er tussen jou en Mikael is, maar ik ben niet je rivaal,' zei Erika.

'Nee?'

'Mikael is zo af en toe mijn minnaar. Maar ik ben niet met hem getrouwd.'

'Ik heb begrepen dat jullie een speciale relatie hebben. Dat vertelde hij toen we in Sandhamn waren.'

'Ben je met hem in Sandhamn geweest? Dan is het serieus.'

'Daar mag je geen grapjes over maken.'

'Monica ... ik hoop dat Mikael en jij ... Ik zal proberen bij jullie vandaan te blijven.'

'En als dat niet lukt?'

Erika Berger haalde haar schouders op.

'Zijn ex flipte helemaal toen Mikael met mij vreemdging. Ze heeft hem eruit gegooid. Het was mijn fout. Zolang Mikael single en beschikbaar is, heb ik geen gewetensbezwaren. Maar ik heb mezelf beloofd dat als hij serieus iets met iemand krijgt, ik op afstand zal blijven.'

‘Ik weet niet of ik in hem durf te investeren.’

‘Mikael is speciaal. Ben je verliefd op hem?’

‘Ik geloof van wel.’

‘Nou. Laat hem dan niet bij voorbaat al vallen. Ga naar bed.’

Monica dacht er even over na. Toen ging ze naar boven, kleedde zich uit en kroop naast Mikael in bed. Hij mompelde iets en legde een arm om haar heen.

Erika Berger bleef alleen in de keuken achter. Ze zat lang na te denken. Ze voelde zich opeens diep ongelukkig.

25
WOENSDAG 13 JULI – DONDERDAG 14 JULI

Mikael Blomkvist had zich altijd al afgevraagd waarom luidsprekers bij rechtbanken zo zachtjes en discreet waren afgesteld. Hij had moeite het omroepbericht te verstaan dat de behandeling van de zaak tegen Lisbeth Salander om 10.00 uur zou beginnen in zaal 5. Maar hij was vroeg en was bij de ingang van de zaal gaan zitten. Hij was een van de eersten die werd binnengelaten. Hij nam plaats op de toehoordersbank aan de linkerkant van de zaal, waar hij het beste uitzicht zou hebben op de tafel van de verdachte. De toeschouwersplaatsen waren snel bezet. De belangstelling van de media voor de zaak was geleidelijk aan toegenomen en afgelopen week was officier van justitie Richard Ekström dagelijks geïnterviewd.

Ekström was ijverig geweest.

Lisbeth Salander stond terecht wegens mishandeling en zware mishandeling van Carl-Magnus Lundin; wegens wederrechtelijke bedreiging van, poging tot moord op en zware mishandeling van de overleden Karl Axel Bodin alias Alexander Zalachenko; voor twee gevallen van inbraak – in het zomerhuisje van de verscheiden advocaat Nils Bjurman in Stallarholmen en in diens woning bij het Odenplan; voor wederrechtelijke toe-eigening van een vervoermiddel – een Harley-Davidson die eigendom was van Sonny Nieminen, lid van de Svavelsjö MC; voor drie gevallen van verboden wapenbezit – een traangaspatroon, een elektrisch pistool en een Poolse P-83 Wanad, die in Gosseberga was teruggevonden; voor diefstal dan wel het onthouden van bewijsmateriaal – die formulering was onduidelijk maar doelde op de documentatie die ze in het zomerhuisje van Bjurman had gevonden, evenals voor een aantal kleinere vergrijpen. In totaal bestond de aanklacht tegen Lisbeth Salander uit zestien punten.

Ekström had ook gegevens naar buiten gebracht die aanduidden dat de mentale toestand van Lisbeth Salander veel te wensen overliet. Hij beriep zich daarbij deels op het gerechtelijk-psychiatrische onderzoek van dokter Jesper H. Löderman dat was opgesteld toen Lisbeth achttien was en deels op een onderzoek dat op last van de rechtbank bij een voorbereidend overleg door dokter Peter Teleborian was opgesteld. Omdat het geesteszieke meisje uit gewoonte categorisch weigerde te praten met psychiaters, was de analyse gemaakt met 'observaties' als uitgangspunt. Deze observaties waren uitgevoerd in de maand vóór de rechtszaak, toen ze in de Kronobergsgevangenis in Stockholm verbleef. Teleborian, die jarenlange ervaring met de patiënte had, had vastgesteld dat Lisbeth Salander aan een ernstige psychische stoornis leed en gebruikte termen als psychopathie, pathologisch narcisme en paranoïde schizofrenie.

De media hadden ook gerapporteerd dat er zeven politieverhoren met haar hadden plaatsgevonden. Bij al deze verhoren had de verdachte geweigerd om ook maar goedemorgen te zeggen tegen de ondervragers. De eerste verhoren waren gehouden door de politie van Göteborg terwijl de overige hadden plaatsgevonden in het hoofdbureau van politie in Stockholm. De opnamen die van de verhoren waren gemaakt, bestonden uit bidden en smeken, vriendelijke overredingspogingen en herhaalde, hardnekkige vragen van de ondervragers, maar geen enkel antwoord.

Zelfs geen kuchje.

Bij andere gelegenheden was de stem van Annika Giannini op de band hoorbaar geweest, als zij constateerde dat haar cliënte blijkbaar niet van plan was antwoord te geven op vragen. De aanklacht tegen Lisbeth Salander was dus uitsluitend gebaseerd op technisch bewijs en de feiten die tijdens het politieonderzoek waren vastgesteld.

Lisbeths zwijgen had haar advocate soms in een gênante positie gebracht omdat zij hierdoor bijna net zo zwijgzaam had moeten zijn als haar cliënte. Wat Annika Giannini en Lisbeth Salander onder vier ogen bespraken, was vertrouwelijk.

Ekström maakte er evenmin een geheim van dat hij ten eerste van plan was gesloten psychiatrische verpleging voor Lisbeth Salander te eisen en ten tweede een aanzienlijke gevangenisstraf. Het verloop was gewoonlijk andersom, maar hij was van mening dat er in dit geval sprake was van zulke duidelijke psychische stoornissen en er zo'n glasheldere gerechtelijk-psychiatrische uitspraak aanwezig was, dat hij geen alternatief had. Het was uiterst ongebruikelijk dat een rechtbank tegen een gerechtelijk-psychiatrisch oordeel inging.

Hij was tevens van mening dat Salanders ondertoezichtstelling niet moest worden opgeheven. Hij had in een interview met een bezorgd gezicht verklaard dat er in Zweden een aantal sociopathische personen met dusdanig zware psychische stoornissen waren, dat ze een gevaar vormden voor zichzelf en voor anderen, en dat de wetenschap geen ander alternatief had dan deze personen achter slot en grendel te houden. Hij noemde het geval van het gewelddadige meisje Anette, dat in de jaren zeventig een steeds terugkerend verhaal in de media was geweest en dertig jaar later nog in een gesloten inrichting zat. Elke poging om de restricties te verminderen resulteerden erin dat ze haar familie en het personeel onbezonnen en gewelddadig aanviel of zichzelf iets probeerde aan te doen. Ekström meende dat Lisbeth Salander aan een soortgelijke vorm van psychopathische stoornissen leed.

De interesse van de media was ook toegenomen om de simpele reden dat Lisbeth Salanders advocate Annika Giannini zich niet in de media had uitgesproken. Ze had consequent geweigerd zich te laten interviewen om op die manier de visie van de tegenpartij toe te lichten. De media bevonden zich zodoende in een lastig parket, waarbij de officier van justitie hen overstelpte met informatie terwijl van de kant van de verdediging in dit geval op geen enkele wijze was aangegeven hoe Salander tegenover de aanklacht stond en welke strategie de verdediging van plan was toe te passen.

Deze omstandigheid werd van commentaar voorzien door een juridische expert die was ingehuurd om de zaak voor rekening van een avondkrant te volgen. Deze expert had in een column geconstateerd dat Annika Giannini een gerespecteerde advocate was op het gebied van emancipatievraagstukken, maar dat ze geen enkele ervaring had met strafzaken, en hij had de conclusie getrokken dat ze ongeschikt was om Lisbeth Salander te verdedigen. Mikael Blomkvist had van zijn zus gehoord dat diverse bekende advocaten contact met haar hadden opgenomen en haar hun diensten hadden aangeboden. Annika Giannini had dergelijke voorstellen in opdracht van haar cliënte vriendelijk afgewezen.

In afwachting van het begin van de zitting gluurde Mikael naar de andere toehoorders. Hij ontdekte plotseling Dragan Armanskij op de plaats het dichtst bij de uitgang.

Hun blikken ontmoetten elkaar een kort moment.

Ekström had een enorme stapel papieren op zijn tafel liggen. Hij knikte naar enkele journalisten die hij herkende.

Annika Giannini zat aan de tafel tegenover Ekström. Ze sorteerde papieren en keek niet op. Mikael vond dat zijn zus wat nerveus overkwam. *Vast plankenkoorts,* dacht hij.

Daarna kwamen de voorzitter van de rechtbank, de bijzitter en de juryleden de zaal binnen. De voorzitter van de rechtbank was rechter Jörgen Iversen, een zevenenvijftigjarige, witharige man met een mager gezicht en een veerkrachtige tred. Mikael had naar Iversens achtergrond gekeken en geconstateerd dat hij bekendstond als een zeer ervaren en correcte rechter die al eerder bij een aantal opmerkelijke rechtszaken had gevonnist.

Uiteindelijk werd Lisbeth Salander de rechtszaal binnengeleid.

Hoewel Mikael gewend was aan Lisbeth Salanders vermogen zich aanstootgevend te kleden, verbaasde het hem dat Annika Giannini haar toestemming had gegeven om zó in de rechtszaal te verschijnen; met een kort zwart leren rokje waarvan de zoom kapot was en een zwart hemdje met de tekst I AM IRRITATED, dat weinig van haar tatoeages verborg. Ze droeg stevige stappers, een riem met klinknagels en paars-zwart gestreepte kniekousen. Ze had een tiental piercings in haar oren en ringen door haar lip en wenkbrauw. Ze had drie maanden lange, sprietige zwarte stoppels; een overblijfsel van haar hersenoperatie. Bovendien was ze ongebruikelijk zwaar opgemaakt. Ze droeg grijze lippenstift, oogschaduw en méér pikzwarte mascara dan waar Mikael haar ooit mee had gezien. In de tijd dat hij met haar was omgegaan, was ze eigenlijk niet geïnteresseerd geweest in make-up.

Ze zag er een beetje vulgair uit, om de zaak diplomatiek uit te drukken. Bijna gothic. Ze deed denken aan een vampier uit een kunstzinnige popartfilm uit de jaren zestig. Mikael merkte dat sommige verslaggevers in het publiek naar adem snakten en geamuseerd glimlachten toen ze verscheen. Nu ze eindelijk het in opspraak gebrachte meisje zagen over wie ze al zoveel hadden geschreven, voldeed ze aan ieders verwachting.

Toen zag hij in dat Lisbeth Salander verkleed was. Normaliter kleedde ze zich slordig en ogenschijnlijk smakeloos. Mikael had altijd aangenomen dat ze zich niet uit modebewuste overwegingen op die manier kleedde, maar om haar eigen identiteit te manifesteren. Lisbeth Salander markeerde haar eigen grondgebied als vijandelijk territorium. Hij had de klinknagels in haar leren jack altijd opgevat als hetzelfde verdedigingsmechanisme als de stekels van een egel. Het was een signaal aan haar omgeving. *Probeer me niet te aaien. Dat doet pijn.*

Toen ze de rechtszaal instapte bleek dat ze haar kledingstijl zó had geaccentueerd dat het bijna een parodie was.

Hij begreep plotseling dat dat geen toeval was, maar onderdeel van Annika's strategie.

Als Lisbeth Salander keurig gekapt, met een net bloesje en op degelijke wandelschoenen was verschenen, zou ze eruit hebben gezien als een bedriegster die de rechtbank iets op de mouw wilde spelden. Het was een kwestie van geloofwaardigheid. Nu kwam ze als zichzelf en als niemand anders. Enigszins overdreven voor de duidelijkheid. Ze deed zich niet voor als iemand anders. Haar boodschap aan de rechtbank was dat ze geen reden had om zich te schamen of zich voor hen op te doffen. Als de rechtbank problemen had met haar uiterlijk, dan was dat niet háár probleem. De maatschappij had haar aangeklaagd voor bepaalde zaken en de officier van justitie had haar naar de rechtbank gesleept. Alleen al door haar verschijning gaf ze aan dat ze van plan was de redenering van de officier van justitie als onzin te beschouwen.

Ze bewoog zich zelfverzekerd en ging op de aangewezen plaats naast haar advocaat zitten. Ze liet haar blik over de toehoorders glijden. Er was geen nieuwsgierigheid in die blik. Het leek er meer op of ze de mensen die haar op de nieuwspagina's van de media al hadden veroordeeld, uitdagend monsterde en in haar geheugen vastlegde.

Het was de eerste keer dat Mikael haar zag sinds ze als een bebloede lappenpop op de keukenbank in Gosseberga had gelegen, en meer dan anderhalf jaar geleden dat hij haar onder normale omstandigheden had ontmoet. Als de uitdrukking 'normale omstandigheden' op Lisbeth Salander überhaupt van toepassing was. Ze bleef even kort bij hem hangen en toonde geen blijk van herkenning. Daarentegen bestudeerde ze uitvoerig de blauwe plekken op Mikaels wang en slaap, en de chirurgische tape op zijn rechterwenkbrauw. Even meende Mikael iets van een glimlach in haar ogen te bespeuren. Hij was er niet zeker van of hij zich dat verbeeldde of niet. Toen tikte rechter Iversen op tafel en begon de zitting.

De toehoorders mochten in totaal dertig minuten in de rechtszaal blijven. Ze luisterden naar de tenlastelegging door officier van justitie Ekström, waarin hij de punten van de aanklacht voorlas.

Alle verslaggevers behalve Mikael Blomkvist zaten uitvoerig aantekeningen te maken, hoewel ze al wisten waarvoor Ekström Salander zou aanklagen. Maar Mikael had zijn verhaal al geschreven en was uitsluitend naar de rechtszaal gekomen om zijn aanwezigheid kenbaar te maken en Lisbeth Salanders blik te ontmoeten.

Ekströms tenlastelegging duurde ruim tweeëntwintig minuten. Daarna was Annika Giannini aan de beurt. Haar repliek duurde dertig seconden. Ze sprak met vaste stem.

'Van de kant van de verdediging wijzen wij alle punten van de aanklacht af op één na. Mijn cliënte erkent verboden wapenbezit wat betreft de traangasspray. Mijn cliënte bestrijdt alle overige punten van de aanklacht. Wij zullen aantonen dat de beweringen van de officier van justitie onjuist zijn en dat mijn cliënte is blootgesteld aan ernstige gerechtelijke overtredingen en schending van de privacy. Ik zal bepleiten dat mijn cliënte onschuldig wordt verklaard, dat haar ondertoezichtstelling wordt opgeheven en dat zij op vrije voeten wordt gesteld.'

Vanuit het verslaggeversblok was enig geritsel hoorbaar. De strategie van advocate Annika Giannini was eindelijk uit de doeken gedaan. Die was niet zoals de verslaggevers hadden verwacht. De gebruikelijkste gissing was dat Annika Giannini zich zou beroepen op de geestesgesteldheid van haar cliënte en deze in haar voordeel zou benutten. Mikael moest plotseling lachen.

'Aha,' zei rechter Iversen en hij maakte een aantekening. Hij keek Annika Giannini aan. 'Bent u klaar?'

'Dit is mijn pleidooi.'

'Heeft de officier van justitie nog iets toe te voegen?' vroeg Iversen.

Op dat moment verzocht officier van justitie Ekström de behandeling achter gesloten deuren te laten plaatsvinden. Hij beriep zich op het feit dat het de geestestoestand en het welbevinden van een kwetsbaar iemand betrof, alsmede dat het om details ging die schadelijk konden zijn voor de veiligheid van de natie.

'Ik neem aan dat u duidt op de zogenaamde Zalachenko-affaire,' zei Iversen.

'Dat is correct. Alexander Zalachenko is als politiek vluchteling naar Zweden gekomen en zocht bescherming tegen een vreselijke dictatuur. Er zijn bepaalde onderdelen in de zaak, zoals persoonlijke connecties, die nog als vertrouwelijk moeten worden aangemerkt, ook al is de heer Zalachenko inmiddels overleden. Ik verzoek u daarom de zaak achter gesloten deuren te behandelen en eis tevens dat voor de specifiek gevoelige onderdelen van de zaak zwijgplicht geldt.'

'Ik begrijp het,' zei Iversen met gefronste wenkbrauwen.

'Bovendien zal een groot deel van de zitting betrekking hebben op de ondertoezichtstelling van gedaagde. Het betreft vragen die in normale gevallen bijna automatisch vertrouwelijk zijn, en uit compassie met verdachte wil ik dus behandeling achter gesloten deuren.'

'Hoe staat advocaat Giannini tegenover het verzoek van de officier van justitie?'

'Wat ons betreft maakt het niet uit.'

Rechter Iversen dacht even na. Hij raadpleegde zijn bijzitter en deelde daarna mee dat hij gehoor gaf aan het verzoek van de officier van justitie, dit tot ergernis van de verslaggevers. En dus verliet Mikael Blomkvist de zaal.

Dragan Armanskij stond Mikael Blomkvist onder aan de trap van het raadhuis op te wachten. Het was smoorheet in de julihitte en Mikael voelde dat er onmiddellijk twee zweetplekken onder zijn armen ontstonden. Zijn twee lijfwachten sloten zich aan toen hij het raadhuis verliet. Ze knikten naar Dragan Armanskij en gingen toen verder met het bestuderen van de omgeving.

'Het is een raar gevoel om met lijfwachten rond te lopen,' zei Mikael. 'Wat gaat dat niet kosten?'

'Cadeautje van de firma,' zei Armanskij. 'Ik heb er persoonlijk belang bij dat je in leven blijft. Maar we hebben de laatste maanden voor ongeveer 250.000 kronen *pro bono* neergeteld.'

Mikael knikte.

'Koffie?' vroeg Mikael en hij wees naar het Italiaanse tentje op de Bergsgatan.

Armanskij knikte. Mikael bestelde een caffe latte terwijl Armanskij een dubbele espresso met een theelepeltje melk bestelde. Ze gingen in de schaduw op het trottoir voor het café zitten. De lijfwachten gingen aan het tafeltje ernaast zitten. Zij dronken cola.

'Gesloten deuren,' constateerde Armanskij.

'Dat was te verwachten. En dat is alleen maar gunstig, want zo kunnen we de nieuwsstroom beter sturen.'

'Ja, het maakt niets uit, maar ik ga me steeds meer ergeren aan die officier Richard Ekström.'

Mikael was het daarmee eens. Ze dronken hun koffie en keken naar het raadhuis, waar de toekomst van Lisbeth Salander zou worden beslist.

'Custer's last stand,' zei Mikael.

'Ze is goed voorbereid,' troostte Armanskij. 'En ik moet zeggen dat ik onder de indruk ben van je zus. Toen ze haar strategie uit de doeken deed, dacht ik even dat ze een grapje maakte, maar hoe meer ik erover nadenk, hoe verstandiger het overkomt.'

'Deze rechtszaak zal niet daarbinnen worden beslist,' zei Mikael.

Hij herhaalde die woorden al maandenlang voor zichzelf, als een soort mantra.

'Jij zult worden opgeroepen als getuige,' zei Armanskij.

'Ik weet het. Ik ben erop voorbereid. Maar dat zal niet vóór overmorgen gebeuren. Daar gokken we althans op.'

Officier van justitie Richard Ekström had zijn bril met bifocale glazen thuis laten liggen en moest daardoor zijn bril op zijn voorhoofd zetten en zijn ogen tot spleetjes knijpen om zijn eigen aantekeningen te kunnen lezen. Hij streek even snel over zijn blonde baardje voordat hij zijn bril weer opzette en om zich heen keek.

Lisbeth Salander zat kaarsrecht en keek officier van justitie Ekström met een ondoorgrondelijke blik aan. Haar gezicht en ogen waren onbeweeglijk. Het leek alsof ze niet echt aanwezig was. Het was nu de tijd voor de officier van justitie om met zijn verhoor te beginnen.

'Ik wil u, juffrouw Salander, eraan herinneren dat u onder ede staat,' zei Ekström uiteindelijk.

Lisbeth Salander vertrok geen spier. Officier van justitie Ekström leek een soort respons te verwachten en wachtte een paar seconden af. Hij fronste zijn wenkbrauwen.

'U staat dus onder ede,' herhaalde hij.

Lisbeth hield haar hoofd scheef. Annika Giannini was net iets aan het lezen in het verhoorprotocol en leek weinig geïnteresseerd in het doen en laten van officier Ekström. Ekström verzamelde zijn papieren. Na een moment van ongemakkelijke stilte schraapte hij zijn keel.

'Tja,' zei Ekström redelijk. 'Dan gaan we maar direct naar de gebeurtenissen van 6 april van dit jaar in het zomerhuis van wijlen advocaat Bjurman buiten Stallarholmen. Dat was hedenochtend het uitgangspunt van mijn tenlastelegging. We moeten duidelijkheid zien te krijgen over de vraag hoe het kwam dat u naar Stallarholmen was afgereisd en Carl-Magnus Lundin hebt beschoten.'

Ekström keek sommerend naar Lisbeth Salander. Ze vertrok nog steeds geen spier. De officier van justitie keek plotseling wanhopig. Hij spreidde zijn handen uiteen en keek naar de voorzitter van de rechtbank. Rechter Jörgen Iversen keek bedenkelijk. Hij keek naar Annika Giannini, die nog steeds verzonken zat in een of ander document, zich totaal niet bewust van haar omgeving.

Rechter Iversen schraapte zijn keel. Hij keek Lisbeth Salander aan.

'Moeten we uw zwijgen interpreteren als het niet willen beantwoorden van vragen?'

Lisbeth Salander draaide haar hoofd om en keek rechter Iversen aan.

'Ik geef graag antwoord op vragen,' antwoordde ze.

Rechter Iversen knikte.

'Misschien kunt u dan antwoord geven op mijn vraag,' zei officier Ekström snel.

Lisbeth Salander keek weer naar Ekström. Ze zweeg.

'Wilt u zo vriendelijk zijn om antwoord te geven op de vraag?' zei rechter Iversen.

Lisbeth draaide haar hoofd weer naar de voorzitter van de rechtbank en fronste haar wenkbrauwen. Haar stem was helder en duidelijk.

'Welke vraag? Tot nu toe heeft hij daar ...' – ze knikte naar Ekström – '... een aantal ongefundeerde beweringen gedaan. Ik heb geen vraag gehoord.'

Annika Giannini keek op. Ze zette haar ellebogen op tafel en leunde met plotselinge interesse met haar gezicht in haar handen.

Officier van justitie Ekström was even de draad kwijt.

'Wilt u zo vriendelijk zijn om de vraag te herhalen?' stelde rechter Iversen voor.

'Ik vroeg of ... u naar het zomerhuis van advocaat Bjurman in Stallarholmen bent gegaan om Carl-Magnus Lundin daar neer te schieten?'

'Nee, u zei dat u duidelijkheid wilde krijgen in de vraag hoe het kwam dat ik naar Stallarholmen was afgereisd en Carl-Magnus Lundin heb beschoten. Dat was geen vraag. Dat was een algemene bewering waarbij u vooruitliep op mijn antwoord. Ik ben niet verantwoordelijk voor de beweringen die u doet.'

'Gaat u nu geen spijkers op laag water zoeken. Geef antwoord op mijn vraag.'

'Nee.'

Stilte.

'Wat, "nee"?'

'Dat is het antwoord op uw vraag.'

Officier van justitie Richard Ekström zuchtte. Het zou een lange dag worden. Lisbeth Salander keek hem verwachtingsvol aan.

'Het is misschien het beste als we bij het begin beginnen,' zei hij.

'Bevond u zich op de middag van 6 april van dit jaar in het zomerhuis van wijlen advocaat Bjurman in Stallarholmen?'

'Ja.'

'Hoe was u daar gekomen?'

'Ik had de pendeltrein naar Södertälje genomen en van daaruit de bus naar Strängnäs.'

'Om welke reden ging u naar Stallarholmen? Had u daar afgesproken met Carl-Magnus Lundin en zijn vriend Sonny Nieminen?'

'Nee.'

'Hoe kwam het dan dat zij daar verschenen?'

'Dat moet u hun vragen.'

'Ik vraag het nu aan u.'

Lisbeth Salander gaf geen antwoord.

Rechter Iversen kuchte.

'Ik vermoed dat juffrouw Salander geen antwoord geeft omdat u zuiver semantisch gezien weer een bewering hebt gedaan,' zei Iversen behulpzaam.

Annika Giannini gniffelde plotseling zo luid dat het hoorbaar was. Ze zweeg onmiddellijk en keek weer omlaag in haar papieren. Ekström keek haar geïrriteerd aan.

'Waarom denkt u dat Lundin en Nieminen bij het zomerhuis van Bjurman arriveerden?'

'Dat weet ik niet. Maar ik denk dat ze daarheen waren gegaan om brand te stichten. Lundin had een liter benzine in een petfles in de zadeltas van zijn Harley-Davidson.'

Ekström tuitte zijn lippen.

'Waarom ging u naar het zomerhuis van advocaat Bjurman?'

'Ik was op zoek naar informatie.'

'Wat voor soort informatie?'

'De informatie die Lundin en Nieminen naar mijn idee wilden vernietigen. Informatie die ertoe zou kunnen bijdragen duidelijkheid te verkrijgen in de vraag wie die hufter had vermoord.'

'U meent dus dat advocaat Bjurman een hufter was. Is dat correct opgevat?'

'Ja.'

'En waarom vindt u dat?'

'Hij was een sadistisch varken, een klootzak en een verkrachter; een hufter dus.'

Ze citeerde de tekst die op de buik van wijlen advocaat Bjurman stond getatoeëerd en bekende daarmee indirect dat zij verantwoordelijk was voor die tekst. Dat was echter geen onderdeel van de aanklacht tegen Lisbeth Salander. Bjurman had nooit aangifte gedaan van mishandeling en het was onmogelijk te bewijzen of hij zich vrijwillig had laten tatoeëren of dat dat onder dwang was gebeurd.

'U beweert met andere woorden dat uw toezichthouder zich aan u zou hebben vergrepen. Kunt u vertellen wanneer dat heeft plaatsgevonden?'

'Dat was op dinsdag 18 februari 2003 en opnieuw op vrijdag 7 maart van datzelfde jaar.'

'U hebt geweigerd antwoord te geven op de vragen van de ondervragers die geprobeerd hebben met u te praten. Waarom?'

'Ik had ze niets te zeggen.'

'Ik heb uw zogenaamde autobiografie gelezen, waar uw advocate een paar dagen geleden plotseling mee aankwam. Ik moet zeggen dat dat een opmerkelijk document is, we komen daar later op terug. Maar daarin beweert u dat advocaat Bjurman u bij de eerste ontmoeting zou hebben gedwongen tot orale seks en u bij de tweede ontmoeting een hele nacht zou hebben blootgesteld aan herhaalde verkrachtingen en zware mishandeling.'

Lisbeth gaf geen antwoord.

'Is dat correct?'

'Ja.'

'Hebt u bij de politie aangifte gedaan van die verkrachtingen?'

'Nee.'

'Waarom niet?'

'De politie heeft nooit eerder naar me willen luisteren als ik probeerde ze iets te vertellen. Het had dus geen zin om aangifte te doen.'

'Hebt u de verkrachtingen besproken met een goede bekende? Een vriendin?'

'Nee.'

'Waarom niet?'

'Omdat dat niemand wat aanging.'

'Goed. Hebt u contact opgenomen met een advocaat?'

'Nee.'

'Bent u naar een arts geweest in verband met de verwondingen die u naar eigen zeggen had opgelopen?'

'Nee.'

'En u bent niet naar een blijf-van-mijn-lijfhuis gegaan.'

'Nu doet u weer een bewering.'

'Pardon. Bent u naar een blijf-van-mijn-lijfhuis gegaan?'

'Nee.'

Ekström wendde zich tot de voorzitter van de rechtbank.

'Ik wil de rechtbank erop attent maken dat verdachte heeft aangegeven dat zij is blootgesteld aan twee gevallen van seksueel geweld, waarvan het tweede beschouwd moet worden als buitengewoon grof. Zij beweert dat degene die zich schuldig heeft gemaakt aan deze verkrachtingen haar toezichthouder was, de overleden advocaat Nils Bjurman. Tegelijkertijd moeten de volgende feiten in dit beeld worden meegewogen ...'

Ekström frunnikte aan zijn papieren.

'In het onderzoek van de afdeling Geweld naar het verleden van advocaat Bjurman is niets naar voren gekomen wat de geloofwaardigheid van het verhaal van Lisbeth Salander kan bevestigen. Bjurman is nooit veroordeeld voor een misdrijf. Er is nooit aangifte tegen hem gedaan bij de politie en hij is nooit het onderwerp geweest van een onderzoek. Hij is toezichthouder of voogd geweest van andere jongeren en geen van hen geeft aan ooit te zijn blootgesteld aan enige vorm van schending van de privacy. Integendeel, zij beweren juist dat Bjurman ten aanzien van hen altijd correct en vriendelijk is opgetreden.'

Ekström keerde zijn blaadje om.

'Het is ook mijn taak u eraan te herinneren dat Lisbeth Salander is gediagnosticeerd als paranoïde schizofreen. Het is een jonge vrouw met een gedocumenteerd gewelddadig karakter, die sinds haar vroege jeugd ernstige problemen heeft als het gaat om contacten met de samenleving. Zij heeft vele jaren in een kinderpsychiatrische inrichting doorgebracht en staat sinds haar achttiende onder toezicht. Hoe betreurenswaardig dat ook is, daar zijn redenen voor. Lisbeth Salander is gevaarlijk voor zichzelf en voor haar omgeving. Mijn overtuiging is dat zij geen gevangenisstraf nodig heeft, maar verpleging.'

Hij laste een kunstmatige pauze in.

'Het bespreken van de mentale toestand van een jong iemand is een weerzinwekkende taak. Het is eigenlijk schending van de integriteit en haar geestestoestand wordt het onderwerp van interpretaties. In dit geval hebben we echter Lisbeth Salanders eigen verwarde wereldbeeld waar we een mening over moeten vormen. Dat wordt goed duidelijk uit deze zogenaamde autobiografie. Nergens blijkt haar gebrek aan verankering in de realiteit zo duidelijk als hier. We hebben in deze zaak geen getuigen of interpretaties nodig; daarbij is het altijd het woord van de een tegen het woord van de ander. Wij kunnen zélf de geloofwaardigheid van haar beweringen beoordelen.'

Zijn blik viel op Lisbeth Salander. Hun ogen ontmoetten elkaar. Ze grijnsde plotseling. Ze keek boosaardig. Ekström fronste zijn voorhoofd.

'Heeft mevrouw Giannini iets te zeggen?' vroeg rechter Iversen.

'Nee,' antwoordde Annika Giannini. 'Behalve dat de conclusies van officier van justitie Ekström onzin zijn.'

De middag begon met een getuigenverhoor van Ulrika von Liebenstaahl van de Raad van Toezicht inzake Voogdijschap, die door Ekström was opgeroepen in een poging uit te vinden of er ooit klachten tegen advocaat Bjurman waren ingediend. Dit werd door Von Liebenstaahl beslist ontkend. Zij meende zelfs dat dergelijke beweringen krenkend waren.

'Er is een rigoureuze controle van voogdijzaken. Advocaat Bjurman heeft bijna twintig jaar opdrachten voor de Raad van Toezicht inzake Voogdijschap uitgevoerd voordat hij zo schandelijk werd vermoord.'

Ze keek Lisbeth Salander met een vernietigende blik aan, hoewel Lisbeth niet was aangeklaagd voor de moord en het inmiddels duidelijk was dat Bjurman door Ronald Niedermann om het leven was gebracht.

'In al deze jaren is er nooit een klacht tegen advocaat Bjurman ingediend. Hij was een nauwgezet iemand die vaak grote betrokkenheid met zijn cliënten toonde.'

'Dus u acht het niet waarschijnlijk dat hij Lisbeth Salander zou hebben blootgesteld aan grove seksuele intimidatie?'

'Ik beschouw die bewering als absurd. We hebben maandelijkse rapporten van advocaat Bjurman en ik heb hem diverse keren persoonlijk ontmoet om de zaak door te nemen.'

'Advocaat Giannini heeft de eis naar voren gebracht dat de ondertoezichtstelling van Lisbeth Salander per onmiddellijk moet worden opgeheven.'

'Niemand is blijer dan onze Raad als een ondertoezichtstelling kan worden opgeheven. Helaas hebben wij een verantwoordelijkheid die inhoudt dat wij bepaalde regels in acht moeten nemen. Van de kant van de Raad van Toezicht inzake Voogdijschap hebben wij de eis gesteld dat Lisbeth Salander eerst door psychiatrische expertise gezond verklaard moet worden voordat er sprake kan zijn van een wijziging in de ondertoezichtstelling.'

'Ik begrijp het.'

'Dat betekent dat zij psychiatrische onderzoeken zal moeten ondergaan. Wat ze zoals bekend weigert.'

Het verhoor met Ulrika von Liebenstaahl ging nog ruim veertig minuten door terwijl de maandrapporten van Bjurman onder de loep werden genomen.

Annika Giannini stelde welgeteld één vraag voordat het verhoor zou worden beëindigd.

'Bevond u zich in de nacht van 7 op 8 maart 2003 in de slaapkamer van advocaat Bjurman?'

'Natuurlijk niet.'

'Dus u hebt er met andere woorden geen flauw benul van in hoeverre de gegevens van mijn cliënte waar zijn of niet?'

'De aanklacht tegen advocaat Bjurman is bespottelijk.'

'Dat is uw mening. Kunt u hem een alibi geven of op andere wijze documenteren dat hij zich niet aan mijn cliënte heeft vergrepen?'

'Dat is natuurlijk onmogelijk. Maar de waarschijnlijkheid ...'

'Dank u. Dat was alles,' zei Annika Giannini.

Mikael Blomkvist ontmoette zijn zus om zeven uur 's avonds op het kantoor van Milton Security bij Slussen om de dag samen te vatten.

'Het ging ongeveer zoals verwacht,' zei Annika. 'Ekström heeft de autobiografie van Salander tot zich genomen.'

'Mooi. Hoe gedraagt ze zich?'

Annika barstte opeens in lachen uit.

'Ze gedraagt zich voorbeeldig en komt over als een complete psychopaat. Ze gedraagt zich zogezegd puur natuur.'

'Hm.'

'Het ging vandaag voornamelijk over Stallarholmen. Morgen gaat het over Gosseberga; verhoren met mensen van de technische recherche en dergelijke. Ekström zal proberen te bewijzen dat Salander daarheen is gegaan om haar vader te vermoorden.'

'Oké.'

'Maar er kan een technisch probleem ontstaan. Vanmiddag had Ekström ene Ulrika von Liebenstaahl van de Raad van Toezicht inzake Voogdijschap opgeroepen. Zij begon te zeuren dat ik het recht niet had om Lisbeth te vertegenwoordigen.'

'Hoezo?'

'Zij meent dat Lisbeth onder toezicht staat en dat ze niet het recht heeft zelf een advocaat te kiezen.'

'O?'

'Ik kan dus zuiver technisch gezien haar advocaat niet zijn als de Raad van Toezicht inzake Voogdijschap dat niet heeft goedgekeurd.'

'En?'

'Rechter Iversen zal daar morgenochtend een standpunt over innemen. Maar ik heb vandaag na afloop van de verhandelingen even kort met hem gesproken en ik denk dat hij zal beslissen dat ik haar ook in het vervolg kan blijven vertegenwoordigen. Mijn argument was dat de Raad van Toezicht drie maanden de tijd had gehad om te protesteren en dat het dan wat arrogant is om met een dergelijk bericht te komen als het proces al is begonnen.'

'Vrijdag moet Teleborian getuigen. Jij moet degene zijn die hem verhoort.'

Na donderdag kaarten en foto's te hebben bestudeerd en naar uitvoerige technische conclusies te hebben geluisterd over wat er zich in Gosseberga had afgespeeld, had officier van justitie Ekström vastgesteld dat alle bewijs erop duidde dat Lisbeth Salander haar vader had opgezocht met als doel hem te doden. De sterkste schakel in de keten van bewijs was het feit dat ze een vuurwapen bij zich had gehad toen ze naar Gosseberga ging, een Poolse P-83 Wanad.

Het feit dat Alexander Zalachenko (volgens het verhaal van Lisbeth Salander) of mogelijk politiemoordenaar Ronald Niedermann (volgens de getuigenverklaring die Zalachenko had afgegeven voordat hij in het Sahlgrenska-ziekenhuis werd vermoord) op zijn beurt had geprobeerd Lisbeth Salander te doden en dat zij in een gat in het bos was begraven, was op geen enkele manier een verzachtende omstandigheid voor het feit dat ze haar vader in Gosseberga had opgespoord met de bedoeling hem te doden. Ze was daar bovendien bijna in geslaagd toen ze zijn gezicht had bewerkt met een bijl. Ekström eiste dat Lisbeth Salander zou worden veroordeeld wegens poging tot moord dan wel het beramen van moord, alsmede, in elk geval, zware mishandeling.

Lisbeth Salanders eigen verhaal was dat ze naar Gosseberga was gegaan om haar vader ter verantwoording te roepen en hem ertoe te bewegen de moord op Dag Svensson en Mia Bergman te bekennen. Dit gegeven was van essentieel belang in de vraag met betrekking tot de opzet.

Toen Ekström zijn verhoor met Melker Hansson van de technische recherche van de politie van Göteborg had beëindigd, had advocaat Annika Giannini enkele korte vragen gesteld.

'Meneer Hansson, bent u in uw hele onderzoek en in alle technische documentatie die u hebt samengesteld iets tegengekomen wat ook maar enigszins zou kunnen bewijzen dat Lisbeth Salander liegt over het doel van haar bezoek aan Gosseberga? Kunt u bewijzen dat zij daarheen is gegaan om haar vader te vermoorden?'

Melker Hansson dacht even na.

'Nee,' antwoordde hij ten slotte.

'U kunt dus niets zeggen over haar opzet?'

'Nee.'

'De conclusie van officier van justitie Ekström, hoewel welsprekend en breedsprakig, is dientengevolge een speculatie?'

'Dat neem ik aan.'

'Is er iets in het technische bewijs wat de bewering van Lisbeth Salander weerspreekt dat zij het Poolse wapen, een P-83 Wanad, toevallig had meegenomen, omdat het in haar tas zat en ze niet wist wat ze met het wapen aan moest nadat ze het de dag ervoor van Sonny Nieminen in Stallarholmen had afgenomen?'

'Nee.'

'Dank u,' zei Annika Giannini en ze ging weer zitten. Dat was het enige wat ze zei gedurende het uur dat Hansson had getuigd.

Birger Wadensjöö verliet het pand van de Sectie aan de Artillerigatan donderdagavond om zes uur met het gevoel dat hij was omgeven door dreigende onweerswolken en dat de ondergang nabij was. Hij was weken geleden al gaan inzien dat zijn titel van directeur, dus hoofd van de Sectie voor Speciale Analyse, slechts een holle kreet was. Zijn mening, protesten en verzoeken deden niet langer ter zake. Fredrik Clinton had alle beslissingsbevoegdheid overgenomen. Als de Sectie een publiek toegankelijk en openbaar instituut was geweest, zou dat niet uit hebben gemaakt, dan had hij zich gewoon tot zijn superieur gewend en geprotesteerd.

Maar gezien de huidige stand van zaken was er niemand om bij te klagen. Hij was alleen en onvoorwaardelijk overgeleverd aan iemand die hij als krankzinnig beschouwde. En het ergste was dat Clintons autoriteit absoluut was. Snotjongens als Jonas Sandberg en oudgedienden als Georg Nyström – ze zeiden zonder morren ja en amen, en gehoorzaamden de doodzieke idioot op zijn wenken.

Hij moest toegeven dat Clinton een discrete autoriteit was en niet voor eigen gewin werkte. Hij wilde zelfs wel toegeven dat Clinton altijd het beste voorhad met de Sectie, althans, wat hij als het beste voor de Sectie beschouwde. Het was alsof de hele organisatie zich in een vrije val bevond, in een toestand van collectieve suggestie, waarin door de wol geverfde medewerkers weigerden in te zien dat elke beweging die ze maakten, elk besluit dat ze namen en uitvoerden, hen alleen maar dichter naar de afgrond zou brengen.

Wadensjöö voelde een druk op zijn borst toen hij de Linnégatan in liep, waar hij die dag een parkeerplaats had gevonden. Hij zette het autoalarm uit, viste zijn sleutels op en wilde net het portier opendoen toen hij een beweging achter zich hoorde en zich omkeerde. Hij kneep zijn ogen in het tegenlicht tot spleetjes. Het duurde een paar seconden voordat hij de rijzige man op het trottoir had herkend.

'Goedenavond meneer Wadensjöö,' zei Torsten Edklinth, hoofd van de afdeling Grondwetsbescherming. 'Ik ben al tien jaar niet in het veld geweest, maar vandaag had ik het idee dat mijn aanwezigheid gepast zou zijn.'

Wadensjöö keek verbaasd naar de twee politiemensen in burger die Edklinth flankeerden. Het waren Jan Bublanski en Marcus Erlander.

Plotseling zag hij in wat er zou gebeuren.

'Ik heb de trieste plicht u mede te delen dat de procureur-generaal heeft besloten u te arresteren wegens een dusdanig lange reeks strafbare feiten, dat het minstens twee weken in beslag zal nemen om een correct overzicht op te stellen.'

'Wat is dit?' vroeg Wadensjöö geschokt.

'U wordt op dit moment gearresteerd op verdenking van medeplichtigheid aan moord. U wordt ook verdacht van afpersing, omkoping, onrechtmatig afluisteren, meerdere gevallen van valsheid in geschrifte en verduistering, betrokkenheid bij inbraak, misbruik van autoritair gezag, spionage en een aantal andere zaken. Wij tweetjes gaan nu naar Kungsholmen voor een uitvoerig gesprek.'

'Ik heb geen moord gepleegd,' zei Wadensjöö ademloos.

'Dat moet het onderzoek uitwijzen.'

'Het was Clinton. Het was telkens Clinton,' zei Wadensjöö.

Torsten Edklinth knikte tevreden.

Iedere politieman is zeer vertrouwd met het feit dat er twee klassieke manieren zijn om een verdachte te verhoren. De gemene politieman en de aardige politieman. De gemene politieman dreigt, vloekt, slaat met zijn vuist op tafel en gedraagt zich in het algemeen grof, met als doel een arrestant angst in te boezemen zodat deze zich onderwerpt en bekent. De aardige politieman, bij voorkeur een grijzende oude baas, biedt sigaretten en koffie aan, knikt sympathiek en slaat een fatsoenlijke toon aan.

De meeste politiemensen, maar niet alle, weten ook dat de verhoortechniek van de aardige politieman qua resultaat absoluut de beste is. De hardhandige draaideurcrimineel raakt niet erg onder de indruk van de gemene politieman. En de onzekere amateur die eventueel door de gemene politieman bang gemaakt wordt en bekent, zou hoogstwaarschijnlijk sowieso hebben bekend, ongeacht de verhoortechniek.

Mikael Blomkvist luisterde vanuit een aangrenzende kamer naar het verhoor van Birger Wadensjöö. Zijn aanwezigheid was het onderwerp geweest van een aantal interne discussies voordat Edklinth had besloten dat hij wellicht profijt kon hebben van Mikaels waarnemingen.

Mikael constateerde dat Torsten Edklinth een derde variant van het politieverhoor hanteerde, de ongeïnteresseerde politieman, die in dit geval nóg beter leek te werken. Edklinth kwam de verhoorkamer binnen, serveerde koffie in echte bekers, schakelde de cassetterecorder in en leunde achterover op zijn stoel.

'Feit is dat we reeds over alle mogelijke technische bewijsstukken tegen u beschikken. We zijn überhaupt niet geïnteresseerd in uw verhaal behalve als zuivere bevestiging van datgene wat we al weten. En de vraag waar we mogelijk een antwoord op willen hebben is: waarom? Hoe konden jullie zo stom zijn om in Zweden mensen te gaan liquideren? Alsof we in het Chili van Pinochet zijn. De band loopt. Als u iets wilt zeggen dan is dit de gelegenheid. Als u niet wilt praten, zet ik de recorder uit, nemen we u uw stropdas en schoenveters af, en wordt u hierboven ingekwartierd in afwachting van een advocaat, een proces en een vonnis.'

Daarna nam Edklinth een slok koffie en deed hij er het zwijgen toe. Toen er na twee minuten nog niets was gezegd, stak hij zijn hand uit en zette hij de recorder uit. Hij stond op.

'Ik zal ervoor zorgen dat u over een paar minuten wordt opgehaald. Goedenavond.'

'Ik heb niemand vermoord,' zei Wadensjöö toen Edklinth de deur al open had gedaan. Edklinth bleef op de drempel staan.

'Ik ben niet geïnteresseerd in het voeren van een gesprek over koetjes en kalfjes. Als u uitleg wilt geven, ga ik zitten en zet ik de recorder weer aan. De gehele Zweedse overheid – en zeker de minister-president – wil graag weten wat u te zeggen hebt. Als u gaat praten, kan ik vanavond al naar de premier gaan en uw versie van de gebeurtenissen weergeven. Als u niet gaat praten, zult u in elk geval worden aangeklaagd en veroordeeld.'

'Ga zitten,' zei Wadensjöö.

Het was niemand ontgaan dat hij zich al had geschikt in zijn lot. Mikael slaakte een zucht van verlichting. Hij was in gezelschap van Monica Figuerola, officier van justitie Ragnhild Gustavsson, de anonieme veiligheidsdienstmedewerker Stefan en nog twee totaal anonieme personen. Mikael vermoedde dat ten minste een van deze anonieme personen de minister van Justitie vertegenwoordigde.

'Ik had niets met die moorden te maken,' zei Wadensjöö toen Edklinth de cassetterecorder weer had aangezet.

'Moorden,' zei Mikael Blomkvist tegen Monica Figuerola.

'Ssst,' antwoordde ze.

'Dat waren Clinton en Gullberg. Ik had er geen idee van wat ze van plan waren. Ik zweer het. Ik was helemaal geschokt toen ik te horen kreeg dat Gullberg Zalachenko had doodgeschoten. Ik kon niet geloven dat dat waar was ... ik kon het niet geloven. En toen ik hoorde van Björck dacht ik dat ik een hartaanval zou krijgen.'

'Vertel over de moord op Björck,' zei Edklinth zonder van toon te veranderen. 'Hoe is dat in zijn werk gegaan?'

'Clinton had iemand in de arm genomen. Ik weet niet hoe, maar het waren twee Joegoslaven. Serviërs, als ik me niet vergis. Georg Nyström had de opdracht gegeven en heeft hen betaald. Toen ik het hoorde, begreep ik dat het zou eindigen in een catastrofe.'

'We beginnen bij het begin,' zei Edklinth. 'Wanneer bent u voor de Sectie gaan werken?'

Toen Wadensjöö eenmaal begon te vertellen, was hij niet meer te stuiten. Het verhoor duurde bijna vijf uur.

26
VRIJDAG 15 JULI

Dokter Peter Teleborian trad vrijdagochtend in de getuigenbank van de rechtbank vertrouwenwekkend op. Hij werd ruim anderhalf uur door officier van justitie Ekström gehoord en antwoordde met kalme autoriteit op alle vragen. Hij had soms een bezorgde, dan weer een geamuseerde gezichtsuitdrukking.

'Om samen te vatten ...' zei Ekström en hij bladerde in zijn manuscript. 'Uw beoordeling als zeer ervaren psychiater is dat Lisbeth Salander lijdt aan paranoïde schizofrenie?'

'Ik heb steeds gezegd dat het zeer lastig is een exacte beoordeling van haar toestand te geven. De patiënte is zoals bekend haast autistisch in haar relatie tot artsen en autoriteiten. Mijn beoordeling is dat zij lijdt aan een zware psychische aandoening, maar ik kan op dit moment geen exacte diagnose geven. Zonder een aanzienlijk omvangrijkere studie kan ik al evenmin beoordelen in welk stadium van de psychose zij zich bevindt.'

'U meent in elk geval niet dat ze geestelijk gezond is.'

'Haar hele geschiedenis is er een zeer sprekend bewijs van dat dat niet het geval is.'

'U hebt kennisgenomen van de zogenaamde autobiografie die Lisbeth Salander heeft geschreven en die ze als verklaring aan de rechtbank heeft doen toekomen. Wat kunt u hierover zeggen?'

Peter Teleborian spreidde zijn handen uiteen en haalde zijn schouders op.

'Maar hoe beoordeelt u de geloofwaardigheid van het verhaal?'

'Er ís geen geloofwaardigheid. Het zijn diverse beweringen over verschillende personen, het ene verhaal nog fantastischer dan het andere. Over het geheel genomen bevestigt haar schriftelijke verklaring de verdenking dat ze lijdt aan paranoïde schizofrenie.'

'Kunt u een voorbeeld geven?'

'Het duidelijkst is de beschrijving van de zogenaamde verkrachting, waar ze haar toezichthouder Bjurman van beschuldigt.'

'Kunt u dit nader verklaren?'

'De hele beschrijving is bijzonder gedetailleerd. Het is een klassiek voorbeeld van het soort groteske fantasieën die kinderen aan de dag kunnen leggen. Er zijn voldoende gelijksoortige voorbeelden bekend van incestzaken waarbij het kind verklaringen geeft die door de eigen onredelijkheid van het kind geen standhouden en waarbij technisch bewijs totaal ontbreekt. Het zijn dus erotische fantasieën die zelfs zeer jonge kinderen kunnen hebben ... Zo ongeveer alsof ze naar een enge film op tv hebben gekeken.'

'Nu is Lisbeth Salander geen kind maar een volwassen vrouw,' zei Ekström.

'Ja, en er zal moeten worden gekeken op welk geestelijk niveau ze zich precies bevindt. Maar op zich hebt u gelijk. Ze is volwassen en gelooft vermoedelijk zelf in het verhaal dat ze ons heeft voorgespiegeld.'

'U meent dat het gelogen is.'

'Nee, als zij gelooft in wat ze zegt, is het geen leugen. Het is een verhaal dat aantoont dat ze geen onderscheid kan maken tussen fantasie en werkelijkheid.'

'Ze is dus niet door advocaat Bjurman verkracht?'

'Nee. Die waarschijnlijkheid moet als nihil worden beschouwd. Ze heeft gekwalificeerde zorg nodig.'

'U komt zelf ook in het verhaal van Lisbeth Salander voor ...'

'Ja, dat is wat pikant. Maar het is wederom een uitdrukking van haar fantasie. Als we het arme meisje moeten geloven, ben ik zo ongeveer een pedofiel ...'

Hij glimlachte en vervolgde zijn betoog.

'Maar het geeft wel uitdrukking aan wat ik de hele tijd heb gezegd. In de biografie van Salander komen we te weten dat ze werd mishandeld doordat ze de meeste tijd in het St. Stefans in een spanriem lag en dat ik 's nachts naar haar kamer kwam. Dit is bijna een klassiek voorbeeld van haar onvermogen om de werkelijkheid te interpreteren, of liever gezegd, zo interpretéért zij de werkelijkheid.'

'Dank u. Ik geef het woord aan de verdediging, als mevrouw Giannini nog vragen heeft.'

Omdat Annika Giannini tijdens de eerste twee dagen van het proces nauwelijks vragen had gehad, verwachtte iedereen dat ze opnieuw enkele plichtsgetrouwe vragen zou stellen en daarna het verhoor zou afbreken. *Wat een ongelofelijk slechte prestatie van de verdediging*, dacht Ekström.

'Ja,' zei Annika Giannini. 'Ik heb inderdaad een aantal vragen en dat zal wellicht wat uitlopen. Het is halftwaalf. Ik stel voor dat we nu lunchpauze houden zodat ik mijn getuigenverhoor na de lunch ononderbroken kan afnemen.'

Rechter Iversen bepaalde dat de rechtbank lunchpauze zou nemen.

Curt Svensson had gezelschap van twee uniformen toen hij exact om 12.00 uur voor restaurant Mäster Anders op de Hantverkargatan zijn kolenschop op de schouder van commissaris Georg Nyström legde. Nyström keek verbaasd op naar Curt Svensson, die zijn politielegitimatie onder Nyströms neus duwde.

'Goedendag. U bent aangehouden op verdenking van medeplichtigheid aan moord en poging tot moord. De punten van de aanklacht worden u vanmiddag door de procureur-generaal medegedeeld. Ik stel voor dat u gewillig meeloopt,' zei Curt Svensson.

Georg Nyström zag eruit alsof hij de taal die Curt Svensson sprak niet verstond. Maar hij constateerde dat Curt Svensson iemand was met wie je zonder te protesteren meeging.

Inspecteur Jan Bublanski had gezelschap van Sonja Modig en zeven geüniformeerde politiemensen toen medewerker Stefan Bladh van de afdeling Grondwetsbescherming hen om precies 12.00 uur binnenliet in de gesloten afdeling die het domein van de veiligheidsdienst op Kungsholmen vormde. Ze liepen door de gangen totdat Stefan bleef staan en op een kamer wees. De secretaresse van de chef de bureau was volledig perplex toen Bublanski zijn politielegitimatie omhooghield.

'Wees zo vriendelijk stil te blijven zitten. Dit is een politie-ingrijpen.'

Hij liep door naar de binnendeur en onderbrak chef de bureau Albert Shenke tijdens een telefoongesprek.

'Wat moet dit voorstellen?' vroeg Shenke.

'Mijn naam is inspecteur Bublanski. U bent aangehouden op verdenking van misdaden tegen de Zweedse grondwet. U krijgt vanmiddag een lange reeks afzonderlijke punten van de aanklacht te horen.'

'Dit is ongehoord,' zei Shenke.

'Inderdaad,' zei Bublanski.

Hij liet de werkkamer van Shenke verzegelen en zette twee uniformen voor de deur op wacht en beval dat ze niemand mochten binnenlaten. Ze hadden toestemming hun wapenstok te gebruiken en zelfs hun dienstwapen te trekken als iemand met geweld zou proberen binnen te komen.

Ze vervolgden hun processie door de gang tot Stefan op wéér een deur wees en ze de procedure herhaalden met budgetverantwoordelijke Gustav Atterbom.

Jerker Holmberg had het arrestatieteam van Södermalm als back-up toen hij exact om 12.00 uur op de deur van een tijdelijk gehuurd kantoor op de derde verdieping bonsde, schuin tegenover de redactie van *Millennium* op de Götgatan.

Omdat er niemand opendeed, gebood Jerker Holmberg de politie van Södermalm de deur te forceren. Maar nog voor het breekijzer eraan te pas hoefde te komen, ging de deur iets open.

'Politie,' zei Jerker Holmberg. 'Kom naar buiten met uw handen goed zichtbaar.'

'Ik ben zelf van de politie,' zei inspecteur Göran Mårtensson.

'Dat weet ik. En u hebt licentie voor een hele batterij vuurwapens.'

'Ja maar, ik ben momenteel in dienst.'

'Ik ook,' zei Jerker Holmberg.

Hij kreeg assistentie om Mårtensson tegen de muur te zetten en hem zijn dienstwapen af te nemen.

'U bent opgepakt wegens onrechtmatig afluisteren, grove ambtsovertreding, herhaalde huisvredebreuk bij journalist Mikael Blomkvist op de Bellmansgatan en vermoedelijk meer punten. Boei hem.'

Jerker Holmberg hield een snelle inspectieronde in het kantoor en constateerde dat er elektronica genoeg was om een opnamestudio te beginnen. Hij wees een politieman aan als wacht met de instructie stil op een stoel te gaan zitten en geen vingerafdrukken achter te laten.

Toen Mårtensson door de portiekdeur werd afgevoerd, hield Henry Cortez zijn digitale Nikon omhoog en nam een serie van tweeëntwintig foto's. Hij was natuurlijk geen proffotograaf en de foto's lieten aan kwaliteit wel wat te wensen over, maar de serie werd de dag erna toch voor een schaamteloos bedrag aan een avondkrant verkocht.

Monica Figuerola was de enige van de politiemensen die aan de razzia's van die dag deelnamen, die betrokken was bij een ongepland incident. Ze had back-up van het arrestatieteam van Norrmalm en drie collega's van de veiligheidsdienst toen ze exact om 12.00 uur de portiek van het pand aan de Artillerigatan binnenging en de trappen naar het appartement op de bovenste verdieping afwerkte dat eigendom was van het bedrijf Bellona.

De operatie moest snel verlopen. Zo gauw de troepenmacht voor de deur van het appartement was verzameld, gaf ze groen licht. Twee potige uniformen van het arrestatieteam van Norrmalm tilden een stalen stormram van veertig kilo op en maakten de deur met twee goed gemikte tikken open. Het arrestatieteam, voorzien van kogelvrije vesten en machinegeweren, had het appartement binnen tien seconden nadat de deur was geforceerd ingenomen.

Volgens de bewaking, die sinds de ochtendschemering buiten aanwezig was, waren vijf personen van de Sectie die ochtend door de portiekdeur naar binnen gegaan. Alle vijf werden binnen een paar seconden opgebracht en voorzien van handboeien.

Monica Figuerola droeg een kogelvrij vest. Ze liep door de flat, die sinds de jaren zestig het hoofdkwartier van de Sectie was geweest en trok deur na deur open. Ze constateerde dat ze een archeoloog nodig zou hebben om de hoeveelheid papieren te sorteren die in de kamers aanwezig was.

Een paar seconden nadat ze door de buitendeur was binnengekomen, deed ze de deur van een klein kamertje achter in het appartement open en ontdekte ze dat het een slaapkamer was. Ze stond plotseling oog in oog met Jonas Sandberg. Hij was die ochtend bij het verdelen van de taken een vraagteken geweest. De avond ervoor was degene die Sandberg in de gaten moest houden hem uit het oog verloren. Sandbergs auto had op Kungsholmen geparkeerd gestaan en hij was die nacht niet thuis geweest. 's Morgens had niemand geweten hoe Sandberg moest worden gelokaliseerd en opgepakt.

Ze hebben om veiligheidsredenen een nachtwaker. Natuurlijk. En Sandberg slaapt nu na zijn nachtdienst.

Jonas Sandberg was slechts gekleed in een onderbroek en leek slaapdronken. Hij stak zijn hand uit naar zijn dienstwapen op het nachtkastje. Monica Figuerola boog zich voorover en maaide het wapen op de grond, bij Sandberg vandaan.

'Jonas Sandberg, u bent aangehouden op verdenking van betrokkenheid bij de moord op Gunnar Björck en Alexander Zalachenko, alsmede betrokkenheid bij poging tot moord op Mikael Blomkvist en Erika Berger. Trek een broek aan.'

Jonas Sandberg sloeg met zijn vuist in de richting van Monica Figuerola. Ze pareerde haast als in een reflex.

'Is dit een grapje?' vroeg ze. Ze pakte hem bij zijn arm en draaide zijn pols zo hard om dat Sandberg achterover op de grond werd gedwongen. Ze draaide hem op zijn buik en plantte haar knie in zijn onderrug. Ze boeide hem zelf. Het was de eerste keer sinds ze bij de veiligheidsdienst werkte dat ze haar handboeien voor een dienstaangelegenheid gebruikte.

Ze liet Sandberg over aan een uniform en ging verder. Ten slotte deed ze de laatste deur helemaal achter in de flat open. Volgens de tekeningen die op het kadaster waren gehaald, was dit een klein hokje dat uitkeek op de binnentuin. Ze bleef op de drempel staan en keek naar de meest uitgemergelde vogelverschrikker die ze ooit had gezien. Dat ze voor een doodziek iemand stond, daar was geen twijfel over mogelijk.

'Fredrik Clinton, u bent aangehouden op verdenking van medeplichtigheid aan moord, poging tot moord en een reeks andere delicten,' zei ze. 'Blijf stil in bed liggen. Er is ambulancetransport onderweg om u naar Kungsholmen te vervoeren.'

Christer Malm was precies voor de hoofdingang van het pand aan de Artillerigatan gaan staan. In tegenstelling tot Henry Cortez wist hij om te gaan met zijn digitale Nikon. Hij gebruikte een korte telelens en de foto's waren van professionele kwaliteit.

Ze toonden hoe de leden van de Sectie een voor een naar buiten werden gebracht en in politiewagens werden afgevoerd, en hoe Fredrik Clinton uiteindelijk door een ambulance werd opgehaald. Hij keek precies in de lens op het moment dat Christer afdrukte. Hij zag er angstig en verward uit.

Die foto won later een prijs als Foto van het Jaar.

27
VRIJDAG 15 JULI

Rechter Iversen tikte om 12.30 uur met zijn hamer op tafel en verklaarde dat de zitting van de rechtbank was heropend. Het kon hem niet zijn ontgaan dat er plotseling een derde persoon bij Annika Giannini aan tafel zat. Holger Palmgren was in zijn rolstoel aangeschoven.

'Dag meneer Palmgren,' zei rechter Iversen. 'Het is lang geleden dat ik u in een rechtszaal heb gezien.'

'Dag rechter Iversen. Sommige zaken zijn zo gecompliceerd dat de junioren wat assistentie nodig hebben.'

'Ik dacht dat u gestopt was als actief advocaat?'

'Ik ben ziek geweest. Maar advocaat Giannini heeft mij in de arm genomen als haar raadgever in deze zaak.'

'Aha.'

Annika Giannini kuchte.

'Daar komt ook bij dat Holger Palmgren Lisbeth Salander vele jaren heeft vertegenwoordigd.'

'Ik was niet van plan er wat van te zeggen,' zei rechter Iversen.

Hij knikte naar Annika Giannini dat ze kon beginnen. Ze stond op. Ze had het altijd een Zweedse onhebbelijkheid gevonden dat zittingen bij de rechtbank zo informeel waren en dat men rond een intieme tafel zat, alsof het een gezellig etentje betrof. Ze voelde zich veel beter als ze staand mocht spreken.

'Ik denk dat we moeten beginnen met de afsluitende opmerkingen van vanochtend. Meneer Teleborian, waarom wijst u alle verklaringen van Lisbeth Salander zo consequent af?'

'Omdat ze zo duidelijk onwaar zijn,' antwoordde Peter Teleborian.

Hij was kalm en ontspannen. Annika Giannini knikte en richtte zich tot rechter Iversen.

'Meneer de rechter, Peter Teleborian beweert dat Lisbeth Salander liegt en fantaseert. Nu is het de taak van de verdediging aan te tonen dat elk woord dat in de autobiografie van Lisbeth Salander staat waar is. Wij zullen daar documentatie van tonen. Beeldmateriaal, schriftelijk materiaal en ook getuigenverklaringen. We zijn nu op het punt in deze rechtszaak gekomen dat de officier van justitie de hoofdlijnen van zijn betoog naar voren heeft gebracht. Wij hebben geluisterd en weten nu hoe de aanklachten tegen Lisbeth Salander er exact uitzien.'

Annika Giannini had plotseling een droge mond en merkte dat haar hand trilde. Ze haalde diep adem en nam een slokje Ramlösa. Daarna plaatste ze haar handen stevig op de stoelleuning, zodat ze haar nervositeit niet zouden verraden.

'Uit de uiteenzetting van de officier van justitie kunnen we de conclusie trekken dat hij heel wat standpunten heeft, maar bedroevend weinig bewijs. Hij denkt dat Lisbeth Salander Carl-Magnus Lundin in Stallarholmen heeft neergeschoten. Hij beweert dat zij naar Gosseberga is afgereisd om haar vader te doden. Hij vermoedt dat mijn cliënte paranoïde schizofreen is en hoe dan ook geestesziek. En hij baseert dit op gegevens van slechts één bron, namelijk dokter Peter Teleborian.'

Ze laste een pauze in en haalde adem. Ze dwong zichzelf langzaam te spreken.

'Het bewijsmateriaal is zodanig dat de zaak van de officier van justitie uitsluitend is gebaseerd op Peter Teleborian. Als hij gelijk heeft, is dat mooi; dan zou mijn cliënte het meest gebaat zijn bij de gekwalificeerde geestelijke gezondheidszorg waarvan hij en de officier van justitie zulke warme pleitbezorgers zijn.'

Pauze.

'Maar als dokter Teleborian het mis heeft, komt de zaak in een heel ander daglicht te staan. Als hij bovendien bewust liegt, betekent dat dat mijn cliënte is blootgesteld aan schending van de privacy, een schending die al jaren aan de gang is.'

Ze wendde zich tot Ekström.

'Wat wij vanmiddag zullen doen, is aantonen dat uw getuige het bij het verkeerde eind heeft en dat u als officier van justitie bent misleid om deze foutieve conclusies te accepteren.'

Peter Teleborian glimlachte geamuseerd. Hij spreidde zijn handen uiteen en knikte uitnodigend naar Annika Giannini. Ze richtte zich weer tot Iversen.

'Meneer de rechter. Ik zal aantonen dat het zogenaamde gerechtelijk-psychiatrische onderzoek van Peter Teleborian van begin tot eind bluf is. Ik zal aantonen dat hij bewust liegt over Lisbeth Salander. Ik zal aantonen dat mijn cliënte is blootgesteld aan zware schending van de privacy. En ik zal aantonen dat ze net zo slim en verstandig is als ieder ander in deze ruimte.'

'Pardon, maar ...' begon Ekström.

'Eén moment.' Ze hief haar vinger op. 'Ik heb u twee dagen ongestoord laten praten. Nu is het mijn beurt.'

Ze wendde zich weer tot rechter Iversen.

'Ik zou niet met een dergelijk zware beschuldiging voor een rechtbank komen als ik geen sterke bewijzen had.'

'Gaat u vooral verder,' zei Iversen. 'Maar ik wil niets weten van breedvoerige samenzweringstheorieën. Mag ik u erop attent maken dat u ook wegens laster kunt worden aangeklaagd voor beweringen die voor de rechtbank worden gedaan?'

'Dank u. Ik zal het in gedachten houden.'

Ze wendde zich tot Teleborian. Hij leek nog steeds geamuseerd door de situatie.

'De verdediging heeft herhaaldelijk gevraagd kennis te mogen nemen van het dossier van Lisbeth Salander uit de tijd dat zij als tiener bij u in het St. Stefans zat opgesloten. Waarom hebben wij dat dossier niet ontvangen?'

'Omdat een arrondissementsrechtbank heeft besloten dat het geheim is. Die beslissing is uit bezorgdheid voor Lisbeth Salander genomen, maar als een hogere rechtbank dat besluit opheft, zal ik dat dossier natuurlijk verstrekken.'

'Dank u. Hoeveel nachten in de twee jaar dat Lisbeth Salander in het St. Stefans heeft doorgebracht, lag ze in een spanriem?'

'Dat kan ik me niet meer zo precies herinneren.'

'Ze beweert zelf dat het om driehonderdtachtig van de in totaal zevenhonderdzesentachtig dagen ging die ze in het St. Stefans heeft doorgebracht.'

'Ik kan niet exact aangeven hoeveel dagen het waren, maar dat lijkt me zeer overdreven. Waar komt dat cijfer vandaan?'

'Uit haar autobiografie.'

'En u meent dat zij zich vandaag de dag nog precies kan herinneren hoeveel nachten ze in een spanriem heeft gelegen? Dat is godsonmogelijk.'

'O ja? Hoeveel nachten kunt u zich herinneren?'

'Lisbeth Salander was een zeer agressieve en gewelddadige patiënte, en ze moest een aantal keren absoluut in een prikkelvrije kamer worden gelegd. Misschien moet ik uitleggen wat het doel van een prikkelvrije kamer is ...'

'Bedankt, maar dat is niet nodig. Dat is volgens de theorie een ruimte waar een patiënt geen indrukken kan opdoen die onrust kunnen veroorzaken. Hoeveel nachten lag de dertienjarige Lisbeth Salander vastgebonden in een dergelijke kamer?'

'Het gaat om ... zo uit de losse pols, misschien dertig keer in de tijd dat ze in het ziekenhuis was opgenomen.'

'Dertig? Dat is slechts een fractie van de driehonderdtachtig keer die ze zelf beweert.'

'Ongetwijfeld.'

'Minder dan tien procent van het cijfer dat zij opgeeft.'

'Ja.'

'Zou haar dossier een meer exact antwoord geven?'

'Dat zou kunnen.'

'Uitstekend,' zei Annika Giannini en ze pakte een flinke stapel papieren uit haar tas. 'Ik wil de rechtbank graag een kopie overhandigen van het dossier van Lisbeth Salander uit het St. Stefans. Ik heb het aantal aantekeningen over de spanriem opgeteld en kom tot het cijfer driehonderdeenentachtig, dus zelfs méér dan mijn cliënte beweert.'

De ogen van Peter Teleborian verwijdden zich.

'Stop ... dat is geheime informatie. Hoe komt u daaraan?'

'Ik heb het gekregen van een verslaggever van het tijdschrift *Millennium*. Het is dus zó geheim dat het op krantenredacties rondslingert. Ik moet wellicht zeggen dat gedeelten uit het dossier vandaag door het blad *Millennium* zijn gepubliceerd. Ik ben zodoende van mening dat deze rechtbank ook de mogelijkheid moet krijgen om het in te kijken.'

'Dat is onwettig ...'

'Nee. Lisbeth Salander heeft toestemming gegeven voor de publicatie van die gedeelten. Mijn cliënte heeft namelijk niets te verbergen.'

'Uw cliënte is onmondig verklaard en heeft niet het recht zelfstandig een dergelijke beslissing te nemen.'

'We zullen later terugkomen op die ondertoezichtstelling. Maar eerst gaan we bestuderen wat er met haar in het St. Stefans is gebeurd.'

Rechter Iversen fronste zijn wenkbrauwen en pakte het dossier aan dat Annika Giannini hem overhandigde.

'Ik heb geen kopie gemaakt voor de officier van justitie. Maar hij heeft deze integriteitsschendende documenten een maand geleden al ontvangen.'

'Pardon?' zei Iversen.

'Officier van justitie Ekström heeft op zaterdag 4 juni van dit jaar om 17.00 uur, tijdens een bijeenkomst op zijn werkkamer, van Teleborian een kopie ontvangen van dit geheime document.'

'Is dat correct?'

De eerste impuls van officier van justitie Ekström was om het te ontkennen. Toen zag hij in dat Annika Giannini het wellicht kon documenteren.

'Ik heb verzocht om delen van het dossier te mogen lezen, uiteraard met inachtneming van de zwijgplicht,' bekende Ekström. 'Ik moest me ervan vergewissen dat Salander de achtergrond had die ze heeft opgegeven.'

'Bedankt,' zei Annika Giannini. 'Dat betekent dat we bevestigd hebben dat dokter Teleborian niet alleen onwaarheden verspreidt, maar tevens een wetsovertreding heeft begaan door een dossier te verstrekken dat volgens hemzelf vertrouwelijk is.'

'Het wordt genoteerd,' zei Iversen.

Rechter Iversen was plotseling klaarwakker. Annika Giannini had zojuist op zeer ongebruikelijke wijze een getuige hardhandig aan de tand gevoeld en een belangrijk deel van diens getuigenverklaring onderuitgehaald. *En ze beweert dat ze alles wat ze zegt kan documenteren.* Iversen zette zijn bril recht.

'Dokter Teleborian, kunt u mij nu vanuit dit dossier, dat u zelf hebt geschreven, precies vertellen hoeveel etmalen Lisbeth Salander in een spanriem heeft gelegen?'

'Ik kan me niet herinneren dat het zo omvangrijk was, maar als dat is wat het dossier zegt, dan moet ik dat geloven.'

'Driehonderdeenentachtig etmalen. Is dat niet exceptioneel veel?'

'Ja, dat is ongebruikelijk veel.'

'Hoe zou u het ervaren als u als dertienjarige meer dan een jaar lang in een leren tuig aan een bed met een stalen frame werd vastgebonden? Als marteling?'

'U moet begrijpen dat de patiënte een gevaar vormde voor zichzelf en voor anderen ...'

'Oké. Een gevaar voor zichzelf – heeft Lisbeth Salander zichzelf ooit iets aangedaan?'

'Er waren dergelijke bange vermoedens ...'

'Ik herhaal de vraag: heeft Lisbeth Salander zichzelf ooit iets aangedaan? Ja of nee?'

'Als psychiater moeten wij leren het totaalplaatje te interpreteren. Wat betreft Lisbeth Salander ziet u bijvoorbeeld op haar lichaam een reeks tatoeages en piercings. Dat is ook zelfdestructief gedrag en een manier om het lichaam te verminken. Wij kunnen dit interpreteren als een blijk van zelfhaat.'

Annika Giannini richtte zich tot Lisbeth Salander.

'Zijn jouw tatoeages een blijk van zelfhaat?' vroeg ze.

'Nee,' zei Lisbeth Salander.

Annika Giannini wendde zich weer tot Teleborian.

'Dus u meent dat ik met mijn oorbellen en met een tatoeage op een zeer persoonlijke plek ook een gevaar ben voor mijzelf?'

Holger Palmgren gniffelde, maar zette zijn gegniffel om in een kuchje.

'Nee, niet op die manier ... Tatoeages kunnen ook onderdeel zijn van een sociaal ritueel.'

'U meent dus dat Lisbeth Salander niet onder dit sociale ritueel valt?'

'U ziet zelf dat haar tatoeages grotesk zijn en een belangrijk deel van haar lichaam bedekken. Dat is geen normaal schoonheidsfetisjisme en dat is ook geen gewone lichaamsversiering.'

'Hoeveel procent?'

'Pardon?'

'Bij hoeveel procent getatoeëerd lichaamsoppervlak gaat schoonheidsfetisjisme over in krankzinnigheid?'

'U verdraait mijn woorden.'

'O ja? Hoe komt het dat tatoeages volgens u een onderdeel zijn van een volkomen geaccepteerd sociaal ritueel als het om mij en andere jongelui gaat, maar dat, als het om mijn cliënte gaat, het haar ten laste wordt gelegd bij het beoordelen van haar geestelijke gesteldheid?'

'Als psychiater moet ik zoals gezegd naar het totaalplaatje kijken. De tatoeages zijn slechts een signaal, een van de vele signalen, waar ik rekening mee moet houden bij het beoordelen van haar toestand.'

Annika Giannini zweeg even en keek Peter Teleborian strak aan. Ze sprak langzaam.

'Maar dokter Teleborian, u bent mijn cliënte gaan vastbinden toen ze twaalf was, ze moest nog dertien worden. In die tijd had ze toch nog helemaal geen tatoeages?'

Peter Teleborian aarzelde een paar seconden. Annika nam opnieuw het woord.

'Ik neem niet aan dat u haar hebt vastgegespt, omdat u voorzag dat ze zich in de toekomst ooit zou laten tatoeëren.'

'Nee, natuurlijk niet. Haar tatoeages hadden niets met haar toestand in 1991 van doen.'

'Daarmee zijn we terug bij mijn oorspronkelijke vraag. Heeft Lisbeth Salander zichzelf ooit op dusdanige wijze iets aangedaan wat kan motiveren dat u haar een jaar lang in bed hebt vastgebonden? Heeft ze zich bijvoorbeeld gesneden met een mes of scheermesje, of iets dergelijks?'

Peter Teleborian keek even heel onzeker.

'Nee, maar we hadden aanleiding te geloven dat ze een gevaar was voor zichzelf.'

'Aanleiding te geloven. Dus u bedoelt dat u haar hebt vastgebonden op basis van gissingen ...?'

'Wij maken beoordelingen.'

'Ik stel nu al ongeveer vijf minuten dezelfde vraag. U beweert dat het zelfdestructieve gedrag van mijn cliënte een reden was dat ze door u meer dan een jaar lang – van de twee jaar dat ze onder uw hoede was – werd vastgebonden. Zou u zo vriendelijk willen zijn om mij nu eindelijk een paar voorbeelden te geven van het zelfdestructieve gedrag dat zij op twaalfjarige leeftijd vertoonde?'

'Het meisje was bijvoorbeeld extreem ondervoed. Dat kwam onder andere doordat ze voedsel weigerde. Wij vermoedden anorexie. We hebben haar diverse keren onder dwang moeten voeden.'

'Waar kwam dat door?'

'Dat kwam natuurlijk doordat ze weigerde te eten.'

Annika Giannini wendde zich tot haar cliënte.

'Lisbeth, klopt het dat je weigerde te eten in het St. Stefans?'

'Ja.'

'Waarom?'

'Omdat die klootzak psychofarmaca door mijn eten deed.'

'Aha. Dokter Teleborian wilde je dus medicijnen geven. Waarom wilde je die niet?'

'Die waren niet prettig. Ik werd er sloom van. Ik kon niet denken en was grote delen van de tijd dat ik wakker was versuft. Dat was onaangenaam. Die klootzak weigerde mij te vertellen wat er in die psychofarmaca zat.'

'En dus weigerde je alle medicatie.'

'Ja. Toen begon hij die troep door mijn eten te gooien. Dus stopte ik met eten. Elke keer dat er iets in mijn eten was gestopt, weigerde ik vijf dagen lang te eten.'

'Je had dus altijd honger?'

'Niet altijd. Diverse verzorgers smokkelden brood. Er was één verzorger die mij 's avonds laat te eten gaf. Dat is diverse malen gebeurd.'

'Dus je bedoelt dat het verplegend personeel in het St. Stefans het idee had dat je honger had en je te eten gaf, zodat je niet zou hoeven verhongeren?'

'Dat was in de periode dat ik met die klootzak in oorlog was over die psychofarmaca.'

'Dus er was een volstrekt rationele reden dat je voedsel weigerde?'

'Ja.'

'Het kwam dus niet doordat je geen eten wilde?'

'Nee. Ik had vaak trek.'

'Is het correct om te beweren dat er een conflict was ontstaan tussen jou en dokter Teleborian?'

'Dat kun je wel zeggen.'

'Je belandde in het St. Stefans omdat je je vader had overgoten met benzine en die had aangestoken.'

'Ja.'

'Waarom deed je dat?'

'Omdat hij mijn moeder mishandelde.'

'Heb je dat ooit aan iemand verteld?'

'Ja.'

'Aan wie dan?'

'Ik heb het verteld aan de politiemensen die mij hebben verhoord, aan mensen van maatschappelijk werk, aan artsen, aan een dominee en aan die klootzak.'

'Met die klootzak bedoel je ...?'

'Hij daar.'

Ze wees op dokter Peter Teleborian.

'Waarom noem je hem een klootzak?'

'Toen ik voor het eerst in het St. Stefans kwam, probeerde ik hem te vertellen wat er was gebeurd.'

'En wat zei dokter Teleborian?'

'Hij wilde niet naar mij luisteren. Hij beweerde dat ik het verzon. En voor straf zou ik worden vastgebonden totdat ik ophield met fantaseren. En toen probeerde hij me psychofarmaca op te dringen.'

'Dat is onzin,' zei Peter Teleborian.
'Is dat de reden dat je niet met hem praat?'
'Ik heb geen woord tegen hem gezegd sinds de nacht dat ik dertien werd. Toen lag ik ook vastgegespt. Dat was mijn verjaardagscadeau aan mijzelf.'
Annika Giannini wendde zich weer tot Teleborian.
'Dokter Teleborian, het klinkt alsof de reden voor het feit dat mijn cliënte voedsel weigerde, was dat ze niet accepteerde dat u haar psychofarmaca gaf.'
'Het zou kunnen dat zij het zo ervaart.'
'Hoe ervaart u het dan?'
'Ik had een patiënte die exceptioneel lastig was. Ik beweer dat haar gedrag aangaf dat ze een gevaar vormde voor zichzelf, maar dat is mogelijk een kwestie van interpretatie. Daarentegen was ze gewelddadig en vertoonde ze psychotisch gedrag. Er is geen twijfel over mogelijk dat ze gevaarlijk was voor anderen. Ze kwam immers naar het St. Stefans nadat ze had geprobeerd haar vader te vermoorden.'
'Daar komen we op terug. U bent twee jaar verantwoordelijk geweest voor haar verzorging. Ze lag gedurende driehonderdeenentachtig van deze dagen in een spanriem. Kan het zo zijn dat u dat vastgespen als bestraffingsmethode gebruikte wanneer mijn cliënte niet deed wat u zei?'
'Dat zijn pure verzinsels.'
'O ja? Ik noteer dat volgens het patiëntendossier het veruit grootste deel van dit vastgespen in het eerste jaar plaatsvond, driehonderdtwintig van de driehonderdeenentachtig keer. Waarom eindigde het vastgespen?'
'De patiënte ontwikkelde zich en werd harmonieuzer.'
'Is het niet zo dat uw maatregelen door ander verzorgend personeel als onnodig wreed werden beoordeeld?'
'Hoe bedoelt u?'
'Is het niet zo dat het personeel zijn beklag deed over onder andere het onder dwang voeden van Lisbeth Salander?'
'Er zijn natuurlijk altijd verschillende beoordelingen mogelijk. Dat is niets ongebruikelijks. Maar het werd een belasting om haar onder dwang te voeden omdat haar weerstand zo gewelddadig was ...'
'Omdat ze de psychofarmaca weigerde die haar zo sloom en passief maakten. Ze had geen problemen met eten als ze niet werd gedrogeerd. Zou het geen redelijker behandelingsmethode zijn geweest als u had gewacht met dwangmaatregelen?'

'Met alle respect, mevrouw Giannini. Ik ben arts. Ik vermoed dat mijn medische kennis iets uitgebreider is dan die van u. Het is mijn taak te beoordelen welke medische maatregelen moeten worden ingezet.'

'Het is correct dat ik geen arts ben, dokter Teleborian. Daarentegen ben ik niet geheel zonder kennis. Naast mijn titel van advocaat heb ik namelijk ook de studie psychologie afgerond aan de Universiteit van Stockholm. Dat is noodzakelijke kennis in mijn vak.'

Het werd doodstil in de rechtszaal. Zowel Ekström als Teleborian staarde Annika Giannini verbaasd aan. Ze ging onverbiddelijk door.

'Is het niet zo dat uw methoden voor de behandeling van mijn cliente op den duur leidden tot sterke tegenstellingen tussen u en uw baas, het toenmalige afdelingshoofd Johannes Caldin?'

'Nee ... dat is onjuist.'

'Johannes Caldin is een aantal jaar geleden overleden en kan hier vandaag dus niet getuigen. Maar we hebben iemand in de zaal die afdelingshoofd Caldin diverse malen heeft ontmoet. Namelijk mijn raadgever Holger Palmgren.'

Ze wendde zich tot hem.

'Wilt u vertellen hoe dat kwam?'

Holger Palmgren schraapte zijn keel. Hij leed nog steeds aan de gevolgen van zijn hersenbloeding en moest zich goed concentreren om woorden uit te spreken zonder onduidelijk te gaan praten.

'Ik werd aangesteld als Lisbeths voogd toen haar moeder zo ernstig door haar vader was mishandeld dat ze gehandicapt raakte en niet langer voor haar dochter kon zorgen. Ze had blijvend hersenletsel opgelopen en had regelmatig hersenbloedingen.'

'U hebt het dus over Alexander Zalachenko?'

Officier van justitie Ekström leunde aandachtig naar voren.

'Dat is correct,' zei Palmgren.

Ekström kuchte.

'Mag ik opmerken dat we nu een onderwerp aansnijden waarbij sprake is van strikte geheimhouding.'

'Het kan toch moeilijk een geheim zijn dat Alexander Zalachenko de moeder van Lisbeth Salander jarenlang heeft afgetuigd,' zei Annika Giannini.

Peter Teleborian stak zijn hand op.

'Die zaak is nog niet zo vanzelfsprekend als mevrouw Giannini doet voorkomen.'

'Hoe bedoelt u?'

'Het is ongetwijfeld zo dat Lisbeth Salander getuige is geweest van een familietragedie, dat er iets was wat in 1991 een zware mishandeling veroorzaakte. Maar er is geen eigenlijke documentatie die bevestigt dat dit een situatie was die al jarenlang aan de gang was, zoals mevrouw Giannini beweert. Het kan eenmalig zijn geweest, of een ruzie die uit de hand liep. Als de waarheid boven tafel moet komen, is er zelfs geen documentatie dat Salanders moeder door de heer Zalachenko is mishandeld. Wij hebben gegevens dat zij prostituee was, er kunnen andere mogelijke daders zijn.'

Annika Giannini keek Peter Teleborian ontzet aan. Ze leek even met haar mond vol tanden te staan. Toen focuste ze haar blik.

'Kunt u dat nader verklaren?' vroeg ze.

'Wat ik bedoel, is dat we in de praktijk uitsluitend de beweringen van Lisbeth Salander hebben.'

'En?'

'Ten eerste waren er twee kinderen. Lisbeths zus, Camilla Salander, heeft dit soort beweringen nooit geuit. Zij ontkende dat er iets dergelijks aan de hand was. En dan is het verder zo dat als er daadwerkelijk mishandeling heeft plaatsgevonden in de omvang die uw cliënte beweert, dat dat dan vanzelfsprekend zou zijn opgemerkt in sociale onderzoeken en dergelijke.'

'Is er een verhoor met Camilla Salander beschikbaar waar wij kennis van kunnen nemen?'

'Verhoor?'

'Hebt u enige documentatie waaruit blijkt dat Camilla Salander überhaupt is gevraagd wat er zich thuis afspeelde?'

Lisbeth Salander begon plotseling op haar stoel te draaien toen haar zus ter sprake kwam. Ze keek Annika Giannini van opzij aan.

'U hebt zojuist gesteld dat Camilla Salander nooit heeft beweerd dat Alexander Zalachenko hun moeder mishandelde, dat ze dat juist ontkende. Dat is een categorische uitspraak. Hoe komt u aan dat gegeven?'

Peter Teleborian zweeg plotseling. Annika Giannini zag dat zijn blik veranderde toen hij zich realiseerde dat hij een fout had begaan. Hij begreep welke kant ze op wilde, maar er was geen enkele manier om die vraag te ontwijken.

'Ik geloof dat dat in een politieonderzoek stond,' zei hij ten slotte.

'U gelooft ... Zelf heb ik op alle mogelijke manieren gezocht naar een politieonderzoek over de gebeurtenis op de Lundagatan waarbij

Alexander Zalachenko zware brandwonden opliep. Het enige wat beschikbaar was, waren de summiere rapporten die zijn geschreven door de politiemensen ter plaatse.'

'Dat is mogelijk ...'

'Dus ik zou weleens willen weten hoe het kan dat u een politieonderzoek hebt gelezen dat niet beschikbaar is voor de verdediging.'

'Daar kan ik geen antwoord op geven,' zei Teleborian. 'Ik heb kennisgenomen van dat onderzoek toen ik in 1991 een gerechtelijk-psychiatrisch onderzoek over haar heb opgesteld, na de moordpoging op haar vader.'

'Heeft de officier van justitie kennis kunnen nemen van dit onderzoek?'

Ekström voelde zich ongemakkelijk en streek over zijn sikje. Hij was gaan inzien dat hij Annika Giannini had onderschat. Maar hij had geen reden om te liegen.

'Ja, daar heb ik kennis van genomen.'

'Waarom heeft de verdediging geen toegang gekregen tot dat materiaal?'

'Ik heb gemeend dat het niet interessant zou zijn voor de rechtszaak.'

'Kunt u zo vriendelijk zijn om mij te vertellen hoe u aan dat onderzoek bent gekomen? Toen ik mij tot de politie wendde, kreeg ik alleen te horen dat een dergelijk onderzoek niet bestond.'

'Het onderzoek is gedaan door de Zweedse veiligheidsdienst. Het is geheim.'

'De veiligheidsdienst heeft dus een zaak van ernstige vrouwenmishandeling onderzocht en besloten het onderzoek als geheim te bestempelen?'

'Dat komt door de pleger ... Alexander Zalachenko. Hij was politiek vluchteling.'

'Door wie is dat onderzoek opgesteld?'

Stilte.

'Ik hoor niets. Welke naam stond er op het schutblad?'

'Het werd gedaan door Gunnar Björck van de afdeling Buitenland van de Zweedse veiligheidsdienst.'

'Dank u. Is dat dezelfde Gunnar Björck die volgens mijn cliënte met Peter Teleborian heeft samengewerkt om het gerechtelijk-psychiatrische onderzoek over haar in 1991 te faken?'

'Dat neem ik aan.'

Annika Giannini richtte haar aandacht weer op Peter Teleborian.

'In 1991 heeft een arrondissementsrechtbank het besluit genomen om Lisbeth Salander in een kinderpsychiatrische kliniek op te sluiten. Waarom nam de rechtbank dat besluit?'

'De rechtbank heeft een zorgvuldige beoordeling gemaakt van de daden en de geestesgesteldheid van uw cliënte – ze had hoe dan ook geprobeerd haar vader met een brandbom om het leven te brengen. Dat is niet iets waar normale tieners zich mee bezighouden, of ze nu zijn getatoeëerd of niet.'

Peter Teleborian glimlachte beleefd.

'En waar baseerde de rechtbank die beoordeling op? Als ik het goed begrijp, hadden ze slechts één gerechtelijk-geneeskundige uitspraak om zich op te baseren. Die was geschreven door u en een politieman genaamd Gunnar Björck.'

'Mevrouw Giannini, we komen nu bij de samenzweringstheorieën van juffrouw Salander. Hier moet ik ...'

'Het spijt me, maar ik heb nog geen vraag gesteld,' zei Annika Giannini en ze wendde zich opnieuw tot Holger Palmgren. 'Meneer Palmgren, we hadden het erover dat u de chef van Teleborian had ontmoet, afdelingshoofd Caldin.'

'Ja. Ik was immers aangesteld als voogd voor Lisbeth Salander. Ik had haar toen alleen nog maar vluchtig ontmoet. Net als alle anderen had ik de indruk gekregen dat ze psychisch ernstig ziek was. Maar omdat het tot mijn taak behoorde, heb ik inlichtingen ingewonnen over haar algemene gezondheidstoestand.'

'En wat zei afdelingshoofd Caldin?'

'Ze was natuurlijk de patiënte van dokter Teleborian en dokter Caldin had niet méér aandacht aan haar besteed dan wat gebruikelijk was bij evaluaties en dergelijke. Pas na meer dan een jaar ben ik gaan bespreken op welke manier ze terug zou kunnen keren in de maatschappij. Ik heb een pleeggezin voorgesteld. Ik weet niet precies wat er intern in het St. Stefans is gebeurd, maar toen Lisbeth al ruim een jaar in het St. Stefans had gelegen, begon dokter Caldin zich voor haar te interesseren.'

'Hoe kwam dat tot uitdrukking?

'Ik had het idee dat hij met een andere beoordeling kwam dan dokter Teleborian. Hij vertelde mij een keer dat hij had besloten de routines voor haar verzorging te wijzigen. Ik begreep pas later dat het om dat zogenaamde vastgespen ging. Caldin had gewoon besloten dat ze niet meer zou worden vastgebonden. Hij meende dat daar geen aanleiding voor was.'

'Hij ging dus tegen dokter Teleborian in?'

'Sorry, maar dit is gebaseerd op geruchten,' bracht Ekström ertegen in.

'Nee,' zei Holger Palmgren. 'Niet uitsluitend. Ik vroeg Caldins oordeel over hoe Lisbeth Salander teruggeloodst kon worden naar de maatschappij. Dokter Caldin heeft zijn bevindingen opgeschreven. Die heb ik nog.'

Hij overhandigde Annika Giannini een papier.

'Kunt u vertellen wat hier staat?'

'Het is een brief van dokter Caldin aan mij. Hij is gedateerd in oktober 1992, toen Lisbeth zich dus al twintig maanden in het St. Stefans bevond. Dokter Caldin schrijft hier uitdrukkelijk, ik citeer: "Mijn besluit dat de patiënte niet mag worden vastgebonden of onder dwang gevoed mag worden, heeft ook als zichtbaar effect opgeleverd dat ze nu rustig is. Er is geen behoefte aan psychofarmaca. De patiënte is echter extreem gesloten en introvert, en heeft verdere ondersteuning nodig." Einde citaat.'

'Hij schrijft dus uitdrukkelijk dat dat zijn besluit was.'

'Dat is correct. Dokter Caldin heeft ook persoonlijk de beslissing genomen dat Lisbeth Salander via een pleeggezin teruggeloodst kon worden naar de maatschappij?'

Lisbeth knikte. Ze herinnerde zich dokter Caldin net zo als ze zich elk detail van haar verblijf in het St. Stefans wist te herinneren. Ze had geweigerd met dokter Caldin te praten, hij was immers een gekkendokter. Nóg eentje in de reeks van witte jassen die in haar gevoelens wilde wroeten. Maar hij was vriendelijk en goedmoedig geweest. Ze had op zijn kamer naar hem zitten luisteren toen hij zijn visie op haar kenbaar had gemaakt.

Hij had gekwetst geleken toen ze niet met hem had willen praten. Uiteindelijk had ze hem aangekeken en haar besluit uitgelegd. 'Ik zal nooit met u of met een andere gekkendokter praten. Jullie luisteren toch niet naar wat ik zeg. Jullie kunnen me hier opgesloten houden tot ik doodga. Dat verandert daar niets aan. Ik zal niet met jullie praten.' Hij had haar met verbazing in zijn blik aangekeken. Toen had hij geknikt alsof hij er iets van had begrepen.

'Dokter Teleborian ... Ik heb geconstateerd dat u Lisbeth Salander in een kinderpsychiatrische kliniek hebt opgesloten. U was degene die de rechtbank het onderzoek verschafte. Dat was hun enige grondslag. Is dat correct?'

'Dat is op zich correct. Maar ik vind ...'

'U krijgt ruimschoots de tijd om te laten weten wat u vindt. Toen Lisbeth Salander achttien zou worden, greep u weer in haar leven in en probeerde u haar opnieuw opgesloten te krijgen in een kliniek.'

'Die keer was niet ík degene die het gerechtelijk-geneeskundige onderzoek uitvoerde ...'

'Nee, dat werd geschreven door ene dokter Jesper H. Löderman. Die heel toevallig in die tijd bij u zou gaan promoveren. U was zijn promotor. Het onderzoek werd door uw toedoen goedgekeurd.'

'Er is niets onethisch of incorrects aan deze onderzoeken. Ze zijn uitgevoerd volgens alle regelen der kunst.'

'Nu is Lisbeth Salander zevenentwintig en bevinden we ons voor de derde keer in de situatie dat u een rechtbank ervan probeert te overtuigen dat zij geesteszie is en in een gesloten psychiatrische inrichting thuishoort.'

Dokter Peter Teleborian haalde diep adem. Annika Giannini was goed voorbereid. Ze had hem verrast met een aantal strikvragen waarbij ze erin was geslaagd zijn antwoorden te verdraaien. Ze viel niet voor zijn charmes en negeerde zijn autoriteit volkomen. Hij was gewend dat mensen instemmend knikten als hij sprak.

Hoeveel weet ze?

Hij keek met een schuine blik naar officier van justitie Ekström, maar zag in dat hij van die kant geen hulp kon verwachten. Hij moest de storm zelf zien te doorstaan.

Hij hield zichzelf voor dat hij ondanks alles een autoriteit was. *Het maakt niet uit wat ze zegt. Het is mijn beoordeling die telt.*

Annika Giannini pakte zijn gerechtelijk-psychiatrische onderzoek van tafel.

'Laten we uw laatste onderzoek eens nader bekijken. U steekt veel energie in het analyseren van het gevoelsleven van Lisbeth Salander. Een groot gedeelte heeft betrekking op uw interpretaties van haar als persoon, haar gedragingen en haar seksuele gewoonten.'

'Ik heb in dat onderzoek getracht een totaalbeeld te geven.'

'Goed. En vanuit dit totaalbeeld komt u tot de conclusie dat Lisbeth Salander aan paranoïde schizofrenie lijdt.'

'Ik wil me niet binden aan een exacte diagnose.'

'Maar u hebt deze conclusie niet getrokken op basis van gesprekken met Lisbeth Salander, toch?'

'U weet heel goed dat uw cliënte consequent weigert antwoord te geven op vragen wanneer ik of een andere autoriteit met haar probeer te spreken. Dat gedrag op zich is al zeer sprekend. Het kan zo worden gezien dat de paranoïde trekken van de patiënte zo sterk naar voren komen dat zij letterlijk niet in staat is tot een eenvoudig gesprek met een autoriteit. Ze meent dat iedereen eropuit is haar schade te berokkenen en voelt een dusdanig grote vijandigheid dat ze zich opsluit in een ondoordringbare schaal en letterlijk stom wordt.'

'Ik merk op dat u zich zeer voorzichtig uitdrukt. U zegt dat dit kan worden gezien als ...'

'Ja, dat is juist. Ik druk me voorzichtig uit. Psychiatrie is geen exacte wetenschap en ik moet voorzichtig zijn met mijn conclusies. Ook is het zo dat wij psychiaters niet met ongefundeerde veronderstellingen komen.'

'U weet zich goed in te dekken. In werkelijkheid is het immers zo dat u geen woord met mijn cliënte hebt gewisseld sinds de nacht dat ze dertien werd, omdat ze consequent heeft geweigerd met u te spreken.'

'Niet alleen met mij. Ze is niet in staat een gesprek te voeren met een psychiater.'

'Dat betekent dat, zoals u hier schrijft, uw conclusies zijn gebaseerd op ervaringen en op observaties van mijn cliënte.'

'Dat is correct.'

'Wat kan men leren van het bestuderen van een meisje dat met haar armen over elkaar op een stoel zit en weigert te praten?'

Peter Teleborian zuchtte en keek alsof hij het erg vermoeiend vond om vanzelfsprekendheden uit te leggen. Hij glimlachte.

'Van een patiënte die geen woord zegt, kan men alleen leren dat het een patiënte is die heel goed is in zwijgen. Dat op zich is al gestoord gedrag, maar daar baseer ik mijn conclusies dus niet op.'

'Ik heb voor vanmiddag een andere psychiater opgeroepen. Zijn naam is Svante Brandén en hij is chef de clinique bij de gerechtelijk-geneeskundige dienst en gespecialiseerd in forensische psychiatrie. Kent u hem?'

Peter Teleborian voelde zich weer safe. Hij glimlachte. Hij had al bedacht dat Giannini met een andere psychiater op de proppen zou kunnen komen om zijn eigen conclusies in twijfel te trekken. Dat was een situatie waarop hij was voorbereid en waarbij hij zonder problemen elke tegenwerping woord voor woord zou kunnen weerleggen. Het zou zelfs eenvoudiger zijn om met een academische collega te praten, dat zou wat vriendschappelijk gekissebis worden, dan met zo iemand als advocaat Giannini, die geen remmingen kende en bereid was de spot te drijven met zijn woorden.

'Ja. Dat is een zeer vakkundige forensisch psychiater. Maar u begrijpt, mevrouw Giannini, het uitvoeren van dit soort onderzoeken is een academisch en wetenschappelijk proces. U kunt het met mij oneens zijn over mijn conclusies en een andere psychiater kan een bepaald gedrag of een gebeurtenis op andere wijze interpreteren dan ik. Dan gaat het om verschillende zienswijzen of wellicht zuiver om hoe goed een arts zijn patiënt kent. Hij komt wellicht tot een heel andere conclusie over Lisbeth Salander dan ik. Dat is beslist niets ongewoons binnen de psychiatrie.'

'Dat is niet de reden dat ik hem heb opgeroepen. Hij heeft Lisbeth Salander niet ontmoet of onderzocht en zal geen enkele conclusie trekken over haar geestestoestand.'

'O, eh ...'

'Ik heb hem gevraagd uw onderzoek en alle documentatie die u over Lisbeth Salander hebt opgesteld te lezen, en naar haar dossier te kijken van de jaren dat ze in het St. Stefans lag. Ik heb hem gevraagd om een beoordeling – niet van de gezondheidstoestand van mijn cliënte, maar om te kijken of er uit puur wetenschappelijk oogpunt bewijs is voor uw conclusies in het materiaal dat u hebt aangeleverd.'

Peter Teleborian haalde zijn schouders op.

'Met alle respect ... ik denk dat ik meer kennis heb over Lisbeth Salander dan enig andere psychiater in dit land. Ik heb haar ontwikkeling sinds haar twaalfde gevolgd en helaas is het zo dat mijn conclusies telkens door haar optreden zijn bevestigd.'

'Mooi,' zei Annika Giannini. 'Dan zullen we eens kijken naar uw conclusies. In uw uitspraak schrijft u dat de behandeling werd gestaakt toen ze vijftien was en in een pleeggezin werd geplaatst.'

'Dat klopt. Dat was een ernstige fout. Als we de behandeling hadden kunnen afmaken, hadden we hier vandaag misschien niet gezeten.'

'U bedoelt dat als u de mogelijkheid had gehad haar nog een jaar vastgebonden te houden, ze wellicht wat inschikkelijker was geworden?'

'Dat is een vrij goedkope opmerking.'

'Het spijt me. U citeert uitvoerig uit het onderzoek dat uw promovendus Jesper H. Löderman heeft gedaan toen Lisbeth Salander achttien zou worden. U schrijft dat "haar zelfdestructieve en antisociale gedrag wordt bevestigd door drugs- en drankmisbruik en de promiscuïteit die ze aan de dag heeft gelegd nadat ze uit het St. Stefans is ontslagen". Wat bedoelt u daarmee?'

Peter Teleborian zweeg enkele seconden.

'Ja ... nu moet ik een stukje teruggaan in de tijd. Toen Lisbeth Salander uit het St. Stefans werd ontslagen, kreeg zij – zoals ik had voorspeld – verslavingsproblemen; alcohol en drugs. Ze is herhaaldelijk door de politie opgepakt. Een sociaal onderzoek heeft ook vastgesteld dat ze vage seksuele contacten met oudere mannen had en dat ze zich waarschijnlijk bezighield met prostitutie.'

'Laten we dat even uitspitten. U zegt dat ze verslaafd raakte aan alcohol. Hoe vaak was ze dronken?'

'Pardon?'

'Was ze elke dag nadat ze was ontslagen en tot haar achttiende dronken? Was ze eenmaal per week dronken ...?'

'Daar kan ik natuurlijk geen antwoord op geven.'

'Maar u hebt toch vastgesteld dat ze verslaafd was aan alcohol?'

'Ze was minderjarig en is herhaaldelijk door de politie opgepakt wegens openbare dronkenschap.'

'Dat is de tweede keer dat u de uitdrukking gebruikt dat ze "herhaaldelijk is opgepakt". Hoe vaak was dat? Was dat eenmaal per week of eenmaal per twee weken ...?'

'Nee, zo vaak was het niet.'

'Lisbeth Salander is twee keer opgepakt voor openbare dronkenschap, eenmaal toen ze zestien was en eenmaal toen ze zeventien was. Bij een van deze gelegenheden was ze zo laveloos dat ze naar het ziekenhuis is gebracht. Dit zijn dus de herhaalde malen waarover u het hebt. Was ze bij méér dan deze twee gelegenheden dronken?'

'Dat weet ik niet, maar je kunt vermoeden dat haar gedrag ...'

'Pardon, hoor ik dat goed? U weet dus niet of ze meer dan twee keer in haar tienertijd dronken was, maar u vermoedt dat dat het geval was. Desalniettemin stelt u vast dat Lisbeth Salander zich in een vicieuze cirkel van alcohol en drugs bevond?'

'Dat zijn de gegevens van de sociale dienst. Niet de mijne. Het gaat om de hele levenssituatie waarin Lisbeth Salander verzeild was geraakt. Ze had niet onverwacht een sombere prognose nadat de behandeling was gestaakt en haar leven een vicieuze cirkel van alcohol, politie-ingrijpen en ongecontroleerde promiscuïteit was geworden.'

'U gebruikt de uitdrukking "ongecontroleerde promiscuïteit".'

'Ja, dat is een term die aangeeft dat ze geen controle had over haar eigen leven. Ze had seksueel contact met oudere mannen.'

'Dat is niet verboden.'

'Nee, maar dat is abnormaal gedrag voor een zestienjarig meisje. Je zou je dus kunnen afvragen of dit contact vrijwillig was of dat ze hiertoe werd gedwongen.'

'Maar u beweert dat ze zich prostitueerde.'

'Dat was wellicht een natuurlijke consequentie van haar gebrek aan opleiding. Ze was niet in staat onderwijs te volgen en door te leren, waardoor ze niet kon werken. Het is mogelijk dat ze oudere mannen zag als vaderfiguur en dat een financiële vergoeding voor seksuele diensten slechts een bonus was. Hoe dan ook, ik ervaar het als neurotisch gedrag.'

'U meent dat een zestienjarig meisje dat seks heeft neurotisch is?'

'U verdraait mijn woorden.'

'Maar u weet niet of zij ooit een financiële vergoeding voor haar seksuele diensten heeft ontvangen?'

'Ze is nooit opgepakt voor prostitutie.'

'Dat kan ook moeilijk, want dat is niet strafbaar.'

'Eh nee, dat is waar. Waar het in haar geval om gaat, is dwangmatig neurotisch gedrag.'

'En u hebt u er niet van laten weerhouden om uit dit magere materiaal de conclusie te trekken dat Lisbeth Salander geestesziek is. Toen ik zestien was, heb ik me ook laveloos gedronken aan een flesje wodka dat ik van mijn vader had gestolen. Meent u daarmee dat ik krankzinnig ben?'

'Nee, uiteraard niet.'

'En is het niet zo dat u op uw zeventiende op een feest was waar u zó dronken werd dat u met een groep de stad in trok en op het plein in Uppsala ramen hebt ingegooid? U bent door de politie opgepakt en mocht in de cel ontnuchteren, en vervolgens is er een schikking getroffen.'

Peter Teleborian keek verbijsterd.

'Nietwaar?'

'Ja ... je doet weleens domme dingen als je zeventien bent. Maar ...'

'Maar u trekt niet de conclusie dat uzelf aan een ernstige psychische stoornis lijdt?'

Peter Teleborian was geïrriteerd. Die verdomde advocate verdraaide voortdurend zijn woorden en begon over allerlei details. Ze weigerde het totaalplaatje te zien. Ze kwam met irrelevante zaken over het feit dat hij zelf dronken was geweest ... *Hoe was ze daar verdomme achter gekomen?*

Hij schraapte zijn keel en verhief zijn stem.

'De rapporten van de sociale dienst waren eenduidig en bevestigden in hoofdzaak dat Lisbeth Salander er een levenswijze op na hield waarin alcohol, drugs en promiscuïteit voorkwamen. De sociale dienst heeft ook vastgesteld dat Lisbeth Salander zich prostitueerde.'

'Nee. De sociale dienst heeft nooit beweerd dat zij zich prostitueerde.'

'Ze is opgepakt bij ...'

'Nee. Ze is niet opgepakt. Ze is toen ze zeventien was in Tantolunden gefouilleerd. Ze bevond zich daar in gezelschap van een veel oudere man. Datzelfde jaar werd ze opgepakt wegens openbare dronkenschap. Ook toen in gezelschap van een veel oudere man. De sociale dienst vermoedde dat zij zich wellicht bezighield met prostitutie. Maar er is nooit bewijs gevonden voor dat vermoeden.'

'Er was sprake van zeer losbandig seksueel contact met een groot aantal personen, zowel jongens als meisjes.'

'In uw eigen onderzoek, ik citeer van pagina vier, blijft u hangen bij de seksuele voorkeuren van Lisbeth Salander. U beweert dat haar relatie met haar vriendin Miriam Wu de vermoedens bevestigt van seksuele psychopathie. Op welke manier?'

Peter Teleborian wist even niets te zeggen.

'Ik hoop toch echt niet dat u van plan bent te beweren dat homoseksualiteit een vorm van krankzinnigheid is. Die bewering kan namelijk strafbaar zijn.'

'Nee, natuurlijk niet. Ik doel op een neiging tot seksueel sadisme in die relatie.'

'U bedoelt dat ze een sadist is?'

'Ik ...'

'We hebben de getuigenverklaring van Miriam Wu van de politie. Er was geen sprake van geweld in hun relatie.'

'Ze hielden zich bezig met bdsm-seks en ...'

'Nu geloof ik dat u te veel roddelbladen leest. Lisbeth Salander en haar vriendin Miriam Wu hebben zich enkele keren beziggehouden met seksspelletjes waarbij Miriam Wu mijn cliënte vastbond en haar seksueel bevredigde. Dat is niet bepaald ongebruikelijk en al evenmin verboden. Is dat de reden dat u mijn cliënte wilt opsluiten?'

Peter Teleborian zwaaide afwerend met zijn hand.

'Als ik een beetje persoonlijk mag zijn. Toen ik zestien was, heb ik me laveloos gedronken. Ik ben in de periode dat ik op de middelbare school zat een paar keer dronken geweest. Ik heb drugs uitgeprobeerd. Ik heb marihuana gerookt en ik heb twintig jaar geleden zelfs een keer een lijntje cocaïne gesnoven. Mijn eerste seksuele ervaring was op mijn vijftiende met een klasgenoot en toen ik twintig was had ik een relatie met een knul die mijn handen aan het hoofdeinde van het bed bond. Toen ik tweeëntwintig was had ik een langdurige relatie met een man die zevenenveertig was. Ben ik nu met andere woorden krankzinnig?'

'Mevrouw Giannini ... u spot ermee, maar uw seksuele ervaringen zijn in dit geval niet relevant.'

'Waarom niet? Als ik uw zogenaamde psychiatrische evaluatie van Lisbeth Salander lees, zie ik dat alle punten – uit hun verband gerukt – op mijzelf van toepassing zijn. Waarom ben ik gezond en is Lisbeth Salander een sadiste die een gevaar vormt voor de openbare veiligheid?'

'Het gaat niet om de details. U hebt niet tweemaal geprobeerd uw vader om het leven te brengen ...'

'Dokter Teleborian, de realiteit is dat het u niet aangaat met wie Lisbeth Salander seks wil. Het gaat u ook niet aan welk geslacht haar partner heeft of onder welke vormen zij hun seksuele contact onderhouden. Toch rukt u details uit haar leven los en gebruikt u ze als bewijs voor het feit dat Lisbeth Salander ziek is.'

'Het hele leven van Lisbeth Salander, vanaf het moment dat ze op de kleuterschool zat, bestaat uit een serie dossieraantekeningen over ongemotiveerde woedeaanvallen tegen leraren en klasgenoten.'

'Eén moment ...'

De stem van Annika Giannini was plotseling als een ijskrabber op een autoruit.

'Kijk naar mijn cliënte.'

Iedereen keek naar Lisbeth Salander.

'Mijn cliënte is opgegroeid in een situatie met verschrikkelijke familieomstandigheden, met een vader die haar moeder jarenlang consequent zwaar mishandelde.'

'Dat is ...'

'Laat mij uitpraten. Lisbeth Salanders moeder was doodsbang voor Alexander Zalachenko. Ze durfde niet te protesteren. Ze durfde niet naar de dokter te gaan. Ze durfde niet naar een blijf-van-mijn-lijfhuis. Ze is op het laatst zó ernstig mishandeld dat ze blijvend hersenletsel opliep. De persoon die de verantwoordelijkheid moest nemen, de énige persoon die probeerde de verantwoordelijkheid voor het gezin op zich te nemen, lang voordat ze de tienerleeftijd had bereikt, was Lisbeth Salander. Die verantwoordelijkheid moest ze zélf op zich nemen, omdat de spion Zalachenko belangrijker was dan Lisbeths moeder.'

'Ik kan niet ...'

'Er ontstond een situatie waarin de samenleving Lisbeths moeder en haar kinderen in de steek liet. Verbaast het u dat Lisbeth problemen had op school? Kijk naar haar. Ze is klein en mager. Ze was altijd het kleinste meisje van de klas. Ze was in zichzelf gekeerd en anders, en had geen vriendjes of vriendinnetjes. Weet u hoe kinderen klasgenootjes behandelen die afwijkend zijn?'

Peter Teleborian zuchtte.

'Als ik in haar schooldossiers kijk, kan ik alle situaties afstrepen waarin Lisbeth gewelddadig werd,' zei Annika Giannini. 'Ze werden stuk voor stuk voorafgegaan door provocaties. Ik herken de tekenen van pesten maar al te goed. Zal ik u eens wat zeggen ...?'

'Wat dan?'

'Ik bewónder Lisbeth Salander. Ze is veel stoerder dan ik. Als ik op mijn dertiende een jaar in een spanriem had gelegen, zou ik ongetwijfeld helemaal zijn ingestort. Zij sloeg terug met het enige wapen dat ze ter beschikking had. Namelijk haar verachting voor u. Ze weigert met u te spreken.'

Annika Giannini verhief plotseling haar stem. Alle nervositeit was weg. Ze voelde dat ze de zaak onder controle had.

'In uw getuigenverklaring van eerder vandaag had u het over fantasieën. U hebt bijvoorbeeld vastgesteld dat haar beschrijving van de verkrachting door advocaat Bjurman een fantasie is.'

'Dat klopt.'

'Waar baseert u die conclusie op?'

'Mijn ervaring van hoe zij altijd fantaseert.'

'Uw ervaring van hoe zij altijd fantaseert ... Hoe bepaalt u wanneer zij fantaseert? Als ze zegt dat ze driehonderdtachtig dagen in een spanriem heeft gelegen, is dat volgens u fantasie, hoewel uw eigen dossier aantoont dat dat het geval was.'

'Dat is iets heel anders. Er is geen enkel technisch bewijs dat Bjurman Lisbeth Salander heeft verkracht. Ik bedoel, naalden door tepels en dusdanig grof geweld dat ze ongetwijfeld per ambulance naar een ziekenhuis had moeten worden afgevoerd ... Het spreekt voor zich dat dit niet kan hebben plaatsgevonden.'

Annika Giannini wendde zich tot rechter Iversen. 'Ik heb gevraagd om een projector voor een computerpresentatie van een cd ...'

'Die is aanwezig,' zei Iversen.

'Kunnen we de gordijnen dichtdoen?'

Annika Giannini deed haar PowerBook open en plugde de snoeren van de projector in. Ze wendde zich tot haar cliënte.

'Lisbeth. We gaan naar een film kijken. Ben je daar klaar voor?'

'Ik kan hem dromen,' antwoordde Lisbeth Salander droog.

'En ik heb jouw toestemming om hem te tonen?'

Lisbeth Salander knikte. Ze fixeerde haar blik op Peter Teleborian.

'Kun je vertellen wanneer die film is gemaakt?'

'Op 7 maart 2003.'

'Wie heeft die film opgenomen?'

'Ik. Ik heb een verborgen camera gebruikt die behoort tot de standaarduitrusting van Milton Security.'

'Eén moment,' riep officier van justitie Ekström. 'Dit heeft veel weg van circuskunsten.'

'Waar gaan we naar kijken?' vroeg rechter Iversen met scherpe stem.

'Peter Teleborian beweert dat het verhaal van Lisbeth Salander verzonnen is. Ik ga u documentatie tonen dat het woord voor woord waar is. De film is negentig minuten lang. Ik zal enkele fragmenten laten zien. Ik waarschuw u dat hij een groot aantal onaangename scènes bevat.'

'Is dit een soort truc?' vroeg Ekström.

'Er is een goede manier om daarachter te komen,' zei Annika Giannini en ze startte de cd in de computer.

'Kun je niet eens klokkijken?' snauwde advocaat Bjurman als begroeting. De camera ging zijn appartement binnen.

Na negen minuten sloeg rechter Iversen met zijn hamer op tafel, net op het moment dat advocaat Nils Bjurman werd vereeuwigd toen hij met geweld een dildo in Lisbeth Salanders anus duwde. Annika Giannini had het volume hard gezet. Lisbeths halfverstikte schreeuw door de tape die over haar hele mond zat heen, was overal in de rechtszaal hoorbaar.

'Zet die film uit,' zei Iversen met luide en besliste stem.

Annika Giannini drukte op stop. De plafondverlichting ging aan. Rechter Iversen was rood aangelopen. Officier van justitie Ekström zat als versteend. Peter Teleborian was lijkbleek.

'Advocaat Giannini, hoe lang zei u dat die film was,' vroeg rechter Iversen.

'Negentig minuten. De verkrachting duurde in totaal ruim vijf à zes uur, maar mijn cliënte heeft slechts een vage tijdsopvatting van het geweld van de laatste uren.' Annika Giannini wendde zich tot Teleborian. 'Daarentegen staat wel de scène erop waarin Bjurman een naald door de tepel van mijn cliënte duwt en waarvan dokter Teleborian beweert dat dat een uitdrukking is van Lisbeth Salanders overvloedige fantasie. Die handeling vindt plaats in de tweeënzeventigste minuut en ik wil die episode nu graag tonen.'

'Dank u, maar dat is niet nodig,' zei Iversen. 'Juffrouw Salander ...'

Hij was even de draad kwijt en wist niet hoe hij verder moest gaan.

'Juffrouw Salander, waarom hebt u die film opgenomen?'

'Bjurman had mij al een keer verkracht en eiste meer. Bij de eerste verkrachting werd ik gedwongen die lul te pijpen. Ik dacht dat het een herhaling zou worden en dat ik hierdoor zulke goede documentatie zou kunnen verkrijgen van wat hij deed, dat ik hem zou kunnen chanteren zodat hij in het vervolg bij mij vandaan bleef. Maar ik had hem verkeerd ingeschat.'

'Maar waarom hebt u geen aangifte van ernstige verkrachting gedaan bij de politie toen u dergelijke ... overtuigende documentatie had?'

'Ik praat niet met de politie,' zei Lisbeth Salander eentonig.

Plotseling kwam Holger Palmgren overeind uit zijn rolstoel. Hij steunde op de rand van de tafel. Zijn stem was zeer duidelijk.

'Onze cliënte spreekt uit principe niet met de politie of andere autoriteiten, en al helemáál niet met psychiaters. De reden hiervoor is simpel. Vanaf dat ze kind was, heeft ze keer op keer geprobeerd met politiemensen, maatschappelijk werkers en overheidsvertegenwoordigers te spreken om uit te leggen dat haar moeder door Alexander Zalachenko werd mishandeld. Het resultaat was telkens dat ze werd bestraft, omdat rijksambtenaren hadden besloten dat Zalachenko belangrijker was dan Salander.'

Hij kuchte en ging verder.

'En toen ze uiteindelijk inzag dat er niemand naar haar luisterde, was geweld tegen Zalachenko haar enige uitweg om te proberen haar moeder te redden. En toen schreef die smeerlap die zich dokter noemt ...' – en hij wees op Teleborian – '... een gefakete forensisch-psychiatrische diagnose die haar krankzinnig verklaarde en hem de mogelijkheid gaf om haar driehonderdtachtig etmalen in het St. Stefans vastgebonden te houden. Jezus Christus!'

Palmgren ging zitten. Iversen leek verrast door Palmgrens uitbarsting. Hij richtte zich tot Lisbeth Salander.

'Wilt u misschien even pauzeren?'

'Waarom?' vroeg Lisbeth.

'Goed, dan gaan we verder. Advocaat Giannini, die video moet worden bekeken en ik wil een technische uitspraak dat hij authentiek is. Maar nu gaan we verder met de verdediging.'

'Graag. Ik vind dit ook onaangenaam. Maar de waarheid is dat mijn cliënte is blootgesteld aan fysiek en psychisch geweld en gerechtelijke overtredingen. En de persoon die in dat opzicht het meeste kan worden verweten, is Peter Teleborian. Hij heeft zijn artseneed geschonden en zijn patiënte aan haar lot overgelaten. Samen met Gunnar Björck, een medewerker van een illegale groep binnen de Zweedse veiligheidsdienst, heeft hij een forensisch-psychiatrisch oordeel in elkaar geflanst met als doel een lastige getuige achter slot en grendel te kunnen krijgen. Volgens mij is dit geval uniek in de Zweedse rechtsgeschiedenis.'

'Dit zijn ongehoorde aanklachten,' zei Peter Teleborian. 'Ik heb Lisbeth Salander naar beste vermogen geprobeerd te helpen. Ze had geprobeerd haar vader te vermoorden. Het sprak vanzelf dat er iets mis was met haar ...'

Annika Giannini onderbrak hem.

'Ik wil nu de aandacht van de rechtbank vragen voor dokter Teleborians tweede gerechtelijk-psychiatrische beoordeling van mijn cliënte. De beoordeling die vandaag in dit proces is voorgedragen. Ik beweer dat dat een leugen is, net als de falsificatie uit 1991.'

'Ja, maar dit is ...'

'Rechter Iversen, wilt u de getuige vragen mij niet te onderbreken.'

'Meneer Teleborian ...'

'Ik zal mijn mond houden. Maar dit zijn ongehoorde aanklachten, het is niet zo gek dat ik me kwaad maak ...'

'Meneer Teleborian, u dient uw mond te houden tot u iets wordt gevraagd. Gaat u door, advocaat Giannini.'

'Dit is het gerechtelijk-psychiatrische onderzoek dat dokter Teleborian de rechtbank heeft gepresenteerd. Het is gebaseerd op zogenaamde observaties van mijn cliënte, die zouden hebben plaatsgevonden nadat ze op 6 juni naar de Kronobergsgevangenis werd overgebracht, en het onderzoek zou op 5 juli zijn afgerond.'

'Ja, dat heb ik begrepen,' zei rechter Iversen.

'Dokter Teleborian, is het correct dat u niet de mogelijkheid hebt gehad om vóór 6 juni tests of observaties bij mijn cliënte uit te voeren? Voordien lag ze zoals bekend geïsoleerd in het Sahlgrenska-ziekenhuis.'

'Ja,' zei Teleborian.

'U hebt tweemaal geprobeerd toegang te krijgen tot mijn patiënte in het Sahlgrenska. Beide keren is u de toegang geweigerd. Is dat juist?'

'Ja,' zei Teleborian.

Annika Giannini deed haar tas weer open en pakte een document. Ze liep om de tafel heen en gaf het aan rechter Iversen.

'Aha,' zei Iversen. 'Dit is een kopie van het onderzoek van dokter Teleborian. Wat moet dat bewijzen?'

'Ik wil twee getuigen binnenroepen die hier voor de deur staan te wachten.'

'Wie zijn die getuigen?'

'Het zijn Mikael Blomkvist van het magazine *Millennium* en commissaris Torsten Edklinth, hoofd van de afdeling Grondwetsbescherming van de Zweedse veiligheidsdienst.'

'En die staan buiten te wachten?'

'Ja.'

'Vraag hen binnen te komen,' zei rechter Iversen.

'Dit is tegen de regels,' zei officier van justitie Ekström, die al een hele tijd niets had gezegd.

Ekström was met een schok tot het besef gekomen dat Annika Giannini bezig was zijn hoofdgetuige te verpulveren. Die film was vernietigend. Iversen negeerde Ekström en gebaarde naar de bode om de deur te openen. Mikael Blomkvist en Torsten Edklinth kwamen binnen.

'Ik wil eerst Mikael Blomkvist oproepen.'

'Dan moet ik Peter Teleborian vragen even een stapje opzij te doen.'

'Bent u klaar met mij?' vroeg Teleborian.

'Nee, bij lange na niet,' zei Annika Giannini.

Mikael Blomkvist verving Teleborian in de getuigenbank. Rechter Iversen handelde snel alle formaliteiten af en Mikael legde de belofte af de waarheid te zullen spreken.

Annika Giannini liep naar Iversen en vroeg het gerechtelijk-psychiatrische onderzoek dat ze hem zojuist had gegeven even te mogen lenen. Ze gaf de kopie aan Mikael.

'Heb jij dit document eerder gezien?'

'Ja. Ik bezit drie versies. De eerste kreeg ik rond 12 mei, de tweede op 19 mei en de derde – deze – op 3 juni.'

'Kun je mij vertellen hoe je aan die kopie bent gekomen?'

'Die heb ik ontvangen in de hoedanigheid van journalist, van een bron die ik niet bij naam en toenaam kan noemen.'

Lisbeth Salander vestigde haar blik op Peter Teleborian. Hij was plotseling lijkbleek.

'Wat heb je met het onderzoek gedaan?'

'Ik heb het aan Torsten Edklinth van Grondwetsbescherming gegeven.'

'Bedankt, Mikael. Dan wil ik Torsten Edklinth oproepen,' zei Annika Giannini en ze pakte het onderzoek weer terug. Ze gaf het aan Iversen, die het nadenkend omhooghield.

De procedure met de eed werd herhaald.

'Commissaris Edklinth, is het correct dat u van Mikael Blomkvist een gerechtelijk-psychiatrisch onderzoek over Lisbeth Salander hebt ontvangen?'

'Ja.'

'Wanneer hebt u dat ontvangen?'

'Het is op 4 juni bij de Zweedse veiligheidsdienst in het brievenboek geregistreerd.'

'En dat is hetzelfde onderzoek dat ik zojuist aan rechter Iversen heb overhandigd?'

'Als mijn handtekening op de achterkant van het rapport staat, is dat hetzelfde onderzoek.'

Iversen keerde het document om en constateerde dat daar de handtekening van Torsten Edklinth stond.

'Commissaris Edklinth, kunt u mij uitleggen hoe het kan dat u een gerechtelijk-psychiatrisch onderzoek in handen krijgt dat over een persoon gaat die nog geïsoleerd in het Sahlgrenska-ziekenhuis ligt?'

'Ja, dat kan ik.'

'Vertel.'

'Het gerechtelijk-psychiatrische onderzoek van Peter Teleborian is een falsificatie die hij heeft opgesteld samen met een persoon genaamd Jonas Sandberg. Dat is op dezelfde manier gebeurd als waarop hij in 1991 met Gunnar Björck een soortgelijk fakeonderzoek had opgesteld.'

'Dat is een leugen,' zei Teleborian zwak.

'Is dat een leugen?' vroeg Annika Giannini.

'Nee, zeker niet. Misschien moet ik erbij vermelden dat Jonas Sandberg een van de tien personen is die op last van de procureur-generaal vandaag zijn gearresteerd. Hij is aangehouden vanwege betrokkenheid bij de moord op Gunnar Björck. Hij maakt deel uit van een illegale groep die binnen de Zweedse veiligheidsdienst opereerde en die Alexander Zalachenko sinds de jaren zeventig heeft beschermd. Dat was dezelfde groep die achter het besluit zat om Lisbeth Salander in 1991 op te sluiten. We hebben voldoende bewijs, zoals bekentenissen van het hoofd van deze groep.'

Het werd doodstil in de rechtszaal.

'Wil Peter Teleborian wellicht iets opmerken?'

Teleborian schudde zijn hoofd.

'In dat geval kan ik mededelen dat u riskeert te worden aangeklaagd voor meineed en eventuele andere aanklachten,' zei rechter Iversen.

'Neemt u mij niet kwalijk ...' zei Mikael Blomkvist.

'Ja?' zei Iversen.

'Peter Teleborian heeft nog meer problemen. Er staan twee politiemensen voor de deur die hem willen meenemen voor verhoor.'

'Moet ik hun vragen binnen te komen?' vroeg Iversen.

'Dat lijkt me een goed idee.'

Iversen gebaarde weer naar de bode, die inspecteur Sonja Modig en een vrouw binnenliet die officier Ekström onmiddellijk herkende. Haar naam was Lisa Collsjö, inspecteur bij de Afdeling voor Speciale Objecten, de eenheid binnen het KLPD die onder andere tot taak had seksueel misbruik van kinderen en kinderpornografie te onderzoeken en te bestrijden.

'En wat komt u doen?' vroeg Iversen.

'Wij zijn hier om Peter Teleborian te arresteren zo gauw we daar de gelegenheid voor krijgen, zonder dat het de rechtszitting stoort.'

Iversen keek met een schuine blik naar Annika Giannini.

'Ik ben nog niet klaar met hem, maar vooruit.'

'Ga uw gang,' zei Iversen.

Lisa Collsjö liep op Peter Teleborian af.

'U bent aangehouden wegens zware overtreding van de wet kinderporno.'

Peter Teleborian was perplex. Annika Giannini constateerde dat al het licht in zijn ogen gedoofd leek.

'Om precies te zijn het bezit van ruim achtduizend kinderpornografische afbeeldingen die in uw computer zitten.'

Ze boog omlaag en pakte zijn laptoptas, die hij bij zich had.

'Deze is in beslag genomen,' zei ze.

Terwijl hij naar buiten werd geleid, brandden Lisbeth Salanders ogen als vuur in zijn rug.

28

VRIJDAG 15 JULI – ZATERDAG 16 JULI

Rechter Jörgen Iversen tikte met zijn pen op de rand van de tafel om het gemompel tot zwijgen te brengen dat tijdens het afvoeren van Peter Teleborian was ontstaan. Daarna zweeg hij geruime tijd, duidelijk niet wetend hoe het verder moest. Hij wendde zich tot officier van justitie Ekström.

'Hebt u iets toe te voegen aan wat er het afgelopen uur is gebeurd?'

Richard Ekström had geen idee wat hij moest zeggen. Hij stond op en keek naar Iversen en daarna naar Torsten Edklinth, voordat hij zijn hoofd omdraaide en Lisbeth Salanders meedogenloze blik ontmoette. Hij begreep dat de strijd al was verloren. Hij verplaatste zijn blik naar Mikael Blomkvist en zag tot zijn grote ontsteltenis in dat hijzelf grote kans liep in het tijdschrift *Millennium* te belanden ... Dat zou een catastrofe zijn.

Hij begreep echter niet wat er was gebeurd. Hij was de rechtszaak begonnen in de veronderstelling dat hij wist wat wát was in het verhaal.

Door de vele openhartige gesprekken met commissaris Georg Nyström had hij begrip gekregen voor het delicate evenwicht dat de veiligheid van de natie vereiste. Hij had de verzekering gekregen dat het Salander-rapport uit 1991 vervalst was. Hij had de insiderinformatie gekregen die hij nodig had. Hij had vragen gesteld, honderden vragen, en overal antwoord op gekregen. Allemaal bluf. En nu was Nyström opgepakt, naar commissaris Edklinth beweerde. Hij had op Peter Teleborian vertrouwd; Teleborian was zo competent en vakkundig overgekomen. Zo overtuigend.

Allemachtig. Waar ben ik in godsnaam in beland?

En daarna:

Hoe kom ik hier in vredesnaam uit?

Hij streek over zijn baardje. Hij kuchte. Hij zette langzaam zijn bril af.

'Het spijt me, maar ik heb het idee dat ik op een aantal essentiële punten in dit onderzoek onjuist ben geïnformeerd.'

Hij vroeg zich af of hij de politieonderzoekers de schuld kon geven en zag opeens inspecteur Bublanski voor zich. Bublanski zou hem nooit steunen. Als Ekström een misstap beging, zou Bublanski een persconferentie beleggen. Hij zou hem de grond in boren.

Ekströms blik kruiste die van Lisbeth Salander. Ze zat geduldig te wachten met een gezicht dat nieuwsgierigheid en wraak uitstraalde.

Geen compromissen.

Hij kon haar nog steeds veroordeeld krijgen voor zware mishandeling in Stallarholmen. Hij kon haar vermoedelijk veroordeeld krijgen voor poging tot moord op haar vader in Gosseberga. Maar dat betekende dat hij zijn hele strategie onmiddellijk moest omgooien en alles wat met Peter Teleborian te maken had, moest loslaten. Dat hield in dat alle verklaringen dat ze een gestoorde psychopate was waardeloos zouden zijn, maar dat betekende ook dat haar hele verhaal, helemaal terug in de tijd tot 1991, bevestigd zou worden. Haar ondertoezichtstelling zou worden opgeheven en daarmee ...

En ze had die verdomde film, die ...

Toen trof het inzicht hem.

Jezus, ze is onschuldig.

'Meneer de rechter ... ik weet niet wat er is gebeurd maar ik zie in dat ik niet meer kan vertrouwen op de papieren die ik in handen heb.'

'O,' zei Iversen met een droge stem.

'Ik geloof dat ik om een pauze moet vragen of om onderbreking van de rechtszaak tot ik exact heb kunnen uitzoeken wat er is gebeurd.'

'Mevrouw Giannini?' vroeg Iversen.

'Ik verlang dat mijn cliënte op alle punten van de aanklacht wordt vrijgesproken en onmiddellijk op vrije voeten wordt gesteld. Ik verlang ook dat de rechtbank een standpunt inneemt ten aanzien van de ondertoezichtstelling van juffrouw Salander. Ik vind dat zij eerherstel dient te krijgen voor de inbreuk op de privacy waaraan zij is blootgesteld.'

Lisbeth Salander richtte haar blik op rechter Iversen.

Geen compromissen.

Rechter Iversen keek naar Lisbeth Salanders autobiografie. Hij verplaatste zijn blik naar officier van justitie Ekström.

'Het lijkt mij ook een goed idee om exact uit te zoeken wat er is gebeurd, maar ik ben bang dat u niet de juiste persoon bent om dat te doen.'

Hij dacht even na.

'In al mijn jaren als jurist en rechter heb ik nooit iets meegemaakt wat ook maar bij deze zaak in de buurt komt. Ik moet bekennen dat ik perplex ben. Ik heb nooit eerder gehoord dat de hoofdgetuige van de officier van justitie tijdens de zitting wordt opgepakt en dat wat vrij overtuigend bewijs leek, vals blijkt. Ik weet eerlijk gezegd niet wat er op dit moment van de aanklachtpunten van de officier van justitie overblijft.'

Holger Palmgren kuchte.

'Ja?' zei Iversen.

'Als vertegenwoordiger van de verdediging kan ik niet anders dan uw gevoelens delen. Soms moet men een stap terug doen en zich laten leiden door het gezonde verstand. Ik wil benadrukken dat u als rechter slechts het begin hebt gezien van een zaak die de gehele Zweedse overheid op zijn grondvesten zal laten trillen. Vandaag is er een tiental politiemensen van de veiligheidsdienst opgepakt. Zij zullen worden aangeklaagd voor moord en een lange reeks andere delicten, en het zal geruime tijd in beslag nemen voordat dat onderzoek is afgerond.'

'Ik neem aan dat ik moet besluiten deze rechtszaak tijdelijk op te schorten.'

'Neemt u mij niet kwalijk, maar dat zou een ongelukkige beslissing zijn.'

'Ik luister.'

Palmgren had duidelijk moeite om uit zijn woorden te komen. Maar hij sprak langzaam en stotterde niet.

'Lisbeth Salander is onschuldig. Haar fantasierijke autobiografie, zoals meneer Ekström haar verhaal zo minachtend bestempelde, is inderdaad waar. En dat kan worden gedocumenteerd. Ze is het slachtoffer van een schandelijke rechtsovertreding. Als rechtbank kunnen we nu formeel doen en de rechtszaak nog een tijd aanhouden tot de vrijspraak volgt. Het alternatief is duidelijk. Een geheel nieuw onderzoek alles laten overnemen wat met Lisbeth Salander van doen heeft. Dat onderzoek is al bezig. Het is onderdeel van de chaos die de procureur-generaal te ontwarren heeft.'

'Ik begrijp wat u bedoelt.'

'Als rechter kunt u nu een keuze maken. De verstandige keuze in dit geval is het hele vooronderzoek van de officier van justitie afkeuren en hem aansporen zijn huiswerk opnieuw te doen.'

Rechter Iversen keek Ekström nadenkend aan.

'De rechtvaardige keuze is onze cliënte onmiddellijk op vrije voeten te stellen. Zij verdient bovendien een excuus, maar eerherstel zal tijd kosten en is ook afhankelijk van het verdere onderzoek.'

'Ik begrijp uw visie, advocaat Palmgren. Maar voordat ik uw cliënte onschuldig kan verklaren, moet ik het hele verhaal duidelijk voor ogen hebben. En dat duurt wel even.'

Hij keek Annika Giannini aarzelend aan.

'Als ik besluit de rechtszaak tot maandag op te schorten en u ter wille te zijn en te besluiten dat er geen reden is om uw cliënte zo lang in hechtenis te houden – wat betekent dat u kunt verwachten dat zij zeker niet zal worden veroordeeld tot gevangenisstraf – kunt u dan garanderen dat zij ter zitting verschijnt wanneer zij wordt opgeroepen?'

'Uiteraard,' zei Holger Palmgren snel.

'Nee,' zei Lisbeth Salander met scherpe stem.

Alle blikken richtten zich nu op de persoon om wie het drama uiteindelijk ging.

'Hoe bedoelt u?' vroeg rechter Iversen.

'Op het moment dat u mij laat gaan, ben ik vertrokken. Ik ben niet van plan om nog maar één minuut van mijn tijd aan deze rechtszaak te spenderen.'

Rechter Iversen keek Lisbeth Salander ontsteld aan.

'U weigert te verschijnen?'

'Dat is correct. Als u wilt dat ik op nog meer vragen antwoord geef, moet u mij in hechtenis houden. Op het moment dat u mij laat gaan, is deze geschiedenis voor mij afgehandeld. En dat betekent ook dat ik niet onbeperkt voor u, Ekström of mensen van de politie beschikbaar blijf.'

Rechter Iversen zuchtte. Holger Palmgren keek geschokt.

'Ik ben het met mijn cliënte eens,' zei Annika Giannini. 'De staat en de overheidsinstanties hebben een misdaad begaan ten aanzien van Lisbeth Salander, niet andersom. Zij verdient het om deze deur uit te lopen met vrijspraak in haar bagage en zo deze geschiedenis achter zich te kunnen laten.'

Geen compromissen.

Rechter Iversen keek op zijn horloge.

'Het is even na drieën. Dat betekent dat u mij dwingt uw cliënte in hechtenis te houden.'

'Als dat uw beslissing is, dan leggen wij ons daar bij neer. Als vertegenwoordigster van Lisbeth Salander eis ik dat zij wordt vrijgesproken van de delicten waarvoor officier van justitie Ekström haar aanklaagt. Ik eis dat u mijn cliënte op vrije voeten stelt, zonder restricties en met onmiddellijke ingang. En ik eis dat haar eerdere ondertoezichtstelling wordt opgeheven en dat zij onmiddellijk haar burgerrechten terugkrijgt.'

'De vraag ten aanzien van de ondertoezichtstelling is een aanzienlijk langer proces. Ik moet een uitspraak hebben van psychiatrische deskundigen die haar onderzoeken. Dat kan ik niet zo even beslissen.'

'Nee,' zei Annika Giannini. 'Daar gaan wij niet mee akkoord.'

'Pardon?'

'Lisbeth Salander moet dezelfde burgerrechten hebben als alle andere Zweden. Zij is slachtoffer van een misdrijf. Zij is ten onrechte onder toezicht gesteld. Die falsificatie kan worden bevestigd. Het besluit om haar onder toezicht te stellen, heeft daardoor geen juridische grondslag en moet onvoorwaardelijk worden opgeheven. Er is geen enkele reden voor mijn cliënte om zich te onderwerpen aan een gerechtelijk-psychiatrisch onderzoek. Niemand hoeft te bewijzen dat hij of zij niet gestoord is als hij of zij het slachtoffer is van een strafbaar feit.'

Iversen overwoog de zaak even.

'Mevrouw Giannini,' zei Iversen. 'Ik zie in dat dit een uitzonderlijke situatie is. Ik las nu een pauze in van vijftien minuten, zodat we even de benen kunnen strekken en op adem kunnen komen. Ik wil uw cliënte vannacht niet in hechtenis houden als zij onschuldig is, maar dat betekent dat we doorgaan met deze zaak tot we klaar zijn.'

'Dat klinkt goed,' zei Annika Giannini.

Mikael Blomkvist kuste zijn zus in de pauze op haar wang.

'Hoe ging het?'

'Mikael, het ging fantastisch bij Teleborian. Ik heb hem finaal de grond in geboord.'

'Ik zei toch dat je niet te verslaan zou zijn in deze rechtszaak. Want als je het goed bekijkt, gaat dit verhaal niet in eerste instantie over spionnen en overheidssekten, maar om geweld tegen vrouwen en de mannen die dat mogelijk maken. Bij dat kleine beetje dat ik heb gezien, was je fantastisch. Ze zal worden vrijgesproken.'

'Ja. Dat is duidelijk.'

Na de pauze tikte rechter Iversen op tafel.

'Zou u zo vriendelijk willen zijn om dit hele verhaal van begin tot eind te vertellen, zodat het mij duidelijk wordt wat er eigenlijk is gebeurd.'

'Maar al te graag,' zei Annika Giannini. 'Zullen we beginnen bij het verbluffende verhaal over een groep politiemensen van de Zweedse veiligheidsdienst die zich "de Sectie" noemt en die medio jaren zeventig een Russische overloper onder zijn hoede kreeg? Het hele verhaal is gepubliceerd in het magazine *Millennium* dat vandaag is verschenen. Naar verwachting zal het vanavond het belangrijkste nieuws van alle nieuwsuitzendingen zijn.'

Tegen zessen besloot rechter Iversen Lisbeth Salander op vrije voeten te stellen en haar ondertoezichtstelling op te heffen.

Het besluit werd echter genomen op één voorwaarde. Rechter Jörgen Iversen eiste dat Lisbeth zich zou onderwerpen aan een verhoor waarin ze formeel zou getuigen van haar kennis over de Zalachenko-affaire. Lisbeth weigerde eerst rigoureus. Deze weigering veroorzaakte enig gekissebis tot rechter Iversen zijn stem verhief. Hij leunde naar voren en priemde zijn ogen in de hare.

'Juffrouw Salander, als ik uw ondertoezichtstelling ophef, betekent dat dat u exact dezelfde rechten hebt als alle andere burgers. Maar het betekent ook dat u dezelfde plichten hebt. U bent daarom verplicht uw financiën te regelen, belasting te betalen, gezagsgetrouw te zijn en de politie bij te staan bij onderzoeken naar zware misdrijven. U wordt dus gewoon opgeroepen voor verhoor zoals iedere burger die informatie voor een onderzoek heeft.'

Dat was logica waar Lisbeth Salander gevoelig voor was. Ze stak haar onderlip naar voren en keek misnoegd, maar stopte met argumenteren.

'Wanneer de politie uw getuigenverklaring heeft opgenomen, oordeelt de leider van het vooronderzoek – in dit geval de procureur-generaal – of u als getuige zult worden opgeroepen in een eventuele toekomstige rechtszaak. Zoals alle andere Zweedse burgers kunt u een dergelijke oproep weigeren. Wát u doet, gaat mij niet aan, maar u hebt geen carte blanche. Als u weigert te verschijnen, kunt u net als alle andere meerderjarige personen worden veroordeeld voor minachting van de wet of meineed. Daarvoor zijn geen uitzonderingen.'

Lisbeth Salander betrok nog verder.

'Welnu?' vroeg Iversen.

Na een minuut bedenktijd knikte ze kort.

Oké. Een klein compromis.

Tijdens het doornemen van de Zalachenko-affaire ging Annika Giannini die avond fel in de aanval tegen officier van justitie Ekström. Ekström gaf beetje bij beetje toe dat het zo ongeveer was gegaan als Annika Giannini beschreef. Hij had in het onderzoek bijstand gekregen van commissaris Georg Nyström en informatie ontvangen van Peter Teleborian. In het geval van Ekström was er geen sprake van samenzwering. Hij had de opdrachten van de Sectie in zijn hoedanigheid van ondervrager te goeder trouw uitgevoerd. Toen de omvang van het gebeuren hem duidelijk werd, besloot hij de zaak tegen Lisbeth Salander te seponeren. Die beslissing hield in dat een heleboel bureaucratische formaliteiten terzijde konden worden gelegd. Iversen keek opgelucht.

Holger Palmgren was uitgeput na zijn eerste dag in jaren bij de rechtbank. Hij moest terugkeren naar zijn bed in de revalidatiekliniek van Ersta. Hij werd gereden door een geüniformeerde bewaker van Milton Security. Voordat hij vertrok, legde hij zijn hand op de schouder van Lisbeth Salander. Ze keken elkaar aan. Na een tijdje knikte ze en glimlachte ze voorzichtig.

Om zeven uur 's avonds belde Annika Giannini even snel naar Mikael Blomkvist om hem te vertellen dat Lisbeth Salander op alle punten was vrijgesproken, maar dat ze nog een paar uur op het hoofdbureau van politie moest blijven voor verhoor.

Het bericht kwam op het moment dat alle medewerkers van *Millennium* op de redactie aanwezig waren. De telefoons hadden onafgebroken gerinkeld sinds de eerste exemplaren van *Millennium* tegen lunchtijd per koerier naar andere krantenredacties in Stockholm waren gedistribueerd. Later die middag was TV4 in de lucht gegaan met de eerste extra uitzending over Zalachenko en de Sectie. Het was één groot feest voor de media.

Mikael ging midden op de redactie staan, stak zijn vingers in zijn mond en floot schel.

'Ik heb zojuist te horen gekregen dat Lisbeth op alle punten is vrijgesproken.'

Er ontstond een spontaan applaus. Toen praatte iedereen in zijn of haar betreffende telefoon door alsof er niets was gebeurd.

Mikael keek naar de tv die midden op de redactie stond. Het nieuws op TV4 begon net. De aankondiging was een kort fragment van het filmpje waarop Jonas Sandberg cocaïne uitzette in de flat op de Bellmansgatan.

'Een medewerker van de veiligheidsdienst verstopt cocaïne bij verslaggever Mikael Blomkvist van het tijdschrift *Millennium*.'

Toen kwam de nieuwslezer in beeld.

'Tien medewerkers van de Zweedse veiligheidsdienst zijn vandaag opgepakt wegens zware criminaliteit, waaronder moord. Van harte welkom bij deze uitgebreide nieuwsuitzending.'

Mikael zette het geluid uit toen 'Zij van TV4' in beeld kwam en hij zichzelf in een studiofauteuil zag zitten. Hij wist al wat hij had gezegd. Hij keek omlaag naar het bureau waaraan Dag Svensson had zitten werken. De sporen van zijn reportage over trafficking waren verdwenen en zijn bureau was weer een afzetplek geworden voor kranten en ongesorteerde stapels papier die van niemand waren.

Aan dat bureau was de Zalachenko-affaire voor Mikael begonnen. Hij wenste plotseling dat Dag Svensson het eind had mogen meemaken. Er stonden een paar exemplaren van zijn pas verschenen boek over trafficking, naast het boek over de Sectie.

Jij zou dit leuk hebben gevonden.

Hij hoorde dat de telefoon in zijn kamer ging, maar had geen puf om hem op te nemen. Hij deed de deur dicht, liep naar Erika Berger en plofte in een van de comfortabele fauteuils bij het tafeltje aan het raam. Erika zat aan de telefoon. Hij keek om zich heen. Ze was nu een maand terug, maar had de kamer nog niet volgestouwd met alle persoonlijke voorwerpen die ze had weggehaald toen ze in april was vertrokken. De planken van de boekenkast waren nog steeds leeg en ze had nog niets aan de muren gehangen.

'Hoe voel je je?' vroeg ze toen ze had opgehangen.

'Ik geloof dat ik gelukkig ben,' zei hij.

Ze lachte.

'*De Sectie* wordt een bestseller. Alle redacties zijn laaiend enthousiast. Heb je zin om om negen uur naar *Aktuellt* te gaan voor een gesprek?'

'Nee.'

'Dacht ik al.'

'We kunnen hier nog maanden over praten. Dat heeft geen haast.'

Ze knikte.

'Wat ga je vanavond doen?'

'Geen idee.'

Hij beet op zijn onderlip.

'Erika ... ik ...'
'Figuerola,' zei Erika Berger glimlachend.
Hij knikte.
'Is het serieus?'
'Ik weet het niet.'
'Ze is ontzettend verliefd op je.'
'Ik geloof dat ik ook verliefd op haar ben,' zei hij.
'Ik zal op afstand blijven tot je het weet.'
Hij knikte.
'Misschien,' zei ze.

Om acht uur stonden Dragan Armanskij en Susanne Linder bij de redactie op de stoep. Ze meenden dat de gelegenheid champagne vereiste en hadden een tas met flessen van de staatsdrankwinkel bij zich. Erika Berger omhelsde Susanne Linder en gaf haar een rondleiding over de redactie terwijl Armanskij in Mikaels kamer ging zitten.

Ze dronken. Niemand zei iets. Uiteindelijk doorbrak Armanskij de stilte.

'Weet je, Blomkvist? Toen wij elkaar voor het eerst zagen in verband met dat gedoe in Hedestad, kon ik je wel schieten.'

'O.'

'Jullie kwamen daar om een contract te tekenen toen jij Lisbeth in de arm had genomen als researcher.'

'Dat weet ik nog.'

'Ik geloof dat ik jaloers op je was. Jij kende haar pas een paar uur en jullie zaten al meteen samen te lachen. En ik probeerde al jaren Lisbeths vriend te worden, maar ze had nog nooit naar mij gelachen.'

'Tja ... ik ben verder ook niet zo succesvol geweest, hoor.'

Ze zwegen een tijdje.

'Mooi dat het voorbij is,' zei Armanskij.

'Amen,' zei Mikael.

Het formele getuigenverhoor met Lisbeth Salander werd gehouden door de inspecteurs Jan Bublanski en Sonja Modig. Ze waren net na een zeer lange werkdag thuis bij hun gezinnen en moesten toen bijna onmiddellijk weer terug naar het hoofdbureau.

Salander werd bijgestaan door Annika Giannini die weinig reden had om veel te zeggen. Lisbeth Salander antwoordde met exacte formuleringen op alle vragen die Bublanski en Modig stelden.

Ze loog consequent op twee cruciale punten. In haar beschrijving van wat er tijdens die ruzie in Stallarholmen was gebeurd, hield ze stellig vol dat Sonny Nieminen Carl-Magnus 'Magge' Lundin per ongeluk in zijn voet had geschoten op het moment dat ze hem met een elektrisch pistool had bewerkt. Hoe ze aan dat elektrische pistool was gekomen? Dat had ze van Magge Lundin geconfisqueerd, verklaarde ze.

Bublanski en Modig keken weifelend. Maar er was geen bewijs en er waren geen getuigen die haar verklaring konden weerspreken. Mogelijk kon Sonny Nieminen protesteren, maar hij weigerde iets over het incident te zeggen. Feit was dat hij geen idee had van wat er was gebeurd in de seconden nadat hij door de schok van het elektrische pistool tegen de vlakte was gegaan.

Wat betreft Lisbeths reis naar Gosseberga verklaarde ze dat haar doel was geweest om haar vader met de feiten te confronteren en hem over te halen zich aan te geven bij de politie.

Lisbeth Salander zag er geloofwaardig uit.

Niemand kon beoordelen of ze de waarheid sprak of niet. Annika Giannini had geen mening over die kwestie.

De enige die met zekerheid wist dat Lisbeth Salander naar Gosseberga was afgereisd om de klus met haar vader voor eens en voor altijd af te maken, was Mikael Blomkvist. Maar hij was kort nadat de zitting weer was hervat de rechtszaal uit gezet. Niemand wist dat hij en Lisbeth Salander lange nachtelijke gesprekken via internet hadden gevoerd in de tijd dat ze geïsoleerd in het Sahlgrenska had gelegen.

De media misten de vrijlating volledig. Als het tijdstip bekend was geweest, zouden de media massaal bij het hoofdbureau van politie aanwezig zijn geweest. Maar de verslaggevers waren uitgeput na de chaos die die dag was ontstaan nadat *Millennium* was verschenen en bepaalde politiemensen van de veiligheidsdienst door andere politiemensen van de veiligheidsdienst waren opgepakt.

'Zij van TV4' was de enige verslaggeefster die zoals gewoonlijk wist waar het over ging. Haar tv-uitzending van een uur werd een klassieker, die een paar maanden later resulteerde in de prijs voor het beste nieuwsitem van het jaar.

Sonja Modig sluisde Lisbeth Salander het hoofdbureau van politie uit door haar en Annika Giannini gewoon mee te nemen naar de garage en hen naar het kantoor van de advocate aan het Kungsholms Kyrkoplan te brengen. Daar stapten ze over in Annika Giannini's auto.

Annika wachtte tot Sonja Modig was verdwenen voordat ze haar motor startte. Ze reed naar Södermalm. Toen ze ongeveer ter hoogte van het parlementsgebouw reden, doorbrak ze de stilte.

'Waarheen?' vroeg ze.

Lisbeth dacht even na.

'Zet me maar ergens op de Lundagatan af.'

'Miriam Wu is er niet.'

Lisbeth keek Annika Giannini schuin van opzij aan.

'Ze is kort nadat ze uit het ziekenhuis was ontslagen naar Frankrijk vertrokken. Ze logeert bij haar ouders, voor het geval je haar zoekt.'

'Waarom heb je dat niet verteld?'

'Je hebt het nooit gevraagd.'

'Hm.'

'Ze heeft afstand nodig. Mikael heeft mij deze vanochtend gegeven en zei dat je ze vermoedelijk terug wilde hebben.'

Annika gaf haar een sleutelbos. Lisbeth pakte hem zonder wat te zeggen aan.

'Bedankt. Kun je me dan ergens op de Folkungagatan afzetten?'

'Je wilt mij ook niet vertellen waar je woont?'

'Later. Ik wil nu eerst rust.'

'Oké.'

Annika had haar mobiele telefoon aangezet toen ze het hoofdbureau van politie na het verhoor verlieten. Hij begon te piepen toen ze Slussen passeerden. Ze keek op het display.

'Dat is Mikael. Hij heeft de laatste paar uur zo ongeveer om de tien minuten gebeld.'

'Ik wil niet met hem praten.'

'Goed. Maar mag ik je een persoonlijke vraag stellen?'

'Ja?'

'Waarom heb je toch zo'n hekel aan Mikael? Wat heeft hij je gedaan dat je zo'n hekel aan hem hebt? Ik bedoel, als hij er niet was geweest, zat je vermoedelijk nu in het gesticht.'

'Ik heb helemaal geen hekel aan hem. Hij heeft me niets gedaan. Ik wil hem alleen nu even niet zien.'

Annika Giannini keek met een schuine blik naar haar cliënte.

'Ik wil me niet met jouw relaties bemoeien, maar je was voor hem gevallen, hè?'

Lisbeth keek door het zijraam naar buiten zonder antwoord te geven.

'Mijn broer is totaal onverantwoordelijk als het om relaties gaat. Hij neukt zich door het leven en begrijpt niet dat hij vrouwen pijn kan doen die méér in hem zien dan een snelle wip.'

Lisbeth keek haar aan.

'Ik wil Mikael niet met jou bespreken.'

'Oké,' zei Annika. Ze parkeerde langs de stoep vlak voor de Erstagatan. 'Is dit goed?'

'Ja.'

Ze zaten een tijdje in de auto zonder wat te zeggen. Lisbeth maakte geen aanstalten om uit te stappen. Annika zette op een gegeven moment de motor maar uit.

'Wat gebeurt er nu?' vroeg Lisbeth ten slotte.

'Wat er nu gebeurt, is dat je vanaf vandaag niet meer onder toezicht staat. Je kunt doen wat je wilt. Ook al waren we vandaag volhardend in de rechtszaal, er resteert nog een aardig stukje bureaucratie. Er komen aansprakelijkheidsonderzoeken bij de Raad van Toezicht inzake Voogdijschap en er komen vragen over compensatie en dergelijke. En het misdaadonderzoek zal verdergaan.'

'Ik wil geen compensatie. Ik wil met rust worden gelaten.'

'Dat begrijp ik. Maar het doet er niet zoveel toe wat jij wilt. Dit proces gaat om jou heen. Ik stel voor dat je een advocaat neemt die jouw zaken kan behartigen.'

'Wil jij dan niet meer mijn advocaat zijn?'

Annika wreef in haar ogen. Na de ontlading van vandaag voelde ze zich helemaal leeg. Ze wilde naar huis; ze wilde douchen en ze wilde dat haar man haar rug zou masseren.

'Ik weet het niet. Je vertrouwt mij niet. En ik vertrouw jou niet. Ik heb geen trek om betrokken te raken bij een lang proces waarin jij alleen maar frustrerend je mond houdt als ik met voorstellen kom of iets wil bespreken.'

Lisbeth zweeg geruime tijd.

'Ik ... ik ben niet zo goed in relaties. Maar ik vertrouw je wél.'

Het klonk bijna als een excuus.

'Dat kan wel zijn. Maar het is niet mijn probleem dat jij slecht bent in relaties. Het wordt echter wél mijn probleem als ik jou moet vertegenwoordigen.'

Stilte.

'Wil je dat ik aanblijf als jouw advocaat?'

Lisbeth knikte. Annika zuchtte.

'Ik woon op Fiskargatan 9. Boven het Mosebacke torg. Kun je mij daarheen brengen?'

Annika keek naar haar cliënte. Uiteindelijk startte ze de motor. Ze liet Lisbeth haar naar het juiste adres dirigeren. Ze stopten een stukje van het pand af.

'Oké,' zei Annika. 'We doen een poging. Dit zijn mijn voorwaarden. Ik zal je vertegenwoordigen. Als ik je nodig heb, wil ik dat je antwoord geeft. Als ik moet weten hoe je wilt dat ik handel, wil ik duidelijke antwoorden. Als ik je bel en zeg dat je met een politieman, officier van justitie of iets dergelijks moet praten omdat dat met het misdaadonderzoek te maken heeft, dan heb ik de beoordeling gemaakt dat dat noodzakelijk is. Dan eis ik dat je je op de afgesproken tijd op de afgesproken plaats bevindt en normaal doet. Kun je daarmee leven?'

'Oké.'

'En als je moeilijk gaat doen, stop ik ermee. Is dat duidelijk?'

Lisbeth knikte.

'En dan nog iets. Ik wil niet verzeild raken in een of ander drama tussen jou en mijn broer. Als je problemen met hem hebt, moet je die oplossen. Maar hij is absoluut je vijand niet.'

'Dat weet ik. Ik zal het oplossen. Maar ik heb tijd nodig.'

'Wat ben je nu van plan?'

'Dat weet ik niet. Je kunt mij via de mail bereiken. Ik beloof je zo snel mogelijk antwoord te geven, maar ik check mijn mail misschien niet elke dag ...'

'Je wordt geen lijfeigene, omdat je een advocaat in de arm hebt genomen. We doen het hier zolang mee. Nu moet je uitstappen. Ik ben doodop en wil naar huis om te slapen.'

Lisbeth deed het portier open en stapte uit. Ze aarzelde even toen ze het portier dicht wilde doen. Ze keek alsof ze iets probeerde te zeggen maar de juiste woorden niet kon vinden. Even vond Annika haar er haast kwetsbaar uitzien.

'Ga nu maar,' zei Annika. 'Ga lekker slapen. En hou je de komende tijd een beetje koest.'

Lisbeth Salander bleef op de stoep staan en keek Annika Giannini na tot de achterlichten om de hoek waren verdwenen.

'Bedankt,' wist ze uiteindelijk uit te brengen.

29
ZATERDAG 16 JULI – VRIJDAG 7 OKTOBER

Ze trof haar Palm Tungsten T3 aan op de ladekast in de hal. Daar lagen ook haar autosleutels en de schoudertas die ze was kwijtgeraakt toen Magge Lundin haar voor de portiek op de Lundagatan had aangevallen. Er lag geopende en ongeopende post die uit haar postbus op de Hornsgatan was gehaald. *Mikael Blomkvist.*

Ze maakte langzaam een rondje door het gemeubileerde deel van haar appartement. Overal trof ze sporen van hem aan. Hij had in haar bed geslapen en aan haar bureau gewerkt. Hij had haar printer gebruikt en in de prullenbak vond ze kladjes van teksten over de Sectie, aantekeningen en geklieder.

Hij heeft een liter melk, brood, kaas, kaviaar en tien Billys Pan Pizza's gekocht en die in de koelkast en de vriezer gezet.

Op de keukentafel vond ze een wit envelopje met haar naam erop. Het was een briefje van hem. De boodschap was kort. Zijn mobiele nummer. Verder niets.

Lisbeth Salander begreep opeens dat de bal bij háár lag. Hij zou geen contact met haar opnemen. Hij had de zaak afgerond en haar sleutels teruggebracht, en was niet van plan wat van zich te laten horen. Als ze wat van hem wilde, kon ze bellen. *Die verdomde stijfkop.*

Ze zette een pot koffie en smeerde vier boterhammen. Daarna ging ze in de nis bij het raam zitten en keek uit over Djurgården. Ze stak een sigaret op en dacht na.

Alles was voorbij en toch voelde haar leven plotseling beklemmender dan ooit.

Miriam Wu was naar Frankrijk vertrokken. *Het was mijn fout dat je bijna dood was.* Ze had het ogenblik gevreesd dat ze Miriam Wu weer onder ogen zou moeten komen en had besloten dat dat haar eerste halte zou worden als ze vrijkwam. *En nu zat ze in Frankrijk!*

Ze stond plotseling bij mensen in het krijt.

Holger Palmgren. Dragan Armanskij. Ze zou contact met hen moeten opnemen om ze te bedanken. Paolo Roberto. En Plague en Trinity. Zelfs die verdomde politiemensen Bublanski en Modig, die zuiver objectief partij voor haar hadden gekozen. Ze vond het niet prettig om bij mensen in het krijt te staan. Ze voelde zich een pionnetje in een spel dat ze niet onder controle had.

Die *Verrekte Kalle Blomkvist.* En misschien ook die *Verdomde Erika Berger* met haar kuiltjes in haar wangen, haar mooie kleren en haar zelfverzekerde manier van doen.

'Het is over,' had Annika Giannini gezegd toen ze het hoofdbureau verlieten. Ja. De rechtszaak was klaar. Het was klaar voor Annika Giannini. En het was klaar voor Mikael Blomkvist, die zijn tekst had gepubliceerd, op tv zou komen en vast een of andere prijs in de wacht zou slepen.

Maar voor Lisbeth Salander was het nog niet klaar. Dit was pas de eerste dag van de rest van haar leven.

Om vier uur 's morgens stopte ze met piekeren. Ze smeet haar punkoutfit in de slaapkamer op de grond, ging naar de badkamer en nam een douche. Ze verwijderde alle make-up die ze in de rechtbank op had gehad en trok een donkere, linnen vrijetijdsbroek aan, een wit hemdje en een dun jasje. Ze pakte een weekendtas met ondergoed, wat andere kleren en een paar hemdjes, en trok eenvoudige wandelschoenen aan.

Ze nam haar Palm mee en bestelde een taxi naar het Mosebacke torg. Ze reed naar Arlanda en was daar even voor zessen. Ze bestudeerde het bord met vertrektijden en boekte een ticket naar de eerste bestemming die haar inviel. Ze gebruikte haar eigen pas onder haar eigen naam. Het verbaasde haar dat niemand bij het ticketkantoor of bij het inchecken haar leek te herkennen of reageerde op haar naam.

Er was plaats op de ochtendvlucht naar Malaga en ze landde midden op de dag. Het was er smoorheet. Ze bleef een tijdje onzeker op de terminal staan. Uiteindelijk liep ze naar een kaart en dacht na over wat ze in Spanje wilde gaan doen. Na een minuut nam ze een besluit. Ze had geen zin om tijd te besteden aan het nadenken over buslijnen of alternatieve wijzen van vervoer. Ze kocht een zonnebril in een winkel op het vliegveld, ging naar de taxistandplaats en nam plaats op de achterbank van de eerste vrije taxi.

'Gibraltar. Ik betaal met creditcard.'

De rit duurde drie uur over de nieuwe snelweg langs de zuidkust. De taxi liet haar eruit bij de paspoortcontrole op de grens naar Brits territorium en ze liep naar The Rock Hotel op de Europa Road, een stukje de 425 meter hoge rots op. Ze vroeg of er een kamer vrij was. Ze kreeg een tweepersoonskamer. Ze boekte voor twee weken en overhandigde haar creditcard.

Ze douchte, ging met een badlaken om zich heen op het terras zitten en keek uit over de Straat van Gibraltar. Ze zag vrachtschepen en een paar zeilboten. Ze kon in de verte Marokko vaag zien liggen. Het was rustgevend.

Na een tijdje ging ze naar binnen, kroop in bed en was vertrokken.

Lisbeth Salander werd de volgende ochtend om halfzes wakker. Ze stond op, douchte en dronk koffie in de hotelbar op de begane grond. Om zeven uur verliet ze het hotel, kocht een zak mango's en appels, nam een taxi naar The Peak en wandelde naar de apen. Ze was er zo vroeg dat er nog maar weinig toeristen waren en ze was bijna alleen met de dieren.

Ze hield van Gibraltar. Het was haar derde bezoek aan de wonderlijke rots met de absurd dichtbevolkte Engelse stad aan de Middellandse Zee. Gibraltar was een plaats die nergens goed mee te vergelijken was. De stad was decennialang geïsoleerd geweest. Een kolonie die halsstarrig weigerde bij Spanje te worden ingelijfd. De Spanjaarden protesteerden natuurlijk tegen de bezetting. (Lisbeth Salander vond echter dat de Spanjaarden hun mond moesten houden zolang zij de enclave Ceuta op het Marokkaanse territorium aan de andere kant van de Straat van Gibraltar bezet hielden.) Het was een plaats die op een grappige wijze was afgeschermd van de rest van de wereld, een stad die uit een bizarre rots bestond, ruim 2 vierkante kilometer stadsoppervlak en een vliegveld dat in zee begon en eindigde. De kolonie was zó klein dat elke vierkante centimeter werd benut en er moest zelfs naar zee worden uitgebouwd. Om de stad überhaupt binnen te kunnen komen, moesten de bezoekers de landingsbaan van het vliegveld oversteken.

Gibraltar gaf het begrip *compact living* een nieuwe dimensie.

Lisbeth zag een stevig apenmannetje op een muur langs de wandelweg zich oprichten. Hij staarde haar woest aan. Het was een Berberaap. Ze wist dat ze niet moest proberen de dieren te aaien.

'Dag vriend,' zei ze. 'Daar ben ik weer.'

De eerste keer dat ze Gibraltar had bezocht, had ze nog nooit van die apen gehoord. Ze was gewoon naar de top gegaan om het uitzicht te bewonderen en was volledig verrast geweest toen ze achter een groep toeristen aan liep en zich plotseling midden tussen een groep apen bevond die aan beide kanten van de weg omhoog klauterden.

Het was een apart gevoel om langs een pad te lopen en plotseling omgeven te zijn door twee dozijn apen. Ze keek ze zeer wantrouwend aan. Ze waren niet gevaarlijk of agressief, maar ze waren sterk genoeg om verwoestende beten achter te laten als ze werden gepest of zich bedreigd voelden.

Ze zag een van de verzorgers, toonde de zak met fruit en vroeg of het goed was dat ze dat aan de apen gaf. Hij zei dat dat mocht.

Ze pakte een mango en legde hem op de muur, een stukje bij het mannetje vandaan.

'Ontbijt,' zei ze. Ze leunde tegen de muur en nam een hap van een appel.

Het mannetje staarde haar aan, ontblootte een paar tanden en griste voldaan de mango weg.

Tegen vier uur 's middags, vijf dagen later, viel Lisbeth Salander van haar kruk bij Harry's Bar in een zijstraat van Main Street, twee blokken bij haar hotel vandaan. Ze was constant dronken geweest sinds ze de apenrots had verlaten, en het grootste gedeelte van die alcoholconsumptie had plaatsgevonden bij Harry O'Connell, de eigenaar van de bar, die met een geforceerd Iers accent sprak, hoewel hij nooit een voet op Ierse bodem had gezet. Hij had haar bezorgd waargenomen.

Toen ze vier dagen daarvoor 's middags haar eerste drankje had besteld, had ze zich moeten legitimeren omdat ze er aanzienlijk jonger uitzag dan wat haar paspoort aangaf. Hij wist dat ze Lisbeth heette en noemde haar Liz. Ze kwam meestal tegen lunchtijd binnen, ging op een hoge kruk aan de bar zitten en leunde tegen de muur. Daarna werkte ze een aanzienlijk aantal biertjes of glazen whisky naar binnen.

Als ze bier dronk, maakte het haar niet uit welk merk of welke soort het was; ze dronk wat hij tapte. Maar als ze whisky bestelde, koos ze altijd Tullamore Dew, Ierse whiskey, behalve één keer toen ze de flessen achter de bar had bestudeerd en Lagavulin, Schotse single malt whisky had voorgesteld. Toen ze haar glas kreeg, rook ze eraan. Ze fronste haar wenkbrauwen en nam daarna een Heel Klein Slokje. Ze zette het glas neer en zat er een minuutje naar te staren met een gezichtsuitdrukking die aangaf dat ze de inhoud als een dreigende vijand beschouwde.

Uiteindelijk schoof ze het glas van zich af en zei tegen Harry dat hij haar iets moest geven wat ze niet kon gebruiken om een boot mee te teren. Hij schonk weer een Tullamore Dew in en ze ging door met drinken. In de afgelopen vier dagen had ze in haar eentje ruim een fles leeggedronken. Hij had de biertjes niet geteld. Harry was op zijn zachtst gezegd verbaasd dat een meisje met haar tengere lichaamsbouw zoveel drank naar binnen kon werken, maar hij nam aan dat áls ze zin had om te drinken, ze dat ook dééd, of dat nu bij hem was of ergens anders.

Ze dronk langzaam, sprak met niemand en maakte geen ruzie. Haar enige bezigheid, afgezien van de consumptie van drank, leek het spelen met een handcomputer die ze af en toe aan een mobiele telefoon koppelde. Hij had een paar keer geprobeerd een praatje met haar aan te knopen, maar had alleen een bits zwijgen als antwoord teruggekregen. Ze leek gezelschap te mijden. Een paar keer, toen er te veel mensen in de bar waren, was ze buiten op het balkon gaan zitten, en ze was ook een paar keer naar een Italiaans restaurant twee deuren verderop gegaan om te eten. Daarna was ze weer teruggekomen en had ze meer Tullamore Dew besteld. Ze verliet de bar meestal tegen tienen 's avonds en waggelde vervolgens in noordelijke richting.

Maar vandaag had ze meer en sneller gedronken dan de dagen ervoor en Harry had een oogje in het zeil gehouden. Toen ze haar zevende glas Tullamore Dew in twee uur tijd naar binnen had gewerkt, besloot hij haar verdere drank te weigeren. Voordat hij zijn besluit ten uitvoer had kunnen brengen, hoorde hij de klap toen ze van de kruk viel.

Hij zette het glas neer dat hij net aan het afdrogen was, liep om de bar heen en tilde haar overeind. Ze keek hem beledigd aan.

'Ik geloof dat je genoeg hebt gehad,' zei hij.

Ze keek hem wazig aan.

'Ik geloof dat je gelijk hebt,' antwoordde ze met verbazingwekkend duidelijke stem.

Ze hield zich met haar ene hand aan de bar vast, groef wat bankbiljetten op uit haar borstzakje en liep slingerend naar de uitgang. Hij pakte haar zachtjes bij haar schouder.

'Wacht even. Waarom ga je niet even naar het toilet, spuug je die laatste drank uit en blijf je nog wat in de bar zitten. Ik wil je liever niet in deze toestand laten gaan.'

Ze protesteerde niet toen hij haar naar het toilet bracht. Ze stak haar vingers in haar keel en deed wat hij had voorgesteld. Toen ze weer in de bar kwam, had hij een groot glas sodawater voor haar ingeschonken. Ze dronk het hele glas op en liet een boer. Hij schonk nog een glas in.

'Je zult je morgen wel beroerd voelen,' zei Harry.

Ze knikte.

'Het is mijn zaak niet, maar als ik jou was, zou ik een paar dagen nuchter blijven.'

Ze knikte opnieuw. Toen ging ze terug naar het toilet en gaf weer over.

Ze bleef nog een uur in Harry's Bar zitten tot haar blik zo ver was opgehelderd dat Harry haar durfde te laten gaan. Ze verliet de bar op onvaste benen, wandelde naar het vliegveld en volgde het strand langs de jachthaven. Ze liep rond tot de grond niet meer deinde; het was toen inmiddels halfnegen. Pas toen keerde ze terug naar het hotel. Ze ging naar haar kamer, poetste haar tanden en spoelde haar gezicht af. Ze trok wat anders aan en ging terug naar beneden, naar de hotelbar in de foyer en bestelde een kop zwarte koffie en een fles mineraalwater.

Ze zat stil en onopgemerkt bij een pilaar de mensen aan de bar te bestuderen. Ze zag een stel van in de dertig dat op gedempte toon verwikkeld was in een gesprek. De vrouw was gekleed in een lichte zomerjurk. De man hield onder tafel haar hand vast. Twee tafels verder zat een donkere familie, hij met grijzende slapen, zij met een mooie, kleurrijke jurk met geel, zwart en rood. Ze hadden twee kinderen van net onder de tien. Ze bestudeerde een groep zakenlui met witte overhemden, stropdassen en hun colberts over de rugleuning van hun stoel. Ze dronken bier. Ze zag een gezelschap gepensioneerden; ongetwijfeld Amerikaanse toeristen. De mannen hadden baseballpetten op en waren gekleed in poloshirts en vrijetijdspantalons. De vrouwen droegen designspijkerbroeken, rode topjes en zonnebrillen aan touwtjes. Ze zag een man met een licht linnen colbert, een grijs overhemd en een donkere stropdas die vanbuiten kwam en zijn sleutel ophaalde bij de receptie voordat hij naar de bar liep en een biertje bestelde. Ze zat 3 meter bij hem vandaan en keek naar hem toen hij een mobiele telefoon pakte en in het Duits begon te praten.

'Hoi, met mij ... alles goed ... prima, onze volgende vergadering is morgenmiddag ... nee, volgens mij komt het wel goed ... ik blijf hier nog zeker vijf, zes dagen en daarna ga ik naar Madrid ... nee, ik ben pas eind volgende week weer thuis ... ik ook ... ik hou van jou ... tuurlijk ... ik bel je later deze week ... kus.'

Hij was 1 meter 85, vijftig, misschien vijfenvijftig jaar oud, blond met een paar grijze haren. Zijn haar was iets langer dan kortgeknipt. Hij had een ranke kin en een beginnend buikje. Toen hij zijn biertje ophad en naar de lift liep, stond Lisbeth Salander op en liep achter hem aan.

Hij drukte op de knop naar de zesde verdieping. Lisbeth ging naast hem staan en leunde met haar achterhoofd tegen de liftmuur.

'Ik ben dronken,' zei ze.

Hij keek haar aan.

'O?'

'Ja. Ik had weer zo'n week. Maar laat me raden. Je bent een of andere zakenman, komt uit Hannover of ergens in Noord-Duitsland. Je bent getrouwd. Je houdt van je vrouw. En je moet nog een paar dagen hier in Gibraltar blijven. Zoveel begreep ik van je telefoongesprek in de bar.'

Hij keek haar verbluft aan.

'Zelf kom ik uit Zweden. Ik heb ontzettend veel zin in seks. Het kan me geen reet schelen dat je getrouwd bent en ik wil ook je telefoonnummer niet hebben.'

Hij fronste zijn wenkbrauwen.

'Ik heb kamer 711, de verdieping boven de jouwe. Ik ga nu naar mijn kamer, kleed me uit, neem een bad en ga in bed liggen. Als je zin hebt om me gezelschap te houden, klop dan binnen een halfuur aan. Anders ga ik slapen.'

'Is dit een grapje?' vroeg hij toen de lift stopte.

'Nee. Ik heb geen zin om naar een of andere kroeg te gaan om iemand te versieren. Of je klopt bij me aan, óf het gaat over.'

Vijfentwintig minuten later werd er op de deur van Lisbeths hotelkamer geklopt. Ze had een badlaken om zich heen gewikkeld toen ze opendeed.

'Kom binnen,' zei ze.

Hij kwam binnen en keek argwanend om zich heen.

'Ik ben alleen, hoor,' zei ze.

'Hoe oud ben je eigenlijk?'

Ze stak haar hand uit, pakte haar paspoort dat op een ladekast lag en gaf het hem.

'Je ziet er jonger uit.'

'Weet ik,' zei ze en ze sloeg het badlaken open en gooide het op een stoel. Ze liep naar het bed en trok de sprei weg.

Hij staarde naar haar tatoeages. Ze gluurde over haar schouder.

'Dit is geen valstrik. Ik ben een meid, single en ik ben hier een paar dagen. Ik heb in geen maanden seks gehad.'

'Maar waarom heb je mij uitgekozen?'

'Omdat jij de enige in de bar was die zo te zien niet in gezelschap was.'

'Ik ben getrouwd ...'

'En ik wil niet weten wie ze is of wie jij überhaupt bent. En ik wil niet over sociologie praten. Ik wil neuken. Kleed je uit of ga weer naar je eigen kamer.'

'Gewoon zo?'

'Waarom niet? Je bent een volwassen vent en weet wat er van je wordt verwacht.'

Hij dacht een halve minuut na. Hij leek te willen gaan. Ze ging op de rand van het bed zitten en wachtte. Hij beet in zijn onderlip. Toen trok hij zijn pantalon en zijn overhemd uit, en stond daar aarzelend in zijn onderbroek.

'Alles,' zei Lisbeth Salander. 'Ik ben niet van plan te neuken met iemand die zijn onderbroek aanhoudt. En je moet een condoom gebruiken. Ik weet waar ik ben geweest, maar ik weet niet waar jij bent geweest.'

Hij trok zijn slip uit, ging naar haar toe en legde zijn hand op haar schouder. Lisbeth deed haar ogen dicht toen hij over haar heen boog en haar kuste. Hij smaakte goed. Hij duwde haar omlaag. Hij lag zwaar op haar.

Jeremy Stuart MacMillan, advocaat, voelde dat zijn nekharen rechtovereind gingen staan op het moment dat hij de deur van zijn kantoor in het Buchanan House aan de Queensway Quay bij de jachthaven opendeed. Hij rook de geur van tabak en hoorde een stoel kraken. Het was even voor zevenen 's morgens en zijn eerste gedachte was dat hij een inbreker had verrast.

Toen rook hij de geur van koffie uit het apparaat in de pantry. Na een paar seconden stapte hij aarzelend over de drempel, liep de hal door en keek naar binnen in zijn ruime en elegant gemeubileerde werkkamer. Lisbeth Salander zat op zijn bureaustoel met haar rug naar hem toe en met haar voeten op de vensterbank. Zijn computer stond aan en ze had blijkbaar geen moeite gehad om zijn password te kraken. Ze had ook zijn brandkast open gekregen. Ze had een map met zijn hoogstpersoonlijke correspondentie en boekhouding op haar schoot liggen.

'Goedemorgen, juffrouw Salander,' wist hij uiteindelijk uit te brengen.

'Mm,' antwoordde ze. 'Er zijn croissantjes en er is verse koffie in de pantry.'

'Bedankt,' zei hij en hij zuchtte lijdzaam.

Weliswaar had hij het kantoor met haar geld en op aandringen van haar gekocht, maar hij had niet verwacht dat ze zonder waarschuwing vooraf, in hoogsteigen persoon, opeens zou komen opdagen. Bovendien had ze een homoblad gevonden en zo te zien gelezen dat hij in een bureaulade had verstopt.

Wat gênant.

Of misschien ook niet.

Lisbeth Salander kwam hem voor als een van de snelst oordelende mensen die hij ooit had ontmoet als het ging om personen die haar irriteerden, maar als het om de zwakheden van mensen ging, fronste ze zelfs geen wenkbrauw. Ze wist dat hij officieel hetero was, maar dat zijn grote geheim was dat hij zich aangetrokken voelde tot mannen. Na zijn scheiding vijftien jaar geleden was hij zijn meest persoonlijke fantasieën gaan verwezenlijken.

Gek. Ik voel me veilig bij haar.

Omdat ze toch in Gibraltar was, had Lisbeth besloten advocaat Jeremy MacMillan met een bezoek te vereren. Hij regelde haar financiën. Ze had vlak na de jaarwisseling voor het laatst contact met hem gehad en wilde weten of hij haar tijdens haar afwezigheid niet had geruïneerd.

Maar dat had geen haast gehad en was ook niet de reden geweest dat ze na haar vrijlating linea recta naar Gibraltar was afgereisd. Dat was omdat ze enorme behoefte had om de boel even de boel te laten, en in dat opzicht was Gibraltar ideaal. Ze was de eerste week bijna uitsluitend dronken geweest en had daarna nog een paar dagen besteed aan seks met de Duitse zakenman, die zich gaandeweg had gepresenteerd als Dieter. Ze betwijfelde of dat zijn echte naam was, maar deed geen naspeuringen. Overdag zat hij in allerlei vergaderingen en 's avonds dineerde hij met haar voordat ze zich in zijn of haar kamer terugtrokken.

Hij was helemaal niet slecht in bed, had Lisbeth geconstateerd. Misschien wat onwennig en soms wat onnodig hardhandig.

Dieter was oprecht verbaasd geweest dat ze louter uit een impuls een wat corpulente Duitse zakenman had versierd die zelf helemaal niet op de versiertoer was geweest. Hij was inderdaad getrouwd en was gewoonlijk op zijn zakenreizen nooit ontrouw en hij zocht ook nooit vrouwelijk gezelschap. Maar toen die mogelijkheid hem op een presenteerblaadje werd aangeboden in de vorm van een tenger, getatoeëerd meisje, had hij de verleiding niet kunnen weerstaan. Zei hij.

Het kon Lisbeth Salander weinig schelen wat hij zei. Ze was niet uit geweest op meer dan recreatieseks, maar het had haar verrast dat hij zich had ingespannen om haar te bevredigen. Pas de vierde nacht, hun laatste nacht samen, was hij overvallen door paniek voor wat zijn vrouw zou zeggen. Lisbeth Salander meende dat hij gewoon zijn mond moest houden en zijn vrouw niets moest vertellen.

Maar ze had niet gezegd wat ze dacht.

Hij was volwassen genoeg en had ook kunnen bedanken voor haar uitnodiging. Het was niet háár probleem als hij schuldgevoelens had of iets aan zijn vrouw wilde opbiechten. Ze had met haar rug naar hem toe gelegen en een kwartier naar zijn gejeremieer geluisterd tot ze geïrriteerd haar ogen ten hemel had geslagen en schrijlings over hem heen was gaan zitten.

'Denk je dat je je angst even van je af kunt zetten en mij nog kunt klaarmaken?' had ze gevraagd.

Jeremy MacMillan was een heel ander verhaal. Hij had nul komma nul erotische aantrekkingskracht op Lisbeth Salander. Hij was een schurk. Komisch genoeg leek hij wel veel op Dieter. Hij was achtenveertig jaar oud, charmant, wat te dik en had grijzend, donkerblond krulhaar dat hij achteroverkamde, en een hoog voorhoofd. Hij droeg een bril met een dun, goudkleurig montuur.

Hij was opgeleid in Oxbridge en was ooit zakenjurist geweest. In die tijd was hij gestationeerd in Londen. Hij had een veelbelovende toekomst gehad en was mede-eigenaar geweest van een advocatenkantoor dat in de arm werd genomen door grote ondernemingen, kapitaalkrachtige nouveaux riches en yuppen die zich bezighielden met de aankoop van onroerend goed en belastingontwijking. In de jaren tachtig had hij uitbundig de bloemetjes buitengezet met zijn nouveaux-richeskennissen. Hij had flink gezopen en cocaïne gesnoven met mensen met wie hij de volgende ochtend eigenlijk liever niet wakker wilde worden. Hij was nooit aangeklaagd, maar was zijn vrouw en zijn twee kinderen kwijtgeraakt en was ontslagen nadat hij zijn werk had verwaarloosd en dronken was komen opdagen bij een bemiddelingsproces.

Hij was ontnuchterd en was Londen met het schaamrood op de

kaken ontvlucht. Waarom hij juist Gibraltar had gekozen, wist hij niet, maar in 1991 was hij gefuseerd met een plaatselijke jurist en ze hadden in een achterafstraatje een pretentieloos kantoor geopend dat zich officieel bezighield met aanzienlijk minder betoverende boedelbeschrijvingen en testamenten. Officieus hield MacMillan & Marks zich bezig met het oprichten van brievenbusfirma's en traden zij op als stroman voor diverse louche figuren in Europa. Die activiteiten verliepen moeizaam totdat Lisbeth Salander Jeremy MacMillan had uitgekozen om de 2,4 miljard dollar te beheren die zij had gestolen van het uiteenvallende imperium van financieel expert Hans-Erik Wennerström.

MacMillan was zonder twijfel een schurk. Maar ze beschouwde hem als háár schurk, en hij had zichzelf verbaasd door onberispelijk eerlijk tegen haar te blijven. Ze had hem eerst in de arm genomen voor iets eenvoudigs. Tegen een bescheiden bedrag had hij een aantal brievenbusfirma's opgericht waar ze gebruik van kon maken en waarin ze een miljoen dollar had belegd. Ze had telefonisch contact met hem opgenomen en was slechts een stem ver weg geweest. Hij had nooit gevraagd waar dat geld vandaan kwam. Hij had gedaan wat ze vroeg en haar vijf procent van het bedrag in rekening gebracht. Kort daarna had ze een groter bedrag doorgesluisd, dat hij moest gebruiken om een bedrijf op te richten, Wasp Enterprises, dat vervolgens een appartement in Stockholm had gekocht. Het contact met Lisbeth Salander was daardoor lucratief geworden, ook al ging het voor hem om kleine bedragen.

Twee maanden later was ze opeens in Gibraltar op bezoek gekomen. Ze had hem gebeld en een intiem dinertje voorgesteld op haar kamer in The Rock, het grootste en meest roemrijke hotel op de Rots. Hij wist niet precies wat hij had verwacht, maar hij had niet gedacht dat zijn cliënte een popperig meisje zou zijn dat eruitzag als een jonge tiener. Hij had gemeend dat hij het slachtoffer was van een of andere bizarre grap.

Hij had zijn mening snel herzien. Dat opmerkelijke meisje sprak achteloos met hem zonder ook maar te glimlachen of enige persoonlijke warmte te tonen. Of kilte. Hij was perplex geweest toen ze in de loop van een paar minuten zijn hele beroepsmatige façade van wereldwijze, respectabele advocaat – die hij met alle macht overeind probeerde te houden – omver had geworpen.

'Wat wil je?' had hij gevraagd.

'Ik heb een flinke som geld gestolen,' had ze bloedserieus gezegd. 'Ik heb een schurk nodig die het kan beheren.'

Hij had zich afgevraagd of ze wel goed bij haar hoofd was, maar had het spelletje beleefd meegespeeld. Ze was een potentieel slachtoffer voor een *speed dribble* die hem wat inkomsten kon opleveren. Maar daarna had hij als door de bliksem getroffen gezeten toen ze had verteld van wie ze het geld had gestolen, hoe dat in zijn werk was gegaan en hoe groot het bedrag was. De 'Wennerstroem-affaire' was op dat moment hét onderwerp van gesprek in de internationale financiële wereld.

'Ik begrijp het.'

De mogelijkheden schoten door zijn hoofd.

'Jij bent een kundig bedrijfsjurist en belegger. Als je een idioot was, zou je nooit de opdrachten hebben gekregen die je in de jaren tachtig hebt binnengehaald. Daarentegen heb je je als een idioot gedragen en ben je erin geslaagd te worden ontslagen.'

Hij fronste zijn wenkbrauwen.

'Ik zal in de toekomst jouw enige cliënte zijn.'

Ze had hem aangekeken met de meest trouwhartige ogen die hij ooit had gezien.

'Ik heb twee eisen. De eerste is dat je nooit een strafbaar feit pleegt of betrokken raakt bij iets wat ons in de problemen kan brengen en de aandacht van de overheidsinstanties op mijn bedrijven en rekeningen kan richten. De tweede is dat je nooit tegen me mag liegen. Nooit ofte nimmer. Niet één keer. Om geen enkele reden. Als je liegt, eindigt onze zakenrelatie onmiddellijk en als je mij voldoende ergert, zal ik je ruïneren.'

Ze schonk een glas wijn voor hem in.

'Er is geen reden om tegen mij te liegen. Ik weet alles al over jouw leven wat de moeite waard is. Ik weet hoeveel je in een goede maand verdient en hoeveel in een slechte maand. Ik weet hoeveel je uitgeeft. Ik weet dat je altijd te weinig geld hebt. Ik weet dat je 120.000 pond aan schulden hebt, zowel langlopende als kortlopende, dat je altijd risico's moet nemen en altijd met geld moet knoeien om de aflossing van je hypotheek te kunnen betalen. Je kleedt je elegant en probeert de schijn op te houden, maar je bent aan lager wal geraakt en hebt al maanden geen nieuw jasje gekocht. Je hebt daarentegen twee weken geleden een oud colbert weggebracht om de voering te laten repareren. Je verzamelde zeldzame boeken, maar hebt ze stukje bij beetje verkocht. Vorige maand heb je een vroege uitgave van *Oliver Twist* verkocht voor 760 pond.'

Ze zweeg en keek hem strak aan. Hij slikte.

'Vorige week heb je een aardige slag geslagen. Die weduwe die je vertegenwoordigt, heb je heel slim opgelicht. Je hebt haar 6.000 pond afhandig gemaakt die ze nauwelijks zal missen.'

'Hoe weet jij dat, verdomme?'

'Ik weet dat je getrouwd bent geweest, dat je twee kinderen in Engeland hebt die jou niet willen zien en dat je de bloemetjes sinds je scheiding goed hebt buitengezet en momenteel voornamelijk homoseksuele relaties hebt. Je schaamt je er vermoedelijk voor, omdat je niet naar homoclubs gaat en ook niet op straat gezien wilt worden met een van je mannelijke vrienden. En omdat je vaak de grens met Spanje oversteekt om mannen te ontmoeten.'

Jeremy MacMillan zat verstomd van schrik. Hij was opeens doodsbang. Hij had er geen idee van hoe ze aan al die informatie was gekomen, maar ze had voldoende kennis om hem te vernietigen.

'En ik zeg dit maar één keer. Het gaat me geen reet aan met wie jij cruist. Dat kan me echt niet schelen. Ik wil weten wie je bent, maar zal die kennis nooit misbruiken. Ik zal je niet bedreigen of afpersen.'

MacMillan was geen idioot. Natuurlijk zag hij in dat de kennis die ze over hem had een dreiging inhield. Ze had controle. Even had hij overwogen haar op te tillen en over de rand van het balkon te kiepeseren, maar hij had zich ingehouden. Hij was nooit eerder zo bang geweest.

'Wat wil je?' wist hij uit te brengen.

'Ik wil een compagnonschap met je. Je moet stoppen met alle andere zaken en exclusief voor mij gaan werken. Je zult meer verdienen dan waar je ooit van hebt durven dromen.'

Ze legde uit wat ze wilde dat hij deed en hoe dat eruit moest zien.

'Ik wil onzichtbaar zijn,' verklaarde ze. 'Jij regelt mijn zaken. Alles moet legitiem zijn. Wat ik zelf rotzooi, zal jou nooit treffen of met onze zaken in verband gebracht kunnen worden.'

'Ik snap het.'

'Ik ben dus jouw enige cliënte. Je hebt een week de tijd om al je andere cliënten af te wikkelen en te stoppen met al dat gerommel in de marge.'

Hij zag tevens in dat hij een aanbod had gekregen dat hij nooit meer zou krijgen. Hij had zestig seconden nagedacht en het aanbod vervolgens geaccepteerd. Hij had slechts één vraag.

'Hoe weet je dat ik je niet beduvel?'

'Dat zou ik niet doen als ik jou was. Daar krijg je de rest van je miserabele leven spijt van.'

Er was geen reden om te knoeien. Lisbeth Salander had hem een opdracht geboden met een dusdanige gouden rand dat het ontzettend stom zou zijn om die voor een extra zakcentje op het spel te zetten. Zolang hij geen al te hoge eisen stelde en geen problemen veroorzaakte, was zijn toekomst veiliggesteld.

Hij was dus niet van plan Lisbeth Salander te beduvelen.

Dus werd hij eerlijk, of in elk geval zo eerlijk als een uitgebluste advocaat maar kon zijn bij het beheren van een gestolen vermogen van astronomische omvang.

Lisbeth was totaal niet geïnteresseerd in het regelen van haar financiën. Het was MacMillans taak om haar geld te beleggen en ervoor te zorgen dat de creditcards die ze gebruikte voldoende waren gedekt. Ze hadden uren zitten praten. Ze had hem uitgelegd op welke manier ze wilde dat haar financiën zouden worden beheerd. Zijn taak was ervoor te zorgen dat dat ook zo werkte.

Een groot deel van het gestolen kapitaal was belegd in stabiele fondsen die haar de rest van haar leven financieel onafhankelijk maakten, ook al zou ze het plan opvatten een extreem losbandig en verspillend leven te gaan leiden. Van deze fondsen werden haar creditcards bijgevuld.

Met de rest van het geld kon hij spelen en naar eigen inzicht investeren, vooropgesteld dat hij niet investeerde in zaken die problemen met de politie konden veroorzaken, in welke vorm dan ook. Ze verbood hem zich bezig te houden met kleine vergrijpen en oplichting, wat – als het tegenzat – kon resulteren in onderzoeken waardoor zij op haar beurt vreemde ogen op zich gericht kon krijgen.

Ze moesten alleen nog even vaststellen wat hij aan de transactie zou verdienen.

'Ik betaal je om te beginnen 500.000 pond. Daarmee kun je al je schulden aflossen en hou je toch nog een leuk zakcentje over. Daarna ga je je eigen geld verdienen. Je begint een bedrijf met ons tweeën als mede-eigenaren. Je krijgt twintig procent van alle winst die het bedrijf genereert. Ik wil dat je rijk genoeg bent zodat je niet in de verleiding komt om kattenkwaad uit te halen, maar niet zó rijk dat je je niet meer inspant.'

Hij begon zijn nieuwe baan op 1 februari. Eind maart had hij al zijn persoonlijke schulden afbetaald en zijn persoonlijke financiële situatie gestabiliseerd. Lisbeth had erop gestaan dat hij prioriteit zou geven aan het saneren van zijn eigen financiën, zodat hij solvent zou zijn. In mei verbrak hij het partnerschap met zijn gealcoholiseerde collega

George Marks, de andere helft van MacMillan & Marks. Hij had wel een beetje een slecht geweten ten aanzien van zijn voormalige partner, maar Marks bij Lisbeth Salanders zaken betrekken, was uitgesloten.

Hij besprak de zaak met Lisbeth Salander toen ze begin juli spontaan in Gibraltar op bezoek kwam en ontdekte dat MacMillan van huis uit werkte in plaats van vanuit het achterafkantoor waar hij eerst had gezeten.

'Mijn partner is alcoholist en kan hier niet mee omgaan. Bovendien zou hij een enorme risicofactor zijn. Maar toen ik vijftien jaar geleden naar Gibraltar kwam, heeft hij mijn leven gered en heeft hij mij partner gemaakt en bij zijn bedrijf ingelijfd.'

Ze dacht twee minuten na terwijl ze MacMillans gezicht bestudeerde.

'Ik begrijp het. Je bent een schurk, maar wel een loyale. Dat is vermoedelijk een loffelijke eigenschap. Ik stel voor dat je een kleine rekening opent waarmee hij kan rommelen. Zorg dat hij een paar duizend per maand verdient zodat hij zich redt.'

'Is dat oké wat jou betreft?'

Ze had geknikt en in zijn vrijgezellenflat om zich heen gekeken. Hij woonde in een eenkamerwoning met pantry in een van de steegjes in de buurt van het ziekenhuis. Het enig aardige was het uitzicht. Maar aan de andere kant was dat een uitzicht dat je overal in Gibraltar had.

'Je hebt een kantoor en een betere woning nodig,' zei ze.

'Ik heb nog geen tijd gehad,' antwoordde hij.

'Oké,' zei ze.

Daarna ging ze naar buiten en kocht ze een kantoor voor hem. Ze koos een ruimte van 130 vierkante meter met een klein terras aan zee in het Buchanan House op de Queensway Quay, wat beslist upmarket was in Gibraltar. Ze nam een binnenhuisarchitect in de arm die de zaak liet renoveren en inrichtte.

MacMillan kon zich nog herinneren dat Lisbeth, terwijl hij bezig was met allerlei papierwerk, persoonlijk had toegezien op de installatie van een alarmsysteem, computerapparatuur en de brandkast, waar ze verrassend in had zitten struinen toen hij die ochtend op kantoor kwam.

'Ben ik in ongenade gevallen?' vroeg hij.

Ze legde de map met correspondentie neer waarin ze zich had verdiept.

'Nee, Jeremy. Je bent niet in ongenade gevallen.'

'Mooi,' zei hij en hij ging koffie halen. 'Jij duikt altijd zomaar op op het moment dat je het het minst verwacht.'

'Ik ben de laatste tijd druk geweest. Ik wilde me alleen even op de hoogte stellen van de stand van zaken.'

'Als ik het goed heb begrepen, werd je gezocht voor een drievoudige moord, ben je in je hoofd geschoten en aangeklaagd voor diverse misdrijven. Ik ben een tijdje behoorlijk ongerust geweest. Ik dacht dat je nog steeds achter de tralies zat. Ben je ontsnapt?'

'Nee. Ik ben op alle punten vrijgesproken en ben vrijgelaten. Hoeveel heb je gehoord?'

Hij aarzelde even.

'Oké. Ik zal er geen doekjes om winden. Toen ik begreep dat je in de shit zat, heb ik een vertaalbureau ingehuurd dat de Zweedse kranten heeft uitgekamd en mij telkens heeft geïnformeerd. Ik ben vrij goed op de hoogte.'

'Als jij je kennis baseert op wat er in de kranten heeft gestaan, ben je totaal niet op de hoogte. Maar ik neem aan dat je een heleboel geheimen over mij hebt ontdekt.'

Hij knikte.

'Wat gebeurt er nu?'

Ze keek hem verbaasd aan.

'Niets. We gaan gewoon door zoals voorheen. Onze relatie heeft niets met mijn problemen in Zweden te maken. Vertel wat er in mijn afwezigheid is gebeurd. Heb je je gedragen?'

'Ik drink niet,' zei hij. 'Als dat is wat je bedoelt.'

'Nee. Je privéleven gaat mij niets aan zolang het de zaken niet stoort. Ik bedoel of ik rijker of armer ben dan een jaar geleden.'

Hij trok de bezoekersstoel naar achteren en ging zitten. Op de een of andere manier deerde het hem niet dat ze op zijn plek zat. Er was geen reden voor een prestigestrijd met haar.

'Je hebt mij 2,4 miljard dollar aangeleverd. Daarvan hebben we 200 miljoen in jouw fondsen belegd. Je hebt mij de rest gegeven om mee te spelen.'

'Ja.'

'Jouw persoonlijke fondsen zijn niet gewijzigd, op de rente na dan. Je kunt de winst verhogen als ...'

'Ik ben niet geïnteresseerd in het verhogen van de winst.'

'Oké. Je hebt een schijntje uitgegeven. De grootste uitgaven waren het appartement dat ik voor je heb gekocht en het liefdadigheidsfonds dat je hebt opgericht voor die advocaat Palmgren. Verder was je consumptiepatroon vrij gewoon, zonder grote uitschieters. De rente was gunstig. Je draait ongeveer quitte.'

'Mooi.'

'De rest heb ik geïnvesteerd. Vorig jaar hebben we geen grote bedragen binnengehaald. Ik was nog niet zo in vorm en moest de markt opnieuw leren kennen. We hebben uitgaven gehad. Pas dit jaar zijn we inkomsten gaan genereren. Terwijl jij opgesloten zat, hebben we ruim zeven miljoen binnengehaald. Dollars dus.'

'Waarvan twintig procent jou toekomt.'

'Waarvan twintig procent mij toekomt.'

'Ben je daar tevreden mee?'

'Ik heb in een halfjaar meer dan een miljoen dollar verdiend. Ja. Ik ben content.'

'Je weet ... Probeer niet het onderste uit de kan te halen. Je kunt je terugtrekken als je tevreden bent, maar besteed wel af en toe een paar uur aan het regelen van mijn zaakjes.'

'Tien miljoen dollar,' zei hij.

'Pardon?'

'Als ik tien miljoen dollar heb, stop ik ermee. Het is goed dat je er bent, we hebben een boel te bespreken.'

'Brand los.'

Hij spreidde zijn handen uiteen.

'Het is zo onnoemelijk veel geld dat ik er gewoon bang van word. Ik weet niet hoe ik ermee om moet gaan. Ik weet niet wat de doelstelling van het bedrijf is, buiten meer geld verdienen. Waar zal dat geld voor worden gebruikt?'

'Geen idee.'

'Ik ook niet. Maar het geld kan een doel op zich worden. Dat is gestoord. Daarom heb ik besloten ermee te stoppen als ik tien miljoen heb verdiend. Ik wil de verantwoordelijkheid niet langer dragen.'

'Oké.'

'Voordat ik ermee stop, wil ik dat je besluit hoe dit vermogen in de toekomst moet worden beheerd. Er moet een doel zijn, richtlijnen. En een organisatie om het aan over te dragen.'

'Mm.'

'Het is voor één persoon onmogelijk om zich op deze manier met zaken bezig te houden. Ik heb het bedrag onderverdeeld in vaste langetermijninvesteringen – onroerend goed, waardepapieren en dergelijke. Er zit een compleet overzicht in de computer.'

'Dat heb ik gelezen.'

'De andere helft besteed ik om te speculeren, maar het is zoveel geld om in de gaten te houden, dat ik dat niet in mijn eentje red. Daarom heb ik een investeringsmaatschappij op Jersey opgericht. Je hebt op dit moment zes werknemers in Londen. Twee kundige jonge beleggers en kantoorpersoneel.'

'Yellow Ballroom Ltd? Ik vroeg me al af wat dat was.'

'Ons bedrijf. Hier in Gibraltar heb ik een secretaresse aangesteld en een jonge, veelbelovende jurist ... Die komen trouwens over een halfuurtje.'

'Aha. Molly Flint, eenenveertig, en Brian Delaney, zesentwintig.'

'Wil je ze ontmoeten?'

'Nee. Is Brian je minnaar?'

'Hè? Nee!'

Hij keek geschokt.

'Ik hou zaken en privé gescheiden.'

'Mooi.'

'Trouwens ... ik ben niet geïnteresseerd in jonge jongens. Onervaren, bedoel ik.'

'Nee, je voelt je meer aangetrokken door knullen met een wat stoerdere houding dan wat een snotjongen kan bieden. Dat is nog steeds iets wat mij niet aangaat, maar Jeremy ...'

'Ja?'

'Wees voorzichtig.'

Ze was eigenlijk niet van plan geweest langer dan een paar weken in Gibraltar te blijven om haar leven weer op de rit te krijgen. Ze ontdekte plotseling dat ze geen idee had wat ze wilde gaan doen of waar ze heen wilde. Ze bleef in totaal twaalf weken. Ze controleerde haar e-mail eenmaal per dag en reageerde gehoorzaam op mail van Annika Giannini in die sporadische gevallen dat ze wat van zich liet horen. Ze vertelde niet waar ze was. Ze beantwoordde geen andere e-mail.

Ze bleef Harry's Bar bezoeken, maar nu alleen 's avonds voor een biertje. Ze bracht het grootste deel van de dag door in The Rock, op het balkon of in bed. Ze werkte nog een tijdelijke verbintenis met een dertigjarige officier van de Britse marine af, maar dat was een one-nightstand en was over het geheel genomen een oninteressante ervaring.

Ze zag in dat ze zich verveelde.

Begin oktober zat ze op een avond met Jeremy MacMillan te dineren. Ze hadden elkaar tijdens haar bezoek maar een paar keer gezien. Het was inmiddels donker geworden, ze dronken een fruitige wijn en hadden zitten praten over waar ze haar miljarden aan zouden besteden. Plotseling had hij haar verrast met de vraag wat haar dwarszat.

Ze had hem aangekeken en erover nagedacht. Daarna had ze hem even verrassend verteld over haar relatie met Miriam Wu; hoe Miriam was mishandeld en bijna door Ronald Niedermann was vermoord. Het was háár schuld geweest. Afgezien van een groet via Annika Giannini had Lisbeth niets van Miriam Wu vernomen. En nu was ze naar Frankrijk vertrokken.

Jeremy MacMillan had geruime tijd gezwegen.

'Ben je verliefd op haar?' had hij plotseling gevraagd.

Lisbeth Salander dacht na over het antwoord. Uiteindelijk schudde ze haar hoofd.

'Nee. Ik geloof niet dat ik het type ben om verliefd te worden. Ze was een vriendin. En ze was goed in bed.'

'Ieder mens wordt weleens verliefd,' zei hij. 'Mensen zullen het wellicht ontkennen, maar vriendschap is de gebruikelijkste vorm van liefde.'

Ze keek hem verbluft aan.

'Word je boos als ik persoonlijk word?'

'Nee.'

'Ga in godsnaam naar Parijs,' zei hij.

Ze landde om halfdrie 's middags op Charles de Gaulle, nam de luchthavenbus naar de Arc de Triomphe en besteedde vervolgens twee uur aan het vinden van een hotelkamer daar in de buurt. Ze liep in zuidelijke richting, naar de Seine, en vond uiteindelijk een kamer in het kleine Hotel Victor Hugo op de Rue Copernic.

Ze douchte en belde Miriam Wu. Ze spraken om negen uur 's avonds af in een bar in de buurt van de Notre-Dame. Miriam Wu was gekleed in een witte bloes en een colbertje. Ze zag er stralend uit. Lisbeth voelde zich onmiddellijk gegeneerd. Ze kusten elkaar op de wang.

'Het spijt me dat ik niets van me heb laten horen en dat ik niet naar de rechtszaak ben gekomen,' zei Miriam Wu.

'Dat geeft niet. De rechtszaak was toch achter gesloten deuren.'

'Ik heb drie weken in het ziekenhuis gelegen en toen ik terugkwam op de Lundagatan was mijn leven een chaos. Ik kon niet slapen. Ik had nachtmerries van die vreselijke Niedermann. Ik heb mijn moeder gebeld en gezegd dat ik wilde komen.'

Lisbeth knikte.

'Het spijt me.'

'Doe niet zo stom. Ik ben hiernaartoe gekomen om jou mijn excuus aan te bieden.'

'Waarom?'

'Ik dacht niet na. Het is nooit bij me opgekomen dat ik jou blootstelde aan levensgevaar door die flat aan jou over te dragen, maar daar nog wel ingeschreven te blijven staan. Het was mijn fout dat je bijna bent vermoord. Ik kan het begrijpen als je mij haat.'

Miriam Wu keek geschokt.

'Die gedachte is niet eens bij me opgekomen. Ronald Niedermann heeft geprobeerd me te vermoorden. Niet jij.'

Ze zwegen een tijdje.

'Tja,' zei Lisbeth uiteindelijk.

'Ja,' zei Miriam Wu.

'Ik ben je niet achterna gereisd omdat ik verliefd op je ben,' zei Lisbeth.

Miriam knikte.

'Je bent ontzettend lekker om mee te vrijen, maar ik ben niet verliefd op je,' onderstreepte ze.

'Lisbeth ... ik geloof ...'

'Wat ik wil zeggen, is dat ik hoop dat ... shit.'

'Wat?'

'Ik heb niet veel vrienden ...'

Miriam Wu knikte.

'Ik blijf nog een tijdje in Parijs. Mijn studie thuis is op niets uitgelopen en ik heb me nu hier aan de universiteit ingeschreven. Ik blijf hier nog minstens een jaar.'

Lisbeth knikte.

'Daarna weet ik het niet. Maar ik kom terug naar Stockholm. Ik betaal de huur voor de Lundagatan en ik ben van plan die flat aan te houden. Als jij dat goedvindt, tenminste.'

'Het is jouw flat. Je kunt ermee doen wat je wilt.'

'Lisbeth, je bent heel speciaal,' zei ze. 'Ik wil graag je vriendin blijven.'

Ze spraken twee uur met elkaar. Lisbeth had geen reden om haar verleden voor Miriam Wu te verbergen. De Zalachenko-affaire was bekend bij iedereen die toegang had tot een Zweedse krant en Miriam Wu had de affaire met veel belangstelling gevolgd. Ze vertelde gedetailleerd wat er in Nykvarn was gebeurd de nacht dat Paolo Roberto haar leven had gered.

Daarna gingen ze naar Miriams studentenkamer in de buurt van de universiteit.

EPILOOG: BOEDELBESCHRIJVING

VRIJDAG 2 DECEMBER – ZONDAG 18 DECEMBER

Annika Giannini ontmoette Lisbeth Salander tegen negenen 's avonds in de bar van het Söderteater. Lisbeth dronk bier en had bijna haar tweede glas op.

'Sorry dat ik zo laat ben,' zei Annika terwijl ze op haar horloge keek. 'Ik had problemen met een andere cliënt.'

'Aha,' zei Lisbeth.

'Wat ben je aan het vieren?'

'Niets. Ik heb gewoon zin om dronken te worden.'

Annika keek haar sceptisch aan terwijl ze ging zitten.

'Heb je dat vaak?'

'Ik heb me laveloos gezopen nadat ik vrij was gekomen, maar ik heb geen aanleg voor alcoholisme, mocht je dat soms denken. Ik bedacht alleen dat ik voor het eerst in mijn leven mondig ben en wettelijk het recht heb om hier thuis in Zweden dronken te worden.'

Annika bestelde een campari.

'Oké,' zei ze. 'Wil je in je eentje drinken of mag ik je gezelschap houden?'

'Het liefst in mijn eentje. Maar als je niet te veel zegt, mag je blijven zitten. Ik neem tenminste niet aan dat je met me mee naar huis wilt om te vrijen?'

'Pardon?' vroeg Annika Giannini.

'Nee, dat dacht ik wel. Jij bent zo'n waanzinnig heteroseksueel iemand.'

Annika Giannini keek plotseling geamuseerd.

'Dat is de eerste keer dat een van mijn cliënten zoiets voorstelt.'

'Interesse?'

'Nee, sorry, absoluut niet. Maar bedankt voor het aanbod.'

'Wat wilde je eigenlijk, advocaat?'

'Twee dingen. Of ik stop onmiddellijk met mijn werk als jouw advocaat óf je neemt de telefoon op als ik je bel. Daar hebben we het over gehad toen je werd vrijgelaten.'

Lisbeth Salander keek Annika Giannini aan.

'Ik probeer je al een week te bereiken. Ik heb je gebeld, geschreven en gemaild.'

'Ik ben weg geweest.'

'Het was het grootste gedeelte van het najaar onmogelijk om je te pakken te krijgen. Dit werkt niet. Ik heb geaccepteerd om jouw juridische vertegenwoordiger te zijn bij alles wat met jouw aanvaringen met de staat van doen heeft. Dat houdt allerlei formaliteiten in. Documentatie die moet worden geregeld. Papieren die moeten worden ondertekend. Vragen die moeten worden beantwoord. Ik moet je te pakken kunnen krijgen en het is uiterst irritant als ik niet weet waar je uithangt.'

'Ik snap het. Ik ben twee weken in het buitenland geweest. Ik ben gisteren thuisgekomen en heb je meteen gebeld zo gauw ik hoorde dat je me zocht.'

'Dat is niet voldoende. Je moet me op de hoogte houden van waar je bent en minstens eenmaal per week wat van je laten horen tot alle vragen over schadevergoeding en zo afgehandeld zijn.'

'Die schadevergoeding kan me geen hol schelen. Ik wil dat de staat me met rust laat.'

'Maar de staat zál je niet met rust laten, of je dat nu leuk vindt of niet. Jouw vrijspraak door de rechtbank heeft een lange reeks consequenties. Het gaat niet alleen om jou. Peter Teleborian wordt aangeklaagd voor wat hij jou heeft aangedaan. Dat betekent dat je moet getuigen. Officier van justitie Ekström is het onderwerp van een onderzoek naar ambtsmisdrijven en kan bovendien worden aangeklaagd als blijkt dat hij zijn plicht voor de Sectie bewust heeft verzaakt.'

Lisbeth fronste haar wenkbrauwen. Even leek ze zowat geïnteresseerd.

'Ik geloof niet dat dat tot een aanklacht zal leiden. Het was bluf en daar is hij ingestonken. Hij heeft eigenlijk niets met de Sectie van doen. Maar vorige week is een officier van justitie een vooronderzoek gestart naar de Raad van Toezicht inzake Voogdijschap. Er liggen meerdere aangiften tegen de parlementaire ombudsman en eentje tegen de door de regering aangestelde procureur-generaal.'

'Ik heb tegen niemand aangifte gedaan.'

'Nee. Maar het is duidelijk dat er zware ambtsovertredingen hebben plaatsgevonden. Jij bent niet de enige voor wie de Raad verantwoordelijk is.'

Lisbeth haalde haar schouders op.

'Dat gaat mij verder niet aan. Maar ik zal beloven beter contact met je te houden. Die laatste twee weken waren een uitzondering. Ik was aan het werk.'

Annika Giannini keek haar cliënte wantrouwig aan.

'Wat voor werk doe je dan?'

'Consultancy.'

'Oké,' zei ze uiteindelijk. 'Het tweede is dat de boedelbeschrijving klaar is.'

'Welke boedelbeschrijving?'

'Van je vader. De advocaat van de staat heeft contact met mij opgenomen omdat niemand lijkt te weten hoe ze jou kunnen vinden. Jij en je zus zijn de enige erfgenamen.'

Lisbeth Salander keek Annika zonder een spier te vertrekken aan. Toen ving ze de blik van de serveerster en wees op haar glas.

'Ik wil geen erfenis van mijn vader. Doe ermee wat je wilt.'

'Fout. Jij kunt ermee doen wat je wilt. Mijn werk is erop toe te zien dat je de mogelijkheid krijgt om dat te doen.'

'Ik wil geen öre van dat varken hebben.'

'Oké. Schenk het geld dan aan Greenpeace of zo.'

'Die walvissen kunnen me geen reet schelen.'

Annika klonk opeens zeer verstandig.

'Lisbeth, nu je mondig bent, moet je je daar ook naar gedragen. Het kan mij niet schelen wat je met dat geld doet. Onderteken een papier dat je het in ontvangst hebt genomen, dan kun je daarna in alle rust gaan zuipen.'

Lisbeth gluurde vanonder haar pony naar Annika en keek daarna omlaag naar de tafel. Annika nam aan dat het een soort verontschuldigende beweging was die in Lisbeth Salanders beperkte mimeregister zoveel kon betekenen als een excuus.

'Oké. Om hoeveel gaat het?'

'Een vrij aardig bedrag. Je vader had voor ruim 300.000 kronen aan waardepapieren. Het onroerend goed in Gosseberga zal bij verkoop naar schatting rond de 1,5 miljoen kronen opbrengen – er zit een stuk bos bij. Bovendien bezat je vader nog drie onroerende goederen.'

'Onroerende goederen?'

'Ja. Hij schijnt nogal wat geld te hebben geïnvesteerd. Het zijn geen enorm waardevolle objecten. Maar hij heeft een klein flatgebouw in

Uddevalla met in totaal zes flats die wat huurinkomsten genereren. Het pand is echter in slechte staat en hij deed niets aan onderhoud. Het is zelfs bij de huuradviescommissie geweest. Je wordt er niet rijk van, maar het zal wel wat opleveren als het wordt verkocht. En hij heeft een zomerhuisje in Småland dat is getaxeerd op ruim 250.000 kronen.'

'Aha.'

'En dan bezit hij nog een industriepand in Norrtälje dat op instorten staat.'

'Waar had hij dat in godsnaam voor?'

'Geen idee. De erfenis kan naar schatting ruim vier miljoen kronen opleveren als alles is verkocht en de belastingen en successierechten eraf zijn, maar ...'

'Ja?'

'Daarna moet het bedrag gelijkelijk worden verdeeld tussen jou en je zus. Het probleem is dat niemand lijkt te weten waar je zus zich bevindt.'

Lisbeth keek Annika Giannini uitdrukkingsloos en zwijgend aan.

'Nou?'

'Wat nou?'

'Weet jij waar je zus is?'

'Geen flauw idee. Ik heb haar al meer dan tien jaar niet gezien.'

'Haar gegevens zijn geheim, maar ik ben te weten gekomen dat ze vermeld staat als onvindbaar.'

'O,' reageerde Lisbeth uiterst lauw.

Annika zuchtte gelaten.

'Oké. Dan stel ik voor dat we alle middelen te gelde maken en de helft van het bedrag op de bank zetten tot je zus kan worden gelokaliseerd. Ik kan de onderhandelingen opstarten als je mij groen licht geeft.'

Lisbeth haalde haar schouders op.

'Ik wil niets met dat geld te maken hebben.'

'Dat snap ik. Maar de boeken moeten in elk geval worden gesloten. Dat is een deel van jouw verantwoordelijkheid als volwassene.'

'Verkoop de hele shit dan maar. Zet de helft op de bank en schenk de rest aan waar je zin in hebt.'

Annika Giannini fronste een wenkbrauw. Ze had begrepen dat Lisbeth Salander wat geld achter de hand had, maar had zich niet gerealiseerd dat haar cliënte in dusdanig goeden doen was dat ze een erfenis kon negeren die wellicht twee miljoen kronen bedroeg, misschien zelfs meer. Ze had er ook geen idee van hoe Lisbeth aan dat geld was gekomen of om hoeveel het ging. Maar ze wilde de bureaucratische procedure nu gewoon afgehandeld hebben.

'Lisbeth, alsjeblieft ... Zou je de boedelbeschrijving willen doorlezen en mij groen licht kunnen geven, zodat we de zaak uit de wereld kunnen helpen?'

Lisbeth zat even te mokken, maar stopte de map uiteindelijk in haar tas. Ze beloofde hem door te lezen en instructies te geven zodat Annika wist wat ze moest doen. Daarna richtte ze zich op haar bier. Annika Giannini hield haar nog een uurtje gezelschap en dronk in dat uur voornamelijk mineraalwater.

Pas toen Annika Giannini een paar dagen later belde en Lisbeth Salander herinnerde aan de boedelbeschrijving, haalde ze deze uit haar tas en streek ze de verkreukelde papieren glad. Ze ging thuis aan de keukentafel zitten en las de documentatie door.

De boedelbeschrijving besloeg meerdere pagina's en bevatte gegevens over alle mogelijke spullen – welk serviesgoed er in de keukenkastjes in Gosseberga had gestaan, resterende kleding, de waarde van camera's en andere persoonlijke bezittingen. Alexander Zalachenko had niet veel van waarde nagelaten en geen van de voorwerpen had ook maar enige gevoelswaarde voor Lisbeth Salander. Ze dacht even na en besloot daarna dat ze na haar ontmoeting met Annika in de kroeg niet van mening was veranderd. *Verkoop de shit en verbrand het geld. Of zoiets.* Ze was er volledig van overtuigd dat ze geen öre van haar vader wilde hebben, maar vermoedde tevens dat Zalachenko's daadwerkelijke activa ergens begraven lagen waar geen enkele boedeltaxateur had gezocht.

Toen opende ze het document van de wettelijke registratie van het industriepand in Norrtälje.

Het onroerend goed bestond uit een industriepand verdeeld over drie gebouwen van in totaal 20.000 vierkante meter in de buurt van Skederid tussen Norrtälje en Rimbo.

De boedeltaxateur had een vluchtig bezoek ter plaatse gebracht en geconstateerd dat het een oude steenfabriek was die min of meer leegstond nadat hij in de jaren zestig was opgedoekt en in de jaren zeventig als houtopslag was gebruikt. Hij had geconstateerd dat de ruimten in zeer slechte staat verkeerden en niet geschikt waren voor renovatie voor andere doeleinden. Die slechte staat hield onder meer in dat wat werd beschreven als 'het noordelijke gebouw' door brand was verwoest en was ingestort. Aan het 'hoofdgebouw' waren wel zekere reparaties uitgevoerd.

Waar Lisbeth Salander even van schrok, was de geschiedenis. Alexander Zalachenko had de gebouwen op 12 maart 1984 voor een habbekrats gekocht, maar de koopakte stond op naam van Agneta Sofia Salander.

De gebouwen waren dus van Lisbeth Salanders moeder geweest. Al in 1987 was haar eigendom echter geëindigd. Zalachenko had haar uitgekocht voor het bedrag van 2.000 kronen. Daarna leken de gebouwen ruim vijftien jaar niet te zijn gebruikt. De boedelbeschrijving toonde aan dat het bedrijf KAB bouwonderneming NorrBygg AB in de arm had genomen voor de renovatie, waaronder reparaties aan de vloer en het dak, alsmede verbeteringen van water en elektriciteit. De reparaties hadden ruim twee maanden in beslag genomen, tot 30 november 2004, en waren daarna afgebroken. NorrBygg had een rekening gestuurd die was voldaan.

Van alle middelen uit de erfenis van haar vader was dit het enig opmerkelijke onderdeel. Lisbeth Salander fronste haar wenkbrauwen. Bezit van een industriepand was begrijpelijk als haar vader had willen aantonen dat zijn legitieme bedrijf KAB enige vorm van activiteiten ontplooide of bepaalde middelen bezat. Het was ook begrijpelijk dat hij de moeder van Lisbeth bij de koop als stroman had gebruikt en daarna beslag had gelegd op het contract.

Maar waarom had hij in 2003 in godsnaam bijna 440.000 kronen betaald voor het renoveren van een bouwval die volgens de boedeltaxateur in 2005 nog steeds nergens voor werd gebruikt?

Lisbeth Salander was verbaasd, maar niet overdreven geïnteresseerd. Ze deed de map dicht en belde Annika Giannini.

'Ik heb de boedelbeschrijving gelezen. Mijn besluit blijft van kracht. Verkoop de shit en doe met het geld wat je wilt. Ik wil niets van hem hebben.'

'Oké. Dan zal ik ervoor zorgen dat het halve bedrag op de bank wordt gezet op naam van je zus. Daarna zal ik jou een paar voorstellen doen voor verschillende doelen waaraan je het geld kunt schenken.'

'Mooi,' zei Lisbeth en ze hing zonder verder wat te zeggen op.

Ze ging in de nis zitten, stak een sigaret op en keek uit over het Saltsjön.

Lisbeth Salander hielp Dragan Armanskij de week erna met een spoedklus. Er moest een man worden opgespoord en geïdentificeerd die ervan werd verdacht dat hij was ingehuurd om een kind te ontvoeren in een voogdijgeschil waarbij een Zweedse vrouw was gescheiden van een Libanese man. Lisbeth Salanders bijdrage beperkte zich tot het controleren van de e-mail van de persoon van wie werd aangenomen dat hij de opdrachtgever was. De opdracht werd beëindigd toen de partijen tot een schikking kwamen en zich met elkaar verzoenden.

Zondag 18 december was de zondag voor kerst. Lisbeth werd om halfzeven 's morgens wakker en bedacht dat ze een kerstcadeau voor Holger Palmgren moest kopen. Ze dacht even na of ze nog voor iemand anders een kerstcadeau moest aanschaffen – eventueel voor Annika Giannini. Ze maakte geen haast. Ze stond op, douchte en nuttigde een ontbijt bestaande uit koffie en geroosterd brood met kaas en sinaasappelmarmelade.

Ze had geen specifieke plannen voor die dag en was eerst een tijdje bezig met het opruimen van papieren en kranten op haar bureau. Toen viel haar blik op de map met de boedelbeschrijving. Ze deed hem open en las de pagina met het uittreksel van het kadaster over het industriepand in Norrtälje nog eens door. Ze zuchtte uiteindelijk. *Oké. Ik moet verdomme weten waar hij mee bezig was.*

Ze trok warme kleren en hoge schoenen aan. Het was halfnegen 's morgens toen ze haar bordeauxrode Honda uit de garage onder Fiskargatan 9 reed. Het was ijskoud maar stralend weer, met zon en een pastelblauwe lucht. Ze nam de weg over Slussen en Klarabergsleden en reed de E18 op richting Norrtälje. Ze had geen haast. Het was even voor tienen toen ze een paar kilometer voor Skederid een OK-pompstation op reed om de weg naar de oude steenfabriek te vragen. Toen ze parkeerde, zag ze dat ze het niet zou hoeven vragen.

Ze bevond zich op een heuvel met een goed uitzicht over een vallei aan de overkant van de weg. Links van de weg naar Norrtälje zag ze een verffabriek en iets wat met bouwmaterialen te maken had, alsmede een parkeerplaats voor graafmachines. Rechts, aan de rand van het industrieterrein en ruim 400 meter van de hoofdweg, lag een somber stenen gebouw met een ingestorte schoorsteen. De fabriek was een soort laatste buitenpost op het industrieterrein. Wat geïsoleerd, met aan de overkant een weg en een smalle rivier. Ze stond nadenkend naar het gebouw te kijken en vroeg zich af wat haar ertoe had gebracht naar de gemeente Norrtälje te rijden.

Ze draaide haar hoofd om en keek naar de benzinepomp, waar zojuist een grote vrachtwagen met een TIR-carnet erop was gestopt, een internationale transporteur. Ze bedacht opeens dat ze zich langs de hoofdweg naar en van de veerbootterminal in Kapellskär bevond, waar een groot deel van het goederenverkeer tussen Zweden en de Baltische staten passeerde.

Ze startte, reed terug naar de weg en zwenkte vervolgens naar de verlaten steenfabriek. Ze parkeerde midden op het erf en stapte uit. Het vroor; ze zette haar zwarte muts op en trok zwarte leren handschoenen aan.

Het hoofdgebouw had twee verdiepingen. Op de benedenverdieping waren alle ramen dichtgetimmerd met platen triplex. Op de bovenverdieping ontdekte ze een groot aantal kapotte ramen. De steenfabriek was een aanzienlijk groter gebouw dan ze had verwacht. Het leek buitensporig vervallen. Ze zag geen tekenen van reparaties. Er was geen levende ziel te bekennen, maar midden op de parkeerplaats lag een gebruikt condoom. Een deel van de gevel was door graffitikunstenaars onder handen genomen.

Wat moest Zalachenko in vredesnaam met dit pand?

Ze liep om de fabriek heen en zag de ingestorte vleugel aan de achterkant. Ze constateerde dat alle deuren van het hoofdgebouw waren vergrendeld met kettingen en hangsloten. Ten slotte bestudeerde ze gefrustreerd een deur aan de korte zijde van het gebouw. Bij alle deuren waren de hangsloten met stevige ijzeren bouten en anti-inbraakstrips vastgezet. Maar het slot in de korte zijde leek zwakker en zat alleen vast met grove spijkers. *Wat kan mij het ook schelen, de toko is van mij.* Ze keek om zich heen en zag een smalle ijzeren buis in een stapel rommel liggen en gebruikte deze als hefboom om de bevestiging van het hangslot te forceren.

Ze kwam binnen in een trappenhuis met een opening naar de ruimte op de benedenverdieping. Door de dichtgetimmerde ramen was het bijna pikdonker binnen, met uitzondering van een paar streepjes licht die langs de randen van het triplex naar binnen sijpelden. Ze bleef een paar minuten staan zodat haar ogen aan het donker konden wennen, en zag een enorme hoop troep liggen. Houten pallets, oude machineonderdelen en houtafval. De hal was ongeveer 45 meter lang en zo'n 20 meter breed, en werd op zijn plaats gehouden door massieve pilaren. De oude ovens van de steenfabriek leken te zijn gedemonteerd en verwijderd. De fundamenten waren met water gevulde bassins geworden en er lagen grote plassen water op de vloer. Ook waren er diverse schimmelplekken. Het rook er muf en verrot. Ze trok haar neus op.

Lisbeth keerde zich om en liep de trap op. De bovenverdieping was droog en bestond uit twee hallen achter elkaar, ruim 20 bij 20 meter en minstens 8 meter hoog. Er zaten hoge, onbereikbare ramen tegen het dak. Ze boden geen uitzicht maar droegen bij aan een mooi licht op de bovenverdieping. Net als op de begane grond lag het er vol oude rommel. Ze kwam langs tientallen metershoge kisten die op elkaar stonden gestapeld. Ze voelde aan één ervan. Er was geen beweging in te krijgen. Ze las de tekst *Machine parts 0-A77*. Daaronder stond dezelfde tekst in het Russisch. Ze ontdekte in het midden van de lange zijde in de achterste hal een open goederenlift.

Het was een of ander onderdelenmagazijn dat nauwelijks veel kon omzetten zolang de machineonderdelen in de oude steenfabriek stonden weg te roesten.

Ze kwam langs de ingang naar de binnenhal en zag dat ze zich nu op de plaats bevond waar de reparaties waren uitgevoerd. De hal lag vol houtafval, kisten en oude kantoormeubels die in een of andere doolhofachtige volgorde leken te zijn opgesteld. Een gedeelte van de vloer was vrijgemaakt en daar waren nieuwe vloerstroken gelegd. Lisbeth had het idee dat de renovatiewerkzaamheden plotseling waren afgebroken. Gereedschap, een zaagbank met een cirkelzaag, een spijkerpistool, koevoeten, breekijzers en gereedschapskisten – het was allemaal nog aanwezig. Ze fronste haar wenkbrauwen. *Ook al was het werk afgebroken, dan had het bouwbedrijf zijn spullen toch meegenomen?* Maar ook die vraag werd beantwoord toen ze een schroevendraaier oppakte en constateerde dat de tekst op het handvat in het Russisch was. Zalachenko had het gereedschap geïmporteerd. En de arbeidskracht mogelijk ook.

Ze liep naar de zaagmachine en draaide de schakelaar om. Er ging een groen lampje branden. Er was dus stroom. Ze draaide de schakelaar weer terug.

Helemaal achter in de hal waren drie deuren naar kleinere ruimten, misschien het oude kantoor. Ze voelde aan de handgreep van de noordelijkste deur. Op slot. Ze keek om zich heen, liep terug naar het gereedschap en haalde een koevoet. Het duurde even voordat ze de deur had geforceerd.

Het was pikdonker in de ruimte en het rook er bedompt. Ze voelde op de tast en vond een schakelaar die een naakt peertje aan het plafond bediende. Lisbeth keek verbaasd om zich heen.

De inrichting van de kamer bestond uit drie bedden met smoezelige matrassen en nog drie matrassen direct op de vloer. Overal lag vuil beddengoed. Rechts stonden een kookplaat en een paar pannen naast een roestige waterkraan. In een hoek stond een metalen emmer met een rol wc-papier ernaast.

Hier had iemand gewoond. Meerdere personen.

Ze ontdekte opeens dat er geen handgreep aan de binnenkant van de deur zat. Ze voelde een koude rilling over haar rug lopen.

Er stond een grote linnenkast helemaal achter in de kamer. Ze liep terug, deed de kastdeur open en zag twee koffers. Ze trok de bovenste eruit. Hij bevatte kleren. Ze rommelde wat in de koffer en trok een rok met een etiket met een Russische tekst omhoog. Ze vond een handtas en gooide de inhoud op de grond. Tussen make-up en andere spullen vond ze een paspoort van een donkerharige vrouw van in de twintig. De tekst was in het Russisch. Ze interpreteerde de naam als Valentina.

Lisbeth Salander liep langzaam de kamer uit. Ze had het gevoel van een déjà vu. Tweeënhalf jaar geleden had ze in Hedeby zo'n zelfde onderzoek op een plaats delict gedaan. Vrouwenkleren. Een gevangenis. Ze stond een hele tijd na te denken. Het verontrustte haar dat het paspoort en de kleding waren achtergelaten. Dat voelde niet goed aan.

Daarna ging ze terug naar de hoeveelheid gereedschap en struinde rond tot ze een sterke zaklamp vond. Ze controleerde of er batterijen in zaten en liep naar de benedenverdieping, de grote hal in. Het water van de plassen op de grond drong door haar zolen heen.

Het rook weerzinwekkend verrot naarmate ze verder in de hal kwam. De stank leek in het midden van de hal het ergst. Ze bleef bij een van de fundamenten van de oude steenovens staan. Het fundament was bijna tot de rand toe gevuld met water. Ze scheen met de staaflamp op het pikzwarte wateroppervlak maar kon niets onderscheiden. Het oppervlak was gedeeltelijk bedekt met algen, die een groen slijm vormden. Ze keek om zich heen en zag een 3 meter lange staaf betonijzer. Ze stak hem in het bassin en roerde. Het water was slechts een halve meter diep. Ze stuitte bijna onmiddellijk op weerstand. Ze wrikte een paar seconden voordat het lichaam aan de oppervlakte kwam, het gezicht eerst, een grijnzend masker van dood en verderf. Ze ademde door haar mond, bekeek het gezicht in het schijnsel van de zaklamp en constateerde dat het van een vrouw was, misschien de vrouw van het paspoort op de bovenverdieping. Ze wist niets van de snelheid van ontbinding in koud, stilstaand water, maar het lichaam leek al langere tijd in het bassin te liggen.

Ze zag plotseling iets bewegen op het wateroppervlak. Een bepaald soort larven.

Ze liet het lichaam weer onder het wateroppervlak zakken en tastte verder met de staaf betonijzer. Aan de rand van het bassin stootte ze op iets wat een volgend lichaam leek. Ze liet het liggen en trok het ijzer omhoog, liet het op de grond kletteren en bleef nadenkend naast het bassin staan.

Lisbeth Salander ging weer naar de bovenverdieping. Ze gebruikte de koevoet en brak de middelste deur open. De kamer was leeg en leek niet te zijn gebruikt.

Ze ging naar de laatste deur en zette de koevoet op zijn plaats, maar voordat ze hem kon openbreken, gleed de deur iets open. Hij zat niet op slot. Ze duwde hem met de koevoet verder open en keek om zich heen.

De kamer was ongeveer 30 vierkante meter groot. Hij had ramen op normale hoogte met uitzicht op het terrein voor de fabriek. In de verte zag ze de OK-pomp op de heuvel boven de weg. Er stonden een bed en een tafel, en er was een aanrecht met serviesgoed. Toen zag ze een open tas op de grond staan. Ze zag bankbiljetten. Ze deed verbaasd twee stappen de kamer in tot ze zich realiseerde dat het warm was binnen. Haar blik werd naar een elektrische radiator midden op de vloer getrokken. Ze zag een koffiezetapparaat. Het rode lampje brandde.

Het was bewoond. Ze was niet alleen in de steenfabriek.

Ze keerde zich abrupt om en spurtte de binnenhal in, rende door de tussendeuren naar de uitgang van de buitenste hal. Ze bleef vijf stappen van het trappenhuis staan toen ze ontdekte dat de deur naar de uitgang dichtzat en was voorzien van een hangslot. Ze zat opgesloten. Ze keerde zich langzaam om en keek om zich heen. Ze zag niemand.

'Ha, zusje,' hoorde ze een lichte stem van opzij.

Ze draaide haar hoofd om en zag de immense gestalte van Ronald Niedermann opdoemen aan de rand van een paar kisten met machineonderdelen.

Hij had een bajonet in zijn hand.

'Ik hoopte al dat ik je zou terugzien,' zei Niedermann. 'De vorige keer was maar zo kort.'

Lisbeth keek om zich heen.

'*Forget it,*' zei Niedermann. 'Alleen jij en ik zijn hier en er is geen andere weg naar buiten dan de afgesloten deur achter mij.'

Lisbeth keek haar halfbroer aan.
'Hoe is het met je hand?' vroeg ze.
Niedermann keek haar nog steeds grijnzend aan. Hij stak zijn rechterhand omhoog. Zijn pink was eraf.
'Het raakte geïnfecteerd. Ik heb hem moeten amputeren.'
Ronald Niedermann leed aan congenitale analgesie en kon geen pijn voelen. Lisbeth had in Gosseberga zijn hand doorkliefd met een schop, vlak voordat Zalachenko haar in haar hoofd had geschoten.
'Ik had op je kop moeten richten,' zei Lisbeth Salander met neutrale stem. 'Wat doe jij hier in godsnaam? Ik dacht dat je al maanden geleden naar het buitenland was vertrokken.'
Hij keek haar grijnzend aan.

Als Ronald Niedermann zou hebben geprobeerd de vraag van Lisbeth Salander te beantwoorden wat hij in de vervallen steenfabriek deed, zou hij haar het antwoord vermoedelijk schuldig zijn gebleven. Hij kon het niet eens aan zichzelf uitleggen.
Hij had Gosseberga met een gevoel van bevrijding achter zich gelaten. Hij ging ervan uit dat Zalachenko dood was en dat hij het bedrijf zou overnemen. Hij wist dat hij een uitstekende organisator was.
Hij was in Alingsås van auto gewisseld, had de verschrikte tandartsassistente Anita Kaspersson in de achterbak van haar auto gepropt en was naar Borås gereden. Hij had geen vooropgesteld plan. Hij improviseerde onderweg. Hij had niet nagedacht over het lot van Anita Kaspersson. Het kon hem niet schelen of ze bleef leven of doodging, en hij nam aan dat hij een lastige getuige uit de weg zou moeten ruimen. Ergens vlak voor Borås had hij plotseling ingezien dat hij op een andere manier plezier van haar zou kunnen hebben. Hij was in zuidelijke richting gereden en had een doods stuk bos buiten Seglora gevonden. Hij had haar vastgebonden in een schuur en haar daar achtergelaten. Hij was ervan uitgegaan dat ze zich binnen een paar uur los zou kunnen werken en de politie daardoor in zuidelijke richting zou leiden. En als ze zich niet kon bevrijden en in die schuur verhongerde of doodvroor, dan was dat niet zijn pakkie-an.
Hij was daarentegen teruggereden naar Borås en was in oostelijke richting vertrokken, richting Stockholm. Hij was rechtstreeks naar de Svavelsjö MC gereden, maar had zorgvuldig het clubhuis gemeden. Het was irritant dat Magge Lundin achter de tralies zat. Hij had de *Sergeant at Arms*, Hans-Åke Waltari, thuis opgezocht. Hij had hulp en een schuilplaats gevraagd en dat had Waltari geregeld door

hem naar Viktor Göransson te sturen, de penningmeester van de club en het hoofd financiën. Maar daar was hij slechts een paar uur gebleven.

Ronald Niedermann had in theorie geen grote financiële zorgen. Hij had weliswaar bijna 200.000 kronen in Gosseberga achtergelaten, maar hij had toegang tot aanzienlijk grotere bedragen in buitenlandse fondsen. Het probleem was alleen dat hij ontzettend weinig contant geld had. Göransson beheerde het geld van de Svavelsjö MC en Niedermann had beseft dat er zich een gelukkige omstandigheid had voorgedaan. Het had hem weinig moeite gekost Göransson over te halen de weg naar de wapenkast in de schuur te wijzen en hij had zich vervolgens voorzien van ruim 800.000 kronen aan contanten.

Niedermann meende zich te herinneren dat er ook een vrouw in het huis was geweest, maar hij wist niet meer zeker wat hij met haar had gedaan.

Göransson had ook een voertuig geleverd dat nog niet door de politie werd gezocht. Niedermann was in noordelijke richting gereden. Hij had een vaag plan gehad om naar een van de veerboten van rederij Tallink te rijden, die vanuit Kapellskär vertrokken.

Hij reed naar Kapellskär en zette de motor op de parkeerplaats uit. Hij bleef een halfuur zitten en bestudeerde de omgeving. Het wemelde van de politie.

Hij startte de motor en reed doelloos verder. Hij had een schuilplaats nodig waar hij een tijdje zou kunnen blijven. Even buiten Norrtälje moest hij opeens aan de oude steenfabriek denken. Hij had al meer dan een jaar niet aan het gebouw gedacht – niet nadat de reparaties waren uitgevoerd. De gebroeders Harry en Atho Ranta gebruikten de steenfabriek als tussenopslag voor goederen naar en van de Baltische staten, maar de gebroeders Ranta verbleven al weken in het buitenland, al sinds die journalist Dag Svensson van *Millennium* in die hoerenroute was gaan neuzen. De steenfabriek stond leeg.

Hij had Göranssons Saab in een schuur achter de steenfabriek verborgen en had zich toegang verschaft tot het gebouw. Hij had een deur op de begane grond moeten openbreken, maar een van zijn eerste maatregelen was geweest om een reserve-uitgang te maken in een losse plank triplex in de korte zijde van de benedenverdieping. Hij had later het geforceerde hangslot vervangen. Daarna had hij zich in de kamer op de bovenverdieping geïnstalleerd.

Het had een hele middag geduurd voordat hij de geluiden had gehoord die door de muur heen kwamen. Eerst had hij gedacht dat het de gebruikelijke spoken waren. Hij had een uur lang gespannen zitten luisteren voordat hij plotseling was opgestaan, naar de grote hal was gegaan en opnieuw had geluisterd. Hij hoorde niets, maar bleef geduldig staan wachten tot hij een schrapend geluid had gehoord.

De sleutel had op het aanrecht gelegen.

Ronald Niedermann was zelden zo verrast geweest als toen hij de deur open had gemaakt en die twee Russische hoertjes had aangetroffen. Ze waren uitgemergeld en zaten, zo begreep hij, al weken zonder voedsel nadat hun baal rijst op was. Ze hadden geleefd op thee en water.

Een van de hoeren was zo uitgeput dat ze niet op had kunnen staan. De andere was in iets betere conditie. Ze spraken alleen Russisch, maar zijn talenkennis was goed genoeg om te begrijpen dat ze God en hem dankten dat ze waren gered. Ze was op haar knieën gevallen en had haar armen om zijn benen geslagen. Hij had haar ontsteld van zich af geschoven, zich teruggetrokken en de deur op slot gedaan.

Hij had niet geweten wat hij met de hoertjes aan moest. Hij had soep gemaakt van de conserven die hij in de keuken had gevonden en hun die geserveerd terwijl hij had nagedacht. De meest uitgemergelde vrouw op het bed leek een deel van haar krachten te hebben herwonnen. Hij had hen die avond uitgehoord. Het had een hele tijd geduurd voordat hij had begrepen dat de twee vrouwen geen hoeren waren, maar studenten die de gebroeders Ranta hadden betaald om naar Zweden te kunnen komen. Hun was een werk- en verblijfsvergunning beloofd. Ze waren in februari in Kapellskär aangekomen en waren direct naar het magazijn gebracht, waar ze waren opgesloten.

Niedermanns gezicht was betrokken. Die verdomde gebroeders Ranta hadden neveninkomsten gehad, die ze niet aan Zalachenko hadden verantwoord. Daarna waren ze de vrouwen domweg vergeten of hadden ze ze wellicht bewust aan hun lot overgelaten toen ze Zweden halsoverkop hadden verlaten.

De vraag was alleen wat hij met de vrouwen aan moest. Hij had geen reden om ze pijn te doen. Maar hij kon ze moeilijk vrijlaten omdat ze dan hoogstwaarschijnlijk de politie naar de steenfabriek zouden leiden. Zo simpel was het gewoon. Hij kon ze niet terugsturen naar Rusland omdat dat zou betekenen dat hij ze naar Kapellskär zou moeten brengen. Dat was te precair. De donkerharige vrouw, wier naam Valentina was, had hem seks aangeboden als tegenprestatie als hij hen zou helpen. Hij was allerminst geïnteresseerd geweest in seks met die meisjes, maar het aanbod had haar tot hoer gemaakt. Alle vrouwen waren hoeren. Zo simpel was het gewoon.

Na drie dagen had hij genoeg gehad van hun voortdurende smeekbeden, gezeur en gebonk op de muur. Hij zag geen andere uitweg. Hij wilde gewoon rust. Hij had daarom de deur voor de laatste keer opengemaakt en het probleem snel uit de wereld geholpen. Hij had Valentina zijn excuus aangeboden voordat hij zijn handen had uitgestoken en in één beweging haar nek tussen de tweede en derde nekwervel had omgedraaid. Daarna was hij naar het blonde meisje op het bed toe gegaan, van wie hij de naam niet wist. Ze had passief gelegen en geen weerstand geboden. Hij had de lichamen naar de benedenverdieping gebracht en ze in een met water gevuld bassin gegooid. Eindelijk voelde hij een soort rust.

Hij was niet van plan geweest om in de steenfabriek te blijven. Hij wilde er zo lang blijven tot de ergste aandacht van de politie weggeëbd was. Hij schoor zijn haar af en liet zijn baard een centimeter groeien. Zijn uiterlijk veranderde. Hij vond een overall die van een van de bouwvakkers van NorrBygg was geweest en die bijna zijn eigen maat was. Hij had de overall aangetrokken, een vergeten pet van Beckers Färg opgezet, een duimstok in de zak op zijn broekspijp gestoken en was naar de OK-pomp boven aan de heuvel gereden om inkopen te doen. Hij had voldoende contanten uit de buit van de Svavelsjö MC. Hij had 's avonds boodschappen gedaan. Hij zag eruit als een gewone bouwvakker die op weg naar huis even was gestopt. Niemand leek aandacht aan hem te besteden. Daarna deed hij één of twee keer per week inkopen. Bij de OK-pomp groetten ze hem altijd vriendelijk en kenden ze hem algauw.

Al vanaf het begin had hij er veel tijd in gestoken om zich te verdedigen tegen de geesten die het gebouw bevolkten. Ze zaten in de muren en kwamen 's nachts tevoorschijn. Hij hoorde ze rondwandelen in de hal.

Hij barricadeerde zich in zijn kamer. Na een paar dagen had hij er genoeg van. Hij bewapende zich met een bajonet die hij in een keukenla had gevonden en ging naar buiten om de monsters eindelijk ter verantwoording te roepen. Nu moest het afgelopen zijn.

Plotseling merkte hij dat ze opzijgingen. Voor het eerst in zijn leven kon hij beslissen over hun aanwezigheid. Ze sloegen op de vlucht als hij dichterbij kwam. Hij kon hun staarten en misvormde lichamen achter kisten en kasten zien verdwijnen. Hij brulde ze achterna. Ze sloegen op de vlucht.

Hij ging verbaasd terug naar zijn huiselijke kamer en bleef de hele nacht op in afwachting van hun terugkeer. Ze deden in de schemering een nieuwe aanvalspoging en hij trad ze nogmaals tegemoet. Ze namen de benen.

Hij balanceerde tussen paniek en euforie.

Hij was zijn hele leven in het donker door deze wezens opgejaagd en voelde voor het eerst dat hij de situatie onder controle had. Hij deed niets. Hij at. Hij sliep. Hij dacht na. Het was rustig.

De dagen werden weken en het werd zomer. Via de transistorradio en de avondkranten kon hij volgen hoe de jacht op Ronald Niedermann afnam. Hij volgde belangstellend de rapportage over de moord op Alexander Zalachenko. *Wat kostelijk. Een geestelijk gestoorde had een eind gemaakt aan het leven van Zalachenko.* In juli werd zijn interesse opnieuw gewekt door de rechtszaak tegen Lisbeth Salander. Hij stond perplex toen ze plotseling werd vrijgesproken. Dat voelde niet goed aan. Zij was vrij terwijl hij zich moest verstoppen.

Hij kocht *Millennium* bij de benzinepomp en las het themanummer over Lisbeth Salander, Alexander Zalachenko en Ronald Niedermann. Een journalist genaamd Mikael Blomkvist had Ronald Niedermann in een portret afgeschilderd als een pathologisch zieke moordenaar en psychopaat. Niedermann fronste zijn wenkbrauwen.

En opeens was het herfst en zat hij er nog steeds. Toen het kouder werd, kocht hij bij het benzinestation een elektrisch kacheltje. Hij kon niet uitleggen waarom hij de fabriek niet verliet.

Een paar keer waren jongelui het terrein op gereden en hadden ze er geparkeerd, maar ze hadden zijn bestaan niet verstoord en geen pogingen gedaan om in te breken. In september was er een auto op de parkeerplaats voor de steenfabriek gestopt; een man in een blauw windjack had aan alle deuren gevoeld en op het terrein rondgelopen en rondgesnuffeld. Niedermann had hem vanuit het raam op de tweede verdieping in de gaten gehouden. De man had regelmatig aantekeningen gemaakt in een blok. Hij was twintig minuten bezig geweest voordat hij voor de laatste keer om zich heen had gekeken, weer in zijn auto was gestapt en was vertrokken. Niedermann had opgelucht ademgehaald. Hij had geen idee wie die man was en wat hij kwam doen, maar het leek alsof hij op inspectie was. Een boedelbeschrijving in verband met de dood van Zalachenko was niet bij Niedermann opgekomen.

Hij had veel over Lisbeth Salander nagedacht. Hij had niet verwacht haar ooit weer te zien, maar vond haar fascinerend en beangstigend.

Ronald Niedermann was niet bang voor levende wezens. Maar zijn zus – zijn halfzus – had een wonderbaarlijke indruk op hem gemaakt. Niemand had hem ooit op die wijze verslagen. Ze was teruggekomen, hoewel hij haar had begraven. Ze was teruggekomen en had hem opgejaagd. Hij droomde elke nacht van haar. Hij werd klam van het zweet wakker en begreep dat ze in de plaats was gekomen van zijn gebruikelijke spoken.

In oktober had hij een besluit genomen. Hij zou Zweden niet verlaten voordat hij zijn zus had opgezocht en haar uit de weg had geruimd. Hij had geen plan, maar zijn leven kreeg weer een doel. Hij wist niet waar ze was of hoe hij haar moest opsporen. Daarom bleef hij in zijn kamer op de tweede verdieping van de steenfabriek uit het raam zitten staren, dag in dag uit, week in week uit.

Totdat de bordeauxrode Honda plotseling voor het gebouw was gestopt en tot zijn grote verbazing Lisbeth Salander was uitgestapt. *God is genadig,* had hij gedacht. Lisbeth Salander zou de twee vrouwen, wier naam hij zich niet meer kon herinneren, gezelschap houden in het bassin op de begane grond. Zijn wachten was voorbij en hij zou eindelijk verder kunnen met zijn leven.

Lisbeth Salander schatte de situatie in en achtte deze allesbehalve onder controle. Haar hersenen werkten op volle toeren. *Klik, klik, klik.* Ze had de koevoet nog steeds in haar hand, maar zag in dat dat een gebrekkig wapen was tegen een man die geen pijn kon voelen. Ze zat op ruim 1.000 vierkante meter opgesloten met een moordrobot uit de hel.

Toen Niedermann zich plotseling in haar richting bewoog, gooide ze de koevoet naar hem toe. Hij boog kalm opzij. Lisbeth Salander maakte vaart. Ze zette haar voet op een pallet, sprong op een kist en klauterde nog twee kisten verder omhoog. Ze bleef staan en keek omlaag naar Niedermann, die zich ruim 4 meter lager bevond. Hij was afwachtend blijven staan.

'Kom naar beneden,' zei hij rustig. 'Je kunt niet vluchten. Het einde is onvermijdelijk.'

Ze vroeg zich af of hij een vuurwapen had. Dát zou een probleem zijn.

Hij boog voorover en tilde een stoel op, die hij naar haar toe smeet. Ze dook ervoor weg.

Niedermann keek opeens geïrriteerd. Hij zette zijn voet op de pallet en begon achter haar aan te klimmen. Ze wachtte tot hij bijna boven was, nam een aanloop, sprong over het middenpad en landde boven op een kist een paar meter verderop. Ze sprong op de grond en ging de koevoet halen.

Niedermann was niet log, maar hij wist dat hij het niet kon riskeren om van de kisten af te springen en misschien zijn voet te breken. Hij moest voorzichtig omlaag klimmen en zijn voeten op de grond zetten. Hij moest zich gewoon langzaam en methodisch voortbewegen; hij was al zijn hele leven bezig om zijn lichaam te bedwingen. Hij had bijna de grond bereikt toen hij stappen achter zich hoorde. Hij kon nog net zijn lichaam draaien zodat hij de klap van de koevoet met zijn schouder kon pareren. De bajonet rolde op de grond.

Lisbeth liet de koevoet vallen op het moment dat ze de klap uitdeelde. Ze had geen tijd om de bajonet op te pakken, maar schopte hem bij hem weg, langs de pallets, ontweek een backhand van zijn immense vuist en trok zich terug op de kisten aan de andere kant van het middenpad. Vanuit haar ooghoek zag ze hoe Niedermann zich naar haar uitstrekte. Ze trok bliksemsnel haar voeten op. De kisten stonden in twee rijen opgesteld. Langs het middenpad stonden er drie op elkaar en aan de buitenkant twee. Ze sprong omlaag naar de kisten van twee verdiepingen, zette zich met haar rug af en gebruikte alle kracht in haar benen. De kist woog wel 200 kilo. Ze voelde hoe hij in beweging kwam en in het middenpad omlaag stortte.

Niedermann zag de kist aankomen en kon hem nog net ontwijken. Een hoek van de kist sloeg tegen zijn borst, maar hij kwam er verder zonder kleerscheuren van af. Hij bleef staan. *Ze pleegt écht verzet.* Hij klom haar achterna. Hij kwam net met zijn hoofd boven de derde verdieping uit toen ze hem een schop verkocht. Haar hoge schoen trof zijn voorhoofd. Hij gromde en werkte zich verder omhoog. Lisbeth Salander vluchtte door weer terug te springen naar de kisten aan de andere kant van het middenpad. Ze dook onmiddellijk over de rand en verdween uit zijn gezichtsveld. Hij hoorde haar voetstappen en ontwaarde haar toen ze de deur naar de binnenste hal passeerde.

Lisbeth Salander keek berekenend om zich heen. *Klik.* Ze wist dat ze kansloos was. Zolang ze Niedermanns immense kolenschoppen kon ontwijken en op afstand kon blijven, kon ze overleven, maar zo gauw ze een misstap beging – wat vroeg of laat zou gebeuren – was ze er geweest. Ze moest hem zien te ontwijken. Hij hoefde haar maar één keer te pakken te krijgen en het gevecht was over.

Ze had een wapen nodig.

Een pistool. Een machinepistool. Lichtspoorkogels. Een brisantgranaat. Een landmijn.

Wat dan ook.

Maar iets dergelijks had ze niet tot haar beschikking.

Ze keek om zich heen.

Er waren geen wapens.

Alleen gereedschap. *Klik.* Haar blik viel op de zaagbank met de cirkelzaag, maar er zou heel wat voor nodig zijn om hem ertoe te bewegen op die zaagbank te gaan liggen. *Klik.* Ze zag een ijzeren staaf die ze zou kunnen gebruiken als speer, maar die was te zwaar om effectief te kunnen gebruiken. *Klik.* Ze wierp een blik door de deur en zag dat Niedermann 15 meter verderop van de kisten af was geklommen. Hij was weer naar haar op weg. Ze liep bij de deur vandaan. Ze had misschien nog vijf seconden voordat Niedermann bij haar zou zijn. Ze wierp een laatste blik op het gereedschap.

Een wapen ... of een schuilplaats. Ze bleef opeens staan.

Niedermann maakte geen haast. Hij wist dat er geen uitweg was en dat hij zijn zus vroeg of laat te pakken zou krijgen. Maar ze was absoluut gevaarlijk. Ze was ondanks alles de dochter van Zalachenko. En hij wilde niet gewond raken. Het was beter om háár haar krachten te laten verbruiken.

Hij bleef op de drempel van de binnenste hal staan en keek om zich heen. Het was één grote bende van gereedschappen, half gelegde vloerstroken en meubels. Ze was onzichtbaar.

'Ik weet dat je hier bent. Ik zal je vinden.'

Ronald Niedermann stond stil te luisteren. Het enige wat hij hoorde, was zijn eigen ademhaling. *Ze verstopt zich.* Hij grijnsde. Ze daagde hem uit. Haar bezoek had zich plotseling ontwikkeld tot een spelletje tussen broer en zus.

Toen hoorde hij een onvoorzichtig geritsel vanaf een onbestemde plaats midden in de oude hal. Hij draaide zijn hoofd om, maar kon eerst niet bepalen waar het geluid vandaan kwam. Toen grijnsde hij opnieuw. Midden op de vloer, een stukje van de overige rommel vandaan, stond een 5 meter lange houten werkbank met een reeks laden aan de bovenkant en kastjes met schuifdeuren onderop.

Hij liep vanaf de zijkant naar de werkbank toe en wierp een blik achter de onderkast om zich ervan te verzekeren dat ze hem niet voor de gek hield. Leeg.

Ze had zich in de kast verstopt. Wat stom.

Hij schoof met een snelle beweging de eerste kastdeur in de sectie uiterst links open.

Hij hoorde onmiddellijk beweging toen ze zich in de kast bewoog. Het geluid kwam uit het middengedeelte. Hij deed vlug twee stappen naar rechts en schoof de middelste deur met een triomfantelijk gezicht open.

Leeg.

Toen hoorde hij een serie scherpe knallen die klonken als pistoolschoten. Het geluid was zó dichtbij dat hij eerst moeite had te ontdekken waar het vandaan kwam. Hij draaide zijn hoofd om. Toen voelde hij een eigenaardige druk op zijn linkervoet. Hij voelde geen pijn. Hij keek omlaag en kon nog net zien hoe Lisbeth Salanders hand met het spijkerpistool naar zijn rechtervoet ging.

Ze zat ónder de kast.

Hij stond een paar seconden als verlamd. Ze zette de loop tegen zijn schoen en schoot nog vijf zevenduims spijkers recht door zijn voet.

Hij probeerde zich te bewegen.

Er gingen kostbare seconden voorbij voordat hij begreep dat zijn voeten aan de nieuwe houten vloer waren vastgenageld. Lisbeth Salanders hand verplaatste het spijkerpistool weer naar zijn linkervoet. Het klonk als een automatisch wapen dat zeer snel afzonderlijke schoten afvuurde. Ze wist nog vier zevenduims spijkers ter versterking af te vuren voordat hij reageerde.

Hij boog voorover om Lisbeth Salanders hand te pakken te krijgen en verloor zijn evenwicht. Hij vond dat terug door zich vast te pakken aan de werkbank terwijl hij het spijkerpistool telkens weer hoorde afgaan, *kla-bam, kla-bam, kla-bam*. Ze was terug bij zijn rechtervoet. Hij zag dat ze de spijkers schuin door zijn hiel en door de vloer schoot.

Ronald Niedermann zette het plotseling op een brullen. Hij strekte zich nogmaals uit naar Lisbeth Salanders hand.

Vanuit haar schuilplaats onder de kast zag Lisbeth Salander zijn broekspijpen iets omhooggaan als teken dat hij vooroverboog. Ze liet het spijkerpistool los. Ronald Niedermann zag haar hand vliegensvlug onder de kast verdwijnen, een seconde voordat hij er met zijn hand was.

Hij stak zijn hand uit naar het spijkerpistool, maar op het moment dat hij er met het puntje van zijn vinger bij kon, trok Lisbeth Salander net aan het snoer onder de kast.

De ruimte tussen de vloer en de kast bedroeg iets meer dan 20 centimeter. Met alle kracht die hij kon mobiliseren, zette hij de werkbank op zijn kant. Lisbeth Salander keek hem met grote ogen en een verongelijkt gezicht aan. Ze draaide het spijkerpistool en vuurde het van een halve meter afstand af. De spijker trof hem midden in zijn scheenbeen.

Op het volgende moment liet ze het spijkerpistool los, rolde bliksemsnel bij hem vandaan en kwam buiten zijn bereik weer op de been. Ze liep 2 meter naar achteren en bleef staan.

Ronald Niedermann probeerde zich te verplaatsen en verloor opnieuw zijn evenwicht. Hij zwaaide heen en weer, zijn armen maaiden door de lucht. Hij hervond zijn evenwicht en boog woedend voorover.

Deze keer kon hij wel bij het spijkerpistool. Hij pakte het op en richtte de loop op Lisbeth Salander. Hij haalde de trekker over.

Er gebeurde niets. Hij keek verbaasd naar het spijkerpistool. Vervolgens keek hij weer naar Lisbeth Salander. Ze hield uitdrukkingsloos de stekker omhoog. Hij smeet het spijkerpistool naar haar toe. Ze boog vliegensvlug opzij.

Toen stak ze de stekker weer in het stopcontact en trok het spijkerpistool weer naar zich toe.

Hij keek in Lisbeth Salanders uitdrukkingsloze ogen en was plotseling verbaasd. Hij wist nu dat ze hem had overwonnen. *Ze is bovennatuurlijk.* Instinctief probeerde hij zijn voet los te trekken van de vloer. *Ze is een monster.* Hij wist zijn voet een paar millimeter op te tillen voordat de koppen van de spijkers bleven steken. De spijkers hadden zich in verschillende hoeken in zijn voeten geboord en om zich los te werken, zou hij letterlijk zijn voeten stuk moeten trekken. Zelfs met zijn haast bovenmenselijke kracht slaagde hij er niet in zich los te rukken van de vloer. Hij zwaaide een paar seconden heen en weer alsof hij elk moment flauw kon vallen. Hij kwam niet los. Hij zag dat er zich langzaam een plas bloed tussen zijn schoenen vormde.

Lisbeth Salander ging recht voor hem op een stoel zonder rugleuning zitten terwijl ze goed oplette of hij zich wellicht wist los te rukken. Omdat hij geen pijn kon voelen, was het slechts een kwestie van kracht of hij de koppen van de spijkers dwars door zijn voeten zou kunnen trekken. Ze zat zijn strijd tien minuten doodstil aan te kijken. Haar ogen waren de hele tijd volstrekt uitdrukkingsloos.

Na een tijdje stond ze op, liep om hem heen en zette het spijkerpistool tegen zijn ruggengraat, vlak onder zijn nek.

Lisbeth Salander dacht diep na. De man voor haar had op grote en kleine schaal vrouwen geïmporteerd, gedrogeerd, mishandeld en verkocht. Hij had minstens acht mensen vermoord, inclusief een politieman in Gosseberga en een lid van de Svavelsjö MC. Ze had er geen idee van hoeveel andere levens haar halfbroer op zijn geweten had, maar dankzij hem was zíj het slachtoffer geworden van een grote klopjacht door heel Zweden en was ze aangeklaagd voor drie moorden die híj had gepleegd.

Haar vingers rustten zwaar op de trekker.

Hij had Dag Svensson en Mia Bergman vermoord.

Samen met Zalachenko had hij háár ook vermoord en in Gosseberga begraven. En nu was hij teruggekeerd om haar opnieuw te vermoorden.

Je kon om minder kwaad worden.

Ze zag geen reden om hem te laten leven. Hij haatte haar met een passie die ze niet begreep. Wat zou er gebeuren als ze hem overdroeg aan de politie? Een proces? Levenslange gevangenisstraf? Wanneer zou hij verlof krijgen? Hoe snel zou hij ontsnappen? En nu haar vader eindelijk dood was, hoeveel jaar zou dan ze nog over haar schouder moeten kijken en moeten wachten tot de dag dat haar broer plotseling voor haar stond? Ze voelde het gewicht van het spijkerpistool. Ze kon de klus nu voor eens en voor altijd afmaken.

Consequentieanalyse.

Ze beet op haar onderlip.

Lisbeth Salander was voor niets en niemand bang. Ze wist dat ze de fantasie miste die daarvoor nodig was – je zou bijna denken dat er toch iets mis was in haar hoofd.

Ronald Niedermann haatte haar en ze haatte hem op even onverzoenlijke wijze. Hij werd één in de reeks mannen zoals Magge Lundin, Martin Vanger, Alexander Zalachenko en tientallen andere hufters die in haar analyse geen excuus hadden om zich onder de levenden te bevinden. Als ze ze allemaal op een onbewoond eiland zou kunnen zetten en een kernwapen zou kunnen afvuren, zou ze opgetogen zijn.

Maar moord? Was dat het waard? Wat zou er met haar gebeuren als ze hem om het leven bracht? Hoe groot was de kans dat ze niet zou worden ontdekt? Wat was ze bereid op te geven voor de bevrediging om het spijkerpistool nog één keer af te kunnen vuren?

Ze kon zelfverdediging en het recht op noodweer aanvoeren ... Nee, dat zou moeilijk kunnen als zijn voeten aan de houten vloer zaten vastgenageld.

Ze moest plotseling aan Harriët Vanger denken, die ook was gekweld door haar vader en door haar broer. Ze herinnerde zich de woordenwisseling die ze met Mikael Blomkvist had gehad, waarbij zij Harriët Vanger in zeer scherpe bewoordingen had veroordeeld. Het was de schuld van Harriët Vanger geweest dat haar broer Martin Vanger jaar in jaar uit zijn moordpraktijken had kunnen voortzetten.

'Wat zou jij doen als je er plotseling achter kwam dat je vader een seriemoordenaar was die je broer neukte?' had Mikael gevraagd.

'De klootzak doodslaan,' had ze geantwoord met een overtuiging die uit het diepst van haar ziel kwam.

En nu bevond ze zich in precies dezelfde situatie als Harriët Vanger destijds. Hoeveel vrouwen zou Ronald Niedermann nog méér vermoorden als ze hem liet lopen? Ze was volwassen en sociaal verantwoordelijk voor haar daden. Hoeveel jaar van haar leven wilde ze opofferen? Hoeveel jaar had Harriët Vanger willen opofferen?

Daarna werd het spijkerpistool te zwaar om het met beide armen tegen zijn ruggengraat te houden.

Ze liet het wapen zakken en had het gevoel dat ze weer met beide benen op de grond kwam te staan. Ze merkte dat Ronald Niedermann onsamenhangend aan het wauwelen was. Hij sprak Duits. Hij had het over een duivel die hem kwam halen.

Ze werd zich er plotseling van bewust dat hij het niet tegen háár had. Hij leek iemand te zien aan de andere kant van de ruimte. Ze draaide haar hoofd om en volgde zijn blik. Er was niets. Ze voelde dat haar nekharen overeind gingen staan.

Ze keerde zich om, haalde de ijzeren stang, ging naar de buitenste hal en zocht haar schoudertas. Toen ze vooroverboog om de tas te pakken, zag ze de bajonet op de vloer liggen. Ze had nog steeds haar handschoenen aan en pakte het wapen op.

Ze aarzelde even en plaatste de bajonet zichtbaar in de middengang tussen de kisten. Ze gebruikte de ijzeren stang en was vervolgens drie minuten bezig om het hangslot los te hakken dat de uitgang versperde.

Ze zat een hele tijd stil in haar auto na te denken. Ten slotte klapte ze haar mobiele telefoon open. Het duurde twee minuten om het telefoonnummer van het clubhuis van de Svavelsjö MC te lokaliseren.

'Ja?' hoorde ze een stem aan de andere kant van de lijn.

'Nieminen,' zei ze.

'Even wachten.'

Ze wachtte drie minuten voor Sonny Nieminen, *acting president* van de Svavelsjö MC aan de lijn kwam.

'Wie is daar?'

'Gaat je geen reet aan,' zei Lisbeth zo zachtjes dat hij de woorden amper kon onderscheiden. Hij kon niet horen of het een man of een vrouw was die belde.

'Aha. Wat wil je?'

'Jij wilt een tip over Ronald Niedermann.'

'O ja?'

'Lul niet. Wil je weten waar hij is of niet?'

'Ik luister.'

Lisbeth gaf een routebeschrijving naar de oude steenfabriek buiten Norrtälje. Ze zei dat Niedermann er lang genoeg zou blijven zodat Nieminen het – als hij zich haastte – zou halen.

Ze klapte haar mobieltje weer dicht, startte de motor en reed naar de OK-pomp aan de overkant van de weg. Ze parkeerde zó dat ze de steenfabriek recht voor zich had.

Ze moest meer dan twee uur wachten. Het was even voor halftwee 's middags toen ze een bestelwagen zag die langzaam op de weg onder haar langsreed. Hij bleef in een parkeervak staan, wachtte vijf minuten, keerde en reed toen de inrit naar de steenfabriek in. Het begon te schemeren.

Ze deed het handschoenenkastje open, pakte een Minolta 2x8 kijker en zag de bestelwagen parkeren. Ze identificeerde Sonny Nieminen en Hans-Åke Waltari en drie personen die ze niet kende. *Prospects. Zij moeten de activiteiten weer gaan opbouwen.*

Toen Sonny Nieminen en zijn kompanen de deur aan de zijkant hadden gevonden, deed ze haar mobiel weer open. Ze stelde een bericht op en mailde dat naar de meldkamer van de politie in Norrtälje.

> politiemoordenaar r. niedermann is in oude steenfabr bij ok-pomp bij skederid. wordt op dit moment vermoord door s. nieminen en leden van de svavelsjö mc. dode vrouw in bassin beg gr.

Ze zag geen beweging bij of in de fabriek.

Ze nam de tijd op.

Terwijl ze wachtte, haalde ze de simkaart uit haar telefoon en maakte hem onklaar door hem met een nagelschaartje doormidden te knippen. Ze deed het raampje omlaag en gooide de stukjes naar buiten. Daarna haalde ze een nieuwe simkaart uit haar portemonnee en deed hem in haar telefoon. Ze gebruikte prepaidkaarten van Comviq. Die waren bijna onmogelijk op te sporen en in kaart te brengen. Ze belde naar Comviq en laadde 500 kronen op de nieuwe kaart.

Het duurde elf minuten voordat een patrouillewagen zonder sirene maar mét zwaailicht vanaf de kant van Norrtälje aan kwam rijden. De wagen parkeerde bij de oprit naar de fabriek. Hij werd een minuut later gevolgd door twee politieauto's. Ze overlegden even, reden achter elkaar aan naar de steenfabriek en parkeerden naast de bestelwagen van Nieminen. Ze deed haar kijker omhoog. Ze zag een van de politiemensen een communicatieradio oppakken en het kenteken van de bestelwagen rapporteren. De politiemensen keken om zich heen, maar wachtten af. Twee minuten later zag ze nóg een patrouillewagen met grote snelheid naderen.

Ze besefte plotseling dat alles eindelijk voorbij was.

Het verhaal dat was begonnen op de dag dat ze geboren was, eindigde bij de steenfabriek.

Ze was vrij.

Toen de politie versterkingswapens uit de patrouillewagen ging halen, kogelvrije vesten aantrok en zich over het fabrieksterrein begon te verspreiden, ging Lisbeth Salander bij de benzinepomp naar binnen en kocht een *coffee to go* en een verpakt broodje. Ze at aan een statafel.

Het was donker toen ze terugliep naar de auto. Net toen ze de deur opendeed, hoorde ze aan de andere kant van de weg twee flauwe knallen van, naar ze aannam, een handvuurwapen. Ze zag diverse zwarte figuren, politiemensen, in de buurt van de ingang tegen de gevel gedrukt staan. Ze hoorde sirenes toen er nóg een patrouillewagen van de kant van Uppsala aan kwam rijden. Een paar personenauto's waren langs de kant van de weg stil blijven staan om het spektakel te aanschouwen.

Ze startte haar bordeauxrode Honda, reed de E18 op en stuurde op huis aan.

Het was zeven uur 's avonds toen Lisbeth Salander tot haar grenzeloze irritatie de bel hoorde gaan. Ze lag in bad in water waar de damp nog steeds vanaf kwam. Er was redelijkerwijs maar één iemand die reden kon hebben om bij haar aan te bellen.

Ze was eerst van plan om de bel te negeren, maar bij het derde signaal zuchtte ze en wikkelde ze een badlaken om haar lichaam. Ze schoof haar onderlip naar voren en liep druipend door de hal.

'Hoi,' zei Mikael Blomkvist toen ze opendeed.

Ze gaf geen antwoord.

'Heb je naar het nieuws geluisterd?'

Ze schudde haar hoofd.

'Ik dacht dat je het misschien aardig zou vinden om te weten dat Ronald Niedermann dood is. Hij is vandaag in Norrtälje door een stelletje van de Svavelsjö MC om zeep gebracht.'

'Is dat zo?' vroeg Lisbeth Salander beheerst.

'Ik heb een wachtcommandant in Norrtälje gesproken. Het lijkt een interne afrekening. Niedermann is kennelijk mishandeld en afgetuigd met een bajonet. Er is een tas aangetroffen met honderdduizenden kronen.'

'O.'

'Die bende van Svavelsjö is ter plaatse opgepakt. Ze boden weerstand. Er ontstond een vuurgevecht en de politie moest de hulp van de mobiele eenheid in Stockholm inroepen. Svavelsjö is tegen zessen vanavond gecapituleerd.'

'Aha.'

'Je oude vriend Sonny Nieminen uit Stallarholmen heeft het loodje gelegd. Hij flipte totaal en probeerde zich vrij te schieten.'

'Mooi.'

Mikael Blomkvist bleef een paar seconden staan zonder wat te zeggen. Ze keken elkaar door de spleet van de deur aan.

'Stoor ik?' vroeg hij.

Ze haalde haar schouders op.

'Ik lag in bad.'

'Ik zie het. Wil je gezelschap hebben?'

Ze keek hem scherp aan.

'Ik bedoel niet in bad. Ik heb bagels bij me,' zei hij en hij hield een zak omhoog. 'Ik heb bovendien espressokoffie gekocht. Als je een Jura Impressa X7 in je keuken hebt staan, moet je toch minstens weten hoe je hem moet gebruiken.'

Ze fronste haar wenkbrauwen. Ze wist niet of ze teleurgesteld moest zijn of opgelucht.

'Alleen gezelschap?' vroeg ze.

'Alleen gezelschap,' bevestigde hij. 'Ik ben een goede vriend die een goede vriendin komt opzoeken. Als ik welkom ben, tenminste.'

Ze aarzelde een paar seconden. Ze had zich twee jaar lang zo ver mogelijk bij Mikael Blomkvist vandaan gehouden. Toch leek hij onlosmakelijk verbonden met haar leven, zoiets als kauwgom onder een schoenzool. Hetzij op internet, hetzij in het echte leven. Op het net was er geen probleem. Daar bestond hij alleen uit nullen en enen. In het werkelijke leven bij haar voor de deur was hij nog steeds die ongelofelijk aantrekkelijke man. En hij kende haar geheimen op dezelfde manier als zij zijn geheimen kende.

Ze keek hem aan en constateerde dat ze geen gevoelens meer voor hem had. Dat wil zeggen, niet meer van díé gevoelens.

Hij was het afgelopen jaar inderdaad haar vriend geweest.

Ze vertrouwde hem. Misschien. Het ergerde haar dat een van de weinige mensen die ze vertrouwde, een man was die ze voortdurend probeerde te ontwijken.

Ze nam plotseling een besluit. Het was onnozel om te doen alsof hij niet bestond. Het deed niet langer pijn om hem te zien.

Ze schoof de deur open en liet hem opnieuw toe in haar leven.